资治通鉴

全本全注全译

第十四册

梁纪

[宋]司马光 编著
张大可 韩兆琦 等 注译

浙江人民出版社

浙江省版权局
著作权合同登记章
图字:11-2023-344号

图书在版编目（CIP）数据

资治通鉴全本全注全译. 第十四册 / （宋）司马光编著 ； 张大可等注译. -- 杭州 ： 浙江人民出版社， 2024. 10（2025. 6重印）. -- ISBN 978-7-213-11679-7

Ⅰ. K204. 3

中国国家版本馆CIP数据核字第2024DU4420号

资治通鉴全本全注全译　第十四册

ZIZHI TONGJIAN QUANBEN QUANZHU QUANYI

［宋］司马光　编著　　张大可　韩兆琦　等　注译

出版发行：浙江人民出版社（杭州市环城北路 177 号　邮编　310006）
市场部电话：（0571）85061682　85176516
选题策划：胡俊生
项目统筹：潘海林　魏　力
责任编辑：方　程
特约编辑：褚　燕
营销编辑：张紫懿
责任校对：汪景芬　何培玉　马　玉　姚建国
责任印务：程　琳　幸天骄
封面设计：北京之江文化传媒有限公司
电脑制版：北京之江文化传媒有限公司
印　　刷：浙江新华数码印务有限公司
开　　本：710 毫米 ×1000 毫米　1/16　　印　　张：39.75
字　　数：776 千字　　插　　页：4
版　　次：2024 年 10 月第 1 版　　印　　次：2025 年 6 月第 2 次印刷
书　　号：ISBN 978-7-213-11679-7
定　　价：124.00 元

目　录

卷第一百四十五　梁纪一

起玄黓敦牂（壬午，公元五〇二年），尽阏逢涒滩（甲申，公元五〇四年），凡三年。

【题解】

本卷写梁武帝萧衍天监元年（公元五〇二年）至天监三年共三年间南朝梁与北魏两国的大事。主要写了萧衍初掌朝权，以范云、沈约、任昉为亲信，沈约、范云劝萧衍早即尊位，而沈约表现得尤其贪婪、自私。写了萧衍先被齐宣德太后封为梁公，加封十郡，后又被封为梁王，再加十郡；接着齐和帝萧宝融东归至姑孰，宣布让位于萧衍，宣德太后亦宣布退位，于是萧衍即皇帝位、改元。写了萧衍先杀了萧鸾的儿子萧宝晊等兄弟三人，接着又杀了萧鸾的其他诸子，只有萧宝寅在众人的帮助下逃到寿阳投降了魏人。写了萧衍残杀萧宝融之狠毒，借口是用沈约之谋，但对沈约深表蔑视的虚伪。写了萧宝卷的党羽孙文明等入宫作乱，杀死卫尉张弘策，火烧神虎门、总章观，被王茂、张惠绍等率军讨诛之。写了陈伯之目不识丁，又在邓缮、褚緭等人的鼓动下起兵造反，结果兵败逃降魏国。写了益州刺史刘季连于萧衍篡齐之际首鼠观望，又在旧吏朱道琛的挑拨下，据守成都以拒新刺史邓元起之入代，最后失败回建康请罪，萧衍赦之为庶人。写了假隐士谢朏奉诏入朝，被任命为侍中、尚书令，却不过问职事，带有一股十足的酸腐之气。写了魏将元英率大军进攻义阳，破梁军于贤首山；又派傅竖眼等进攻东

【原文】

高祖武皇帝[①]

天监元年[②]**（壬午，公元五〇二年）**

春，正月，齐和帝遣兼侍中席阐文[③]等慰劳建康。

大司马衍[④]下令："凡东昏时浮费[⑤]，自非[⑥]可以习礼乐之容，缮甲兵之备者，余皆禁绝。"

戊戌[⑦]，迎宣德太后入宫，临朝称制[⑧]，衍解承制[⑨]。己亥[⑩]，以

关、大岘，擒梁将司马明素，斩其长史潘伯邻，又败梁将吴子阳于白沙关。写了陈伯之被派率军南伐，破梁将赵祖悦于东关；任城王元澄之母孟氏率寿阳军民抵抗梁将姜庆真之乘虚进攻，而与萧宝寅合破姜庆真军。写了元澄攻钟离，俘获梁将张惠绍，后因淮水暴涨，魏军撤退不及，狼狈损失四千人，元澄被降三级。写了魏军围攻义阳，梁司州刺史蔡道恭随方抵抗，斩获甚多；萧衍派名将马仙琕救义阳，被魏将傅永击败，后值蔡道恭病死，义阳遂被魏军所占，梁之三关戍将亦皆弃城而走，魏将元英因功被立为中山王。写了梁国的角城戍主柴庆宗以城降魏，魏将吴秦生率军迎之，击破淮阴派出的救援之军，遂取角城。写了魏国的佞幸赵脩因专权跋扈而被外戚高肇罗织下狱，被尚书令元绍所杀。写北海王元详与魏主的宠幸茹皓以及安定王元燮等相互勾结，招权纳贿，气焰凶盛，被外戚高肇向魏主进谗，致茹皓、刘胄诸小人被杀，元详死于狱；接着高肇又进一步迫害魏国的宗室诸王，诸王被监守如同坐牢。此外还写了魏国的名臣源怀视察北方六镇与恒、燕、朔三州，源怀秉公行事，惩治了严重的违法犯罪，又建议整修北部边防，使能犬牙相救，劝农积粮，以防后患，魏主从之等。

【语译】

高祖武皇帝

天监元年（壬午，公元五〇二年）

春季，正月，齐和帝萧宝融派遣兼任侍中之职的席阐文等人前往建康慰劳萧衍的军队。

齐国担任大司马的萧衍下令说："凡是东昏侯萧宝卷执政时候超出规定的开支，如果不是用来练习礼乐，或是用来修缮武器的费用，其余的一律取消。"

初九日戊戌，大司马萧衍迎请宣德太后王氏回到皇宫，行使皇帝职权，当朝处理朝政，萧衍主动解除了自己代表皇帝行使职权的身份。初十日己亥，齐国朝廷任

宁朔将军萧昺⑪监南兖州诸军事。昺，衍之从父弟也。壬寅⑫，进大司马衍都督中外诸军事，剑履上殿，赞拜不名⑬。己酉⑭，以大司马长史王亮⑮为中书监、兼[1]尚书令。

初，大司马与黄门侍郎范云⑯、南清河太守沈约⑰、司徒右长史任昉⑱同在竟陵王西邸⑲，意好敦密⑳，至是，引云为大司马谘议参军、领录事㉑，约为骠骑司马㉒，昉为记室参军㉓，与参谋议。前吴兴太守谢朏㉔、国子祭酒何胤㉕先皆弃官家居，衍奏征为军谘祭酒㉖，朏、胤皆不至。

大司马内有受禅㉗之志，沈约微扣其端㉘，大司马不应。他日，又进曰："今与古异，不可以淳风期物㉙。士大夫攀龙附凤[2]，皆望有尺寸之功。今童儿牧竖㉚皆知齐祚已终㉛，明公当承其运，天文谶记㉜又复炳然㉝。天心不可违，人情不可失。苟历数㉞所在，虽欲谦光㉟，亦不可得已。"大司马曰："吾方思之。"约曰："公初建牙樊、沔㊱，此时应思㊲；今王业已成，何所复思㊳？若不早定大业，脱㊴有一人立异㊵，即损威德㊶。且人非金石㊷[3]，时事难保，岂可以建安之封㊸遗之子孙㊹？若天子还都㊺，公卿在位㊻，则君臣分定，无复异心，君明于上，臣忠于下，岂复有人方更同公作贼㊼？"大司马然之。约出，大司马召范云告之，云对略同约旨㊽。大司马曰："智者乃尔暗同㊾。卿明早将休文更来㊿！"云出，语约，约曰："卿必待我！"云许诺，而约先期[51]入。大司马命草具其事[52]，约乃出怀中诏书并诸选置[53]，大司马初无所改[54]。俄而[55]云自外来，至[4]殿门，不得入，徘徊寿光阁[56]外，但云"咄咄[57]！"约出，

命担任宁朔将军的萧昺监南兖州诸军事。萧昺，是萧衍的堂弟。十三日壬寅，宣德太后提升大司马萧衍为都督中外诸军事，给予萧衍可以身带佩剑、穿着鞋子上殿，在朝见皇帝的时候，赞礼官不直接称呼萧衍的名字，只称呼萧衍官爵的特殊待遇。二十日己酉，齐国朝廷任命在大司马萧衍手下担任长史的王亮为中书监兼尚书令。

当初，大司马萧衍与担任黄门侍郎的范云、担任南清河太守的沈约、担任司徒右长史的任昉一同在西州城竟陵王萧子良的门下为幕僚，他们之间的感情亲密敦厚；现在，萧衍便提拔范云担任了大司马谘议参军、代理录尚书事的职务，提拔沈约为骠骑司马、任昉为记室参军，一同参与谋划商议国家大事。前任吴兴太守谢朏、国子祭酒何胤此前全都弃官在家闲居，萧衍奏请宣德太后征调他们担任军谘祭酒，谢朏、何胤都没有应诏到京赴任。

大司马萧衍心里很想让和帝萧宝融把皇位禅让给自己，沈约含蓄地试探萧衍的口风，萧衍没有回答。过了几天，沈约又向萧衍建议说："现在和古代不一样，不能像古代的舜、大禹那样期望着尧、舜会主动地把君主之位让给自己。士大夫们攀龙附凤，全都希望能够建立大大小小的功劳。如今就连那些小孩子、放牧的人都知道齐国的国运已经到头了，应该由您继承齐国的国运，天文星象所预示的种种征兆与社会民间所出现的种种谶语又是这样的清楚明白。天意是不可以违背的，民心是不能失去的。如果命中注定您该做皇帝，即使您光明正大地谦退礼让，也是不可能的。"萧衍说："我正在考虑这件事情。"沈约说："您当初在樊城、汉水旁的襄阳发动起义的时候，您就应该想到必然会有这么一天；如今帝王的基业已经建立，您还有什么可犹豫的？如果您不早日登基称帝，说不定哪一天突然有人提出不同意见，指立其他某个人为皇帝，那时您再处置他，就会有损于您的威望。况且人的寿命并不能像金石那样长久，日后会有什么变化也很难预料，您难道甘心只把建安郡公的封爵传给自己的子孙吗？一旦身在江陵的和帝回到都城建康，三公九卿满朝的文武大臣全都各就各位，君臣的名分就已经确定，臣下就不会再有其他的非分之想，在上有英明的皇帝，在下有忠诚的臣子，到那时还会有谁愿意与您一道去做那种弑君篡位的事情？"大司马萧衍认为沈约的意见很有道理。沈约出去之后，萧衍立即召见范云，把沈约所说的一番话告诉了范云，范云的回答与沈约的说法差不多。萧衍感慨地说："智者的看法竟然如此不约而同。你明天早晨再带着沈约一同到我这里来商议此事！"范云出去以后，便把明天一同去见萧衍的话通知了沈约，沈约说："明天你一定要等着我！"范云答应了沈约，沈约却在约好的时间之前来到了萧衍那里。萧衍令沈约草拟一个让和帝禅位的详细过程和具体做法，沈约立即从怀中掏出早已准备好的皇帝诏书以及朝廷各官员的安排任命，萧衍对沈约草拟的文件一点也没有变更。不一会儿，范云从外边进来，走到宫殿门口的时候，警卫人员却不放范云进去，范云只好在寿光阁外往来徘徊，嘴里自言自语地说："真是怪事，真是怪事！"沈约出来以后，

问曰："何以见处㊳？"约举手向左㊴，云笑曰："不乖所望㊵。"有顷，大司马召云入，叹约才智纵横，且曰："我起兵于今三[5]年矣，功臣诸将实有其劳，然成帝业者，卿二人也。"

甲寅㊶，诏进大司马位相国，总百揆㊷，扬州牧，封十郡㊸为梁公，备九锡之礼㊹，置梁百司㊺，去录尚书之号，骠骑大将军如故。二月辛酉㊻，梁公始受命。

齐湘东王宝晊㊼，安陆昭[6]王缅㊽之子也，颇好文学。东昏侯死，宝晊望物情归己㊾，坐待法驾㊿。既而王珍国等送首梁公(71)，梁公以宝晊为太常，宝晊心不自安。壬戌(72)，梁公称宝晊谋反，并其弟江陵公宝览、汝南公宝宏(73)皆杀之。

丙寅(74)，诏梁国选诸要职(75)，悉依天朝(76)之制。于是以沈约为吏部尚书兼右仆射，范云为侍中(77)。

梁公纳东昏余妃，颇妨政事，范云以为言(78)，梁公未之从。云与侍中、领军将军王茂(79)同入见，云曰："昔沛公(80)入关(81)，妇女无所幸，此范增(82)所以畏其志大(83)也。今明公始定建康，海内想望风声(84)，奈何袭乱亡之迹(85)，以女德为累(86)乎？"王茂起拜曰："范云言是也。公必以天下为念，无宜留此(87)。"梁公默然。云即请以余氏赉(88)王茂，梁公贤其意(89)而许之。明日，赐云、茂钱各百万。

丙戌(90)，诏梁公增封十郡(91)，进爵为王。癸巳(92)，受命(93)，赦国内及府州所统[7]殊死以下(94)。

范云向沈约询问说："安排我做什么？"沈约举起手来向左指了指，意思是说让你做个尚书左仆射，范云笑着说："和我的期望正好相同。"过了一会儿，萧衍招呼范云进宫，萧衍在范云面前不停地称赞沈约的多才多智，并且说："我起兵到今天已经三年了，手下的功臣和诸将确实建立了功劳，然而帮助我最终成就帝王之业的，只有你们两个人。"

正月二十五日甲寅，宣德太后下诏，晋封大司马萧衍为相国、总百揆、扬州牧，同时把豫州之梁郡、历阳，南徐州之义兴，扬州之淮南、宣城、吴兴、会稽、新安、东阳、吴郡这十个郡作为梁国分封给萧衍，并给予梁公萧衍九种特殊的待遇，在梁国内分职设官建立起一套与当时的建康朝廷完全相同的朝廷班子，撤销萧衍所担任的录尚书事的职务，骠骑大将军的职务依然保留。二月初二日辛酉，梁公萧衍开始正式接受这一诏命。

齐国的湘东王萧宝晊，是安陆昭王萧缅的儿子，他很喜好文学。东昏侯萧宝卷被杀死之后，萧宝晊便盼望着人心归向自己，立自己为皇帝，于是便坐在家里专等公卿大臣用皇帝的车驾来迎接自己入宫继承皇位。后来王珍国等人把东昏侯的人头送给了梁公萧衍，萧衍任命湘东王萧宝晊为太常，萧宝晊心里感到很不安。二月初三日壬戌，萧衍宣称萧宝晊谋反，将萧宝晊连同他的两个弟弟江陵公萧宝览、汝南公萧宝宏一同诛杀了。

二月初七日丙寅，齐国的宣德太后下诏令梁国在选拔任用各种重要官职的时候，要全部依照天子之朝的制度。于是梁公萧衍任命沈约为吏部尚书兼任尚书右仆射，任命范云为侍中。

梁公萧衍把东昏侯的余姓妃子留在了自己的身边，由于萧衍整天与余妃嬉戏取乐，非常耽误政务，担任侍中的范云对此提出了劝告，萧衍没有听从范云的劝告。范云与担任侍中、领军将军的王茂一同进见，范云说："过去汉高祖刘邦占据关中的时候，对秦朝皇宫中的那些美女一个也不宠幸，霸王项羽的谋臣范增以此知道刘邦志向远大，因而对刘邦深感忧惧。如今您刚刚平定了建康，全国之人都在盼望能看到您的美好风度和声望，您为什么非要步昏乱亡国之君的后尘，以喜好女色成为自己的缺点呢？"王茂起身叩拜说："范云说的话是对的，您一定要以天下苍生为念，不应该把余姓女子留在自己身边。"萧衍默不作声。范云立即请求萧衍把余氏赏赐给王茂，萧衍很欣赏范云的好主意，就答应了范云的请求。第二天，萧衍分别赐给范云、王茂每人一百万铜钱。

二月二十七日丙戌，齐国的宣德太后下诏将豫州之南谯、庐江，江州之寻阳，郢州之武昌、西阳，南徐州之南琅邪、南东海、晋陵，扬州之临海、永嘉这十个郡加封给梁公萧衍，晋封萧衍为梁王。三月初五日癸巳，萧衍接受封爵为梁王，并下令赦免梁国境内以及扬州牧、骠骑大将军府所管辖之下的死刑犯以下的所有罪犯。

辛丑[95]，杀齐邵陵王宝攸、晋熙王宝嵩、桂阳王宝贞[96]。

梁王将杀齐诸王，防守犹未急[97]。鄱阳王宝寅家阉人颜文智，与左右麻拱等密谋穿墙夜出宝寅[98]，具小船于江岸，著乌布襦[99]，腰系千余[8]钱，潜赴江侧，蹑屩徒步[100]，足无完肤。防守者至明追之，宝寅诈为钓者，随流上下[101]十余里，追者不疑。待散[102]，乃渡西岸[103]，投民华文荣家，文荣与其族人天龙、惠连弃家将宝寅逋匿[104]山涧，赁驴[105]乘之，昼伏宵[9]行，抵寿阳之东城[106]。魏戍主杜元伦驰告扬州刺史任城王澄[107]，以车马侍卫迎之。宝寅时年十六，徒步憔悴，见者以为掠卖生口[108]。澄待以客礼，宝寅请丧君斩衰之服[109]，澄遣人晓示情礼，以丧兄齐衰[110]之服给之。澄帅官僚赴吊，宝寅居处有礼，一同极哀之节[111]。寿阳多其义故[112][10]，皆受慰唁[113]，唯不见夏侯一族[114]，以夏侯详[115]从梁王故也。澄深器重之。

齐和帝东归[116]，以萧憺[117]为都督荆、湘等六州诸军事，荆州刺史。荆州军旅之后，公私空乏，憺厉精为治[118]，广屯田[119]，省力役[120]，存问兵死之家[121]，供其乏困。自以少年居重任，谓佐吏曰："政之不臧[122]，士君子所宜共惜[123]。吾今开怀[124]，卿其无隐[125]！"于是人人得尽意。民有讼者[126]皆立前待符教[127]，决于俄顷[128]，曹无留事[129]，荆人大悦。

齐和帝至姑孰[130]，丙辰[131]，下诏禅位于梁。

十三日辛丑，梁王萧衍诛杀了齐国的邵陵王萧宝攸、晋熙王萧宝嵩、桂阳王萧宝贞。

梁王萧衍准备把齐国的那些萧姓诸侯王全部杀死，但对他们的防守还不是十分紧急严密。鄱阳王萧宝寅家的太监颜文智，与萧宝寅身边的侍从麻拱等秘密地把王府的围墙打了一个洞，在夜间将萧宝寅救出，并预先在长江岸准备了一艘小船，萧宝寅身穿黑布短袄，腰里携带着一千多枚铜钱，偷偷地奔赴长江边，由于脚上穿的是草鞋，徒步行走，所以脚上被磨得已经没有一块好皮肤。负责防守萧宝寅的那些人到天亮时发现萧宝寅已经逃走，便四处追赶，萧宝寅假装成一个钓鱼的，为了逃避追兵，便有时沿江上行，有时沿江下行，漂流了十多里，追赶他的人对假扮成渔翁的萧宝寅始终没有产生怀疑。等到追捕的人全部散去之后，萧宝寅才向西渡过长江来到西岸，投奔到百姓华文荣的家里，华文荣和自己的族人华天龙、华惠连抛弃了自己的家业带着萧宝寅在山涧之中躲藏，他们向村民租了一头驴给萧宝寅乘坐，白天就躲藏起来，夜间再继续前行，终于抵达了寿阳的东城。魏国一个军事据点的头目杜元伦飞马报告了担任扬州刺史的任城王元澄，元澄派车马侍卫前往迎接鄱阳王萧宝寅。萧宝寅当时只有十六岁，由于徒步奔走，面容憔悴，看见萧宝寅的人都以为他是被劫持贩卖的奴隶。元澄以客人之礼接待了鄱阳王萧宝寅，萧宝寅请求元澄允许自己为被杀死的齐国皇帝萧宝卷服最重的丧服，元澄派人向萧宝寅说明情理，然后把弟弟应该为兄长所服的丧服给了萧宝寅。元澄率领手下的官员僚属前往萧宝寅的住所进行吊唁，萧宝寅在自己的住所按照礼节为自己的哥哥萧宝卷服丧，但在心理感情上仍然是按照丧君、丧父的礼节进行，内心极度哀痛。寿阳城内有许多人都是萧宝寅的老相识，所以全都到萧宝寅的住处来安慰他，唯独不见夏侯氏一族的人前来慰问，因为夏侯详跟随了梁王萧衍的缘故。元澄对萧宝寅十分器重。

齐和帝萧宝融由荆州东归建康，他任命萧衍的弟弟萧憺为都督荆、湘等六州诸军事、荆州刺史。荆州经过战乱之后，无论是官府还是私人，物资都已极度匮乏，萧憺竭尽一切精力搞好各项工作，组织军队和动员百姓大量开荒种地，开展农业生产，扩大粮食与各种物资的收入，减少百姓的徭役，抚恤、慰问那些跟随萧衍东征而战死的士兵家属，在他们经济困难的时候，为他们提供救济。萧憺认为自己还很年轻就担任了重要职务，于是就对自己的僚佐们说：“我们荆州刺史府的工作如果搞不好，你们大家也应该感到惋惜。我现在对你们开诚布公，你们也不要有话不说!”于是人人都充分发表意见，畅所欲言。民间有诉讼的百姓，都站在萧憺面前，等待萧憺作出决断，萧憺顷刻之间就能拿出处理意见，荆州各部门都没有拖拉不办的事情，荆州的百姓非常高兴。

齐和帝萧宝融到达姑孰，三月二十八日丙辰，萧宝融下诏把皇位禅让给梁王萧衍。

丁巳[132]，庐陵王宝源卒[133]。

鲁阳蛮鲁北燕[134]等起兵攻魏颍州[135]。

夏，四月辛酉[136]，宣德太后令曰："西诏[137]至，帝宪章[138]前代，敬禅神器于梁[139]，明可临轩[140]，遣使恭授玺绂[141]，未亡人[142]归于别宫。"壬戌[143]，发策[144]，遣兼太保、尚书令亮[145]等奉皇帝玺绂[11]诣梁宫。丙寅[146]，梁王即皇帝位于南郊，大赦，改元[147]。是日，追赠兄懿为丞相，封长沙王，谥曰宣武，葬礼依晋安平献王[148]故事。丁卯[149]，奉和帝为巴陵王，宫于姑孰，优崇之礼，皆仿齐初[150]。奉宣德太后为齐文帝[151]妃，王皇后[152]为巴陵王妃。齐世王侯封爵，悉从降省[153]，唯宋汝阴王不在除例[154]。追尊皇考[155]为文皇帝，庙号太祖；皇妣为献皇后。追谥妃郗氏曰德皇后。封文武功臣车骑将军夏侯详等十五人[156]为公、侯。立皇弟中护军宏为临川王，南徐州刺史秀为安成王，雍州刺史伟为建安王，左卫将军恢为鄱阳王，荆州刺史憺[157]为始兴王；以宏为扬州刺史[158]。

丁卯[159]，以中书监王亮为尚书令[160]，相国左长史王莹[161]为中书监，吏部尚书沈约为尚书仆射，长兼侍中[162]范云为散骑常侍、吏部尚书。

诏凡后宫[163]、乐府[164]、西解[165]、暴室[166]诸妇女一皆放遣[167]。

戊辰[168]，巴陵王卒[169]。时上欲以南海郡[170]为巴陵国，徙王居之。沈约曰："古今殊事[171]，魏武[172]所云'不可慕虚名而受实祸[173]。'"上颔之[174]，乃遣所亲郑伯禽诣姑孰，以生金[175]进王，王曰："我死不须金，醇酒足矣。"乃饮沈醉；伯禽就摺杀[176]之。王之镇荆州[177]也，琅邪颜见远为录事参军[178]，及即帝[12]位，为治书侍御史兼中丞[179]，既禅位，见远不食数日而卒[180]。上闻之曰："我自应天从人[181]，何预[182]天下士大夫事，而颜见远乃至于此！"

二十九日丁巳，担任会稽太守的庐陵王萧宝源去世。

魏国境内鲁阳郡的少数民族头领鲁北燕等聚众起兵进攻魏国的颍州。

夏季，四月初三日辛酉，齐国宣德太后下令说："和帝已经从西面的姑孰发来了诏书，他效法前代，真心诚意地把皇帝位禅让给梁王萧衍，明天梁王就可以临朝即皇帝位，我将派遣使者恭敬地把皇帝的印信交给梁王，我也将搬回到原来的宫室居住。"初四日壬戌，宣德太后发布了和帝退位的册书，派遣兼任太保、尚书令的王亮等人捧着皇帝的玺印前往梁王萧衍的王宫。初八日丙寅，梁王在建康南郊即皇帝位，大赦天下，改年号为天监。当天，梁武帝萧衍追赠自己的哥哥萧懿为丞相，追封萧懿为长沙王，谥号宣武，并按照晋朝司马炎安葬安平献王司马孚的礼节安葬了长沙宣武王萧懿。初九日丁卯，梁武帝萧衍尊奉和帝萧宝融为巴陵王，在姑孰为萧宝融建造了宫殿，对萧宝融优待尊崇的礼节，完全仿照齐太祖萧道成篡位之初对已经退位的宋顺帝刘凖表示尊崇的那一套做法。尊奉宣德太后为齐文帝妃，尊和帝的皇后王氏为巴陵王妃。齐国时期的那些王爵、侯爵，一律降级或废除，只有宋汝阴王刘凖的封爵不在降低、废除之列。梁武帝追尊自己的父亲萧顺之为文皇帝，庙号太祖；追尊自己的母亲为献皇后。追封自己已死的妃子郗氏为德皇后。封自己手下以车骑将军夏侯详等为首的文武功臣十五个人为公爵、侯爵。封自己的弟弟担任中护军的萧宏为临川王，担任南徐州刺史的萧秀为安成王，担任雍州刺史的萧伟为建安王，担任左卫将军的萧恢为鄱阳王，担任荆州刺史的萧憺为始兴王；任命临川王萧宏为扬州刺史。

四月初九日丁卯，梁武帝任命担任中书监的王亮为尚书令，任命担任相国左长史的王莹为中书监，任命担任吏部尚书的沈约为尚书仆射，长期兼任侍中的范云为散骑常侍、吏部尚书。

梁武帝下诏，凡是齐国后宫中的一切女人、属于乐府属下的歌舞女以及西府官舍中、宫廷监狱中的所有妇女全部打发她们回家。

四月初十日戊辰，巴陵王萧宝融去世。当时梁武帝萧衍想把南海郡作为巴陵国，让巴陵王迁到那里去居住。尚书仆射沈约说："古今所处的形势不同，处理问题的方式也应该有所不同，魏武帝曹操曾经说：'不能因为仰慕一种虚名而受到实际的灾祸。'"梁武帝点头答应，于是就派自己的亲信郑伯禽前往姑孰，把一些金子进献给巴陵王，巴陵王说："我死不需要金子，只要有美酒就足够了。"于是巴陵王喝得酩酊大醉；郑伯禽趁巴陵王醉酒，就上前弄死了他。巴陵王萧宝融在担任荆州刺史的时候，琅邪郡人颜见远在他的属下担任录事参军，等到萧宝融被推尊为皇帝以后，颜见远担任治书侍御史兼任御史中丞，等到萧宝融把皇帝位禅让给梁王萧衍以后，颜见远就开始绝食，几天之后死去。梁武帝听说这件事之后说："我做皇帝是上应天命下顺民心，与天下士大夫有何相干，而颜见远竟至于如此绝食而死！"

庚午[183]，诏有司依周、汉故事，议赎刑条格[184]，凡在官[185]身犯鞭杖之罪，悉入赎停罚；其台省令史、士卒欲赎者听之。

以谢沭县公宝义[186]为巴陵王，奉齐祀[187]。宝义幼有废疾，不能言，故独得全。

齐南康侯子恪[188]及弟祁阳侯子范尝因事入见，上从容谓曰：“天下公器[189]，非可力取，苟无期运[190]，虽项籍[191]之力终亦败亡。宋孝武[192]性猜忌，兄弟粗有令名[193]者皆鸩之，朝臣以疑似[194]枉死者相继[195]。然或疑而不能去，或不疑而卒为患。如卿祖[196]以材略见疑，而无如之何[197]。湘东[198]以庸愚不疑，而子孙皆死其手。我于时已生，彼岂知我应有今日？固知有天命者非人所害[199]。我初平建康，人皆劝我除去卿辈[200]以壹物心[201]，我于时依而行之，谁谓不可？正以江左以来[202]，代谢之际[203]，必相屠灭[204]，感伤和气[205]，所以国祚[206]不长。又，齐、梁虽云革命[207]，事异前世，我与卿兄弟虽复绝服[208]，宗属未远[209]。齐业之初亦共甘苦[210]，情同一家，岂可遽如行路之人[211]？卿兄弟果有天命，非我所杀[212]；若无天命，何忽行此[213]？当足示无度量[214]耳！且建武涂炭卿门[215]，我起义兵，非唯自雪门耻[216]，亦为卿兄弟报仇。卿若能在建武、永元之世[217]拨乱反正[218]，我岂得不释戈推奉[219]邪？我自取天下于明帝家，非取之于卿家也。昔刘子舆[220]自称成帝子，光武言：‘假使成帝更生，天下亦不可复[13]得，况子舆乎？’[221]曹志[222]，魏武帝之孙，为晋忠臣。况卿今日犹

四月十二日庚午，梁武帝下诏说有关部门可以依照周代、汉代的做法，商定出一套用钱财赎罪的条例，凡是在任的官员，自身犯了鞭打杖击之罪，都可以出钱赎罪而停止受刑罚；其他那些台省的令史、士卒犯罪之后想拿钱赎罪的一律允许。

梁武帝封谢沭县公萧宝义为巴陵王，继续维持对齐国列祖列宗的祭祀。巴陵王萧宝义从小就是一个残疾人，不能说话，所以只有他保住了性命。

齐国时期的南康侯萧子恪和他的弟弟祁阳侯萧子范曾经因为有事入宫进见梁武帝，梁武帝从容地对他们说："天下，是人所共有的器物，不是凭借气力就可以夺取的，如果没有天命，即使有楚霸王项羽那样力拔山兮气盖世的力量最终也只能以败亡而告终。宋孝武帝刘骏生性猜疑妒忌，他的兄弟如果有谁在臣民当中稍微有些声誉和名望，他都要想方设法把他们弄死，朝臣当中以似是而实非的罪名被冤杀的一个接着一个。当时虽然有人受到宋孝武帝的怀疑，孝武帝却对他无可奈何；有人并没有受到宋孝武帝的怀疑，最终却成为他的祸患。像你的祖父萧道成就是因为具有文才武略而受到宋孝武帝怀疑的人，刘骏对他却无可奈何。湘东王刘彧因为才能平庸愚钝，没有引起宋孝武帝的怀疑，而孝武帝的子孙全都死在刘彧的手中。我那时已经出生，刘骏难道知道我会有今天吗？所以知道有天命的人不是谁想害就能害得了的。我刚刚率军占据建康的时候，人们都劝说我杀掉你们这些萧道成的子孙以统一全国、稳定人心，我当时如果按照他们的意见将你们这些人杀死，谁能说不可以呢？正是因为自从晋室渡江建都建康以来，每当朝代更替之间，新夺取皇位的人一定要杀光上一个王朝皇室的子孙，而损伤了太和之气，所以国家政权都维持得不长久。再有，从齐国进入到梁国，虽然说是改朝换代，毕竟和以前的朝代更替不完全一样，我与你们兄弟虽然按血缘关系已经出了五服，但同属一个萧氏家族，关系并不是很远。当初齐太祖萧道成从宋顺帝刘準的手中夺取江山的时候，我的父亲萧顺之也曾经与之同甘共苦，为其效了犬马之劳，与你们情同一家，岂能一下子就变成毫不相干的陌路之人？如果你们兄弟果然得到上天的保佑，就不是我能够杀得了的；如果你们兄弟得不到上天的保佑，我何必忙着去干那种惨无人道的事情呢？如果我真的那样去做，只能是充分地显示出我心胸的狭窄！况且建武年间齐明帝萧鸾残酷地屠杀了你们家族，我率领义军讨伐暴虐的昏君，不只是为了洗雪我们自家兄弟被东昏侯萧宝卷所杀的仇恨与耻辱，也是为你们兄弟报了仇。你们如果能在建武、永元年间萧鸾、萧宝卷父子在位的时候起兵讨伐萧鸾的篡位和萧宝卷的残暴，我怎能不放下自己的武器，衷心地拥戴你们兄弟为帝呢？我是自己从齐明帝萧鸾家夺取的天下，而不是从你们家夺取的天下。王莽时期，曾经有一个名叫刘子舆的人自称是汉成帝刘骜的儿子，光武帝刘秀说：'即使是汉成帝刘骜再活过来，他也不可能再争得天下，何况是他的儿子刘子舆呢？'曹植的儿子曹志，是魏武帝曹操的孙子，却成为晋朝的忠臣。何况你们现在还是皇族成员，所以我才胸襟坦荡地期望你们消除隔

是宗室，我方坦然相期[223]，卿无复怀自外之意[224]！小待[225]，当自[14]知我寸心[226]。”子恪兄弟凡十六人，皆仕梁，子恪、子范、子质、子显、子云、子晖并以才能知名，历官清显[227]，各以寿终。

诏征谢朏为左光禄大夫[228]、开府仪同三司，何胤为右光禄大夫，何点为侍中；胤、点终不就。

癸酉[229]，诏“公车府[230]谤木、肺石[231]傍各置一函[232]，若肉食[233]莫言，欲有横议[234]，投谤木函；若以功劳才器冤沈莫达者[235][15]，投肺石函。”

上身服浣濯之衣，常膳唯以菜蔬。每简长吏[236]，务选廉平，皆召见于前，勖以政道[237]。擢尚书殿中郎[238]到溉[239]为建安内史[240]，左户侍郎[241]刘鬷为晋安[242]太守，二人皆以廉洁著称。溉，彦之曾孙也。又著令“小县令有能，迁大县；大县有能，迁二千石[243]。”以山阴令丘仲孚[244]为长沙内史，武康令东海何远[245]为宣城[246]太守，由是廉能莫不知劝[247]。

鲁阳蛮围魏湖阳[248]，抚军将军李崇[249]将兵击破之，斩鲁北燕，徙万余户于幽、并[250]诸州及六镇[251]，寻叛南走，所在[252]追讨，比及河[253]，杀之皆尽。

闰月丁巳[254]，魏顿丘匡公穆亮[255]卒。

齐东昏侯嬖臣[256]孙文明等，虽经赦令，犹不自安，五月乙亥[257]夜，帅其徒数百人，因运荻炬[258]，束仗[259]入南、北掖门[260][16]作乱，烧神虎门[261]、总章观[262]，入卫尉府[263]，杀卫尉洮阳愍侯张弘策[264]。前军司马吕僧珍[265]直殿内，以宿卫兵拒之，不能却。上戎服御前殿，曰：“贼夜

闼，你们不要再把自己当成外人！稍等一段时间，你们就会知道我对你们是真心实意的。”萧子恪兄弟一共有十六人，都在梁朝做了官，萧子恪、萧子范、萧子质、萧子显、萧子云、萧子晖全都凭借着自己的才能而闻名当世，所担任的职务都很清闲、尊贵，全都寿终正寝。

梁武帝下诏征聘谢朏为左光禄大夫、开府仪同三司，何胤为右光禄大夫，何点为侍中；何胤、何点始终没有到任就职。

四月十五日癸酉，梁武帝下令“在公车府门前的谤木、肺石旁边分别设置一个意见箱，如果高级官员不愿意公开地站出来发表意见，下层的臣民想要挺身而出对朝政发表议论，可以把自己的意见投放到谤木旁边的意见箱里；如果是因为有功劳、有才能而被埋没，或有冤屈而不能上达朝廷的人，可以把意见投放在肺石旁边的意见箱里。”

梁武帝厉行节俭，经常身穿洗过多次的衣服，平常所吃的饭菜只有蔬菜而没有肉。朝廷每次选拔长史一级地位较高的官员，都是把为官清廉、处事公平作为必要条件，梁武帝每次都要亲自召见那些被选中的人，勉励他们为官要恪尽职守。梁武帝提拔担任尚书殿中郎的到溉为建安内史，提拔担任左户侍郎的刘鬷为晋安太守，到溉和刘鬷两人都以为官清正廉洁而著称于世。到溉，是到彦之的曾孙。梁武帝又明确规定“小县的县令如果确实有才能，就升任到大县去做县长；大县的县长如果有才能，就提升至级别为二千石的郡太守或是诸侯国相”。梁武帝任命担任山阴县令的丘仲孚为长沙内史，任命担任武康县令的东海郡人何远为宣城郡太守，从此以后，没有一个人不知道以廉能来勉励自己，希求上进。

魏国境内鲁阳郡的少数民族头领鲁北燕等人率领部众围困了魏国湖阳的军事据点，魏国担任抚军将军的李崇率军把叛乱的鲁阳郡少数民族打败，杀死了他们的首领鲁北燕，把鲁阳郡内的一万多户少数民族迁徙到幽州、并州诸州以及魏国北部沿边的沃野镇、怀朔镇、武川镇、抚冥镇、柔玄镇、怀荒镇六大军事重镇进行安置，不久他们又叛变向南逃走，反叛的少数民族所在的州镇与其所到之处都派兵追讨他们，等他们逃到黄河岸边的时候，官军已经把这些叛逃的少数民族全部杀光了。

闰四月三十日丁巳，魏国的顿丘匡公穆亮去世。

齐国东昏侯萧宝卷的宠臣孙文明等人，虽然经历了一次大赦令，但他们仍然感到自己的生命安全没有保证，于是便在五月十八日乙亥的黑夜，率领他们的几百名党徒，趁着运送荻草捆成的火把的机会，偷偷地把武器裹藏在其中冲入皇宫南、北正门旁边的侧门进行作乱，他们放火焚烧了神虎门、总章观，冲入卫尉府，杀死了担任卫尉的洮阳愍侯张弘策。担任前军司马的吕僧珍正在殿内值勤，他立即率领宿卫的士兵抵抗孙文明等人的进攻，却不能将他们打退。梁武帝萧衍穿上军服来到前殿，他说：“贼人所以在夜间发动叛乱，是因为他们的人数很少，心里胆怯，等到天

来，是其众少，晓则走矣。”命击五鼓，领军将军王茂、骁骑将军张惠绍㉖闻难，引兵赴救，盗乃散走，讨捕，悉诛之。

江州刺史陈伯之，目不识书，得文牒辞讼㉖，唯作大诺㉖而已，有事，典签㉖传口语㉗，与夺决于主者㉗。豫章㉗人邓缮、永兴㉗人戴永忠有旧恩于伯之，伯之以缮为别驾㉗，永忠为记室参军㉗。河南褚緭㉗居建康，素薄行，仕宦㉗不得志，频造㉗尚书范云，云不礼之。緭怒，私谓所亲曰：“建武以后，草泽下族㉗悉化成贵人，吾何罪而见弃？今天下草创，饥馑不已，丧乱未可知㉘。陈伯之拥强兵在江州，非主上旧臣，有自疑之意。且荧惑守南斗㉘，讵非为我出㉘邪？今者一行事若无成㉘，入魏不失㉘作河南郡守㉘。”遂投伯之，大见亲狎㉘。伯之又以乡人朱龙符为长流参军㉘，并乘伯之愚暗，恣为奸利。

上闻之，使陈虎牙㉘私戒伯之，又遣人代邓缮为别驾，伯之并不受命，表云：“龙符骁勇，邓缮有绩效，台㉘所遣别驾，请以为治中㉙。”缮于是日夜说伯之云：“台家㉙府藏空竭，复无器仗，三仓㉙无米，东境㉙饥流㉙，此万世一时也，机不可失！”緭、永忠[17]共赞成之。伯之谓缮：“今启卿㉙，若复不得，即与卿共反。”上敕伯之以部内一郡㉙处缮，于是伯之集府州僚佐谓曰：“奉齐建安王教㉙，帅江北义勇十万，已次六合㉙，见使㉙以江州见力㉚运粮速下。我荷明帝厚恩，誓死以报。”即命纂严㉚，使緭诈为萧宝寅书以示僚佐，于听事㉚前为坛，歃血㉚共盟。

緭说伯之曰：“今举大事，宜引众望㉚。长史程元冲，不与人同

亮他们自然就会退走。”萧衍命令报时的人马上敲起五更鼓，担任领军将军的王茂、担任骁骑将军的张惠绍听说有人作乱，立即率军赶来相救，这些贼众才仓皇四散逃走，朝廷派兵追讨围捕，把他们全部诛灭。

梁国担任江州刺史的陈伯之，目不识丁，每当接到公文案卷，只是在上面签字表示同意而已，有事的时候，就由担任典签的僚属口头传达陈伯之所说的话，究竟应该怎么办，则全由主办这件事的人做主。豫章郡人邓缮、永兴郡人戴永忠曾经对陈伯之有恩，陈伯之于是任命邓缮为别驾，任命戴永忠为记室参军。河南郡人褚緭居住在建康，一向品行不良、行为不端，在官场中很不得志，他频繁地前去求见担任吏部尚书的范云，范云由于看不起他而没有对他以礼相待。褚緭因此发怒，私下里对自己的亲信说："自从齐明帝建武年间以来，那些门第出身不高的人全都变成了有权有势的贵人，我犯了什么罪而被他们抛弃？如今梁朝的政权刚刚建立起来，便灾荒不断，说不定哪一天还要发生动乱。陈伯之在江州拥有强大的兵力，又不是当今皇帝萧衍的旧臣，心中自然会怀疑皇帝不信任自己。再说，天上的火星运行到了南斗星的位置，谁能断定这不是为我而出现的天文现象呢？如今我们去投奔陈伯之，劝说他起兵反对朝廷，如果事情不能成功，我们就投奔魏国，至少也能在河南地区做个郡太守。”于是褚緭就去投奔了陈伯之，陈伯之非常亲近、信任他。陈伯之又任命自己的同乡朱龙符为长流参军，他们都利用陈伯之的愚昧无知，肆意地为非作歹，谋取个人私利。

梁武帝得知了江州刺史陈伯之那里的情况之后，就派陈伯之的儿子陈虎牙前往江州私下里告诫陈伯之，又派人去代替邓缮担任别驾，陈伯之对这些全都没有接受，他上表给梁武帝说："朱龙符骁勇善战，邓缮有政绩和实效，朝廷所派遣的别驾，请允许我改任他为治中从事史。”邓缮于是日夜劝说陈伯之发起叛乱，他说："朝廷的府库已经空虚，各种物资储备也已经枯竭，又没有储存以备使用的武器，国家的三个大粮仓里也没有存粮，东部吴兴、吴郡、会稽等一带地区的民众因为饥荒而四处逃亡，这是万世难逢的一个好机会，这个机会可不能错过！”褚緭、戴永忠一同帮助邓缮劝说陈伯之造反。陈伯之对邓缮说："现在我要再次为你担任别驾的事情给朝廷上疏，如果仍然得不到朝廷的批准，我就与你一同造反。”梁武帝下令陈伯之把邓缮安置到江州统辖区域内的一个郡中去担任太守，陈伯之接到朝廷的答复之后，就将江州刺史府的僚佐召集起来对他们说："我接到齐国建安王萧宝寅从魏国发来的命令，他已经率领长江以北的十万义勇军驻扎在六合县，他命令我用江州现有的兵力迅速运粮东下。我蒙受齐明帝萧鸾的厚恩，发誓要以死来报答他。”陈伯之立即下令实行紧急动员，进入战争状态，他让褚緭伪造了一封萧宝寅的书信拿给僚佐们看，然后就在议事厅前筑起一个台子，与僚佐们一起饮血宣誓、结盟。

褚緭对陈伯之说："现在起兵造反，应该拉拢、任用那些众望所归的人。担任长

心；临川内史[305]王观，僧虔[306]之孙，人身不恶[307]，可召为长史以代元冲。”伯之从之，仍以緭为寻阳太守，永忠为辅义将军，龙符为豫州刺史。观不应命。豫章太守郑伯伦起郡兵拒守。程元冲既失职于家，合帅[308]数百人，乘伯之无备，突入至听事前。伯之自出格斗，元冲不胜，逃入庐山[309]。伯之密遣信[310]报虎牙兄弟，皆逃奔盱眙[311]。

戊子[312]，诏以领军将军王茂为征南将军、江州刺史，帅众讨之。

魏扬州小岘戍主[313]党法宗袭大岘戍[314]，破之，虏龙骧将军邾菩萨。

陈伯之闻王茂来，谓褚緭等曰："王观既不就命，郑伯伦又不肯从，便应[315]空手受困。今先平豫章，开通南路，多发丁力[316]，益运资粮，然后席卷北向[317]，以扑饥疲之众，不忧不济。”六月，留乡人唐盖人[318]守城[319]，引兵趣[320]豫章，攻伯伦，不能下。王茂军至，伯之表里受敌，遂败走，间道渡江[321]，与虎牙等及褚緭俱奔魏。

上遣左右陈建孙送刘季连子弟[322]三人入蜀，使谕旨慰劳。季连受命，饬还装[323]，益州刺史邓元起[324]始得之官[325]。

初，季连为南郡太守，不礼于元起[326]。都录[327]朱道琛有罪，季连欲杀之，逃匿得免。至是，道琛为元起典签，说元起曰："益州乱离已久，公私虚耗[328]。刘益州临归[329]，岂办远遣迎候[330]？道琛请先使检校[331]，缘路奉迎[332]；不然，万里资粮[333]，未易可得。”元起许之。道琛既至，言语不恭[334]，又历造[335]府州人士，见器物辄夺之；有不获[336]者，语曰："会当属人[337]，何须苦惜[338]？”于是军府[339]大惧，谓元起至[18]

史的程元冲，和大家不是一条心；担任临川内史的王观，是王僧虔的孙子，这个人门第出身不错，可以把他召来担任长史，取代程元冲。”陈伯之听从了褚緭的意见，于是任命褚緭为寻阳郡太守，任命戴永忠为辅义将军，任命朱龙符为豫州刺史。临川内史王观拒绝接受陈伯之的任命。担任豫章太守的郑伯伦发动郡中的军队严加据守，反抗陈伯之的叛乱。程元冲被陈伯之免官之后在家闲居，他召集起数百人，亲自率领着，趁陈伯之没有防备，突然冲到听事厅前。陈伯之亲自出来与程元冲搏斗，程元冲无法战胜陈伯之，便逃入庐山躲藏起来。陈伯之秘密派遣自己的亲信将自己起兵造反的事情告诉自己的儿子陈虎牙兄弟，陈虎牙兄弟全都逃奔盱眙。

六月初二日戊子，梁武帝下诏任命担任领军将军的王茂为征南将军、江州刺史，率领众军前往江州讨伐陈伯之。

魏国扬州小岘山军事据点的驻军头领党法宗率军袭击梁国大岘山的军事据点，打败了大岘山军事据点的守军，俘虏了梁国担任龙骧将军的邾菩萨。

陈伯之听到王茂被任命为江州刺史，已经率军前来讨伐，便对褚緭等人说：“临川内史王观既然不肯就任长史之职，豫章太守郑伯伦又不肯服从我的命令，我们将会面临空手受困的局面。现在我要先平定豫章郡，打通南方的道路，多征发一些役夫，增加运输粮草，然后再大规模地向北进攻建康，凭借我们的力量消灭那些饥饿疲惫的朝廷军，不用担忧不能取得成功。”六月，陈伯之留下自己的同乡唐盖人守卫寻阳城，自己则率军赶往豫章郡，攻打豫章太守郑伯伦，没有取得胜利。此时王茂恰好率军赶到，陈伯之腹背受敌，因此失败逃走，他偷偷地从偏僻小路渡过长江，与陈虎牙等以及褚緭全都投奔魏国去了。

梁武帝派身边的陈建孙护送刘季连的儿子、弟弟三个人一同入蜀，让他们向担任益州刺史的刘季连传达皇帝的旨意和慰劳。刘季连接受了梁武帝的命令之后，便开始整理行装准备返回京师建康，益州刺史邓元起这才得以前往益州赴任。

当初，刘季连在担任南郡太守的时候，对邓元起很无礼。担任都录的朱道琛犯了罪，刘季连想要把朱道琛杀死，朱道琛逃跑之后躲藏起来才得以免死。到现在，朱道琛担任了益州刺史邓元起属下的典签，朱道琛对邓元起说：“益州遭遇战乱的时间已经很久，现在无论是官府还是百姓都很贫穷。前任益州刺史刘季连马上就要离开益州返回朝廷，他哪里还顾得上派遣官吏沿途做好迎接您的准备呢？请允许我先派人去检查一下，让他们做好沿途接待您的准备；不然的话，万里长途上的各种花销，可不是容易解决的问题。”邓元起批准了朱道琛的请求。朱道琛到了益州之后，对刘季连说话很不恭敬，他又一一地到州府各个头面人物的家中拜访，看见别人家里有贵重的器物就强行索要；当人家不给他，他得不到的时候，就说：“这东西反正终究会归别人所有，何必这样苦苦地吝惜？”于是督军府和刺史府中的人都感到非常

必诛季连，祸及党与，竞言之于季连。季连亦以为然，且惧昔之不礼于元起，乃召兵算之，有精甲十万，叹曰："据天险之地，握此强兵，进可以匡社稷，退不失作刘备[340]，舍此安之[341]？"遂召佐史，矫称齐宣德太后令，聚兵复反，收朱道琛，杀之。召巴西[342]太守朱士略及涪令[343]李膺，并不受命。是月，元起至巴西，士略开门纳之。

先是，蜀民多逃亡，闻元起至，争出投附，皆称起义兵应朝廷，军士新故三万余人[344]。元起在道久，粮食乏绝，或说之曰："蜀土政慢[345]，民多诈疾[346]，若检巴西一郡籍注[347]，因而罚之，所获必厚[348]。"元起然之。李膺谏曰："使君前有严敌[349]，后无继援，山民[350]始附，于我观德[351]。若纠以刻薄[352]，民必不堪，众心一离，虽悔无及。何必起疾[353]可以济师[354]？膺请出图之[355]，不患资粮不足也。"元起曰："善。一以委卿[356]！"膺退，帅富民上军资米[357]，得三万斛[358]。

秋，八月丁未[359]，命尚书删定郎济阳蔡法度[360]损益[361]王植之集注旧律[362]，为《梁律》，仍[363]命与尚书令王亮、侍中王莹、尚书仆射沈约、吏部尚书范云等九人同议定。

上素善钟律[364]，欲厘正雅乐[365]，乃自制四器，名之为"通"。每通施三弦，黄钟[366]弦用二百七十丝，长九尺，应钟[367]弦用一百四十二丝，长四尺七寸四分差强[368]，中间十律，以是为差[369]。因以通声转推月气[370]，

恐惧，便认为新来的益州刺史邓元起来到益州就任后一定会杀死刘季连，灾祸必定会牵连到刘季连的党羽身上，于是大家都争相把这种看法告诉刘季连。刘季连也认为大家说得有道理，而且因惧怕过去对邓元起不礼貌，邓元起会报复自己，于是就调集了军队的花名册估算了一下，大体有十万名披甲的将士，于是叹息了一声说："占据着益州这样天然险要的地方，手中又握有如此强大的军队，前进可以匡复社稷，后退顶不济还能像刘备那样来个三分天下，割据益州称王，丢掉这么好的地盘还能到哪里去找呢?"于是将手下的将佐召到面前，假称奉了齐国宣德太后的命令，聚兵再次反叛，他下令逮捕了朱道琛，把朱道琛杀死。刘季连召见担任巴西太守的朱士略和担任涪县县令的李膺，朱士略和李膺都拒绝接受刘季连的命令。当月，新任益州刺史邓元起到达巴西郡，巴西太守朱士略打开城门迎接邓元起进入城中。

此前，蜀地的百姓大多数已经逃亡，当他们听到新任益州刺史邓元起来到益州的消息，便争先恐后地出来投奔邓元起，都声称要起义兵以响应建康朝廷，邓元起属下新归顺的蜀地人与原来跟随一起入蜀的士兵总计已有三万多人。邓元起在路上耽搁的时间很久，军中粮食缺乏，有人对邓元起说："蜀地的政治涣散、懈怠，百姓为了逃避兵役和劳役往往谎称自己有病，如果把巴西郡户口册上的记录检查一遍，将那些谎称有病的统计出来，进行处罚，一定能收到很多罚款。"邓元起同意了这个意见。涪县县令李膺劝阻邓元起说："您的前面有强大的敌人，后面又没有增援的部队，那些在山中居住的百姓刚刚归附于您，他们正在观望我们军队的德行如何。如果我们现在就用刻薄的法令来惩办他们，百姓必然不堪忍受，众心一旦离散，即使后悔也来不及了。何必非要把那些假称有病的人揭露出来，通过罚款来补充军需呢?请让我出面来给您办理这件事，不用担心粮食不充足。"邓元起说："说得好。这件事情就全部委托给你来办了!"李膺出来以后，亲自率领着富户百姓为邓元起的军队捐献军粮，一共得到了三万斛粮食。

秋季，八月二十二日丁未，梁武帝命令担任尚书删定郎的济阳县人蔡法度修订王植之集注的旧律，定书名为《梁律》，又命令蔡法度与担任尚书令的王亮、担任侍中的王莹、担任尚书仆射的沈约、担任吏部尚书的范云等九人一同商议制定。

梁武帝萧衍一向擅长钟磬的乐律，他想改正古雅乐中音律与节奏中的失调之处，于是就自己制造了四器，取名为"通"。每通有三根弦，黄钟弦用二百七十根丝制成，长度为九尺，应钟弦用一百四十二根丝制成，长度为四尺七寸四分略长一点，中间十个音律，将这中间的差距分成十份。利用这种通的弦声反过来推算节气，不仅没有丝毫差错，而且彼此还能互相和谐。又制造了十二个定音笛，黄钟笛长三尺八寸，应钟笛长二尺三寸，中间十个音律，再将这中间的差距分成十份，把十二笛的音高移置到通弦上，斟酌古钟玉律的清浊高下，全都丝毫不差。于是应用到钟、磬、琴瑟、箫管、笙竽、埙、鼓、柷敔八种乐器上，用以确定宫、商、角、

悉无差违[371]，而还得相中。又制十二笛[372]，黄钟笛长三尺八寸，应钟笛长二尺三寸，中间十律以是为差，以写通声[373]，饮[374]古钟玉律[375]，并皆不差。于是被以八音[376]，施以七声[377]，莫不和韵。先是，宫悬[378]止有四镈钟[379]，杂以编钟[380]、编磬[381]、衡钟[382]，凡十六虡[383]；上始命设十二镈钟，各有编钟、编磬，凡三十六虡，而去衡钟，四隅[384]植建鼓[385]。

魏高祖[386]之丧，前太傅平阳公丕[387]自晋阳来赴[388]，遂留洛阳。丕年八十余，历事六世[389]，位极公辅[390]，而还为庶人[391]。魏主以其宗室耆旧[392]，矜[393]而礼之。乙卯[394]，以丕为三老[395]。

魏扬州刺史任城王澄[396]表请攻钟离[397]，魏主使羽林监[398]敦煌范绍[399]诣寿阳，共量进止[400]。澄曰："当用兵十万，往来百日，乞朝廷速办粮仗。"绍曰："今秋已向末[401]，方欲调发[402]，兵仗可集，粮何由致？有兵无粮，何以克敌？"澄沈思良久曰："实如卿言。"乃止。

九月丁巳[403]，魏主如邺。冬，十月庚子[404]，还至怀[405]，与宗室近侍射远，帝射三百五十余步[406]，群臣刻铭以美之。甲辰[407]，还洛阳。

十一月己未[408]，立小庙[409]以祭太祖之母[410]，每祭太庙毕，以一太牢[411]祭之。

甲子[412]，立皇子统[413]为太子。

魏洛阳宫室始成[414]。

十二月，将军张嚣之侵魏淮南，取木陵戍[415]，魏任城王澄遣辅国将军成兴击之。甲辰[416][19]，嚣之败走，魏复取木陵。

刘季连遣其将李奉伯等拒邓元起，元起与战，互有胜负。久之，奉伯等败，还成都，元起进屯西平[417]。季连驱略[418]居民，闭城固守。元起进屯蒋桥，去成都[419]二十里，留辎重于郫[420]。奉伯等间道袭郫，

徵、羽、变宫、变徵七种音调的音高，没有一点不符合韵律。此前，宫廷雅乐的悬挂只有单独悬挂的四口镈钟，镈钟与镈钟之间分别悬挂着编钟、编磬、衡钟，总共有十六个木架子；梁武帝开始命令宫悬设置十二个镈钟，镈钟之间再分别悬挂上编钟、编磬，总共有三十六个木架子，而去掉了衡钟，在宫悬的四个角落则分别架有大鼓。

魏高祖元宏去世的时候，前任太傅平阳公元丕从晋阳前来奔丧，此后就留在了洛阳。平阳公元丕已经八十多岁了，他在魏国经历并侍奉了六代皇帝，官位做到了最高级别的三公，竟然因为穆泰拥立太子，想在平城另立朝廷的分裂活动而受到牵连被贬为平民。魏宣武帝元恪因为元丕是本家族的老人，又很同情他，所以对他以礼相待。八月三十日乙卯，宣武帝授予元丕为三老。

魏国担任扬州刺史的任城王元澄上表给宣武帝请求批准进攻梁国的钟离，魏宣武帝派遣担任羽林监的敦煌郡人范绍前往寿阳，与元澄一同商议是进攻钟离还是不进攻钟离。元澄对范绍说:“应当动用十万大军，往来需要一百天左右，请求朝廷迅速办理粮草武器。”范绍说:“今年的秋天快要过去了，你才提出来要调集粮食武器，出兵攻打钟离，兵士、武器可以调集，但粮食从哪里来呢？有兵无粮，如何能够克敌制胜?”元澄沉思了好久，然后说:“情况确实像你所说的那样。”于是取消了进攻钟离的打算。

九月初二日丁巳，魏宣武帝前往邺城。冬季，十月十六日庚子，魏宣武帝返回洛阳途中抵达怀县，他与宗室成员以及身边的侍从一起比赛看谁的箭射得远，宣武帝射出三百五十多步，群臣于是将此事刻在石碑上来赞美他。二十日甲辰，魏宣武帝回到都城洛阳。

十一月初五日己未，梁国建立小庙用以祭祀梁太祖萧顺之的母亲，梁武帝每次在太庙祭祀完毕，就以一头牛、一只羊、一头猪为祭品到这个小庙中去祭祀自己的祖母。

初十日甲子，梁武帝立自己的儿子萧统为皇太子。

魏国洛阳的宫室竣工。

十二月，梁国的将军张嚣之率军入侵魏国的淮南地区，夺取了魏国的木陵军事据点，魏国的任城王元澄派遣担任辅国将军的成兴率领魏军反击张嚣之的入侵。二十日甲辰，张嚣之兵败逃走，魏国重新夺回了木陵军事据点。

起兵造反的益州刺史刘季连派遣自己的部将李奉伯等抵抗邓元起，邓元起率领朝廷军与李奉伯交战，双方互有胜负。过了很长一段时间，李奉伯等人被邓元起打败，返回成都，邓元起乘胜前进，把军队屯扎在西平县。刘季连驱赶着当地的居民进入成都城中，然后关闭城门固守。邓元起继续前进，屯扎在蒋桥，蒋桥距离成都只有二十里，他把辎重留在了郫县。李奉伯等偷偷地从小路袭击了郫县，将郫县占

陷之，军备尽没。元起舍琕，径围州城[421]，城局参军[422]江希之谋以城降，不克而死。

魏陈留公主寡居，仆射高肇、秦州刺史张彝皆欲尚[423]之，公主许彝而不许肇。肇怒，谮彝于魏主，彝[20]坐沈废累年[424]。

是岁，江东大旱，米斗五千，民多饿死。

【段旨】

以上为第一段，写梁武帝萧衍天监元年（公元五〇二年）一年间的大事。主要写了萧衍初掌朝权，以范云、沈约、任昉等为亲信，沈约、范云劝萧衍早即尊位，而沈约表现得尤其贪婪、自私。写了萧衍先被宣德太后封为梁公，加封十郡、加九锡之礼，以及萧衍杀死萧鸾之子萧宝晊等兄弟三人。写了萧衍又被封为梁王，再加封十郡，以及萧衍杀萧鸾诸子，唯萧宝寅在众人的帮助下逃到寿阳降魏，在魏地深受魏人的敬重，表现了史家对萧宝寅的同情。写了和帝萧宝融东归至姑孰，宣布让位于萧衍，宣德太后亦宣布退位，萧衍即位改元。写了萧衍残杀萧宝融之狠毒，而又借口是用沈约之谋而对沈约深表蔑视之虚伪。写了萧衍安抚并震慑萧子恪兄弟，令其认清形势，老老实实。写了萧宝卷的党羽孙文明等乘机入宫作乱，杀卫尉张弘策，烧神虎门、总章观，王茂、张惠绍率外兵入讨，悉诛之。写了陈伯之目不识丁，又亲狎褚緭等人，恣为奸利；又在邓缮、褚緭等人的鼓动下起兵造反，结果在部下郑伯伦、程元冲的起兵抵制，与王茂所率朝廷军的攻击下，兵败逃降魏国。写益州刺史刘季连于萧衍篡齐之际首鼠观望，又在旧吏朱道琛的挑拨下，据州以拒新刺史邓元起之入代，双方战斗互有胜负。此外还写了萧衍命有关官员修订旧律为《梁律》，以及其自制四器以正雅乐等。

【注释】

①高祖武皇帝：即萧衍。高祖是庙号，武是谥号。〖按〗依《通鉴》体例，“高祖武皇帝”下应当有次序数“一”字。②天监元年：梁武帝萧衍的年号。本年四月始改元，此前的一、二、三月，乃是和帝中兴二年。③席阐文：原是萧颖胄的部下，萧衍起事后，席阐文暗中投靠，并劝萧颖胄与之合作，极表忠心。萧颖胄死后，席阐文在和帝萧宝融身边为黄门侍郎，与萧衍之弟萧憺共同主管后方诸事。传见《梁书》卷十二。④大司马

领，邓元起的军用物资全部丧失。邓元起于是放弃郫县，率军径直前往围攻成都，成都城内担任城局参军的江希之准备密谋献出成都向邓元起投降，没有成功，江希之被杀死。

魏国的陈留公主寡居，担任尚书仆射的高肇、担任秦州刺史的张彝都想娶陈留公主为妻，陈留公主答应嫁给张彝而不愿意嫁给高肇。高肇因此发怒，于是就在魏宣武帝的面前说张彝的坏话，张彝因此被免官，受打压长达数年。

这一年，长江以东地区发生了严重的干旱，一斗米需要花费五千钱才能买到，有很多百姓被饿死。

衍：萧衍。萧衍入建康夺得朝权后，以宣德太后令任命自己为大司马，统领群臣，临时以皇帝的身份发号施令。⑤浮费：超出规定的开支。⑥自非：如果不是；除……之外的。⑦戊戌：正月初九。⑧临朝称制：将已经在江陵称帝的小皇帝萧宝融放到一边，另请出宣德太后来临朝称制，这正是萧衍的狡猾之处，表明他此前对萧宝融的拥戴已经不算数了。⑨衍解承制：萧衍装出一副谦退的样子，然而此时的退一步，是为了明天的进两步。⑩己亥：正月初十。⑪萧昺：本名萧景，唐人为避讳改称之曰萧昺，萧衍的堂兄弟。传见《梁书》卷二十四。⑫壬寅：正月十三。⑬赞拜不名：当叩拜皇帝时，赞礼者不称萧衍之名，只称其官爵，以表示分外敬重。⑭己酉：正月二十。⑮王亮：晋臣王导的后代，刘宋时期的名臣王昙首之孙，王僧绰之子，娶公主为妻；齐明帝萧鸾时为吏部尚书，萧宝卷时与六贵也相处很好；萧衍掌握南齐政权时，王亮又让萧衍当了尚书令。传见《梁书》卷十六。⑯范云：当时著名的文学家。传见《梁书》卷十三。⑰沈约：当时著名的文学家，以写新体诗闻名。传见《梁书》卷十三。⑱任昉：当时著名的文学家，擅长表、章等各种文体的写作，当时有"任笔沈（约）诗"之称。传见《梁书》卷十四。⑲同在竟陵王西邸：同在齐武帝萧赜的儿子竟陵王萧子良的门下为宾客。萧子良以皇子之尊，又以喜爱文义、结交文学之士著名。传见《南齐书》卷四十。西邸，指西州城。当时萧子良以护军将军兼司徒，驻于西州城。⑳敦密：亲密；紧密。敦，厚、实。㉑领录事：代理录尚书事的职务。萧衍当时任录尚书事，范云领录尚书府事。㉒骠骑司马：骠骑大将军萧衍的高级僚属。司马，在军中掌管司法的官员。㉓记室参军：骠骑大将军萧衍的僚属，主管文书簿记。㉔谢朏：南朝著名文学家谢庄之子，谢瀹之兄。兄弟二人生活在萧鸾篡杀郁林王之际，身居高位，都漠视彼此如路人。传见《南齐书》卷四十三。㉕何胤：刘宋大官僚何尚之之孙，尚儒术，常怀隐遁之情。郁林王在位时曾任中书令，齐明帝萧鸾在位时，隐居于会稽山。传见《南齐书·高逸传》。㉖军谘祭酒：骠骑大将军府的参谋、顾问官员。㉗受禅：接受让位做皇帝。㉘微扣其端：含蓄地试探

其口风。㉙不可以淳风期物：不能像古代的舜、禹那样期望着尧、舜主动地让位给人。淳风，此处指尧、舜的真心让位于人。㉚童儿牧竖：小孩子、放牧者，以喻没有政治头脑的人。㉛齐祚已终：南齐的国运已经到头了。㉜天文谶记：天文星象所预示的种种征兆，及社会民间所出现的种种谶语。谶记，当时野心家故意编造、散布的一些煽动社会动乱的预言，如陈涉所谓"大楚兴，陈涉王"；东汉末的民谣"千里草，何青青。十日卜，不得生"；黄巢起义时编造的"苍天已死，黄天当立"等。关于萧衍的这一套把戏，《梁书·武帝纪》中有凿井得玉麒麟、金镂玉璧，凤凰现于桐下里云云。㉝炳然：清楚明白的样子。㉞历数：天数；命定。这里指命定该做皇帝。㉟谦光：谦逊礼让，光明正大。《周易·谦卦》有所谓"谦尊而光"。㊱建牙樊、沔：在襄阳发动起义的时候。樊、沔，樊城、汉水，都在襄阳城的旁边，这里指襄阳城。㊲此时应思：那个时候您就应该想好必有这一天。㊳何所复思：还有什么可犹豫的。㊴脱：突然冒出。㊵立异：提出不同意见，指立其他某人为皇帝。㊶即损威德：那时您再处置他，那就对您的威望有损了。㊷人非金石：人的寿命难以预料，日后会有什么变化难以预知。㊸建安之封：指萧衍此时所享有的建安郡公的封爵。㊹遗之子孙：传给后代，即萧衍在世之时不自己解决做皇帝的问题。㊺天子还都：当初萧颖胄与萧衍所拥立的身在江陵的小傀儡萧宝融一旦来到京城。㊻公卿在位：三公九卿满朝文武都各就各位。㊼方更同公作贼：还来和您一道去做那种弑君篡位的事情。古代把反抗朝廷和篡夺帝位的人统称为"乱臣贼子"。㊽略同约旨：与沈约的说法差不多。㊾乃尔暗同：竟然如此不约而同。尔，如此。㊿将休文更来：带着沈约一同到我这里来。休文，沈约的字。说话时称字表示客气。51先期：在约好的时间之前。52草具其事：草拟一个篡取皇帝位的过程及做法。53诸选置：朝廷各官员的安排任命。54初无所改：没做一点变更。初，根本、一点也没有。55俄而：不久；一会儿。56寿光阁：胡三省曰，"江南禁中有寿光省"。57咄咄：嗟叹词，在这里的意思是"怪事，怪事"。58何以见处：安排我做什么官职。59向左：意思是让你做尚书左仆射。左仆射在右仆射之上，仅低于尚书令。60不乖所望：和我的希望正好相同。乖，违背、差错。61甲寅：正月二十五。62总百揆：领导、管理百官群臣。百揆，百官。63封十郡：胡三省曰，"时以豫州之梁郡、历阳，南徐州之义兴，扬州之淮南、宣城、吴兴、会稽、新安、东阳凡十郡为梁公国"。〖按〗胡氏只提出了九郡，据《梁书·武帝纪》还有"吴郡"，估计应是刻本脱漏。64九锡之礼：对即将篡位之臣的九种非凡待遇，指特殊的车马、衣服、乐器、朱户、纳陛、虎贲、铁钺、弓矢、秬鬯九项。65置梁百司：建立梁国的一套朝廷班子，分职设官与当时的南齐朝廷相同。66二月辛酉：二月初二。67湘东王宝晊：齐明帝萧鸾之弟萧缅的儿子，被封为湘东王。传见《南齐书》卷四十五。68安陆昭王缅：萧缅，原被封为安陆王，"昭"字是谥。传见《南齐书》卷四十五。69望物情归己：盼着人心归己，众人拥立自己为皇帝。70坐待法驾：等着公卿用皇帝的车驾来迎接自己。法驾，皇帝车驾的一种。《史记·孝文本纪》注引《汉官仪》

云："天子卤簿有大驾、法驾。大驾，公卿奉引，大将军参乘，属车八十一乘；法驾，公卿不在卤簿中，惟京兆尹、执金吾、长安令奉引，侍中参乘，属车三十六乘。"⑪ 王珍国等送首梁公：王珍国等斩下东昏侯萧宝卷之首送给萧衍。王珍国在南齐末年任青、冀二州刺史，萧衍率围建康，王珍国遣人私表归顺之情，与卫尉张稷斩萧宝卷之首以送萧衍。传见《梁书》卷十七。⑫ 壬戌：二月初三。⑬ 江陵公宝览、汝南公宝宏：皆萧缅之子，萧宝晊之弟。传见《南齐书》卷四十五。⑭ 丙寅：二月初七。⑮ 选诸要职：对于重要职务的安排与任命，实际即如何安插心腹的问题。⑯ 天朝：天子之朝班，指南齐政权。⑰ 侍中：皇帝的机要之臣，兼有参谋顾问之用，后来位同宰相。⑱ 以为言：为此而提出意见。⑲ 王茂：萧衍的开国元勋，南齐末，即为萧衍部将；萧衍起事后，为萧衍开路先锋，军功累累。此时任领军将军。传见《梁书》卷九。⑳ 沛公：指刘邦。刘邦响应陈涉起兵攻下沛县后，被众人共推为沛公。事见《史记·高祖本纪》。㉑ 入关：指占据关中，灭掉秦王朝。关，通常指函谷关，在今河南灵宝东北，是从中原进入长安的重要关隘。但刘邦入关乃从武关进入。㉒ 范增：项羽的谋士。事迹参见《史记·项羽本纪》与本书卷七、卷八。㉓ 畏其志大：鸿门宴前，范增怂恿项羽进攻刘邦，有所谓"沛公居山东时，贪于财货，好美姬。今入关，财物无所取，妇女无所幸，此其志不在小"云云，见《项羽本纪》。㉔ 想望风声：盼着见到您的风度与声威。㉕ 袭乱亡之迹：步昏乱亡国之君的后尘。㉖ 以女德为累：以好女色成为自己的缺点。㉗ 无宜留此：不应把这个女人留在身边。㉘ 赉：赏赐。㉙ 贤其意：欣赏他的好意。㉚ 丙戌：二月二十七。㉛ 增封十郡：胡三省曰，"时以豫州之南谯、庐江，江州之寻阳，郢州之武昌、西阳，南徐州之南琅邪、南东海、晋陵，扬州之临海、永嘉十郡益梁国"。〖按〗此"增封十郡"与"进爵为王"，皆宣德太后所下的诏命。㉜ 癸巳：三月初五。㉝ 受命：接受封爵为梁王。㉞ 赦国内及府州所统殊死以下：此句乃萧衍下令，赦免其梁国境内与其扬州牧、骠骑大将军府所辖的"殊死以下"的所有罪犯。殊死以下，即凡不到死罪的一切犯人。殊死，身首断绝异处称"殊死"，死刑。殊，绝、异。㉟ 辛丑：三月十三。㊱ 邵陵王宝攸句：三人皆明帝萧鸾子，都在年十六岁以下。传见《南齐书》卷五十。㊲ 未急：看管得不紧、不严。㊳ 夜出宝寅：深夜将萧宝寅救出。萧宝寅亦萧鸾之子。㊴ 乌布襦：黑布短袄，古时贱者之服。襦，短袄。⑩⓪ 蹑屩徒步：穿着草鞋步行。屩，用麻、草做的鞋。⑩① 随流上下：为躲避追兵，有时沿江上行，有时沿江下行。⑩② 待散：待追捕者散去。⑩③ 渡西岸：渡江到西岸。当时的建康城在长江东岸。⑩④ 遁匿：躲藏。⑩⑤ 赁驴：向村民租了一头毛驴。⑩⑥ 寿阳之东城：寿阳即今之安徽寿县，当时属于魏国。⑩⑦ 任城王澄：元澄，景穆帝拓跋晃之孙，魏主元恪的叔祖。传见《魏书》卷十九中。⑩⑧ 掠卖生口：劫持贩卖人口。生口，活人，指被劫持与被俘虏的人。⑩⑨ 丧君斩衰之服：想为其被杀的兄长萧宝卷服最重的丧服。斩衰，左、右与下边均不修缘的丧服，是为父母、为君主应穿的孝衣。⑪⓪ 丧兄齐衰：为兄长应服的齐衰，是次于斩衰的丧服。其衣边缝齐。⑪① 一同极哀之节：萧宝寅虽然接受了齐衰的丧礼，但其心里仍是按照斩衰的礼节进行。极哀，极度的悲戚，如丧君、父之礼。⑫义故：以恩情、道义相结的老朋友、老相识。⑬皆受慰唁：有人前来向萧宝寅表示安慰的，萧宝寅都以礼接受。胡三省曰："抚而安之曰慰，吊生曰唁。"唁，同"唁"，慰问生者。⑭夏侯一族：住在寿阳的姓夏侯的人。⑮夏侯详：萧鸾在位时为齐将，东昏侯在位时，夏侯详在萧颖胄的部下，但与萧衍多方结好。萧颖胄死后，夏侯详遂成为萧衍的亲信。传见《梁书》卷十。⑯东归：由荆州东归建康。⑰萧憺：萧衍之弟，自萧颖胄死后，在夏侯详的招引下，萧憺遂控制了和帝小傀儡王朝的一切权力。⑱厉精为治：尽一切精力搞好各项工作。厉精，尽力。厉，同"砺"，磨炼。⑲广屯田：组织军队或动员百姓开展农业生产，扩大粮食与各种物资的收入。广，开展、扩大。屯田，组织军队或百姓开荒种地。⑳省力役：减少百姓的劳役。㉑存问兵死之家：抚恤、问候那些随萧衍东征战死士兵的家庭。㉒政之不臧：我们荆州刺史府的工作如果搞不好。不臧，不善、不好。㉓士君子所宜共惜：你们大家也应该感到惋惜。士君子，对自己佐吏的敬称。惜，惋惜、遗憾，感到有责任。㉔开怀：开诚布公。㉕卿其无隐：你们也不要有话不说。㉖民有讼者：百姓间有争执，有意见不同。㉗立前待符教：站在萧憺面前，等萧憺做出决断。符、教，都是文体名，指王公大臣所下的命令。㉘决于俄顷：顷刻之间就拿出了处理意见。㉙曹无留事：各部门都没有拖拉耽搁不办的事情。㉚姑孰：即今安徽当涂，当时为南豫州的州治所在地。㉛丙辰：三月二十八。㉜丁巳：三月二十九。㉝庐陵王宝源卒：萧宝源是萧鸾的第五子，当时任会稽太守。传见《南齐书》卷五十。〖按〗此萧宝源也可能被萧衍所杀。㉞鲁阳蛮鲁北燕：鲁阳郡的少数民族头领姓鲁名北燕。鲁阳，魏郡名，郡治即今河南鲁山县。㉟颍州：据《魏书·蛮传》，当作"颍川"。魏郡名，郡治在今河南长葛东北。㊱四月辛酉：四月初三。㊲西诏：指和帝萧宝融的诏书。胡三省曰："齐和帝虽已至姑孰，其地犹在建康之西，故曰'西诏'。"㊳宪章：效法。㊴敬禅神器于梁：恭敬地把帝位禅让给了梁王萧衍。神器，古指帝位，或指国家政权。㊵临轩：临朝即皇帝位。轩，堂前屋檐下的平台，有时皇帝也在此会见群臣。㊶恭授玺绂：恭敬地把皇帝的印信交给梁王您。绂，系印的丝绦。㊷未亡人：古代寡妇称自己为丈夫的"未亡人"。这里是宣德太后自称自己。㊸壬戌：四月初四。㊹发策：发布退位的策书。㊺尚书令亮：即王亮。传见前注。㊻丙寅：四月初八。㊼改元：改元天监。此前是用齐和帝萧宝融的年号中兴。㊽晋安平献王：司马懿的哥哥司马孚。司马懿的孙子司马炎篡魏称帝后，追封司马孚为安平王，谥曰献。胡三省曰："懿为东昏侯所杀，葬不成礼，今依晋葬安平王孚礼葬之。"㊾丁卯：四月初九。㊿皆仿齐初：像萧道成初篡位时还有几天对退了位的宋顺帝刘準表示崇敬，封他为汝阴王，行宋正朔。但未过多久刘準就被萧道成杀掉了。(151)齐文帝：齐武帝萧赜之太子萧长懋，未继位即死去，其子萧昭业继位为帝后，追尊其父为文帝。传见《南齐书》卷二十一。(152)王皇后：萧宝融的皇后，萧道成时代的大官僚王俭的孙女。传见《南齐书》卷二十。(153)悉从降省：一律或降级或废除。降级如王降为公、公降为侯。省，废除、撤销。即撤销其封地、封号。⑭ 不在除例：不在降省的范围。但事实上刘凖早已被萧道成杀掉了。⑮ 皇考：萧衍的父亲萧顺之，曾在刘宋与南齐时期为将军。⑯ 夏侯详等十五人：此十五人应是王茂、曹景宗、柳庆远、萧颖达、夏侯详、蔡道恭、杨公则、邓元起、张弘策、郑绍叔、吕僧珍等。⑰ 荆州刺史憺：萧憺，与上述的中护军萧宏、南徐州刺史萧秀、雍州刺史萧伟、左卫将军萧恢，皆萧衍之弟。传见《梁书》卷二十二。⑱ 扬州刺史：扬州的州治即在建康城内。因扬州是国家都城所在的州，此州刺史的权位非其他刺史可比，故历代皆以皇帝的亲信充任。⑲ 丁卯：四月初九。⑯⓪ 以中书监王亮为尚书令：王亮前已在宣德太后称制的傀儡朝廷任中书监、尚书令，今宣德太后退位，萧衍正式建立梁王朝，故萧衍重新任命王亮为其梁朝的尚书令。不倒翁居然如此，与南朝士族制度大有关系，尽管萧衍的十五公侯可能都瞧不起他。传见《梁书》卷十六。中书监是中书省的长官，主管为皇帝起草文件。⑯① 王莹：一个多方讨好的庸俗官僚，刘宋时娶临淮公主为妻，南齐末依违于群小之间，无是无非；萧衍掌权为相国，王莹又为萧衍的左长史。传见《梁书》卷十六。⑯② 长兼侍中：经常服务于皇帝身边的参谋官员。所谓"长兼"是指此人原有外朝职务，但仍兼为侍中之职。⑯③ 后宫：指原来南齐后宫中的一切女人。⑯④ 乐府：朝廷主管音乐的官署名，其属下备有大量男女歌舞人员，以备朝廷的多方之用。⑯⑤ 西解：西府的官舍。解，通"廨"，官舍。南齐时的扬州刺史居于西府。⑯⑥ 暴室：古代宫中织染布匹的官署。以其需暴晒，故称"暴室"。后亦作为囚禁宫女或后妃的场所。⑯⑦ 一皆放遣：全部打发她们回家。⑯⑧ 戊辰：四月初十。⑯⑨ 巴陵王卒：被萧颖胄、萧衍拥立为傀儡皇帝的萧宝融在宣告退位，被萧衍封为巴陵王的第三天，被萧衍杀死，时萧宝融年十五岁。⑰⓪ 南海郡：郡治即今广州。⑰① 古今殊事：今天与古代的形势不同，处理问题的方式也应该不同。《韩非子·定法》有所谓"时移则事异，事异则备变"。⑰② 魏武：指曹操，其子曹丕篡汉后，追尊曹操为魏武帝。⑰③ 不可慕虚名而受实祸：语见曹操的《让县自名本志令》。即迅速结束萧宝融的性命，不要学曹操父子那样留着汉献帝的小命一直到其病死。⑰④ 颔之：点头答应。⑰⑤ 生金：未经冶炼的金矿石，这里即指金子。⑰⑥ 摺杀：如扭断脖子、折断肋骨之类。摺，弄断。⑰⑦ 镇荆州：指任名义上的荆州刺史。当时萧宝融年十三岁。⑰⑧ 录事参军：王公与方面大员的僚属，掌管文书簿籍。⑰⑨ 中丞：指御史中丞，御史台的最高长官，主管监察弹劾百官。⑱⓪ 见远不食数日而卒：胡三省曰，"史言齐臣以死殉和帝者仅一颜见远"。⑱① 应天从人：应天命顺人心。从，顺从。〖按〗萧衍为避其父萧顺之之讳，改"顺人"说"从人"。⑱② 何预：与……有何关系。⑱③ 庚午：四月十二。⑱④ 议赎刑条格：讨论用财物赎免刑罚的条例。胡三省曰："《舜典》：'金作赎刑。'注曰：'误入而刑，出金以赎罪。周穆王训夏赎刑，亦以五刑之辟，疑者罚赎。'至汉文帝令民入粟以赎罪；武帝令死罪入赎，钱五十万减死一等。盖自虞及周疑误者赎，汉则凡犯罪者皆可得而入赎。"⑱⑤ 在官：在任的官员。⑱⑥ 谢沭县公宝义：萧宝义，齐明帝萧鸾之子。原封为晋安王，萧衍篡齐后，降之为谢沭县公。传见《南齐书》卷五十。

谢沐是县名，上属于临贺郡。⑱奉齐祀：继续维持对南齐列祖列宗的祭祀。⑱南康侯子恪：萧子恪，齐武弟萧赜之侄，齐豫章王萧嶷的第二子。曾被王敬则推奉为帝以反萧鸾，萧子恪坚决不从，而逃归萧鸾请罪。传见《南齐书》卷二十、《梁书》卷三十五。⑱天下公器：天下是属于天下人的。公器，天下人所共有的器物。⑲苟无期运：如果没有天命。期运，气数、上天所预定的结局。⑲项籍：即项羽，名籍，字羽，秦末起义军的领袖，以善战闻名，刘邦曾被项羽打败过很多次，最终被刘邦消灭。事见《史记·项羽本纪》。⑲宋孝武：宋孝武帝刘骏，文帝刘义隆之子，公元四五三至四六四年在位。传见《宋书》卷六。⑲粗有令名：在臣民当中威望稍高的。粗，略、稍稍。令名，美誉。令，美、善。⑲疑似：似是而实非。⑲枉死者相继：被冤杀的一个接一个。〖按〗如颜竣、王僧达、周朗、沈怀文等。⑲卿祖：你的祖父萧道成。他就是那种被刘骏"疑而不能去"者。⑲无如之何：对之无可奈何。没法对付他，想杀而杀不成。⑲湘东：指宋明帝刘彧，刘义隆之子，原被封为湘东王，后被叛乱分子拥立为皇帝，公元四六五至四七二年在位。继位后杀光了其兄孝武帝刘骏的子孙。传见《宋书》卷八。刘彧就是当初最不被孝武帝刘骏所怀疑，而最后取得了政权，杀光了刘骏子孙的人。⑲非人所害：不是谁想害就害得了的。⑳除去卿辈：杀掉你们这些萧道成的子孙。⑳以壹物心：以统一、稳定全国的人心。⑳江左以来：晋室渡江以来。东晋以来，历代在建康建都，建康在长江下游的东岸，习惯上称为"江东"，也称"江左"。⑳代谢之际：新王朝篡夺旧王朝的政权时，如宋篡晋、齐篡宋等。⑳必相屠灭：新篡位者必然要杀光上一个王朝皇室的子孙，如刘裕杀司马德宗、司马德文，萧道成杀刘昱、刘凖等。⑳感伤和气：损伤太和之气。和气，阴阳调和的美好之气。⑳国祚：国运；政权维持的年代长短。⑳虽云革命：虽然说是改朝换代，老天爷已经有了新的任命。⑳绝服：出了五服，不再有为之服丧的关系。⑳宗属未远：但同在一个萧氏的家族里血缘还是比较近的。〖按〗萧衍之父萧顺之是齐高帝萧道成的同族兄弟。㉑亦共甘苦：指在萧道成篡取刘宋江山的过程中，萧顺之也跟着效了犬马之劳。㉑遽如行路之人：一下子就变成了漠不相关的路人。㉑非我所杀：不是我所杀得了的。㉑何忽行此：何必忙着干这种惨无人道的事呢。忽，急、忙着。㉑当足示无度量：只能是充分地表现了心胸的狭窄。㉑建武涂炭卿门：萧鸾残酷杀戮你们家族。建武，萧鸾篡位后使用的年号（公元四九四至四九八年）。㉑自雪门耻：雪其兄萧懿、其弟萧畅被东昏侯萧宝卷所杀的耻辱与仇恨。㉑建武、永元之世：萧鸾父子在位的时间。永元，东昏侯萧宝卷的年号（公元四九九至五〇一年）。㉑拨乱反正：指起兵讨伐萧鸾的篡位与萧宝卷的残暴。胡三省曰："谓齐明帝父子为乱，高、武子孙为正。"㉑释戈推奉：放下自己的武器，以拥戴萧子恪兄弟。㉒刘子舆：王莽时，长安中有名刘子舆者，自称成帝子，号召反王莽，被王莽所杀。又有邯郸卜者王郎（又名王昌）诈称自己是真成帝子刘子舆。人们受其迷惑，曾拥立他为天子，占据燕赵之地，后被刘秀（光武帝）斩于邯郸。事见本书卷三十九。㉒光武言四句：原文见《后汉书·光武纪》。意思是，别说有人自称是汉成帝的儿子，即便是汉成帝本人出来争天下，那也不可能，更别说汉成帝的儿子了。汉成帝刘骜是汉元帝的儿子，公元前三三至前七年在位。传见《汉书》卷十。萧衍说此话的意思是警告萧子恪，我的政权不是从你们的家中夺来，你们的江山社稷早已经让萧鸾灭掉了，我是从萧鸾的儿子手中夺来的。别说你们兄弟是武帝萧赜的孙子，即使你们的爷爷萧赜出来争天下，那也没门儿！所以你们应该识相。㉒曹志：曹植的儿子，入晋官至散骑常侍。传见《晋书》卷五十。㉓坦然相期：胸襟坦荡地期望你们消除隔阂。㉔怀自外之意：总想自己是个外人。㉕小待：稍等一段时间。㉖知我寸心：明白我的真心。心位于腹中的方寸之地，故称“寸心”，通常是谦指自己的心思。㉗清显：显贵而无实际权力。㉘左光禄大夫：原为皇帝的侍从官员，晋以下多用为加官名，地位颇高。㉙癸酉：四月十五。㉚公车府：官署名，其地有公车司马门，设在皇宫正门的前面，乘车的官员至此下车步行。㉛谤木、肺石：都是让臣民直言国家大事的重要标志。谤木，即诽谤之木，后来演化成明清宫门外面的华表。设立在宫门外，朝政有过失，百姓可以站在木下发表意见。谤，古代是中性词，提出不同意见。肺石，红色的石头，形如肺，故名“肺石”。古代立在宫门外，百姓有不平事可击石鸣冤。《周礼·大司寇》有所谓“以肺石达穷民”。㉜函：石制或木制的意见箱，以征集意见或建议书。㉝肉食：有权吃肉的高级官员。《左传》有所谓“肉食者鄙，未能远谋”之语。㉞横议：指下层臣民挺身而出所发表的议论。胡三省曰：“布衣处士而议朝政，谓之横议。”㉟冤沈莫达者：有冤屈不能上达朝廷的人。㊱简长吏：选拔较高的官吏。《汉书·景帝纪》中元六年诏有所谓“吏六百石以上，皆长吏也”，泛指较高级的官长。㊲勗以政道：勉励他们恪尽职守。㊳尚书殿中郎：尚书省的官员，级别在各部尚书之下。㊴到溉：刘宋名将到彦之的曾孙。传见《梁书》卷四十。㊵建安内史：相当于建安郡的太守，因建安郡是南齐郡王的封国，故其行政长官称内史。建安郡的郡治即今福建建瓯。㊶左户侍郎：度支尚书的属官，掌百姓户籍。㊷晋安：郡名，郡治即今福建福州。㊸二千石：郡太守与诸侯国相皆为二千石。㊹丘仲孚：此时为山阴县令。传见《梁书》卷五十三。山阴县即今浙江绍兴。㊺何远：此时为武康县令。传见《梁书》卷五十三。㊻宣城：郡名，郡治即今安徽宣城市宣州区。据《梁书·何远传》：“自县为近畿大郡，近代未之有也。”㊼莫不知劝：没有一个人不知道勉励自己，希求上进。劝，自勉。㊽湖阳：军事据点名，在今河南新野东。㊾李崇：孝文帝、宣武帝时期的著名将领与地方官。传见《魏书》卷六十六。㊿幽、并：二州名，幽州的州治即今北京市，并州的州治在今山西太原南侧。(251)六镇：魏国北部沿边的六大军事重镇，即沃野镇、怀朔镇、武川镇、抚冥镇、柔玄镇、怀荒镇。(252)所在：指反叛的蛮人所在的州镇与其所到之处。(253)比及河：等他们南逃到黄河边。此黄河指今内蒙古境内由西向东的那段。(254)闰月丁巳：闰四月三十。(255)顿丘匡公穆亮：穆亮是魏国元勋老臣穆崇之后，穆罴之弟，被封为顿丘公，匡字是谥。传见《魏书》卷二十七。顿丘是魏郡名，郡治在今河南濮阳北。(256)嬖臣：受宠之臣，嬖是宠爱的贬义词。(257)五月乙亥：五月十八。㉕⑧荻炬：荻草捆成的火把。㉕⑨束仗：把武器裹藏在荻草捆成的火把中。㉖⓪南、北掖门：南北正门的旁侧小门。㉖①神虎门：皇城的正北门，唐人避讳改称曰“神武门”。㉖②总章观：皇宫中的宫殿名，乃仿效洛阳宫里的总章观而修建，穷极奢侈。㉖③卫尉府：卫尉的办公机关。卫尉是防卫宫廷的官员，属九卿一级。㉖④洮阳愍侯张弘策：萧衍的开国元勋，此时任卫尉之职。被封为洮阳侯，“愍”字是谥。传见《梁书》卷十一。㉖⑤吕僧珍：萧衍的嫡系亲信与开国元勋，终生任萧衍的侍中、侍卫之职。传见《梁书》卷十一。此时任前军将军的司马官。㉖⑥张惠绍：萧衍的亲信将领。传见《梁书》卷十八。㉖⑦文牒辞讼：公文案卷。词讼，申诉冤屈与分辨是非曲直的文书。㉖⑧作大诺：在文书上签字，表示同意。诺，答应、同意。㉖⑨典签：州刺史的僚属，主管文簿机要。㉗⓪传口语：传出陈伯之所说的话。㉗①与夺决于主者：究竟怎么办，则全由当事人做主。予夺，办还是不办，肯定还是否定。㉗②豫章：郡名，郡治即今江西南昌。㉗③永兴：郡名，郡治即今浙江杭州市萧山区。㉗④别驾：州刺史的高级僚属，以其随刺史出行可以单独乘坐一辆车而得名。㉗⑤记室参军：为州刺史或将军主管文书案卷的官员。㉗⑥河南褚緭：河南郡人姓褚名緭。河南郡的郡治即今洛阳，此时属于魏国。㉗⑦仕宦：官场生涯。㉗⑧频造：频繁地前往求见。造，到、上门。㉗⑨草泽下族：泛指门第出身不高的人。草泽，荒野，指下层人。㉘⓪丧乱未可知：说不定哪一天还要发生动乱。㉘①荧惑守南斗：火星运行到了南斗星的位置。荧惑，古人用以称火星。南斗，星名，在北斗星南。《晋书·天文志》有所谓：“南斗六星，天庙也……又主兵……将有天子之事，占于斗。”㉘②讵非为我出：谁能断定这不是为我而出现的天文现象呢？讵，谁、谁能说不是。㉘③一行事若无成：举兵反对朝廷如果不成功。㉘④不失：不会小于。㉘⑤作河南郡守：在黄河以南地区做个太守官。㉘⑥亲狎：亲近。狎，亲近的贬义词。㉘⑦长流参军：将军的僚属，主管缉捕盗贼。胡三省引《颜氏家训》曰：“或问：何故名治狱参军为长流？答曰：《帝王世纪》云：帝少昊崩，其神降于长流之山。其事本出《山海经》，于祀主秋。按《周礼》秋官司寇主刑罚。长流之职，汉、魏捕贼掾耳，晋、宋以来始为参军，上属司寇，故取秋帝所居为嘉名焉。”㉘⑧陈虎牙：陈伯之之子，此时在萧衍身边任直阁将军。传见《梁书》卷二十。㉘⑨台：这里指朝廷。㉙⓪治中：也称治中从事史，官名，州刺史的僚属，主管本州的钱粮等事。㉙①台家：这里以称朝廷。㉙②三仓：国家的三个大粮仓。胡三省曰：“三仓，太仓、石头仓及常平仓”。㉙③东境：指吴郡、吴兴、会稽等一带地区，当时南朝的最富饶之区。㉙④饥流：因饥荒而逃亡。㉙⑤今启卿：我现在再为你的事上书朝廷，即请求不要变换你的职务。㉙⑥部内一郡：江州刺史所统辖地区内的一个郡。㉙⑦奉齐建安王教：接到齐建安王萧宝寅的命令。萧宝寅是齐明帝萧鸾之子，在萧衍篡位时已逃往北魏，很受魏人重视。教，文体名，诸侯王公所下达的命令、文告。㉙⑧已次六合：已经进驻到六合县。六合县即今江苏南京市六合区，在当时长江的北岸。㉙⑨见使：他命令我。㉚⓪以江州见力：用江州现有的兵力。㉚①纂严：实行紧急动员，进入战争状态。㉚②听事：议事厅。㉚③歃血：杀鸡、狗、马，将其血抹在嘴上，这是古人结盟宣誓时所做的一种姿态。歃，饮、喝。㉚④众望：众人所观瞻，众望所归的人。㉚⑤临川内史：临川郡的行政长官。临川郡的郡治在今江西南城东南。㉚⑥僧虔：王僧虔，刘宋的名臣王昙首之子，在宋曾任中书令、尚书令；入齐后为侍中、光禄大夫。传见《南齐书》卷三十三。㉚⑦人身不恶：犹言“这个人不坏”。其实主要是指出身门第而言。㉚⑧合帅：集合、率领。㉚⑨庐山：我国的旅游胜地之一，在当时的江州，今江西九江市南。㉛⓪遣信：派遣使者。信，使者。㉛①盱眙：郡名，郡治在今江苏盱眙城的东北侧。㉛②戊子：六月初二。㉛③小岘戍主：小岘山军事据点的驻军头领。小岘山在今安徽含山县西北，当时属魏。㉛④大岘戍：大岘山军事据点。在当时的和州，今安徽和县西北，当时属梁。㉛⑤便应：便会形成。㉛⑥丁力：壮丁、役夫。㉛⑦席卷北向：大规模地北攻建康。当时陈伯之在江州，建康城在其东北方，故称“北向”。㉛⑧唐盖人：姓唐，名盖人。㉛⑨守城：守卫寻阳城。㉜⓪趣：通“趋”，向。㉜①间道渡江：偷偷地由小道渡过长江。㉜②刘季连子弟：刘季连的儿子与刘季连的弟弟刘子渊。刘季连是刘宋皇帝的族人，入齐后因讨好萧鸾，颇得萧鸾信任，东昏侯时期以来为益州刺史。传见《梁书》卷二十。㉜③饬还装：整理返回建康的行装。㉜④邓元起：原为萧颖胄的部下，萧宝融被拥立为帝后，邓元起率军东下，对萧衍篡齐颇有功绩。此时被任为益州刺史，而未能赴任。传见《梁书》卷十。㉜⑤始得之官：这才能到益州任职。㉜⑥不礼于元起：对邓元起不礼貌。邓元起是南郡人，《梁书·刘季连传》说刘季连为南郡太守时“素薄元起”，无具体细节。㉜⑦都录：总领班。胡三省曰：“都录，盖郡之首吏，总录诸吏者也。”㉜⑧公私虚耗：官府与百姓全都很穷。虚耗，府库空虚。㉜⑨临归：马上就要离益州返回朝廷。㉝⓪岂办远遣迎候：他哪里顾得上派遣官吏沿途做迎接您的准备呢？岂办，哪里顾得、哪里能做好。㉝①先使检校：先派人去检查一下。㉝②缘路奉迎：让他们做好沿途接待您的准备。㉝③万里资粮：漫漫长路上的各种花销。㉝④言语不恭：对刘季连出语不恭。㉝⑤历造：遍访，逐一到各个头面人物的家门拜访。㉝⑥不获：得不到手；人家不给他。㉝⑦会当属人：反正是终归要属于别人。会当，必将。㉝⑧苦惜：苦苦地吝啬不放。㉝⑨军府：督军府与刺史府。㉞⓪退不失作刘备：至少还能像刘备那样来个三分天下，割据益州以称王。㉞①舍此安之：丢掉这么好的地盘还能到哪里去找。㉞②巴西：郡名，郡治即今四川绵阳。㉞③涪令：涪县的县令。㉞④新故三万余人：指新归附的蜀地人与原跟随邓元起入蜀的士兵共三万余人。㉞⑤政慢：政治涣散、懈怠。㉞⑥诈疾：假称有病，以逃避兵役、劳役。㉞⑦籍注：户口册上的记录。胡三省曰：“民多诈疾，注之于籍，以避征役。”㉞⑧所获必厚：必然能收取很多弄虚作假者的罚款。㉞⑨严敌：凶恶的敌人。㉟⓪山民：在山中居住的百姓，平时受压迫最重。㉟①于我观德：来观察我们军队的德行如何。胡三省曰：“言山民观望，我德则附，否则携贰。”㉟②纠以刻薄：以残暴的法令惩办之。纠，督察、惩办。㉟③起疾：向那些假称有病的人勒索军需。㉟④济师：供应军队需要。济，满足。㉟⑤请出图之：请让我来给您办理这件事。㉟⑥一以委卿：那就全部委托你来办了。一，一切、一概。㉟⑦上军资米：捐献军粮。军资米，军用的粮食。㊳⑧三万斛：即三万石。一斛相当于一石，一石为十斗。㊳⑨八月丁未：八月二十二。㊱⓪济阳蔡法度：济阳县人姓蔡名法度。济阳县的县治在今河南兰考东北，当时属魏。㊱①损益：修改补充。㊱②王植之集注旧律：王植之是南齐的律法学家，撰有《梁律》。王植之集定张、杜律见本书卷第一百三十七永明元年。㊱③仍：通“乃”，与现今的“仍”字用法不同。㊱④善钟律：擅长于钟磬的乐律。㊱⑤厘正雅乐：改正古雅乐中音律与节奏中的失调之处。雅乐，指用于宗庙与朝堂的庄重之乐，与应用于日常生活的俗乐相对而言。㊱⑥黄钟：古乐十二律之一，声音最洪亮。㊱⑦应钟：十二律的第十二律。㊱⑧差强：略长一点。㊱⑨以是为差：将这中间的差距分成十份。古人推算十二律的方法，上下相生，三分益一或三分去一，又叫“三分损益法”。㊲⓪月气：节气。〖按〗用“通”的弦声转推节气，是中国古代“作乐器，随月律”，用乐律与时令相结合的传统做法。“通”有四器，每通三弦，依次可表示冬、春、夏、秋四时和每个月的节气。㊲①悉无差违：全部没有差错后。差违，差错。㊲②十二笛：十二个定音管。㊲③以写通声：把十二笛的音高移置到通弦上。〖按〗十二笛开孔以弦音为根据，所以十二笛的音高与通的十二弦相同。㊲④饮：饮声，随声而斟酌清浊高下。㊲⑤玉律：玉制的律管。〖按〗古钟玉律可能都是汉代的乐器。㊲⑥被以八音：应用到各种物质制成的乐器上。古代的八种乐器指钟（金）、磬（石）、琴瑟（丝）、箫管（竹）、笙竽（匏）、埙（土）、鼓（革）、柷敔（木，打击乐器）。㊲⑦施以七声：确定七种音调的音高，即宫、商、角、徵、羽、变宫、变徵。㊲⑧宫悬：指宫廷雅乐的钟磬悬挂。帝王悬挂四面，象征宫室四面墙壁，故称“宫悬”。㊲⑨镈钟：单独悬挂的大钟。㊳⓪编钟：钟十六枚按其音调高低悬挂在一个架子上，称为编钟。㊳①编磬：磬十六枚按其音调高低悬挂在一个架子上，称为编磬。㊳②衡钟：古代金属乐器的一种，与古文钟、千石钟、九乳钟等，都属于俗乐部的金属乐器之一。见《文献通考》。㊳③凡十六虡：一共有十六个悬挂编钟编磬的木架子。虡，悬挂钟磬的架子。㊳④四隅：宫悬的四个角落。㊳⑤植建鼓：架有大鼓。植，竖立、架设。建鼓，大鼓。㊳⑥魏高祖：即孝文帝元宏，公元四七一至四九九年在位，死于公元四九九年四月。传见《魏书》卷一百四十二。㊳⑦平阳公丕：元丕，烈帝拓跋翳槐的后代。传见《魏书》卷十四。㊳⑧来赴：前来奔丧。㊳⑨历事六世：在魏国的六代皇帝驾下称臣。六世指太武帝、景穆帝、文成帝、献文帝、孝文帝、宣武帝。㊴⓪公辅：指三公，朝廷的最高长官。㊴①还为庶人：因牵连穆泰搞分裂被而免为庶人。㊴②宗室耆旧：本家族的老人。㊴③矜：同情；可怜。㊴④乙卯：八月三十。㊴⑤三老：荣誉官号，朝廷授予年高有德的老人，以表明朝廷的尊老敬贤之意。㊴⑥任城王澄：元澄，拓跋晃之孙，拓跋云之子，此时任扬州刺史，驻兵寿阳。传见《魏书》卷十九中。㊴⑦钟离：梁国北部边界的军事要地名，在今安徽蚌埠东南。㊴⑧羽林监：皇帝警卫部队的监军。㊴⑨范绍：敦煌郡人，官至太常卿。传见《魏书》卷七十九。㊵⓪共量进止：共同商议进攻还是停止。㊵①秋已向末：秋季已经快要过去了。㊵②方欲调发：才提出来调集粮食武器。㊵③九月丁巳：九月初二。㊵④十月庚子：十月十六。㊵⑤怀：魏县名，县治在今河南武陟西南，当时属于河内郡。⑯步：古时的一步相当于五尺。⑰甲辰：十月二十。⑱十一月己未：十一月初五。⑲小庙：与“太庙”相对而言。太庙是整个皇室的祖庙，祭祀太庙历来有严格的规定。⑳太祖之母：萧顺之之母，萧衍的祖母。太祖是萧衍追赠其父萧顺之的庙号。㉑一太牢：指一牛、一羊、一猪的祭品。如果只有一羊、一猪，称一少牢。㉒甲子：十一月初十。㉓皇子统：萧统，未即位而死，谥曰昭明，编有《文选》，是我国现存最早的古代诗文总集，通称《昭明文选》。传见《梁书》卷八。㉔洛阳宫室始成：齐武帝永明十一年魏始营洛阳，至是宫室乃成。㉕木陵戍：魏国的军事据点名，在今河南光山县南。㉖甲辰：十二月二十。㉗西平：县名，县治在今成都内。㉘驱略：驱赶、胁迫。㉙去成都：距离成都。去，距离。㉚琿：县名，县治在今成都西北。㉛州城：益州的州治所在地，即今四川成都。㉜城局参军：州刺史的僚属，主管修城与守城事宜。㉝尚：上配，娶公主为妻的敬称。㉞彝坐沈废累年：沈废，被压抑、被免官。沈，通“沉”。累年，长达数年。

【校记】

［1］兼：原无此字。据章钰校，十二行本、乙十一行本、孔天胤本皆有此字，张敦仁《通鉴刊本识误》同，今据补。［2］风：据章钰校，十二行本、乙十一行本、孔天胤本此下皆有“者”字。［3］石：据章钰校，十二行本、乙十一行本皆作“玉”。［4］至：张敦仁《通鉴刊本识误》云，“‘至’下脱‘望’字”。［5］三：据章钰校，乙十一行本作“二”。［6］昭：据章钰校，十二行本、乙十一行本、孔天胤本皆无此字。［7］所统：此二字原无。据章钰校，十二行本、乙十一行本、孔天胤本皆有此二字，张敦仁《通鉴刊本识误》同，今据补。［8］余：据章钰校，十二行本、乙十一行本皆作“许”。［9］宵：原作“夜”。据章钰校，十二行本、乙十一行本、孔天胤本皆作“宵”，张敦仁《通鉴刊本识误》同，今据改。［10］义故：据章钰校，十二行本、乙十一行本二字皆互乙。［11］绂：据章钰校，十二行本、乙十一行本皆作“绶”。［12］帝：原无此字。据章钰校，十二行本、乙十一行本、孔天胤本皆有此字，张敦仁《通鉴刊本识误》、张瑛《通鉴校勘记》同，今据补。［13］可复：据章钰校，十二行本、乙十一行本二字皆互乙。［14］当自：据章钰校，十二行本、乙十一行本二字皆互乙。［15］者：原无此字。据章钰校，十二行本、乙十一行本、孔天胤本皆有此字，张敦仁《通鉴刊本识误》同，今据补。［16］门：据章钰校，十二行本、乙十一行本皆无此字。［17］忠：据章钰校，十二行本、乙十一行本“忠”下皆有“等”字。［18］至：原无此字。据章钰校，十二行本、乙十一行本皆有此字，张敦仁《通鉴刊本识误》同，今据补。［19］甲辰：原无此二字。据章钰校，十二行本、乙十一行本、孔天胤本皆有此二字，张敦仁《通鉴刊本识误》同，今据补。［20］彝：原无此字。据章钰校，十二行本、乙十一行本皆有此字，孔天胤本作“寻”，张敦仁《通鉴刊本识误》亦作“寻”。作“彝”义长，今据改。

【原文】

二年（癸未，公元五〇三年）

春，正月乙卯[425]，以尚书仆射沈约为左仆射，吏部尚书范云为右仆射，尚书令王亮为左光禄大夫。丙辰[426]，亮坐正旦[427]诈疾不登殿，削爵，废为庶人。

乙亥[428]，魏主耕籍田[429]。

魏梁州氐杨会[430]叛，行梁州事杨椿[431]等讨之。

成都城中食尽，升米三千，人相食。刘季连食粥累月，计无所出。上遣主书[432]赵景悦宣诏受季连降，季连肉袒[433]请罪。邓元起迁季连于城外，俄而造焉，待之以礼。季连谢曰："早知如此，岂有前日之事[434]！"瑻城亦降。元起诛李奉伯等，送季连诣建康。初，元起在道，惧事不集[435]，无以为赏，士之至者皆许以辟命[436]，于是受别驾、治中檄[437]者将二千人。

季连至建康，入东掖门[438]，数步一稽颡[439]，以至上前。上笑曰："卿欲慕刘备[440]，而曾不及公孙述[441]，岂无卧龙之臣[442]邪？"赦为庶人。

三月己巳[443]，魏皇后蚕于北郊[444]。

庚辰[445]，魏扬州刺史任城王澄遣长风戍[21]主奇道显[446]入寇，取阴山、白藁二戍[447]。

萧宝寅伏于魏阙[448]之下，请兵伐梁，虽暴风大雨，终不暂移[449]。会陈伯之降魏，亦请兵自效[450]。魏主乃引八坐[451]、门下[452]入定议。夏，四月癸未朔[453]，以宝寅为都督东扬[454]等三州诸军事、镇东将军、扬州刺史、丹杨公、齐王，礼赐甚厚，配兵一万，令屯东城[455]；以伯之为都督

【语译】

二年（癸未，公元五〇三年）

春季，正月初二日乙卯，梁武帝萧衍任命担任尚书仆射的沈约为尚书左仆射，任命担任吏部尚书的范云为尚书右仆射，任命担任尚书令的王亮为左光禄大夫。初三日丙辰，王亮因为装病没有入宫参加正月初一举行的朝拜皇帝的朝廷盛典而获罪，被削去了官爵，贬为平民。

二十二日乙亥，魏宣武帝元恪到专门为皇帝准备的一块农田里亲自进行耕作示范，以此鼓励全国的农民积极从事农业生产。

魏国境内梁州地区的氐族头领杨会发动叛乱，担任代理梁州刺史职务的杨椿等人率军前往征讨杨会的叛乱。

成都城内的粮食吃光了，一升米的价钱涨到三千钱，发生了人吃人的现象。益州刺史刘季连一连几个月都在吃粥，却想不出任何解决问题的办法。梁武帝萧衍派遣担任主书的赵景悦前往益州宣布皇帝的诏书，接受刘季连的投降，刘季连袒露着臂膀向朝廷请罪。新任益州刺史邓元起把刘季连迁到成都城外安置，不久邓元起亲自到刘季连的住处拜访，对刘季连完全以礼相待。刘季连向邓元起道歉说："如果早点知道你会这样对待我，怎么会发生此前阻兵抗命的事情呢！"刘季连投降之后，郫城的守军也向邓元起投降。邓元起诛杀了刘季连的部将李奉伯等人，将刘季连送往建康。当初，邓元起在前往益州赴任的路上，担心事情不能成功，又没有什么可以用来赏赐跟随的将士，于是宣布凡是来投奔的知识分子都将聘任他们为官，于是接受邓元起聘书答应其为别驾、治中的有将近两千人。

刘季连到达建康，进入皇宫的东侧门之后，便几步一磕头，一直来到梁武帝的面前。梁武帝笑着说："你羡慕刘备，想效法他做蜀中王，结果却连个公孙述也比不上，是不是缺少卧龙那样的贤臣辅佐你呀？"梁武帝赦免了刘季连举兵造反的死罪，将他贬为平民。

三月十七日己巳，魏国的皇后到洛阳北郊举行采桑养蚕之礼，以鼓励全国的妇女都要勤于养蚕织布。

二十八日庚辰，魏国担任扬州刺史的任城王元澄派遣长风军事据点的驻军头领奇道显率军入侵梁国，攻取了阴山、白藁两个军事据点。

逃奔魏国的鄱阳王萧宝寅跪伏在魏国皇宫的正门之下，请求魏国皇帝元恪出兵讨伐梁国，即使是遇到了暴风骤雨，萧宝寅始终跪在那里一动不动。恰好遇到江州刺史陈伯之投降魏国，陈伯之也向魏国皇帝请求批准自己率军出征，为魏国效劳。于是魏宣武帝便把尚书省的八位长官与门下省的几位长官召入宫中商议决定此事。夏季，四月初一日癸未，魏国朝廷任命萧宝寅为都督东杨等三州诸军事、镇东将军、扬州刺史、丹杨公、齐王，给予萧宝寅的礼遇、赏赐非常优厚，还拨给萧宝寅一万

淮南诸军事、平南将军、江州刺史，屯阳石[456]，俟秋冬大举。宝寅明当拜命[457]，自[22]夜恸哭至晨[458]。魏人又听[459]宝寅募四方壮勇，得数千人，以颜文智、华文荣等六人皆为将军、军主。宝寅志性雅重[460]，过期[461]犹绝酒肉，惨形悴色，蔬食粗衣，未尝嬉笑。

癸卯[462]，蔡法度上《梁律》二十卷、《令》三十卷、《科》[463]四十卷。诏班行[464]之。

五月丁巳[465]，霄城文侯范云[466]卒。云尽心事上，知无不为，临繁处剧[467]，精力过人。及卒，众谓沈约宜当枢管[468]，上以约轻易[469]，不如尚书左丞徐勉[470]，乃以勉及右卫将军汝南[23]周舍[471]同参国政[472]。舍雅量[473]不及勉，而清简[474]过之，两人俱称贤相，常留省内，罕得休下[475]。勉或时还宅[476]，群犬惊吠。每有表奏，辄焚其稿。舍豫机密二十余年，未尝离左右，国史、诏诰、仪体[477]、法律、军旅谋谟[478]皆掌之。与人言谑[479]，终日不绝，而竟不漏泄机事，众尤服之。

壬申[480]，断[481]诸郡县献奉二宫[482]，惟诸州及会稽[483]许贡任土[484]；若非地产，亦不得贡。

甲戌[485]，魏杨椿等大破叛氐，斩首数千级。

六月壬午朔[486]，魏立皇弟悦[487]为汝南王。

魏扬州刺史任城王澄表称："萧衍频断东关[488]，欲令巢湖泛溢以灌淮南诸戍[489]。吴、楚[490]便水[491]，且灌且掠，淮南之地将非国有。寿阳去江[492]五百余里，众庶惶惶[493]，并惧水害，脱[494]乘民之愿，攻敌之虚，豫勒诸州[495]，纂集士马，首[24]秋[496]大集，应机经略[497]，虽混壹[498]不能必果，江西自是无虞[499]矣。"丙戌[500]，魏发冀、定、瀛、相、并、济[501]六州二万人，马一千五百匹，令仲秋之中[502]毕会淮南，并寿阳先

军队，让他屯驻在东城；任命陈伯之为都督淮南诸军事、平南将军、江州刺史，屯扎在阳石城，等到秋冬之际再大举进攻梁国。萧宝寅明天就要接受任命，他从当天夜里一直恸哭到第二天早晨。魏国又允许萧宝寅招募四方的壮年勇士，一下子就招募到了数千人，萧宝寅任命颜文智、华文荣等六人为将军、军主。萧宝寅性情文雅、举止庄重，言行不轻率，虽然已经超过了服丧的时间，仍然拒绝喝酒吃肉，面容凄惨憔悴，吃的是菜蔬素食，穿的是粗布衣，从不嬉笑。

二十一日癸卯，尚书删定郎蔡法度向梁武帝呈上《梁律》二十卷、《令》三十卷、《科》四十卷。梁武帝下诏颁布施行。

五月初六日丁巳，霄城文侯范云去世。范云尽心竭力地为梁武帝效劳，凡是他认为应该去做的事情全都不遗余力地去做，范云擅长处理各种非常复杂、非常繁难的事务，他的精力超过一般人。等到范云去世之后，众人都认为沈约最适宜担任中书省、门下省的主要长官，梁武帝认为沈约说话、办事不稳重，不如担任尚书左丞的徐勉，于是任命徐勉和担任右卫将军的汝南人周舍同时担任中书侍郎之职。周舍在说话的风度、办事的气量方面比不上徐勉，而在办事的简要、不烦琐方面则胜过了徐勉，两个人都称得上是贤明的宰相，他们经常留在省中办公，很少有时间歇班、回家。徐勉有时偶尔回一趟家，家中养的一群狗都把他当作外人而向他狂吠。每次写好表章上奏给皇帝之后，他就把草稿焚烧掉。周舍参与谋划朝廷机密长达二十多年，未曾离开皇帝左右，国史、诏诰、仪礼、法律、军旅谋划都在他的掌握之中。周舍一天到晚经常与人开玩笑，却从来没有泄露过朝廷的机密，众人都特别佩服他。

五月二十一日壬申，梁武帝下令禁止各郡县的官员向皇帝宫与太子宫进献物品，只允许各州的刺史和会稽郡太守向两宫进贡一些当地的土特产；如果不是当地出产的物品，也不许向朝廷进贡。

二十三日甲戌，魏国代理梁州刺史的杨椿等打败了梁州地区氐族首领杨会所率领的叛军，斩杀了数千人。

六月初一日壬午，魏宣武帝封自己的弟弟元悦为汝南王。

魏国担任扬州刺史的任城王元澄上表给宣武帝说："梁国的皇帝萧衍屡屡派人挖断东关一带的堤坝，想让巢湖水泛滥以淹没我国设在淮水以南的各个军事据点。吴、楚一带的敌军擅长水上作战，他们一边放水淹没我国设在淮南的军事据点，一边进攻抢掠，我担心淮水以南地区将不再属于我们魏国所有。寿阳距离长江有五百多里，这里的百姓已经人心惶惶，全都惧怕自己的土地、房屋被水淹没，倘若我们顺应百姓的意愿，对敌人防守虚弱的部位发起进攻，预先命令我国南部边境上的各州郡调集人马，利用初秋时节把人马大量集中起来，随机应变地进行出击，虽然不一定能马上消灭梁朝，统一天下，但长江以西地区从此以后就可以不再担忧了。"六月初五日丙戌，魏国发动冀州、定州、瀛州、相州、并州、济州六州的二万人，一千五百匹战马，命令于八月中旬全部到淮南会合，连同早就屯驻在寿阳的三万军队，

兵[503]三万，委澄经略[504]；萧宝寅、陈伯之皆受澄节度[505]。

谢朏轻舟出诣阙[506]，诏以为侍中、司徒、尚书令，朏辞脚疾不堪拜谒，角巾[507]自舆[508]诣云龙门[509]谢。诏见于华林园[510]，乘小车就席。明旦，上幸朏宅，宴语[511]尽欢。朏固陈本志[512]，不许，因请自还东[513]迎母，许之。临发，上复临幸[514]，赋诗饯别，王人[515]送迎，相望于道。及还，诏起府于旧宅，礼遇优异。朏素惮烦，不省职事[516]，众颇失望。

甲午[517]，以中书监王莹为尚书右仆射。

秋，七月乙卯[518]，魏平阳平公丕[519]卒。

魏既罢盐池之禁，而其利皆为富强所专。庚午[520]，复收盐池利入公。

辛未[521]，魏以彭城王勰[522]为太师，勰固辞。魏主赐诏敦谕，又为家人书[523]，祈请恳至。勰不得已，受命。

八月庚子[524]，魏以镇南将军元英都督征义阳[525]诸军事。司州刺史蔡道恭[526]闻魏军将至，遣骁骑将军杨由帅城外居民三千余家保贤首山[527]，为三栅。冬，十月，元英勒诸军围贤首栅，栅民任马驹斩由降魏。

任城王澄命统军党法宗、傅竖眼[528]、太原王神念[529]等分兵寇东关、大岘、淮陵[530]、九山[531]；高祖珍将三千骑为游军[532]，澄以大军继其后。竖眼，灵越[533]之子也。魏人拔关要[534]、颍川[535]、大岘三城，白塔、牵城、清溪皆溃。徐州刺史司马明素[536]将兵三千救九山，徐州长史潘伯邻救淮陵，宁朔将军王燮保焦城。党法宗等进拔焦城，破淮陵，十一月壬午[537]，擒明素，斩伯邻。

先是，南梁太守冯道根[538]戍阜陵[539]；初到，修城隍[540]，远斥候[541]，如敌将至，众颇笑之。道根曰："怯防勇战[542]，此之谓也。"城未毕，党法

全部委托给元澄统一指挥，萧宝寅、陈伯之全都接受元澄的统一调度。

谢朏乘坐着一艘轻便的小船来到朝廷，梁武帝下诏任命谢朏为侍中、司徒、尚书令，谢朏推说自己的脚上有病受不了拜谒的辛劳，于是就头戴方巾坐在肩舆上让人抬着来到皇宫的内门云龙门谢恩。梁武帝下诏，在华林园接见谢朏，让谢朏乘坐着一辆小车就席。第二天早上，梁武帝亲自驾临谢朏的住宅，与谢朏不拘礼节地倾心交谈，尽欢而散。谢朏一再向梁武帝陈述自己不乐仕宦的想法，梁武帝就是不答应，于是谢朏请求允许自己返回会稽将母亲接到建康，梁武帝表示同意。谢朏临出发的时候，梁武帝又一次来到谢朏的家中，赋诗与谢朏饯别，朝中的官员奉命对谢朏送往迎来，不绝于道路。等到谢朏接母亲回到建康之后，梁武帝下诏在谢朏的旧宅为他重新建造府第，对谢朏特别厚待，礼遇有加。谢朏一向怕麻烦，对自己职分之内的事务不关心、不过问，众人对此感到非常失望。

六月十三日甲午，梁武帝任命担任中书监的王莹为尚书右仆射。

秋季，七月初五日乙卯，魏国的平阳平公元丕去世。

魏国取消了不允许私自煮盐的禁令之后，煮盐的丰厚利润全都被那些富商豪强所垄断。二十日庚午，魏国朝廷又把煮盐的专利收归国有。

二十一日辛未，魏宣武帝任命彭城王元勰为太师，元勰坚决推辞。宣武帝赐诏书给元勰，诚恳地开导他、劝说他，又以平常人家叔侄的关系写信给元勰，祈请恳切到了极点。元勰迫不得已，只好接受了任命。

八月二十日庚子，魏国朝廷任命担任镇南将军的元英为都督征义阳诸军事。梁国担任司州刺史的蔡道恭听说魏军即将到来，立即派遣担任骁骑将军的杨由带领城外的三千多户居民前去防守贤首山，杨由等在贤首山设置了三个营寨。冬季，十月，元英指挥军队包围了贤首山刚刚建立起来的营寨，营寨之内的百姓任马驹斩杀了驻军头领杨由投降了魏军。

魏国的任城王元澄命令统军党法宗、傅竖眼，太原王神念等人分别率军进犯梁国的东关、大岘城、淮陵、九山；派高祖珍率领三千名骑兵作为机动部队，负责四处策应，元澄亲自率领大军随后进发。傅竖眼，是傅灵越的儿子。魏军一路攻克了梁国的关要、颍川、大岘三城，白塔、牵城、清溪的梁国守军全都闻风溃散。担任徐州刺史的司马明素率领三千名士卒前往救援九山，担任徐州长史的潘伯邻率军前往救援淮陵，担任宁朔将军的王燮坚守焦城。魏国的党法宗等率军攻占了焦城，攻陷了淮陵，十一月壬午日，魏军活捉了徐州刺史司马明素，杀死了徐州长史潘伯邻。

先前，担任南梁太守的冯道根率军驻守阜陵；冯道根刚到阜陵的时候，就加固阜陵城墙，深挖护城河，把侦察兵远远地派出去侦察敌情，就像敌军即将到来的样子，众人都嘲笑他胆小如鼠。冯道根解释说：“小心谨慎地防守，勇敢顽强地作战，说的就是这种做法。”城墙还没有修筑好，党法宗等已经率领二万军队突然来到阜陵

宗等众二万奄至城下[543]，众皆失色。道根命大开门，缓服登城，选精锐二百人出与魏兵战，破之。魏人见其意思闲暇[544]，战又不利，遂引去。道根将百骑击高祖珍，破之。魏诸军粮运绝，引退。以道根为豫州刺史[545]。

武兴安王杨集始[546]卒。己未[547]，魏立其世子绍先为武兴王。绍先幼，国事决于二叔父集起、集义。

乙亥[548]，尚书左仆射沈约以母忧去职[549]。

魏既迁洛阳，北边荒远，因以饥馑，百姓困弊。魏主加尚书左仆射源怀[550]侍中、行台[551]，使持节巡行北边六镇，恒、燕、朔[552]三州，赈给贫乏，考论殿最[553]，事之得失皆先决后闻[554]。怀通济有无[555]，饥民赖之。沃野[556]镇将于祚[557]，皇后之世父[558]，与怀通婚。时于劲[559]方用事，势倾朝野，祚颇有受纳[560]。怀将入镇[561]，祚郊迎道左，怀不与语，即劾奏[562]免官。怀朔[563]镇将元尼须与怀旧交，贪秽狼籍[564]，置酒请怀，谓怀曰："命之长短，系卿之口，岂可不相宽贷[565]？"怀曰："今日源怀与故人饮酒之坐，非鞫狱[566]之所也。明日，公庭[567]始为使者检镇将罪状之处耳。"尼须挥泪无以对，竟按劾抵罪[568]。怀又奏边镇事少而置官猥多[569]，沃野一镇自将以下[570]八百余人，请一切[571]五分损二[572]。魏主从之。

乙酉[573]，将军吴子阳与魏元英战于白沙[574]，子阳败绩。

魏东荆州蛮[575]樊素安作乱，乙酉[576]，以左卫将军李崇[577]为镇南将军、都督征蛮诸军事，将步骑讨之。

冯翊吉翂[578]父为原乡令[579]，为奸吏所诬，逮诣廷尉[580]，罪当死。翂年十五，挝登闻鼓[581]，乞代父命。上以其幼，疑人教之，使廷尉卿[582]蔡

城下，众人都大惊失色。冯道根命令大开城门，然后身穿宽松的官服登上城楼，他挑选出二百名精兵出城与魏军作战，把魏军打败。魏军看见城楼上面的冯道根神情举止毫不慌乱，像没事人似的，战事又对己方不利，就退走了。冯道根率领百名骑兵攻击高祖珍，将他打败。魏国许多军粮道断绝，遂退兵。梁武帝任命冯道根为豫州刺史。

武兴安王杨集始去世。十一月十一日己未，魏宣武帝封杨集始的长子杨绍先为武兴王。由于杨绍先当时还很年幼，封国内的政务全都由杨绍先的两位叔父杨集起、杨集义掌管。

二十七日乙亥，梁国担任尚书左仆射的沈约因为母亲去世需要在家守孝而辞去官职。

魏国迁都洛阳以后，北部地区荒僻遥远，再加上遇到灾荒，百姓生活十分贫困艰难。魏宣武帝加授担任尚书左仆射的源怀为侍中、主持行台事务的首脑，让源怀持节前往巡视北方的沃野镇、怀朔镇、武川镇、抚冥镇、柔玄镇、怀荒镇六镇和恒州、燕州、朔州三州，赈济那里的贫困百姓，考评那里官吏政绩的优劣，遇到事情有权先作出处理，然后再上报朝廷。源怀到了北方之后，立即开始调剂贫富，饥民全都依靠源怀的救济而得以生存。沃野镇的守将于祚，是于皇后的伯父，与源怀家也有姻亲关系。当时于皇后的父亲于劲正在朝中执掌大权，他的势力极大，于祚也接受了很多贿赂。源怀即将进入沃野镇检查工作，于祚亲自到郊外，站在路旁迎接源怀的到来，源怀根本没有理睬于祚，就给朝廷上奏了一份弹劾于祚的奏章，当即免去了于祚的官职。怀朔镇的守将元尼须与源怀是老相识，但贪婪得一塌糊涂，元尼须摆设酒宴邀请源怀一同饮酒，他对源怀说："我的寿命长短，全凭你的一张嘴，你难道不能对我有所宽容吗？"源怀说："今天我是和你这位老朋友在一起饮酒，这里不是审问案情的场所。明天，你的办公厅才是我开始以使者的身份检举镇将罪状的场所。"元尼须在老朋友面前流着眼泪而无话可说，源怀按照元尼须所犯的罪行处置了元尼须，使元尼须受到了应有的惩罚。源怀又上奏宣武帝说边镇的事务少而设置的官员过多，仅沃野一个边镇所设置的官员从镇将以下总共有八百多人，请将边镇官员一律减少五分之二。魏宣武帝听从了源怀的建议。

十二月初七日乙酉，梁国的将军吴子阳与魏国的镇南将军元英在白沙关交战，吴子阳被元英打败。

魏国东荆州境内的少数民族首领樊素安举兵作乱，乙酉日，魏国朝廷任命担任左卫将军的李崇为镇南将军、都督征蛮诸军事，率领步兵骑兵前往讨伐樊素安的叛乱。

冯翊郡人吉翂的父亲是原乡县的县令，因为遭到狡诈官吏的诬陷，被捉到刑部，下了大狱，按照被诬陷的罪状是要被判处死刑。吉翂当时才十五岁，他跑到官门外击打登闻鼓，请求替自己的父亲去死。梁武帝因为吉翂年幼，怀疑是有人在背后教

法度严加诱胁，取其款实[583]。法度盛陈拷讯之具，诘翂曰："尔求代父，敕已相许，审能死不[584]？且尔童骙[585]，若为人所教，亦听悔异[586]。"翂曰："囚虽愚幼，岂不知死之可惮！顾[587]不忍见父极刑，故求代之。此非细故[588]，奈何受人教[589]邪！明诏听代[590]，不异登仙，岂有回贰[591]？"法度乃更和颜诱之曰："主上知尊侯[592]无罪，行[593]当得释，观君足为佳童，今若转辞，幸可父子同济[594]。"翂曰："父挂深劾[595]，必正刑书，囚瞑目引领[596]，唯听大戮，无言复对。"时翂备加杻械[597]，法度愍[598]之，命更著小者，翂不[25]听，曰："死罪之囚，唯宜益械，岂可减乎！"竟不脱。法度具以闻，上乃宥其父罪。丹杨尹王志求其在廷尉事，并问乡里[599]，欲于岁首举充纯孝[600]。翂曰："异哉王尹，何量翂之薄[601]乎！父辱子死，道固当然。若翂当此举[602]，乃是因父取名，何辱如之[603]！"固拒而止。

魏主纳高肇[604]兄偃之女为贵嫔[605]。

魏散骑常侍赵脩[606]，寒贱暴贵，恃宠骄恣，陵轹[607]王公，为众所疾[608]。魏主为脩治第舍，拟于诸王，邻居献地者或超补大郡[609]。脩请告归[610]葬其父，凡财役所须[611]，并从官给[612]。脩在道[613]淫纵，左右乘其出外，颇发其罪恶。及还，旧宠小衰。高肇密构成其罪[614]，侍中、领御史中尉甄琛、黄门郎李凭、廷尉卿阳平王显[615]，素皆谄附于脩，至是惧相连及[616]，争助肇攻之。帝命尚书元绍[617]检讯[618]，下诏暴其奸恶[619]，免死，鞭一百，徙敦煌为兵。而脩愚疏[620]，初不之知[621]，方在领军于劲第樗蒱[622]，

他这样做，于是就让担任廷尉卿的蔡法度对吉翂严加引诱威胁，务必要弄清他的真实情况。蔡法度把所有用来拷打犯人的刑具全都摆在吉翂的面前，然后责问吉翂说："你请求替你父亲去死，皇帝已经下令批准，你能不能真的替你父亲去死？况且你是一个不懂事的小孩子，如果你是听信了别人的教唆，现在也还允许你反悔。"吉翂说："我这个囚犯虽然愚昧幼稚，难道不知道死亡是很可怕的事情吗！我只是不忍心看到自己的父亲遭受极刑而死，所以才请求替父亲去死。这可不是小事情，怎么会是受别人指使呢！皇帝英明，已经允许我替父亲去死，我觉得这和升仙没什么两样，怎么会反悔呢？"蔡法度于是又换上一副和颜悦色的样子继续诱导吉翂说："皇上知道你父亲无罪，很快就会将你的父亲释放，我看你确实是一个好孩子，现在你如果改变说法，你就可以有幸和你的父亲一同被免罪。"吉翂说："我的父亲被诬陷犯了大罪，一定会受到惩处，我现在闭上眼睛，伸长脖子，只等接受杀戮，我已经没有什么话可说了。"当时吉翂身上戴着全副的手铐和脚镣，蔡法度很同情他，就命人再给他换上小一点的手铐脚镣，吉翂不愿意，他说："犯了死罪的囚犯，只应该加重刑具，怎能减轻刑具呢！"竟然不肯脱下重刑具。蔡法度把审问的情况详细地向梁武帝作了汇报，梁武帝遂赦免了吉翂父亲的死罪。担任丹杨尹的王志打听吉翂在廷尉那里接受审问的情况，并到乡里去询问吉翂的平时表现，准备在年初时把吉翂作为大孝子由州郡上报给朝廷。吉翂说："丹杨尹王志真是一个奇怪的人物，为什么把我吉翂看得如此浅薄呢！父亲受到侮辱，儿子替父亲去死，这是理所当然的道理。如果我接受了这样的推荐，就是在利用父亲的苦难来博取自己的美名，还有什么样的耻辱比这个更严重！"吉翂坚决拒绝了王志的举荐，王志才停止了推举吉翂的行动。

魏宣武帝将高肇的哥哥高偃的女儿接入后宫封为贵嫔。

魏国担任散骑常侍的赵脩，出身寒门，地位低贱，突然之间成了有权有势的达官贵人，依仗着皇帝的宠信骄横放纵，任意欺压凌辱王公大臣，因而为众人所痛恨。魏宣武帝为赵脩所建造的宅第屋舍，其规格等同于一个诸侯王，赵脩的邻居凡是愿意将土地献给赵脩的，都被赵脩任用为官，有的甚至被破格任用为大郡的太守。赵脩向宣武帝请假回家安葬自己的父亲，所需要的一切财力物力，都由官府供给。赵脩在返回家乡赵郡的路上照样淫乐放纵，宣武帝身边的那些侍从趁着赵脩回家葬父的机会，揭发了赵脩的很多罪恶。等到赵脩回到朝廷之后，宣武帝对他的宠信便有些不如从前了。宣武帝的舅舅高肇趁机秘密地在宣武帝面前添油加醋地罗织赵脩的罪名，担任侍中兼御史中尉的甄琛、担任黄门郎的李凭、担任廷尉卿的阳平人王显，向来都是依附于赵脩，向赵脩谄媚取容，到现在都惧怕受到赵脩的牵连给自己招来灾祸，于是全都争先恐后地帮助高肇攻击赵脩。宣武帝命令担任尚书令的元绍主持对赵脩罪行的核实、审问工作，并下诏公布赵脩作奸犯科的种种罪恶，但免除了赵脩的死罪，只令责打赵脩一百鞭子，然后发配到敦煌去当兵。而赵脩为人愚昧、粗疏，事先一点也没有察觉，正在领军将军于劲的府第玩赌博游戏，

羽林数人称诏呼之，送诣领军府[623]。甄琛、王显监罚，先具问事有力者[624]五人，迭[625]鞭之，欲令必死。脩素肥壮，堪忍楚毒[626]，密加鞭至三百不死。即召驿马，促之上道，出城不自胜[627]，举缚置鞍中[628]，急驱之，行八十里，乃死。帝闻之，责元绍不重闻[629]，绍曰："脩之佞幸，为国深蠹，臣不因衅除之[630]，恐陛下受万世之谤。"帝以其言正，不罪也。绍出，广平王怀[631]拜之曰："翁[632]之直过于汲黯[633]。"绍曰："但恨戮之稍晚，以为愧耳。"绍，素之孙也。明日，甄琛、李凭以脩党皆坐免官，左右与脩连坐死黜[634]者二十余人。散骑常侍高聪[635]与脩素亲狎[636]，而又以宗人[637]谄事高肇，故独得免。

【段旨】

以上为第二段，写梁武帝萧衍天监二年（公元五〇三年）一年中的大事。主要写了梁益州刺史刘季连据成都以抗邓元起，至弹尽粮绝，萧衍又下诏招之，刘季连遂回建康请罪，萧衍赦之为庶人。写了萧宝寅哭魏阙，请求出兵伐梁，魏主遂命萧宝寅与陈伯之为主要将领，准备大举伐梁。写了魏将元英率大军进攻义阳，破梁军于贤首山；又派傅竖眼等进攻东关、大岘、淮陵、九山，擒徐州刺史司马明素，斩其长史潘伯邻，拔关要、淮陵、九山；又败梁将吴子阳于白沙关。写魏国的佞幸赵脩因专权跋扈、作恶多端而被外戚高肇罗织下狱，尚书令元绍等遂趁机将其杀死，以除后患。写了魏国名臣源怀视察北方六镇与恒、燕、朔三州，源怀秉公行事，惩治了严重的违法犯罪行为。写了魏国的名臣李崇有文韬武略，于孝文、宣武二代屡立功勋。写了梁之假隐士谢朏奉诏入朝，被任为侍中、尚书令，又不关心过问职事，带有一股可厌的酸腐之气。写了梁之十五岁童吉翂击登闻鼓以救其父的故事，恰似汉代的缇萦。写了梁臣范云死，兼写了周舍、徐勉为政之贤能干练。此外还写了魏主坚请彭城王元勰任职，元勰不得已而入朝从政，为其日后被害埋下伏线等。

【注释】

㊺正月乙卯：正月初二。㊻丙辰：正月初三。㊼正旦：正月初一，这里指正月初一举行的朝拜皇帝的朝廷盛典。㊽乙亥：正月二十二。㊾耕籍田：皇帝在特定的日子到一块特定的土地上去表演农业耕作，以表现皇帝对发展农业的重视，以鼓励全国农民积极

几名羽林军来到于劲的府第门口称赵脩接旨，赵脩接旨之后，便被送到了领军将军的衙门。由甄琛、王显监督对赵脩的惩罚，甄琛、王显预先详细问清了履行杖刑谁最有力气，便从中挑选了五个人，让他们轮流鞭打赵脩，一心想把赵脩活活打死。赵脩一向肥胖健壮，能够忍受鞭打的痛苦，甄琛、王显只好暗中将一百鞭增加到了三百鞭，赵脩仍然没死。甄琛、王显立即叫来驿站的马匹，催促赵脩骑上驿马上路，前往敦煌，赵脩出城之后无法自己骑在马上，负责押送的人就把他举起来放到马鞍上捆绑牢固，然后驱马疾驰，跑了八十里，赵脩才死。宣武帝得知甄琛、王显私自责打赵脩三百鞭，又强行令赵脩带重伤骑马上路，从而导致赵脩死亡的消息后，就责问元绍为什么没有再次请示报告便独断专行，元绍辩解说："赵脩奸佞谄媚，成为危害国家的大蠹虫，我不趁他犯罪的机会把他除掉，恐怕陛下会受到万世的诽谤。"宣武帝认为元绍言辞正直，便没有怪罪他。元绍出宫之后，广平王元怀向元绍拜谢说："您老人家的正直超过了汉朝有名的直臣汲黯。"元绍说："令我感到遗憾的是杀他稍微晚了一点，我为此而感到羞愧。"元绍，是元素的孙子。第二天，甄琛、黄门郎李凭都因为是赵脩的同党而被免官，宣武帝身边的侍从受赵脩的牵连而获罪被处死、被免官的有二十多人。担任散骑常侍的高聪一向与赵脩亲密无间，又因为与高肇是同一族姓的人而向高肇献媚取宠，所以在赵脩的党羽中只有高聪一个人得以免受惩罚。

从事农业生产。籍田，皇帝亲自耕种的示范田。㊸⓪梁州氐杨会：梁州地区的氐族头领杨会。魏国的梁州州治在骆谷城，今甘肃成县西北，当时也是仇池郡的郡治所在地。杨会是这一带氐族头领杨氏家族的后裔，长期以来杨氏依违于南朝与北朝之间。杨会此前依附于魏国。传见《魏书》卷一百一。㊸①杨椿：孝文、宣武时期的魏国名将，曾为梁州刺史，招募氐族有功。此时为行梁州事，即代理梁州刺史。传见《魏书》卷五十八。㊸②主书：中书省的属官，掌管文书。㊸③肉袒：褪下衣袖，露着臂膀。这是古人表示请罪的一种姿态。㊸④早知如此二句：胡三省曰，"盖言前日所以阻兵拒命，实为朱道琛构间也"。㊸⑤惧事不集：担心事情不能成功，即无法制服刘季连。不集，不成。㊸⑥辟命：聘任其为官。辟，聘。㊸⑦受别驾、治中檄：接受到邓元起聘书答应其为别驾、为治中者。别驾、治中，都是州刺史的高级僚属。檄，这里指聘任书、委任状。㊸⑧东掖门：皇宫的东侧门。㊸⑨稽颡：磕头至地。颡，前额。㊹⓪欲慕刘备：指前面所说的"退不失作刘备"云云。㊹①曾不及公孙述：结果竟然连公孙述也比不上。公孙述是西汉末、东汉初在巴蜀割据称帝的军阀，最后被汉光武所灭。传见《后汉书》卷四十三。㊹②无卧龙之臣：没有

诸葛亮那样的臣子。诸葛亮在出世前隐于隆中，人称之曰“卧龙”。事见《三国志·诸葛亮传》。㊸三月己巳：三月十七。㊹蚕于北郊：在洛阳城的北郊行采桑养蚕之礼，以鼓励全国的妇女都要勤于养蚕织布。与前文之皇帝“耕籍田”意思相同。㊺庚辰：三月二十八。㊻长风戍主奇道显：长风据点的驻军头领姓奇名道显。长风戍，《魏书·田益宗传》云：“进至阴山关南八十余里，据长风城……”又胡注云：“据《水经注》，阴山关在弋阳县西南。”弋阳县即今河南潢川县，长风城则位于今潢川县西南方（即今河南光山县附近），长风戍当依长风城而设，亦当位于光山县附近处。㊼阴山、白藁二戍：当时原属于南朝的两个军事据点名，在当时的弋阳郡（今河南潢川县西）西南。㊽魏阙：魏国皇宫的正门。因古代宫廷的正门外立有双阙，类似今故宫午门的五凤楼，故称宫门曰“阙”。㊾不暂移：跪在原地一刻不动。㊿自效：自己出征，为魏国效力。(451)八坐：尚书省的八位长官，指尚书令、左右仆射与五个部门的尚书。(452)门下：指门下省的几位长官，指侍中、散骑常侍等官。(453)四月癸未朔：四月初一是癸未日。(454)东扬：魏国所说的东扬州，州治在安徽东城一带，因在南朝境内，又在魏国扬州的寿春以东，故指其地以任之。(455)东城：秦汉时期的东城县，在今安徽定远东南、滁州西北。(456)阳石：又作“羊石”，在今安徽舒城西北。(457)明当拜命：在明天就要接受任命的头天晚上。(458)自夜恸哭至晨：从夜里一直恸哭到第二天早上。以言其为了报父兄之仇不得不倚靠外邦的矛盾痛苦。(459)听：听任；允许。(460)雅重：文雅、庄重，言行不轻率。(461)过期：已经超过了服丧的时间。(462)癸卯：四月二十一。(463)《科》：也是法律条文的一种。(464)班行：同“颁行”，颁布实行。(465)五月丁巳：五月初六。(466)霄城文侯范云：范云被封为霄城县侯。当时的霄城县即日后的竟陵县，在今湖北潜江西南。(467)临繁处剧：擅长于处理非常复杂、非常繁难的事务。繁剧，复杂、艰难。(468)枢管：轴心；关键。这里指中书省、门下省的主要长官，如中书令、中书侍郎、侍中等，都是侍候在皇帝身边，为之出谋划策、起草文件、下达命令的关键人物。宋代称枢使曰“枢管”。(469)轻易：说话、办事不稳重。(470)徐勉：萧衍建梁后，先后任中书侍郎、尚书左丞等职。传见《梁书》卷二十五。(471)汝南周舍：汝南郡人周舍。周舍是晋朝名臣周顗的后代，周颙之子。在齐时为太学博士，入梁后为尚书祠郎、中书侍郎、尚书吏部郎。身参机要二十多年。(472)同参国政：意即同时任中书侍郎之职。(473)雅量：说话、办事及一举一动的风度、气量。(474)清简：简要、不烦琐。(475)罕得休下：很少有时间歇班、回家。(476)或时还宅：偶尔有时回家。(477)仪体：意同“仪礼”，国家的重大典礼、仪式。(478)谋谟：谋划。谟，谋略、韬略。(479)言谑：谈笑。谑，开玩笑。(480)壬申：五月二十一。(481)断：禁止。(482)献奉二宫：给皇帝宫与太子宫进献物品。(483)诸州及会稽：各州的刺史与会稽郡的太守。胡三省曰：“会稽，东土大郡也，故使之同于诸州。”(484)许贡任土：许可他们进贡一些当地出产的东西。(485)甲戌：五月二十三。(486)六月壬午朔：六月初一是壬午日。(487)皇弟悦：元悦，孝文帝的第六子，为人无品行。传见《魏书》卷二十二。因其日后有事端，故特别表出之。(488)频断东关：屡屡挖断东关一带的堤坝。东关在今安徽含山县西南的濡须山上，北控巢湖，南扼长江，是当时的军事要地。㊽㊺淮南诸戍：地处淮水以南的魏国的诸军事据点，如寿春、雍丘等。㊾⓪吴、楚：春秋、战国时期的古国名，吴国的都城在今江苏苏州，楚国的都城在今安徽寿县。这里代指南朝占据的长江中下游与淮河以南地区。㊾①便水：擅长水战。㊾②去江：距离长江。㊾③众庶惶惶：指淮南地区梁国百姓人心惶惶，害怕自己的土地、屋舍被淹。㊾④脱：假如；万一。㊾⑤豫勒诸州：预先命令魏国南部边境上的诸州郡。勒，命令。㊾⑥首秋：初秋的七月。㊾⑦应机经略：随机应变地出动进攻。㊾⑧混壹：消灭南朝，统一天下。㊾⑨江西自是无虞：长江以西可以从此不再操心，意即整个的淮南地区可以为我所有。江西，古代泛指今安徽中部的淮河以南地区，因其地处长江的西侧，故也。500丙戌：六月初五。501冀、定、瀛、相、并、济：魏之六州名。冀州的州治即今河北衡水市冀州区，定州的州治即今河北定州，瀛州的州治即今河北河间，相州的州治邺城（在今河北临漳西南），并州的州治在今山西太原南侧，济州的州治卢县（在今山东东阿西北）。502仲秋之中：八月中旬。503寿阳先兵：早就屯驻于寿阳的军队。504委澄经略：委托元澄统一指挥。505受澄节度：接受元澄的统一调度。506诣阙：到达宫廷；到达朝廷。阙，宫门，指朝廷。507角巾：方巾，古代隐士的帽子，这里即指一套隐士的装束。508自舆：词语生涩，《梁书·谢朏传》作“肩舆”，即软轿、滑竿。509云龙门：宫廷的内门。510华林园：在宫廷后面，与宫廷相通的皇家园林。511宴语：也作“燕语”，不拘礼节地倾心交谈。宴，安闲。512固陈本志：表达不乐仕宦之意。513还东：指回会稽。谢朏的家在会稽。514临幸：临幸谢朏在京的宅院。515王人：朝中的官员。胡三省曰：“凡将上命者皆谓之王人。”516不省职事：不关心、不过问职内的事务。517甲午：六月十三。518七月乙卯：七月初五。519平阳平公丕：元丕，被封为平阳郡公，平阳郡是封地名（即今山西临汾），后“平”字是谥。传见《魏书》卷十四。520庚午：七月二十日。521辛未：七月二十一日。522彭城王勰：元勰，孝文帝的亲兄弟，辅佐孝文帝尽心尽责，又使宣武帝元恪顺利接班，有重大功勋，宣武帝继位后，元勰辞官职，在家赋闲。传见《魏书》卷二十一下。523为家人书：不以君臣之礼，而以平常人家叔侄的关系写信。家人，平民百姓。524八月庚子：八月二十。525义阳：南朝北部前线的军事重镇，即今河南信阳。526司州刺史蔡道恭：蔡道恭是齐梁之交的重要将领，先为萧颖胄的部下，萧衍称帝后，为司州刺史。传见《梁书》卷十。南朝的司州州治就在信阳。527保贤首山：依据贤首山进行防守。贤首山在今河南信阳西。528傅竖眼：刘宋名将傅灵越之子，傅灵越为拥立刘子勋而战死，傅竖眼逃到魏国，为魏国名将。传见《魏书》卷七十。529王神念：南朝梁太原人，少好儒术，尤明内典。仕魏起家州主簿，迁颍川太守，后据郡归梁，封南城县侯。性刚直，善骑射，官至爪牙将军。530淮陵：南朝的侨置县名，在当时的钟离郡界，钟离郡的郡治在今安徽凤阳城东。531九山：又名“九山湾”，具体方位不详，应在淮北，是北兵渡淮的津要。532游军：机动灵活的小部队，负责四处策应。533灵越：傅灵越，随薛安都起兵反刘彧，兵败被杀。传见《魏书》卷七十。534 关要：方位不详。535 颍川：胡三省曰，“霍州有北颍川郡，领颍川三县”。霍州的州治即今安徽霍山县。536 徐州刺史司马明素：梁朝的徐州刺史司马明素。梁朝的徐州州治在钟离。537 十一月壬午：此语疑有误，十一月无壬午日。538 南梁太守冯道根：南梁是南朝的郡名，郡治寿春。冯道根是梁初的重要将领，初为王茂的部下，破建康有功，又随讨陈伯之有功，为南梁郡太守。传见《梁书》卷十八。539 戍阜陵：带兵驻守阜陵。540 修城隍：修城与深挖护城河。隍，护城河。541 远斥候：把侦察兵远远地派出去侦察。542 怯防勇战：小心谨慎地防守，而勇敢顽强地作战。543 奄至城下：突然地来到城下。544 意思闲暇：神情举止毫不慌乱，像没事人一样。545 豫州刺史：梁朝的豫州州治本在寿春，但这时的寿春已经属于魏国。546 杨集始：仇池地区氐族头领杨氏家族的继承人之一，杨鼠之子。在此以前率部投降了魏国，被魏国封为武兴王。因此其后代继续为头领要有魏国朝廷的册封。547 己未：十一月十一。548 乙亥：十一月二十七。549 以母忧去职：为母亲守孝而辞去官职。当时的官场上有丁忧的规定。550 源怀：魏国的元勋老臣源贺之子，为魏国镇守北方，颇有贡献。传见《魏书》卷四十一。551 行台：朝廷的派出机构，此指为主持行台事务的首脑。552 恒、燕、朔：魏国的三个州，恒州的州治即今山西大同，燕州的州治即今河北涿鹿，朔州的州治盛乐，在今内蒙古和林格尔城的北侧。553 考论殿最：考评官吏政绩的优劣，上等为最，下等为殿。554 先决后闻：先处理、解决问题，而后再向朝廷上报。555 通济有无：调剂贫富。556 沃野：北边的六大军镇之一，其军镇在今内蒙古乌拉特前旗东南。557 于祚：孝文帝时代的亲信大臣于烈之子，曾为沃野镇将。传见《魏书》卷三十一。558 世父：伯父。559 于劲：于烈之弟，其女为宣武帝皇后。传见《魏书·外戚传》。560 受纳：接受贿赂。561 入镇：入镇检查工作。562 劾奏：弹劾上奏。劾，揭发罪状。563 怀朔：北方六镇之一，军镇在今内蒙古固阳西南。564 贪秽狼籍：意思是贪婪污秽，行为很坏。狼籍，杂乱的样子。565 宽贷：宽免；宽饶。贷，放过。566 鞫狱：审问案情。鞫，审问、审查。567 公庭：你的办公厅。568 按劾抵罪：按其罪行判处了应得之罪。569 猥多：不应多而多。猥，曲、不当。570 自将以下：镇将以下的各级办事人员。571 一切：一概。572 五分损二：五个人里头减少两个。573 乙酉：十二月初七。574 白沙：白沙关，在今湖北麻城北。575 东荆州蛮：东荆州境内的少数民族。魏国的东荆州州治即今河南泌阳。576 乙酉：《魏书·世宗纪》作“庚寅”，十二月十二日。577 李崇：孝文帝、宣武帝时代的名臣，颇有文韬武略，屡建功勋。传见《魏书》卷六十六。578 冯翊吉翂：冯翊郡人姓吉名翂。冯翊郡的郡治高陆，即今陕西西安市高陵区，此时属于魏国。而吉翂现时实居住在襄阳。事见《梁书·孝行传》。579 原乡令：原乡县的县令。原乡县的县治在今浙江安吉北，上属于吴兴郡。580 逮诣廷尉：被捉到刑部下了狱。廷尉，全国最高的司法长官，相当于后代的刑部尚书。581 挝登闻鼓：到宫门外击登闻鼓为其父鸣冤。登闻鼓，宫门前悬挂的大鼓，有冤情或有事要向朝廷禀告者，可击鼓令朝廷知之。582 廷尉卿：廷尉的副职。583 取其款实：摸清他的真实情况。款，真情。584 审能死不：真的能替你的父亲死吗。审，果真。585 童骙：小孩子不懂事。586 亦听悔异：你还可以反悔，改变说法。听，许可、任凭。587 顾：转折语词，犹今所谓“关键在于”“问题在于”。588 此非细故：这可不是小事情。589 奈何受人教：怎么能受人指使呢。590 明诏听代：皇上英明，允许由儿子顶替。591 岂有回贰：哪里有反悔的道理呢。胡三省曰：“反前说为回，异前说为贰。”592 尊侯：敬称对方的父亲。593 行：即将；马上。594 父子同济：父子同被免罪。595 父挂深劾：父亲被诬犯了大罪。596 引领：伸长脖子。597 备加杻械：戴着全套的手铐和脚镣。598 愍：同情；怜悯。599 乡里：县以下的居民组织。据《宋书·百官志》，一万户为一乡（一说一万二千户），一百户为一里。600 举充纯孝：把吉翂作为大孝子由州郡向朝廷上报。601 何量翂之薄：为何把我吉翂估计得如此浅薄。602 当此举：接受了这次的推荐。603 何辱如之：还有什么别的耻辱能比这个更严重。604 高肇：魏国专权跋扈的大外戚，孝文帝高皇后之兄，宣武帝之舅。传见《魏书》卷八十三下。605 贵嫔：后妃的封号名。魏国的皇后下有左右昭仪，其下有三夫人，其下有三嫔、六嫔等。606 赵脩：魏宣武帝的宠臣。传见《魏书》卷九十三。607 陵轹：欺压、践踏。608 为众所疾：为众人所痛恨。609 超补大郡：破格任用大郡的太守。610 告归：请假回家。611 财役所须：所需要的一切财力、人力。612 并从官给：一概由官府供给。613 在道：在回家的路途中，即从洛阳到其故乡赵郡的途中。赵脩是赵郡房子县（今河北临城北）人。614 构成其罪：再添油加醋地罗织其罪行。615 王显：字世荣，北魏阳平乐平人，通医术，常为宫中诊治，补侍御师，历任廷尉卿、御史中尉，后为太子詹事，封卫国县侯。宣武帝崩，孝明帝立，被朝宰以侍疗无效为由诛之。616 惧相连及：害怕自己连坐及祸。617 尚书元绍：元绍是拓跋什翼犍之孙，常山王拓跋素之子。传见《魏书》卷十五。当时任尚书令之职。618 检讯：检查、审问。619 暴其奸恶：公布其罪恶。暴，公布。620 愚疏：愚蠢、粗心。621 初不之知：事先一点也没有察觉。622 樗蒲：类似掷骰子的一种赌博游戏。623 领军府：领军将军的衙门。624 先具问事有力者：预先找好了履行杖刑有力气的人。625 迭：轮流。626 楚毒：痛苦。627 不自胜：无法自己骑在马上。628 举缚置鞍中：胡三省曰，“脩困极不能自胜乘骑，两人对举而置之马上，缚着鞍中”。629 不重闻：没有再次请示报告。〖按〗世宗仅令鞭打一百，而甄琛、王显私自加到三百，又强令带重伤乘马上路等，皆独断专行。630 因衅除之：趁机会杀掉他。631 广平王怀：元怀，孝文帝元宏之子，被封为广平王。传见《魏书》卷二十二。632 翁：广平王元怀对尚书元绍的敬称，因元绍比广平王元怀年长好几辈，故元怀称之曰“翁”，犹今所谓“老人家”。633 直过于汲黯：比汉朝的汲黯还要耿直。汲黯是汉武帝时代的直臣，以敢于谏诤闻名。事见《史记·汲郑列传》。634 死黜：或被杀或被免官。635 高聪：孝文、宣武时期的佞幸之臣。传见《魏书》卷六十八。636 亲狎：亲近；亲密。狎，亲昵的贬义词。637 宗人：同一个族姓的人。

【校记】

［21］戍：原作“城”。据章钰校，十二行本、乙十一行本、孔天胤本皆作“戍”，张敦仁《通鉴刊本识误》、张瑛《通鉴校勘记》同，今据改。［22］自：据章钰校，十二行

【原文】

三年（甲申，公元五〇四年）

春，正月庚戌[638]，征虏将军赵祖悦与魏江州刺史陈伯之战于东关，祖悦败绩。

癸丑[639]，以尚书右仆射王莹为左仆射，太子詹事柳惔为右仆射。

丙辰[640]，魏东荆州刺史杨大眼击叛蛮樊季安等，大破之。季安，素安之弟也。

丙寅[641]，魏大赦，改元正始[642]。

萧宝寅行及汝阴，东城已为梁所取，乃屯寿阳栖贤寺。二月戊子[643]，将军姜庆真乘魏任城王澄在外，袭寿阳，据其外郭[644]。长史韦缵仓猝失图[645]，任城太妃[646]孟氏勒兵登陴[647]，先守要便[648]，激厉文武，安慰新旧[649]，劝以赏罚[650][26]，将士咸有奋志。太妃亲巡城守，不避矢石。萧宝寅引兵至，与州军合击之，自四鼓[651]战至下晡[652]，庆真败走。韦缵坐免官。

任城王澄攻钟离[653]，上遣冠军将军张惠绍[654]等将兵五千送粮诣钟离，澄遣平远将军刘思祖[655]等邀之。丁酉[656]，战于邵阳[657]，大败梁兵，俘惠绍等十将，杀虏士卒殆尽。思祖，芳之从子也。尚书论思祖功，应封千户侯。侍中、领右卫将军元晖[658]求二婢于思祖，不得，事遂寝[659]。晖，素之孙也。

上遣平西将军曹景宗[660]、后军王僧炳[661]等帅步骑三万救义阳。

本、乙十一行本、孔天胤本皆作“其”。[23] 汝南：原无此二字。据章钰校，十二行本、乙十一行本、孔天胤本皆有此二字，张瑛《通鉴校勘记》同，今据补。[24] 首：原作“有”。据章钰校，十二行本、乙十一行本、孔天胤本皆作“首”，张瑛《通鉴校勘记》同，今据校正。[25] 不：据章钰校，十二行本、乙十一行本皆作“弗”。

【语译】

三年（甲申，公元五〇四年）

春季，正月初三日庚戌，梁国担任征虏将军的赵祖悦与被魏国任命为江州刺史的陈伯之在东关交战，赵祖悦被陈伯之打败。

初六日癸丑，梁武帝萧衍任命担任尚书右仆射的王莹为尚书左仆射，任命担任太子詹事的柳惔为尚书右仆射。

初九日丙辰，魏国担任东荆州刺史的杨大眼率军进击发动叛乱的少数民族首领樊季安等，把樊季安打得大败。樊季安，是酋长樊素安的弟弟。

十九日丙寅，魏国实行大赦，改年号为正始。

萧宝寅率军前往东城驻扎，当他到达汝阴的时候，东城已经被梁国的军队所占领，萧宝寅遂把军队屯扎在寿阳的栖贤寺。二月十一日戊子，梁国的将军姜庆真趁着魏国任城王元澄率军离开寿阳前往攻打钟离的机会，袭击了寿阳，攻占了寿阳的外城。担任长史的韦缵在寿阳城中仓促之间一筹莫展，任城王元澄的母亲太妃孟氏紧急调集部队，然后登上城上的女墙向外瞭望，她先派军队守住地势险要和便于制服敌人的地方，又激励城中的文官武将，安慰那些从北方来的将士和寿阳当地的兵民，用守城有功者重赏、表现不好的受重罚等来激励他们，将士们全都群情激奋、勇敢杀敌。孟太妃亲自冒着被飞箭滚石击中的危险四处巡视城内的防务。齐王萧宝寅率领自己的部下正好赶到，他与寿阳城内的军队里外夹击梁军，从四更天一直战斗到太阳快要落山，姜庆真才失败逃走。韦缵因为失职而受到惩罚，被免去了官职。

魏国的任城王元澄率领大军进攻钟离，梁武帝派遣担任冠军将军的张惠绍等人率领五千人押送着粮草前往钟离，元澄派遣担任平远将军的刘思祖等前往截击运送粮草的张惠绍。二月二十日丁酉，刘思祖与张惠绍在邵阳展开激战，刘思祖把张惠绍所率领的运粮军打得大败，活捉了张惠绍等十名梁国的将领，把押运粮草的五千名士卒几乎全部杀死或俘虏。刘思祖，是刘芳的侄子。尚书省根据刘思祖的功劳，应该将其封为千户侯。然而由于担任侍中兼任右卫将军的元晖曾经向刘思祖索要两个美貌的婢女，刘思祖没有给他，所以封赏刘思祖的事情就被搁置下来。元晖，是元素的孙子。

梁武帝派遣担任平西将军的曹景宗、担任后军将军的王僧炳等人率领三万步

僧炳将二万人据凿岘[662]，景宗将万人为后继，元英遣冠军将军元逞等据樊城[663]以拒之。三月壬申[664]，大破僧炳于樊城，俘斩四千余人。

魏诏任城王澄，以“四月淮水将涨，舟行无碍，南军得时，勿昧利[665]以取后悔”。会大雨，淮水暴涨，澄引兵还寿阳。魏军还既狼狈，失亡四千余人。中书侍郎齐郡贾思伯[666]为澄军司，居后为殿[667]，澄以其儒者，谓之必死；及至，大喜曰：“‘仁者必有勇[668]’，于军司见之矣。”思伯托以失道[669]，不伐其功[670]。有司奏夺澄开府[671]，仍降三阶[672]。上[673]以所获魏将士请易张惠绍于魏，魏人归之。

魏太傅、领司徒、录尚书北海王详[674]，骄奢好声色，贪冒无厌[675]，广营第舍，夺人居室，嬖昵左右[676]，所在请托[677]，中外嗟怨[678]。魏主以其尊亲[679]，恩礼无替[680]，军国大事皆与参决[681]，所奏请无不开允[682]。魏主之初亲政也，以兵召诸叔[683]，详与咸阳、彭城王[684]共车而入，防卫严固。高太妃[685]大惧，乘车随而哭之。既得免[686]，谓详曰：“自今不愿富贵，但使母子相保，与汝扫市为生[687]耳。”及详再执政，太妃不复念前事，专助详为贪虐。冠军将军茹皓[688]，以巧思[689]有宠于帝，常在左右，传可[690]门下奏事[691]，弄权纳贿，朝野惮之，详亦附[692]焉。皓娶尚书令高肇从妹[693]，皓妻之姊为详从父安定王燮[694]之妃，详烝于燮妃[695]，由是与皓益相昵狎[696]。直阁将军刘胄，本详所引荐，殿中将军常季贤以善养马，陈扫静掌栉[697]，皆得幸于帝，与皓相表里，卖权势[698]。

兵、骑兵前往救援义阳。王僧炳率领二万步骑兵据守凿岘，曹景宗率领一万名步骑兵随后进发，魏国的镇南将军元英派遣担任冠军将军的元逞等据守樊城抵抗梁军。三月二十五日壬申，元英在樊城把王僧炳所率领的梁军打得大败，俘虏、斩杀了四千多人。

魏宣武帝元恪下诏给任城王元澄，认为“四月淮河的水位即将上涨，船只航行方便无阻，南方的梁国拥有天时地利，我军不要贪图取胜而不顾危险，自找后悔”。恰好天降大雨，淮河水位暴涨，元澄只好率军返回寿阳。魏军因为狼狈撤退，损失、伤亡了四千多人。担任中书侍郎的齐郡人贾思伯在元澄手下担任军司，在军队撤退的时候主动率军殿后，掩护全军撤退，元澄因为贾思伯只是一个精通儒家经典的书生，以为他一定会被梁军杀死无疑；等到贾思伯安全返回的时候，元澄喜出望外地说：“‘懂得仁爱的人一定很勇敢’，我在军司贾思伯的身上得到了验证。”贾思伯推说自己因为迷失了道路才没有跟随大部队一同返回，而不夸耀自己与追兵作战以掩护全军撤退的功劳。有关部门的官员奏请宣武帝撤销元澄开府仪同三司的待遇，宣武帝保留了元澄的开府仪同三司，只给他降了三级。梁武帝请求用梁军俘虏的魏国将士换回被刘思祖俘获的冠军将军张惠绍，魏国遂把张惠绍送还给梁国。

魏国担任太傅兼司徒、录尚书事的北海王元详，骄奢淫逸，喜好声色犬马，为人贪婪并不知满足，他大量建造府第房舍，强夺别人的房屋，他身边那些受宠幸的心腹，到处托人情、走门路，为非作歹，朝廷内外一片哀叹、怨恨声。魏宣武帝看在元详是自己父辈的分上，对他在感情上、礼数上都没有什么改变，军国大事都让元详参与决策，凡是元详奏请的事情，宣武帝无不应允。魏宣武帝刚刚开始亲政的时候，曾经派领军将军于烈率领直阁六十余人宣召咸阳王元禧、彭城王元勰、北海王元详等几位叔父，北海王元详与咸阳王元禧、彭城王元勰同乘一辆车子入宫，宣武帝对他们的防备十分严密。北海王元详的母亲高太妃当时非常恐惧，便坐着车子跟在元详的车子后面哭泣。等他们平安回家以后，高太妃对元详说：“从今以后我不再盼望你能够荣华富贵，只希望我们能够母子平安，哪怕是和你一起靠扫取集市上的垃圾来维持生活。”等到元详再次掌管大权的时候，高太妃已经不再记得从前的事情，她专门帮助元详做那些贪赃枉法、残虐百姓的事情。担任冠军将军的茹皓凭借着自己巧妙的设计才能而受到宣武帝的宠信，经常侍奉在宣武帝的身边，专门负责传达、口头批准门下省官员向皇帝禀报、请示批复的奏章，他玩弄权柄，收受贿赂，朝野之人都很惧怕他，就连元详也要巴结、依附于他。茹皓娶了尚书令高肇的堂妹为妻，茹皓妻子的姐姐是元详的堂叔安定王元燮的王妃，元详与自己的堂婶即安定王元燮的妃子私通，因此元详与茹皓的关系愈加亲密。担任直阁将军的刘胄，本是靠了元详的推荐才得以被任用，担任殿中将军的常季贤善于养马，而陈扫静负责给宣武帝梳头，他们三人都受到宣武帝的宠信，与茹皓狼狈为奸，凭借自己的权势谋取私利，做权钱交易。

高肇本出高丽[699]，时望轻之[700]。帝既黜六辅[701]，诛咸阳王禧[702]，专委事于肇。肇以在朝亲族至少，乃邀结朋援[703]，附之者旬月超擢[704]，不附者陷以大罪。尤忌诸王，以详位居其上，欲去之，独执朝政，乃谮之于帝，云详与皓、胄、季贤、扫静谋为逆乱。

夏，四月，帝夜召中尉崔亮[705]入禁中，使弹奏详贪淫奢纵，及皓等四人怙权[706]贪横，收皓等系南台[707]，遣虎贲百人围守详第。又虑详惊惧逃逸，遣左右郭翼开金墉门驰出谕旨，示以中尉弹状。详曰："审如中尉所纠，何忧也？正恐更有大罪横至[708]耳。人与我物，我实受之。"诘朝，有司奏处皓等罪，皆赐死。帝引高阳王雍[709]等五王[710]入议详罪。详单车防卫，送华林园，母妻随入，给小奴弱婢数人，围守甚严，内外不通。

五月丁未朔[711]，下诏宥详死，免为庶人。顷之，徙详于太府寺[712]，围禁弥急，母妻皆还南第，五日一来视之。

初，详娶宋王刘昶[713]女，待之疏薄。详既被禁，高太妃乃知安定高妃[714]事，大怒曰："汝妻妾盛多如此，安用彼高丽婢[715]，陷罪至此！"杖之百余，被创[716]脓溃，旬余乃能立。又杖刘妃数十，曰："妇人皆妒，何独不妒！"刘妃笑而受罚，卒无所言。

详家奴数人阴结党辈[717]，欲劫出详，密书姓名，托侍婢通于详。详始得执省[718]，而门防主司[719]遥见，突入就详手中揽得[720]，奏之，详恸哭数声，暴卒。诏有司以礼殡葬。

魏宣武帝的舅舅高肇原本是高丽国人，当时有名望的人都瞧不起他。宣武帝已经废黜了北海王元详、尚书令王肃、广阳王元嘉、吏部尚书宋弁、咸阳王元禧、任城王元澄这六位受孝文帝遗诏的辅佐大臣，又诛杀了咸阳王元禧，遂把政务专门委托给自己的舅舅高肇。高肇因为自己家族的人在朝中任职的很少，于是就结交招引了一群狐朋狗友，凡是依附他的人十天半月就会被破格提拔任用，对于那些不肯依附他的人，高肇就诬陷他们犯了大罪。高肇尤其忌恨那些诸侯王，因为北海王元详的官位在自己之上，就千方百计想把元详除掉，自己好独揽朝权，于是就在宣武帝面前说元详的坏话，他对宣武帝说北海王元详与冠军将军茹皓、直阁将军刘胄、殿中将军常季贤以及陈扫静一起密谋发动政变。

夏季，四月，宣武帝在夜间紧急召见担任中尉的崔亮进入宫中，他让崔亮上奏章弹劾元详犯有贪赃枉法、骄奢淫逸、行为放纵，以及和茹皓等四人倚仗权势收受贿赂、骄横不法等罪状，于是逮捕了茹皓等人，把他们关押在御史台，又派遣一百名勇士包围了元详的府第。又担心元详受惊之后仓皇逃跑，于是派遣身边的侍从郭翼打开金墉城门飞马而出传达皇帝的旨意，把中尉崔亮弹劾元详的奏章拿给元详看。元详说："如果确实像中尉崔亮在奏章中所弹劾的那样，我有什么可担忧的呢？我是怕突然有一个更大的罪名凭空降落到我的头上。人们送给我东西，我确实接受了。"第二天早朝，有关部门的官员奏报判处茹皓等人有罪，宣武帝全都赐他们自尽。魏宣武帝指定由高阳王元雍等五位皇室的老人议定元详的罪行。元详乘坐着一辆单车，在严密的防卫之下被送往华林园，元详的母亲高太妃和元详的妻子都跟随元详一起进入华林园，宣武帝给他们拨了几个小奴仆和体弱的婢女，对他们的包围和防守却非常严密，与外界不能互通一点音信。

五月初一日丁未，宣武帝下诏，赦免元详的死罪，将元详贬为平民。不久，又把元详移送到太府寺，对他的圈禁更加严密，元详的母亲和妻子全都回到南边的府第，允许他们每五天去探望元详一次。

当初，元详娶了宋王刘昶的女儿为妻，元详对待他的这个妻子很疏远、很薄情。元详被监禁以后，元详的母亲高太妃才知道元详跟他的堂婶安定王妃通奸之事，于是愤怒地说："你的妻妾这么多，为什么还贪恋那个高丽族的奴婢，以至于犯下如此大罪！"她打了元详一百多棍棒，元详身上受的棍棒之伤溃烂化脓，经过十多天才能下床。高太妃又把刘妃打了几十棍棒，她责备刘氏说："所有的妇人都会嫉妒，为什么只有你不会嫉妒！"刘妃笑着接受了婆婆的处罚，却始终没有说什么。

元详的几个家奴暗中结成同党，想把元详从太府寺劫出来，他们秘密地写好姓名，委托侍候元详的婢女送给元详。元详刚拿起来要看，负责看守的官员就从远处瞧见了，便突然冲进囚禁元详的屋子从元详的手中把那张写有人名的纸条抢了过去，然后奏报给宣武帝，元详恸哭了几声之后，就突然死去了。宣武帝下诏给有关部门令以礼制安葬元详。

先是，典事[721]史元显献鸡雏，四翼四足，诏以问侍中崔光。光上表曰："汉元帝初元中[722]，丞相府史[723]家雌鸡伏子，渐化为雄，冠距鸣将[724]。永光[725]中，有献雄鸡生角。刘向[726]以为'鸡者小畜，主司时起居人[727]，小臣执事为政之象[728]也。竟宁元年[729]，石显伏辜[730]，此[27]其效也。'灵帝[731]光和元年[732]，南宫寺[733]雌鸡欲化为雄，但头冠未变，诏以问议郎蔡邕[734]，对曰：'头为元首，人君之象也。今鸡一身已变，未至于头，而上知之，是将有其事[735]而不遂成[736]之象也。若应之不精[737]，政无所改，头冠或成[738]，为患滋大。'是后黄巾[739]破坏四方，天下遂大乱。今之鸡状虽与汉不同，而其应颇相类，诚可畏也。臣以向、邕言推之，翼足众多，亦群下相扇助[740]之象。雏而未大，足羽差小[741]，亦其势尚微，易制御[742]也。臣闻灾异[743]之见，皆所以示[744]吉凶，明君睹之而惧，乃能致福；暗主睹之而慢[745]，所以致祸。或者今亦有自贱而贵，关预政事，如前世石显之比者邪？愿陛下进贤黜佞，则妖弭庆集[746]矣。"后数日，皓等伏诛，帝愈重光。

高肇说帝，使宿卫队主[747]帅羽林虎贲[748]守诸王第，殆同幽禁，彭城王勰切谏，不听。勰志尚高迈[749]，不乐荣势，避事家居，而出无山水之适[750]，处无知己之游，独对妻子，常郁郁不乐。

魏人围义阳，城中兵不满五千人，食才支半岁。魏军攻之，昼夜不息。刺史蔡道恭[751]随方抗御，皆应手摧却[752]，相持百余日，前后斩获不可胜计。魏军惮之，将退。会道恭疾笃，乃呼从弟骁骑将军灵恩，

先前，魏国担任典事的史元显给宣武帝进献了一只小鸡，这只小鸡长着四个翅膀、四只脚，宣武帝就此事下诏询问担任侍中的崔光，崔光上表给宣武帝说："汉元帝初元年间，丞相府中一个小吏家的一只母鸡孵小鸡，这只母鸡竟然渐渐地变成了公鸡，鸡冠、脚距、叫声都超过其他公鸡。汉元帝永光年间，有人进献了一只头上长角的公鸡，当时著名的学者刘向认为'鸡，是一种小家畜，主管报时，到时候就呼唤人们起床，这种奇怪现象的出现，是将有小臣出来掌管国家大政的预兆。竟宁元年，汉元帝去世之后，出身太监的尚书令石显的罪行被揭露出来后被汉成帝所杀，就是它的验证。'汉灵帝光和元年，洛阳城内南宫寺的母鸡眼看就要变成公鸡，只剩下头上的鸡冠还没有变，汉灵帝刘宏下诏向担任议郎的蔡邕询问是什么征兆，蔡邕回答说：'头就是元首，是人君的象征。如今母鸡的整个身子都变成了公鸡的模样，只是还没有改变到鸡冠，就被陛下发现了，是预示将有篡国篡位之事发生而不能成功的象征。如果不能彻底改变治国方针以应对这种变化，或是在政令方面一无所改，母鸡的鸡冠就有可能变成公鸡的鸡冠，所造成的灾祸就会更大。'此后便爆发了以张角为首的黄巾起义，黄巾军遍布全国，造成天下大乱。现在史元显所进献的这只长着四个翅膀、四只脚的小鸡虽然与汉代的那两只母鸡形状不完全一样，但其所预示的应该是类似的，实在令人感到可怕。我如果用刘向、蔡邕的理论来推断今天的事情，那么鸡的翅膀多、脚多，也就象征着一些下层人相互煽动造反。然而这只小鸡还没有长大，脚和翅膀还都比较小，这也说明其势力还很弱小，还很容易控制。我听说反常的自然灾害等怪异现象的出现，都是上天在警示人类，预示着将要有重大的事情发生，圣明的君主见到这种怪异现象而感到恐惧，因而有所变革，才能变祸为福；而昏庸的君主目睹了这种怪异之后置之不理，所以就给国家招来灾祸。或许现在也有一些原本出身卑贱而突然成为权贵的人在掌握大权，类似于前代石显那样的人吧？希望陛下进用贤能，贬黜奸佞，那么反常的现象就会消失，喜庆的事物就会接踵到来。"过了没几天，茹皓等人就被诛杀，宣武帝更加器重崔光。

魏宣武帝元恪的舅舅高肇劝说元恪，建议让禁卫军的带兵头领率领羽林军、虎贲军加强对诸侯王府第的防守，宣武帝采纳了高肇的建议，从此以后，各诸侯王就像受到了软禁一样，彭城王元勰极力进行劝阻，而宣武帝就是不听劝告。元勰的志向高远超脱，不羡慕荣华权势，为了避免麻烦，就待在家里足不出户，在他的生活当中既没有贪恋山水的乐趣，又没有知己朋友互相往来，独自面对着妻子，经常闷闷不乐。

魏国的军队围困了梁国的义阳，义阳城中的守军不满五千人，储存的粮食只能支持半年。魏军攻打义阳，不分白天黑夜地轮番进攻。担任司州刺史的蔡道恭随机应变地指挥义阳城内的守军进行抵抗，对于魏军的每一次进攻都能及时地予以挫败，双方相持了一百多天，前后斩杀、俘虏的魏军多得无法统计。魏军因为惧怕蔡道恭，遂准备撤军。而此时蔡道恭病情加重，就把自己的堂弟担任骁骑将军的蔡灵恩、

兄子尚书郎僧䙰及诸将佐，谓曰：“吾受国厚恩，不能攘灭寇贼，今所苦转笃[753]，势不支久[754]。汝等当以死固节[755]，无令吾没[756]有遗恨！”众皆流涕。道恭卒，灵恩摄行州事，代之城守。

六月癸未[757]，大赦[758]。

魏大旱，散骑常侍兼尚书邢峦[759]奏称：“昔者明王重粟帛、轻金玉，何则？粟帛养民而安国，金玉无用而败德故也。先帝深鉴奢泰[760]，务崇节俭，至以纸绢为帐扆[761]，铜铁为辔勒[762]，府藏之金，裁给[763]而已，不复买积[764]以费国资。逮景明之初[765]，承升平之业[766]，四境清晏[767]，远迩来同[768]，于是贡篚相继[769]，商估交入[770]，诸所献纳，倍多于常，金玉恒[28]有余，国用恒不足[771]。苟非为之分限[772]，但恐岁计不充[773]，自今请非要须者一切不受。”魏主纳之。

秋，七月癸丑[774]，角城戍主[775]柴庆宗以城降魏，魏徐州刺史元鉴[776]遣淮阳太守吴秦生将千余人赴之。淮阴援军[777]断其路，秦生屡战，破之，遂取角城。

甲子[778]，立皇子综[779]为豫章王。

魏李崇破东荆叛蛮，生擒樊素安，进讨西荆[780]诸蛮，悉降之。

魏人闻蔡道恭卒，攻义阳益急，短兵日接。曹景宗顿凿岘不进，但耀兵游猎[781]而已。上复遣宁朔将军马仙琕[782]救义阳，仙琕转战而前，兵势甚锐。元英结垒于士雅山[783][29]，分命诸将伏于四山，示之以弱。仙琕乘胜直抵长围[784]，掩[785]英营。英伪北[786]以诱之，至平地，纵兵击之。统军傅永[787]擐甲执槊[788]，单骑先入，唯军主蔡三虎副之[789]，突陈横过[790]。

自己的侄子担任尚书郎的蔡僧勰以及属下各将佐召到自己面前，对他们说：“我深受国家的厚恩，却没有能够消灭贼寇，现在我的病情加重，看来我是支撑不了多久了。你们这些人应当拼死保持你们的清白节操，不要让我死后留下遗憾！”众人全都痛哭流涕。蔡道恭病逝之后，担任骁骑将军的蔡灵恩代理了司州刺史的职务，接替蔡道恭坚守义阳城。

六月初八日癸未，梁国实行大赦。

魏国发生了严重的旱情，担任散骑常侍兼尚书的邢峦上书给宣武帝，邢峦在奏章中说：“过去英明的君主全都重视粮食、布帛的生产，而看轻黄金、美玉，原因何在呢？因为粮食和布帛可以养活百姓而使国家政局稳定，黄金、美玉没有什么实际的用处却能败坏人的品行。先帝接受了奢侈浪费而导致失败的历史教训，因而极力推行节俭，他甚至用纸绢作帐幕，用铜铁制造马鞍子、马嚼子，府库当中储藏的黄金，刚刚够用而已，不再花钱购买很多东西存着备用而浪费国家的资财。等到景明初年，陛下接续着孝文帝的太平盛世，四境之内河清海晏，远近的番邦小国全都前来归附，于是装满贡品的竹筐便源源不断地送来，各国的商贾全都涌到洛阳来，他们缴纳的税金以及各种贡献的物品，比平常的需要多出一倍，黄金、美玉经常多得用不了，而国家所需要的粮食和布帛经常不够用。如果不给各方面的花销定出一个限额，恐怕每年的收入就不能满足各处的需要，从今起除非必要的开销，其他一概不要接受。”魏宣武帝采纳了邢峦的意见。

秋季，七月初八日癸丑，梁国担任角城军事据点驻军头领的柴庆宗献出角城投降了魏国，魏国担任徐州刺史的元鉴派遣担任淮阳太守的吴秦生率领一千多人赶赴角城。梁国从淮阴派往救援角城的援军截断了吴秦生前往角城的道路，吴秦生经过多次奋战，打败了淮阴的援军，终于接管了角城。

十九日甲子，梁武帝萧衍立自己的儿子萧综为豫章王。

魏国李崇率军平定了东荆州境内少数民族的叛乱，活捉了樊素安，然后进军荆州，讨伐荆州境内的各少数民族部落，各部落全部向李崇投降。

魏国攻打义阳的军队听到司州刺史蔡道恭去世的消息，便加紧了对义阳城的进攻，每天都战况激烈。曹景宗率军停留在凿岘迟迟不敢前进，只是像游猎一般向魏军炫耀一下兵力而已。梁武帝萧衍又派遣担任宁朔将军的马仙琕率军前往解救义阳，马仙琕率军边作战边前进，士气非常旺盛。元英在士雅山上构筑了防御工事，他分别命令各军隐藏在四周山中，使梁军所看到的魏军兵力很弱小。马仙琕乘胜前进，径直进入魏军的包围圈，袭击元英的军营。元英假装战败逃跑以引诱敌军，马仙琕果然中计，当他追到平地的时候，元英一声令下，埋伏在四面山中的魏军立即向梁军冲杀过来。魏军中担任统军的傅永身披铠甲，手执长矛，单枪匹马率先冲入梁军阵内，只有军主蔡三虎紧随其后，他们横穿敌阵，一闪而过。梁军用乱箭向傅永射击，一支箭穿

梁兵射永，洞其左股[791]，永拔箭复入。仙琕大败，一子战死，仙琕退走。英谓永曰："公伤矣，且还营。"永曰："昔汉高扪足[792]不欲人知，下官虽微，国家一将，奈何使贼有伤将之名！"遂与诸军追之，尽夜而返。时年七十余矣，军中莫不壮之。仙琕复帅万余人进击英，英又破之，杀将军陈秀之。仙琕知义阳危急，尽锐[793]决战，一日三交，皆大败而返。蔡灵恩势穷，八月乙酉[794]，降于魏。三关[795]戍将闻之，辛卯[796][30]，亦弃城走。

英使司马陆希道为露版[797]，嫌其不精，命傅永改之。永不增文彩，直[798]为之陈列军事处置形要[799]而已。英深赏之，曰："观此经算[800]，虽有金城汤池[801]，不能守矣。"初，南安惠王[802]以预穆泰之谋[803]，追夺爵邑[804]，及英克义阳，乃复立英为中山王[805]。

御史中丞任昉[806]奏弹曹景宗[807]，上以其功臣，寝而不治[808]。

卫尉郑绍叔[809]忠于事上，外所闻知，纤豪无隐[810]。每为上言事，善则推功于上，不善则引咎归己，上以是亲之。诏于南义阳[811]置司州，移镇关南[812]，以绍叔为刺史。绍叔立城隍、缮器械，广田[813]积谷，招集流散，百姓安之。

魏置郢州于义阳，以司马悦为刺史。上遣马仙琕筑竹敦、麻阳二城于三关南，司马悦遣兵攻竹敦，拔之。

九月壬子[814]，以吐谷浑王伏连筹[815]为西秦、河[816]二州刺史，河南王[817]。

柔然侵魏之沃野及怀朔镇[818]，诏车骑大将军源怀出行北边[819]，指授方[31]略，随须征发[820]，皆以便宜从事[821]。怀至云中[822]，柔然遁去。怀以

透了傅永的左腿，傅永拔出箭来再次冲入梁军阵内。马仙琕的军队立即大败，马仙琕的一个儿子阵亡，马仙琕率军退走。元英对傅永说："你受伤了，暂且回营休息吧。"傅永说："过去汉高祖胸部中箭却用手去捂住自己的脚，是因为不想让人知道自己负了重伤，我虽然职位卑微，也是国家的一位将领，怎么能让贼军有射伤我国将领的名声呢！"于是坚持与各军一起奋力追杀梁军，追了一夜才返回。当时傅永已经七十多岁了，军中的将士对傅永勇猛作战的壮举没有一个人不感到由衷敬佩。马仙琕又率领一万多人返回攻打元英，元英又把马仙琕打败，还杀死了梁国将军陈秀之。马仙琕知道义阳危在旦夕，于是就投入全部的精锐部队与魏军展开决战，一天之内就向魏军发起了三次猛攻，结果全都大败而回。代理司州刺史职务的蔡灵恩势穷力竭，八月十一日乙酉，蔡灵恩投降了魏军。义阳城南的武胜关、平靖关、黄岘关三关的守将听到了蔡灵恩投降魏军的消息，便于十七日辛卯弃城逃走。

元英让担任司马的陆希道起草向朝廷报捷的公开文书，元英嫌陆希道所写的报捷文书不精练，就让傅永对其进行修改。傅永没有在辞藻方面进行修饰，只是增加了一些指挥作战的大概情况而已。元英非常赞赏傅永此举，说："看你这些筹划对敌的阵法与战法，敌人即使是用金子筑成的城墙，用沸水做护城河，也不能坚守下去。"当初，元英的父亲南安惠王元（拓跋）桢因为参与穆泰拥立皇太子、在平城另立朝廷的分裂活动，被削去了王爵和封地，等到元英攻克义阳之后，宣武帝又封元英为中山王。

梁国担任御史中丞的任昉上奏给梁武帝，弹劾平西将军曹景宗畏敌不前，以至于义阳失守之罪，梁武帝因为曹景宗是个功臣，遂将任昉的奏章搁置在一边，没有对曹景宗进行惩处。

梁国担任卫尉的郑绍叔对梁武帝忠心耿耿，凡是在外面所听说、所看到的事情，都会毫无保留地报告给梁武帝。每次向梁武帝汇报工作，凡是做得好的就把功劳归于皇帝领导有方，做得不好的就把责任全部揽到自己身上，梁武帝因此特别亲近郑绍叔。梁武帝下诏在南义阳郡设置司州，把司州刺史原来设在义阳的军事指挥部迁到关南，任命郑绍叔为司州刺史。郑绍叔在关南修筑城墙、开挖护城河、修缮器械，大量开辟农田、积蓄粮食，召集那些背井离乡四处流浪的百姓返回故乡从事生产生活，百姓都很愿意接受他的治理。

魏国在义阳郡设置郢州，任命司马悦为郢州刺史。梁武帝派马仙琕在武胜关、平靖关、黄岘关三关的南面修筑竹敦、麻阳二城，司马悦派兵攻打竹敦，将竹敦城攻陷。

九月初八日壬子，梁国朝廷任命吐谷浑王伏连筹为西秦、河二州刺史、河南王。

柔然国出兵入侵魏国的沃野镇和怀朔镇，魏宣武帝下诏给车骑大将军源怀，令他到北部的沿边地区巡行视察，指导那里的作战方略，可以根据实际需要随时下令向所在地区征调兵力、物资，凡是遇到应该立即解决的问题，可以不必请示朝廷，都可以先行处理。源怀到达云中郡之后，柔然人就偷偷地撤走了。源怀认为用管理

为用夏制夷[823]，莫如城郭。还至恒代[824]，按视[825]诸镇左右要害之地，可以筑城置戍之处，欲东西为九城，及储粮积仗之宜，犬牙相救[826]之势，凡五十八条，表上之，曰："今定鼎成周[827]，去北遥远，代表诸国[828]颇或外叛，仍遭[829]旱饥，戎马甲兵十分阙八[830]。谓[831]宜准旧镇[832]，东西相望，令形势相接[833]，筑城置戍，分兵要害，劝农[834]积粟；警急之日[835]，随便翦讨[836]；彼游骑之寇，终不敢攻城，亦不敢越城南出。如此，北方无忧矣。"魏主从之。

魏太和之[32]十六年[837]，高祖诏中书监高闾[838]与给事中公孙崇考定雅乐，久之，未就。会高祖殂[839]，高闾卒。景明中[840]，崇为太乐令[841]，上所调金石[842]及书。至是，世宗始命八座[843]已下议之。

冬，十一月戊午[844]，魏诏营缮国学。时魏平宁日久，学业大盛，燕、齐、赵、魏[845]之间，教授者不可胜数，弟子著录[846]多者千余人，少者犹数百，州举茂异[847]，郡贡孝廉[848]，每年逾众[849]。

甲子[850]，除以金赎罪之科[851]。

十二月丙子[852]，魏诏殿中郎陈郡袁翻[853]等议立律令，彭城王勰等监之。

己亥[854]，魏主幸伊阙[855]。

上雅好儒术，以东晋、宋、齐虽开置国学，不及十年辄废之，其存亦文具[856]而已，无讲授之实。

中原地区的办法管理少数民族，最好的办法就是修建城郭。返回的路上，源怀来到魏国的旧都平城，他考察、巡视了各镇附近的要害之地，做出了哪些地方可以修筑城郭、设置军事据点的规划，准备从东到西修筑起九个城郭，并标出何处可以储备粮食、何处可以存放武器等各项事宜，使各城、各军事据点像犬牙一样交错排列，以方便互相救援，源怀又提出了总共五十八条建议，写成表章上奏给魏宣武帝，源怀在奏章中说："如今已经建都于洛阳，洛阳距离北部边境路途遥远，代郡以北的那些少数民族国家中有不少国家背叛我国，向北逃走，代北频频遭受旱灾，百姓食不果腹，战马、士兵十成里面已经缺少了八成。我认为应当以旧有的城镇为标准，修建新的城镇，使北部边境上的新旧城镇东西方向互相都能望得见，令它们彼此之间能够互相呼应、互相救援，修建城镇、设置军事据点，分兵把守要害之地，鼓励百姓发展农业生产，储存粮食；一旦边境地区发生紧急情况，便可以很及时、很方便地加以处置；那些骑在马上四处流动的贼寇，终究不敢攻打城池，也不敢绕过城池进一步向南入侵。这样的话，北方就用不着担忧了。"魏宣武帝听从了源怀的意见。

魏太和十六年，高祖元宏曾经下诏给担任中书监的高闾和担任给事中的公孙崇考察修订雅乐，过去了很长时间都没有完成这项工作。遇到高祖元宏驾崩，中书监高闾又相继去世。宣武帝景明年间，公孙崇担任了太乐令，他把经过自己调试过的钟磬之类的乐器以及乐谱类书籍上交给宣武帝。这时，宣武帝才开始命令尚书省的八位主要官员对此进行商定。

冬季，十一月十五日戊午，魏宣武帝下诏营建、开办太学。当时魏国享受太平盛世的时间已经很久，教育事业很发达，燕、齐、赵、魏这些地区，从事教书职业的人多得不可胜数，记录在册的学生多的能达到上千人，少的也有数百人，各州按时向朝廷举荐优秀的人才，各郡向州、向朝廷所推举的具有孝敬长辈、为政清廉等优秀品行的人，一年比一年多。

二十一日甲子，梁国朝廷废除用金钱赎罪的条例。

十二月初四日丙子，魏宣武帝下诏，令担任殿中郎的陈郡人袁翻等商议修订法律条令，彭城王元勰等人负责监督实施。

二十七日己亥，魏宣武帝前往位于洛阳城南的伊阙。

梁武帝一向喜欢儒家经典，认为东晋、宋、齐时期虽然开设了国立学校，但全都不到十年就废弃了，即使有的学校还存在，也不过是摆摆样子而已，实际上没有老师讲课。

【段旨】

以上为第三段，写梁武帝萧衍天监三年（公元五〇四年）一年中的大事。主要写了魏将陈伯之率军南伐，破梁将赵祖悦于东关；任城王元澄之母孟氏率寿阳军民抵抗梁将姜庆真之乘虚进攻，而与萧宝寅合破姜庆真军。写了魏将元澄攻钟离，梁将张惠绍送粮于钟离，被魏将刘思祖击败俘获。写了因淮水暴涨，魏军撤退不及，狼狈损失四千人，元澄被降三级。写了魏将元逞破梁将王僧炳于樊城。写了魏军围攻义阳，梁司州刺史蔡道恭随方抵抗，斩获不可胜计；萧衍派名将马仙琕救义阳，被魏将傅永击败，又值蔡道恭病死，义阳遂被魏军所占，梁之三关戍将亦皆弃城而走，魏将元英因功被立为中山王。写了梁国的角城戍主柴庆宗以城降魏，魏将吴秦生率军迎之，击破淮阴派出的救援之军，遂取角城。写了北海王元详与魏主的宠幸茹皓以及安定王元燮等相互勾结，招权纳贿，气焰凶盛；魏国的外戚高肇向魏主进谗加害于北海王详与茹皓、刘胄等人，致诸小人被杀，元详死于狱；接着高肇又进一步迫害魏国的宗室诸王，诸王被监守得如同坐牢。此外还写了魏臣源怀乘巡视北方之际，建议整修北部边防，使能犬牙相制，劝农积粮，以防后患，魏主从之；以及魏国发展太学，州郡举荐人才形成制度，不似东晋以来的南朝太学形同虚设等。

【注释】

㊳㊳⑥③⑧正月庚戌：正月初三。⑥③⑨癸丑：正月初六。⑥④⓪丙辰：正月初九。⑥④①丙寅：正月十九。⑥④②正始：魏宣武帝的第二个年号（公元五〇四至五〇七年）。其第一个年号是“景明”（公元五〇〇至五〇三年）。⑥④③二月戊子：二月十一。⑥④④外郭：外城。⑥④⑤仓猝失图：紧急之下一筹莫展。失图，拿不出办法。⑥④⑥任城太妃：任城王元澄的母亲，姓孟。事迹见于《魏书·列女传》。⑥④⑦登陴：登城。陴，城上的女墙，可以从洞口向外瞭望。⑥④⑧要便：扼要和便于制敌的地方。⑥④⑨新旧：北来的将士与寿阳当地的兵民。一说，新，新附。旧，旧民。⑥⑤⓪劝以赏罚：以什么表现该受奖赏，什么表现该受惩罚来鼓励将士。⑥⑤①四鼓：同“四更”，半夜一点到三点。⑥⑤②下晡：古时称下午的三点到五点曰申时，也称“晡时”，称日未入之前曰“下晡”。⑥⑤③钟离：梁国北部的军事要地，在今安徽凤阳的东北侧。⑥⑤④张惠绍：原曾为萧鸾的直阁将军，后归萧衍，破建康有功，又成为萧衍的亲信护卫。传见《梁书》卷十八。⑥⑤⑤刘思祖：国子祭酒刘芳的侄子，刘芳以儒学见赏于孝文帝。刘思祖是魏国的重要将领。传见《魏书》卷五十五。⑥⑤⑥丁酉：二月二十。⑥⑤⑦邵阳：即邵阳州，在当时钟离郡的城北。⑥⑤⑧元晖：常山王拓跋素之孙，任吏部尚书，为官贪婪。传见《魏书》卷十五。⑥⑤⑨事遂寝：事情遂被搁置下来。⑥⑥⓪曹景宗：南齐时代的名将，曾为陈显达的部下。因及时地投靠萧衍，并在攻下建康的战斗中有功，被任命为郢州刺史。

传见《梁书》卷九。⑥⑥①后军王僧炳：后军将军王僧炳。⑥⑥②凿岘：地名，也称凿岘口，在今河南信阳南三十五里处。⑥⑥③樊城：即今湖北襄阳之樊城区，在汉水的北岸，当时属魏；而南岸的襄州区当时属于梁。⑥⑥④三月壬申：三月二十五。⑥⑥⑤昧利：贪图取胜而不顾危险。昧，冒、只顾。⑥⑥⑥贾思伯：魏国名臣，孝文帝时为中书侍郎，此时为元澄的军司。传见《魏书》卷七十二。军司，意同“军师”。⑥⑥⑦为殿：为后卫，掩护整个军队的撤退事宜。⑥⑥⑧仁者必有勇：孔子的话，见于《论语·宪问》。原文曰：“仁者必有勇，勇者不必有仁。”⑥⑥⑨托以失道：假说是因为迷失道路才追上来晚了。⑥⑦⓪不伐其功：不夸耀自己与追兵战斗之功。⑥⑦①奏夺澄开府：建议魏主免去元澄开府仪同三司的荣誉性加官。夺，免去、撤销。⑥⑦②仍降三阶：于是给他降了三级，保留了他开府仪同三司的职衔。北魏官制，分九品三十级。仍，意思同“乃”，与今之“仍”字意思不同。⑥⑦③上：写史者以之称梁武帝萧衍。⑥⑦④北海王详：元详，孝文帝之弟，宣武王之叔，被封为北海王，其人心术不正，罪恶多端。传见《魏书》卷七十二。元详此时任录尚书事，又有太傅、司徒的加官，实为魏国政权的操纵者。⑥⑦⑤贪冒无厌：贪婪而永无满足。冒，不顾一切、不择手段。厌，止境、满足。⑥⑦⑥嬖昵左右：他身边的那些心腹宠幸。嬖昵，亲昵的贬义词。⑥⑦⑦所在请托：到处托人情，走后门，为非作歹。所在，到处。⑥⑦⑧中外嗟怨：朝里朝外一片叹气声、怨恨声。⑥⑦⑨以其尊亲：看在他是自己的父辈。元详是魏主元恪的亲叔父。⑥⑧⓪恩礼无替：在情感上、礼数上都没有改变。无替，不变、不衰。⑥⑧①皆与参决：都让他参加意见。⑥⑧②开允：答应；允许。⑥⑧③以兵召诸叔：即前文“帝命烈将直阁六十余人，宣旨召禧、勰、详，卫送至帝所”事，见本书卷第一百四十四中兴元年。⑥⑧④咸阳、彭城王：咸阳王元禧、彭城王元勰。⑥⑧⑤高太妃：献文帝拓跋弘之妃，北海王元详的生母。⑥⑧⑥既得免：当时宣武帝没有处置元禧、元详、元勰三人。⑥⑧⑦扫市为生：扫取集市上的垃圾以维持生活。⑥⑧⑧茹皓：宣武帝身边的佞幸，任左中郎将，领直阁。传见《魏书》卷九十三。其人此时任冠军将军，从三品。⑥⑧⑨巧思：巧妙的设计才能。据本传，茹皓有设计园林的才能，曾为华林园修筑了许多景观，很得宣武帝喜欢。⑥⑨⓪传可：传达、允许。可，口头批准。⑥⑨①门下奏事：门下省官员向皇帝禀报、请示批复的奏章。⑥⑨②附：依附于其门下。⑥⑨③从妹：堂妹，其叔伯之女。⑥⑨④安定王燮：景穆帝拓跋晃之孙，现今魏主的长辈。传见《魏书》卷十九下。⑥⑨⑤烝于燮妃：与元燮之妃私通。烝，晚辈之男与长辈之女私通。⑥⑨⑥昵狎：关系亲密的贬义词。⑥⑨⑦陈扫静掌栉：陈扫静负责给魏主梳头。栉，梳子，这里用作动词。⑥⑨⑧卖权势：以权势谋私利，行权钱交易。⑥⑨⑨本出高丽：原本是高丽族人。高丽，又名“高句丽”，古国名，在今辽宁新宾境，高句丽人即今朝鲜族的前身。⑦⓪⓪时望轻之：当时有名望的人都瞧不起他。⑦⓪①既黜六辅：指宣武帝废除了六位受孝文帝遗诏的辅政大臣。此六臣是北海王元详、尚书令王肃、广阳王元嘉、吏部尚书宋弁、咸阳王元禧、任城王元澄。宣武帝在其亲政第二年，废黜六个辅政大臣，见本书卷一百四十四中兴元年。⑦⓪②诛咸阳王禧：咸阳王元禧因谋反被杀事，亦见于本书卷一百四十四中兴元年。⑦⓪③邀结朋援：结交招进了一群狐朋狗友。⑩④超擢：破格提拔。⑩⑤中尉崔亮：中尉是国家都城的治安长官，也是主办皇帝钦定大案的主要官员之一。崔亮是孝文、宣武两代的贤能公正之吏。传见《魏书》卷六十六。⑩⑥怙权：依仗权势。⑩⑦南台：即御史台。其主官即御史中丞，主管监察、弹劾。⑩⑧横至：意外飞来；凭空而降。⑩⑨高阳王雍：献文帝拓跋弘之子，魏主元恪之叔。传见《魏书》卷二十一上。⑪⓪五王：五位皇室的老人。⑪①五月丁未朔：五月初一是丁未日。⑪②太府寺：官署名，掌管宫廷库储的出纳。⑪③宋王刘昶：宋文帝刘义隆的第九子，因孝武帝刘骏的儿子刘子业在位凶残横暴，刘昶为求自保逃到魏国，被魏国封为宋王，娶魏公主为妻。传见《魏书》卷五十九。⑪④安定高妃：安定王元燮之妃高氏，乃高丽族人。⑪⑤高丽婢：高丽族的奴婢。婢，古代骂女人的用语。⑪⑥被创：受棍棒之伤。⑪⑦党辈：同党的人。⑪⑧始得执省：刚拿起来看。省，视、看。⑪⑨门防主司：看守元详的人员。⑫⓪揽得：夺了过去。⑫①典事：尚书省的下属官吏，犹如后代的六部主事。⑫②汉元帝初元中：汉元帝的初元年间。汉元帝是汉宣帝之子，名刘奭，公元前四八至前三三年在位。传见《汉书》卷九。初元是汉元帝的第一个年号（公元前四八至前四四年）。⑫③丞相府史：丞相府的小吏。史，掌管文书的小吏。⑫④冠距鸣将：鸡冠、脚距、叫声都超过其他公鸡。距，公鸡脚爪后面突出像脚距的部分。将，群鸡的首领。⑫⑤永光：汉元帝的第二个年号（公元前四三至前三九年）。⑫⑥刘向：刘邦之弟楚元王刘交的后代，是西汉元帝、成帝时代的著名学者与散文家。著有《别录》，是我国最早的目录学著作。传见《汉书》卷三十六。⑫⑦主司时起居人：主管掌握时间，到时候呼唤人们起床。⑫⑧小臣执事为政之象：是将有小臣出来掌管国家大政的征兆。这就是汉代最惹人讨厌的“天人感应”的邪说。刘向作为一个学问家，竟也是这种荒诞迷信的吹鼓手。⑫⑨竟宁元年：竟宁是汉元帝的第四个年号，竟宁元年为公元前三三年。⑬⓪石显伏辜：石显出身于太监，在汉元帝时竟掌权做了尚书令，杀害过许多正直的大臣。竟宁元年汉元帝死，汉成帝上台，石显的罪行被揭露，被汉成帝所杀。传见《汉书》卷九十三。⑬①灵帝：名刘宏，是东汉章帝的玄孙，桓帝之侄，继桓帝为帝，公元一六八至一八八年在位。传见《后汉书》卷八。⑬②光和元年：为公元一七八年。光和是汉灵帝的第三个年号（公元一七八至一八三年）。⑬③南宫寺：洛阳城里的寺庙名。⑬④蔡邕：东汉末期的著名学者，女诗人蔡文姬的父亲，曾任议郎之职。事迹见《后汉书·蔡邕传》。⑬⑤将有其事：将有篡国篡政之事。⑬⑥不遂成：没有篡夺成功。⑬⑦应之不精：意即变化得不彻底，还有一些部分没有变完。⑬⑧头冠或成：鸡冠如果也变成了雄性。或，如果。⑬⑨黄巾：东汉末年所爆发的农民起义军，其领袖为张角、张梁、张宝。⑭⓪群下相扇助：一些下层人相互煽动造反。扇，用如动词。⑭①差小：略小；较小。⑭②易制御：容易驾驭、控制。⑭③灾异：阴阳五行家所说的上天为警示人类所出现的怪现象，如日食、月食、山崩、地震、动物的怪胎、植物的变形等。如果出现一些好现象，如麒麟出、凤凰降、天降甘霖、地生灵芝等，这就叫作祥瑞。⑭④示：预示，作为一种将要发生什么变故的征兆。⑭⑤慢：怠慢；置之不理。⑭⑥妖弭庆集：反常的现象消失，喜庆的事物降临。妖，反常的东西或现象。庆，喜庆的好事。集，至、到来。⑦④⑦宿卫队主：禁卫军的带兵头领。⑦④⑧羽林虎贲：都是禁卫军的称号名，或言其如鸟之快，或言其如虎之猛。这里即指禁卫军中的士兵。⑦④⑨高迈：高远超俗，以言其不慕荣利、不慕权势。⑦⑤⓪无山水之适：没有贪恋山水的乐趣。适，乐趣、爱好。⑦⑤①刺史蔡道恭：司州刺史蔡道恭。梁国的司州州治即在义阳，今河南信阳。蔡道恭原是萧颖胄的部下，萧衍统兵东下后，蔡道恭曾打败来自长江上游的朝廷势力，保卫江陵的安全有功。萧衍称帝后，蔡道恭任司州刺史。传见《梁书》卷十。⑦⑤②应手摧却：及时地将其挫败。⑦⑤③所苦转笃：病痛加深。⑦⑤④势不支久：看来病是好不了啦。⑦⑤⑤以死固节：拼出一死以保持自己的清白节操。⑦⑤⑥没：通“殁”，死。⑦⑤⑦六月癸未：六月初八。⑦⑤⑧大赦：〖按〗此句的主语是梁国。⑦⑤⑨邢峦：魏国的文学之臣，有文韬武略，深受孝文帝赏识，此时以散骑常侍兼尚书。传见《魏书》卷六十五。⑦⑥⓪深鉴奢泰：深以奢侈浪费为失败的教训。鉴，戒、教训。⑦⑥①帐扆：床帐与座位周围的帐幕。扆，座位后面的屏风。这里即指帐幕。⑦⑥②辔勒：系马的嚼子。通常用铜铁制造，帝王的坐骑常用金银制作。⑦⑥③裁给：刚刚够用，没有任何富余。裁，通“才”，仅仅。⑦⑥④不复买积：不买很多东西存着备用。⑦⑥⑤景明之初：即景明元年。景明是魏宣武帝的第一个年号（公元五〇〇至五〇三年）。⑦⑥⑥承升平之业：接续着孝文帝的太平盛世。⑦⑥⑦清晏：河清海晏，指天下太平。晏，安也。⑦⑥⑧远迩来同：远近的番邦小国全来归附。同，来归、来聚。⑦⑥⑨贡篚相继：进贡的东西源源不断地送来。贡篚，盛贡品的各种竹筐。古时称方形的竹器曰筐，圆形的竹器曰篚。《尚书·禹贡》有所谓“厥贡漆丝，厥篚织文”。⑦⑦⓪商估交入：各国的商人都涌到洛阳来。估，通“贾”，商人。交入，从各地而来。⑦⑦①国用恒不足：国家需要的粮食与布帛常常不够用。⑦⑦②苟非为之分限：假如不给各方面的花销定出一个制度。⑦⑦③岁计不充：这一年的收入就不能满足各处的开销。⑦⑦④七月癸丑：七月初八。⑦⑦⑤角城戍主：角城军事据点的驻军头领。角城在淮水北岸，是梁国的军事重镇，南岸即淮阴镇。⑦⑦⑥元鉴：道武帝拓跋珪后代，拓跋平原之子，此时任徐州刺史。传见《魏书》卷十六。⑦⑦⑦淮阴援军：胡三省曰，“淮阴，梁重镇也，以角城叛，遣军援其不从叛者”。⑦⑦⑧甲子：七月十九。⑦⑦⑨皇子综：萧综，萧衍之第二子。传见《梁书》卷五十五。⑦⑧⓪西荆：即魏国的荆州，郡治即今河南邓州。其地在东荆州之西，故称“西荆”。⑦⑧①耀兵游猎：做出一副显示兵力的样子，像是游猎，而不是真的援救义阳。⑦⑧②马仙琕：原是南齐萧宝卷的部将，萧衍篡齐后，马仙琕不肯归降梁朝，后萧衍诚心接纳，马始降之。传见《梁书》卷十七。⑦⑧③士雅山：原称大木山，在义阳城东。因晋将祖逖曾率家族避难于此山，祖逖字士雅，故当地人以“士雅”名此山。⑦⑧④直抵长围：直接进入了魏军的伏击圈里。⑦⑧⑤掩：袭击。⑦⑧⑥伪北：假装逃跑。北，意思同“背”，转身逃跑。⑦⑧⑦统军傅永：魏国的名将，时为宁朔将军，统率部队。传见《魏书》卷七十。统军，不是正式的官名，意思犹如军主、部队长。⑦⑧⑧擐甲执槊：身披铠甲，手执长矛。⑦⑧⑨副之：随其身后。⑦⑨⓪突陈横过：在梁军的阵前一闪而过。⑦⑨①洞其左股：梁军的箭穿透了傅永的左腿。洞，用作如动词，穿透。⑫汉高扪足：刘邦与项羽对阵于荥阳，项羽的箭射中刘邦；刘邦伤胸，为了不动摇军心，故意地弯下腰去扪足说："虏中吾趾！"事见《史记·高祖本纪》。⑬尽锐：投入全部的精锐部队。⑭八月乙酉：八月十一。⑮三关：当时义阳南面的三个关塞，即武胜关、平靖关、黄岘关。⑯辛卯：八月十七。⑰露版：也称"露布"，文体名，向魏主报捷的公开文书。⑱直：仅；只。⑲军事处置形要：指挥作战的大概情况。⑳经算：指筹划对敌的阵法与战法。㉑金城汤池：以金做城，以开水做护城河，以喻其守城工事的坚固。㉒南安惠王：拓跋桢，景穆帝拓跋晃之子，中山王元英之父。传见《魏书》卷十九下。㉓预穆泰之谋：参与过穆泰等人搞分裂的事情。穆泰是魏国的功勋老臣，因不满意孝文帝的迁都洛阳，企图另在平城拥立皇太子为皇帝，分裂国家，事发后被处死。事见本书卷一百四十建武三年。㉔追夺爵邑：南安王拓跋桢因参与穆泰搞分裂事应受惩处，但事发时拓跋桢已经病死，于是被追加惩处，削去了王爵与封地。㉕复立英为中山王：重新封立元英为中山王，封地为中山郡，郡治即今河北定州。㉖任昉：当时著名的文学家，擅长写散文，南齐时曾任中书侍郎；入梁后，为御史中丞、秘书监。传见《梁书》卷十四下。㉗奏弹曹景宗：以曹景宗奉命援救义阳，而逗挠不进，"耀兵游猎"，致贻误军机故也。奏弹，上书列述其罪行，请求朝廷予以惩处。㉘寝而不治：压下弹奏的文书而对犯罪者不予以惩处。㉙郑绍叔：萧衍的忠实部下，萧衍称帝后，郑绍叔为卫尉卿。传见《梁书》卷十一。㉚纤豪无隐：毫无保留地都报告给萧衍。豪，通"毫"，长而细的毛。㉛南义阳：郡治鹿城关，在今湖北安陆东。㉜移镇关南：把原驻军于义阳的指挥部迁到鹿城关。㉝广田：开辟农田。㉞九月壬子：九月初八。㉟伏连筹：当时吐谷浑的国王名，吐谷浑是活动在今青海一带的部族，也是小国名，自刘宋以来接受南朝的封号。传见《梁书》卷五十四。㊱西秦、河：南朝封与吐谷浑王的二州名，西秦州约今甘肃兰州一带地区，河州约今甘肃临夏回族自治州东北一带地区，这些地区当时都在魏国的统治下，只是说起来令梁国高兴而已。㊲河南王：此所谓"河南"，乃指今青海境内的黄河以南地区，如尖扎、同仁、贵德、同德等县。㊳沃野及怀朔镇：魏国北部边防上的军镇名，沃野镇在今内蒙古乌拉特前旗东南的黄河南岸，怀朔镇在今内蒙古固阳城的西南侧。㊴出行北边：到北部的沿边地区巡行视察。行，巡行。㊵随须征发：可以根据实际需要下令向所在地区征调人力、物资。㊶以便宜从事：遇有应该立即解决的事务，可以不必请示朝廷而先行处理，这是皇帝授予其所派大臣的一种特别权力。㊷云中：魏郡名，郡治盛乐，在今内蒙古和林格尔城北。㊸用夏制夷：用管理中原地区的办法管理少数民族。夏，中原，魏国人自称。夷，少数民族，魏国指北方的柔然、南方的齐、梁以及氐族、羌族、吐谷浑等。㊹恒代：即指魏之旧都平城，今山西大同东北侧。平城既是恒州的州治所在地，又是代郡的郡治所在地。㊺按视：考察、巡视。㊻犬牙相救：各城戍交错排列，便于互相援救。犬牙生得不齐，以形容筑垒防守的相互交错勾连之势。㊼定鼎成周：建都于洛阳。定鼎，把传国的夏鼎安放在某地，通常即指建都。成周，周初在王城东侧建立的都城，通常即指洛阳。㉘代表诸国：代郡以北的少数民族国家，指柔然等。代表，代郡以北的国外。㉙仍遭：频频地遭受。仍，意思同“频”，连续。㉚十分阙八：十成里面缺八成。阙，通“缺”。㉛谓：我以为。㉜宜准旧镇：应该依照旧镇的样子。准，以……为标准，依照……的样子。㉝令形势相接：让它们能够彼此相互呼应、相互救援。相接，彼此够得着。㉞劝农：鼓励发展农业，增加粮食。㉟警急之日：一旦出现紧急情况。㊱随便翦讨：可以很及时、很方便地加以消灭。㊲太和之十六年：太和是孝文帝的第三个年号，太和十六年即公元四九二年。㊳中书监高闾：中书监是中书省的副长官，职同副丞相，主管为皇帝起草诏令。高闾是魏国的儒学之臣，深受孝文帝的赏识。传见《魏书》卷五十四。㊴高祖殂：孝文帝元宏死，事在公元四九九年。㊵景明中：景明年间。景明是宣武帝元恪的第一个年号（公元五〇〇至五〇三年）。㊶太乐令：掌管国家音乐的官员，主要管朝廷与宗庙的音乐，即所谓“雅乐”。㊷上所调金石：把经他调试过的钟磬之类的乐器上交给皇帝。调，指调试音阶的高低。㊸八座：尚书省的八位主要官员，指尚书令、尚书左右仆射与其下属的五部尚书郎。㊹十一月戊午：十一月十五。㊺燕、齐、赵、魏：魏国的四个地区名，燕指今河北之北部和与之邻近的内蒙古东南部与辽宁西部等一带地区，齐指今山东的中部、西北部与东部地区，赵指今河北的南部地区，魏指今山西的南部与河南的开封一带地区。㊻著录：登记在册。㊼州举茂异：各州按时向朝廷推荐的优秀人才。茂异，即汉朝所说的“茂才”“异等”，都是地方政府向朝廷推荐人才的科目名。茂才，即“秀才”，儒书读得好，会讲会用。异等，指行为表现好，办事能力强。㊽郡贡孝廉：地方各郡向州、向朝廷推荐人才的科目名，主要指孝顺长辈、为政清廉等道德方面的优秀而言。贡，推荐、进献。㊾每年逾众：一年比一年增多。㊿甲子：十一月二十一。(851)除以金赎罪之科：除，废除。科，条例、规定。目的是突出法律的严肃性。(852)十二月丙子：十二月初四。(853)袁翻：魏国的文学、礼法之士。传见《魏书》卷六十九。(854)己亥：十二月二十七。(855)伊阙：山口名，在当时洛阳城南的伊水上，伊水流经其间，两岸山形对立如门。(856)文具：犹言“具文”，有名无实，摆摆样子。

【校记】

［26］劝以赏罚：原无此四字。据章钰校，十二行本、乙十一行本、孔天胤本皆有此四字，张敦仁《通鉴刊本识误》同，今据补。［27］此：原作“比”。据章钰校，十二行本、乙十一行本皆作“此”，今据改。［28］恒：据章钰校，十二行本、乙十一行本、孔天胤本皆作“常”。［29］士雅山：原作“上雅山”。胡三省注云：“‘上雅山’当作‘士雅山’。”据章钰校，十二行本、乙十一行本、孔天胤本皆作“士雅山”，惟孔本“雅”作“稚”，当是讹误，张敦仁《通鉴刊本识误》、熊罗宿《胡刻资治通鉴校字记》同，今据改。［30］辛卯：原作“辛酉”。胡三省注以为此月无辛酉日，当为辛卯。严衍《通鉴补》

改作“辛卯”，当是，今从改。[31] 方：据章钰校，十二行本、乙十一行本、孔天胤本皆作“规”。[32] 太和之：据章钰校，十二行本、乙十一行本皆作“之太和”。

【研析】

本卷写了梁武帝萧衍天监元年（公元五〇二年）至天监三年共三年间南梁与北魏两国的大事。主要写了梁武帝萧衍在沈约、范云等人的策划下篡夺了南齐政权，杀掉了南齐皇帝萧宝卷，又杀了萧衍起兵时新立的小傀儡萧宝融，而后即位称帝；写了魏将元英攻拔了梁国的北部重镇义阳（今河南信阳），以及魏国的外戚高肇专权跋扈与魏主身边的佞幸群小相互斗争、迫害宗室诸王等事。其中可议论的问题有以下两点。

第一，古代历史学家对于梁武帝萧衍篡齐的看法，与萧道成的篡宋和萧鸾篡夺萧道成父子政权的看法有些不同，他们特意把萧衍从上游的兴兵称作“起义”，把萧衍的称帝视为理所当然。萧衍与萧道成、萧鸾究竟有什么不同呢？其实，萧衍在起兵前对于国家民族、黎民百姓没有任何功劳，这一点与萧道成、萧鸾没有区别，他们都没有曹氏、刘裕那样的本钱。萧衍与萧道成、萧鸾的主要区别在于他本人不是上一个王朝老皇帝的托孤大臣，他的皇位不是从他所辅佐的小傀儡皇帝的手中夺来；相反，他还有一个哥哥萧懿、一个弟弟萧畅，都是被南齐的末代皇帝萧宝卷无辜杀害的，萧懿、萧畅都是南齐的忠臣，萧懿在戍守北部边疆、与魏国作战、讨伐崔慧景的叛乱等方面都有大功；萧畅也为抵抗叛乱、为保卫南齐的宫城做出了卓越的贡献，但是他们都被忘恩负义的萧宝卷杀害了。萧懿的起兵既是为自己的家族报仇，也有某种为天下苍生“伐罪吊民”的意味。从这个意义上说，萧衍推翻南齐、夺取皇位，的确是理所应当。

但萧衍篡取了政权，登上皇位后，又学着萧道成、萧鸾的样子，依次把宋明帝刘彧的儿子、齐武帝萧赜的儿子通通杀光一样，除萧宝寅一人在众人的秘密保护下逃到了魏国，包括齐明帝萧鸾的儿子也都通通杀光了。尤其可恶的是萧衍还残酷地杀害了他自己起兵时所立的傀儡皇帝萧宝融。其过程大致是这样的：萧衍攻克建康，夺取政权后，萧宝融立刻就自己宣布退位，把位子让给了萧衍。萧衍当了皇帝的第一天，封萧宝融为巴陵王，说好让他“全食一郡，载天子旌旗，乘五时副车，行齐正朔”（《梁书·武帝纪》）。结果在第三天就变了，他派他的亲信郑伯禽带着一块生金去找萧宝融，逼着萧宝融吃。萧宝融说：“我死不须金，醇酒足矣。”就这样，“乃饮沈醉；伯禽就摺杀之”。这一年萧宝融虚岁十五。明代的袁俊德在《历史纲鉴补》里说：“汤放桀、武王伐纣，二君不失为圣人，宝卷罪恶昭著，萧衍数其罪而诛之，若汤、武之所为；然后举齐后封以一国，使不泯其祀，是亦足矣，岂必假宝融之名以为篡取之地哉？且夫已立之，已废之，又从而弑之，将谁欺哉？”萧衍知道这件事必将在历史上留下骂名，于是又拉出来一个沈约来做替罪羊。他说他自己本来不想加害萧宝融，是沈约劝他说："古今殊事，魏武所云'不可慕虚名而受实祸'。"萧衍自称就是在沈约的鼓动下才采取了如此的行动。而且还假惺惺地做出了一种与沈约格格不入的情态，以至于沈约死后，大家都说应该谥曰"文"，而萧衍却坚持说"怀情不尽曰'隐'"，于是便谥为"隐"了。所谓"怀情不尽"，所谓"隐"，大概就是心狠手辣、为人刻毒的意思。

学文学史的人只知道沈约是著名的文学家，对发现汉语中的"平""上""去""入"四调，对发展新体诗很有贡献，对于沈约政治方面的故事知道的不多。而本书在本卷的开头便讲了沈约既贪婪又狡猾的一个情节。沈约与范云原是旧交，而范云为人诚实，也更早地被萧衍所依任，当萧衍已经掌控朝权，但还未篡位称帝的时候，沈约与范云都曾对他积极劝进。当萧衍的主意已定，在范云带着沈约明天一早共同来见时，沈约故意使坏，他让范云在外头等候，他自己一个人进去见萧衍，说范云到现在尚未到来。于是沈约便一个人帮着萧衍设计了一切行动的路数。待大局已定，沈约才出来喊范云进去。沈约就是靠着这种狡猾的伎俩夺得了他帮着萧衍实行篡位的第一功。袁俊德在《历史纲鉴补》中评点说："云、约同赞逆谋，罪恶相等，而约之负云先入，其卖友佥险，似更甚于云。然若辈身事两朝，丧心无耻，臣节且不知守，尚何'友谊'之足云?"用词是陈旧了点，但评说人物的秉性是明确的。

第二，萧衍的起兵夺权是被某些写历史的人称作"起义"了，但他的所作所为是不是就被广大的人群所拥护了呢？想来并未如此，有两件事情可以证明。一是萧衍对萧鸾的子孙赶尽杀绝，这点与萧道成、萧鸾的做法并无二致，于是引起了当时的人们对萧鸾子孙的极大同情，这表现在萧宝寅潜逃魏国的事件上，史书说："梁王将杀齐诸王，防守犹未急。鄱阳王宝寅家阉人颜文智与左右麻拱等密谋穿墙夜出宝寅，具小船于江岸，著乌布襦，腰系千余钱，潜赴江侧，蹑屩徒步，足无完肤。防守者至明追之，宝寅诈为钓者，随流上下十余里，追者不疑。待散，乃渡西岸投民华文荣家，文荣与其族人天龙、惠连弃家将宝寅遁匿山涧，赁驴乘之，昼伏夜行，抵寿阳之东城。魏戍主杜元伦驰告扬州刺史任城王澄，以车马侍卫迎之。宝寅时年十六，徒步憔悴，见者以为掠卖生口。澄待以客礼，宝寅请丧君斩衰之服，澄遣人晓示情礼，以丧兄齐衰之服给之。澄帅官僚赴吊，宝寅居处有礼，一同极哀之节。寿阳多其义，故皆受慰唁，唯不见夏侯一族，以夏侯详从梁王故也。澄深器重之。"首先，写历史的人肯拿出这些笔墨如此详尽地描写萧宝寅，这本身就表明了一种态度。其次，在惶惶然的事变中敢于挺身而出冒险救人并不只是萧宝寅的家奴与故交，还有素不相识的百姓华文荣与其族人，是他们先将萧宝寅掩藏在山洞，而后又赁来一头毛驴，昼伏夜行地将萧宝寅送到了魏军占领的寿阳城。最后萧宝寅逃到魏国后，并不只是魏国的军政官员对之抱有好感，视为"奇货可居"，而是寿阳的缙绅之士

"多其义","皆受慰唁"。这就颇能说明一些问题了。

另一件事情是,当萧衍篡位称帝后,正在给功臣宗室加官晋爵,又警告萧道成的后代萧子恪等要他们认清形势,老老实实,不要做不自量力的事情时,突然发生了一起意想不到的暴乱:"齐东昏侯嬖臣孙文明等,虽经赦令,犹不自安,五月乙亥夜,帅其徒数百人,因运荻炬,束仗入南、北掖门作乱,烧神虎门、总章观,入卫尉府,杀卫尉洮阳愍侯张弘策。前军司马吕僧珍直殿内,以宿卫兵拒之,不能却。上戎服御前殿,曰:'贼夜来,是其众少,晓则走矣。'命击五鼓,领军将军王茂、骁骑将军张惠绍闻难,引兵赴救,盗乃散走,讨捕,悉诛之。"作乱者只是萧宝卷旧时的宠臣,领着一小撮乌合之众,怎么就能轻易地混入宫门,并能掀起一场惊天动地的暴乱呢?他们杀死了守卫宫廷的高级武官张弘策,张弘策是萧衍开国元勋中的佼佼者,部长一级的卫尉之职;他们放火烧了神虎门、总章观,连萧衍的另一位大功臣吕僧珍所统领的皇帝的御林军都不是孙文明的对手。直到天亮后,萧衍另两位大功臣王茂、张惠绍统领着更多的卫戍部队到来,"盗乃散走,讨捕,悉诛之"。说到孙文明的势力总是很小很小,而孙文明所干出的动静,却是极大极大,这究竟是怎么回事?为什么萧衍的防御系统竟如此不堪一击?看来这是一场里应外合的暴乱,宫廷里、军队里与孙文明有关系的人少不了,但肯帮着萧衍与孙文明积极作战的人少得可怜,所以才出现了一条小鱼居然翻出一波大浪的惊心骇目的图景。

卷第一百四十六　梁纪二

起旃蒙作噩（乙酉，公元五〇五年），尽强圉大渊献（丁亥，公元五〇七年），凡三年。

【题解】

本卷写梁武帝萧衍天监四年（公元五〇五年）至天监六年共三年间南梁与北魏两国的大事。主要写了梁武帝萧衍整顿太学，设立五经博士，广招生员，考试优秀者除以为吏，又令各州郡普遍立学，此形势为东晋以来二百多年所未有。写了梁国反复无常的军阀夏侯道迁以汉中地区投降魏国；魏国派其名臣邢峦为梁、秦二州刺史，邢峦派兵南入剑阁，攻得南安、梓潼，致使梁州的十四个郡落入魏人之手。写了梁益州刺史邓元起坐视不救梁州诸城之急，在即将离任时又欲尽卷州里的积蓄而走，又向新刺史萧渊藻索取良马，出言狂傲，被萧渊藻所杀；萧渊藻任益州刺史，有胆有识，能扫平焦僧护之乱，维持一方平安。写了魏军攻破梁豫州刺史王超宗于小岘山，败梁将姜庆真，又败梁将杨公则于马头；西线的魏将王足大破梁军王景胤、鲁方达等，进逼涪城，王景胤、鲁方达等败死。写了魏将邢峦上书魏主请求增兵一举平蜀，魏主不许；邢峦又建议于巴西郡设立巴州，以巩固魏在益州的现有胜利，魏主仍不听，最后致王足愤而降梁；魏将之镇巴西者又骄纵懈怠，致使发生兵变，投降梁朝，邢峦伐蜀的大好形势遂被葬送。写了魏将陈伯之败梁将昌义之于梁城，梁国的文学之臣丘迟致书陈伯之，劝其回南，陈

【原文】

高祖武皇帝二

天监四年（乙酉，公元五〇五年）

春，正月癸卯朔[①]，诏曰：“二汉登贤[②]，莫非经术[③]，服膺雅道[④]，名立行成[⑤]。魏、晋浮荡[⑥]，儒教沦歇[⑦]，风节罔树[⑧]，抑此之由[⑨]。可置五经博士[⑩]各一人，广开馆宇[⑪]，招内后进[⑫]。”于是以

伯之遂拥寿阳、梁城之众八千人回归梁朝。写了梁将韦叡攻拔魏军占领的小岘山，又前进攻拔合肥城，其英勇机智令魏人丧胆。写了魏将邢峦破梁将角念、萧及、桓和于孤山，拔取固城。写了魏国发定、冀、瀛、相、并、肆六州十万人以益南伐之兵，由魏将邢峦等率之南伐，邢峦、杨大眼等破梁将蓝怀恭于睢口，又追破蓝怀恭于宿预，怀恭战死、萧昺弃淮阳南逃；萧衍之弟萧宏为统帅，率大军进驻洛口，魏军渡淮进攻梁城，萧宏、吕僧珍畏敌不战，被魏人嘲之曰"萧娘""吕姥"；结果又因夜间有暴风雨，萧宏单身逃走，遂致洛口的梁军全部溃散，魏人遂进而攻占了梁城、马头城。写了魏将元英进围钟离城，魏主令邢峦将兵会之，邢峦力陈魏师劳乏、钟离不可取之状，魏主不听，改以萧宝寅代邢峦领其军会之。写了梁将昌义之坚守钟离，殊死战斗。写了梁将韦叡、曹景宗等率军救钟离，韦叡等机智、勇敢地大破元英于钟离城下，杀死魏兵十余万，淹死魏兵十余万，被俘者五万人，实淝水之战以来所未有之大捷也。此外还写了魏臣卢昶与元晖勾结作恶，元晖为吏部尚书，定价卖官，人称"市曹"；梁国的吏部尚书徐勉办事干练、公正无私，以及梁武帝萧统之诸弟萧秀等人轻财重士，时人称之为"四豪"等。

【语译】

高祖武皇帝二

天监四年（乙酉，公元五〇五年）

春季，正月初一日癸卯，梁武帝萧衍下诏说："西汉和东汉两朝的进用贤人，无非就是以儒家学派治国安邦的理论与学说为标准，凡是能够按照儒家学说严格要求自己并身体力行的人，就能够名扬四海，事业成功。魏、晋两朝崇尚虚浮放荡的老庄一派，从而导致了儒家学派的没落与衰败，没有人再去讲究和实践儒家仁义礼智信的思想，儒家所提倡的良好风气和人格树立不起来，就是因为这个原因。现在应该在太学里设置讲授儒家《诗》《书》《礼》《易》《春秋》这五种经典的博士各一人，大规模地建造太学的教室和宿舍，招收年轻的学子到太学里来学习。"于是将当时著

贺玚[13]及平原明山宾[14]、吴兴沈峻[15]、建平严植之[16]补博士，各主一馆，馆有数百生，给其饩廪[17]，其射策通明[18]者即除为吏[19]。期年[20]之间，怀经负笈[21]者云会[22]。玚，循[23]之玄孙也。又选学生，往会稽云门山[24]从何胤受业[25]，命胤选门徒中经明行修[26]者，具以名闻[27]。分遣博士祭酒[28]巡州郡立学。

初，谯国夏侯道迁[29]以辅国将军从裴叔业[30]镇寿阳，为南谯[31]太守，与叔业有隙，单骑奔魏。魏以道迁为骁骑将军，从王肃镇寿阳[32]，使道迁守合肥[33]。肃卒，道迁弃戍来奔[34]，从梁、秦二州刺史[35]庄丘黑镇南郑，以道迁为长史，领汉中太守。黑卒，诏以都官尚书王珍国[36]为刺史，未至，道迁阴与军主考城江悦之[37]〔1〕等谋降魏。

先是，魏仇池镇将杨灵珍叛魏来奔[38]，朝廷以为征虏将军、假武都王[39]，助戍汉中，有部曲六百人〔2〕，道迁惮之。上遣左右吴公之等使南郑，道迁遂杀使者，发兵击灵珍父子，斩之，并使者首送于魏。白马戍[40]主尹天宝闻之，引兵击道迁，败其将庞树，遂围南郑。道迁求救于氐王杨绍先[41]、杨集起、杨集义，皆不应，集义弟集朗独〔3〕引兵救道迁，击天宝，杀之。魏以道迁为平南将军、豫州刺史[42]、丰县侯[43]。又以尚书邢峦为镇西将军，都督征梁、汉[44]诸军事，将兵赴之。道迁受平南，辞豫州[45]，且求公爵，魏主不许。

辛亥[46]，上祀南郊[47]，大赦。

乙丑[48]，魏以骠骑大将军高阳王雍[49]为司空，加尚书令广阳王嘉[50]仪同三司。

二月丙子[51]，魏以宕昌[52]世子梁弥博[53]为宕昌王。

上谋伐魏，壬午[54]，遣卫尉卿杨公则[55]将宿卫兵塞洛口[56]。

壬辰[57]，交州[58]刺史李凯据州反，长史[59]李畟讨平之。

名的儒生贺玚以及平原县人明山宾、吴兴郡人沈峻、建平人严植之增补为博士，让他们各自主持一个学馆，每个学馆都有几百名学生，这些学生的伙食全部由国家供给，考试时对考试题目回答得清楚明白的考生就任用为官吏。在一年的时间里，怀里揣着儒家经典、背上背着书箱的人就像风起云涌一样向京城建康汇集。贺玚，是贺循的玄孙。朝廷又选派一些学生前往会稽郡的云门山跟随何胤读书学习，让何胤从自己的学生当中挑选那些经书学得透彻、品行端正到家的学生，把他们的姓名报到朝廷。朝廷还在太学中担任博士祭酒的人分别派到各州各郡进行巡视，检查那里的办学情况。

当初，谯国人夏侯道迁以辅国将军的身份跟随着豫州刺史裴叔业驻兵寿阳，在担任了南谯太守之后，因为与裴叔业产生了矛盾，于是就独自一人骑着马投降了魏国。魏国任命夏侯道迁为骁骑将军，跟随王肃镇守寿阳，王肃派夏侯道迁镇守合肥。王肃去世之后，夏侯道迁放弃了自己的职守转身又投降了梁国，跟随担任梁、秦二州刺史的庄丘黑镇守南郑，庄丘黑任命夏侯道迁为长史，兼任汉中太守。庄丘黑去世之后，梁武帝下诏任命担任都官尚书的王珍国为梁、秦二州刺史，王珍国还没有到任，夏侯道迁又暗中与担任一支军队头领的考城县人江悦之等密谋投降魏国。

此前，魏国担任仇池镇将的杨灵珍背叛魏国前来投奔梁国，梁国朝廷任命杨灵珍为征虏将军、代理武都王，协助守卫汉中。杨灵珍手下有六百人的私人武装，夏侯道迁很惧怕杨灵珍。梁武帝派遣自己身边的亲信吴公之等出使南郑，夏侯道迁杀死了吴公之等朝廷使者，又出兵袭击杨灵珍父子，把杨灵珍父子斩首，然后将杨灵珍父子的人头连同使者吴公之的人头一同送到了魏国。梁国担任白马军事据点驻军首领的尹天宝听到消息之后，立即率军攻打夏侯道迁，把夏侯道迁的部将庞树打败，然后率军包围了南郑。夏侯道迁向氐族人首领杨绍先、杨集起、杨集义求救，三个人都没有出兵相救，只有杨集义的弟弟杨集朗独自率军前往救援夏侯道迁，攻打尹天宝，把尹天宝杀死。魏国任命夏侯道迁为平南将军、豫州刺史、丰县侯。又任命担任尚书的邢峦为镇西将军、都督征梁、汉诸军事，率军前往接管南郑。夏侯道迁接受了平南将军的称号，没有接受豫州刺史的职位，夏侯道迁请求魏国朝廷封自己为公爵，魏宣武帝没有同意。

正月初九日辛亥，梁武帝到建康南郊举行祭祀典礼，实行大赦。

二十三日乙丑，魏国任命担任骠骑大将军的高阳王元雍为司空，加授担任尚书令的广阳王元嘉为开府仪同三司。

二月初五日丙子，魏国任命宕昌国王的继承人梁弥博为宕昌王。

梁武帝谋划出兵讨伐魏国，十一日壬午，派遣担任卫尉卿的杨公则率领禁卫军封锁了洛涧入淮的汇口。

二十一日壬辰，梁国担任交州刺史的李凯占据交州造反，担任交州长史的李畟率军平定了李凯的叛乱。

魏邢峦至汉中，击诸城戍，所向摧破。晋寿[60]太守王景胤据石亭[61]，峦遣统军李义珍击走之。魏以峦为梁、秦二州刺史[62]。巴西[63]太守庞景民据郡不下，郡民严玄思聚众自称巴州刺史，附于魏，攻景民，斩之。杨集起、集义闻魏克汉中而惧，闰月[64]，帅群氐叛魏，断汉中粮道，峦屡遣军击破之。

夏，四月丁巳[65]，以行宕昌王[66]梁弥博为河、凉[67]二州刺史，宕昌王。

冠军将军孔陵等将兵二万戍深杭[68][4]，鲁方达戍南安[69]，任僧褒等戍石同[70]，以拒魏。邢峦遣统军王足将兵击之，所至皆捷，遂入剑阁[71]。陵等退保梓潼[72]，足又进击，破之。梁州十四郡地[73]，东西七百里，南北千里，皆入于魏。

初，益州当阳侯[5]刺史邓元起[74]以母老乞归，诏征为右卫将军，以西昌侯渊藻[75]代之。渊藻，懿之子也。夏侯道迁之叛也，尹天宝驰使报元起。及魏寇晋寿，王景胤等并遣告急，众劝元起急救之，元起曰："朝廷万里，军不猝至[76]，若寇贼侵淫[77]，方须扑讨，董督之任[78]，非我而谁，何事匆匆救之？"诏假[79]元起都督征讨诸军事，救汉中，而晋寿已陷。萧渊藻将至，元起营还装[80]，粮储器械，取之无遗[81]。渊藻入城，恨之。又求其良马[82]，元起曰："年少郎子[83]，何用马为！"渊藻恚，因醉，杀之。元起麾下围城，哭且问故，渊藻曰："天子有诏。"众乃散。遂诬以反，上疑焉。元起故吏广汉罗研诣阙讼之[84]，上曰："果如我所量也。"使让渊藻曰："元起为汝报仇[85]，汝为仇报仇[86]，忠孝之道如何？"乃贬渊藻号为冠军将军，赠元起征西将军，谥曰忠侯。

魏国邢峦到达汉中地区，他率军攻打那些拒绝向魏国投降的各城军事据点的梁国守军，所向披靡，各据点无不被他攻克。梁国担任晋寿太守的王景胤占据了晋寿城西的军事据点石亭，邢峦派遣属下担任统军的李义珍打跑了王景胤。魏国朝廷任命邢峦为梁、秦二州刺史。梁国担任巴西太守的庞景民据守巴西郡不肯向魏军投降，巴西郡中的百姓严玄思聚集民众自称巴州刺史，归附了魏国，并率众攻打巴西太守庞景民，把庞景民杀死。氐族首领杨集起、杨集义听到魏国的军队已经攻占了汉中的消息之后非常恐惧，闰二月，杨集起、杨集义率领氐族各部落背叛了魏国，他们切断了魏国往汉中地区运送粮食的道路，邢峦多次派兵打败杨集起、杨集义。

夏季，四月十七日丁巳，魏国朝廷任命代理宕昌王梁弥博为河、凉二州刺史，宕昌王。

梁国担任冠军将军的孔陵等人率领二万军队据守深杭，鲁方达率军据守南安郡，任僧褒等率军据守石同，共同抗拒魏军的入侵。邢峦派遣担任统军的王足率军逐个地进攻他们，所到之处无不告捷，遂进入剑阁道。冠军将军孔陵等退到梓潼县进行坚守，王足率军乘胜前进，又向梓潼发动攻击，将梓潼县攻克。梁国管辖之下的梁州一共有十四个郡，东西宽七百里，南北长约一千里，此时便全部并入了魏国的版图。

当初，梁国担任益州刺史的当阳侯邓元起以自己的母亲年纪已老为由请求回京侍奉母亲，梁武帝于是下诏征调邓元起回京担任右卫将军，任命西昌侯萧渊藻代替邓元起担任益州刺史。萧渊藻，是萧懿的儿子。夏侯道迁背叛梁国的时候，尹天宝派使者飞马赶往成都向担任益州刺史的邓元起报告。等到魏军进攻晋寿，担任晋寿太守的王景胤等全都派使者向邓元起告急求救，众人都劝说邓元起赶紧派兵前往救援，邓元起说："朝廷远在万里之外，救援的军队不可能在短时间之内到达，如果贼寇逐渐向益州境内推进，那时候才需要我们出兵去讨伐他们、消灭他们，总指挥的责任，除去我以外还有谁能够担任？我何必非要急急忙忙地去解救他们？"梁武帝下诏临时任命邓元起为都督征讨诸军事，率军前往解救汉中，而此时晋寿郡已经落入魏军之手。萧渊藻即将到达成都，邓元起于是开始料理回京的行装，他准备把益州所储存的所有粮食、器械全部带走，一点儿也不给萧渊藻留下。萧渊藻进入成都城，对邓元起的行为非常痛恨。邓元起又向萧渊藻索要他所骑乘的良马，邓元起说："一个年少的郎君，哪里用得着骑这样的好马！"萧渊藻非常气愤，就趁着邓元起喝醉了酒，把邓元起杀了。邓元起的部下包围了益州城，他们痛哭着质问萧渊藻为什么要杀死邓元起，萧渊藻说："我是奉了皇帝的命令杀死邓元起的。"众人这才散去。萧渊藻于是污蔑邓元起想要造反，梁武帝对此种说法深感怀疑。邓元起的旧部下广汉人罗研到朝廷为邓元起辩冤，梁武帝说："果然像我所估计的那样。"于是派使者前往成都责备西昌侯萧渊藻说："邓元起协同我起兵杀死了萧宝卷为你报了杀父之仇，你却杀了邓元起为你的仇人萧宝卷报了仇，你是如何遵守忠孝之道的呢？"于是将萧渊藻贬为冠军将军，追赠邓元起为征西将军，谥号为忠侯。

李延寿论曰[87]："元起勤乃胥附[88]，功惟辟土[89]，劳之不图[90]，祸机先陷[91]。冠军之贬[92]，于罚已轻，梁之政刑，于斯为失。私戚[93]之端，自斯而启，年之不永[94]，不亦宜乎？"

益州民焦僧护聚众数万[6]作乱，萧渊藻年未弱冠[95]，集僚佐议自击之。或陈不可，渊藻大怒，斩于阶侧。乃乘平肩舆[96]巡行贼垒[97]，贼弓乱射，矢下如雨，从者举盾御矢[98]，渊藻命去之。由是人心大安，击僧护等，皆平之。

六月庚戌[99]，初立孔子庙[100]。

豫州刺史[101]王超宗将兵围魏小岘[102]。丁卯[103]，魏扬州刺史薛真度[104]遣兼统军李叔仁等击之，超宗兵大败。

冠军将军王景胤、李畎、辅国将军鲁方达等与魏王足战，屡败。秋，七月，足进逼涪城[105]。

八月壬寅[106]，魏中山王英寇雍州[107]。

庚戌[108]，秦、梁二州刺史鲁方达与魏王足统军纪洪雅、卢祖迁战，败，方达等十五将皆死。壬子[109]，王景胤等又与祖迁战，败，景胤等二十四将皆死。

杨公则至洛口，与魏豫州长史石荣战，斩之。甲寅[110]，将军姜庆真与魏战于羊石[111]，不利，公则退屯马头[112]。

雍州蛮沔东[113]太守田青喜叛降魏。

魏有芝生于太极殿之西序[114]，魏主以示侍中崔光[115]，光上表以为"此《庄子》所谓'气蒸成菌'者也。柔脆之物，生于墟落[116]秽湿之地，不当生于殿堂高华之处。今忽有之，厥状扶疏[117]，诚足异也。夫野木生朝[118]，野鸟入庙[119]，古人皆以为败亡之象[120]，故太戊、高宗[121][7]惧灾修德[122]，殷道以昌，所谓'家利而怪先[123]，国兴而妖豫[124]'

唐代的历史学家李延寿评论说："邓元起殷勤地效忠于梁武帝，又有开拓疆土的功劳，有功劳还没有得到朝廷的奖赏，就先陷入祸端被杀。杀死邓元起的萧渊藻只被贬为冠军将军，对萧渊藻的这种惩罚未免太轻了些，梁国的政治刑法，在这件事情上是有失公正的。梁武帝偏袒自己亲属的行为，从此开始的，梁国的政权所以没有维持多久，不是理所应当的吗？"

梁国管辖之下的益州百姓焦僧护聚集了数万人造反，萧渊藻年龄还不满二十岁，他召集僚佐进行商议，想亲自带兵去平息焦僧护的叛乱。有人认为不可以，萧渊藻于是大怒，立即就在台阶旁边把那个不赞成他意见的人杀死了。萧渊藻坐着由两人抬着的软轿在贼军的营垒前巡视而过，贼军弓箭乱射，矢下如雨，跟随萧渊藻的人全都举着盾牌为萧渊藻遮挡射过来的箭，萧渊藻命令去掉盾牌。因为这个原因民心才算真正安定下来，萧渊藻于是出兵进攻焦僧护等，把焦僧护的叛乱全部镇压了下去。

六月十一日庚戌，梁国开始下令建立孔子庙。

梁国担任豫州刺史的王超宗率军包围了魏国设在小岘的军事据点。二十八日丁卯，魏国担任扬州刺史的薛真度派遣兼任统军的李叔仁等攻打王超宗，把王超宗打得大败。

梁国担任冠军将军的王景胤、李畎，担任辅国将军的鲁方达等继续率军与魏国担任统军的王足交战，却屡战屡败。秋季，七月，王足率领魏军逼近了涪县县城。

八月初四日壬寅，魏国的中山王元英率领一支魏军进攻梁国的雍州。

十二日庚戌，梁国担任秦、梁二州刺史的鲁方达与魏将王足属下的统军纪洪雅、卢祖迁作战失败，鲁方达等十五位将领全部战死。十四日壬子，冠军将军王景胤等又与卢祖迁交战，失败，王景胤等二十四位将领全部阵亡。

梁国担任卫尉卿的杨公则奉命率领禁卫军到达了洛涧入淮的交汇处，他率军与魏国担任豫州长史的石荣交战，把石荣杀死。八月十六日甲寅，梁国的将军姜庆真与魏军在羊石作战失利，杨公则得知消息后率军撤退到马头驻扎。

出身于雍州少数民族的沔东太守田青喜叛变，投降了魏国。

魏国太极殿西侧的廊檐下长了一棵灵芝，魏宣武帝元恪指给担任侍中的崔光看，崔光于是上表给宣武帝认为："这就是《庄子》一书中所说的'气蒸成菌'之类的现象。柔软脆弱的菌类，本来应该生长在人迹罕至的杂草丛生而又潮湿的地方，不应该生长在高大而华丽的殿堂旁边。如今殿堂西侧的廊檐下忽然长出了灵芝，而且灵芝的顶部向四面张开，长得很茂盛，实在是一件非常怪异的事情。野生的树木生于朝堂之上，野鸟飞入宗庙，古人都认为是国破家亡的先兆，所以商代有功德的两位帝王太戊和武丁遇到怪异之事便知道惧怕而勤政修德，商朝的国运因此而繁荣昌盛，这就是俗话所说的'一个家族将要兴盛的时候，可能开始会出现一些怪现象，这是一种很好的提醒，一个国家将要兴旺时，可能会预先出现一些妖妄的东西，这对我

者也。今西南二方[125]，兵革未息，郊甸之内[126]，大旱逾时[127]，民劳物悴，莫此之甚[128]，承天育民者[129]所宜矜恤[130]。伏愿陛下侧躬耸意[131]，惟新圣道[132]，节[133]夜饮之乐，养方富之年[134]，则魏祚[135]可以永隆，皇寿[136]等于山岳矣。”于是[137]魏主好宴乐[138]，故光言及之。

九月己巳[139]，杨公则等与魏扬州刺史元嵩[140]战，公则败绩。

冬，十月丙午[141]，上大举伐魏，以扬州刺史临川王宏都督北讨诸军事，尚书右仆射柳惔[142]为副，王公以下各上国租[143]及田谷[144]以助军。宏军于洛口。

杨集起、集义立杨绍先[145]为帝，自皆称王。十一月戊辰朔[146]，魏遣光禄大夫杨椿[147]将兵讨之。

魏王足围涪城，蜀人震恐，益州城戍降魏者什二三，民自上名籍[148]者五万余户。邢峦表于魏主，请乘胜进[8]取蜀，以为“建康、成都，相去万里，陆行既绝[149]，惟资水路[150]。水军西上，非周年不达，益州外无军援，一可图也；顷[151]经刘季连反，邓元起攻围，资储空竭，吏民无复固守之志，二可图也；萧渊藻裙屐少年[152]，未洽治务[153]，宿昔[154]名将，多见囚戮，今之所任，皆左右少年，三可图也；蜀之所恃，唯在剑阁，今既克南安，已夺其险，据彼竟[9]内[155]，三分已一。自南安向涪，方轨无碍[156]，前军累败，后众丧魄，四可图也；渊藻是萧衍骨肉至亲，必无死理[157]，若克涪城，渊藻安肯城中坐而受困，必将望风逃去。若其出斗，庸、蜀[158]士卒驽怯[159]，弓矢寡弱，五可图也。臣内省文

们是一个很好的警告'。如今西南方的梁州、益州一带，东南方的淮河以南一带对梁作战还没有停止，魏国境内，干旱的时间出奇的长，百姓劳苦，物资缺乏，没有再比这个更严重的了，上承天命而来抚育百姓的皇帝应该怜悯百姓的苦难。我希望陛下对怪异现象的出现能够引起敬畏和恐惧，对于国事丝毫不能懈怠，认真搞好您的方针大计，使国家发生日新月异的变化，越来越好，还要尽可能地减少夜间的饮酒之乐，好好保养您年轻的身体，那么魏国的国运就可以永盛不衰，皇帝就可以寿比南山了。"当时，魏宣武帝正纵情于酒色，所以崔光在奏章中特别提到这一点。

九月初一日己巳，卫尉卿杨公则等率领梁军与魏国的扬州刺史元嵩作战，杨公则作战失败。

冬季，十月初九日丙午，梁武帝出动大军讨伐魏国，他任命担任扬州刺史的临川王萧宏为都督北讨诸军事，任命担任尚书右仆射的柳惔为副都督，王爵、公爵以下的大臣全都将自己封国的收入以及职田的收入拿出来资助军饷。临川王萧宏把军队屯扎在洛口。

氐族人首领杨集起、杨集义兄弟二人拥立自己的侄子杨绍先为皇帝，自己则称王。十一月初一日戊辰，魏国朝廷派遣担任光禄大夫的杨椿率军前往武都讨伐自行称帝的杨绍先等。

魏国担任统军的王足率军围困了涪县县城，蜀地人感到非常的震惊和恐惧，益州城的守军中有十分之二三投降了魏军，普通居民中主动把自己的户口册献给魏军、表示愿意归顺魏国的有五万多户。担任梁、秦二州刺史的邢峦把蜀地的情况奏报给魏宣武帝，请求乘胜进兵，夺取梁国的蜀地，邢峦认为："建康与成都之间相距万里之遥，陆路交通早已断绝，只能依靠长江一条水路。梁国的水军如果沿长江逆流西上去增援成都，没有一年的时间根本无法到达，益州外无军援，这是可以夺取成都的第一条理由；不久前益州经过了刘季连占据成都造反，新任益州刺史邓元起包围成都攻打刘季连的一场战乱，成都城内的物资储备已经枯竭，官吏和百姓已经没有了继续坚守成都的决心，这是可以夺取成都的第二条理由；现在负责守卫成都的冠军将军萧渊藻不过是一个穿戴华美而无真才实学的年轻人，根本不熟悉为官治政的诀窍，过去的有名将领，大多数已经被囚禁、被杀戮，如今萧渊藻所任用的将领，都是萧渊藻身边的一些年轻人，这是可以夺取成都的第三条理由；蜀地所仗恃的，只有剑阁这道屏障，如今我军攻克了南安，已经夺占了这一险要之地，我军所占益州之境的地盘，已经有三分之一。从南安向涪县县城进军，可以两车并行、畅通无阻，他们前方的军队多次作战失败，后方的民众已经失魂落魄，这是可以夺取成都的第四条理由；萧渊藻是萧衍的亲侄子，是骨肉至亲，他一定不会为固守成都而战死，如果我军攻克了涪县县城，萧渊藻怎么可能会在成都城中坐以待毙，他一定会望风逃窜。即使萧渊藻敢于出城与我军作战，而上庸、西蜀一带的士兵软弱胆小，他们的弓箭不仅数量少，而且弓力又弱，这是可以夺取成都的第五条理由。我是朝廷

吏[160]，不习军旅，赖将士竭力，频有薄捷[161]。既克重阻，民心怀服[162]，瞻望涪、益，旦夕可图[10]。正以[163]兵少粮匮，未宜前出，今若不取，后图便难。况益州殷实[164]，户口十万，比寿春、义阳，其利三倍。朝廷若欲进取，时不可失。若欲保境宁民，则臣居此无事，乞归侍养[165]。”魏主诏以“平蜀之举，当更听后敕[166]。寇难未夷[167]，何得以养亲为辞？”峦又表称“昔邓艾、锺会[168]帅十八万众，倾[169]中国资储，仅能平蜀，所以然者，斗实力[170]也。况臣才非古人[171]，何宜以二万之众而希平蜀？所以敢者，正以[172]据得要险，士民慕义，此往则易[173]，彼来则难[174]，任力而行[175]，理有可克。今王足已逼涪城，脱得涪[176]，则益州乃成擒之物[177]，但得之有早晚耳。且梓潼已附民户数万，朝廷岂可不守！又，剑阁天险，得而弃之，良可惜矣。臣诚知战伐危事，未易可为。自军度剑阁以来，鬓发中白[178]，日夜战惧，何可为心[179]？所以勉强[180]者，既得此地而自退不守，恐负陛下之爵禄故也。且臣之意算[181]，正欲先取涪城，以渐而进。若得涪城，则中分益州之地[182]，断水陆之冲[183]，彼外无援军，孤城自守，何能复持久哉？臣今欲使军军相次[184]，声势连接[185]，先为万全之计，然后图功[186]，得之则大利，不得则自全。又，巴西[187]、南郑[188]，相距千四百里，去州迢遰[189]，恒多扰动[190]。昔在南之日[191]，以其统绾[192]势难，曾立巴州[193]，镇静夷、獠[194]，梁州藉利[195]，因而表罢[196]。彼土民望[197]，严、蒲、何、杨，非唯一族。虽率居山谷[198]，而豪右[199]甚多，

的文职官员，并不熟悉行军打仗方面的事情，全都依赖着军中将士们尽心竭力，才多次获得小胜。现在我军已经突破了重重障碍，益州的军民都怀有归顺之心，瞻望涪城、益州城，将其攻克只在早晚之间。只是因为军中兵少粮缺，不适合继续前进出击，但是如果我们现在不能夺取涪城、益州城，以后再想夺取就非常困难了。更何况益州一向富足，拥有十万户人口，与寿春、义阳比起来，获利将是后者的三倍。如果朝廷想夺取益州，眼下的机会就不要失去。如果朝廷只要求保卫边境，安定百姓，那么我在这里就没有什么事情可做了，请求回家去侍奉我的父母。”魏宣武帝下诏给邢峦说：“关于攻取蜀地的重大行动，要等待朝廷日后的命令。贼寇还没有最后被消灭，你怎么可以以侍奉父母为由而请求辞职呢？”邢峦又上表给宣武帝说：“过去曹魏时期的邓艾、锺会率领十八万军队，消耗了中国所有的物资储备，才仅仅能够平定蜀国，所以会是这样，实际上是双方拼斗实力的结果。何况我的才能比不上古代的邓艾、锺会，怎么可能凭借着二万军队就希望能够平定蜀地呢？我现在敢于要这样做，是因为我军已经占领了险要地形，蜀地的士大夫、知识分子和百姓仰慕我军的仁义，我们动手会比较容易，而萧衍的援军从遥远的东方前来增援蜀地则很困难，凭着我们现有的力量向前推进，按理说是可以攻克益州的。现在王足已经率军逼近涪城，如果我军一旦攻下涪城，那么益州就成了我们的囊中之物，只是在得到益州的时间上有早一点或晚一点的区别而已。而且梓潼县已经有数万户居民归顺我国，朝廷怎能不派兵保卫他们！再有，像剑阁这样的天险，我军如果得而弃之，实在是太可惜了。我确实知道征战讨伐是很危险的事情，不宜轻举妄动。我自从派兵夺取剑阁天险以来，头发已经有一半变白了，每日每夜都处在战争的恐惧之中，这该是何等艰难的一种心境啊？我之所以能够努力地坚持下来，是因为我军既然已经占领了此地，如果我主动退却而不能坚守，是怕辜负了陛下封赏给我的爵位和俸禄。而且按照我的打算，正准备先夺取涪城，再逐渐向前推进。如果我军攻占了涪城，就占有了益州辖区的一半，就占据了益州水陆交通的要冲，萧渊藻他们在外无援军的情况下，困守成都一座孤城，如何能够坚持长久呢？我现在准备让各部军与部队之间占好扎营的位置，建立起一种能够相互联络、相互支援的体系，首先使自己能够确保万无一失，然后再图谋进取成功，如果进取能够获得成功当然是再好不过，万一不能获得成功也可以使我军得以保全。再有，巴西郡与南郑之间，相距一千四百里，距离设在南郑的梁、秦二州刺史府、督军府路途遥远，这一带地区经常发生一些骚扰、动乱。过去巴西归属于齐国管辖的时候，因为对那里的统辖、管理非常困难，所以曾经在齐高帝萧道成建元二年分荆、益置巴州，以镇压生活在梁、益地区的夷、獠等少数民族的叛乱，梁州的官员不愿意利益归于他人，因而上表请求朝廷撤销了巴州。那个地区的头面人物，有严姓、蒲姓、何姓、杨姓，并非只有一个家族。虽然都居住在山谷里，而有势力的大家族非常多，

文学风流[200]，亦为不少。但以去州既远，不获仕进[201]，至于州纲[202]，无由厕迹[203]，是以郁怏[204]，多生异图[205]。比道迁建义[206]之始，严玄思自号巴州刺史，克城以来，仍使行事[207]。巴西广袤千里，户余四万，若于彼立州[208]，镇摄华、獠[209]，则大帖民情[210]，从垫江已还[211]，不劳征伐，自为国有。”魏主不从。

先是，魏主以王足行益州刺史。上遣天门太守张齐将兵救益州，未至，魏主更以梁州军司泰山羊祉为益州刺史。王足闻之，不悦，辄引兵还，遂不能定蜀。久之，足自魏来奔[212]。邢峦在梁州，接豪右[213]以礼，抚小民以惠，州人悦之。峦之克巴西也，使军主李仲迁守之。仲迁溺于酒色，费散兵储，公事谘承[214]，无能见者。峦忿之切齿，仲迁惧，谋叛，城人斩其首，以城来降[215]。

十二月庚申[216]，魏遣骠骑大将军源怀讨武兴氐[217]，邢峦等并受节度。

司徒、尚书令谢朏以母忧[218]去职。

是岁，大穰[219]，米斛三十钱。

【段旨】

以上为第一段，写梁武帝萧衍天监四年（公元五〇五年）一年间的大事。主要写了萧衍下令整顿太学，设立五经博士，广招生员，给其伙食，考试优秀者除以为吏，又令各州郡普遍立学，此东晋以来二百多年所未有。写了反复无常的军阀夏侯道迁占据汉中地区投降魏国。写了魏国派其名臣邢峦为梁、秦二州刺史，临近的梁国晋寿太守被打跑，巴西郡民斩其太守降魏；邢峦又派兵南入剑阁，攻得南安、梓潼，从此梁州的十四个郡落入魏人之手。写了梁益州刺史邓元起坐视不救梁州诸城之急，在即将离任时又欲尽卷州里积蓄而走，又向新刺史萧渊藻索文化修养高，能从事文学、教育并影响一方的人，也为数不少。只是因为他们距离州府所在地非常遥远，没有机会进入官场，至于州里的高级僚属，他们更是无法置身其间，所以他们闷闷不乐，心怀不满，制造了很多事端。等到夏侯道迁率梁州归降我们魏国的时候，巴西郡的百姓严玄思便自称巴州刺史，归顺了魏国，我军攻克了巴州城以后，仍然让严玄思担任代理巴州刺史的职务。巴西地域广袤千里，有四万多户居民，如果在那里设立一个州，镇抚那里的汉族人与少数民族土著，就会大顺民心，这样一来，从垫江县以西，根本用不着再去出兵征讨，自然就归我国所有了。”宣武帝没有听从邢峦的建议。

先前的时候，魏宣武帝任命王足为代理益州刺史。梁武帝派遣担任天门郡太守的张齐率军前往益州救援萧渊藻，张齐所率领的援军还没有到达益州，魏宣武帝又改任担任梁州军司的泰山人羊祉为益州刺史。王足得知这个消息以后，心里非常不高兴，就率领自己的部队撤离了涪城，魏军因此没有能够攻取涪城。很久以后，王足从魏国叛逃出来投降了梁国。邢峦在梁州对待那些豪门望族全都以礼相待，用恩惠安抚那里的平民百姓，因此梁州的人都非常愿意接受邢峦的统治。邢峦在攻克巴西的时候，派遣属下担任一支部队头领的李仲迁负责守卫巴西。李仲迁整日沉湎于酒色之中，把军队的储蓄全都花费光了，僚属想要向他请示汇报工作，根本都见不到他本人。邢峦对李仲迁的所作所为愤恨得咬牙切齿，李仲迁感到十分恐惧，于是就密谋叛乱，城中的人把李仲迁杀死，献出巴西郡城投降了梁国。

十二月二十四日庚申，魏国朝廷派遣担任骠骑大将军的源怀率军前往吴兴郡讨伐叛乱的氐族首领杨集起、杨集义等，邢峦等人全都接受源怀的统一指挥和调遣。

梁国担任司徒、尚书令的谢朏因为母亲去世而辞去职务在家为母亲守孝。

这一年，梁国的粮食获得了大丰收，一斛米才卖三十个铜钱。

取良马，出言狂傲，被萧渊藻所杀；萧渊藻任益州刺史，有胆有识，能扫平焦僧护之乱，维持一方平安。写了魏军破梁之豫州刺史王超宗于小岘山，败梁将姜庆真，又败梁将杨公则于马头；西线的将军王足大破梁军王景胤、鲁方达等，进逼涪城，王景胤、鲁方达等皆败死；中路之元英又攻梁之襄阳。写了魏将邢峦、王足等在胜利攻蜀、节节前进的形势下，邢峦上书魏主请求增兵一举平蜀，魏主不许；邢峦又建议于巴西郡设立巴州，以巩固魏在益州的现有胜利，魏主仍不听，最后致王足愤而降梁，魏将之镇巴西者又骄纵懈怠，致使发生兵变，投降梁朝，邢峦伐蜀的大好形势遂被葬送等。

【注释】

①正月癸卯朔：正月初一是癸卯日。②二汉登贤：西汉与东汉两朝的进用贤人。登，进、提拔。③经术：儒家学派治国安邦的理论与学说。④服膺雅道：凡是能按照儒家学说严格要求自己，身体力行的人。服膺，牢记在心，并依照实行。雅道，正道，即儒家所提倡遵行的生活方式。⑤名立行成：就能够名扬天下，事业成功。⑥魏、晋浮荡：魏、晋两朝崇尚虚浮放荡的老庄一派。魏是曹丕建立的王朝，其存在的时间是公元二二〇至二六五年。晋是司马炎建立的王朝，其存在的时间是公元二六五至四二〇年。浮荡，虚浮、放荡，即把一切都看成虚无，提倡自由放荡、蔑弃一切的生活方式。⑦沦歇：没落；衰败。歇，衰败。⑧风节罔树：没有人再讲究仁义礼智信的思想与实践。风节，儒家的风度与人格。罔树，没法树立、没人讲究。⑨抑此之由：就是由于统治者不重视、不提倡儒家的思想学说造成的。抑，虚词，用在句首，无义。⑩五经博士：在太学里讲授儒家经典的教官。所谓五经，是《诗》《书》《礼》《易》《春秋》五种儒家经典。⑪广开馆宇：大规模地建造太学的教室与宿舍。⑫招内后进：招收年轻的学子到太学里学习。招内，同“招纳”。⑬贺玚：当时的著名儒生，在齐代即为太学博士，入梁后为太常丞，兼为五经博士。长于礼学。传见《梁书》卷四十八。⑭明山宾：一个精通儒学经典的官僚，曾任国子博士，而能官至中书侍郎。传见《梁书》卷二十七。⑮沈峻：当时著名的儒生，博通五经，尤长三礼。又在仕途上官至中书舍人。事见《梁书·儒林传》。⑯严植之：少好老庄，后转习儒家经典，入梁后为五经博士。事见《梁书·儒林传》。⑰给其饩廪：由公家供给其伙食。饩，伙食。廪，粮库，这里即指粮食。⑱射策通明：考试时回答问题清楚明白。古代皇帝考试应试，所出的考题写在竹简上，称为“策”。考生揣摩出题者的心思回答问题，叫作“射策”。⑲除为吏：任用为官吏。除，选用。⑳期年：一周年。㉑怀经负笈：怀里揣着经书，背上背着书箱。笈，书箱。㉒云会：如大风吹云之来会，极言其来人之多、之快。㉓循：贺循，东晋初期的江南名士，也是当时当地的儒学首领。传见《晋书》卷六十八。㉔会稽云门山：会稽郡的云门山，在今浙江绍兴城南三十一里，山上有云门寺，南齐时代的隐士何胤即隐居于此。㉕从何胤受业：去跟着何胤上学。何胤是刘宋官僚何尚之的后代，与其兄何点都是当时有名的隐士。事见《南齐书·高逸传》。受业，听老师讲课。㉖经明行修：经书学得透彻，品行修养端正。㉗具以名闻：把他们的姓名报到朝廷。㉘博士祭酒：太学的行政负责人，犹如今之校长。㉙夏侯道迁：谯郡人，谯郡的郡治即今安徽亳州。因谯郡当时是诸侯国和封地，故不称郡而称国。夏侯道迁原为南齐将领，后投魏国，其后又反复无常，多次叛服于南朝北朝之间。传见《魏书》卷七十一。㉚裴叔业：原是南齐名将，任豫州刺史，驻兵寿阳。因南齐末年政局险恶，后来率寿阳人投归魏国。传见《南齐书》卷五十一。㉛南谯：齐郡名，郡治在今安徽巢县东南。㉜王肃镇寿阳：王肃是南齐官僚王奂之子，王奂被齐武帝萧赜所

杀，死不以罪，王肃逃往魏国，深受孝文帝宠信，出将入相，在裴叔业降魏后，代裴叔业镇守寿阳。传见《魏书》卷六十三。㉝合肥：合肥戍，当时魏国的军事据点名，在今安徽合肥东南侧。㉞弃戍来奔：丢下魏国的据点，转身投降了梁朝。㉟梁、秦二州刺史：梁国的梁、秦二州共设一个刺史，州治南郑，即今陕西汉中。梁州的辖境在今陕西秦岭以南，而秦州的辖区则基本在魏国的占领下，南朝虚设其名而已。㊱王珍国：原是南齐的重要将领，在萧衍进攻建康的关键时刻，王珍国率部归顺萧衍，被萧衍封侯。传见《梁书》卷十七。㊲江悦之：先后为刘宋之将、南齐之将，又为萧衍之将，最后与夏侯道迁一同投降魏国。传见《魏书》卷七十一。㊳仇池镇将杨灵珍叛魏来奔：事见本书卷一百四十一永泰元年。仇池是魏郡名，郡治在今甘肃成县西北、西和东南。㊴假武都王：临时代任武都王。武都是魏郡名，郡治在甘肃陇南市武都区东南侧。㊵白马戍：在今陕西勉县西。㊶杨绍先：前氐王杨集始之子，袭其父爵称武兴王。绍先年幼，二叔父集起、集义代为绍先主事。㊷豫州刺史：魏国的豫州州治即今河南汝南县。㊸丰县侯：封地即今江苏丰县。㊹梁、汉：即今陕西的汉中一带地区，当时的汉中既是汉中郡的郡治所在地，又是梁州的州治所在地。㊺受平南二句：接受了平南将军的称号，不接受豫州刺史的职务。因为夏侯道迁希望做梁州刺史。㊻辛亥：正月初九。㊼上祀南郊：皇帝萧衍到南郊祭天。㊽乙丑：正月二十三。㊾高阳王雍：元雍，孝文帝元宏之弟，宣武帝之叔。传见《魏书》卷二十一上。㊿广阳王嘉：元嘉，太武帝拓跋焘之孙，拓跋建之子。传见《魏书》卷十八。(51)二月丙子：二月初五。(52)宕昌：当时的少数民族小国名，羌族，居住在今甘肃白龙江上游一带。传见《魏书》卷一百一。(53)世子梁弥博：老宕昌王的太子名叫梁弥博。世子，义同太子，老国君的接班人。(54)壬午：二月十一。(55)杨公则：萧衍的开国元勋，先为萧衍取得了湘州，又在攻建康的战斗中功劳巨大，第一批被封为侯爵。传见《梁书》卷十。(56)洛口：洛涧入淮的汇口，在今安徽淮南市东北。(57)壬辰：二月二十一。(58)交州：梁朝的州名，辖境大体都在越南境内，州治龙编，在今越南河内东北。(59)长史：当时州刺史的高级僚属，为诸史之长。(60)晋寿：梁郡名，郡治在今四川剑阁东北。(61)石亭：军事据点名，在晋寿城西。(62)梁、秦二州刺史：州治即今陕西汉中。(63)巴西：梁郡名，郡治即今四川绵阳。(64)闰月：指闰二月。(65)四月丁巳：四月十七。(66)行宕昌王：代理宕昌王。此前梁弥博虽已自称宕昌王，但还未得到梁的照准，所以先称“行”。〖按〗此时之宕昌既附魏，又附梁，获两处的封爵。(67)河、凉：今甘肃境内的古代二州名，河州的州治枹罕，在今甘肃临夏回族自治州东北，凉州的州治即今武威。河、凉二州均在魏国的统治下，梁指之以封梁弥博，可笑。(68)深杭：梁地名，方位不详。(69)南安：梁郡名，郡治即今四川剑阁。(70)石同：梁地名，方位不详。(71)剑阁：剑阁道，山路名，在今四川剑阁东北，是川陕间主要通道，自古是军事交通要地。(72)梓潼：梁县名，即今四川梓潼。(73)梁州十四郡地：胡三省曰，“萧子显《齐志》，梁州注籍者二十二郡，荒郡不与焉。今魏取十四郡”。(74)邓元起：萧衍的开国功臣，第一批获封侯者，此时刚刚取代刘季连任益州刺史。传见《梁书》卷十。⑮西昌侯渊藻：萧渊藻，萧衍之侄，萧衍兄萧懿的儿子。萧懿传见《梁书》卷二十三。⑯军不猝至：救援之军不可能短时间来到。猝，突然、短时间。⑰侵淫：逐渐向益州境内推进。⑱董督之任：总指挥的责任。⑲假：临时授予，让其暂时代理。⑳营还装：料理返京的行装。㉑取之无遗：想全部裹挟带走。㉒求其良马：向萧渊藻讨要他所骑乘的好马。㉓郎子：犹言"郎君"，对主人家子弟的称呼。萧渊藻是皇族子弟，邓元起是萧衍的部将，如此称呼，表面像是客气，其实是倚老卖老。㉔诣阙讼之：到朝廷为邓元起辩冤。阙，宫门，这里即指朝廷。讼，申诉。㉕元起为汝报仇：萧渊藻之父萧懿是被东昏侯萧宝卷所杀，邓元起协同萧衍起兵杀了萧宝卷。㉖汝为仇报仇：你却杀了杀萧宝卷的人。㉗李延寿论曰：以下所引见《南史》卷五十五。李延寿，唐代历史学家，著有《南史》《北史》，其事迹见《新唐书》《旧唐书》本传。㉘勤乃胥附：殷勤地忠于萧衍，对破郢州的朝廷军颇有功劳。胡三省引毛苌语："幸下亲上曰胥附。"㉙功惟辟土：有开疆拓土的功劳。惟，虚词。邓元起很早就被任为益州刺史，在原刺史刘季连据蜀观望时，邓元起有平定蜀地之功。㉚劳之不图：有功劳还没有受到朝廷的奖赏。㉛祸机先陷：就先陷入灾难被杀了。〖按〗李延寿此评不合实际。胡三省曰："元起养寇自资，虽渊藻以私愤杀之，亦不为无罪也。"㉜冠军之贬：杀人者萧渊藻只被贬为冠军将军。㉝私戚：偏袒自己的亲属。㉞年之不永：王朝的命运不长，只存在了五十四年。㉟年未弱冠：年龄不到二十岁，尚未行加冠礼。古时男子二十岁行加冠礼，称之"弱冠"，盖谓虽已加冠而实尚弱也。㊱平肩舆：软轿，即今所谓"滑竿"。㊲巡行贼垒：在敌兵的营盘前巡视而过。垒，营盘、营寨。㊳举盾御矢：举起盾牌为渊藻挡箭。盾，御，遮挡。㊴六月庚戌：六月十一。⑩⓪初立孔子庙：梁朝始下令立孔子庙，二百多年来所未有也。⑩①豫州刺史：此时梁国的豫州州治在晋熙郡的郡治皖城，即今安徽潜山。⑩②小岘：军事据点名，在今安徽含山县西北，当时属魏。⑩③丁卯：六月二十八。⑩④薛真度：刘宋名将薛安都之子，因宋明帝的错误处置使薛安都率徐州降魏。薛真度此时在魏任扬州刺史。魏国的扬州州治即今安徽寿县。⑩⑤涪城：涪县县城，在今四川绵阳东南，当时为梓潼郡的郡治所在地。⑩⑥八月壬寅：八月初四。⑩⑦雍州：梁州名，州治即今湖北襄阳市襄州区，其汉水对面的樊城区，早在几年前已被魏人占据。⑩⑧庚戌：八月十二。⑩⑨壬子：八月十四。⑪⓪甲寅：八月十六。⑪①羊石：也作"阳石"，在今安徽舒城西北。⑪②马头：梁国的北方军事要地名，也是郡名，在今安徽蚌埠西南、淮南市东北。⑪③沔东：梁郡名，胡三省曰，"考之《北史》，青喜所据之地盖在襄阳之东，竟陵之西"。⑪④西序：殿西侧的廊檐下。胡三省曰："殿庑曰序。"⑪⑤崔光：魏国的文学之臣，受知于孝文帝、宣武帝二代，任侍中，加抚军将军。传见《魏书》卷六十七。⑪⑥墟落：废弃人迹罕至之处。⑪⑦扶疏：繁茂纷披的样子。⑪⑧生朝：生于朝堂之上。⑪⑨入庙：进入人的祖庙。⑫⓪败亡之象：国破家亡的先兆。⑫①太戊、高宗：商代的两位有功有德的帝王。太戊是帝雍己之弟，继其兄位为帝。高宗指商王武丁，公元前一二五〇至前一一九二年在位。⑫惧灾修德：相传太戊为帝时，有桑、谷共生于朝廷，一夜便长得有一掐（两手合围）那么粗。有人主张祭祀它，太戊则采纳了知惧而修德的建议，于是怪树死去，殷朝以兴。又相传武丁祭成汤时，有雉飞到鼎上鸣叫。对于这种怪现象，武丁勤政修德，结果国泰民安。以上二事皆见于《史记·殷本纪》。⑬家利而怪先：一个家族将要大吉大利时，可能开头出现一些怪现象，这是一种很好的提醒。⑭国兴而妖豫：一个国家将要兴旺时，可能预先出现一些妖妄的东西，这对我们是很好的警告。妖豫，妖妄的东西预先产生。⑮西南二方：西指西南方的梁州、益州一带对梁国作战，南指东南方淮河以南对梁国作战。⑯郊甸之内：郊甸，原指国都的郊区，古时国都百里之内称"郊"，郊外称"甸"。这里即指魏国的本土，巩固的统治区。⑰大旱逾时：干旱的时间出奇地长。逾时，超过应有的节气，接连数月。⑱莫此之甚：莫此为甚，没有再比这个更严重的了。⑲承天育民者：指皇帝。古代统治者总说他们的统治是上承天命而来管辖黎民百姓的。育民，养民。不说是百姓养统治者，而说他养百姓，统治者的逻辑就是如此。⑳矜恤：哀怜。㉑侧躬耸意：敬慎恐惧，不敢丝毫懈怠的样子。侧躬，反侧。耸，通"悚"，敬惧。㉒惟新圣道：认真搞好您的方针大计，让它日新月异地越来越好。惟，通"维"，发语词。新，用作如动词。㉓节：控制；减少。㉔养方富之年：要好好保养您年轻的身体。方富，指年轻，古人称此曰"富于春秋"，时宣武帝元恪年二十一岁。古人特别告诫这个年龄要戒之在酒、戒之在色。㉕魏祚：魏国的国运。㉖皇寿：您的寿命；您的健康。㉗于是：当时。㉘宴乐：安乐；纵情酒色。㉙九月己巳：九月初一。㉚元嵩：景穆帝拓跋晃之子、中山王元澄之弟。传见《魏书》卷十二中。㉛十月丙午：十月初九。㉜柳惔：在齐为中书侍郎、梁秦二州刺史，因能及早地响应萧衍起兵，入梁后被任命为尚书右仆射。传见《梁书》卷十二。㉝国租：各自封国的收入。㉞田谷：职田的收入。南朝的官吏都有一份禄米田，按官品等级分配，连陶渊明任彭泽县令时都还有一份。㉟杨绍先：氐族头领杨集始之子，继其父位为武都王，但实权在其两个叔叔杨集起、杨集义之手。传见《梁书》卷五十四。㊱十一月戊辰朔：十一月初一是戊辰日。㊲杨椿：杨播之弟，二人皆孝文帝、宣武帝时期魏国的重要将领。传见《魏书》卷五十八。㊳自上名籍：把自己的户口册献给魏国，也就是表示归顺。㊴陆行既绝：陆路交通早已断绝。〖按〗从建康经襄阳西行，走陆路经汉中可到益州，但汉中此时已被魏人所占，故此路不通。㊵惟资水路：只有靠着经长江一条水路。资，借助。㊶顷：不久前。㊷裙屐少年：犹言"纨绔子弟"，一个穿戴华美而无实才的年轻人。屐，木屐。㊸未洽治务：不熟悉为官治政的诀窍。㊹宿昔：过去的；旧有的。㊺据彼竟内：所占益州之境的地盘。竟，通"境"。㊻方轨无碍：犹言大路畅通。方轨，两车并行，极言道路之宽广。㊼必无死理：一定不会为守成都而战死。㊽庸、蜀：皆古国名，蜀国的都城成都，庸国的都城上庸（在今湖北竹山县西南）。这里即泛指西蜀及其周边地区。㊾驽怯：软弱胆小。㊿内省文吏：朝廷的文职官员。邢峦曾任中书侍郎、散骑常侍、尚书令等出入宫禁的官职，所以自称“内省文吏”。内省，也作“禁省”，指宫中或朝廷里。⑯ 频有薄捷：屡获小胜。这里是谦辞。⑯ 民心怀服：益州的军民都怀有归服之心。⑯ 正以：只是因为。正，仅、只。⑯ 殷实：富足。⑯ 乞归侍养：请求回家侍奉父母。⑯ 更听后敕：再等待朝廷日后的命令。⑯ 寇难未夷：敌寇之乱尚未平定。⑯ 邓艾、锺会：都是当年曹魏灭掉西蜀的将领。传并见《三国志》卷二十八。⑯ 倾：花尽；消耗完。⑰ 斗实力：是双方拼斗实力的结果。⑰ 才非古人：没有邓艾、锺会那样的才干。〖按〗这里是谦辞。⑰ 正以：就是因为；实在是因为。正，的确、实在。表示肯定的强调语气。⑰ 此往则易：现在动手会比较容易。⑰ 彼来则难：萧衍的援军从东方前来，那是很艰难的。⑰ 任力而行：凭着我们的力量向前推进。⑰ 脱得涪：一旦攻下涪城。⑰ 成擒之物：已经擒获之物，意思是定可攻下。⑰ 鬓发中白：头发有一半已经变白了。⑰ 何可为心：这该是何等艰难的一种心情啊。⑱ 勉强：坚持努力；坚决挺住。⑱ 意算：打算。⑱ 中分益州之地：占有了益州地区的一半。⑱ 断水陆之冲：占据了益州水陆交通的要冲。⑱ 军军相次：驻军与驻军之间占好位置。⑱ 声势连接：各据点之间建立好相互联络、相互支援的体系。⑱ 图功：图谋进取成功。⑱ 巴西：蜀郡名，郡治即今四川绵阳，在当时的涪城西北，相距很近。⑱ 南郑：即今陕西汉中，当时魏国梁、汉都督府的驻地，邢峦镇西将军的大本营。⑱ 去州迢遰：与南郑的刺史府、督军府相隔太远。迢遰，路途遥远的样子。⑲ 恒多扰动：常有一些骚扰、动乱。⑲ 在南之日：在南齐王朝的时候。⑲ 统绾：统辖、管理。绾，意思同“管”。⑲ 曾立巴州：事在齐高帝萧道成建元二年，当时因“群蛮数为叛乱，分荆、益置巴州以镇之”，州刺史兼任巴东太守，州治即在巴东，今重庆市奉节。后于齐武帝永明二年废除。⑲ 夷、獠：当时生活在梁、益地区的少数民族名。⑲ 梁州藉利：梁州的官员不愿利归他人。因为建新州要割梁州之地，故而反对。藉利，图利。藉，凭借、贪图。⑲ 因而表罢：于是上表请求撤销了巴州。⑲ 彼土民望：那个地区的头面人物。⑲ 虽率居山谷：虽然彼此都是住在山谷里。率，相率、彼此都是。⑲ 豪右：有势

【原文】

五年（丙戌，公元五〇六年）

春，正月丁卯朔⑳，魏于后㉑生子昌，大赦。

杨集义围魏关城㉒，邢峦遣[11]建武将军傅竖眼㉓讨之，集义逆战，

力的大家族。⑳ 文学风流：文化修养高，能从事文学、教育并能影响一方的人物。㉑ 不获仕进：没有机会进入官场。㉒ 州纲：州里的高级僚属，如长史、别驾、治中等。纲，纲纪、骨干。㉓ 无由厕迹：没法让他们置身其间。厕迹，插足、置身。㉔ 郁快：郁闷不乐；心怀不满。㉕ 多生异图：制造了许多事端。㉖ 道迁建义：指夏侯道迁率梁州降魏。㉗ 仍使行事：仍在让他代理巴州刺史的职务。㉘ 于彼立州：在巴西郡设立巴州。㉙ 镇摄华、獠：镇抚华夏人与土著的蛮夷。华，指汉族人与魏国人。㉚ 大帖民情：大顺民意。㉛ 垫江已还：这里指垫江以西。垫江，梁县名，县治即今重庆市。当时为巴郡的郡治所在地。㉜ 来奔：来投降梁朝。㉝ 豪右：豪门大族。㉞ 公事谘承：僚属有公务向他请示报告。㉟ 以城来降：带着巴西郡投降了梁国。㊱ 十二月庚申：十二月二十四。㊲ 武兴氐：武兴郡的氐族，即前文所说的杨绍先、杨集起、杨集义等人。㊳ 母忧：母亲去世。古代凡有父母之丧，其子居官者例皆辞官回家守孝。㊴ 大穰：粮食大丰收。

【校记】

［1］江悦之：原误作“江忱之”。严衍《通鉴补》改作“江悦之”，今据以校正。［2］人：据章钰校，十二行本、乙十一行本、孔天胤本“人”上皆有“余”字。［3］独：原无此字。据章钰校，十二行本、乙十一行本皆有此字，今据补。［4］深杭：据章钰校，十二行本、乙十一行本，皆作“深阬”，张瑛《通鉴校勘记》同。［5］当阳侯：原无此三字。据章钰校，十二行本、乙十一行本皆有此三字，张敦仁《通鉴刊本识误》、张瑛《通鉴校勘记》同，今据补。［6］数万：原无此二字。据章钰校，十二行本、乙十一行本、孔天胤本皆有此二字，张敦仁《通鉴刊本识误》同，今据补。［7］高宗：原作“中宗”。严衍《通鉴补》改作“高宗”，今据以校正。［8］进：据章钰校，十二行本、乙十一行本、孔天胤本皆无此字。［9］竟：据章钰校，十二行本、乙十一行本、孔天胤本皆作“境”。［10］图：据章钰校，十二行本、乙十一行本皆作“屠”。

【语译】

五年（丙戌，公元五〇六年）

春季，正月初一日丁卯，魏宣武帝元恪的皇后于氏生了一个儿子，取名叫元昌，于是实行大赦。

自行称王的氐族人首领杨集义率军围攻魏国的阳平关城，邢峦派遣担任建武将军的傅竖眼率军前往讨伐杨集义，杨集义率众迎战傅竖眼，傅竖眼把杨集义打败；

竖眼击破之；乘胜逐北㉔，壬申㉕，克武兴㉖，执杨绍先，送洛阳。杨集起、杨集义亡走，遂灭其国㉗，以为武兴镇，又改为东益州㉘。

乙亥㉙，以前司徒谢朏为中书监㉚、司徒。

冀州㉛刺史桓和击魏南青州㉜，不克。

魏秦州屠各㉝王法智聚众二千，推秦州主簿㉞吕苟兒为主，改元建明，置百官，攻逼州郡。泾州㉟民陈瞻亦聚众称王，改元圣明。

己卯㊱，杨集起兄弟相帅降魏㊲[12]。

甲申㊳，封皇子纲㊴为晋安王㊵。

二月丙辰㊶，魏主诏王公以下直言忠谏。治书侍御史阳固㊷上表，以为"当今之务，宜亲宗室、勤庶政、贵农桑、贱工贾，绝谈虚穷微之论㊸，简桑门㊹无用之费，以救饥寒之苦。"时魏主委任高肇，疏薄㊺宗室，好桑门之法，不亲政事，故固言及之。

戊午㊻，魏遣右卫将军元丽㊼都督诸军讨吕苟兒。丽，小新成之子也。

乙丑㊽，徐州刺史历阳昌义之㊾与魏平南将军陈伯之战于梁城㊿，义之败绩。

将军萧昞将兵击魏徐州，围淮阳(251)。

三月丙寅朔(252)，日有食之。

己卯(253)，魏荆州(254)刺史赵怡、平南将军奚康生救淮阳。

魏咸阳王禧之子翼，遇赦求葬其父(255)，屡泣请于魏主，魏主不许。癸未(256)，翼与其弟昌、晔来奔(257)。上以翼为咸阳王，翼以晔嫡母李妃之子也，请以爵让之，上不许。

辅国将军刘思效败魏青州刺史元系于胶水(258)。

临川王宏(259)使记室吴兴丘迟(260)为书遗陈伯之曰："寻(261)君去就之际(262)，非有他故，直以(263)不能内审诸己(264)，外受流言，沈迷猖蹶(265)，以至

傅竖眼乘胜追逐败军，初六日壬申，傅竖眼攻克了武兴郡，俘虏了杨绍先，把杨绍先押送到了洛阳。杨集起、杨集义兵败逃走，魏国遂灭掉了氐族杨氏的封国，把武兴郡改为武兴镇，不久又改为东益州。

正月初九日乙亥，梁武帝萧衍任命前任司徒谢胐为中书监、司徒。

梁国担任冀州刺史的桓和率军进攻魏国的南青州，没有取得胜利。

魏国秦州境内的屠各族人王法智聚集了二千人，推举担任秦州主簿的吕苟兒为王，改年号为建明元年，并设置文武百官，然后出兵进攻秦州所辖各郡。泾州的百姓陈瞻也聚众称王，改年号为圣明元年。

十三日己卯，氐族首领杨集起、杨集义兄弟一同投降了魏国。

十八日甲申，梁武帝封儿子萧纲为晋安王。

二月二十一日丙辰，魏宣武帝下诏令王公以下的大臣都要上表给朝廷，直言朝政得失。担任治书侍御史的阳固于是上表给宣武帝，认为“当今的首要任务，就是要亲近宗室成员，勤于处理各种政务，重视农业生产和种桑养蚕，抑制工商业，杜绝那些虚无的谈玄和深究细微逻辑关系的理论，减少佛门无用的开销，以救济那些处在饥寒交迫苦难中的百姓”。当时魏宣武帝信任高肇，把朝政大权委托给高肇掌管，而疏远、薄待那些宗室成员，魏宣武帝又喜好佛门佛法，不亲自处理政务，所以阳固在奏章中专门谈论这方面的问题。

二月二十三日戊午，魏国朝廷派遣担任右卫将军的元丽统领诸军前往秦州讨伐称王的吕苟兒。元丽，是元小新成的儿子。

三十日乙丑，梁国担任徐州刺史的历阳人昌义之率军与魏国担任平南将军的陈伯之在梁城开战，昌义之战败。

梁国的将军萧昞率军袭击魏国所属的徐州，包围了淮阳城。

三月初一日丙寅，发生日食。

十四日己卯，魏国担任荆州刺史的赵怡、担任平南将军的奚康生率军前往救援淮阳。

魏国咸阳王元禧的儿子元翼，因为遇到国家实行大赦，遂向魏宣武帝请求以礼安葬自己的父亲元禧，他多次在宣武帝面前流着眼泪请求，魏宣武帝就是不同意。三月十八日癸未，元翼和自己的弟弟元昌、元晔前来投降梁国。梁武帝封元翼为咸阳王，元翼因为元晔是咸阳王的正妻李妃所生的嫡子，所以请求把爵位让给元晔，梁武帝没有答应。

梁国担任辅国将军的刘思效在北胶水一带打败了魏国担任青州刺史的元系。

梁国的临川王萧宏让担任记室的吴兴郡人丘迟给陈伯之写信说：“回想你在背叛梁国、投归魏国的时候，并不是因为有什么特别的缘故，只是因为你没有能够好好地反思一下自己，又受到外部流言蜚语的影响，遂导致你一时糊涂蛮干，以至有了

于此。主上屈法申恩[266]，吞舟是漏[267]，将军松柏不翦[268]，亲戚安居[269]，高台未倾[270]，爱妾尚在[271]。而将军鱼游于沸鼎[272]之中，燕巢于飞幕[273]之上，不亦惑乎？想早励良图[274]，自求多福。”庚寅[275]，伯之自寿阳、梁城拥众[276]八千来降，魏人杀其子虎牙。诏复以伯之为西豫州[277]刺史；未之任[278]，复以为通直散骑常侍[279]。久之，卒于家。

初，魏御史中尉甄琛表称：“《周礼》[280]，山林川泽有虞、衡[281]之官，为之厉禁[282]，盖取之以时，不使戕贼[283]而已。故虽置有司[284]，实为民守之也。夫一家之长，必惠养[285]子孙。天下之君，必惠养兆民，未有为人父母而吝其醯醢[286]，富有群生[287]而榷其一物[288]者也。今县官[289]鄣护河东盐池[290]而收其利，是专奉口腹而不及四体[291]也。盖天子富有四海，何患于贫？乞弛监禁，与民共之！”录尚书事勰[292]、尚书邢峦[293]奏，以为“琛之所陈，坐谈则理高，行之则事阙[294]。窃[295]惟古之善治民者，必污隆随时[296]，丰俭称事[297]，役养消息[298]以成其性命[299]。若任其自生，随其饮啄[300]，乃是刍狗万物[301]，何以君为[302]？是故圣人敛山泽之货[303]以宽田畴之赋[304]，收关市之税[305]以助什一之储[306]，取此与彼[307]，皆非为身，所谓资天地之产，惠天地之民也。今盐池之禁，为日已久，积而散之[308]，以济军国，非专为供太官之膳羞[309]，给后宫之服玩。既利不在已，则彼我一也。然自禁盐以来，有司多慢[310]，出纳[311]之间，或不如法[312]。是使细

今天。当今皇帝宁可不顾法律的尊严受到损害也要对你施以恩惠，法网之宽大，竟能让吞舟的大鱼跑出去，将军家的祖先墓地被保护得完好无损，就连墓地上的松柏都没有人动过，将军家的亲戚朋友没有因为你的降魏而受到任何牵连，他们都生活得平安无事，将军家的旧宅池台如故，婢妾还在家中翘首等待你的归来。而将军现在的处境就像鱼儿游在开水锅中，就像燕子把巢筑在飘动的帷幕之上一样危险，将军是不是太糊涂了？希望你及早为自己想一条好的出路，以求得更多的幸福。”三月二十五日庚寅，陈伯之率领着寿阳、梁城两个城镇的八千名部众投降了梁国，魏国人杀死了陈伯之的儿子陈虎牙。梁武帝下诏任命陈伯之为西豫州刺史；陈伯之还没有前往赴任，梁武帝又任命陈伯之为通直散骑常侍。很久以后，陈伯之在自己的家中去世。

当初，魏国担任御史中尉的甄琛上表给魏宣武帝说：“《周礼》中记载，负责管理山林、河流、湖泽以及有关开发利用事宜的有山虞、泽虞、林衡、川衡等官员，并制定严厉的禁令，目的就是要求人们按时收获，不让资源受到破坏和损害而已。所以虽然设立了管理此事的官员，实际上是为百姓守护这些资源。作为一家之长，一定要负起养育子孙、为后代造福的责任。作为统治天下的君主，也一定要负起养育全国百姓的责任。从来没有为人父母的却舍不得让自己的子孙吃家里的油盐酱醋，也从来没有掌管着亿兆百姓的君主却要把一种东西垄断起来将收益归为自己所有。如今皇帝设置关卡把河东郡的盐池掌控起来而坐收其利，这就如同一个人只顾自己的嘴巴和肚子而不顾及四肢一样。天子富有四海，何必担忧贫穷？请求朝廷撤销禁止私人煮盐的禁令，与百姓共同享有煮盐的利益！”担任录尚书事的元勰、担任尚书令的邢峦也都上奏给宣武帝，他们认为：“甄琛所陈述的道理，坐在那里谈论起来好像很高明，而真正实行起来则有很多问题。我们私下里以为，古代善于治理百姓的君主，该高该低、该宽该严，都要随时局而定；是豪华一点还是节俭一点，都要与国家实际的经济情况相称，有时需要役使，有时需要养护，有时令其消除，有时令其生长，以使他们能够尽其天年。如果放任他们自由生长，就像鸟兽一样想饮就饮、想吃就吃地随意生活，那就是把世间的万物当作刍狗般轻贱，那还要皇帝做什么呢？所以圣明的皇帝征收开发山林湖海的赋税为的是减少农业的税收，征收货物流通、交易过程中的赋税，用以补助农业税收的不足，从某些行业征收赋税，给某些行业提供补贴，都不是为了皇帝自身的利益，正如人们所说的是取之于天地之间的资产，施恩惠给天下所有的百姓。如今禁止私人采盐的禁令，已经实施很长时间，将积蓄起来的钱财再分散下去，用以维持军队和国家的开支，并不是专门用来供给皇家厨房烹制美味佳肴，为后宫的嫔妃美女提供华服珍玩。既然利益并不归于陛下一人，那么利益就在万民，不分彼此。然而自从禁止私人煮盐以来，有关部门的官员中有许多人并没有认真管理这方面的事务，在买入卖出、花钱收钱之间，有人就不按照

民嗟怨，负贩[313]轻议，此乃用之者[314]无方，非作之者[315]有失也。一旦罢之，恐乖本旨[316]。一行一改，法若弈棋[317]。参论理要，宜如旧式[318]。”魏主卒从琛议，夏，四月乙未[319]，罢盐池禁。

庚戌[320]，魏以中山王英为征南将军，都督杨、徐二州诸军事，帅众十余万以拒梁军，指授诸节度[321]，所至以便宜从事[322]。

江州刺史王茂将兵数万侵魏荆州[323]，诱魏边民及诸蛮更立宛州，遣其所署宛州刺史雷豹狼等袭取魏河南城[324]。魏遣平南将军杨大眼都督诸军击茂，辛酉[325]，茂战败，失亡二千余人。大眼进攻河南城，茂逃还。大眼追至汉水，攻拔五城。

魏征虏将军宇文福寇司州[326]，俘千余口而去。

五月辛未[327]，太子右卫率张惠绍等侵魏徐州，拔宿预[328]，执城主马成龙。乙亥[329]，北徐州刺史昌义之拔梁城。

豫州刺史韦叡[330]遣长史王超等攻小岘，未拔。叡行围栅[331]，魏出数百人陈于门外，叡欲击之，诸将皆曰：“向者轻来[332]，未有战备，徐还授甲[333]，乃可进耳。”叡曰：“不然。魏城中二千余人，足以固守，今无故出人于外[334]，必其骁勇者也，苟能挫之，其城自拔。”众犹迟疑，叡指其节[335]曰：“朝廷授此，非以为饰，韦叡法不可犯也！”遂进击之，士皆殊死战，魏兵败走，因急攻之，中宿[336]而拔，遂至合肥。

先是，右军司马胡景略[13]等攻合肥，久未下。叡按山川[337]，夜，帅众堰肥水[338]，顷之，堰成水通，舟舰继至[339]。魏筑东、西小城夹合肥，

章程办事，所以导致那些平民百姓怨声载道，小商贩随意诽谤，这都是因为执行政策的人不按章办事造成的，而不是制定政策的人考虑不周造成的。朝廷一旦撤销禁止私人煮盐的禁令，恐怕就违背了制定政策的本意。对于一项政策一会儿推行，一会儿更改，就像下棋一样总是变来变去的怎么可以呢？综合各方面的要点，还是应该按照旧的章程不做改变。”魏宣武帝最终还是采纳了甄琛的建议，夏季，四月初一日乙未，魏国取消了禁止私人煮盐的禁令。

四月十六日庚戌，魏国朝廷任命中山王元英为征南将军，都督杨、徐二州诸军事，率领十多万大军抵抗梁国军队的北伐，朝廷指挥、授意各路兵马都要接受中山王元英的统一调度指挥，所到之处中山王元英有权根据实际情况先行处理，然后再奏报朝廷。

梁国担任江州刺史的王茂率领数万大军入侵魏国的荆州，诱导魏国边境地区的居民和那些少数民族脱离魏国的统治另行设立宛州，王茂派遣自己所任命的宛州刺史雷豹狼等突然攻占了魏国河南郡的郡城。魏国派遣担任平南将军的杨大眼统领各军反击王茂的入侵，四月二十七日辛酉，王茂作战失败，共计损失伤亡了二千多人。杨大眼乘胜率军进攻河南郡郡城，王茂逃回了梁国境内。杨大眼一直把王茂追击到汉水边，沿途攻克了梁国的五座城。

魏国担任征虏将军的宇文福率军进犯梁国的司州，俘虏了一千多口人然后离去。

五月初七日辛未，梁国担任太子右卫率的张惠绍等人侵犯魏国的徐州，攻克了宿预郡城，活捉了宿预郡城的驻军头领马成龙。十一日乙亥，梁国担任北徐州刺史的昌义之攻取了魏国所属的梁城。

梁国担任豫州刺史的韦叡派遣担任长史的王超等率军进攻魏国设在小岘的军事据点，王超等人没有能够将小岘军事据点攻克。韦叡出营巡视自己的军队对小岘据点的包围情况，魏军出动数百人在门外列好阵势，韦叡便准备出兵攻打他们。跟随韦叡出来巡视的将领们都说：“刚才我们是轻装而来，没有做好战斗准备，等我们回去换上铠甲，才可以进兵。”韦叡说：“你们说得不对。魏国小岘城中有两千多人，完全可以坚守得住，现在无缘无故地把数百人摆在城门之外，这数百人一定是他们当中最骁勇善战的人，如果我们能够挫败这些人，小岘城自然就可以被我们所占领。”众将领还在犹豫不决，韦叡指着自己手中所持梁武帝授予的符节说：“朝廷把这个符节授予我，并不是让我拿它来作为装饰，我韦叡所下的命令，谁也不可违犯！”于是对城门外的魏军发起进攻，将士全都拼命死战，魏军失败逃走，韦叡趁机加紧进攻小岘城，半夜时分便攻克了小岘城，然后率军抵达合肥。

此前，梁国担任右军司马的胡景略等率军进攻合肥，攻打了很久都没能将合肥攻克。韦叡到来之后详细地考察了合肥四周的山川地形，夜间，便率领部众截断肥水的下游，很快，截断肥水的堤坝就修好了，合肥附近的水位因此上涨，水路得以畅通，梁国的舟舰遂相继到达合肥城下。魏军先在合肥城的东、西两侧各修筑了一

叡先攻二城，魏将杨灵胤帅众五万奄至[340]。众惧不敌，请奏益兵[341]，叡笑曰："贼至城下，方求益兵，将何所及？且吾求益兵，彼亦益兵，兵贵用奇，岂在众也！"遂击灵胤，破之。叡使军主王怀静筑城于岸以守堰，魏攻拔之，城中千余人皆没。魏人乘胜至堤下，兵势甚盛，诸将欲退还巢湖[342]，或欲保三叉[343]，叡怒曰："宁有此邪！"命取伞扇麾幢[344]，树之堤下，示无动志。魏人来凿堤，叡亲与之争，魏兵却，因筑垒于堤以自固。叡起斗舰[345]，高与合肥城等，四面临之，城中人皆哭，守将杜元伦登城督战，中弩死。辛巳[346]，城溃，俘斩万余级，获牛羊以万数。

叡体素羸[347]，未尝跨马，每战，常乘板舆[348]督厉将士，勇气无敌。昼接宾旅，夜半起，算军书[349]，张灯达曙。抚循其众，常如不及[350]，故投募之士争归之。所至顿舍馆宇，藩墙皆应准绳[351]。

诸军进至东陵[352]，有诏班师[353]。去魏城既近，诸将恐其追蹑，叡悉遣辎重居前，身乘小舆殿后，魏人服叡威名，望之不敢逼，全军[354]而还。于是迁豫州治合肥[355]。

壬午[356]，魏遣尚书元遥[357]南拒梁兵。

癸未[358]，魏遣征西将军于劲节度[359]秦、陇诸军[360]。

丁亥[361]，庐江太守闻喜裴邃[362]克魏羊石城，庚寅[363]，又克霍丘城[364]。

六月庚子[365]，青、冀二州[366]刺史桓和克朐山城[367]。

乙巳[368]，魏安西将军元丽击王法智，破之，斩首六千级。

座小城夹护着合肥，韦叡先率军进攻这两座小城，魏军将领杨灵胤率领着五万军队突然到来。众人都担心抵抗不住敌军，要求韦叡奏请朝廷请求增派救兵，韦叡笑着说：“魏军已经到达合肥城下，我们此时才请求朝廷增派救兵，哪里还来得及呢？而且我们请求朝廷增兵，敌人也在增兵，出兵打仗贵在能够出奇制胜，哪里在乎军队数量的多少呢！”于是向杨灵胤发起进攻，把杨灵胤打败。韦叡派担任一支军队头领的王怀静在肥水岸边筑城以守卫刚刚筑起来的堤坝，魏军攻克了王怀静新筑的城垒，城垒中的一千多人全部战死。魏军乘胜逼近堤堰之下，兵势非常强盛，梁军中的将领都想退回到巢湖一带，有的人想退往巢湖水分成三叉的那个地方进行坚守，韦叡发怒说：“岂有此理！”他立即命人将朝廷赐予自己的伞、扇、旗帜、幢等仪仗，摆列在堤堰之下，表示自己岿然不动的决心。魏军前来破坏堤坝，韦叡亲自率军与魏军搏斗，魏军退却，韦叡抓紧时机在堤上筑起堡垒加强防守。韦叡又建造了一种有很高楼台的大船，其高度与合肥城一样高，从四面把合肥城围住，合肥城中的人面对梁军的这种气势都被吓哭了，合肥城中的守将杜元伦亲自登上城楼督率作战，结果中箭身亡。五月十七日辛巳，合肥城终于被韦叡所率领的梁军攻克，俘虏、斩首了一万多人，缴获的牛羊数以万计。

韦叡身体一向瘦弱，从来没有骑过战马，每次与敌人作战，经常坐着由两个人抬着的轿椅亲自来到阵前，督促、激励将士们奋勇杀敌，他所表现出来的勇气简直无人能比。韦叡总是在白天接待宾客，半夜起来，筹算行军作战的方略计划，军帐中的灯光一直亮到天明。韦叡抚慰他的部下，唯恐做得不好、不细，所以投军的人都争着来投奔他。韦叡所到之处，供其停留休息的房舍、用竹木编织的围墙都符合国家的规定标准。

韦叡率领各军到达东陵的时候，梁武帝下诏班师。东陵距离魏军的城池已经很近，各将领都担心班师的时候魏军会紧随其后进行追击，韦叡命令所有的辎重部队走在前边，自己则乘坐着一辆小车殿后，魏军敬畏韦叡的威名，眼望着韦叡的身影却不敢逼近，最终全军完好无损地撤回。于是梁国豫州的州治从此便由晋熙迁到了合肥。

五月十八日壬午，魏国朝廷派遣担任尚书的元遥率军到魏国南部前线抗拒梁军的入侵。

十九日癸未，魏国朝廷派遣担任征西将军的于劲负责指挥、调度秦州与陇山一带地区的军队。

二十三日丁亥，梁国担任庐江太守的闻喜县人裴邃率军攻克了魏国的羊石城。二十六日庚寅，又攻克了魏国的霍丘城。

六月初七日庚子，梁国担任青、冀二州刺史的桓和率军攻克了魏国的朐山城。

十二日乙巳，魏国担任安西将军的元丽率军攻击王法智，把王法智打败，斩杀了六千人。

张惠绍与假徐州刺史宋黑水陆俱进，趣彭城，围高冢戍[369]，魏武卫将军奚康生将兵救之。丁未[370]，惠绍兵不利，黑战死。

太子统生五岁，能遍诵[371]五经。庚戌[372]，始自禁中出居东宫。

丁巳[373]，魏以度支尚书邢峦都督东讨[374]诸军事。

魏骠骑大将军冯翊惠公源怀[375]卒。怀性宽简，不喜烦碎，常曰："为贵人当举纲维[376]，何必事事详细？譬如为屋，但外望高显，楹栋[377]平正，基壁完牢，足矣。斧斤[378]不平，斫削[379]不密，非屋之病也。"

秋，七月丙寅[380]，桓和击魏兖州[381]，拔固城[382]。

吕苟兒率众十余万屯孤山[383]，围逼秦州，元丽进击，大破之。行秦州事李韶掩击孤山，获其父母妻子，庚辰[384]，苟兒帅其徒诣丽降。

兼太仆卿杨椿别讨[385]陈瞻，瞻据险拒守。诸将或请伏兵山蹊[386]，断其出入，待粮尽而攻之；或欲斩木焚山，然后进讨。椿曰："皆非计也。自官军之至，所向辄克，贼所以深窜，正避死耳。今约勒[387]诸军，勿更侵掠，贼必谓我见险不前。待其无备，然后奋击，可一举平也。"乃止屯不进。贼果出抄掠，椿复以马畜饵之[388]，不加讨逐。久之，阴[389]简精卒，衔枚夜袭之，斩瞻，传首[390]。秦、泾二州皆平。

戊子[391]，徐州[392]刺史王伯敖与魏中山王英战于阴陵[393]，伯敖兵败，失亡五千余人。

己丑[394]，魏发定、冀、瀛、相、并、肆[395]六州十万人以益[396]南行之兵。上遣将军角念将兵一万屯蒙山[397]，招纳兖州之民，降者甚众。

梁国担任太子右卫率的张惠绍与代理徐州刺史的宋黑一同率军由水路、陆路同时并进，赶赴彭城，围困了魏国设在高冢的军事据点，魏国担任武卫将军的奚康生率军赶往高冢救援。十四日丁未，张惠绍率军作战失利，代理徐州刺史宋黑阵亡。

梁国的皇太子萧统才五岁就能背诵全部的五经。十七日庚戌，太子萧统从皇宫搬出来开始到东宫居住。

六月二十四日丁巳，魏国朝廷任命担任度支尚书的邢峦为都督东讨诸军事。

魏国担任骠骑大将军的冯翊惠公源怀去世。源怀为人宽厚简易，不喜欢繁杂琐碎，他曾经说："一个地位尊贵的实权人物应当注意大节，注意大的方面，何必非要把每件事情都管得非常详细？就拿盖房子来说，只要从外观看上去高大明亮，立柱、大梁平稳端正，基础牢固、墙体完好就足够了。至于斧子所砍的痕迹不平整，雕刻、装饰得不严密，那不是房屋本身的缺点。"

秋季，七月初三日丙寅，梁国青、冀二州刺史桓和率军攻打魏国的兖州，攻占了位于兖州东南方的固城。

吕苟兒率领部众十多万人屯扎在秦州境内的孤山，对秦州州治上邽形成了进逼包围的态势，安西将军元丽率军主动出击，把吕苟兒打得大败。代理秦州刺史职务的李韶率军突然袭击孤山，活捉了吕苟兒的父母妻儿，十七日庚辰，吕苟兒率领他的部众前往安西将军元丽的军前请求投降。

魏国兼任太仆卿的杨椿另外率领一支军队前往讨伐陈瞻，陈瞻占据险要进行坚守，抗拒官军的讨伐。杨椿手下的将领有的请求到山间小路上进行埋伏，切断陈瞻叛军的出入，等到叛军把储存的粮食吃光之后再向其发动进攻；有的主张砍伐树木放火烧山，然后再进军讨伐。杨椿说："你们所说的这些都不是好办法。自从官军到来之后，所向披靡，攻无不克，贼人所以逃窜到深山老林据守，就是为了逃避死亡。现在只要我们约束、管理好各路人马，不要再骚扰掠夺百姓，叛贼一定会认为我们官军畏惧艰险而不敢向前。等到叛贼松懈下来没有戒备的时候，我们再奋力出击，可以一举荡平这些叛贼。"于是杨椿下令全军停止前进就地屯扎下来。叛贼果然出来四处抄掠抢夺，杨椿又用马等牲畜作为诱饵，故意让叛贼抢走，而不进行讨伐追赶。时间一长，杨椿悄悄地选拔精锐士兵，在夜间令士兵口里衔着木棍儿以免发出声响去偷袭贼军，将陈瞻斩首，并把陈瞻的人头用传车送往京城洛阳。到此，秦、泾二州的叛乱全部被平息下去。

七月二十五日戊子，梁国担任徐州刺史的王伯敖与魏国的中山王元英在阴陵展开激战，王伯敖作战失败，失散死亡了五千多人。

二十六日己丑，魏国从定州、冀州、瀛州、相州、并州、肆州六个州中征调了十万人以壮大南征的军队。梁武帝派遣将军角念率领一万军队驻扎在蒙山，以招纳兖州的百姓，兖州百姓投降角念的人非常多。当时，梁国的将军萧及率军驻扎在固

是时，将军萧及[398]屯固城，桓和屯孤山[399]。魏邢峦遣统军樊鲁攻和，别将元恒攻及，统军毕祖朽攻念。壬寅[400]，鲁大破和于孤山，恒拔固城，祖朽击念，走之。己酉[401]，魏诏平南将军安乐王诠[402]督后发诸军赴淮南。诠，长乐之子也。

将军蓝怀恭与魏邢峦战于睢口[403]，怀恭败绩，峦进围宿预。怀恭复于清南[404]筑城，峦与平南将军杨大眼合攻之，九月癸酉[405]，拔之，斩怀恭，杀获万计。张惠绍弃宿预[406]，萧昞弃淮阳，遁还。

临川王宏以帝弟将兵，器械精新，军容甚盛，北人以为百数十年所未之有。军次洛口，前军克梁城，诸将欲乘胜深入，宏性懦怯，部分乖方[407]。魏诏邢峦引兵度淮，与中山王英合攻梁城。宏闻之，惧，召诸将议旋[408]师，吕僧珍[409]曰："知难而退，不亦善乎！"宏曰："我亦以为然。"柳惔曰："自我大众所临，何城不服，何谓难乎？"裴邃曰："是行也，固敌是求[410]，何难之避！"马仙琕曰："王安得亡国之言？天子扫境内以属王[411]，有前死一尺，无却生一寸！"昌义之怒，须发尽磔[412]，曰："吕僧珍可斩也！岂有百万之师出未逢敌，望风遽退，何面目得见圣主乎！"朱僧勇、胡辛生拔剑而起[14]，曰："欲退自退，下官当前向取死[413]。"议者罢出，僧珍谢诸将曰："殿下昨来风动[414]，意不在军[415]，深恐大致沮丧[416]，故欲全师而返耳。"宏不敢遽违群议，停军不前。魏人知其不武[417]，遗以巾帼[418]，且歌之曰："不畏萧娘与吕姥[419]，但畏合肥有韦虎[420]。"虎，谓韦叡也。僧珍叹曰："使始兴、吴平为帅[421]而佐之[422]，岂有为敌人所侮如是乎！"欲遣裴邃分军取寿阳，大众停洛口，宏固执不听，

城，青、冀二州刺史桓和的军队驻扎在孤山。魏军担任都督东南诸军事的邢峦派遣担任统军的樊鲁进攻驻扎在孤山的桓和，派另外一支军队的头领元恒进攻驻扎在固城的萧及，派担任统军的毕祖朽进攻驻扎在蒙山的角念。八月初十日壬寅，樊鲁在孤山把桓和打得大败，元恒攻占了萧及所据守的固城，毕祖朽则赶跑了角念。十七日己酉，魏宣武帝下诏，令担任平南将军的安乐王元诠统领后来从六州征调的十万人奔赴淮南战场。元诠，是元长乐的儿子。

梁国的将军蓝怀恭与魏国都督东南诸军事的邢峦在睢水流入泗水的汇口处交战，蓝怀恭战败，邢峦乘胜进兵，包围了宿预。蓝怀恭又在清水南岸修筑城垒，邢峦与平南将军杨大眼联合起来进攻蓝怀恭，九月十一日癸酉，邢峦与杨大眼攻克了蓝怀恭在清水南岸所修筑的城垒，杀死了蓝怀恭，魏军杀死、俘虏的梁军将士数以万计。太子右卫率张惠绍丢弃了宿预，将军萧昞放弃围攻魏国的淮阳城，逃回了梁国。

梁国的临川王萧宏以皇帝弟弟的身份领军，他所率领的部队武器配备精良、崭新，军容非常整齐强盛，北方的人都认为这是近一百年来前所未有的。临川王率军驻扎在洛口，他的先头部队已经攻克了梁城，属下诸将都想乘胜继续深入，而萧宏生性懦弱、胆小，部署不当。魏宣武帝下诏令都督东南诸军事的邢峦率领大军渡过淮河，与中山王元英联合起来攻打刚刚被梁军占领的梁城。萧宏得知这个消息后非常恐惧，就召集属下的将领商议准备回师，吕僧珍首先说："知难而退，不也是一种好办法吗！"萧宏说："我也认为吕僧珍说得对。"柳惔说："自从我们率军出征以来，所到之处，哪一个城的魏军不被我们征服？知难而退又从何说起呢？"庐江太守裴邃说："我们这次出兵，所寻求的就是要与魏军作战，为什么要回避困难！"马仙琕说："王爷怎能说出这种亡国的言论？皇上扫尽了境内所有的人力物力交付给你，就应该宁可前进一尺而死，也不能为了活命而后退一寸！"担任北徐州刺史的昌义之勃然大怒，胡子眉毛全都竖了起来，他说："应该把吕僧珍斩首！哪有率领百万大军出征北伐，还没有真正跟敌人交锋就望风而退的道理，如果这样做了还有什么脸面回去面见皇上！"朱僧勇、胡辛生也拔出身上的佩剑从座位上一跃而起，说："谁想撤退谁就撤退，我们应当杀上前去寻求战死。"商讨遂告结束，诸将从临川王的大帐中出来，吕僧珍向其他将领道歉说："临川王殿下从昨天晚上开始得了中风，心思全不在打仗上，我非常担心会因此而导致大失败，所以想撤退以保全实力。"萧宏不敢马上违背诸将领的意见，便令军队停止前进。魏军知道临川王没有勇气和气魄与魏军作战，就派人送给临川王一些妇女用的头巾与发饰，还编成歌谣说："我们不惧怕萧宏姑娘和吕僧珍老太太，只怕镇守合肥的那个姓韦的老虎。"这里所说的老虎，指的是担任豫州刺史的韦叡。吕僧珍叹息着说："如果是让始兴王萧憺或是吴平侯萧昞为统帅而我为他们当副手，我岂能受到敌人这样的侮辱！"吕僧珍想派庐江太守裴邃率领一支军队去攻取寿阳，其余的大部队仍旧停留在洛口，萧宏固执己见，就是不肯采

令军中曰："人马有前行者斩！"于是将士人怀愤怒。魏奚康生驰遣杨大眼谓中山王英曰："梁人自克梁城已后，久不进军，其势可见，必畏我也。王若进据洛水，彼自奔败。"英曰："萧临川虽骙[423]，其下有良将韦、裴[424]之属，未可轻也。宜且观形势，勿与交锋。"

张惠绍号令严明，所至独克，军于下邳[425]，下邳人多欲降者，惠绍谕之曰："我若得城，诸卿皆是国人[426]；若不能克，徒使诸卿失乡里[427]，非朝廷吊民[428]之意也。今且安堵复业[429]，勿妄自辛苦。"降人咸悦。

己丑夜[430]，洛口暴风雨，军中惊，临川王宏与数骑逃去。将士求宏不得[431]，皆散归，弃甲投戈，填满水陆，捐弃病者及羸老[432]，死者近五万人。宏乘小船济江，夜至白石垒[433]，叩城门求入。临汝侯渊猷[434]登城谓曰："百万之师，一朝鸟散，国之存亡，未可知也。恐奸人乘间为变[435]，城不可夜开。"宏无以对，乃缒食馈之[436]。渊猷，渊藻[437]之弟也[15]。时昌义之军梁城，闻洛口败，与张惠绍皆引兵退[438]。

魏主诏中山王英乘胜平荡东南，逐北至马头[439]，攻拔之，城中粮储，魏悉迁之归北。议者咸曰："魏运米北归，当不复南向。"上曰："不然，此必欲进兵，为诈计耳。"乃命修钟离城[440]，敕昌义之为战守之备[441]。

冬，十月，英进围钟离，魏主诏邢峦引兵会之。峦上表，以为"南军虽野战非敌[442]，而城守有余。今尽锐攻钟离，得之则所利无几，不得则亏损甚大。且介在淮外[443]，借使束手归顺，犹恐无粮难守，况

纳别人的建议，他对军队下令说："有胆敢擅自前进的人马，一律格杀勿论!"于是将士们人人心怀愤怒。魏军当中的武卫将军奚康生立即派遣平南将军杨大眼飞速报告中山王元英说："梁军自从攻克梁城以后，便长时间不敢向前进军，他们的意图很明显，就是惧怕我军。大王您如果进兵占据洛水一带，梁军自然就会崩溃逃跑。"中山王元英说："临川王萧宏虽然愚不可及，然而他的手下还有像韦叡、裴邃那样的良将，所以不应该轻视敌人。我们应该暂且观察形势，不要与他们交锋。"

太子右卫率张惠绍号令严明，只有他所率领的这支军队所到之处攻无不克，他把军队驻扎在下邳郡，下邳郡中的很多人都想投降他，张惠绍向他们解释说："如果我军能够占领下邳郡城，你们就都是梁国的子民；如果我军不能攻克郡城，那不是白白地让你们背井离乡地跟着我们逃难，这可不是朝廷安慰人民，拯救黎民于水火的本意。现在你们暂且各自回去，该干什么还干什么，不要妄自辛苦。"想投降的人都非常高兴。

九月二十七日己丑的夜间，洛口地区突然降下暴风骤雨，驻扎在洛口的梁国军队受到惊吓，临川王萧宏只带着几名骑兵便连夜逃走了。将士们四下里找不到萧宏，因为群龙无首，于是全都自行解散返回，梁军所抛弃的盔甲、扔掉的戈矛，布满了河渠陆地，那些有病的、年老体弱的士兵全都被抛弃，死了将近五万人。萧宏乘坐着一艘小船渡过长江，夜间到达白石垒，他向城门守卫呼叫开门，请求让自己进城。临汝侯萧渊猷登上城楼对萧宏说："百万大军，一朝之间就像鸟兽一样散去，国家是存是亡，现在还是个未知数。我担心坏人会利用这个机会发动叛乱，因此城门不许在夜间打开。"萧宏无言以对，萧渊猷令人用绳子把一些食物从城墙上系下去让萧宏等食用。萧渊猷，是萧渊藻的弟弟。当时庐江太守昌义之正率军驻扎在梁城，他听到洛口兵败的消息，就与张惠绍全都率军撤退。

魏宣武帝下诏令中山王元英乘胜进兵消灭东南的梁国政权，中山王元英率领大军追击败逃的梁国军队，一直追到马头城，遂向马头城展开攻势，很快便攻克了马头城，马头城中所有的粮食储备全部被魏军运回了北方。议论的人都说："魏军把粮食全都运回北方，应该是不再继续深入进犯了。"梁武帝说："不是这样，这一定是魏军准备继续向南深入，故意用这种假象来麻痹我们的。"于是下令修固钟离城，命令庐江太守昌义之严密防守，做好迎战魏军的准备。

冬季，十月，魏国的中山王元英奉命继续进军，包围了梁国北部的军事重镇钟离城，魏宣武帝下诏令都督东南诸军事的邢峦率军前往钟离与元英会合。邢峦上表给宣武帝，认为："南朝梁国的军队虽然野外作战不是我们的对手，但城池保卫战他们的力量是绰绰有余。如果把所有的精锐部队全部用来攻打钟离城，即使我军攻下钟离城也不会得到多少好处，如果攻不下钟离城却会造成很大的损失。况且钟离城地处淮河以南，即使钟离城束手归顺我国，尚且还要担心缺乏粮食难以坚守，何况

杀士卒[444]以攻之乎？又，征南士卒从戎二时[445]，疲弊死伤，不问可知。虽有乘胜之资，惧无可用之力。若臣愚见，谓宜修复旧戍，抚循诸州，以俟后举，江东之衅[446]，不患其无。”诏曰：“济淮掎角[447]，事如前敕，何容犹尔盘桓[448]，方有此请[449]？可速进军！”峦又表，以为“今中山[450]进军钟离，实所未解[451]。若为得失之计[452]，不顾万全，直袭广陵，出其不备，或未可知。若正欲[453]‘以八十日粮取钟离城[454]’者，臣未之前闻[455]也。彼坚城自守，不与人战，城堑水深，非可填塞，空坐至春，士卒自弊。若遣臣赴彼[456]，从何致粮？夏来之兵[457]，不赍冬服，脱遇冰雪，何方取济[458]？臣宁荷[459]怯懦不进之责，不受败损空行之罪。钟离天险，朝贵所具[460]，若有内应，则所不知；如其无也，必无克状[461]。若信臣言，愿赐臣停；若谓臣惮行求还，臣所领兵乞尽付中山，任其处分，臣止以单骑[462]随之东西。臣屡更为将[463]，颇知可否，臣既谓难，何容强遣[464]？”乃召峦还，更命镇东将军萧宝寅[465]与英同围钟离。

侍中卢昶[466]素恶峦，与侍中、领右卫将军元晖[467]共谮之，使御史中尉崔亮弹峦在汉中掠人为奴婢。峦以汉中所得美女赂晖，晖言于魏主曰：“峦新有大功，不当以赦前[468]小事案[469]之。”魏主以为然，遂不问。

晖与卢昶皆有宠于魏主而贪纵，时人谓之“饿虎将军”“饥鹰侍中”。晖寻迁吏部尚书，用官皆有定价：大郡二千匹，次郡、下郡递减其半，余官各有等差，选者谓之“市曹[470]”。

是需要我们牺牲士卒去攻取它呢？再者，我们征南的将士已经出征在外两个季度，疲惫的程度、死伤的情况，不用问也能想象得到。虽然我军有乘胜进军的条件可以利用，令人担忧的是没有可用的力量。如果按照我的愚蠢见解，我认为现在应当修复旧有的军事据点，抚慰各州的百姓，等今后找到机会再大举进兵消灭梁国。江东的可乘之机，不用担心等不到。”魏宣武帝下诏说：“你率军渡过淮河，与中山王元英形成相互支援、相互协作的形势，就像此前我所下达的命令那样，岂容徘徊不前，到了现在还有这样的建议提出来？你应该迅速进军！”邢峦又上表给宣武帝，认为：“如今中山王元英进军钟离城，我实在想不明白他的意图是什么。如果只是不计后果地给敌人来个突然袭击，而不考虑万无一失，那就径直去进攻广陵，来个出其不备，说不定还真能取胜。如果只是想‘携带着八十天的粮草就可以攻克钟离城’的话，我从来没有听说过前辈的军事家们能打这样的仗。如果敌军坚守城池，不出来与我军交战，他们的护城河又很深，我们不可能将其填平，只能白白地坐在那里等待春天的到来，士卒当然已经疲惫不堪。如果非要派我率军赶赴钟离城，那么从哪里得到粮食？军队是从夏天出发的，他们根本就没有携带冬天的服装，倘若遇到天降大雪，有什么办法为他们解决冬天御寒的衣服，使他们能够渡过难关？我宁可承受胆小懦弱不敢进兵的责任，也不愿意接受失败受损、白跑一趟而一无所获的罪名。钟离城是个天险要塞，这是朝廷的权贵大臣们所共知的，如果城内有我们的内应，那么胜负尚未可知；如果城内没有我们的人做内应，肯定没有取胜的可能。如果陛下相信我所说的话，希望陛下令我停止进军；如果陛下认为我是因惧怕作战而请求还朝，那么就请把我所统领的军队交给中山王元英，任凭他调遣定夺，一切全都听从他的指挥、调遣，我只以一个小卒的身份跟随在他的左右。我曾经多次担任将领，非常清楚这个仗能打还是不能打，我既然认为此次出兵很难取胜，又怎么能勉强地接受陛下的派遣呢？”于是魏宣武帝将邢峦召回洛阳，改任担任镇东将军的萧宝寅与元英一同围困钟离城。

魏国担任侍中的卢昶一向厌恶邢峦，遂与担任侍中、兼右卫将军的元晖共同在宣武帝面前说邢峦的坏话，并指使担任御史中尉的崔亮弹劾邢峦在汉中时曾经掠夺民女为奴婢。邢峦用从汉中所得的美女贿赂元晖，元晖于是对魏宣武帝说：“邢峦最近立了大功，不应该因为大赦之前的小事情来追究、查办他。”魏宣武帝认为元晖说得有道理，于是对邢峦便不再深入追究其过失。

元晖与卢昶都受到魏宣武帝的宠信，然而二人都很贪婪放纵，当时的人把他们叫作“饿虎将军”“饥鹰侍中”。不久，元晖升任为吏部尚书，他准备任用的官员都有固定的价格：大郡的太守需要缴纳二千匹绸缎，稍小一点的郡、最小的郡，所需缴纳的绸缎便依次各减少一半，其余的职位根据不同的官阶，所需缴纳的绸缎也有不同的等级差别，主管选拔任用官吏的吏部尚书遂被人们讥讽为“市曹”。

丁酉[471]，梁兵围义阳者夜遁[472]，魏郢州[473]刺史娄悦追击，破之。

柔然库者可汗[474]卒，子伏图立，号佗汗可汗[475]，改元始平[476]。戊申[477]，佗汗遣使者纥奚勿六跋如魏请和。魏主不报其使[478]，谓勿六跋曰："蠕蠕[479]远祖社仑[480]，乃魏之叛臣[481]，往者包容，暂听通使[482]。今蠕蠕衰微，不及畴昔[483]，大魏之德，方隆周、汉[484]。正以江南未平，少宽北略[485]，通和之事，未容相许。若修藩礼[486]，款诚昭著者，当不尔孤[487]也。"

魏京兆王愉[488]、广平王怀[489]国臣[490]多骄纵，公行属请[491]，魏主诏中尉崔亮穷治之，坐死者三十余人，其不死者悉除名为民。惟广平右常侍[492]杨昱、文学[493]崔楷以忠谏获免。昱，椿[494]之子也。

十一月乙丑[495]，大赦。诏右卫将军曹景宗[496]都督诸军二十万救钟离。上敕景宗顿道人洲[497]，俟众军齐集俱进。景宗固启求先据邵阳洲尾，上不许。景宗欲专其功，违诏而进，值暴风猝起，颇有溺者，复还守先顿[498]。上闻之曰："景宗不进，盖天意也。若孤军独往，城不时立[499]，必致狼狈，今破贼必矣。"

初，汉归义侯势[500]之末，群獠[501]始出，北自汉中，南至邛、笮[502]，布满山谷。势既亡，蜀民多东徙，山谷空地皆为獠所据。其近郡县与华民杂居者，颇输租赋[503]；远在深山者，郡县不能制。梁、益二州岁伐獠以自润[504]，公私利之。及邢峦为梁州[505]，獠近者皆安堵乐业，远者不敢为寇。峦既罢去，魏以羊祉为梁州刺史，傅竖眼为益州刺史。祉性酷虐，不得物情[506]。獠王赵清荆引梁兵入州境为寇，祉遣兵击破之。

十月初六日丁酉，围困义阳的梁军听到驻扎洛口的临川王萧宏所统帅的军队已经全部溃散的消息，便连夜潜逃了，魏国担任郢州刺史的娄悦出兵追击，把梁军打得大败。

柔然库者可汗去世，他的儿子伏图继位，号称佗汗可汗，改年号为始平元年。十七日戊申，佗汗可汗伏图派遣纥奚勿六跋为使者到魏国请求讲和。魏宣武帝对柔然的使者来访没有做出回应，他对纥奚勿六跋说："蠕蠕人的远祖社仑，乃是魏国的叛臣，以往我国包容你们，曾经暂时听任你们与我国平等地互通使节。如今蠕蠕已经衰弱下来，不比当年了，我们大魏国的德运，正如当年的周王朝、汉王朝一样强盛。只是因为江南还没有平定，稍微放松了对北方的讨伐，至于互通友好的事情，容不得我答应你。如果你们承认魏国是柔然宗主国的地位，对魏国行藩臣之礼，表现得诚心诚意，我也不会辜负你们。"

魏国京兆王元愉、广平王元怀封国之内的官员大多是那种骄横放纵之人，他们公开走后门、行贿赂，魏宣武帝下诏令担任中尉的崔亮对其不法行为严加追究、查办，受牵连被杀死的有三十多人，那些够不上死罪的都被撤销官职，贬回家中为民。只有在广平王元怀的府中担任右常侍的杨昱、担任文学的崔楷两个人因为忠心耿耿、直言敢谏而免于受处罚。杨昱，是杨椿的儿子。

十一月初四日乙丑，梁国实行大赦。梁武帝下诏令担任右卫将军的曹景宗统领二十万大军前往救援钟离。梁武帝命令曹景宗率军先驻扎在道人洲，等待各路军队会齐之后再一同前往。曹景宗坚持请求允许自己先占据邵阳洲尾，梁武帝没有批准他的这一请求。曹景宗想独自建立救援钟离之功，遂违背梁武帝的诏命，没有等各路人马会齐便孤军向钟离进发，恰逢暴风骤起，有不少人因此而落入水中淹死，曹景宗只好退回到道人洲驻扎。梁武帝听到这个消息之后说："曹景宗没有能够继续前进，这是天意。如果曹景宗孤军前往，一时之间又不能筑起城来，一定会导致狼狈不堪，现在打败贼军是必定无疑的了。"

当初，东晋时期在蜀地建立汉国、投降东晋后被封为归义侯的李势末期，蜀地那些被称为獠人的少数民族部落开始从山中走出来，北部起自汉中，南部直到邛、笮，山谷空地全都是这些少数民族。李势灭亡之后，蜀地的居民有很多都向东方迁移，于是山谷空地全被这些少数民族所占据。那些靠近郡县与汉族人杂居的少数民族，还稍微向政府缴纳一些租赋；而对于远在深山的那些少数民族，郡县却无法控制。梁、益这两个州的官府每年都要出兵讨伐这些远在深山的少数民族以求自己获得好处，官府、私人都能得到利益。等到邢峦担任了梁州刺史的时候，那些靠近郡县的少数民族都能安居乐业，远处深山里的那些少数民族也不敢出来偷盗抢劫。邢峦被罢免之后，魏国朝廷任命羊祉为梁州刺史，任命傅竖眼为益州刺史。羊祉性情残酷暴虐，不受百姓拥护。獠人首领赵清荆遂引领梁国的军队进入梁州境内骚扰掠夺，羊祉派兵打败了他们。

竖眼施恩布信，大得獠和[507]。

十二月癸卯[508]，都亭靖侯谢朏[509]卒。

魏人议乐[510]，久不决。

【段旨】

以上为第二段，写梁武帝萧衍天监五年（公元五〇六年）一年间的大事。主要写了魏灭氐族杨氏，杨氏兄弟三人皆降魏，魏在武兴设立东益州。写了魏国秦、泾二州的民变起而反魏，魏将元丽讨破吕苟兒，杨椿又讨破陈瞻，秦、泾二州皆平。写了魏将陈伯之败梁将昌义之于梁城，梁国的文学之臣丘迟致书陈伯之，劝其回南，陈伯之遂拥寿阳、梁城之众八千人归梁。写了梁将韦叡进攻魏军占领之小岘，拔之，又进攻魏军占领之合肥，机智勇敢，亦攻拔之。写了梁将张惠绍、宋黑进攻徐州，被魏将奚康生打败，宋黑战死。写了梁徐州刺史王伯敖被魏将元英击破于阴陵，失亡五千人。写了魏将邢峦破角念、萧及、桓和于孤山，拔取固城。写了魏国发定、冀、瀛、相、并、肆六州十万人以益南伐之兵，由魏将邢峦、元诠等率之南伐，邢峦、杨大眼等破梁将蓝怀恭于睢口，又追破蓝怀恭于宿预，怀恭战死、萧昞弃淮阳南逃。写了萧衍之弟萧宏为统帅，率大军进驻洛口，魏军渡淮进攻梁城，萧宏、吕僧珍畏敌欲退，诸将请战，萧宏不允，魏人赠之以巾帼，嘲之曰“萧娘”“吕姥”，结果又因夜间有暴风雨，萧宏只身逃走，遂导致洛口的梁军全部溃散，驻守在梁城的昌义之与驻军下邳的张惠绍亦相继撤退，魏人遂进击而攻占了梁城、马头城；与此同时，进围义阳的梁军闻洛口之溃败，亦撤军南逃，被魏人追败之。写了魏将元英进围钟离城，魏主令魏将邢峦将兵会之，邢峦力陈魏师劳乏、钟离不可取之状，魏主不听，改以萧宝寅代邢峦领其军会之；而此时梁国亦派曹景宗率兵救钟离，驻兵于道人洲。此外还写了魏臣卢昶与元晖勾结作恶，元晖为吏部尚书，定价卖官，人称“市曹”，以及魏臣甄琛建议解除河东盐禁，元勰、邢峦极言不可，魏主竟愚妄地从甄琛之议等。

【注释】

[220]正月丁卯朔：正月初一是丁卯日。[221]于后：于皇后，于烈的侄女，于劲之女。传见《魏书》卷十三。[222]关城：阳平关城，在今陕西勉县西白马河入汉水处。[223]傅竖眼：魏国名将，傅灵越之子。传见《魏书》卷十三。[224]逐北：追逐败军。[225]壬申：正月初六。[226]武兴：郡名，郡治即今陕西略阳，当时属于氐族杨氏。[227]遂灭其国：胡三省曰，

傅竖眼则能够施惠于民、讲究诚信，非常受少数民族的人民爱戴。

十二月十二日癸卯，梁国的都亭靖侯谢朏去世。

魏宣武帝令其大臣商议制定雅乐之事，却久议不决。

“晋惠帝元康六年，氐王杨茂搜始据仇池百顷，其后浸盛，尽有汉武都郡之地，北侵陇西、天水，南侵汉中。拓跋既兴，取武都、仇池之地，杨氏仅据武兴。今魏既取汉中，遂灭杨氏”。㉘东益州：胡三省曰，“领武兴、仇池、盘头、广长、广业、梓潼、洛丛七郡”。㉙乙亥：正月初九。㉚谢朏为中书监：谢朏原在南齐就是一个居官而不任事的庸俗官僚，后又进山称隐士，上年应诏入梁为尚书令，遭母忧去职，今乃改授中书监。中书监是中书省的次长官。传见《梁书》卷十五。㉛冀州：梁朝的冀州州治在今江苏连云港市海州区。㉜南青州：魏国南青州的州治在今山东沂水县。㉝秦州屠各：秦州管辖区内的少数民族名，魏国的秦州州治即今甘肃天水市。屠各，匈奴族的一支。㉞主簿：州刺史的高级僚属，为刺史掌管并起草文书。㉟泾州：州治在今甘肃泾川县北。㊱己卯：正月十三。㊲相帅降魏：彼此一同投降了魏国。㊳甲申：正月十八。㊴皇子纲：萧纲，萧衍的第二子，昭明太子萧统的同母弟，即后来的梁简文帝。传见《梁书》卷四。㊵晋安王：晋安郡王。封地晋安郡，郡治即今福建福州。㊶二月丙辰：二月二十一。㊷阳固：宣武帝时代的文学之臣。传见《魏书》卷七十二。㊸谈虚穷微之论：即南朝士大夫长期以来所盛行的谈玄，内容即老庄、佛法、《周易》等。谈虚，即讨论“有”与“无”的问题。穷微，深究细微的逻辑关系。㊹桑门：也作“沙门”，即指佛教、寺庙、僧尼等。㊺疏薄：疏远；不厚待。㊻戊午：二月二十三。㊼元丽：景穆帝拓跋晃之孙，济阴王小新成之子。传见《魏书》卷十九上。㊽乙丑：二月三十。㊾昌义之：原为南齐将领，入梁后为萧衍名将，与魏作战有功。传见《梁书》卷十八。㊿梁城：梁郡的郡治所在地，在今安徽寿县东北，钟离西南，当时属魏。(251)淮阳：魏郡名，郡治即江苏睢宁。(252)三月丙寅朔：三月初一是丙寅日。(253)己卯：三月十四。(254)魏荆州：魏国的荆州州治即今河南鲁山县。(255)求葬其父：请求对其父葬之以礼。其父元禧前因谋反被杀，不得其葬，故其子请之。(256)癸未：三月十八。(257)来奔：前来投降梁国。(258)胶水：这里指“北胶水”，源出山东诸城境，北流入莱州湾。(259)临川王宏：萧宏，萧衍的六弟，被封为临川王。传见《梁书》卷二十二。(260)吴兴丘迟：吴兴是梁郡名，郡治即今浙江湖州。丘迟是当时著名的文学家，在齐为太中大夫、太学博士；入梁后因替人写劝进文，受萧衍喜爱，为中书侍郎，待诏文德殿。传见《梁书》卷四十九。(261)寻：寻思；回想。(262)去就之际：在叛变梁朝、投归魏国的时刻。(263)直以：只是因为。直，只。(264)内审诸己：好好地反思一下自

己。审，细想。㉖沈迷猖蹶：犹今所谓一时的糊涂蛮干。猖蹶，蛮干。㉖屈法申恩：宁可不顾法律，也要表现出不忘旧好。㉖吞舟是漏：法网之宽大，竟能让吞舟的大鱼跑出去。㉖松柏不翦：你们家的祖先墓地被保护得完好无损，连墓地上的松柏都没有人动过。㉖亲戚安居：你们家的亲戚朋友都生活得平安无事，没有因为你的降魏受到任何牵连。㉗高台未倾：胡三省曰，"谓居第未尝污潴，池台如故也。昔雍门子见孟尝君，吟曰：'高台既已倾，曲池既已平，坟墓生荆棘，牧竖游其上，孟尝君亦如是乎?'孟尝君为之喟然叹息"。㉗爱妾尚在：胡三省曰，"谓其婢妾犹守其家，不没于官及流落于他家也"。㉗鱼游于沸鼎：极言其处境之危险。㉗燕巢于飞幕：语出《左传》襄公二十九年，吴季札谓孙林父曰，"夫子之居此也，犹燕之巢于幕上"。飞幕，飘动的帷幕。亦比喻其境况之危险。㉗早励良图：要及早想一条好的出路。励，求、争取。㉗庚寅：三月二十五。㉗拥众：带着两个城镇的部众。㉗西豫州：梁州名，州治即今河南息县。㉗未之任：还未等其前往上任。㉗复以为通直散骑常侍：胡三省曰，"不使之出当边镇，恐其复叛也"。㉘《周礼》：有关古代官制的一本书，儒家的经典之一，与《仪礼》《礼记》合称"三礼"。㉘虞、衡：山虞、泽虞；林衡、川衡。都是《周礼》中的官名，管理山林、河流、湖泽及有关开发利用的事宜。㉘厉禁：修理、看管。㉘戕贼：破坏；损害。㉘置有司：委任管理此事的官员。㉘惠养：养育，为子孙造福。㉘吝其醯醢：吝惜家里的油盐酱醋，不给子孙们用。醯醢，醋与肉酱。㉘富有群生：掌管着广大的黎民百姓。㉘榷其一物：把某一种东西垄断起来归己掌握。榷，独木桥，借用为"垄断"之意，如榷酒、榷烟、榷盐等。㉘县官：古称国家、政府，有时也指皇帝。㉙鄣护河东盐池：把河东郡的盐池掌控起来。鄣护，设置关卡加以控制。河东，古郡名，相当于今山西运城一带地区，其地有盐池。㉙专奉口腹而不及四体：比喻只顾富了皇帝而不管黎民百姓的生活。㉙录尚书事勰:元勰，时任录尚书事，即以国家首辅之尊，兼管尚书省的事务。㉙尚书邢峦：邢峦当时任尚书令，是尚书省的最高长官。㉙行之则事阙：真正执行起来则有很多问题。㉙窃：窃以为。谦辞。㉙污隆随时：该高该低、该宽该严都要随时局而定。污隆，高与低。污，通"窳"，低洼。㉙丰俭称事：豪华点还是节俭点，都要根据客观情况来定。丰，富裕、豪华。称事，与客观情况相称。㉙役养消息：有时役使，有时护养，有时令其消除、有时令其生长。㉙以成其性命：以使其能尽天年。㉚随其饮啄：像鸟兽一样随意生活。㉚刍狗万物：把万物当成刍狗般轻贱。刍狗，古时用草编结成的狗形，供祭祀用，用完即丢弃。也用来比喻轻贱无用之物。语出《老子》第五章，"天地不仁，以万物为刍狗"。㉚何以君为：还要皇帝做什么。㉚敛山泽之货：征收开发山林湖海的赋税。㉚宽田畴之赋：以减少农业的税收。㉚收关市之税：征收货物流通、交易买卖中的税收。关市，关卡、集市的税收。㉚助什一之储：以补助农业税收之不足。什一，代指农业税。收十斗交一斗的公粮。汉代文帝、景帝时代有所谓十五税一、三十税一，那样就被人称作"圣世"了。㉚取此与彼：向某些行业索取，给某些行业提供补贴。㉚积而散之：积蓄起来再分散下去。309 太官之膳羞：皇帝厨房的美味的食品。太官，为皇帝掌管伙食的官署。羞，美食。310 多慢：不认真管理各方面的事务。311 出纳：一买入一卖出；一花钱一收钱。指经营管理工商业。312 或不如法：有人就不按章程办事。313 负贩：小商贩。314 用之者：执行政策、章程的人。315 作之者：制定政策、章程的人。316 恐乖本旨：恐怕就违背了制定政策的本意。317 法若弈棋：意思是变来变去，没有一定的方法。318 宜如旧式：应按旧的章程不变。319 四月乙未：四月初一。320 庚戌：四月十六。321 指授诸节度：指挥、授意给受节度的各路兵马。322 所至以便宜从事：所到之处一律因地制宜，先办后奏。323 魏荆州：州治在今河南邓州。324 河南城：河南郡的郡治所在地，胡三省以为应在今河南新野境内。325 辛酉：四月二十七。326 司州：梁国的司州州治义阳，即今河南信阳。但此时义阳已被魏人所占，宇文福所攻掠者，乃梁司州之余地也。327 五月辛未：五月初七。328 宿预：郡名，郡治在今江苏宿迁东南。329 乙亥：五月十一。330 韦叡：在宋、齐时为地方官，萧衍起事，韦叡积极投靠。萧衍称帝后，韦叡为廷尉，又为豫州刺史。传见《梁书》卷十二。331 行围栅：巡视自己军队对小岘守军的包围圈。围栅，围敌之营垒所修的工事。332 向者轻来：刚才我们是轻装而来，意即未做进攻敌兵的准备。333 徐还授甲：等我们回去换上铠甲。334 出人于外：把一些人摆在外头。335 节：此指旌节，皇帝授予大将或特使的信物，持此节者有生杀与临时处置之权。336 中宿：半夜。337 按山川：考察合肥四周的山川形势。338 堰肥水：把肥水的下游截断，令合肥附近的水位上涨。堰，堤坝，这里用作动词。339 舟舰继至：梁军的船只相继到达合肥城下。340 奄至：突然到来。341 请奏益兵：请求奏明皇帝增派救兵。342 漅湖：即今巢湖，在今安徽巢湖市西，合肥东南。343 三叉：巢湖水分为三叉的地方。胡三省曰："退保于此，利于入船，故众欲之。" 344 伞扇麾幢：都是朝廷赐予韦叡的仪仗，以体现其地位与身份。345 起斗舰：建造了一种楼台很高，易于和城上守军作战的大船。346 辛巳：五月十七。347 素羸：一向很瘦弱。348 板舆：两人抬着的椅子，类似所谓"滑竿"。349 算军书：筹算行军作战的谋略计划。350 常如不及：唯恐做得不细不好。351 皆应准绳：都符合国家的规定，意即从不追求豪华、奢侈浪费。352 东陵：当时庐江金兰县的乡镇名。胡三省引《水经注》曰，"庐江金兰县西北东陵乡大苏山，灌水之所出也"。353 有诏班师：胡三省曰："班师之诏必在洛口师溃之后，史因书叡事而终言之。" 354 全军：保全整个军队完好无损。355 迁豫州治合肥：梁国豫州的州治从此由晋熙郡迁到了合肥。356 壬午：五月十八。357 元遥：景穆帝拓跋晃之孙。传见《魏书》卷十九上。358 癸未：五月十九。359 节度：指挥、调度。360 秦、陇诸军：秦州与陇山一带的军队，魏国秦州的州治即今甘肃天水市，陇山在今陕西、甘肃、宁夏三省的交界处。361 丁亥：五月二十三。362 闻喜裴邃：闻喜是今山西西南部的县名。裴邃原是南齐的官吏，随裴叔业降魏，梁朝建国后，裴邃又逃回南朝，被任为庐江太守。传见《梁书》卷二十八。363 庚寅：五月二十六。364 霍丘城：霍丘县城，在今安徽寿县东。365 六月庚子：六月初七。366 青、冀二州：梁国的青、冀二州合设一个刺史，其州治侨设在今江苏连云港市海州区。㊱㊲朐山城：在今江苏连云港市海州区的西南侧，此时被魏人所占据。㊱㊳乙巳：六月十二。㊱㊴高冢戍：魏国的军事据点名，在当时的彭城城西。高冢，又名楚元王冢。楚元王是汉高祖刘邦之弟，封为楚王，建都彭城。魏军依其冢墓建立了军事据点。㊲⓪丁未：六月十四。㊲①诵：本指读，这里指背诵。㊲②庚戌：六月十七。㊲③丁巳：六月二十四。㊲④东讨：指讨伐梁国的马头、钟离、合肥等一带地区。㊲⑤冯翊惠公源怀：魏国的名将源怀被封为冯翊郡公，死后谥为惠。㊲⑥举纲维：注意大节；注意大的方面。纲，拉网的总纲。维，系物的大绳。㊲⑦楹栋：犹今所谓“梁柱”，支撑房子不倒的关键所在。楹，立柱。栋，大梁。㊲⑧斧斤：斧子，这里指斧子所砍的痕迹。㊲⑨斫削：这里即指雕刻、装饰。㊳⓪七月丙寅：七月初三。㊳①魏兖州：魏国兖州的州治在今山东兖州的西北侧，当时也称作瑕丘。㊳②固城：又名“五固”，在今山东滕州东北，当时兖州的东南方。㊳③孤山：地名，在当时秦州州治的上邽，即今甘肃天水市的附近。㊳④庚辰：七月十七。㊳⑤别讨：另率一支军队出讨。㊳⑥山蹊：山间小路。㊳⑦约勒：约束；管理好。㊳⑧以马畜饵之：故意丢给他一些马匹做诱饵。饵，鱼饵，这里用作动词。㊳⑨阴：暗中；悄悄地。㊴⓪传首：将陈瞻的首级用传车送到洛阳。㊴①戊子：七月二十五。㊴②徐州：此指梁国的北徐州，州治钟离郡，在今安徽蚌埠东南不远。㊴③阴陵：梁县名，县治在当时的钟离郡西南，今安徽蚌埠东南。㊴④己丑：七月二十六。㊴⑤定、冀、瀛、相、并、肆：魏之六州名，定州的州治即今河北定州，冀州的州治即今河北冀州，瀛州的州治即今河北的河间，相州的州治邺城，在今河北临漳西南，并州的州治在今太原西南侧，肆州的州治在今山西忻州城北。㊴⑥益：壮大。㊴⑦蒙山：山名，在当时兖州的城东，今山东蒙阴的南部。㊴⑧将军萧及：梁国的将军萧及。㊴⑨孤山：地名，在今山东滕州东南。㊵⓪壬寅：八月初十。㊵①己酉：八月十七。㊵②安乐王诠：元诠，文成帝拓跋濬之孙，安乐王拓跋长乐之子，继其父之爵为王。传见《魏书》卷二十。㊵③睢口：睢水入泗水的汇口，在今江苏宿迁西北。㊵④清南：清水之南。当时的泗水也称清水。㊵⑤九月癸酉：九月十一。㊵⑥张惠绍弃宿预：胡三省曰，“此与后‘张惠绍闻洛口败，引兵退’，本一事耳”。㊵⑦部分乖方：指挥不当，处置失宜。部分，指挥、处置。㊵⑧旋：回；归。㊵⑨吕僧珍：萧衍的开国元勋、心腹将领。传见《梁书》卷十一。㊶⓪固敌是求：所求的就是遇上敌人。㊶①扫境内以属王：扫尽了境内所有的人力物力交给您。扫，尽其所有。㊶②须发尽磔：胡子眉毛全都张开竖起来。磔，张开。《广雅·释诂》：“磔，张也。”㊶③前向取死：杀上前去寻求战死。㊶④昨来风动：昨晚得了中风。㊶⑤意不在军：心思不在打仗上。㊶⑥大致沮丧：导致大的失败。㊶⑦不武：没有勇气；没有气魄。㊶⑧遗以巾帼：送给他妇女的头巾与发饰。帼，妇女的头饰。㊶⑨萧娘与吕姥：把萧宏称作萧姑娘，把吕僧珍称作吕老太太。㊷⓪韦虎：姓韦的一只虎，以称合肥的梁国守将韦叡。㊷①使始兴、吴平为帅：如果是让始兴王萧憺或吴平侯萧昺为统帅。始兴王萧憺是萧衍的十一弟，自萧衍未为帝时便勇武有战功。传见《梁书》卷二十二。至于吴平侯萧昺，是萧衍的堂弟，梁朝初期的名将。

因唐人为李渊之父避讳，改“昺”字作“景”。事迹见《梁书》卷二十四。㊷而佐之：而为他们当助手。㊸萧临川虽骁：临川王萧宏虽然是个白痴。骁，愚、痴。㊹韦、裴：韦叡、裴邃。㊺下邳：郡名，郡治在今江苏邳州南，当时属魏。㊻皆是国人：都是梁朝的子民。㊼失乡里：指离乡别井地跟着我们逃难。㊽吊民：安慰人民，拯救黎民于水火。㊾且安堵复业：暂且各自回去，该干什么干什么。安堵，安居以操其旧业。㊿己丑夜：九月二十七的夜间。431求宏不得：寻找萧宏找不着。求，寻找。432羸老：病弱者与老年人。433白石垒：也称“白下城”，在当时建康城的城北，即今江苏南京下关的狮子山，白下城在山麓。434渊猷：萧渊猷，萧衍的长兄萧懿之子，萧渊藻之弟，被封为临汝侯，当时镇守白下城。435乘间为变：利用这个机会发动叛乱。436缒食馈之：用绳子从城上给他系下去一些食物。缒，绳索，用绳索系东西。437渊藻：萧渊猷之兄。事迹见《梁书》卷二十三。但《梁书》仅称之曰“萧藻”，盖唐朝人著《梁书》，为给李渊避讳而削去“渊”字也。438皆引兵退：胡三省曰，“此即张惠绍弃宿预事也，《通鉴》因《南史·临川王宏传》所载者书之，遂致复出”。439逐北至马头：追击败兵一直追到马头城。马头城在今安徽蚌埠西南，相距不远，是当时梁国北部前线的军事要地。440钟离城：钟离郡有郡城，梁国北部边境的军事重镇，在今安徽凤阳的东北侧。441敕昌义之为战守之备：胡三省曰，“马头城在钟离之西，马头既陷，魏必东攻钟离，故预为之备”。442非敌：不是我们的对手。443介在淮外：钟离地处淮河的南岸。介，通“界”，隔着。淮外，淮河以南。444杀士卒：牺牲我们的士兵。445从戎二时：已经出征两个季度，即从夏至秋。446衅：缝隙；机会。447济淮掎角：渡过淮河，与元英形成相互协作的形势。掎角，你扯其腿，我拉其角，以比喻相互协作。448犹尔盘桓：还这样徘徊不前。449方有此请：还有这个样子的建议提出。450中山：指中山王元英。451实所未解：实在是不理解他的意图。解，晓得、明白。452得失之计：不计得失地给他们来个突然袭击。胡三省曰：“谓为一切之计，或得或失，未可必也。”453正欲：只是想。454以八十日粮取钟离城：这是元英对魏主夸口的原话。胡三省曰：“英期以八十日粮取钟离，故峦云然。”据《魏书·元英传》，元英估计用两三个月的时间就可以攻下钟离城。455未之前闻：没听说前辈的军事家能打这样的仗。456赴彼：到他那里，即也率军到钟离城下去。457夏来之兵：魏国的军队是从夏天就来到这里了。458何方取济：有什么办法能解决困难，渡过难关。459宁荷：宁可承受。460朝贵所具：是魏国朝廷的权贵大臣们所共知的。461必无克状：肯定没有取胜的可能。462止以单骑：只以一个小卒的身份。463屡更为将：曾经多次为将领。464何容强遣：又怎么能够勉强地接受派遣。465萧宝寅：齐明帝萧鸾之子，萧衍篡夺齐国政权后，残杀萧鸾诸子孙，萧宝寅在许多人的帮助下北逃投降魏国，被魏国任为此次南伐的大将之一。传见《南齐书》卷五十。466卢昶：魏国的儒学之臣卢玄之孙，卢度世之子。传见《魏书》卷四十七。467元晖：魏昭成帝拓跋什翼犍的后代。传见《魏书》卷十五。468赦前：指本年正月魏主因生皇子发布的大赦以前。469案：追究；查办。470市曹：元晖为吏部尚书，照理应称为“选曹”；但他以卖官为务，如同市场上的管理员，故人们讥之为“市曹”。(471)丁酉：十月初六。(472)夜遁：胡三省曰，“闻洛口师溃，故亦遁”。(473)魏郢州：魏国的郢州州治此时就在义阳，即今河南信阳。(474)库者可汗：也称“那盖”可汗，公元四九二至五〇五年在位。传见《魏书》卷一百三。(475)佗汗可汗：名伏图，公元五〇六至五〇七年在位。传见《魏书》卷一百三。(476)改元始平：在此之前是其父那盖可汗的年号，称作“太安”，共十七年。(477)戊申：十月十七。(478)不报其使：不对柔然的派使来访做出回应。(479)蠕蠕：魏人对柔然族的蔑称。(480)社仑：柔然族的祖先。事迹见《魏书》卷一百三。(481)魏之叛臣：社仑一度归附于魏，后又叛魏事，见本书卷一百八太元十九年。(482)暂听通使：柔然与魏国一度平等通使事，见本书卷一百三十六永明五年。(483)畴昔：往昔；当年。(484)方隆周、汉：正如当年的周王朝、汉王朝一样强盛。(485)少宽北略：稍微放松了一些对北方的讨伐。北略，向北扩展地盘。(486)修藩礼：承认魏国是柔然宗主国，对魏国行藩臣之礼。(487)当不尔孤：那么我也不会辜负你。意即答应。孤，辜负、不同意。(488)京兆王愉：元愉，孝文帝之子，被封为京兆王。传见《魏书》卷二十二。(489)广平王怀：元怀，孝文帝之子，被封为广平王。传见《魏书》卷二十二。(490)国臣：郡王、县公领地上的行政官员。(491)属请：请托，即今之走后门、行贿赂。(492)广平右常侍：广平王元怀的侍从官员。(493)文学：郡王、县公身边的侍从兼训导官员，主管王公的文化课学习。(494)椿：杨椿，魏国孝文帝、宣武帝时代的名将与贤能的地方官。传见《魏书》卷五十八。(495)十一月乙丑：十一月初四。(496)曹景宗：萧衍的开国将领，时任右卫将军之职。

【原文】

六年（丁亥，公元五〇七年）

春，正月，公孙崇请委卫军将军、尚书右仆射高肇监其事[511]；魏主知肇不学，诏太常卿刘芳[512]佐之。

魏中山王英与平东将军杨大眼等众数十万攻钟离。钟离城北阻淮水[513]，魏人于邵阳洲两岸为桥，树栅数百步，跨淮通道[514]。英据南岸攻城，大眼据北岸立城，以通粮运。城中众才三千人，昌义之督帅将士，随方抗御。魏人以车载土填堑，使其众负土随之，严骑蹙其后[515]，人有

传见《梁书》卷九。右卫将军是皇帝禁军的统领官。㊾㊆顿道人洲：把军队驻在道人洲。道人洲在当时钟离郡（今安徽凤阳）的东北方，在邵阳洲的东面。498先顿：先前的屯兵处，即道人洲。499城不时立：一时不能筑起城来。500汉归义侯势：李势，东晋时期在今四川境内所建汉国的君主，嘉宁二年（公元三四七年）投降东晋，被东晋封为归义侯。传见《晋书》卷一百二十一。501群獠：各个被称作獠的少数民族部落。502邛、笮：古地名，在今四川南部。古称今之西昌曰"邛都"；称今之盐源曰"定笮"。503颇输租赋：稍向政府缴纳一点赋税。504自润：自己得到好处。润，沾惠，受到好处。505为梁州：任梁州刺史。事见本卷前文。506不得物情：不受百姓拥护。507大得獠和：大受獠人的爱戴。508十二月癸卯：十二月十二。509都亭靖侯谢朏：假隐士谢朏被封为都亭县侯，死后谥曰靖。510魏人议乐：魏主元恪令其国大臣议乐事，在景明三年。事见本书前一卷。

【校记】

［11］遣：据章钰校，十二行本、乙十一行本皆作"使"。［12］魏：原作"建"。据章钰校，十二行本、乙十一行本、孔天胤本皆作"魏"，今据校正。［13］胡景略：据章钰校，十二行本、乙十一行本皆作"胡略"。［14］起：原作"退"。胡三省注云："'退'当作'起'。"严衍《通鉴补》改作"起"，今据以校正。［15］也：原无此字。据章钰校，十二行本、乙十一行本皆有此字，今据补。

【语译】

六年（丁亥，公元五〇七年）

春季，正月，公孙崇请求魏宣武帝元恪委任担任卫军将军、尚书右仆射的高肇负责监管组织、商讨雅乐的事情；宣武帝知道高肇不学无术，遂下诏令担任太常卿的刘芳协助公孙崇。

魏国中山王元英与平东将军杨大眼等数十万人攻打梁国的钟离城。钟离城北面以淮水为屏障，魏军在邵阳洲两岸架桥，竖起了数百步长的木栅，横跨淮河架起了一条空中通道。中山王元英占据淮河南岸攻打钟离城，杨大眼占据淮河北岸修建城垒，以保障运粮的道路畅通无阻。钟离城中其实只有三千人，守军头领昌义之督率属下将士，根据形势变化随机应变地采取各种措施抵抗魏军的进攻。魏军用车运土想要填平护城河，并让士卒背着土跟在车子后面，士卒后面又有精锐的骑兵催逼着他们往护城河里填土，有的士卒把所背的土扔进护城河之后还没有来得及转过身，

未及回者，因以土迮之⑯，俄而堑满。冲车⑰所撞，城土辄颓，义之用泥补之，冲车虽入而不能坏。魏人昼夜苦攻，分番⑱相代，坠而复升⑲，莫有退者。一日战数十合，前后杀伤万计，魏人死者与城平[16]。

二月，魏主召英使还，英表称："臣志殄逋寇⑳，而月初已来，霖雨不止，若三月晴霁，城必可克，愿少赐宽假㉑！"魏主复赐[17]诏曰："彼土蒸湿，无宜久淹㉒。势虽必取，乃将军之深计；兵久力殆，亦朝廷之所忧也。"英犹表称必克。魏主遣步兵校尉范绍㉓诣英议攻取形势，绍见钟离城坚，劝英引还，英不从㉔。

上命豫州刺史韦叡将兵救钟离，受曹景宗节度。叡自合肥取直道，由阴陵大泽㉕行，值涧谷㉖，辄飞桥以济师㉗。人畏魏兵盛，多劝叡缓行，叡曰："钟离今凿穴而处，负户而汲㉘，车驰卒奔，犹恐其后㉙，而况缓乎！魏人已堕吾腹中㉚，卿曹勿忧也。"旬日至邵阳㉛，上豫敕曹景宗曰："韦叡，卿之乡望㉜，宜善敬之！"景宗见叡，礼甚谨，上闻之曰："二将和，师必济㉝矣。"

景宗与叡进顿邵阳洲，叡于景宗营前二十里夜掘长堑，树鹿角㉞，截洲为城，去魏城百余步。南梁太守冯道根能走马步地㉟，计马足以赋功㊱，比晓而营立㊲。魏中山王英大惊，以杖击地曰："是何神也！"景宗等器甲精新，军容甚盛，魏人望之夺气㊳。景宗虑城中危惧，募军士言义达等潜行水底，赍敕㊴入城，城中始知有外援，勇气百倍。

就被后面的人用土把他们埋在了里面，不久护城河就被填平了。魏军开始用冲车冲撞钟离城的城墙，遭到冲撞的墙土一崩落下来，昌义之马上组织人用泥土把城墙修补好，因此魏军的冲车虽然能够冲入却不能将城墙打开缺口。魏军不分白天黑夜，轮番向钟离城发起攻击，爬上去的掉下来再接着往上爬，没有一个人退却。就这样一天数十次的攻击，魏军前后被守城的梁军杀死杀伤的数以万计，魏军的尸体堆积得与钟离城的城墙一样高。

二月，魏宣武帝召中山王元英返回洛阳，元英上表说："我立志要消灭南方尚未被灭掉的残寇，然而从本月月初以来，便阴雨不止，如果三月的天气能够放晴，我军一定能够攻克钟离城，希望陛下稍微宽限几天！"魏宣武帝又下诏说："那里的地面就像蒸笼一样，闷热潮湿，大军不适合在那里久留。将军虽然志在必得，也只能是将军进一步的打算了；大军在外久了就会筋疲力尽，这也是朝廷所担忧的。"元英仍然上表说一定能够攻克钟离城。魏宣武帝遂派遣担任步兵校尉的范绍到元英那里共同商议攻取钟离城的前景，范绍看到钟离城防守坚固，就劝说元英率军返回，元英没有听从范绍的劝告。

梁武帝萧衍命令担任豫州刺史的韦叡率军前往救援钟离，接受右卫将军曹景宗的指挥调遣。韦叡率军从合肥出发，选择最直接的道路向钟离进发，他率军穿过阴陵县境内的沼泽地，一路之上，遇到深涧山谷，就在山涧上面架起一座桥，让军队飞空而过。军人惧怕魏军的强大，很多人都劝韦叡慢点走，韦叡回答说："如今钟离城内的守军已经在挖地窖居住，出门提水都得背着一块门板以遮挡城外随时射过来的箭，即使我们的战车飞速奔驰，士兵拼命奔跑，还怕来不及，又怎能容得我们缓慢行军呢！魏军已经全在我的算计之中，你们这些人不用担忧。"韦叡所率之军十天就到达了邵阳洲，梁武帝预先曾经告诫曹景宗说："韦叡是你们同乡望族中的大名人，你应该善待他、尊敬他！"曹景宗见了韦叡，礼节上表现得非常恭谨，梁武帝听说这种情况之后说："二位将领能够和睦相处，军队一定能打胜仗。"

右卫将军曹景宗与豫州刺史韦叡一同进驻邵阳洲，韦叡命令军队利用黑夜作掩护，在距离曹景宗军营前面二十里之处挖掘了一条长长的壕沟，又用树干修筑起一道防御工事，把邵阳洲拦护起来使之形成一座城垒，距离魏军的城垒仅有一百多步远。担任南梁太守的冯道根善于用跑马的形式来丈量土地，根据马的步数给士兵们分配了工作量，等到天亮的时候营垒已经建立起来了。魏国的中山王元英看到这种情景不禁大惊失色，他用手杖使劲敲击着地面说："他们怎么会如此神速！"曹景宗等人所率领的军队，兵器铠甲精良崭新，军队的声势十分强盛，魏军望着这样的军队不禁被震慑而丧失了胆气。曹景宗担心钟离城中的将士因为处境危险而心生恐惧，便从军士中招募了会潜水的言文达等人携带着皇帝的命令潜水进入钟离城，城中的将士这才知道自己的援军已经来到了城外，勇气立即增加了一百倍。

杨大眼勇冠军中，将万余骑来战，所向皆靡。叡结车为陈[540]，大眼聚骑围之，叡以强弩二千一时俱发，洞甲穿中[541]，杀伤甚众。矢贯大眼右臂，大眼退走。明旦，英自帅众来战，叡乘素木舆[542]，执白角如意[543]以麾军，一日数合，英乃退。魏师复夜来攻城，飞矢雨集，叡子黯请下城[544]以避箭，叡不许[545]。军中惊[546]，叡于城上厉声呵之，乃定。牧人过淮北伐刍藁[547]者，皆为杨大眼所略[548]。曹景宗募"勇敢士"千余人，于大眼城南数里筑垒，大眼来攻，景宗击却之。垒成，使别将赵草守之，有抄掠者[549]，皆为草所获，是后始得纵刍牧[550]。

上命景宗等豫装高舰，使与魏桥等，为火攻之计，令景宗与叡各攻一桥，叡攻其南，景宗攻其北[551]。三月，淮水暴涨六七尺，叡使冯道根与庐江太守裴邃、秦郡[552]太守李文钊等乘斗舰竞发，击魏洲上军尽殪[553]。别以小船载草，灌之以膏[554]，从而焚其桥[555]，风怒火盛，烟尘晦冥[556]。敢死之士，拔栅斫桥，水又漂疾[557]，倏忽之间，桥栅俱尽。道根等皆身自搏战，军人奋勇，呼声动天地，无不一当百，魏军大溃。英见桥绝，脱身弃城走，大眼亦烧营去。诸垒相次土崩，悉弃其器甲，争投水死者十余万，斩首亦如之。叡遣报昌义之，义之悲喜，不暇答语，但叫曰："更生！更生！"[558]诸军逐北至濊水[559]上，英单骑入梁城，缘淮百余里，尸相枕藉，生擒五万人，收其资粮、器械山积，牛马驴骡不可胜计。

义之德[560]景宗及叡，请二人共会[561]，设钱二十万，官赌[562]之。景宗

魏国平南将军杨大眼的勇猛善战在魏军当中可称得上是个冠军，他率领着一万多名骑兵与梁军交战，所向披靡。豫州刺史韦叡把战车连接起来作为防御工事，杨大眼聚集了所有的骑兵把韦叡包围起来，韦叡用两千张强弩同时向杨大眼的骑兵放箭，弩箭穿透了魏军的铠甲射入魏军的身体，杀死杀伤了很多魏军。箭头贯穿了杨大眼的右臂，杨大眼率军撤走。第二天天刚亮，中山王元英亲自率军前来交战，韦叡坐着一个由两人抬着的未加油饰的木椅，手中拿着一个用白色兽角雕刻成的如意指挥自己的军队与魏军作战，一天之内双方就打了好几仗，元英才被打退。魏军又在夜间前来攻城，发射过来的箭就像雨点一样密集，韦叡的儿子韦黯请求自己的父亲下城避箭，韦叡没有答应。军中某处发生惊扰，韦叡在城上厉声呵斥，军中才安静下来。梁国到淮北地区割取喂牲畜干草的牧民，全都被杨大眼掠去了。曹景宗招募了一千多名勇士，在杨大眼城垒南面几里远的地方修筑营垒，杨大眼率军前来攻打，曹景宗便出兵把杨大眼击退。营垒修成之后，曹景宗派另一支部队的将领赵草率军防守，此后再有前来劫掠梁国割取干草的牧人的魏国士兵，便都被赵草所抓获，从此以后，牧民们才开始能够随意地到淮北地区割草放牧。

梁武帝命令右卫将军曹景宗等预先制造高大的舰船，让所建造的舰船与魏军在邵阳洲两岸建起的桥梁一样高，准备用火攻之计烧毁魏军的大桥，并命令曹景宗与韦叡每人负责进攻魏军的一座桥，韦叡负责进攻邵阳洲南岸的桥，曹景宗负责进攻邵阳洲北岸的桥。三月，淮河水位暴涨了六七尺，韦叡派南梁太守冯道根与庐江太守裴邃、秦郡太守李文钊等人乘着战舰争相进发，把邵阳洲上的魏军全部杀死。另外又用小船装满柴草，柴草上浇上油，然后将这些小船放出去焚烧魏军所建造的桥，风大火旺，烟尘遮天蔽日，白昼昏暗得如同黑夜一般。敢死队的勇士们冲上前去，拔掉魏军所树的木栅，砍断桥梁，加之水势迅猛，霎时间，魏军所建的桥梁、所树的木栅就全部被毁掉了。冯道根等人都亲自参加搏斗，士卒更是奋勇当先，喊杀之声惊天动地，将士们无不以一当百，魏军遂被打得大败。元英看见桥梁已经被梁军毁掉，就摆脱梁军弃城逃走，杨大眼也烧毁自己的营寨逃走。魏军所有的营垒便一个接一个地土崩瓦解了，魏军把所有的武器、铠甲全部抛弃，争先恐后地逃命，被挤落淮水中淹死的就有十多万人，被杀死的也大体有这个数目。韦叡派人将胜利的消息报告钟离城里的守将昌义之，昌义之悲喜交加，来不及回话，只是一个劲地叫喊着:“又可活命了！又可活命了!”各军向北追击败逃的魏军，一直追到濊水岸边，元英单人独骑逃入梁城，沿着淮河的一百多里之处，魏军的尸体相互挤压，一片狼藉，梁军还俘虏了五万名魏军，缴获的各种军用物资、粮食、器械等堆积如山，牛马驴骡多得无法统计。

钟离城守将昌义之对曹景宗以及韦叡的救命之恩非常感激，于是就邀请二人一同参加宴会，并拿出二十万钱，当着众人的面进行赌博游戏。曹景宗出手就掷出了

掷得雉[563]，叡徐掷得卢[564]，遽取一子反之，曰：“异事！”[565]遂作塞[566]。景宗与群帅争先告捷，叡独居后，世尤以此贤之。诏增景宗、叡爵邑，义之等受赏各有差。

夏，四月己酉[567]，以江州刺史王茂为尚书右仆射，安成王秀[568]为江州刺史。秀将发[569]，主者求坚船以为斋舫[570]，秀曰：“吾岂爱财而不爱士乎？”乃以坚者给参佐，下者载斋物，既而遭风，斋舫遂破[571]。

丁巳[572]，以临川王宏为骠骑将军、开府仪同三司，建安王伟为扬州刺史，右光禄大夫沈约[573]为尚书左仆射，左仆射王莹[574]为中军将军。

六月丙午[575]，冯翊等七郡[576]叛降魏。

秋，七月丁亥[577]，以尚书右仆射王茂为中卫[18]将军。

八月戊子[578]，大赦[579]。

魏有司奏中山王英经算失图[580]，齐王萧宝寅等守桥不固，皆处以极法[581]。己亥[582]，诏英、宝寅免死，除名为民，杨大眼徙营州[583]为兵。以中护军李崇[584]为征南将军、扬州刺史。崇多事产业[585]，征南长史狄道辛琛[586]屡谏不从，遂相纠举[587]。诏并不问。崇因置酒谓琛曰：“长史后必为刺史，但不知得上佐[588]何如人耳。”琛曰：“若万一叨忝[589]，得一方正长史，朝夕闻过，是所愿也。”崇有惭色。

九月己未[590][19]，魏以司空高阳王雍[591]为太尉，尚书令广阳王嘉[592]为司空。

甲子[593]，魏开斜谷旧道[594]。

冬，十月壬寅[595]，以五兵尚书[596]徐勉[597]为吏部尚书。勉精力过人，虽文案填积[598]，坐客充满，应对如流，手不停笔。又该综百氏[599]，皆为

一个次大彩雉，韦叡慢腾腾地一掷，却掷出一个头彩的卢，韦叡看见自己要得头彩，赶紧趁大家尚未看清之际，迅速将其一子翻过来，口中还念叨着："奇怪!"结果他这一把就变成了最坏的塞点。曹景宗与各部队的将帅都争先恐后地向朝廷奏报钟离胜利的消息，只有豫州刺史韦叡拖到最后才上报，世人因为此事而特别称赞韦叡的贤德。梁武帝下诏提升右卫将军曹景宗、豫州刺史韦叡的爵位，增加他们的封邑，钟离守将昌义之等人也受到不同档次的奖赏。

夏季，四月二十日己酉，梁武帝任命担任江州刺史的王茂为尚书右仆射，任命安成王萧秀为江州刺史。萧秀将要起身前往江州上任的时候，主管官员请求把坚固的船只提供给萧秀，作为他乘坐、住宿兼运输其家庭财物之用，萧秀说："我难道是那种只爱财物而不爱惜士人的人吗?"遂把坚固的船只让给了跟随自己前往江州赴任的僚佐，而用最次等的船只装载个人的财物，后来船只在江上遭到暴风的袭击，装载萧秀私家财物的那艘斋舫遂破裂沉没了。

四月二十八日丁巳，梁武帝任命临川王萧宏为骠骑将军、开府仪同三司，建安王萧伟为扬州刺史，任命担任右光禄大夫的沈约为尚书左仆射，原任尚书左仆射的王莹为中军将军。

六月十八日丙午，梁国所属的冯翊等七个郡背叛了梁国，投降了魏国。

秋季，七月三十日丁亥，梁武帝任命担任尚书右仆射的王茂为中卫将军。

八月初一日戊子，梁武帝宣布大赦。

魏国有官员上书给宣武帝说中山王元英经营谋略错误，齐王萧宝寅等没有守住大桥，都应当被处以死刑。八月十二日己亥，魏宣武帝下诏免除中山王元英、齐王萧宝寅的死罪，削去他们的爵位，将其贬为平民，平南将军杨大眼被发配到营州充当士卒。任命担任中护军的李崇为征南将军、扬州刺史。李崇为自己置办了很多的家业、田产，在他手下担任征南长史的狄道县人辛琛多次劝谏李崇，李崇始终不改，于是李崇与辛琛之间便相互攻击举报。魏宣武帝下诏，对二人的过错不予追究。李崇于是摆酒宴请辛琛，并对辛琛说："你这个长史今后一定能担任刺史的职务，只是不知道你需要一个什么样的长史来辅佐你。"辛琛说："如果万一哪一天真能像您所说的，我也当上了刺史，能得到一位正直不阿的长史，使我从早到晚随时能听到自己的过错，就是我最希望得到的。"李崇听后不禁露出惭愧的神色。

九月初三日己未，魏宣武帝任命担任司空的高阳王元雍为太尉，任命担任尚书令的广阳王元嘉为司空。

初八日甲子，魏国开辟斜谷旧路。

冬季，十月十六日壬寅，梁武帝任命担任五兵尚书的徐勉为吏部尚书。徐勉精力过人，即使是请示、报告的文书案卷在办公桌上堆积起来，宾客座无虚席，他照样能够应对如流，手不停笔。他还熟悉朝廷百官的家世、出身，知道他们每个人的

避讳[600]。尝与门人夜集[601]，客虞暠求詹事五官[602]，勉正色曰："今夕止可谈风月，不可及公事。"时人咸服其无私。

闰月乙丑[603]，以临川王宏为司徒、行太子太傅[604]，尚书左仆射沈约为尚书令、行太子少傅，吏部尚书袁昂[605]为右仆射。

丁卯[606]，魏皇后于氏[607]殂。是时高贵嫔有宠而妒，高肇势倾中外，后暴疾而殂，人皆归咎高氏，宫禁事秘，莫能详也。

甲申[608]，以光禄大夫夏侯详[609]为尚书左仆射。

乙酉[610]，魏葬顺皇后[611]于永泰陵。

十二月丙辰[612]，丰城景公夏侯详[613]卒。

乙丑[614]，魏淮阳镇都军主[615]常邕和以城来降。

【段旨】

以上为第三段，写梁武帝萧衍天监六年（公元五〇七年）一年间的大事。主要写了魏将元英、杨大眼率兵攻钟离，梁将昌义之坚守钟离，殊死战斗。写了梁将韦叡、曹景宗等率军救钟离，韦叡等机智、勇敢地大破元英于钟离城下，杀死魏兵十余万，淹死者十余万，被俘者五万人，实淝水之战以来所未有之大捷也，文章突出地描写了梁将韦叡的卓越人格；事后魏将元英被除名为民，魏以其中护军李崇为扬州刺史。此外还写了梁吏部尚书徐勉的办事干练、公正无私，以及梁武帝萧统之弟萧秀等人的轻财重士，以至于时人称之为"四豪"等。

【注释】

⑤11 监其事：监管组织、讨论雅乐的事情。此句乃接上段末尾"魏人议乐，久不决"一句而来。⑤12 刘芳：魏国的儒学之臣，曾任中书令，此时任太常卿。传见《魏书》卷五十五。⑤13 北阻淮水：北面以淮水为屏障。阻，以……为依托。⑤14 跨淮通道：横跨淮河架起了一条空中通道。⑤15 严骑蹙其后：后面有精锐的骑兵逼着。蹙，催逼。⑤16 以土迮之：用土把他们埋在了里面。迮，迫、冲压。⑤17 冲车：古代攻城用的战车。⑤18 分番：分

父亲叫什么名字、祖父叫什么名字，说起话来都为之避讳。徐勉曾经与自己的门客在夜间聚会宴饮，门客虞暠趁机向徐勉谋求担任太子詹事属下的五官掾一职，徐勉态度严肃地说：“今晚只能谈论风花雪月，不可涉及公事。”当时的人都很佩服他的公正无私。

闰十月初十日乙丑，梁武帝任命临川王萧宏为司徒、兼任太子太傅，任命担任尚书左仆射的沈约为尚书令、兼任太子少傅，任命担任吏部尚书的袁昂为尚书右仆射。

十二日丁卯，魏国的于皇后突然去世。当时贵嫔高氏很受宣武帝的宠爱，而高氏生性善妒，高肇的权势又压倒朝廷内外，于皇后遂得暴病而死，人们都归罪于高贵嫔，认为是她害死了于皇后，然而宫廷内的事情十分秘密，外面的人根本无法知道其中的详细情况。

二十九日甲申，梁武帝任命担任光禄大夫的夏侯详为尚书左仆射。

三十日乙酉，魏国把顺皇后于氏安葬在永泰陵。

十二月初二日丙辰，梁国的丰城景公夏侯详去世。

十一日乙丑，魏国淮阳镇驻军的总统领常邕和献出城池向梁国投降。

批；轮番。⑲ 坠而复升：掉下来再爬上去。⑳ 志殄逋寇：决心要消灭尚未被灭之残敌。逋，逃亡。㉑ 少赐宽假：稍宽限我几天。㉒ 久淹：久留。㉓ 步兵校尉范绍：步兵校尉是掌管警卫部队的军官名。范绍是一个既通儒学又长于实践活动的官吏，曾主持屯田以及工程技术之事，皆有可观。传见《魏书》卷七十九。㉔ 英不从：胡三省曰，“元英违众议，志在必克钟离，恃义阳之胜而骄也。《兵法》曰：‘常胜之家，难与虑敌’，又曰‘兵骄者败’，其谓是欤”？㉕ 阴陵大泽：阴陵县里的低湿沼泽地。㉖ 值涧谷：每逢遇到深涧、深沟。㉗ 辄飞桥以济师：总是在山沟、山涧上面架一道桥，让军队飞空而过。㉘ 负户而汲：出门提水都得带着一块门板以挡城外的来箭。㉙ 犹恐其后：还怕来不及。㉚ 堕吾腹中：全在我的考虑之中、成算之内了。㉛ 邵阳：即邵阳洲，在当时的钟离城（今安徽凤阳）东北。㉜ 卿之乡望：你们同乡中的大名人。胡三省曰：“曹景宗，新野人，韦叡以京兆着姓居襄阳，既同州乡，而韦为望族。”㉝ 济：成功；胜利。㉞ 鹿角：古时阵地、营寨前的一种防御工事。把带枝的树干削尖，半埋入地下阻截敌人。㉟ 走马步地：以跑马来丈量土地。㊱ 计马足以赋功：计算马跑的距离来分配工作量。㊲ 比晓而营立：等到天亮时营垒已经建立起来了。㊳ 望之夺气：望着这样的甲兵而自感失魂丧魄。㊴ 赍敕：带着皇帝的命令。㊵ 结车为陈：把战车连接起来，作为防御工事。陈，通“阵”。㊶ 洞甲穿中：穿透铠甲射中人身。㊷ 素木舆：未加油饰的滑竿。㊸ 白角如意：用白色兽角雕削而

成的如意。如意，搔痒的器具，魏晋南北朝时人们常拿在手中当作一种时尚。㊹请下城：请求其父下城避箭。㊺叡不许：胡三省曰，“此确斗也。两军营垒相逼，旦暮接战，勇而无刚者不能支久，韦叡于此，是难能也。比年襄阳之守，使诸将连营而前，如韦叡之略，城犹可全，不至误国矣。呜乎，痛哉”！〖按〗此乃胡三省联系宋代现实而发。㊻军中惊：军中某部发生惊扰。㊼伐刍藁：割取喂牲畜的干草。藁，通“稿”，草木枯干。㊽略：意思同“掠”。擒拿、捉去。㊾有抄掠者：有前来抄掠伐刍藁者的魏国士兵。㊿纵刍牧：随意地出去割草放牧。551景宗攻其北：胡三省曰，“魏于邵阳洲两岸立桥，南桥以接元英之兵，北桥以接杨大眼之兵”。552秦郡：梁国的侨置郡名，郡治在今江苏南京六合区。553殪：被杀死。554膏：油类。555从而焚其桥：放过去烧他们的桥。从，通“纵”，推出、放出。556晦冥：昏暗得有如黑夜。557漂疾：水势迅猛。558更生二句：又活了，又活了。559濊水：也称“浍水”“涣水”，淮水的支流，流经今安徽亳州城北，东南流至今固镇汇入淮水。560德：感谢……的恩情。561共会：一起到他的官衙聚会。562官赌：当着大众赌博。563掷得雉：出手就掷了个次大彩。“雉”“卢”都是古代赌博樗蒲中的一种术语。樗蒲类似今天的掷色子，共五颗子，用樗木削成，有黑白两面，一把撒出去，如五颗子皆呈黑色，称作“卢”，是最大的点儿，头彩；如四颗黑色，一颗白色，称作“雉”，是其次的大点儿，二彩；如五颗都是白色，称作“塞”，是最坏的点儿，最小。564徐掷得卢：慢腾腾地一掷，结果呈现的是头彩。所谓“徐掷”，表现了韦叡想把赢家让给曹景宗，自己不想再掷的心理。565遽取一子反之三句：韦叡见自己要得头彩，赶紧趁大家尚未看清之际，将其一子迅速翻成背面，口中还念叨着“奇怪”。566遂作塞：结果他这一把就变成了最坏的点儿。韦叡在整个赌博过程中的表现就是不想赢，想输给曹景宗。袁俊德曰：“叡掷得卢，本胜雉矣，乃故反其子而作塞，见能让不伐也。”袁黄曰：“并书，喜二将也，非景宗之能谦、韦叡之能让，不至是也。并书二将，所以著师克之在和也。”567四月己酉：四月二十。568安成王秀：萧秀，梁武帝萧衍的七弟。传见《梁书》卷二十二。569将发：将起身前往江州上任。570斋舫：供萧秀乘坐住宿兼供运输其家财的船。胡三省曰：“以船载斋库物，因曰‘斋舫’。”斋库物即官僚的“小金库”，做官所搜刮归己的私人财产。现在改任他职，故需要用船搬家。571斋舫遂破：结果那艘装载家财的次等船触礁沉没，众僚佐因乘坐坚船遂免于难。胡三省曰：“时诸王并下士，建安王伟与秀尤好人物，时人方之‘四豪’。”572丁巳：四月二十八。573沈约：当时著名的文人，帮着萧衍篡取政权的急先锋。传见《梁书》卷十三。574王莹：一个多方讨好的庸俗官僚，刘宋时娶公主为妻，南齐末依违于群小之间，无是无非；萧衍篡国称帝后，王莹又任尚书左仆射、侍中。传见《梁书》卷十六。575六月丙午：六月十八。576冯翊等七郡：都是梁国的侨置郡名，都在当时梁国的雍州界内。当时梁国雍州的州治即今湖北襄阳市。577七月丁亥：七月三十。578八月戊子：八月初一。579大赦：梁武帝萧衍宣布大赦。580失图：失算；方略错误。581极法：指死刑。582己亥：八月十二。583营州：发配到营州。营州的州治在今辽宁建昌西北。㊹李崇：孝文帝、宣武帝时期的魏国名将，曾任梁州刺史、中护军。传见《魏书》卷六十六。㊺多事产业：好置办家产、田产。㊻狄道辛琛：辛琛是狄道人，宣武帝时代的方正官吏。传见《魏书》卷七十七。狄道，县名，即今甘肃临洮，曾为陇西郡的郡治。㊼相纠举：相互攻击举报。㊽上佐：敬称辛琛日后所任的长史。长史是三公、刺史、将军属下的高级僚属，为诸史之长。㊾万一叨忝：谦辞，意即有朝一日如果真能像您所说，我也当上了刺史。叨忝，犹言勉强窃居其任。㊿九月己未：九月初三。⑤91高阳王雍：元雍，孝文帝之弟。传见《魏书》卷七十七。⑤92广阳王嘉：元嘉，太武帝拓跋焘之孙。传见《魏书》卷十八。⑤93甲子：九月初八。⑤94斜谷旧道：即褒斜道。因当时南北纷争，曾堵塞旧道，别开新路，以增加其险峻程度。⑤95十月壬寅：十月十六。⑤96五兵尚书：即后来的兵部尚书，主管全国军事，上属于尚书令。⑤97徐勉：在南齐时为官，人已称其有宰辅之量。入梁后，先后任中书侍郎、尚书吏部郎、五兵尚书。传见《梁书》卷二十五。⑤98文案填积：请示、报告的文书充塞、堆积。⑤99该综百氏：熟悉朝廷百官的家世、出身。该综，熟悉、全都知道。该，通"赅"，完备。百氏，犹言百官。⑥00皆为避讳：知道他们每个人父亲的名字叫什么、祖父的名字叫什么，说起话来都为之避讳，于是显得极其谦恭有礼。⑥01夜集：夜间聚会饮宴。⑥02求詹事五官：谋求太子詹事属下的五官掾一职。太子詹事是皇太子属下的官员，其部下有五官掾，职同于功曹。⑥03闰月乙丑：闰十月初十。⑥04行太子太傅：兼任太子太傅。行，兼任，以高级别兼任低职务曰"行"。太子太傅主管皇太子的训导、教育等事。袁黄曰，"始书遣宏率师伐魏，继书宏逃归，今又书'以宏为司徒'，见其有罪不诛，宜黜而赏也"。⑥05袁昂：在齐时曾任御史中丞，入梁后为黄门侍郎、迁侍中，又为吏部尚书。传见《梁书》卷三十一。⑥06丁卯：闰十月十二。⑥07于氏：魏国太尉于烈的侄女，人言被未来的皇后高氏所害，传见《魏书》卷十三。⑥08甲申：闰十月二十九。⑥09夏侯详：萧衍的开国元勋，此时任光禄大夫。传见《梁书》卷十。⑥10乙酉：闰十月三十。⑥11顺皇后：即被高氏所害的于皇后，顺字是其死后的谥号。⑥12十二月丙辰：十二月初二。⑥13丰城景公夏侯详：夏侯详生前被封为丰城县公，死后谥曰景。⑥14乙丑：十二月十一日。⑥15淮阳镇都军主：驻兵于淮阳镇的总统领。淮阳，魏郡名，郡治睢陵，即今江苏睢宁。都军主，犹今所谓"总统领"，可以看出职责，但看不出职官的级别。都，是"总"的意思。

【校记】

［16］城平：此二字原作空格。据四库馆臣校陈仁锡本作"城平"，《梁书·昌义之传》《南史·昌义之传》亦作"城平"，今据补。［17］赐：原无此字。据章钰校，十二行本、乙十一行本、孔天胤本皆有此字，今据补。［18］中卫：原作"中军"。严衍《通鉴补》改作"中卫"，今据以校正。［19］己未：原误作"己亥"。严衍《通鉴补》改作"己未"，张敦仁《通鉴刊本识误》同，今从改。

【研析】

本卷写梁武帝萧衍天监四年（公元五〇五年）至天监六年共三年间南梁与北魏两国的大事。其中最重要的是魏军在邢峦、王足的率领下先在梁州扩大地盘，又攻入剑门，势如破竹，迅即又占领了益州的大片领土，可惜魏主不用邢峦的计谋，致使伐蜀之功成为泡影；随后魏国又大举征兵，命邢峦、元英、杨大眼等进攻淮河以南，双方互有胜负。其中魏将元英仗恃着他此前在义阳一线的胜利，决心要攻克梁国北方的重镇钟离。魏主令邢峦率军往会，邢峦以为魏军已很疲惫，钟离难以短期攻下，坚请魏主退兵。魏主又不听，改派萧宝寅代领邢峦之兵会同元英攻钟离。结果梁将昌义之在城内顽强坚守，梁将韦叡、曹景宗又率军火速相援，双方大战于钟离城下，最后魏军又遭惨败。魏国的教训是极其深刻的；而梁朝在此战中的卓越表现也一扫宋、齐以来几十年的无耻与颓靡，使朝野的精神为之一振。

钟离之战的描写是极其精彩的，文章写钟离守将昌义之的表现说："城中众才三千人，昌义之督帅将士，随方抗御。魏人以车载土填堑，使其众负土随之，严骑蹙其后，人有未及回者，因以土迮之，俄而堑满。冲车所撞，城土辄颓，义之用泥补之，冲车虽入而不能坏。魏人昼夜苦攻，分番相代，坠而复升，莫有退者。一日战数十合，前后杀伤万计，魏人死者与城平。"文章写韦叡、曹景宗等救钟离的卓绝表现说："叡自合肥取直道，由阴陵大泽行，值涧谷，辄飞桥以济。师人畏魏兵盛，多劝叡缓行，叡曰：'钟离今凿穴而处，负户而汲，车驰卒奔，犹恐其后，而况缓乎！魏人已堕吾腹中，卿曹勿忧也。'旬日至邵阳。"文章在写到双方的决战时说："杨大眼勇冠军中，将万余骑来战，所向皆靡。叡结车为陈，大眼聚骑围之，叡以彊弩二千一时俱发，洞甲穿中，杀伤甚众。矢贯大眼右臂，大眼退走。明旦，英自率众来战，叡乘素木舆，执白角如意以麾军，一日数合，英乃退。魏师复夜来攻城，飞矢雨集，叡子黯请下城以避箭，叡不许。军中惊，叡于城上厉声呵之，乃定。""上命景宗等豫装高舰，使与魏桥等，为火攻之计，令景宗与叡各攻一桥，叡攻其南，景宗攻其北。三月，淮水暴涨六七尺，叡使冯道根与庐江太守裴邃、秦郡太守李文钊等乘斗舰竞发，击魏洲上军尽殪。别以小船载草，灌之以膏，从而焚其桥，风怒火盛，烟尘晦冥。敢死之士，拔栅斫桥，水又漂疾，倏忽之间，桥栅俱尽。道根等皆身自搏战，军人奋勇，呼声动天地，无不一当百，魏军大溃。英见桥绝，脱身弃城走，大眼亦烧营去。诸垒相次土崩，悉弃其器甲，争投水死者十余万，斩首亦如之。……缘淮百余里，尸相枕藉，生擒五万人，收其资粮、器械山积，牛马驴骡不可胜计。"这样精彩的战争描写，自东汉刘秀的昆阳之战后，已经几百年没有见过了。

钟离之战能出现在梁朝的初期绝不是偶然的，首先是梁初的政治面貌与以往东晋、宋、齐有较大的变化，王夫之《读通鉴论》说："晋、宋以降，为大臣者怙其世

族之荣，以瓦全为善术，风教所移，递相师效，以为固然。”朝野充斥着一片懈怠沉靡之气。而萧衍建国以后，“则世局一迁，而夫人不昧之天良，乃以无所传染而孤露。梁氏享国五十年，天下且小康焉。旧习祓除已尽，而贤不肖皆得自如其志意，不相谋也，不相溷也。就无道之世而言之，亦霾雨之旬，乍为开霁，虽不保于崇朝之后，而草木亦蓁蓁以向荣矣。”这种政治面貌在钟离之战的整个过程中就突出地表现为梁朝君臣之间、诸将之间的同心协力、无私无畏，而又身先士卒的以身作则上。在诸将中，曹景宗是萧衍的开国功臣，地位最高，是诸将之首，萧衍首先教导他：“韦叡，卿之乡望，宜善敬之！”韦叡本来就是一个谦逊无私的人，曹景宗一旦对韦叡表现出友好，主要问题就解决了。故而萧衍听说他们的关系不错时，高兴地说：“二将和，师必济矣。”此外，亲自率军冲锋的冯道根也是当时的名将，裴邃、李文钊也都是一个郡的太守官，但都能恭顺地聚集在曹景宗、韦叡的周围，不顾生死地完成他们的将令。最令人鼓舞、令人喜爱的当然是韦叡。韦叡貌似羸弱，智勇非凡，早在他的攻取合肥一战中，就令魏人知道了他的厉害，以至于魏军中有歌谣说：“不畏萧娘与吕姥，但畏合肥有韦虎。”韦叡不仅有超人的智，而且有超人的勇，他那种坐着滑竿泰然自若地出入于“飞矢雨集”之下的情景，给人留下了深刻的印象。当大将当然不一定必须身临最前线，但当大将必须有这种气度，这对鼓舞士气是绝对必要的。文章还写了战胜之后，昌义之为表示感谢曹景宗与韦叡，而置樗蒲请他们一起玩耍的情景，韦叡先掷出了已赢曹景宗的点儿，但又眼快手疾地翻成了最坏的点儿，从而输给了曹景宗，表现了韦叡的事事谦退，这与文章接着所写的“景宗与群帅争先告捷，叡独居后”云云都是一样的。

以上所说，都是萧衍建国之初的一些令人高兴的事情，但萧衍与此同时还有许多令人讨厌的事情，史家也还是隐隐约约地写了出来。萧衍所以能顺顺当当地篡位称帝，自然是少不了有许多得力的干将为他效力。事成之后，萧衍必须给这些开国元勋以种种特权、种种照顾，这是不消说的。但不加教育、不加管理，出了事情又格外纵容，这就令人气愤，认为萧衍没有个人君的样子了。本书上卷写到梁国的北部重镇义阳（即今河南信阳）被魏军攻占时，就写到了曹景宗奉命救义阳，中途“耀兵游猎”，逗挠不进，致使义阳失守，此事被御史中丞任昉所弹劾，结果萧衍“以其功臣，寝而不治”；本卷前文又写了萧衍的功臣邓元起被任为益州刺史，邓元起为形成自己的帮派势力，在去益州的一路上，招降纳叛，许之以为治中、别驾者二千人。邓元起任益州刺史后，又眼巴巴地不救梁州诸城之急，坐视梁州的大片地区落入魏人之手；在他即将离任时又欲尽数席卷益州府库的积蓄而走；又向前来接任的新益州刺史萧渊藻索取良马，并出言狂傲，被萧渊藻气愤所杀，萧渊藻是萧衍长兄萧懿的儿子，对于这件事，萧衍竟丝毫不问邓元起有无罪恶，只管一味地斥责萧渊藻。其实萧渊藻倒是一位很有能力的地方官，他平息了益州境内的叛乱，把益州治理得很好。唐朝的李延寿写《南史》时也跟着起哄，说什么萧衍只把萧渊藻贬为冠军将军，是“于罚已轻”；说“梁之政刑，于斯为失”，萧渊藻杀死邓元起是有些过分，但事出有因，不能不问始末根由。

在钟离之胜的一个月前，梁国还有一次令人发指的洛口惨败。当时梁国的最高统帅是萧宏，梁武帝萧衍的胞弟。史文说：“临川王宏以帝弟将兵，器械精新，军容甚盛，北人以为百数十年所未之有。军次洛口，前军克梁城，诸将欲乘胜深入，宏性懦怯，部分乖方。”史文记载了众人辩论的情景，主张撤退的是萧宏与吕僧珍；主张进战的是柳惔、裴邃、马仙琕、昌义之、朱僧勇、胡辛生。每个人的措辞与表现方式都不相同，生动多彩，文章有如《左传》僖公二十八年“城濮之战”前的众将集议。最可恶的是萧宏，既命令全军“人马有前行者斩”，又不做任何防守的准备，只是一筹莫展地无所事事。等到晚上突有暴风雨降临时，军中惊恐，而统帅萧宏竟一声不吭地“与数骑逃去”，这一来，遂使“将士求宏不得，皆散归，弃甲投戈，填满水陆，捐弃病者及羸老，死者近五万人”。对于这样一个丧师辱国的人，即使不将其明正典刑，至少也要把他禁锢终身吧？但没过多久，“以临川王宏为骠骑将军、开府仪同三司”；又不久，“以临川王宏为司徒、行太子太傅”。袁黄在解释《纲鉴》行文方法的时候说：“始书遣宏率师伐魏，继书宏逃归，今又书‘以宏为司徒’，见其有罪不诛，宜黜而赏也。”李延寿在这里怎么不说“梁之政刑，于斯为失”了呢？

卷第一百四十七　梁纪三

起著雍困敦（戊子，公元五〇八年），尽阏逢敦牂（甲午，公元五一四年），凡七年。

【题解】

本卷写梁武帝萧衍天监七年（公元五〇八年）至十三年（公元五一四年）共七年间南梁与北魏两国的大事。主要写了魏国的外戚权臣高肇杀害皇子元昌，又诬陷杀害了魏国的功勋老臣彭城王元勰，众皆冤愤之。写了魏主之弟元愉因家庭琐事受魏主责打，在冀州发动叛乱被讨平，又被高肇杀害于解京途中。写了魏军占据之郢州（义阳）、豫州（悬瓠）发生兵变，郢州刺史被围、豫州刺史被杀，魏国的大片地区失守。写了魏派邢峦攻克悬瓠，杀叛者白早生，豫州得以平定。写了魏将辛祥守义阳，破杀梁将有功，被刺史娄悦勾结高肇所压抑。写了高车族几经动乱后归服于魏国，并大破柔然，杀佗汗可汗，遣使入贡于魏。写了魏将元英攻得义阳三关，梁将马仙琕等败走；至梁派南郡太守韦叡率军到来时，魏将元英闻之而退。梁主萧衍通过交换战俘，请魏臣董绍回魏传达讲和停战之意，魏主不从。写了梁国的琅邪人杀琅邪、东莞二州刺史，招引魏兵，魏之徐州刺史卢昶派兵接应，入据朐山；梁派马仙琕率军讨之；魏主又派萧宝寅、赵遐等前往支援，

【原文】

高祖武皇帝三

天监七年（戊子，公元五〇八年）

春，正月，魏颍川太守王神念[①]来奔。

壬子[②]，以卫尉吴平侯昺[③]兼领军将军[④]。

诏吏部尚书徐勉定百官九品为十八班[⑤]，以班多者为贵[⑥]。二月乙丑[⑦]，增置镇、卫将军[⑧]以下为十品，凡二十四班；不登十品[⑨]，别有八班。又置施[⑩]外国将军[⑪]二十四班，凡一百九号[⑫]。

庚午[⑬]，诏置州望、郡宗、乡豪[⑭]各一人，专掌搜荐[⑮]。

结果由于卢昶不习武事，被梁将马仙琕打得惨败，免者什一二，伏尸二百里。写了梁武帝萧衍对亲族、对朝士皆礼敬有加，有犯罪者多屈法以申之，而对百姓则异常严厉，当连坐者老幼不免，一人逃亡，全家罚作劳改，因而导致社会动荡不安。写了梁国的郁洲人杀了青、冀二州刺史张稷，送其首级于魏，请魏派兵占领朐山，结果魏兵未至，郁洲之乱被梁之北兖州刺史康绚讨平。写了魏之扬州刺史李崇在管理寿阳，与寿阳被大水漂城时的忠贞表现，令人敬佩。写了梁国宁州刺史李略之侄李苗，与原益州主簿淳于诞投魏后，为魏主谋划伐蜀之策，魏主遂命高肇统领大军，以李苗、淳于诞为向导，数路大举伐蜀；与梁武帝萧衍用魏降人王足之谋，发动徐、扬二州的民工在钟离修筑拦淮大坝，企图壅淮水以灌魏人所据之寿阳，皆埋下后果即将不妙的伏线。此外还写了魏主取消了立太子而杀其母的魏国行之百年的残酷制度，以及魏主元恪迷恋佛法，亲身升座给僧俗宣讲佛经，以致洛阳地区的佛教寺庙兴盛，远近承风，魏各州郡共有寺庙一万三千余所等。

【语译】

高祖武皇帝三

天监七年（戊子，公元五〇八年）

春季，正月，魏国担任颍川郡太守的王神念来投降梁国。

二十八日壬子，梁武帝萧衍任命担任卫尉的吴平侯萧昺兼任领军将军。

梁武帝下诏令担任吏部尚书的徐勉主持将文武百官的九品划分为十八个等级，等级越多的就越高贵。二月十一日乙丑，又在原有九品的基础上增设了镇军将军、卫军将军以下为十品，总计为二十四个等级；十品以下的小官吏，又另设八个等级。又专门为少数民族归附的以及从外国前来投降的军官设置了二十四个等级，共有一百零九个名号。

十六日庚午，梁武帝下诏令每个州设置一名州望、每个郡设置一名郡宗、每个乡设置一名乡豪，专门掌管搜求并向朝廷举荐有才德的人士。

乙亥⑯，以南兖州刺史吕僧珍⑰为领军将军。领军掌内[1]外兵要，宋孝建⑱以来，制局⑲用事，与领军分兵权，典事以上⑳皆得呈奏㉑，领军拱手㉒而已。及吴平侯昺在职峻切㉓，官曹肃然。制局监皆近幸㉔，颇不堪命㉕，以是不得久留中㉖。丙子㉗，出为雍州㉘刺史。

三月戊子㉙，魏皇子昌㉚卒，侍御师王显失于疗治，时人皆以为承高肇㉛之意也。

夏，四月乙卯㉜，皇太子纳妃㉝，大赦。

五月己亥㉞，诏复置宗正、太仆、大匠、鸿胪㉟，又增太府㊱、太舟㊲，仍先为十二卿㊳。

癸卯㊴，以安成王秀㊵为荆州刺史。先是，巴陵马营蛮㊶缘江为寇，州郡不能讨，秀遣防阁文炽㊷帅众燔其林木，蛮失其险，州境无寇。

秋，七月甲午㊸，魏立高贵嫔为皇后，尚书令高肇益贵重用事。肇多变更先朝旧制，减削封秩㊹，抑黜勋人㊺，由是怨声盈路。群臣宗室皆卑下之，唯度支尚书元匡㊻与肇抗衡，先自造棺置听事㊼，欲舆棺诣阙㊽论肇罪恶，自杀以切谏。肇闻而恶之。会匡与太常刘芳㊾议权量事㊿，肇主芳议[51]，匡遂与肇喧竞[52]，表肇指鹿为马[53]。御史中尉王显奏弹匡诬毁宰相，有司处匡死刑，诏恕死，降为光禄大夫[54]。

八月癸丑[55]，竟陵壮公[56][2]曹景宗卒。

初，魏主为京兆王愉[57]纳于后之妹为妃，愉不爱，爱妾李氏，生

二月二十一日乙亥，梁武帝任命担任南兖州刺史的吕僧珍为领军将军。领军将军负责掌管中央和地方的军事大权，自从宋孝武帝刘骏孝建年间以来，由制局监掌管军事，与领军将军分别掌管兵权，任命典事以上的官员都要向皇帝请示报告，因此领军将军并无事情可做，一切听凭吩咐而已。等到吴平侯萧昺担任领军将军之后，严格执行规章制度，官府才呈现一片办事严肃认真的气象。制局监里的官员都由皇帝身边受宠幸的那些小人担任，他们忍受不了萧昺的严格管理，萧昺因此便无法在朝廷、在宫中继续干下去。二十二日丙子，梁武帝把吴平侯萧昺调离朝廷到雍州去担任刺史。

三月初五日戊子，魏国宣武帝元恪的儿子元昌死了。元昌之死是由于担任侍御师的王显治疗不当造成的，当时的人都认为王显是秉承了高肇的旨意。

夏季，四月初二日乙卯，梁国的皇太子萧统娶太子妃，梁国因此实行大赦。

五月十七日己亥，梁武帝下诏，重新设置宗正、太仆、大匠、鸿胪等官职，又增设太府、太舟两个职位，加上先前所设置的太常、司农、少府、卫尉、廷尉、光禄共为十二卿。

二十一日癸卯，梁武帝任命安成王萧秀为荆州刺史。先前的时候，巴陵郡境内被称为马营蛮的少数民族沿着长江两岸到处为寇，沿江各州郡对他们无可奈何，安成王萧秀派遣在自己王府中担任防阁的文炽率领部众放火烧毁了马营蛮盘踞地区的林木，马营蛮失去了林木的庇护，无处藏身，荆州境内便再也没有马营蛮的骚扰了。

秋季，七月十三日甲午，魏宣武帝立高贵嫔为皇后，尚书令高肇的地位因此更加显贵，手中的权势也就更大。高肇将先朝旧有的制度更改了很多，他降低、减少了魏国宗室王公的封爵和俸禄，压制、贬退那些对国家立有功勋的人，因此招致怨声载道。朝中的文武群臣和宗室人员都对高肇卑躬屈膝，只有担任度支尚书的元匡敢于与高肇相抗衡，元匡预先为自己准备好了棺木，并把棺木放在衙门里的正堂上，准备用车拉着棺木到朝廷上揭发高肇的罪恶，然后以自杀的行动对宣武帝进行规劝。尚书令高肇听说此事以后，对元匡非常厌恶。正巧碰上元匡与担任太常的刘芳在一起讨论有关度量衡方面的事情，因为高肇支持刘芳的意见，于是便引发了一场元匡与高肇的大声争吵，元匡于是上表给宣武帝，指责高肇就像秦朝时期的赵高，擅权专横、颠倒黑白。担任御史中尉的王显趁机上奏章给宣武帝，弹劾元匡诬陷诋毁宰相高肇，朝廷有关部门的官员遂判处元匡死刑，宣武帝下诏赦免了元匡的死罪，将元匡贬为光禄大夫。

八月初二日癸丑，梁国的竟陵壮公曹景宗去世。

当初，魏宣武帝为京兆王元愉娶了于皇后的妹妹为王妃，元愉不喜欢于王妃，而喜欢自己的小妾李氏，李氏生的儿子叫元宝月。于皇后将李氏召入皇宫，用棍棒

子宝月。于后召李氏入宫，棰之。愉骄奢贪纵，所为多不法，帝召愉入禁中推按[58]，杖愉五十，出为冀州刺史。愉自以年长，而势位不及二弟[59]，潜怀愧恨。又，身与妾屡被顿辱[60]，高肇数谮[61]愉兄弟，愉不胜忿。癸亥[62]，杀长史羊灵引、司马李遵，诈称得清河王怿密疏[63]，云"高肇弑逆[64]"。遂为坛于信都[65]之南，即皇帝位，大赦，改元建平，立李氏为皇后。法曹参军崔伯骥不从，愉杀之。在北州镇[66]皆疑魏朝有变，定州刺史安乐王诠[67]具以状告之，州镇乃安。乙丑[68]，魏以尚书李平[69]为都督北讨诸军、行冀州事以讨愉。平，崇[70]之从父弟也。

丁卯[71]，魏大赦，改元永平[72]。

魏京兆王愉遣使说平原[73]太守清河房亮[74]，亮斩其使。愉遣其将张灵和击之，为亮所败。李平军至经县[75]，诸军大集。夜，有蛮兵数千[76]斫平营[77]，矢及平帐，平坚卧不动[78]，俄而自定。九月辛巳朔[79]，愉逆战于城南草桥，平奋击，大破之。愉脱身走入城，平进围之。壬辰[80]，安乐王诠破愉兵于城北。

癸巳[81]，立皇子绩[82]为南康王[83]。

魏高后之立也，彭城武宣王勰固谏，魏主不听。高肇由是怨之，数谮勰于魏主，魏主不之信。勰荐其舅潘僧固为长乐[84]太守，京兆王愉之反，胁僧固与之同[85]，肇因诬勰北与愉通，南招蛮贼[86]。彭城郎中令[87]魏偃、前防阁高祖珍[88]希肇提擢[89]，构成其事[90]。肇令侍中元晖以闻[91]，晖不从；又令左卫[92]元珍言之。帝以问晖，晖明勰不然；又以问肇，肇引魏偃、高祖珍为证，帝乃信之。戊戌[93]，召勰及高阳王雍、广阳王嘉[94]、清河王怿、广平王怀[95]、高肇俱入宴。勰妃李氏方产，固辞

责打李氏。元愉骄奢淫逸，贪婪放纵，所作所为大多都属于违法乱纪。宣武帝也将元愉召入皇宫，追查、审问他的不法行为，并用刑杖责打了元愉五十下，然后把元愉逐出京城去担任冀州刺史。元愉认为自己在排行中年纪最大，权势和地位却赶不上自己的两个弟弟清河王元怿与广平王元怀，心中不免感到有些惭愧和怨恨。再加上自身与小妾李氏多次受到侮辱，尚书令高肇又多次在宣武帝面前说自己兄弟几个人的坏话，元愉于是不胜愤怒。八月十二日癸亥，元愉便杀死了在自己属下担任长史的羊灵引、担任司马的李遵，诈称收到清河王元怿上奏给宣武帝的秘密表章，说"高肇阴谋弑君叛乱"。于是便在信都城南修筑了坛台，即皇帝位，实行大赦，改年号为建平元年，立小妾李氏为皇后。担任法曹参军的崔伯骥不肯遵从元愉的命令，元愉就杀死了崔伯骥。魏国冀州以北的各州、各军镇都怀疑朝廷发生了政变，担任定州刺史的安乐王元诠把详细情况告诉了他们，各州、各军镇才安定下来。十四日乙丑，魏宣武帝任命担任尚书的李平为都督北讨诸军事、代理冀州刺史，率军讨伐元愉。李平，是李崇的堂弟。

八月十六日丁卯，魏国实行大赦，改年号为永平元年。

魏国京兆王元愉派遣使者前往游说担任平原太守的清河郡人房亮，房亮杀死了元愉的使者。元愉又派手下的将领张灵和率军攻击房亮，被房亮打败。李平到达经县的时候，各路大军云集经县。夜间，李平军中的数千名蛮人士兵受元愉的策动而进行叛乱，他们从内部发起对李平军营的攻击，箭都射到了李平的营帐，李平镇定自若，一直躺着没动，没过多长时间混乱就自行平息了。九月初一日辛巳，元愉在信都城南的草桥迎战李平军，李平奋勇反击，把元愉打得大败。元愉脱身逃回城中，李平率军跟进，遂包围了信都城。十二日壬辰，安乐王元诠在信都城北把元愉的军队打败了。

十三日癸巳，梁武帝立皇子为南康王。

魏宣武帝在立高氏为皇后的时候，彭城武宣王元勰坚决劝阻，魏宣武帝就是不肯听从。因此，尚书令高肇非常痛恨元勰，他多次在魏宣武帝面前说元勰的坏话，魏宣武帝没有听信高肇的谗言。元勰推荐自己的舅舅潘僧固当了长乐郡太守，京兆王元愉造反的时候，曾经胁迫潘僧固与他一同造反，高肇遂诬陷元勰与北边的元愉暗中串通谋反，并招引洛阳以南各州、各郡的蛮族人。在彭城王封地上担任郎中令的魏偃、曾经在彭城王属下担任过防阁将军的高祖珍希望能得到尚书令高肇的提拔，便一同给元勰编织了罪名。尚书令高肇让担任侍中的元晖将元勰的所谓罪行报告给魏宣武帝，元晖没有答应；高肇又让担任左卫的元珍将此事奏报给了宣武帝。魏宣武帝拿这件事情去询问侍中元晖，元晖证明元勰没有做过那些事情；宣武帝又去询问高肇，高肇便引魏偃、高祖珍出来作证，宣武帝遂相信了高肇。九月十八日戊戌，宣武帝召请彭城王元勰和高阳王元雍、广阳王元嘉、清河王元怿、广平王元怀、尚书令高肇一同入宫参加宴会。当时，元勰的王妃李氏正在生孩子，所以他坚决推辞

不赴。中使[96]相继召之，不得已，与妃诀而登车。入东掖门，度小桥，牛不肯进，击之良久，更有使者责勰来迟，乃去牛，人挽而进。宴于禁中，至夜，皆醉，各就别所消息[97]。俄而元珍引武士赍毒酒而至，勰曰："吾无罪，愿一见至尊，死无恨！"元珍曰："至尊何可复见？"勰曰："至尊圣明，不应无事杀我，乞与告者一对曲直！"武士以刀镮筑[98]之，勰大言[99]曰："冤哉！皇天，忠而见杀！"武士又筑之，勰乃饮毒酒，武士就杀之。向晨[100]，以褥裹尸载归其第，云王因醉而薨。李妃号哭大言曰："高肇枉理杀人，天道有灵，汝安得良死！"魏主举哀于东堂[101]，赠官、葬礼皆优厚加等。在朝贵贱，莫不丧气，行路士女皆流涕曰："高令公[102]枉杀贤王！"由是中外恶之益甚。

京兆王愉不能守信都，癸卯[103]，烧门，携李氏及其四子从百余骑突走。李平入信都，斩愉所置冀州牧韦超等，遣统军叔孙头追执愉，置信都，以闻。群臣请诛愉，魏主不[3]许，命锁送洛阳，申以家人之训[104]。行至野王[105]，高肇密使人杀之。诸子至洛，魏主皆赦之。

魏主将屠李氏，中书令崔光[106]谏曰："李氏方妊，刑至刳胎[107]，乃桀、纣所为[108]，酷而非法。请俟产毕，然后行刑。"从之。

李平捕愉余党千余人，将尽杀之，录事参军高颢[109]曰："此皆胁从，前既许之原免[110]矣，宜为表陈[111]。"平从之，皆得免死。颢，祐之孙也。

济州刺史高植[112]帅州军击愉，有功当封，植不受，曰："家荷重恩，为国致效[113]，乃其常节，何敢求赏？"植，肇之子也。

加李平散骑常侍[114]。高肇及中尉王显素恶平，显弹平在冀州隐截官口[115]，肇奏除平名[116]。

不去赴宴。宫中的使者便一个接一个地前来召请，元勰迫不得已，与李妃诀别上了车。元勰进入东掖门，过了一座小桥，拉车的牛就不肯向前走了，车夫用鞭子打了牛好长时间，牛就是不向前走，又有使者赶来责备元勰来得太迟，元勰于是卸下牛，用人拉着车子进入皇宫。宣武帝在宫中摆宴与诸王宴饮，到了夜晚，大家都喝醉了，于是各自到别的处所休息。不一会儿，左卫元珍就带着武士拿着毒酒来到元勰的面前，元勰说："我无罪，我希望和皇帝见一面，就是死了也没有遗憾！"元珍说："你怎么可能再见到皇帝?"元勰说："皇帝圣明，他不应该无故杀死我，我请求皇帝允许我与诬告我的人当面对质，看看到底谁是谁非！"武士就用刀环击打元勰，元勰大声说："冤枉啊！老天爷，忠心耿耿的人反而要被杀死！"武士又用刀环击打元勰，元勰只得喝下元珍带来的毒酒，武士上前杀死了彭城王元勰。将近天亮的时候，他们用褥子裹住元勰的尸体，用车子运回了他的府第，对元勰的家人说彭城王元勰是因为醉酒而死。彭城王妃李氏一面号啕大哭一面大声地说："高肇理屈杀人，天道有灵，他一定不得好死！"魏宣武帝在宫廷的东堂为彭城王元勰举行了哀悼仪式，所追赠的官职、举行的葬礼都优待加等。朝廷中的大小官员，莫不垂头丧气，路上的男女行人都流着眼泪说："尚书令高肇屈杀了贤王。"朝廷内外的人更加憎恶高肇。

京兆王元愉守不住信都，九月二十三日癸卯，元愉放火烧毁了信都城门，携李氏和四个儿子及一百多名骑兵突围逃走。李平进入信都城，杀死了元愉所任命的冀州牧韦超等人，又派遣担任统军的叔孙头追击、擒获了元愉，把元愉囚禁在信都，然后上报给魏宣武帝。群臣都请求杀掉元愉，而魏宣武帝不同意，他命令用锁链把元愉押送到洛阳，准备像平民家庭那样用家庭之内的规矩教训他一顿完事。然而当元愉被押送到野王县境内的时候，高肇已经偷偷派人杀死了元愉。元愉的儿子们回到洛阳之后，魏宣武帝全都赦免了他们。

魏宣武帝准备杀死元愉的小妾李氏，担任中书令的崔光劝阻说："李氏正怀有身孕，对李氏用刑就会连及她腹中的胎儿，这乃是夏桀、商纣的所作所为，残酷而不合法度。请等李氏生下孩子之后，再将她处死不迟。"魏宣武帝听从了崔光的意见。

李平逮捕了元愉的一千多名党羽，准备把他们全部杀死，担任录事参军的高颢说："这些人都是元愉的胁从，以前既然已经答应赦免他们，现在就应该上表给皇帝说明情况，请示处理意见。"李平听从了高颢的建议，这些人于是都免于被杀。高颢，是高祐的孙子。

魏国担任济州刺史的高植率领济州军队攻打造反的京兆王元愉，有功应当受到封赏，高植不肯接受赏赐，他说："我们高家蒙受皇帝厚恩，我为国效力，乃是为臣应有的品节，怎么敢请求皇帝的封赏?"高植，是高肇的儿子。

魏宣武帝加授李平为散骑常侍。高肇和御史中尉王显一向厌恶李平，王显遂上疏弹劾李平在冀州时把应该抄没入官的叛党家属据为己有，高肇则奏请从出入宫门的名册上除去李平的名字。

初，显祖之世，柔然万余户[4]降魏，置之高平、薄骨律⑪⑦二镇，及太和之末⑪⑧，叛走略尽，唯千余户在。太中大夫⑪⑨王通请徙置淮北以绝其叛，诏太仆卿杨椿⑫⓪持节往徙之，椿上言："先朝处之边徼⑫①，所以招附殊俗⑫②，且别异华、戎⑫③也。今新附之户甚众，若旧者见徙，新者必不自安，是驱之使叛也。且此属⑫④衣毛食肉，乐冬便寒⑫⑤，南土湿热，往必歼尽⑫⑥。进失归附之心，退无藩卫⑫⑦之益，置之中夏⑫⑧，或生后患，非良策也。"不从，遂徙于济州，缘河处之⑫⑨。及京兆王愉之乱，皆浮河赴愉⑬⓪，所在抄掠⑬①，如椿之言。

庚子⑬②，魏郢州⑬③司马彭珍等叛魏，潜引梁兵趋义阳，三关⑬④戍主侯登等以城来降。郢州刺史娄悦婴城自守，魏以中山王英⑬⑤都督南征诸军事，将步骑三万出汝南⑬⑥以救之。

冬，十月，魏悬瓠军主⑬⑦白早生杀豫州刺史司马悦，自号平北将军，求救[5]于司州刺史[6]马仙琕⑬⑧。时荆州刺史安成王秀为都督⑬⑨，仙琕签求应赴⑭⓪。参佐⑭①咸谓宜待台报⑭②，秀曰："彼⑭③待我以自存，援之宜速；待敕虽旧⑭④，非应急也。"即遣兵赴之。上亦诏仙琕救早生。仙琕进顿楚王城⑭⑤，遣副将齐苟兒以兵二千助守悬瓠。诏以早生为司州刺史。

丙寅⑭⑥，以吴兴太守张稷⑭⑦为尚书左仆射。

魏以尚书邢峦⑭⑧行豫州事，将兵击白早生。魏主问之曰："卿言，早生走也？守也？何时可平？"对曰："早生非有深谋大智，正以司马悦暴虐，乘众怒而作乱，民迫于凶威，不得已而从之。纵使梁兵入城，水路不通，粮运不继，亦成禽⑭⑨耳。早生得梁之援，溺于利欲⑮⓪，

当初，魏显祖拓跋弘时期，有一万多户柔然人投降了魏国，魏国把他们分别安置在高平、薄骨律两个军镇之内，等到孝文帝的太和末年，这些投降过来的柔然人相继背叛逃走，只剩下一千多户还留在当地。担任太中大夫的王通请求把他们迁移到淮河以北地区，以杜绝他们继续叛变逃走，魏宣武帝下诏令担任太仆卿的杨椿持节前往负责那一千多户柔然人的迁徙工作，杨椿上书说："先朝把那些投降过来的柔然人安置在边境地区居住，目的不仅是为了让他们吸引、招纳其他的外族人前来归降，而且也是为了保持他们与魏国本族人的界限。如今新归附的居民户数很多，如果他们看到原来归附的人被迁移，那么新归附的人一定会感到不安，这就等于驱使他们，令他们叛逃。况且这些人是穿毛皮吃肉的种族，习惯住在寒冷的北方，而南方气候潮湿闷热，如果把他们迁徙到那里居住一定会死光了。进一步说，那样做不仅得不到归附的人拥护，而且对屏卫中原也没有什么好处，如果把他们安置在中原地区居住，还有可能产生后患，这可不是什么好办法。"魏宣武帝没有采纳杨椿的意见，遂把那一千多户柔然人迁徙到了济州境内，安排他们住在黄河两岸。等到京兆王元愉叛乱称帝的时候，这些柔然人全都乘船沿着水路投奔了元愉，所到之处无不抢夺抄掠，正像杨椿当初所预料的那样。

九月二十日庚子，魏国担任郢州司马的彭珍等人背叛了魏国，暗中引导梁国的军队赶赴义阳，义阳城南的平靖关、武阳关、黄岘关三个军事据点的驻军头领侯登等人也献出城池向梁国投降。魏国担任郢州刺史的娄悦据城坚守，魏国朝廷任命中山王元英为都督南征诸军事，率领三万步兵、骑兵从汝南出发前往解救义阳之危。

冬季，十月，魏国悬瓠城的驻军首领白早生杀死了豫州刺史司马悦，自称平北将军，他向梁国担任司州刺史的马仙琕请求出兵援助。当时担任荆州刺史的安成王萧秀为都督，马仙琕派遣典签到都督萧秀那里请求允许出兵援助白早生。安成王萧秀身边的僚属全都认为应当等待朝廷的批复，萧秀说："白早生等待我们的支援才能获得保全，我们应该迅速派军队前往增援；等待朝廷的批示虽然是平时的制度，但不是应急的办法。"萧秀立即派兵赶赴悬瓠城增援白早生。梁武帝也下诏令司州刺史马仙琕出兵救援白早生。马仙琕率军进驻楚王城，他派遣副将齐苟兒率领二千士兵协助白早生守卫悬瓠城。梁武帝下诏任命白早生为司州刺史。

十六日丙寅，梁武帝任命担任吴兴太守的张稷为尚书左仆射。

魏国朝廷任命担任尚书的邢峦为代理豫州刺史，率领军队去攻打叛变的白早生。魏宣武帝向邢峦询问说："依你看来，白早生是逃走呢，还是坚守呢？你什么时候能够把白早生消灭？"邢峦回答说："白早生并没有深谋大智，只是因为豫州刺史司马悦暴虐无道，白早生利用众人的愤怒情绪而作乱，那里的老百姓也是迫于司马悦的凶残威严，不得已才跟随白早生叛乱。即使梁军进入悬瓠城内，由于水路不通，粮食供应不上，他们也会成为我军的俘虏。白早生得到梁军的支援，陶醉于

必守而不走[151]。若临以王师[152]，士民必翻然归顺，不出今年，当传首京师。”魏主悦，命峦先发，使中山王英继之。峦帅骑八百，倍道兼行，五日至鲍口[153]。丙子[154]，早生遣其大将胡孝智将兵七千，离城二百里逆战，峦奋击，大破之，乘胜长驱至悬瓠。早生出城逆战，又破之，因渡汝水[155]，围其城。诏加峦都督南讨诸军事。

丁丑[156]，魏镇东参军成景隽杀宿豫戍主[157]严仲贤，以城来降。时魏郢、豫二州，自悬瓠以南至于安陆[158]诸城皆没，唯义阳一城为魏坚守。蛮帅[159]田益宗帅群蛮以附魏，魏以为东豫州[160]刺史。上以车骑大将军、开府仪同三司、五千户郡公招之，益宗不从。

十一月庚寅[161]，魏遣安东将军杨椿将兵四万攻宿豫。

魏主闻邢峦屡捷，命中山王英趣义阳，英以众少，累表请兵，弗许。英至悬瓠，辄与峦共攻之。十二月己未[162]，齐苟兒等开门出降，斩白早生及其党数十人。英乃引兵前趋义阳。宁朔将军[163]张道凝先屯楚王城，癸亥[164]，弃城走，英追击，斩之。魏义阳太守狄道辛祥[165]与娄悦共守义阳，将军胡武城、陶平虏攻之，祥夜出袭其营，擒平虏，斩武城，由是州境获全。论功当赏，娄悦耻功出其下，间之于执政[166]，赏遂不行。

壬申[167]，魏东荆州[168]表“桓晖之弟叔兴[169]前后招抚太阳蛮[170]，归附者万余户，请置郡十六，县五十”，诏前镇东府长史郦道元[171]案行置之[172]。道元，范[173]之子也。

是岁，柔然佗汗可汗[174]复遣纥奚勿六跋献貂裘于魏，魏主弗受，报之如前[175]。

初，高车侯倍穷奇[176]为嚈哒[177]所杀，执其子弥俄突而去，其众分散，或奔魏，或奔柔然。魏主[178]遣羽林监河南孟威[179]抚纳降户，置于

梁国赐给他的名利当中，一定会坚守悬瓠城而不撤退。如果朝廷的大军一旦兵临城下，悬瓠城内的士民一定会反过来归顺朝廷，在今年之内，应当能把白早生的人头送到京城洛阳。”魏宣武帝非常高兴，命令邢峦先行出发，令中山王元英率军随后进发。邢峦率领八百名骑兵，以加倍的速度，一天赶两天的路程，只用了五天就到达了鲍口。十月二十六日丙子，白早生派遣手下的大将胡孝智率领七千名士兵，在距离悬瓠城二百里的地方迎战邢峦的八百名骑兵，邢峦奋勇反击，把胡孝智打得大败，然后乘胜长驱直入，抵达悬瓠。白早生亲自率军出城迎战，又被邢峦打败，邢峦趁机渡过汝水，包围了悬瓠城。魏宣武帝下诏加授邢峦为都督南讨诸军事。

十月二十七日丁丑，魏国担任镇东参军的成景儁杀死了驻守宿豫城的魏军统领严仲贤，献出宿豫城投降了梁国。当时魏国郢州、豫州二州，从悬瓠以南一直到安陆郡，沿途各城全部落入梁国人之手，只有义阳一个城还被魏军所坚守。生活在这一带的少数民族头领田益宗率领那些少数民族归附了魏国，魏国朝廷遂任命田益宗为东豫州刺史。梁武帝用车骑大将军、开府仪同三司、五千户郡公的头衔和爵位招引田益宗投降梁国，遭到田益宗的拒绝。

十一月十一日庚寅，魏国朝廷派遣担任安东将军的杨椿率领四万军队进攻宿豫。

魏宣武帝听到邢峦屡战屡捷的消息，遂命令中山王元英率军赶赴义阳，元英因为军队数量太少，多次上表请求增兵，魏宣武帝都没有答应。元英到达悬瓠，就与都督南讨诸军事邢峦一同攻打悬瓠城。十二月初十日己未，齐苟兒打开城门出来向魏军投降，魏军杀死了白早生和他的数十名党羽。元英这才率领军队赶往义阳救援。梁国担任宁朔将军的张道凝此前屯驻在楚王城，十四日癸亥，张道凝弃城逃走，元英率军追击，把张道凝杀死。魏国担任义阳太守的狄道县人辛祥与担任郢州刺史的娄悦共同守卫义阳，梁国将领胡武城、陶平虏率军攻打义阳城，辛祥在夜间率军出城偷袭梁军的军营，擒获了陶平虏，杀死了胡武城，郢州境内这才获得保全。论功辛祥应当受到奖赏，而娄悦却为自己的功劳不及辛祥而感到羞耻，于是就在魏国的当权人物高肇面前说辛祥的坏话，辛祥因此而没有得到朝廷的奖赏。

十二月二十三日壬申，魏国东荆州的官员上表给魏国朝廷说“桓晖的弟弟桓叔兴前后招抚太阳蛮，因此太阳蛮归顺魏国的有一万多户，请求设置十六个郡，五十个县”，魏宣武帝下诏令曾经担任过镇东将军府长史的郦道元前往巡行考察并相应地设立郡县。郦道元，是郦范的儿子。

这一年，柔然佗汗可汗再次派遣纥奚勿六跋为使者向魏宣武帝进献貂皮大衣，魏宣武帝没有接受柔然的礼物，而是把上次关于“要归附称臣是可以的，如想彼此平等是不可能的”意思重申了一遍。

当初，高车族的太子穷奇被嚈哒所杀，嚈哒抓获了穷奇的儿子弥俄突之后便扬长而去，高车的民众四散奔逃，有的投奔了魏国，有的投奔了柔然。魏宣武帝派遣担任羽林监的河南郡人孟威去安抚、接纳前来归附的高车人，孟威把他们安置在高

高平镇[180]。高车王阿伏至罗[181]残暴，国人杀之，立其宗人跋利延。嚈哒奉弥俄突以伐高车，国人杀跋利延，迎弥俄突而立之。弥俄突与佗汗可汗战于蒲类海[182]，不胜，西走三百余里。佗汗军于伊吾北山[183]。会高昌[184]王麹嘉求内徙于魏，时孟威为龙骧将军，魏主遣威发凉州[185]兵三千人迎之，至伊吾，佗汗见威军，怖而遁去。弥俄突闻其离骇，追击，大破之，杀佗汗于蒲类海北，割其发[186]送于威，且遣使入贡于魏。魏主使东城子于亮[187]报之，赐遗甚厚。高昌王嘉失期不至，威引兵还。佗汗可汗子丑奴立，号豆罗伏跋豆伐可汗[188]，改元建昌。

宋、齐旧仪，祀天皆服衮冕[189]，兼著作郎高阳许懋[190]请造大裘[191]，从之。

上将有事太庙[192]，诏以"斋日不乐[193]，自今舆驾始出[194]，鼓吹[195]从而不作[196]，还宫如常仪[197]"。

【段旨】

以上为第一段，写梁武帝萧衍天监七年（公元五〇八年）一年间的大事。主要写了魏国的外戚权臣高肇杀害皇子元昌，又欲陷杀度支尚书元匡，致元匡被改任闲散之职。写了高肇诬陷杀害魏国的勋戚彭城王元勰，众皆冤愤之。写了魏主之弟元愉因家庭琐事受魏主责打，元愉在冀州发动叛乱，被魏将李平讨平，魏主欲申以家人之训，高肇乃杀之于解京途中。写了魏主不听杨椿之言，移魏北境之降魏的柔然人到济州居住，结果造成动乱，所在抄掠。写了魏军占据之郢州（义阳）、豫州（悬瓠）发生兵变，郢州刺史被围、豫州刺史被杀，魏国的大片地区失守。写了魏派邢峦往平豫州，邢峦攻克悬瓠，杀叛者白早生，豫州得以平定。写了魏将辛祥守义阳，破杀梁将有功，刺史娄悦勾结高肇压抑之。写了高车族几经动乱后归服于魏国，并大破柔然，杀佗汗可汗，遣使入贡于魏。此外还写了汝平军镇内居住。高车王阿伏至罗为人残忍暴虐，高车的贵族因此杀死了阿伏至罗，拥立他的族人跋利延为国王。嚈哒打着拥护弥俄突的旗号讨伐高车人，高车的贵族又杀死了跋利延，迎接弥俄突回国立为高车国王。高车国王弥俄突与柔然佗汗可汗在蒲类海交战，弥俄突作战失败，于是向西撤退了三百多里。柔然佗汗可汗把军队驻扎在伊吾军事据点以北的山区。正赶上高昌王麹嘉向魏国请求迁移到魏国境内居住，当时孟威为龙骧将军，魏宣武帝便派孟威从凉州征调三千人前往迎接高昌王麹嘉，孟威率军到达伊吾，柔然佗汗可汗见到孟威所率领的军队，心生恐惧而逃走。高车王弥俄突听到柔然佗汗可汗惊惧逃走的消息，就率领高车人进行追击，把柔然军打得大败，在蒲类海以北地区把佗汗可汗杀死，他把佗汗可汗的头发割下来送给魏国的龙骧将军孟威，并派遣使者前往魏国进贡。魏宣武帝派东城子于亮回访高车国，赏赐给高车国王弥俄突的礼物非常丰厚。而高昌王麹嘉却没有按照约定的日期到达约定的地点，龙骧将军孟威只得率军返回。柔然佗汗可汗的儿子丑奴继承了可汗的职位，号称豆罗伏跋豆伐可汗，改年号为建昌元年。

按照宋国、齐国旧有的礼仪，皇帝在祭天的时候都要穿礼服、戴礼帽，兼任著作郎的高阳人许懋请求制作黑羊羔皮大衣，专供皇帝祭天的时候穿，梁武帝批准了许懋的请求。

梁武帝准备到太庙祭祀祖先，他下诏说："斋戒的日子不奏乐，从皇帝御驾出宫前往太庙开始，演奏宗庙雅乐的乐队只是跟随在队伍里而不演奏音乐，等到祭祀完毕，皇帝车驾回宫的时候再照常演奏皇帝出行的音乐。"

南一带的少数民族以豫州降魏，魏以其头领为东豫州刺史；以及萧衍的侄子萧昺为领军将军，因在职激切，开罪于制局的一群小人，因而不得留在朝廷中，被放外任等。

【注释】

①颍川太守王神念：颍川是魏郡名，郡治长社，在今河南长葛东北。王神念是梁国名臣王僧辩之父，在魏为颍川太守，今投降于梁。传见《梁书》卷三十九。②壬子：正月二十八。③吴平侯昺：萧昺，也就是《梁书》卷二十四中所写的"萧景"，梁武帝萧衍的堂弟，被封为吴平侯，此时任卫尉之职。所谓"萧景"，乃是唐代的历史家为给李渊之父李昺避讳，故给古人改名曰"景"。④领军将军：将军中权位最高者，统管全国的所有军队。⑤十八班：十八个等级。⑥班多者为贵：与品级正好相反，品级是越少越高。⑦二月乙丑：二月十一。⑧镇、卫将军：镇军将军、卫军将军。⑨不登十品：十

品以下的小官吏。⑩置施：设置、实行。⑪外国将军：少数民族归附的与外国前来投降的军官。⑫凡一百九号：共有一百零九个名号。⑬庚午：二月十六。⑭州望、郡宗、乡豪：州、郡、乡三级行政区内的头面人物。望、宗，都是众望所归、众所拥戴的意思。⑮搜荐：搜求并向朝廷推荐有才德的人士。⑯乙亥：二月二十一。⑰南兖州刺史吕僧珍：梁国南兖州的州治广陵，即今江苏扬州。吕僧珍是萧衍的开国功臣。传见《梁书》卷十一。⑱孝建：宋孝武帝刘骏的年号（公元四五四至四五六年）。⑲制局：也称“制局监”，官署名，属尚书省，分掌军事。实际是皇帝派出的监军或特派员一类的人物，级别不高但权力甚大。⑳典事以上：任命典事以上的官吏。典事是军中的小吏名。㉑皆得呈奏：都要向皇帝请示。实则是由皇帝派来某个人员作主。㉒拱手：抱拳，无所事事，一切听凭吩咐的样子。㉓在职峻切：严格执行规章制度。㉔皆近幸：都是皇帝身边的一些宠幸小人。㉕不堪命：受不了萧昺的严格约束。㉖不得久留中：不能在朝廷、在宫中长期干下去。中，朝内、宫内。㉗丙子：二月二十二。㉘雍州：梁国的雍州州治即今湖北襄阳市襄州区。㉙三月戊子：三月初五。㉚魏皇子昌：魏主元恪的儿子元昌，即上卷所书之于皇后所生者。上卷写了宫嫔高氏杀害了于皇后，今又杀了于皇后所生之子元昌。㉛高肇：魏国恃宠专权的外戚，魏主宣武帝之舅，又是宣武帝宠妃高氏的叔叔。传见《魏书·外戚传下》。㉜四月乙卯：四月初二。㉝皇太子纳妃：梁武帝萧衍的太子萧统纳妃。㉞五月己亥：五月十七。㉟宗正、太仆、大匠、鸿胪：皆朝官名，宗正在秦汉时期为九卿之一，管理皇族事务；太仆也是九卿之一，为皇帝赶车，并管理宫廷的车马等项；大匠全称“将作大匠”，原属于少府，主管朝廷的土木建筑；鸿胪也称“大鸿胪”，主管朝廷与宗庙的礼仪等事。㊱太府：犹今所谓“国库”，为朝廷管钱、管物的经济机关。㊲太舟：朝官名，为朝廷掌管航运、河务等事。㊳仍先为十二卿：加上先前所置共为十二卿。梁代的十二卿为太常、宗正、司农、太府、少府、太仆、卫尉、廷尉、大匠、光禄、鸿胪、太舟。〖按〗梁朝设立十二卿是新制度，本句中的“仍”字是“乃”的意思，与现在作“仍旧”讲的含义不同。㊴癸卯：五月二十一。㊵安成王秀：萧秀，梁武帝萧衍之弟，被封为安成王，此前为平南将军、江州刺史。传见《梁书》卷二十二。㊶巴陵马营蛮：巴陵郡的少数民族名，巴陵郡上属于荆州，郡治即今湖南岳阳。㊷防阁文炽：萧秀王府的卫队长姓文名炽。胡三省曰：“上宫、东宫置‘直阁’，王公置‘防阁’。”防阁，即公馆的护卫长官。㊸七月甲午：七月十三。㊹减削封秩：降低魏国宗室王公的封爵和俸禄。㊺抑黜勋人：压抑对国家立有功勋的人。㊻元匡：景穆帝拓跋晃之孙，广平王拓跋洛侯之子，被封为济南王。传见《魏书》卷十九上。㊼听事：衙门里的正堂，接待下属与处理公事的场所。㊽舆棺诣阙：用车拉着棺材上朝，准备豁出一死。㊾刘芳：魏国的儒学之臣，此时任太常之职，主管朝廷礼法、制度方面的事务。传见《魏书》卷五十五。㊿议权量事：商量度量衡方面的事情。权，秤锤，这里即指重量方面的制度，如斤、两等。量，指容积方面的制度，如升、斗一类的量器等。㉛主芳议：赞成刘芳的意见。主，赞成、力挺。㊾喧竞：大声争吵。㊿指鹿为马：为秦朝丞相赵高故意与秦二世争辩事，见《史记·秦始皇本纪》。后代遂用以比喻擅权专横，故意颠倒黑白。54光禄大夫：没有具体职责的闲散官名。55八月癸丑：八月初二。56竟陵壮公：曹景宗生前被封为竟陵郡公，死后谥曰壮。57京兆王愉：元愉，魏宣武帝之弟，此时为护军将军。传见《魏书》卷二十二。58推按：审问、追查其不法行为。59二弟：指清河王元怿与广平王元怀。传皆见于《魏书》卷二十二。60顿辱：侮辱。61谮：在魏主前说其坏话。62癸亥：八月十二。63清河王怿密疏：清河王元怿上给魏主的秘密表章。64高肇弑逆：高肇阴谋弑君叛乱。65信都：古城名，冀州的州治所在地，即今河北衡水市冀州区。66在北州镇：指冀州以北的魏国各州、各军镇。67安乐王诠：元诠，文成帝拓跋濬之孙，拓跋长乐之子，继其父位为安乐王。传见《魏书》卷二十。元诠时为定州刺史，定州的州治即今河北定州。68乙丑：八月十四。69李平：魏国的儒学之臣，此时任度支尚书。传见《魏书》卷六十五。70崇：李崇，魏国的儒学之臣。传见《魏书》卷六十六。71丁卯：八月十六。72永平：魏宣武帝的第三个年号（公元五〇八至五一一年）。73平原：魏郡名，郡治在今山东聊城东北。74清河房亮：清河郡的郡治在今河北清河县东。房亮是魏国的文学之臣。有作为的地方官，清河郡人，此时任平原太守。传见《魏书》卷七十二。75经县：县治在今河北巨鹿东南。76蛮兵数千：李平部下的蛮人士兵，受元愉策动而举行叛乱者。77斫平营：从内部掀起对李平军营的攻击。78平坚卧不动：〖按〗自己坚卧不动，以安众心，而派军中之纠察、司法人员以削平之，古名将例皆如此，如周亚夫之平七国、张辽威震逍遥津，皆是也。79九月辛巳朔：九月初一是辛巳日。80壬辰：九月十二。81癸巳：九月十三。82皇子绩：萧绩，梁武帝萧衍的第四子，二十五岁时病死。传见《梁书》卷二十九。83南康王：南康郡王，南康郡的郡治在今江西赣州的东北侧。84长乐：魏郡名，郡治也在信都。〖按〗《魏书·彭城王勰传》于此作"以其舅僧固为冀州乐陵太守"，与《通鉴》稍异。85胁僧固与之同：威胁潘僧固与其一同造反。胡三省曰："冀州与长乐郡同治信都，故僧固为元愉所胁。"86南招蛮贼：招引洛阳以南各州、郡的蛮族人。〖按〗伊阙以南，到淮、汝、江、沔流域，有很多蛮族聚居的郡县，经常发生动乱。87彭城郎中令：彭城王元勰封地上的属官，其职责是护卫王府的安全。88前防阁高祖珍：曾经在元勰属下当过侍卫长的高祖珍。89希肇提擢：希望得到高肇的提拔。90构成其事：有理有据地给元勰编织好了一套罪名。91以闻：以此向魏主报告。92左卫：左卫将军的简称。左卫将军是皇帝禁军的统领者之一。93戊戌：九月十八。94高阳王雍广阳王嘉：元雍、元嘉，都是孝文帝元宏之弟。传见《魏书》卷二十一上。95清河王怿、广平王怀：元怿、元怀，都是孝文帝之子，宣武帝之弟。传见《魏书》卷二十二。96中使：宫中派出的使者，即皇帝身边的太监。97消息：休息。消散酒气，恢复精神。98筑：砸；用钝物砍。99大言：大声；高声。100向晨：将近早晨。101东堂：宫廷中的东堂，与正殿相对而言，不是举行典礼或处理政事的正规场所。⑩高令公：高肇这时为尚书令，所以被称为高令公。⑩癸卯：九月二十三。⑩申以家人之训：像平民人家那样用家庭之内的规矩教训他一顿。〖按〗元怿此举可谓虚伪之极，元愉可申以家人之训，元勰那样的勋戚独不可申以家人之训？⑩野王：魏县名，即今河南沁阳，当时为河内郡的郡治所在地。⑩崔光：魏国的儒学之臣，此时任中书令。传见《魏书》卷六十七。⑩刑至刳胎：意即用刑其母而连及胎儿，没人性之极。刳胎，剖腹挖出胎儿。⑩桀、纣所为：相传殷纣王宠爱妲己，妲己说她能透视孕妇胎儿之男女，纣王遂剖孕妇以验之。⑩录事参军高颢：录事参军是将军的属官名，掌管军中文书簿记等事。高颢是魏国儒学之臣高祐之孙，高颢原在冀州刺史元愉属下任别驾之职，李平打败元愉后，引高颢为自己的部下。传见《魏书》卷五十七。⑪原免：赦免。⑪宜为表陈：应上书向皇帝说明情况，请示处理意见。⑪高植：高肇之子，此时任济州刺史，济州的州治卢县，在今山东长清南。高植为官有能名，号为“良刺史”。传见《魏书》卷八十三。⑪致效：贡献一些力量；做出一些成绩。⑪加李平散骑常侍：在李平原有官职的基础上，又特加散骑常侍之职。散骑常侍是皇帝的侍从官员，虽无具体职权，但活动在皇帝身边，地位重要。⑪隐截官口：把应抄没入官的叛党家属据为己有。⑪除平名：从出入宫门的名册上除掉李平的名字，剥夺他出入宫门的资格。⑪高平、薄骨律：魏之二军镇名，高平镇在今宁夏固原，薄骨律镇在今宁夏灵武西南。⑪太和之末：孝文帝的太和末年。太和是孝文帝的第三个年号（公元四七七至四九九年）。⑪太中大夫：皇帝的侍从官员，上属郎中令，掌议论。⑫太仆卿杨椿：太仆卿是朝官名，为皇帝赶车并为朝廷主管车马。杨椿是魏国名将。传见《魏书》卷五十八。⑫边徼：边界线上。徼，边界线上所立的栅栏。⑫招附殊俗：吸引、招纳其他的外族人前来归降。殊俗，指外族人，这里指柔然民族。⑫别异华、戎：以保持他们与魏国本族人的界限，即不让他们进入内地，与魏国的内地人混杂在一起。华，北魏人的自称。戎，指魏国以外的少数民族，这里指柔然。⑫此属：此辈；这些人。⑫便寒：习惯于住在寒冷的地方。⑫歼尽：灭绝；死光。⑫藩卫：守卫；屏蔽。藩，屏障，这里用作动词。⑫中夏：中原内地，即指上文所说的淮北。⑫缘河处之：安排他们住在黄河两岸。⑬浮河赴愉：乘船沿水路投奔元愉。〖按〗“浮河赴愉”四字有语病，依当时的形势而论，由济州（今山东济南市长清区南）北往冀州（今河北衡水市冀州区）可以辗转乘船前往，但不可能由黄河乘船直达。⑬所在抄掠：这些人走到哪里抢到哪里。⑬庚子：九月二十。⑬魏郢州：魏国此时的郢州州治即在当时的义阳，今河南信阳。⑬三关：当时义阳城南的三座关塞，即平靖关、武阳关、黄岘关。⑬中山王英：元英，魏国的名将，前因钟离之败被削职为民，今重起用之。传见《魏书》卷十九下。⑬汝南：魏郡名，郡治上蔡，也称“悬瓠城”，即今河南汝南县。当时为魏国豫州的州治所在地。⑬悬瓠军主：悬瓠城驻军的统领。⑬司州刺史马仙琕：当时梁国的司州州治即今湖北孝昌，即当时所谓的“南义阳”。马仙琕是当时梁国的名将，此时任司州刺史。传见《梁书》卷十七。当时司州刺史马仙琕所驻守的孝昌县，在三关之南，离三关不远。⑬⑨安成王秀为都督：当时安成王萧秀为荆州刺史，司州在其所督的范围之内。⑭⓪仙琕签求应赴：马仙琕派典签到都督萧秀处请求准许往援白早生。签，典签，州刺史的僚属，主管联络皇帝与刺史之间，故又像上监军。⑭①参佐：萧秀身边的僚属。⑭②台报：朝廷的批示。台，即指朝廷。因朝廷的决策机构曰台、曰省。⑭③彼：他；他们。指归降者白早生。⑭④待敕虽旧：等待朝廷的批示虽然是平时的制度。⑭⑤楚王城：也称"楚王戍"，具体方位不详，据形势分析，应在今河南信阳的东北方。⑭⑥丙寅：十月十六。⑭⑦张稷：原在南齐为州刺史，又为卫尉，萧衍率军围建康城，张稷乃杀萧宝卷率朝臣投降萧衍。曾任度支尚书、领军将军等职。传见《梁书》卷十六。⑭⑧尚书邢峦：魏国的名臣，破蜀地、破宿预之梁军皆有大功。传见《魏书》卷六十五。⑭⑨成禽：现成的俘虏，极言其无能之状。禽，同"擒"。⑮⓪溺于利欲：因梁国赐给他的名利而陶醉。⑮①守而不走：坚守悬瓠而不撤退。⑮②临以王师：魏国的大军一旦到达城下。⑮③鲍口：地址不详，依形势分析，应在今河南汝南县北。⑮④丙子：十月二十六。⑮⑤汝水：淮水的支流，流经汝南县城北。⑮⑥丁丑：十月二十七。⑮⑦宿豫戍主：驻守宿豫城的魏军统领。宿豫原是南朝的北部军镇，在此之前已被魏军占领。此时是魏国南徐州的州治所在地，在今江苏宿迁西南。⑮⑧安陆：郡名，郡治即今湖北安陆。⑮⑨蛮帅：生活在今河南息县一带的少数民族头领。⑯⓪东豫州：魏国的东豫州州治即今河南息县。⑯①十一月庚寅：十一月十一。⑯②十二月己未：十二月初十。⑯③宁朔将军：梁国的宁朔将军。⑯④癸亥：十二月十四。⑯⑤狄道辛祥：狄道是古县名，即今之甘肃临洮。辛祥是魏国名将辛绍先之孙，狄道县人，此时任义阳太守。传见《魏书》卷四十五。⑯⑥间之于执政：在魏国的当权人物高肇跟前说辛祥的坏话。间，挑拨。⑯⑦壬申：十二月二十三日。⑯⑧魏东荆州：当时魏国的东荆州州治在今河南泌阳。⑯⑨桓晖之弟叔兴：桓叔兴，东晋末年的乱党桓玄之孙，桓诞之子，桓晖之弟。桓玄在东晋作乱兵败被杀后，其子桓诞等逃入蛮族，当了蛮民的酋长，孝文帝时归附于魏。传见《魏书》卷一百一。⑰⓪太阳蛮：也写作"大阳蛮"，当时居住在今湖北北部与陕西交界地区。⑰①郦道元：字善长，当时著名的地理学家，《水经注》的作者。曾任镇东将军府的长史、东荆州刺史、御史中尉。传见《魏书》卷八十九。⑰②案行置之：巡行考察并相应地设立郡县。⑰③范：郦范，拓跋焘与元宏时期的著名人物，协助慕容白曜平齐地有功，官至青州刺史。传见《魏书》卷四十二。⑰④佗汗可汗：库者可汗之子，公元五〇六至五〇七年在位。传见《魏书》卷一百三。⑰⑤报之如前：如要归附称臣是可以的，如想彼此平等那不可能。⑰⑥高车侯倍穷奇：高车族的太子名叫穷奇。高车是当时俄罗斯境内的少数民族名，又名"铁勒""敕勒"，祖先是匈奴人，居住在柔然的北面。侯倍是高车语，意思就是"太子""储君"。⑰⑦嚈哒：当时的西域古国名，在今阿富汗境内。⑰⑧魏主：即现时的魏主宣武帝元恪。⑰⑨河南孟威：河南郡的孟威。河南郡的郡治即今河南洛阳。孟威是孝文帝、宣武帝时期的重要将领，官至骠骑大将军。传见《魏书》卷四十四。⑱⓪高平镇：魏国北部的军镇名，即今宁夏固原。⑱①阿伏至罗：穷奇的堂兄弟，原本也是一个高车部落的头领，后称为高车王。⑱蒲类海：今名巴里坤湖，在今新疆巴里坤哈萨克自治县境内。⑱伊吾北山：伊吾军事据点以北的山区。古代的伊吾戍在今新疆哈密西北，与现今的伊吾相距甚远。⑱高昌：西域古国名，故址在今新疆吐鲁番东，尚有古城遗址巍然屹立。⑱凉州：魏州名，州治即今甘肃武威。⑱割其发：以头发代首级。⑱东城子于亮：于亮是魏国的有功之臣，因功被封为东城子。“子”是爵位名。⑱豆罗伏跋豆伐可汗：名丑奴，继其父位为可汗，公元五〇八至五二〇年在位。传见《魏书》卷一百三。⑱衮冕：帝王祭祀时穿戴的礼服与礼帽。⑲许懋：齐梁时期的儒学礼法之臣，此时为著作郎。传见《梁书》卷四十。⑲大裘：黑羔裘。胡三省引郑众注：“大裘，黑羔裘，服以祀天，示质。”⑲有事太庙：祭祀太庙。⑲斋日不乐：斋戒的日子不奏乐。⑲舆驾始出：从皇帝出门前往太庙的开始。⑲鼓吹：演奏宗庙雅乐的乐队，其乐器有鼓、钲、箫、笳等。郭茂倩《乐府诗集》中有“鼓吹曲辞”一类，盖此乐队所演奏者也。⑲从而不作：只是跟在队伍里走，不演奏乐曲。⑲还宫如常仪：等祭祀完毕，车驾回宫的时候，再照常演奏帝王出行的音乐。

【原文】

八年（己丑，公元五〇九年）

春，正月辛巳[198]，上祀南郊，大赦。时有请封会稽、禅国山[199]者，上命诸儒草封禅仪[200]，欲行之[201]。许懋建议[202]，以为“舜柴岱宗[203]，是为巡狩[204]。而郑引《孝经钩命决》[205]云：‘封于太山，考绩柴燎；禅乎梁甫，刻石纪号[206]’，此纬书之曲说[207]，非正经之通义[208]也。舜五载一巡狩[209]，春夏秋冬周遍四岳[210]，若为封禅，何其数也[211]？又如管夷吾所说七十二君[212]，燧人[213]之前，世质民淳，安得泥金检玉[214]？结绳而治[215]，安得镌文告成[216]？夷吾又云：‘唯受命之君[217]然后得封禅。’周成王非受命之君[218]，云何得封太山禅社首[219]？神农即炎帝[220]也，而夷吾分为二

【校记】

［1］内：据章钰校，十二行本、乙十一行本皆作“中”。［2］壮公：据章钰校，孔天胤本作“庄公”。［3］不：据章钰校，十二行本、孔天胤本皆作“弗”。［4］户：原作“口”。据章钰校，十二行本、乙十一行本、孔天胤本皆作“户”，张敦仁《通鉴刊本识误》同，今据改。［5］救：据章钰校，十二行本、乙十一行本皆作“援”，张敦仁《通鉴刊本识误》同。［6］刺史：原无此二字。据章钰校，十二行本、乙十一行本、孔天胤本皆有此二字，张敦仁《通鉴刊本识误》、张瑛《通鉴校勘记》同，今据补。

【语译】

八年（己丑，公元五〇九年）

春季，正月初三日辛巳，梁武帝萧衍到南郊举行祭天典礼，实行大赦。当时有人建议梁武帝到会稽山祭天、到国山祭地，梁武帝命令诸位儒生起草一套举行祭天、祭地典礼的具体步骤与礼节仪式，准备进行封禅。担任著作郎的许懋对此提出了不同的意见，许懋认为：“虞舜曾经在泰山上烧柴祭天，那是虞舜在外出巡守的时候顺便做的一件事情。而郑玄在注释《尚书·舜典》中的‘东巡守至于岱宗，柴望秩于山川’时曾经引用《孝经钩命决》的话说：‘舜在封泰山时，曾考核诸侯的成绩，而后燔柴祭天；在禅梁甫的时候，曾在梁父山刻石记下自己的年号’，这些都是汉代人在给经书做注释的书中瞎编出来的话，并不是真正儒家传授下来的通行四海的道理。舜帝每五年到全国巡回视察一次，要在一年的时间内巡遍天下各地，如果舜帝的这种巡视确实像纬书所说是为了到泰山封禅，那么封禅的次数岂不是太频繁、太密集了吗？又如春秋时期齐桓公的宰相管仲说，古代封泰山的有七十二家君主，在发明钻木取火的燧人氏之前，世上物质原始、民风淳厚，到哪里去弄涂饰刻石的泥金和收藏祭天策文的玉盒？在没有文字以前的那种需要靠结绳来帮助记事的时代，封禅的帝王又怎么能够把文字刻在金策上向天神报告自己事业的成功呢？管仲还说：‘只有奉上帝之命开创了一个新王朝的君主才能够举行封禅。’周成王姬诵并不是一代开国的君主，为什么他就能够在泰山上祭天，在社首山祭地？神农氏就是炎帝，而管仲却把神农氏和炎帝说成是

人，妄亦甚矣。若圣主，不须封禅㉑；若凡主，不应封禅。盖齐桓公欲行此事，夷吾知其不可，故举怪物以屈之㉒。秦始皇尝封太山㉓，孙皓㉔尝遣兼司空董朝至阳羡㉕封禅国山，皆非盛德之事，不足为法㉖。然则封禅之礼，皆道听所说，失其本文㉗，由主好名于上㉘，而臣阿旨于下㉙也。古者祀天祭地，礼有常数㉚，诚敬之道，尽此而备㉛，至于封禅，非所敢闻㉜。"上嘉纳之，因推演懋议㉝，称制旨以答请者㉞，由是遂止。

魏中山王英至义阳，将取三关，先策㉟之曰："三关相须㊱如左右手，若克一关，两关不待攻而破。攻难不如攻易，宜先攻东关㊲。"又恐其并力于东，乃使长史李华帅五统㊳向西关㊴，以分其兵势，自督诸军向东关。

先是，马仙琕使云骑将军马广屯长薄㊵，军主胡文超屯松岘㊶。丙申㊷，英至长薄，戊戌㊸，长薄溃，马广遁入武阳，英进围之。上遣冠军将军彭瓮生、骠骑将军徐元季将兵援武阳，英故纵之使入城，曰："吾观此城形势易取。"瓮生等既入，英促兵攻之，六日而拔，虏三将及士卒七千余人。进攻广岘㊹[7]，太子左卫率李元履弃城走；又攻西关，马仙琕亦弃城走。上使南郡太守韦叡㊺将兵救仙琕，叡至安陆㊻，增筑城二丈余，更开大堑，起高楼。众颇讥其示[8]怯，叡曰："不然，为将当有怯时，不可专勇。"中山王英急追马仙琕，将复邵阳之耻㊼，闻叡至，乃退。上亦有诏罢兵。

初，魏主遣中书舍人鲖阳董绍㊽慰劳叛城㊾，白早生袭而囚之，

两个人，简直是荒谬之极。如果是圣明的君主，就用不着封禅；如果是平凡的君主，就不应该封禅。大概是齐桓公想要前往泰山进行封禅，而管仲知道齐桓公不应该去泰山封禅，所以管仲就举出种种不适宜封禅的怪异现象来阻止齐桓公封禅。秦始皇曾经到泰山封禅，三国时期吴国的末代皇帝孙皓曾经派遣兼任司空的董朝代替自己到阳羡境内的国山举行封禅，这些都不是道德隆盛的事情，不足以作为榜样来效法。如此看来所谓封禅的礼仪，都是道听途说，已经离开了本来的真相，原本是由于做皇帝的带头追求这么一种热闹，于是作为臣子的就在下面迎合奉承地折腾起来。古时候祭祀天地，都有一定的规矩制度，真诚敬畏天地的道理，便都包含在这些规矩制度当中了，至于封禅，实在是没有什么道理可讲。”梁武帝很赞成许懋的见解，便采纳了许懋的建议，并在许懋见解的基础上加以发挥，最后以皇帝圣旨的形式谢绝了继续请求封禅的人，从此以后便不再有人提出封禅的请求。

魏国的中山王元英率军到达义阳，准备夺取三关，便先对形势进行了一番分析说：“三关互相依存，就像人的左右手，如果我们攻克了其中的一关，其余的两个关不等我们进攻就将自行崩溃。进攻难攻的不如进攻容易攻的，所以我们应该首先攻取东关。”元英又担心梁国的军队会集中力量增援东关，于是就命令担任长史的李华率领着五个统军所管的士兵进攻西关，以分散梁军的兵力，元英则亲自统领各军进攻东关。

此前，梁国担任振远将军的马仙琕派遣担任云骑将军的马广率军屯驻在长薄，派担任一支军队统领的胡文超率军屯驻在松岘。正月十八日丙申，元英率军到达长薄，二十日戊戌，长薄的守军崩溃，驻守长薄的云骑将军马广逃入武阳关，元英率军挺进，包围了武阳关。梁武帝派遣担任冠军将军的彭瓮生、担任骁骑将军的徐元季率军救援武阳关，元英故意放他们进入武阳关城，元英说：“我看武阳关城所处的地势很容易被攻取。”等到彭瓮生等进入武阳城之后，元英立即督促军队加紧攻城，只用了六天的时间就攻克了武阳城，俘虏了梁国的三位将领和七千多名士兵。元英转过身来开始进攻武阳关东北方的黄岘关，梁国负责守卫黄岘关的太子左卫率李元履弃城逃走；元英又进攻平靖关，平靖关的守将马仙琕也弃城逃走。梁武帝派遣担任南郡太守的韦叡率军救援马仙琕，韦叡到达安陆之后，就把安陆城的城墙加高了二丈多，又开挖了一条宽大的护城河，造起高楼。众人都讥笑韦叡的行为是向魏军示弱，韦叡说：“你们的看法不对，作为将领就应该有胆怯的时候，不可能一味的勇敢。”魏国的中山王元英急速追赶马仙琕，想要洗雪上次邵阳洲作战失败的耻辱，当他听到韦叡率军来到的消息，就停止追击，率军撤退。梁武帝也下诏停止用兵。

当初，魏宣武帝元恪派遣担任中书舍人的鲖阳人董绍到郢州的州治义阳与豫州的州治悬瓠这些有魏军叛乱的地方去慰劳军队，遭到白早生的袭击和囚禁，白早生

送于建康。魏主既克悬瓠，命于齐苟兒等四将[250]之中分遣二人[251]，敕扬州为移[252]，以易绍及司马悦首[253]。移书未至，领军将军吕僧珍与绍言，爱其文义[254]，言于上，上遣主书[255]霍灵超谓绍曰："今听卿还，令卿通两家之好，彼此息民，岂不善也[256]！"因召见，赐衣物，令舍人[257]周舍慰劳之，且曰："战争多年，民物[258]涂炭，吾是以不耻先言与魏朝通好，比亦有书[259]全无报者，卿宜备申此意。今遣传诏周灵秀[260][9]送卿至国，迟有嘉问[261]。"又谓绍曰："卿知所以得不死不？今者获卿，乃天意也。夫立君以为民也，凡在民上，岂可以不思此乎！若欲通好，今以宿豫还彼[262]，彼当以汉中见归[263]。"绍还魏言之，魏主不从。

三月，魏荆州刺史元志[264]将兵七万寇潺沟[265]，驱迫群蛮，群蛮悉渡汉水来降，雍州刺史吴平侯昺[266]纳之。纲纪[267]皆以蛮累为边患[268]，不如因此除之，昺曰："穷来归我[269]，诛之不祥。且魏人来侵，吾得蛮以为屏蔽，不亦善乎！"乃开樊城受其降，命司马朱思远等击志于潺沟，大破之，斩首万余级。志，齐之孙也。

夏，四月戊申[270]，以临川王宏[271]为司空，加车骑将军王茂[272]开府仪同三司。

丁卯[273]，魏楚王城主李国兴以城降。

秋，七月癸巳[274]，巴陵王萧宝义[275]卒。

九月辛巳[276]，魏封故北海王详子颢[277]为北海王。

魏公孙崇造乐尺，以十二黍为寸[278]，刘芳非之，更以十黍为寸。尚书令高肇等奏："崇所造八音之器及度量皆与经传不同，诘其所以然，

把董绍押送到梁国的都城建康。魏宣武帝的军队攻克了悬瓠城之后，命令从梁国投降过来的齐苟兒等四名将领中选出两个人来，令魏国驻守寿春的扬州刺史给梁国朝廷写一封公开信，要求交换中书舍人董绍和被白早生所杀的豫州刺史司马悦的人头。魏国扬州刺史的公开信还没有送达的时候，梁国担任领军将军的吕僧珍通过与董绍的接触，很喜爱董绍的文章与义理，于是就报告了梁武帝，梁武帝派遣担任主书的霍灵超去对董绍说："现在允许你回到魏国，让你互通两国的和平友好，彼此停止战争，让百姓得到休养生息，难道不是很好的事情吗!"梁武帝还召见了董绍，赏赐给董绍衣物，又让担任中书通事舍人的周舍慰劳董绍，并对董绍说："两国之间经过多年的战争，导致生灵涂炭，我并不把首先提出与魏国朝廷互通友好看作是一种耻辱，在此之前我也给魏国皇帝写过信，然而都没有得到答复，你回国之后应该充分转达我的意见。我现在派负责传达诏命的周灵秀为使者送你回国，我在这里静候你们的好消息。"又对董绍说："你知道自己为什么没有被杀死吗？现在让我得到你乃是上天的旨意。国家设立君主是为了百姓，凡是在百姓之上的官员，岂能不想着百姓！如果魏国想与我们梁国互通友好，现在我就把去年攻占你们的宿豫城归还给你们，你们也应当把汉中郡归还给我国。"董绍回到魏国之后将梁武帝的意思转达给魏宣武帝，宣武帝不同意。

三月，魏国担任荆州刺史的元志率领七万军队进犯潺沟，驱逐逼迫居住在那一带的少数民族，那些少数民族全都渡过汉水来投降梁国，梁国担任雍州刺史的吴平侯萧昺接纳了他们。萧昺手下的主要僚属都因为那些投降过来的少数民族曾经多次骚扰边境、制造边患，因而主张不如趁机把他们除掉，萧昺说："这些少数民族在活不下去的情况下前来投奔我们，如果乘人之危除掉他们是不吉祥的。况且如果魏国人前来侵略我们，我们得到这些少数民族作为屏障，不是也很好吗!"于是打开樊城城门接受了少数民族的投降，同时命令担任司马的朱思远等人率军前往潺沟攻打率军入侵的魏国荆州刺史元志，把元志打得大败，斩下了魏军将士的一万多颗人头。元志，是元齐的孙子。

夏季，四月初一日戊申，梁武帝任命临川王萧宏为司空，加授车骑将军王茂开府仪同三司。

二十日丁卯，魏国楚王城的驻军首领李国兴献出楚王城投降了梁国。

秋季，七月十七日癸巳，梁国的巴陵王萧宝义去世。

九月初六日辛巳，魏宣武帝封已故的北海王元详的儿子元颢为北海王。

魏国担任太乐令的公孙崇所制造的乐尺，以十二颗黍粒排在一起的长度作为一寸，刘芳否定了公孙崇所制定的乐尺的标准，改为以十颗黍粒排列在一起的长度为一寸。担任尚书令的高肇等人向宣武帝奏报说："公孙崇所制造的八音之器以及度量衡都与经传所记载的不一样，责问他为什么要这样做，他却说'如果一定要依照经

云‘必依经文，声则不协。’请更令芳依《周礼》造乐器，俟成，集议并呈，从其善者。”诏从之。

冬，十月癸丑[279]，魏以司空广阳王嘉[280]为司徒。

十一月己丑[281]，魏主于式乾殿为诸僧及朝臣讲《维摩诘经》[282]。时魏主专尚释氏[283]，不事经籍[284]，中书侍郎河东裴延儁[285]上疏，以为“汉光武、魏武帝[286]虽在戎马之间，未尝废书；先帝[287]迁都行师，手不释卷。良以[288]学问多益，不可暂辍故也。陛下升法座[289]，亲讲大觉[290]，凡在瞻听，尘蔽俱开[291]。然五经治世之模楷[292]，应务之所先[293]，伏愿经书互览[294]，孔、释兼存，则内外俱周[295]，真俗斯畅[296]矣。”

时佛教盛于洛阳，中国[10]沙门[297]之外，自西域来者三千余人，魏主别为之立永明寺[298]千余间以处之。处士[299]南阳冯亮[300]有巧思[301]，魏主使与河南尹甄琛[302]、沙门统僧暹[303]择嵩山形胜之地[304]立闲居寺[305]，极岩壑土木之美。由是远近承风，无不事佛，比及延昌[306]，州郡共有一万三千余寺。

是岁，魏宗正卿元树[307]来奔，赐爵邺王。树，翼之弟也。时翼为青、冀二州刺史[308]，镇郁洲[309]。久之，翼谋举州降魏，事泄而死。

九年（庚寅，公元五一〇年）

春，正月乙亥[310]，以尚书令沈约为左光禄大夫[311]，右光禄大夫王莹[312]为尚书令。约文学[313]高一时，而贪冒荣利[314]，用事十余年，政之得失，唯唯而已。自以久居端揆[315]，有志台司[316]，论者亦以为宜，而上终不用[317]，及求外出[318]，又不许。徐勉[319]为之请三司之仪[320]，上不许。

庚寅[321]，新作缘淮塘[322]，北岸起石头迄东冶[323]，南岸起后渚篱门迄三桥[324]。

三月丙戌[325]，魏皇子诩[326]生，大赦[11]。诩母胡充华[327]，临泾[328]人，

文所记载的那样做，声音就不协调了。’请求陛下改令太常卿刘芳依照《周礼》的规定制造乐器，等他们制造出乐器之后，再集中商议，一同呈报，采纳其中好的推广使用。”魏宣武帝下诏批准了高肇等人的请求。

冬季，十月初九日癸丑，魏宣武帝任命担任司空的广阳王元嘉为司徒。

十一月十五日己丑，魏宣武帝在式乾殿为各位僧人和朝中群臣讲解《维摩诘经》。当时魏宣武帝专门崇尚佛教，而不用心于儒家经典，担任中书侍郎的河东郡人裴延儁上疏给宣武帝，认为：“汉光武帝刘秀、魏武帝曹操即使是骑着马打仗的时候，也从来都没有忘记读书；先帝孝文帝无论是在迁都的过程中还是行军打仗，都手不释卷。实在是因为学问多了对自己有很多好处的缘故，所以才抓紧一切时间读书。陛下登上佛教讲经说法的讲坛，亲自讲解佛教的经书，凡是瞻仰和聆听讲经的人，心中的疑惑便一扫而光。然而五经是治理国家必须遵照实行的金科玉律，是应对世务首先需要遵循的，希望陛下能够将佛经、儒典同时并举，二者等量齐观，把孔子的学说与释迦牟尼的学说同时兼顾并存，那么就可以修身养性与治理国家同时兼顾，追求出世与管好世俗两方面都不耽误了。”

当时魏国的都城洛阳盛行佛教，除了魏国本土的和尚以外，从西域来的和尚还有三千多人，魏宣武帝专门为他们建造了一座具有一千多间房舍的永明寺来安置他们。当时的隐士南阳人冯亮有出类拔萃的巧妙构思和设计才能，魏宣武帝就让冯亮与担任河南尹的甄琛、管理佛教事务的和尚僧暹到嵩山选择风景优美的地方建立了一座闲居寺，极尽岩石沟壑土木的优美。因此远近继承这一风气，无不侍奉佛教，等到宣武帝延昌年间，州郡共有一万三千多座寺庙。

这一年，魏国担任宗正卿的元树来投奔梁国，梁武帝封元树为邺王。元树，是元翼的弟弟。当时元翼正在梁国担任青、冀二州刺史，镇守郁洲。过了很久以后，元翼阴谋献出青、冀二州投降魏国，阴谋泄露后被杀。

九年（庚寅，公元五一〇年）

春季，正月初二日乙亥，梁武帝任命担任尚书令的沈约为左光禄大夫，任命担任右光禄大夫的王莹为尚书令。沈约的文章才华高过当时的任何人，但他争名夺利，担任重要职务十多年，却对政务的得失，只会唯唯诺诺。他自以为长期担任尚书令，位居群臣之首，一心想得到一个三公的称号，社会舆论也是这样认为的，然而梁武帝始终没有任用他为司徒、司马、司空中的任何一职，于是沈约向梁武帝提出希望离开朝廷去做地方官的请求，梁武帝又不批准。担任吏部尚书的徐勉请求梁武帝授予沈约开府同三司之仪，梁武帝依然没有批准。

十七日庚寅，梁国开始在秦淮河两岸修建第二条大堤坝，北岸从石头城开始一直修到东冶，南岸从后渚篱门开始一直修到三桥。

三月十四日丙戌，魏宣武帝的儿子元诩降生，魏国实行大赦。元诩的母亲胡充

父国珍㉙袭武始伯㉚。充华初选入掖庭㉛，同列以故事祝之㉜曰[12]：“愿生诸王、公主，勿生太子㉝。”充华曰：“妾之志异于诸人，奈何畏一身之死而使国家无嗣乎！”及有娠，同列劝去之，充华不可，私自誓曰：“若幸而生男，次第当长㉞，男生身死，所不憾也。”既而生诩。

先是，魏主频丧皇子，年渐长，深加慎护㉟，择良家宜子者㊱以为乳保㊲，养于别宫，皇后、充华皆不得近。

己丑㊳，上幸国子学，亲临讲肄㊴。乙未㊵，诏皇太子以下及王侯之子年可从师者皆入学。

旧制：尚书五都令史㊶皆用寒流㊷。夏，四月丁巳㊸，诏曰：“尚书五都㊹职参政要㊺，非但总领众局㊻，亦乃方轨二丞㊼；可革用士流㊽，秉此群目㊾。”于是以都令史视奉朝请㊿，用太学博士(351)刘纳兼殿中都(352)，司空法曹参军刘显兼吏部都(353)，太学博士孔虔孙兼金部都(354)，司空法曹参军萧轨兼左右户都(355)，宣毅墨曹参军(356)王颙兼中兵都(357)，并以才地兼美(358)，首膺其选(359)。

六月，宣城郡吏吴承伯挟妖术聚众，癸丑(360)，攻郡，杀太守朱僧勇，转屠旁县。闰月己丑(361)，承伯逾山，奄至吴兴(362)。东土人素不习兵，吏民恇扰(363)奔散。或劝太守蔡撙(364)避之，撙不可，募勇敢闭门拒守。承伯尽锐攻之，撙帅众出战，大破之，临陈，斩承伯。撙，兴宗(365)之子也。承伯余党入新安(366)，攻陷黟、歙(367)诸县，太守谢览遣兵拒之，不胜，逃奔会稽(368)。台军讨贼，平之。览，瀹(369)之子也。

冬，十月，魏中山献武王英(370)卒。

上即位之三年，诏定新历，员外散骑侍郎祖暅奏其父冲之(371)考古

华，是临泾县人，她的父亲胡国珍承袭了自己父亲胡渊武始伯的爵位。胡充华刚刚被选入宫廷的时候，与胡充华身份相同的那些嫔妃依照过去的惯例祝福她说：“希望你将来能够生下诸王、公主，千万不要生下太子。”胡充华却说：“我的志向与你们不一样，我怎么能因为自己一个人怕死而使国家没有储君呢！”等到胡充华怀有身孕之后，其他的妃嫔便劝说胡充华打掉胎儿，胡充华不同意，她私下里发誓说：“如果我有幸生下一个男孩，按次序应该被立为太子，如果我生下男孩就被处死，我也死无遗憾。”后来胡充华便生下了皇子元诩。

此前，魏宣武帝的皇子曾经多次夭亡，随着皇子元诩的年龄逐渐长大，宣武帝更加小心地保护着元诩，他选择家世清白而又善于生养孩子的女子做元诩的乳母，让乳母带着元诩住在别的宫室里，就连皇后和元诩的生母胡充华都不能接近元诩。

三月十七日己丑，梁武帝到国子学视察，亲自到课堂听讲。二十三日乙未，梁武帝下诏令皇太子以下以及王侯的儿子凡是到了学习的年龄都要入学跟着老师学习。

按照旧有的制度规定：尚书省内五曹的都令史一律选用出身寒门的人士充任。夏季，四月十六日丁巳，梁武帝下诏说：“尚书省内五曹的都令史，他们的职责都涉及国家大事，不仅是总管尚书省内的各个部门，也与尚书左右二丞的职责不相上下；可以改用世家大族出身的人士来担任，执掌这几个部门的工作。”于是把都令史的级别提高到与奉朝请相同的级别，任用担任太学博士的刘纳兼任殿中曹的都令史，任命担任司空法曹参军的刘显兼任吏部曹的都令史，任用担任太学博士的孔虔孙兼任金部曹的都令史，任用担任司空法曹参军的萧轨兼任左右户部曹的都令史，任用担任宣毅将军属下墨曹参军的王颙兼任中兵曹的都令史，这几个人都是因为本人的才干与门第出身都好而首先当选。

六月，梁国的宣城郡内一个名叫吴承伯的官吏用妖术聚众造反，十三日癸丑，吴承伯率领着自己的信徒进攻宣城郡城，杀死了担任宣城太守的朱僧勇，接着转向别的县进行屠杀。闰六月十九日己丑，吴承伯翻过山岭，突然攻入吴兴郡。东部地区的人一向不熟习用兵打仗，因此一见到突然杀来的吴承伯等，无论是官吏还是普通百姓全都惊慌失措地四散奔逃。有人劝说担任吴兴太守的蔡撙暂且避一避，蔡撙认为不可以这样做，他招募勇敢之士关闭城门据守。吴承伯调集了手下所有的精兵进攻吴兴郡城，吴兴太守蔡撙亲自率众出城迎战，把吴承伯打得大败，并亲临阵前斩杀了吴承伯。蔡撙，是蔡兴宗的儿子。吴承伯的余党进入新安郡，攻陷了黟、歙等县，担任新安太守的谢览派兵抵抗吴承伯余党的进攻，没有取胜，谢览失败后逃往会稽郡。梁国朝廷出兵讨伐叛贼，把这场叛乱平息下去。谢览，是谢瀹的儿子。

冬季，十月，魏国的中山献武王元英去世。

梁武帝即位后的第三年，下诏制定新历法，担任员外散骑侍郎的祖暅上书给梁武帝，他认为自己的父亲祖冲之验证古代历法而制定的新历法是正确的，祖冲之制

法为正㊲，历不可改㊳。至八年，诏太史课新旧二历㊴，新历密，旧历疏㊵，是岁，始行冲之《大明历》㊶。

魏刘芳等[13]奏“所造乐器及教文、武二舞㊷、登歌㊸、鼓吹曲㊹等已成，乞如前敕集公卿、群儒议定，与旧乐参呈㊺。若臣等所造，形制合古㊻，击拊会节㊼，请于来年元会㊽用之。”诏：“舞㊾可用新，余且仍旧㊿。”

【段旨】

以上为第二段，写梁武帝萧衍天监八年（公元五〇九年）、九年共两年间的大事。主要写了梁武帝听从群臣建议，准备到宜兴去封禅国山，后听儒臣许懋劝阻，遂取消此举。写了梁国宣城郡郡吏吴承伯挟妖术聚众作乱，骚扰数郡，蔡撙讨杀之。写了魏将元英攻得义阳三关，梁将马仙琕等败走；至梁派南郡太守韦叡率军到来时，魏将元英闻之而退；梁主萧衍通过交换战俘，请魏臣董绍回魏传达讲和停战之意，魏主不从。写了魏主元恪迷恋佛法，甚至亲身升座给僧俗宣讲佛经。写洛阳地区的佛教寺庙兴盛，远近承风，魏各州郡共有寺庙一万三千余所。此外还写了萧衍与沈约之间的矛盾，以及魏国胡充华生子的特别经历，为日后胡太后专魏政做了伏笔等。

【注释】

⑲⑧正月辛巳：正月初三。⑲⑨封会稽、禅国山：到会稽山祭天，到国山祭地。封、禅，是帝王祭祀天地的典礼。在某山山头筑坛加土以祭天曰“封”，在某小山除地为场以祭地曰“禅”。会稽山在今浙江绍兴东南，国山在今江苏宜兴。过去秦始皇、汉武帝的封禅都封泰山、禅梁父，如今泰山、梁父都落入魏人之手，南朝的皇帝再想玩这一套把戏，也就只好在长江以南就地取材了。⑳⓪草封禅仪：起草一套祭天、祭地所行典礼的具体步骤与礼节仪式。⑳①欲行之：诸儒已经起草完毕，皇帝马上就要付诸实行。⑳②建议：提出了不同的主张。⑳③舜柴岱宗：虞舜曾经祭过泰山。柴，烧柴以祭天，古代祭祀的一种。岱宗，泰山的别称。⑳④是为巡狩：是他在外出巡狩的时候顺便做的一件事。巡狩，意同“巡守”，即天子到各地去巡视诸侯为天子守土尽职的情况。⑳⑤郑引《孝经钩命决》：郑玄在注释《尚书·舜典》中的“东巡守至于岱宗，柴望秩于山川”时引用了《孝经钩命

定的新历法不可以改变。等到梁武帝登基后的第八年，下诏令太史考核比较新旧两种历法，考核的结果证明祖冲之的新历法比较细致严密，而何承天的旧历法比较粗疏，这一年，开始采用祖冲之制定的新历法《大明历》。

魏国刘芳等人上奏章给宣武帝，称“所制造的乐器以及表现皇帝文治武功的两个歌舞、祭典与朝会开始时所演奏的登歌、用于皇帝出行或举行军事演练时使用的鼓吹曲等都已经完成，请求陛下还像上次那样召集公卿大臣和各位儒生共同商议决定，连同旧有的乐曲一并呈上。如果我等所制作的乐器样式与规格符合古代的规定，演奏起来合乎古代的节律，请求陛下在明年正月初一的朝会盛典上使用新乐器、演奏新乐曲。”魏宣武帝下诏说：“表现文治武功的舞蹈可以采用新的，其他的如乐器、登歌、鼓吹曲等暂时还用旧的。”

决》的内容。郑玄是东汉著名的经学家，《后汉书》卷六十五有他的传。《孝经钩命决》是战国或西汉时期出现的一种注释《孝经》的纬书，充满着荒诞迷信的东西。⑳⑥封于太山四句：此四句是《孝经钩命决》中叙述虞舜封泰山的原话。意思是说：舜在封泰山时，曾考核诸侯的成绩，而后燔柴祭天；在禅梁甫的时候，曾在梁甫山刻石记下了自己的年号。太山，也就是泰山，在今山东泰安城北。是秦始皇、汉武帝登封过的名山。梁甫，泰山东南侧的小山名，也写作“梁父”，在今山东泰安的东南方。⑳⑦曲说：瞎编出来的话，是不合事实的捏造。⑳⑧非正经之通义：不是真正儒家传授下来的通行四海的道理。⑳⑨舜五载一巡狩：舜帝五年巡回视察天下一次。㉑⓪春夏秋冬周遍四岳：要在一年的时间里巡遍天下各地。四岳，可以指四方的名山，诸如东岳泰山、南岳衡山、西岳华山、北岳恒山；也可以指四方的诸侯，四岳就是四方的诸侯之长。舜的这种巡狩，都是为了检查工作。㉑①若为封禅二句：如果像纬书所说是为了封禅，那岂不太频繁、太密集了吗？数，频繁、密集。㉑②管夷吾所说七十二君：管仲所说的封泰山的七十二家君主。这也是后人以管仲的名义所编造的谎言。管夷吾就是管仲，春秋时代齐桓公的宰相。事迹详见《左传》与《史记·管晏列传》。《史记·封禅书》也有所谓“管仲曰‘古者封泰山、禅梁父者七十二家，而夷吾所记者十有二焉’”云云。㉑③燧人：燧人氏，相传是古代发明钻木取火的一位帝王。㉑④泥金检玉：极言封禅皇帝所使用的祭天的策书文告之贵重华丽。泥金，用金末做泥以涂饰祭天刻文的笔道。检玉，用玉做成的盒子把祭天的策文收装起来。㉑⑤结绳而治：在古代没有文字以前，据说那时的人们是用结绳来帮助记事。㉑⑥安得镌文告成：意思是（既然那时连文字都没有）封禅的帝王又怎么能够把文字刻在金策上向天神报告自己的事业成功呢。镌，刻。㉑⑦受命之君：指一个王朝开国的帝王。古代凡是推翻旧王朝，开创一个新王朝的人，总把自己说成是奉上帝之命来结

束那个罪恶的旧王朝，来解救黎民百姓于水火的，如商汤、周文王、周武王等。㉘周成王非受命之君：周成王名诵，是周武王的儿子，是继承其父的王位统治天下的，所以说他不是受命之君。㉙封太山禅社首：古代帝王的封禅，祭天的所谓“封”总是在泰山顶上进行；至于祭地的所谓“禅”，则不是固定的一处，有的在梁父、有的在云云、有的在社首。都是泰山周遭的小山，距离泰山不远。社首山在今山东泰安西南。㉚神农即炎帝：说神农与炎帝是一个人，这是古代传说的一种，流传还比较广，但司马迁写《五帝本纪》没有取这种说法。《五帝本纪》说“黄帝者，少典之子，姓公孙，名曰轩辕”；又说“轩辕之时，神农氏世衰。诸侯相侵伐，暴虐百姓，而神农氏弗能征，于是轩辕乃习用干戈，以征不享”；又说“炎帝欲侵陵诸侯，诸侯咸归轩辕，轩辕乃修德振兵，与炎帝战于阪泉之野”云云。㉛不须封禅：用不着封禅，用不着向上帝祈求什么。㉜举怪物以屈之：说在齐桓公时代的社会上还没有出现若干表现祥瑞的东西，因此您还不太够格儿。据《史记·封禅书》载管仲说：“古之封禅，鄗上之黍，北里之禾，所以为盛；江淮之间，一茅三脊，所以为藉也。东海致比目之鱼，西海致比翼之鸟，然后物有不召而自至者十有五焉。今凤皇麒麟不来，嘉谷不生，而蓬蒿藜莠茂，鸱枭数至，而欲封禅，毋乃不可乎？”㉝秦始皇尝封太山：过程详见《史记·秦始皇本纪》二十八年。㉞孙皓：三国时期吴国的末代之君，公元二六四至二八〇年在位。传见《三国志》卷四十八。㉟阳羡：三国时期的阳羡，即今江苏宜兴。吴主孙皓派兼司空董朝至阳羡代替自己前去封禅国山事，见《三国志·吴书·三嗣主传》天玺元年（公元二七五年）。㊱不足为法：不配做我们的榜样。㊲失其本文：已经离开了本来的真相。㊳主好名于上：做皇帝的带头追求这么一种热闹。㊴臣阿旨于下：于是做臣子的就在下头迎合奉承地折腾起来。㊵礼有常数：都有一定的规矩制度。㊶尽此而备：能做好这些也就够了。㊷非所敢闻：谦辞，实际意思是这些说法都是没有道理的。㊸推演懋议：引用并发挥许懋的说法。演，引申、发挥。㊹称制旨以答请者：以皇帝圣旨的形式谢绝了继续请求封禅的人。制旨，皇帝的命令。㊺策：分析、估计形势。㊻相须：相互需要；相互依存。㊼东关：即义阳三关中的武阳关，在今湖北大悟西北。㊽帅五统：率领着五个统军所管的士兵。㊾西关：指义阳三关的平靖关，在武阳关的西北方，相距不远。㊿长薄：地名，具体方位不详，应在三关附近。(241)松岘：地名，具体方位不详，应在三关附近。《梁书·马仙琕传》直言“遣马广会超守三关”。(242)丙申：正月十八。(243)戊戌：正月二十。(244)广岘：即义阳三关中的黄岘关，在武阳关的东北方，今湖北境内。(245)南郡太守韦叡：韦叡是梁朝名将，上卷曾写其大破魏将元英于钟离城下，此时任南郡太守。传见《梁书》卷十二。梁朝的南郡郡治即今湖北江陵县。(246)安陆：梁郡名，郡治在今湖北安陆，北距三关百余里。(247)复邵阳之耻：报邵阳洲失败之耻。天监六年（公元五〇七年），元英进攻钟离，在邵阳洲被梁军打得大败，事见本书上卷。(248)董绍：魏国的文学之臣，曾任殿中侍御史、国子助教、中书舍人等职。传见《魏书》卷七十九。(249)慰劳叛城：到郢州的州治义阳与豫州的州治悬郄这些有魏军叛乱的地方慰劳军队，鼓励为魏坚守者，规劝叛乱归梁者。㉕⓪齐苟兒等四将：齐苟兒是梁将马仙琕的部下，奉命往助叛变的魏将白早生驻守悬瓠城，魏将邢峦攻克悬瓠城，白早生被杀，齐苟兒等人降魏。事见上卷。㉕①分遣二人：从投降的四个人里选出两个。㉕②敕扬州为移：让驻守寿春的魏国的扬州刺史给梁国朝廷写一封信。敕，让、命令。为移，写一封公开信。“移”是文体名，意思与“檄”相近，是布告一类的公开信。魏国朝廷不自己写，而让扬州刺史代写，这是为表示身份的区别。㉕③以易绍及司马悦首：以换回董绍与被白早生所杀的豫州刺史司马悦的人头。㉕④爱其文义：喜欢许绍的文章与义理。这种“文义”既表现在说，也表现在写。㉕⑤主书：中书省里的官名，主要为皇帝起草文件。㉕⑥岂不善也：“也”同“耶”，表反问。㉕⑦舍人：即中书通事舍人，掌管起草诏令。㉕⑧民物：犹言黎民百姓。物，也是“人”的意思。㉕⑨比亦有书：在此以前我也给魏主写过信。㉖⓪传诏周灵秀：传达诏命的使者周灵秀。㉖①迟有嘉问：我在这里静候你们的好消息。迟，等待。嘉问，嘉音。问，意思同“闻”。㉖②以宿豫还彼：我把去年占领你们的宿豫城还给你们。宿豫原是魏国南部边防重镇，在今江苏宿迁东南。在上年宿豫守将严仲贤被其部下成景儁所杀，成景儁率宿豫城降梁。㉖③彼当以汉中见归：你们应把汉中郡还给我们。汉中郡长期以来是南朝西北部的边防重镇，郡治即今陕西汉中。天监三年（公元五〇四年）梁国的梁州刺史夏侯道迁率梁州叛降于魏，属魏已经五年。㉖④元志：元齐之子，烈帝拓跋翳槐的后代，此时任魏国的荆州刺史。传见《魏书》卷十四。魏国的荆州州治即今河南鲁山县。㉖⑤潺沟：汉水北侧的小支流，向南汇入汉水。㉖⑥吴平侯昺：吴平侯萧昺，也就是《梁书》卷二十四所说的“萧景”。因唐朝人为李渊的父亲避讳，改称之萧景。时任雍州刺史。梁国的雍州州治即今湖北襄阳市襄州区。㉖⑦纲纪：萧昺部下的主要僚属。纲、纪都是网上的大绳，引申为起主要作用的人员。㉖⑧累为边患：屡次骚扰边疆。累，屡次。㉖⑨穷来归我：活不下去了来投奔我们。穷，走投无路。㉗⓪四月戊申：四月初一。㉗①临川王宏：萧宏，梁武帝萧衍之弟，前丧师辱国不受惩处，而又屡屡加官晋爵。传见《梁书》卷二十二。㉗②王茂：萧衍的开国元勋。传见《梁书》卷九。㉗③丁卯：四月二十。㉗④七月癸巳：七月十七。㉗⑤巴陵王萧宝义：齐明帝萧鸾的长子，从降生就是个废人，没法说话、没法见人，也正因此萧衍篡国后，也不被萧衍视为威胁，而封之为巴陵王，一直到死。传见《南齐书》卷五十。㉗⑥九月辛巳：九月初六。㉗⑦北海王详子颢：北海王元详的儿子元颢。传见《魏书》卷五十。元详是孝文帝元宏之弟，魏主元恪之叔，为人贪淫邪恶，于天监元年被杀。㉗⑧以十二黍为寸：古代确定长度的方法之一，排列若干黍子的长度为寸。㉗⑨十月癸丑：十月初九。㉘⓪广阳王嘉：元嘉，太武帝拓跋焘之孙，拓跋建之子。传见《魏书》卷十八。㉘①十一月己丑：十一月十五。㉘②《维摩诘经》：宣传大乘教义的一种佛教经书。㉘③专尚释氏：专门崇尚佛教。㉘④不事经籍：不用心于儒家的经典。㉘⑤裴延儁：魏国的文学之臣，此时任中书侍郎。传见《魏书》卷六十九。㉘⑥汉光武、魏武帝：汉光武即刘秀，东汉的开国皇帝。事迹详见《后汉书·光武纪》。魏武帝即曹操。事迹详见《三国志·魏书·武帝纪》。㉘⑦ 先帝：指孝文帝元宏。㉘⑧ 良以：实在是因为。㉘⑨ 法座：佛教讲经的讲坛。㉙⓪ 大觉：佛教语，意思是佛的觉悟。这里即佛教的经书。㉙① 凡在瞻听二句：凡是瞻仰和聆听讲经的人，心中的疑惑一扫而光。㉙② 模楷：即楷模、典范，必须遵照实行的金科玉律。㉙③ 应务之所先：应对世务首先需要遵循的。㉙④ 伏愿经书互览：希望您能佛经、儒典同时并举，二者等量齐观。㉙⑤ 内外俱周：修身养性与治理国家同时兼顾。㉙⑥ 真俗斯畅：追求出世与管好世俗两方面都不耽误。㉙⑦ 中国沙门：魏国本地的和尚。㉙⑧ 永明寺：当时洛阳城内新修的寺庙，详情见《洛阳伽蓝记》。㉙⑨ 处士：隐士，有才干而不进入官场的人。㉚⓪ 冯亮：原是梁朝人，元英所率的魏军占领义阳后，冯亮便北行到嵩山隐居。传见《魏书》卷九十。㉚① 有巧思：有出类拔萃的构思与设计才能。㉚② 河南尹甄琛：河南尹等于是河南郡的太守，但因为河南郡是魏国都城洛阳所在的郡，故而其太守遂称为河南尹，其郡名也叫河南尹。甄琛好围棋，彻夜不止，后入仕侍孝文帝为御史中尉，宣武帝时为河南尹。传见《魏书》卷六十八。㉚③ 沙门统僧暹：管理佛教事务的和尚法名僧暹。㉚④ 形胜之地：风景优美的地方。㉚⑤ 闲居寺：嵩山上的寺庙名。㉚⑥ 延昌：宣武帝元恪的第四个年号（公元五一二至五一五年）。㉚⑦ 元树：咸阳王元禧之子，元翼之弟。元禧是孝文帝之弟，性贪婪，宣武帝亲政后，因小人挑动，元禧谋反被杀。事见《魏书》卷二十一上。㉚⑧ 翼为青、冀二州刺史：元禧被杀后，其子元翼多次上书请求宣武帝为其父平反，宣武帝不从，元翼遂携其弟元昌一道降梁，被梁任为青、冀二州刺史。当时梁国的青、冀二州共设一个刺史，州治侨设在今江苏连云港市附近云台山，古称郁州。后来又图谋举州降魏，事泄被杀。事见《魏书》卷二十一上。㉚⑨ 郁洲：当时是今海州东大海中的岛屿，称作郁洲，后来逐渐与大陆相连，在今江苏连云港市海州区东的云台山一带，齐、梁时期是南朝东北部地区边防重镇。㉛⓪ 正月乙亥：正月初二。㉛① 以尚书令沈约为左光禄大夫：光禄大夫是加官名，只是一种虚衔，虽然品级不低，但没有实权，而尚书令则是宰相一级的实权人物。沈约由尚书令变为光禄大夫，表现了萧衍对他的裁抑。㉛② 王莹：刘宋时期的驸马，南齐时期的高官，入梁后又为尚书仆射、丹阳尹，今又为尚书令，其实就是一个绣花枕头。传见《梁书》卷十六。㉛③ 文学：文章才华。㉛④ 贪冒荣利：争名夺利。㉛⑤ 久居端揆：长期居于群臣之首，指做尚书令。端揆，犹言“首辅”。㉛⑥ 有志台司：一心想得个三公的称号。台司，三台、三司，指司徒、司马、司空，当时是最高荣誉的加官。㉛⑦ 上终不用：萧衍对沈约帮着自己篡取帝位所做的种种努力是感谢的，但对沈约在这些活动中所表现出的狠毒又感到讨厌，故有这种表现。㉛⑧ 求外出：请求离开朝廷去做地方官。沈约知道萧衍对他的态度，心存恐惧，故有这种表现。㉛⑨ 徐勉：梁朝尽职尽责的干练之吏，此时任吏部尚书。传见《梁书》卷二十五。㉜⓪ 三司之仪：梁朝的加官名，全称是“开府同三司之仪”，位在“开府仪同三司”之下。㉜① 庚寅：正月十七。㉜② 缘淮塘：秦淮河的第二道大堤。塘，这里是“堤坝”的意思。㉜③ 起石头迄东冶：由石头城修到东冶。石头城在当时建康城的西北侧，即今江苏南京之石头城公园一带，东冶是当时冶炼厂，是奴隶、囚犯集中劳动之处，也是驻兵之所在。㉔起后渚篱门迄三桥：后渚篱门的位置应在石头城的对岸，三桥的方位不详。㉕丙戌：三月十四。㉖皇子诩：元诩，即后来的魏肃宗。传见《魏书》卷九。㉗胡充华：即后来的胡太后。传见《魏书》卷十三。充华，嫔妃的封号名。㉘临泾：县名，在今甘肃泾川县北。㉙国珍：胡太后之父。传见《魏书》卷八十三下。㉚袭武始伯：袭其父之爵为武始县伯。其父胡渊原为北夏赫连氏之臣，因及早投降魏国有功，被封武始伯。㉛掖庭：宫廷。㉜以故事祝之：按照过去的惯例祝福她。故事，惯例。㉝勿生太子：因为魏国的后妃一旦生了太子，其母照例就得被赐死。㉞次第当长：按次序应最年长，将为太子。㉟慎护：小心保护。㊱良家宜子者：家世清白而又善于生养孩子的女人。㊲乳保：即今所谓“奶妈”。㊳己丑：三月十七。㊴讲肄：讲习。肄，研习。㊵乙未：三月二十三。㊶尚书五都令史：尚书省内五曹的都令史，即各曹（亦即后来的各部）的令史之长。㊷皆用寒流：一律选用寒门的人士充任。寒流，寒门，与世家豪门相对而言，不一定是穷人。㊸四月丁巳：四月十六。㊹尚书五都：即上文所说的“尚书五都令史”。㊺职参政要：他们的职务都涉及国家大事。㊻总领众局：总管尚书省的各个部门。局，曹，也就是后来的各部。㊼方轨二丞：与尚书左、右二丞的职责不相上下。方轨，两车前行，比喻地位不相上下。㊽革用士流：改用出身门第高的人士前来担任。士流，世家大族出身的人。㊾秉此群目：执掌这几个部门的工作。秉，掌管、主持。㊿视奉朝请：与奉朝请的级别一样。视，比、和……一样。奉朝请，官名，以安置闲散人员。在某些节日有资格随群臣进朝拜见皇帝。(351)太学博士：太学里的教官。(352)殿中都：殿中曹的都令史。殿中是尚书省内的一个曹（部）。(353)吏部都：吏部曹的都令史，等于是吏部尚书的秘书长。(354)金部都：金部曹的都令史。金部后来属于度支，主管财政收支。(355)左右户都：左右户部曹的都令史。户部管全国的户籍、赋税等。(356)宣毅墨曹参军：宣毅将军属下的墨曹参军。(357)中兵都：中兵曹的都令史。(358)才地兼美：本人的才干与其门第出身都好。(359)首膺其选：第一个当选。膺，受、当。(360)癸丑：六月十三。(361)闰月己丑：闰六月十九。(362)奄至吴兴：突然地攻入吴兴郡。吴兴郡的郡治即今浙江湖州。吴兴郡在宣城郡之东侧。(363)恇扰：惊慌失措。(364)蔡撙：蔡兴宗之子，在齐曾任中书侍郎，入梁后为吴兴太守。传见《梁书》卷二十一。(365)兴宗：蔡兴宗，刘宋时期的著名人物，曾为光禄大夫，开府仪同三司。传见《宋书》卷五十七。(366)新安：梁郡名，郡治在今浙江淳安西北。(367)黟、歙：二县名，黟县的县治在今安徽黟县西，歙县的县治即今安徽歙县。(368)会稽：即今浙江绍兴。(369)瀹：谢瀹，假隐士谢朏之弟，在齐居吏部尚书之职，朝廷发生政变而能在家下棋睡觉而不问。传见《南齐书》卷四十三。(370)中山献武王英：元英生前被封为中山王，献武是其死后的谥。(371)冲之：祖冲之，中国古代的大科学家。宋孝武帝大明六年（公元四六二年）上表请改历法，未能施行。传见《南齐书》卷五十二。(372)考古法为正：验证古历而制定的新历法是正确的。(373)历不可改：祖冲之的历法不容置疑，不可改变。[374]课新旧二历：考核比较新旧两种历法。旧历，指刘宋元嘉以来所采用的何承天的历法。新历，指大明六年祖冲之已经制定而未被采用的历法。[375]新历密二句：祖冲之的新历法比较细致，何承天的旧历法比较粗疏。[376]《大明历》：因此历法于大明六年已经完成，故仍称之《大明历》，而不以付诸实行之年为名。[377]文、武二舞：宣扬皇帝的文治与其征伐武功的两个歌舞。[378]登歌：祭典与朝会开始时所演奏的乐曲。[379]鼓吹曲：用于皇帝出行或举行军事演练时使用的乐曲。[380]参呈：一并呈上。[381]形制合古：样子与规格如果符合古代的规定。[382]击拊会节：演奏起来合乎古代节律。拊，拍、敲。[383]来年元会：明年正月初一的朝会盛典。[384]舞：指新编的文武二舞。[385]余且仍旧：其余如所造乐器与登歌、鼓吹曲等暂时还用旧的。

【原文】

十年（辛卯，公元五一一年）

春，正月辛丑[386]，上祀南郊，大赦。

尚书左仆射张稷[387]，自谓功大赏薄[388]，尝侍宴乐寿殿，酒酣，怨望形于辞色。上曰："卿兄杀郡守[389]，弟杀其君[390]，有何名称[391]！"稷曰："臣乃无名称，至于陛下[392]，不得言无勋。东昏[393]暴虐，义师[394]亦来伐之，岂在臣而已[395]！"上捋其须，曰："张公可畏人[396]！"稷既惧且恨，乃求出外[397]，癸卯[398]，以稷为青、冀二州刺史。

王珍国[399]亦怨望[400]，罢梁、秦二州刺史[401]还，酒后于坐启云[402]："臣近入梁山便哭。"上大惊曰："卿若哭东昏，则已晚；若哭我，我复未死！"珍国起拜谢[403]，竟不答[404]，坐即散，因此疏退，久之，除都官尚书[405]。

丁巳[406]，魏汾州山胡[407]刘龙驹聚众反，侵扰夏州[408]，诏谏议大夫薛和发东秦、汾、华、夏[409]四州之众以讨之。

辛酉[410]，上祀明堂[411]。

三月，琅邪[412]民王万寿杀东莞、琅邪二郡太守刘晰[413]，据朐山[414]，召魏军。

【校记】

［7］广岘：严衍《通鉴补》改作“黄岘”。［8］示：据章钰校，十二行本、乙十一行本皆无此字。［9］周灵秀：原作“霍灵秀”。严衍《通鉴补》改作“周灵秀”，今据改。［10］中国：原无此二字。据章钰校，十二行本、乙十一行本、孔天胤本皆有此二字，今据补。［11］大赦：原无此二字。严衍《通鉴补》云：“‘生’下脱‘大赦’二字。”当是，今据补。［12］曰：原无此字。据章钰校，十二行本、乙十一行本、孔天胤本皆有此字，今据补。［13］等：原无此字。据章钰校，十二行本、乙十一行本、孔天胤本皆有此字，今据补。

【语译】

十年（辛卯，公元五一一年）

春季，正月初四日辛丑，梁武帝萧衍到建康南郊举行祭天典礼，实行大赦。

梁国担任尚书左仆射的张稷，认为自己有杀死东昏侯萧宝卷为梁武帝登基清道的大功，而梁武帝给自己的赏赐太轻，张稷曾经在乐寿殿侍奉梁武帝饮酒，当饮酒饮到最畅快的时候，张稷心里埋藏的怨恨便禁不住流露于言语和脸色上。梁武帝说：“你的哥哥为萧道成杀死了吴郡太守刘遐，而你这个弟弟杀死了他的君主萧宝卷，你们能有什么好名声流传于世！”张稷说：“我是没有什么好名声，但我对于陛下，不能说没有功勋。东昏侯萧宝卷为人暴虐，陛下不是也率领义兵前来讨伐他，难道只是我一个人反对东昏侯吗！”梁武帝用手捋着自己的胡须，说：“张先生真是一个令人望而生畏的人！”张稷此时心里真是又恐惧又愤恨，于是便请求让自己离开朝廷去做地方官，初六日癸卯，梁武帝任命张稷为青、冀二州刺史。

王珍国也对梁武帝心怀怨恨，他卸任梁、秦二州刺史返回朝廷之后，在一次宴会后，他坐在座位上向梁武帝奏报说：“我最近进入梁山就忍不住大哭。”梁武帝不禁大吃一惊，说：“你如果是哭东昏侯萧宝卷，则为时已晚；如果你是哭我，我现在还没死呢！”王珍国站起身来向梁武帝道歉自己的失言，梁武帝竟然没有搭理他，宴会散了之后，梁武帝从此便疏远了王珍国，很久以后，才任命王珍国为都官尚书。

正月二十日丁巳，魏国汾州境内山区的匈奴人刘龙驹聚众造反，侵略骚扰夏州，魏宣武帝元恪下诏令担任谏议大夫的薛和征调东秦州、汾州、华州、夏州四州的兵力去讨伐刘龙驹。

二十四日辛酉，梁武帝到明堂祭祀。

三月，梁国琅邪郡的百姓王万寿杀死了担任东莞、琅邪二郡太守的刘晣，占据朐山，招引魏军。

壬戌[415]，魏广阳懿烈王嘉[416]卒。

魏徐州刺史卢昶[417]遣郯城戍副[418]张天惠、琅邪戍主[419]傅文骥相继赴朐山，青、冀二州刺史张稷遣兵拒之，不胜。夏，四月，文骥等据朐山，诏振远将军马仙琕击之。魏又遣假安南将军萧宝寅[420]、假平东将军天水赵遐[421]将兵据朐山，受卢昶节度。

甲戌[422]，魏薛和破刘龙驹，悉平其党，表置东夏州[423]。

五月丙辰[424]，魏禁天文学[425]。

以国子祭酒张充[426]为尚书左仆射。充，绪[427]之子也。

马仙琕围朐山，张稷权顿六里[428]以督馈运[429]，上数发兵助之。秋，魏卢昶上表请益兵六千，米十万石，魏主以兵四千给之。冬，十一月己亥[430]，魏主诏扬州刺史李崇[431]等治兵寿阳[432]，以分朐山之势。卢昶本儒生，不习军旅。朐山城中粮樵俱竭，傅文骥以城降。十二月庚辰[433]，昶引兵先遁，诸军相继皆溃，会大雪，军士冻死及堕手足者三分之二，仙琕追击，大破之。二百里间，僵尸相属[434]，魏兵免者什一二，收其粮畜器械，不可胜数。昶单骑而走，弃其节传、仪卫[435]俱尽。至郯城，借赵遐节以为军威[436]。魏主命黄门侍郎甄琛驰驲[437]锁昶，穷其败状，及赵遐皆免官。唯萧宝寅全军而归。

卢昶之在朐山也，御史中尉游肇[438]言于魏主曰："朐山蕞尔[439]，僻在海滨，卑湿难居，于我非急，于贼为利。为利，故必致死以[14]争之；非急，故不得已而战。以不得已之众击必死[440]之师，恐稽延岁月[441]，所费甚大。假令得朐山，徒致交争[442]，终难全守，所谓无用之田[443]也。闻贼屡以宿豫求易朐山，若必如此，持此无用之地，复彼旧

二十六日壬戌，魏国的广阳懿烈王元嘉去世。

魏国担任徐州刺史的卢昶派遣郯城驻军的副统领张天惠、琅邪驻军的统领傅文骥相继赶往朐山增援王万寿，梁国担任青、冀二州刺史的张稷派兵抵抗魏军，没有获胜。夏季，四月，傅文骥等人占据了朐山，梁武帝下诏令担任振远将军的马仙琕率军攻打占据朐山的魏国军队。魏国又派遣担任代理安南将军的萧宝寅、担任代理平东将军的天水人赵遐率军据守朐山，令他们接受卢昶的统一指挥调度。

初九日甲戌，魏国担任谏议大夫的薛和打败了聚众造反的匈奴族人刘龙驹，消灭了刘龙驹的全部党羽，上表请求魏宣武帝设置了东夏州。

五月二十一日丙辰，魏宣武帝下令禁止研究天文学。

梁武帝任命担任国子祭酒的张充为尚书左仆射。张充，是张绪的儿子。

梁国的振远将军马仙琕包围了魏军占领的朐山，担任青、冀二州刺史的张稷临时寄住在距离朐山六里的地方帮助马仙琕督运粮草，梁武帝多次派遣军队帮助他们。秋季，魏国担任徐州刺史的卢昶上表给魏宣武帝请求为自己增派六千人，十万石粮食，魏宣武帝只给卢昶增派了四千人。冬季，十一月初七日己亥，魏宣武帝下诏给担任扬州刺史的李崇等人，令其在寿阳调集人马，用以分散包围朐山的梁军的兵力。卢昶本来是一位儒生，根本不熟悉行军打仗之事。朐山城中魏军的粮食柴草全都用光了，琅邪驻军统领傅文骥献出朐山城投降了梁军。十二月十九日庚辰，卢昶首先率军逃跑，各路人马相继崩溃，又恰好遭遇天降大雪，魏军士卒被冻死以及被冻掉手脚的占了全军的三分之二，马仙琕趁势率军追击，把魏军打得大败。二百里之内，地上魏军的尸体一具挨着一具，魏军能够幸存下来的只有十分之一二，马仙琕所缴获的魏军粮食、牲畜、器械，多得无法统计。卢昶单枪匹马逃走，他把朝廷授予他的旌节、符信以及代表身份的仪仗、卫队全部丢失得一干二净。卢昶到达郯城，便借用代理平东将军赵遐的旌节以表现他在军中的地位和权威。魏宣武帝命令担任黄门侍郎的甄琛骑乘驿马急速赶往郯城锁拿卢昶，严格追查卢昶作战失败的情况，连同代理平东将军赵遐全都被免去官职。只有代理安南将军萧宝寅所率领的军队没受任何损失地平安返回。

卢昶在朐山的时候，担任御史中尉的游肇对魏宣武帝说："朐山只是极小的一块地方，又是处在偏僻的海滨，地势低洼潮湿，很难适合居住，对我们来说夺取朐山不是当务之急，对于敌人而言却非常重要有利。朐山对敌人有利，所以敌人一定会拼死争夺朐山；攻取朐山不是我们的当务之急，所以我军只有在迫不得已的情况之下才与敌人作战。用迫不得已而战的军队去对付为守卫朐山不惜拼命相搏的军队，恐怕时间会拖得很长，花费也会很巨大。即使我们占领了朐山，只会白白地引起今后的反复争夺，最终我军也很难将其守住，所以朐山对于我们来说，就像那种毫无用处的石田。我听说敌方曾经多次请求用宿豫来交换朐山，如果真是这样的话，我们用这块无用的地方换回我们原有的宿豫镇，敌我双方的军事争夺就可以立即结束，

有之疆[444]，兵役时解[445]，其利为大。”魏主将从之，会昶败，迁肇侍中。肇，明根[446]之子也。

马仙琕为将，能与士卒同劳逸，所衣不过布帛，所居无帏幕衾屏，饮食与厮养[447]最下者同。其在边境，常单身潜入敌境，伺知[448]壁垒村落险要处，所攻战多捷，士卒亦乐为之用。

魏以甄琛为河南尹，琛表曰：“国家居代[449]，患多盗窃，世祖发愤[450]，广置主司、里宰[451]，皆以下代令、长[452]及五等散男[453]有经略者[454]乃得为之。又多置吏士为其羽翼，崇而重之[455]，始得禁止[456]。今迁都已来，天下转广[457]，四远赴会[458]，事过代都[459]；五方杂沓[460]，寇盗公行。里正职轻任碎，多是下材，人怀苟且[461]，不能督察[462]。请取武官八品将军已下干用贞济[463]者，以本官俸恤领里尉之任[464]，高者领六部尉[465]，中者领经途尉[466]，下者领里正。不尔，请少高里尉之品[467]，选下品中应迁者进而为之。督责有所[468]，辇毂可清[469]。”诏曰：“里正可进至勋品[470]，经途从九品，六部尉正九品。诸职中简取[471]，不必武人。”琛又奏以羽林为游军[472]，于诸坊巷[473]司察[474]盗贼，于是洛城清静，后常踵[475]焉。

是岁，梁之境内有州二十三，郡三百五十，县千二十二。是后州名浸多[476]，废置离合，不可胜记。魏朝亦然。

上敦睦九族[477]，优借朝士[478]，有犯罪者，皆屈法申之[479]。百姓有罪，则案之如法[480]，其缘坐[481]则老幼不免，一人逃亡[15]，举家质作[482]，民既穷窘[483]，奸宄益深[484]。尝因郊祀[485]，有秣陵[486]老人遮车驾[487]言曰：

这样做对我们的好处很大。”魏宣武帝正准备采纳游肇的意见，就遇到了卢昶的失败，宣武帝提升游肇为侍中。游肇，是游明根的儿子。

振远将军马仙琕作为将领，能与士卒同甘共苦，他身上所穿的衣服全都是用布帛制成的，所居住的地方也没有帷帐屏幕，饮食与最下等的那些干杂活的仆役相同。马仙琕在边境，经常一个人偷偷地潜入敌人境内，暗中打探清楚敌军的营垒、村落以及险要的去处，他所指挥的战斗多数都能够获胜，士卒也都乐意为他效力。

魏国朝廷任命黄门侍郎甄琛为河南尹，甄琛上表给宣武帝说：“国家过去建都平城的时候，总是担忧越来越多的盗贼，世祖下决心要消灭盗贼，于是便设置了很多专管清查逮捕盗贼的里长，这些里长都是由官爵低于代县令、县长以及公、侯、伯、子、男五等爵位中的散男爵而且是有才干有谋略的人来担任。又设置了很多官吏作为里长的助手，以提高里长的地位和身份，这才达到了平息盗贼的效果。自从迁都洛阳以来，国家管辖的地盘越来越大，四面八方的人都要到京城来办事，要办的事情比起当年在平城的时候要复杂得多；现在洛阳城里的人五花八门、鱼龙混杂，贼寇和强盗公开行动。里正的职位低微、事务琐碎，担任里正的人多数才能庸劣，他们每个人办起事来都是敷衍了事、得过且过，不能严格地尽职尽责。请求陛下任用武官当中八品将军以下级别的有才干而又公正廉洁的人，让他们仍然享受原来较高的薪俸和恤亲之禄来兼任这种名位较低的里尉之职，令其中级别较高的武官充当洛阳城六个区域的治安长官六部尉，令其中中等级别的武官充任洛阳城里各大主干道的长官经途尉，立其中级别最低的武官充当里正。不然的话，也请稍微提高一些城市基层治安人员的行政级别，可以从级别低下而又应该得到升迁的人员中挑选一些人来担任，基层的治安一旦有了专人负责，京城的治安状况就会好了。”魏宣武帝下诏说：“里正的级别可以提高到勋品的最低一级，经途尉的级别可以定为从九品，六部尉的级别可以定为正九品。在各种职务中都可以选任这些治安人员，不一定非要从武官中选任。”甄琛又上奏给宣武帝请求令羽林军作为流动部队，在京城住宅区的里巷之间巡逻视察抓捕打击盗贼，于是洛阳城内的社会治安良好，后世经常沿用这种办法。

这一年，梁国境内有二十三个州，三百五十个郡，一千零二十二个县。此后州的名称越来越多，有的州被废置、有的州被分开、有的州被合并，这种情况多得数也数不清。魏国也是这种情况。

梁武帝对本家族的人亲厚和睦，宽待满朝的文武官员和士大夫，上述这些人如果犯了罪，梁武帝全都放宽法度为他们开脱罪责。平民百姓要是犯了罪，则严格按照法律条文进行追究惩办，那些因亲属关系而受到牵连的人即使是老年人和孩童都不能幸免，如果有一个人逃亡，全家人都要充当人质，被罚去作劳役，百姓既然被逼得走投无路，犯法作乱的现象也就越来越厉害。曾经有一位秣陵县的老人趁着梁

“陛下为法，急[488]于庶民，缓于权贵，非长久之道。诚能反是[489]，天下幸甚。”上于是思有以宽之。

十一年（壬辰，公元五一二年）

春，正月壬辰[490]，诏：“自今逋谪之家[491]及罪应质作[492]，若年有老小，可停将送[493]。”

以临川王宏为太尉，骠骑将军王茂为司空、尚书令。

丙辰[494]，魏以车骑大将军、尚书令高肇为司徒，清河王怿[495]为司空，广平王怀[496]进号骠骑大将军，加仪同三司。肇虽登三司，犹自以去要任[497]，怏怏[498]形于言色，见者嗤之。尚书右丞高绰[499]、国子博士封轨[500]，素以方直自业[501]，及肇为司徒，绰送迎往来[502]，轨竟不诣肇[503]。绰顾不见轨，乃遽归，叹曰：“吾平生自谓不失规矩，今日举措，不如封生远矣。”绰，允[504]之孙。轨，懿[505]之族孙也。

清河王怿有才学、闻望[506]，惩彭城之祸[507]，因侍宴谓肇曰：“天子兄弟讵有几人[508]，而翦之几尽[509]！昔王莽[510]头秃，藉渭阳之资[511]，遂篡汉室。今君身曲，亦恐终成乱阶[512]。”会大旱，肇擅录囚徒[513]，欲以收众心。怿言于魏主曰：“昔季氏旅于泰山[514]，孔子疾之。诚以君臣之分，宜防微杜渐，不可渎[515]也。减膳录囚[516]，乃陛下之事，今司徒行之，岂人臣之义[517]乎？明君失之于上，奸臣窃之于下，祸乱之基[518]，于此在矣。”帝笑而不应。

夏，四月，魏诏尚书与群司[519]鞫理[520]狱讼，令饥民就谷[521]燕、恒二州[522]及六镇[523]。

乙酉[524]，魏大赦，改元延昌[525]。

冬，十月乙亥[526]，魏立皇子诩为太子，始不杀其母[527]。以尚书右仆

武帝到建康南郊祭天到北郊祭地的机会，拦住梁武帝的车驾，这位老人对萧衍说：“陛下执法，对平民百姓严厉苛刻，而对那些有权有势的人则放宽法度，这不是使国家政权能够维持长久的办法。如果陛下能够反过来执法，变成急于权贵，缓于庶民，天下的人都会感到非常高兴。”梁武帝于是考虑放宽对百姓的执法力度。

十一年（壬辰，公元五一二年）

春季，正月初一日壬辰，梁武帝下诏说：“从今以后家中有犯罪逃亡和被判为流放的人家，以及因为受牵连被逮捕充当人质与罚做苦役的人，如果是老人或是小孩儿，可以停止遣送。”

梁武帝任命临川王萧宏为太尉，任命担任骠骑将军的王茂为司空、尚书令。

正月二十五日丙辰，魏国朝廷任命担任车骑大将军、尚书令的高肇为司徒，任命清河王元怿为司空，广平王元怀进号为骠骑大将军，加授开府仪同三司。担任了司徒的高肇虽然已经登上了三司的高位，却因为离开了尚书令这样权重的职位而心怀不满，其不满的情绪经常在脸色和话语中表现出来，看见高肇这种样子的人都嗤之以鼻。担任尚书右丞的高绰、担任国子博士的封轨，一向以端方正直自勉，等到高肇担任了司徒的时候，高绰对高肇迎来送往、殷勤备至，而封轨竟不与高肇相接触。高绰四顾不见封轨的影子，于是赶紧返回，他喟然长叹了一声说：“我平生自认为不失规矩，而今天的行为举止，和封轨比起来真是差得太远了。”高绰，是高允的孙子。封轨，是封懿的族孙。

魏国的清河王元怿有才学、名望，他有感于彭城王元勰被高肇所害的悲惨事实，于是就借着侍奉魏宣武帝饮宴的机会对高肇说：“天子的兄弟一共能有几个人，一个一个都快被杀光了！过去西汉末年的外戚王莽是一个秃子，借助他是孝平皇帝刘衎舅舅的身份，竟然篡夺了汉室江山。如今先生是个驼背的人，日后恐怕你也要走上篡位的道路。”碰巧遇到大旱，高肇擅自复查囚徒罪犯，为含冤者平反，想借此收买民心。元怿于是对魏宣武帝说：“过去春秋时期鲁国的权臣季孙氏祭祀泰山，孔子因为季孙氏的行为超越了自己的本分而憎恨季孙氏。因为君臣之间确实应该有严格的区别，要防微杜渐，不可混淆，不能破坏。当国家发生重大灾害的时候，降低自己的伙食标准、复查囚犯、为含冤者平反等，这些都应该是陛下所做的事情，如今司徒高肇却擅自做了这些事情，这难道是人臣应该做的吗？明君在上面有所失误，奸臣就会在下面窃权，大祸的开始，就在这里面了。”宣武帝只是笑笑而没有说什么。

夏季，四月，魏宣武帝下诏令尚书省与其他各有关部门负责审理诉讼、平反冤假错案，让饥民到燕州、恒州以及御夷镇、怀荒镇、柔玄镇、抚冥镇、武川镇、怀朔镇等粮食丰收的地方去找饭吃。

二十五日乙酉，魏国实行大赦，改年号为延昌元年。

冬季，十月十八日乙亥，魏宣武帝立元诩为皇太子，开始废除实行了将近一百年的立某个皇子为太子，一定要将太子生母杀死的残酷制度。宣武帝任命担任尚书

射郭祚领[528]太子少师。祚尝从魏主幸东宫，怀黄𤬪[529]以奉太子；时应诏左右[530]赵桃弓深为帝所信任，祚私事[531]之，时人谓之“桃弓仆射”“黄𤬪少师”。

十一月乙未[532]，以吴郡太守袁昂兼尚书右仆射。

初，齐太子步兵校尉[533]平昌伏曼容[534]表求制一代礼乐[535]，世祖[536]诏选学士十人修五礼[537]，丹杨尹王俭[538]总之。俭卒，以事付国子祭酒何胤[539]。胤还东山[540]，齐明帝敕尚书令徐孝嗣[541]掌之。孝嗣诛，率多散逸[542]，诏骠骑将军何佟之掌之。经齐末兵火，仅有在者[543]。帝即位[544]，佟之启审省置之宜[545]，敕使外详[546]。时尚书以为庶务权舆[547]，宜俟隆平[548]，欲且省礼局[549]，并还尚书仪曹[550]。诏曰：“礼坏乐缺，实宜以时修定[551]。但顷之[552]修撰不得其人，所以历年不就，有名无实。此既经国所先[553]，可即撰次[554]。”于是尚书仆射沈约等奏“请五礼各置旧学士[555]一人，令自举学古一人相助抄撰。其中疑者[556]，依石渠、白虎故事[557]，请制旨断决[558]。”乃以右军记室参军[559][16]明山宾等分掌五礼，佟之总其事。佟之卒，以镇北谘议参军伏暅代之。暅，曼容之子也。至是，五礼成，列上之[560]，合八千一十九条，诏有司遵行。

己酉[561]，临川王宏以公事左迁[562]骠骑大将军。

是岁，魏以桓叔兴为南荆州刺史，治安昌[563]，隶东荆州[564]。

右仆射的郭祚兼任太子少师。郭祚曾经跟随魏宣武帝前往东宫巡视，私下里揣着黄𪏰献给太子品尝；当时在宣武帝身边听候招呼的侍者赵桃弓非常受宣武帝的信任，郭祚便私下里向赵桃弓讨好，为赵桃弓做事，当时的人于是管郭祚叫作“桃弓仆射”“黄𪏰少师”。

十一月初九日乙未，梁武帝任命担任吴郡太守的袁昂兼任尚书右仆射。

当初，齐国担任太子步兵校尉的平昌郡人伏曼容上表请求令自己牵头来制定一套齐国的礼乐，齐世祖萧赜于是下诏从儒家学者中选择十个人修订吉、凶、军、宾、嘉五种礼仪制度，由担任丹杨尹的王俭充当总负责人。王俭去世之后，就把这件事情交付给了担任国子祭酒的何胤。何胤回到会稽的若邪山隐居之后，齐明帝萧鸾下诏令担任尚书令的徐孝嗣掌管这件事情。徐孝嗣被东昏侯萧宝卷杀死之后，负责制定齐国礼乐的那些人员散逸，所整理的各种资料大多也都散失了，东昏侯萧宝卷下诏令担任骠骑将军的何佟之负责继续此事。后来经过齐国末年的战乱之后，幸存下来的只有一点点。梁武帝即位之后，何佟之向梁武帝请示这个负责制定礼乐的机构是取消还是继续保留，梁武帝批示把这件事情交给朝廷的大臣进行认真讨论后再做决定。当时的尚书省认为各种新制度正在始创与兴办阶段，应该等到国家更加太平昌盛的时候再办，主张把这个研究礼乐问题的机构暂时撤销，把这个机构的现有人员与事务合并到尚书省的仪曹中去。梁武帝下诏说：“礼仪被破坏，雅乐残缺不全，确实应该及时修订。但是过去修订礼乐时因为用人不当，所以历年修订都没有结果，这个机构也就成了徒有其名的摆设。这件事情既然是治理国家应该首先要抓的，现在就应该立即着手进行。”担任尚书仆射的沈约等人于是上书给梁武帝：“请求在吉、凶、军、宾、嘉五种礼仪制度中分别设置一名南齐时已经参加该项工作的学士，让他们各自举荐一位学习古代礼仪的人帮助他们抄录撰写，在撰写的过程中如果遇到疑难问题，就依照汉宣帝组织儒生在石渠阁讨论经书、汉章帝组织儒生在白虎观讨论五经同异的做法，最后请皇帝下诏做出定论。”于是任命担任右军记室参军的明山宾等人分别负责五种礼仪的修订工作，何佟之为总负责人。何佟之去世之后，就令担任镇北谘议参军的伏暅接替何佟之。伏暅，是伏曼容的儿子。到现在，五礼总算修订、编纂成功，然后抄写清楚、排列整齐地进呈给梁武帝过目，总计有八千零一十九条，梁武帝下诏给有关部门遵照实行。

十一月二十三日己酉，梁国的临川王萧宏因为处理公事的重大失误而被降职，由原来的司徒降为骠骑大将军。

这一年，魏国朝廷任命桓叔兴为南荆州刺史，治所设在安昌县，隶属于东荆州管辖。

【段旨】

以上为第三段，写梁武帝天监十年（公元五一一年）、十一年共两年间的大事。主要写了魏国汾州的山胡为乱，侵扰其西侧的夏州，魏派薛和统军平息之，在其地设立了东夏州。写了梁国的琅邪人杀琅邪、东莞二州刺史，招引魏兵，魏之徐州刺史卢昶派兵接应，入据朐山；梁派马仙琕率军讨之；魏主又派萧宝寅、赵遐等前往支援，结果由于卢昶不习武事，被梁将马仙琕击败，魏军惨败，死者什一二，伏尸二百里。写了梁武帝萧衍对亲族、对朝士皆礼敬有加，有犯罪者多屈法以申之，而对百姓则异常严厉，当连坐者老幼不免，一人逃亡，全家罚作劳改，因而导致社会动荡不安。此外还写了魏主取消了立太子而杀其母的残酷制度。写了魏清河王元怿论高肇之奸，魏主不予理睬；以及梁武帝即位后组织人继续从事早从南齐就已经开始的制定五礼，至此终于编成，遂命有司遵行之等。

【注释】

㊳⑥正月辛丑：正月初四。㊳⑦张稷：刘宋官僚张永之子，原在南齐任卫尉，萧衍兵围宫城时，张稷派人杀了齐主萧宝卷，率领合朝文武投降萧衍，入梁后为左仆射。传见《梁书》卷十六。㊳⑧自谓功大赏薄：张稷有杀死萧宝卷为萧衍清道的大功，但萧衍也正因此认为张稷为人善变而薄情寡义，对之存有戒心。㊳⑨卿兄杀郡守：张稷之兄张瓌，在刘宋末期为散骑常侍。时萧道成掌权，宗室大臣刘秉欲谋杀萧道成，与其弟时任吴郡太守的刘遐相互声援，张瓌时在吴郡，遂组织同党为萧道成袭杀了吴郡太守刘遐。事见本书卷一百三十四。㊴⓪弟杀其君：指张稷杀了齐末的皇帝萧宝卷。㊴①有何名称：能有什么好名声流传于世。㊴②至于陛下：至于对陛下您来说。㊴③东昏：指齐末皇帝萧宝卷，因其被杀后，被贬为东昏侯。㊴④义师：敬称萧衍的军队。这里其实如同说“您”。㊴⑤岂在臣而已：难道就是我一个人反对东昏侯吗。㊴⑥张公可畏人：你张先生是个令人望而生畏的人。这倒是说出了萧衍的心里话。㊴⑦求出外：离开朝廷去任地方官。㊴⑧癸卯：正月初六。㊴⑨王珍国：原是南齐的将军，萧衍军队围建康后，王珍国与张稷联合杀死萧宝卷，率群臣投降萧衍。传见《梁书》卷十七。㊵⓪亦怨望：也对萧衍愤愤不平。望，也是恨的意思。胡三省曰：“王珍国与张稷同杀东昏侯，其怨望之心与稷同。”㊵①梁、秦二州刺史：当时南朝的梁、秦二州共设一个刺史，州治即今陕西汉中。㊵②启云：向萧衍启奏说。㊵③拜谢：道歉自己失言。㊵④竟不答：萧衍什么话都没有说。㊵⑤除都官尚书：被任为都官尚书。除，选任。都官尚书，尚书省内分管都城事务的长官。㊵⑥丁巳：正月二十。㊵⑦汾州山胡：汾州境内山区的匈奴族人。魏国汾州的州治在今山西隰县。㊵⑧夏州：魏州名，州治统万，在今陕西榆林市横山区西。夏州在汾州的西侧，隔黄河相对。㊵⑨东秦、汾、华、夏：魏国的四州名，东秦州的州治曰中部，在今陕西黄陵南。中部是郡名。华州的州治即今陕

西蒲城。⑩ 辛酉：正月二十四。⑪ 明堂：儒家所倡导的一种礼仪性质的建筑，供皇帝祭天、讲礼、尊贤与发布政令诸事之用。⑫ 琅邪：梁国的侨置郡名，当时的东莞与琅邪合设一个侨置郡，郡治朐山城，在今江苏连云港市海州区的西部。⑬ 刘晰：据《梁书·马仙琕传》，应作"刘晰"。⑭ 朐山：当时的朐山不仅是梁国东莞、琅邪二郡的郡治，而且这里还是青、冀二州的州治所在地，州治在朐山城的东侧，其东又有郁州，当时在海岛上，三城相距甚近，都有现今的江苏连云港市海州区范围。⑮ 壬戌：三月二十六。⑯ 广阳懿烈王嘉：元嘉，元建之子，生前被封为广阳王，懿烈是死后的谥。传见《魏书》卷十八。⑰ 卢昶：魏国儒臣卢渊之孙，卢度世之子，此时任徐州刺史。传见《魏书》卷四十七。⑱ 郯城戍副：郯城驻军的副统领。当时的郯城是魏国东南方的重要军事据点，在今山东郯城县城的西北侧，东据梁国占据的朐山不到一百公里。⑲ 琅邪戍主：琅邪驻军的统领。当时魏国的琅邪郡郡治即丘，在今山东临沂西，在郯城的北方，东南距朐山一百多公里。⑳ 假安南将军萧宝寅：萧宝寅是齐明帝萧鸾之子，南齐的末帝萧宝卷之弟，萧衍灭齐称帝后，屠杀萧鸾诸子，萧宝寅逃归魏国，经常率魏军攻梁，此时任假安南将军。"假"的意思是"代理"。㉑ 赵遐：赤城镇将赵逸的后代，孝文、宣武时期的著名将领，此时任荥阳太守。传见《魏书》卷五十二。㉒ 甲戌：四月初九。㉓ 表置东夏州：上表请求设立了东夏州，东夏州的州治在今陕西延安的东北侧。㉔ 五月丙辰：五月二十一。㉕ 魏禁天文学：〖按〗因魏主迷信佛教，天文学所讲与佛教迷信不合故也。㉖ 国子祭酒张充：国子祭酒即太学的管理官员，犹如今之大学校长。张充为学多所该览，尤好老庄，在梁先为吏部尚书，后为国子祭酒。传见《梁书》卷二十一。㉗ 绪：张绪，齐人，以才学知名，曾为特进，金紫光禄大夫。传见《南齐书》卷三十三。㉘ 权顿六里：临时寄住在六里。六里是地名，以其距朐山六里故也。张稷原是青、冀二州刺史，也驻兵于朐山，因被魏军打败，狼狈失据，故寄住于六里。㉙ 以督馈运：帮着马仙琕督运粮草。㉚ 十一月己亥：十一月初七。㉛ 李崇：魏国的名臣、名将，著功于孝文、宣武二代，此时任扬州刺史。传见《魏书》卷六十六。㉜ 治兵寿阳：在寿阳调集兵马，做出向南进攻的姿态。寿阳在当时是魏国扬州的州治所在地。㉝ 十二月庚辰：十二月十九。㉞ 僵尸相属：魏兵的尸体在地上一个挨一个。僵尸，犹言伏尸。僵字是动词。相属，相连。㉟ 节传、仪卫：朝廷授予的旌节、符传，以及表现其身份的仪仗队、卫队。节，指旌节，以竹为之，以旄牛尾为之饰。传，证明身份的信物，以竹、木、金、玉或丝织品制成。㊱ 以为军威：以表现他在军中的地位权威。㊲ 驰驲：乘驿马急行。驲，驿马。㊳ 游肇：魏国的儒学之臣，曾为廷尉卿、御史中尉。传见《魏书》卷五十五。㊴ 蕞尔：形容其极小的样子。㊵ 必死：为守卫其地而不惜拼命相搏，根本就没想能再活到事后。㊶ 稽延岁月：时间拖得很长。㊷ 徒致交争：白白地引起今后的反复争夺。㊸ 无用之田：又称"石田"。语见《左传》哀公十一年："吴将伐齐，子胥谏曰：'得志于齐，犹获石田也，无所用之。'"㊹ 复彼旧有之疆：收回我们原有的宿豫镇。宿豫原被魏国长期占有，于天监七年（公元五〇八年）宿豫的守军兵变杀其将严仲宾南降于梁，现为梁国所有。㊺兵役时解：双方的军事争夺可以立时结束。㊻明根：游明根，孝文帝时代的儒学之臣，官至大鸿胪卿。传见《魏书》卷五十五。㊼厮养：干杂活的仆役，诸如喂马、烧火等。㊽伺知：暗中打探清楚。㊾国家居代：魏国过去建都平城的时候。㊿发愤：下决心。(451)主司、里宰：专管清查逮捕盗贼的里长。《宋书·百官志》："十什为里。"十户为一什。(452)下代令、长：官爵低于代县令、县长的人。(453)五等散男：公、侯、伯、子、男五等爵位中的散男爵。所谓"散"是与开国受封者相对而言，如经由世袭或其他途径而来。这种爵位比开国而来者低一级。(454)有经略者：有干材、有谋略的人。(455)崇而重之：提高他们的名位与身份。(456)始得禁止：这才达到了平息盗贼的效果。(457)天下转广：国家管辖的地盘越来越大。(458)四远赴会：四面八方的人员都要到京城来办事。(459)事过代都：要办的事情比起当年在平城的时候要复杂得多了。(460)五方杂沓：现在洛阳城里的人，五花八门，鱼龙混杂。(461)人怀苟且：每个人都是浮浮衍衍，得过且过。苟且，凑合。(462)不能督察：不能严格地尽职尽责。(463)干用贞济：有才干而又公正廉洁。(464)以本官俸恤领里尉之任：仍享受原来的较高待遇而来兼任这名位较低的里尉之职。俸恤，胡三省曰："魏官既给俸，又给恤亲之禄，故谓之'俸恤'。"里尉，管理城市街道治安的武官。(465)领六部尉：充当洛阳城六个区域的治安长官。胡三省曰："魏分洛阳城中为六部，置六部尉。"(466)经途尉：洛阳城里各大主干道的治安长官。经途，一个城市的主干道。(467)少高里尉之品：稍稍提高一些城市基层治安人员的行政级别。(468)督责有所：基层的治安一旦有了专人负责。(469)辇毂可清：京城的治安状况就会好了。辇毂，原指皇帝的车驾，后来即用以代指京城。(470)可进至勋品：可以达到勋品的最低一级。勋品，即旧时朝廷命官的品级，通常即九品。九品以下的小吏，就不算是官员了。(471)诸职中简取：对于这些治安人员的选任。简，选。(472)为游军：放流动哨，四出巡行视察。(473)坊巷：城市住宅区的里巷之间。坊，城市住宅区的分部名。(474)司察：巡逻检查。司，同"伺"。(475)后常踵：后世经常沿用这些做法。踵，跟从、仿效。(476)浸多：越来越多。(477)敦睦九族：对本家族的人亲厚和睦。九族，泛指本家族。(478)优借朝士：宽待满朝的群臣士大夫。优借，敬重、优待。主要指态度而言。(479)屈法申之：放宽法度为他们开脱。申，同"伸"，舒展，这里是"开脱"的意思。(480)案之如法：按照法律条文进行追究。案，处置。(481)缘坐："连坐"，因有亲属关系而受牵连。(482)举家质作：全家充当人质，被罚劳役。作，劳役。(483)穷窘：被逼得走投无路。(484)奸宄益深：犯法作乱的人越来越厉害。奸宄，旧说谓"在外曰奸，在内曰宄"，通常泛指作乱的人。(485)郊祀：皇帝到南郊祭天，到北郊祭地。(486)秣陵：当时建康城郊的县名，属丹阳郡，在今江苏南京城区的秦淮河以南。(487)遮车驾：拦着皇帝的车子。(488)急：严厉；苛刻。(489)反是：反过来，变为"急于权贵，缓于庶民"。(490)正月壬辰：正月初一。(491)逋谪之家：家有犯罪逃亡和被判为流放的人家。(492)罪应质作：受牵连应逮捕为质与应被罚苦役的人。(493)可停将送：可不再遣送。将，也是"送"的意思。(494)丙辰：正月二十五。㊾⑤清河王怿：元怿，孝文帝之子，宣武帝之弟。传见《魏书》卷二十二。㊾⑥广平王怀：元怀，孝文帝之子，宣武帝之弟。传见《魏书》卷二十二。㊾⑦去要任：离开了重要的职任，指尚书令。㊾⑧怏怏：失落、不满意的样子。㊾⑨高绰：魏国的儒学名臣高允之孙，此时任尚书右丞。传见《魏书》卷四十八。⑤⓪⓪封轨：魏国儒学名臣封懿的族孙，此时任国子博士。传见《魏书》卷三十二。⑤⓪①以方直自业：以端方正直的原则要求自己。⑤⓪②送迎往来：殷勤相待的样子。⑤⓪③不诣肇：不与高肇相接触。⑤⓪④允：高允，魏国正直、博学的名臣，历仕于太武帝拓跋焘与其以下四朝，封咸阳公。传见《魏书》卷四十八。⑤⓪⑤懿：封懿，先仕于后燕，后归降于魏，是魏国有名的儒学之臣。传见《魏书》卷三十二。⑤⓪⑥闻望：名望；声望。⑤⓪⑦惩彭城之祸：有感于彭城王元勰被高肇所害的悲惨事实。惩，接受……的教训、有感于……的事实。⑤⓪⑧讵有几人：一共能有几个。讵，表示反问的语气。⑤⓪⑨翦之几尽：都快一个个地杀光了。宣武帝的长兄元恂前于孝文帝时被杀，宣武帝之弟元愉不久前又被高肇所害。⑤①⓪王莽：西汉末年的外戚，先垄断朝政，最后废掉孝平帝，自己篡得帝位，改称新朝。传见《汉书·王莽传》。⑤①①藉渭阳之资：凭借他是孝平皇帝的舅舅。渭阳，隐称甥舅关系，因《诗经·渭阳》写了秦康公给其舅父晋文公送别的情景，故后人遂多以“渭阳”以比甥舅。而如今的高肇又是宣武帝元恪的舅舅。⑤①②终成乱阶：日后恐怕也要走上篡位的道路。乱阶，作乱的基础、作乱的阶梯。⑤①③擅录囚徒：擅自复查罪犯，为含冤者平反。录囚徒，也写作“虑囚徒”，是皇帝在某种情况下要做的事。⑤①④季氏旅于泰山：事见《论语》。季氏，又称季孙氏，是春秋时代鲁国的权臣，世代掌管鲁国政权。旅于泰山，就是祭祀泰山。祭祀泰山是鲁国诸侯应做的事情，而季氏去做，这就是“僭越”，是有不臣之心。⑤①⑤不可渎：不能混淆；不能破坏。⑤①⑥减膳录囚：当一个国家发生重大灾难性事件，该国的君主为了向上帝表示请罪，因而就做出一些特殊的规定，如“减膳”，即降低自己的伙食标准；如“录囚”，即复查囚犯，为含冤者平反等。⑤①⑦人臣之义：做臣子的所应为。义，宜也。⑤①⑧祸乱之基：大祸的开始。基，始、开头。⑤①⑨尚书与群司：尚书省与其他各有关部门。⑤②⓪鞫理：意同审理。鞫，盘问。⑤②①就谷：到……地方找饭吃。⑤②②燕、恒二州：魏国的二州名，燕州的州治即今河北涿鹿，恒州的州治平城，在今山西大同的东北。⑤②③六镇：魏国北部沿边的六个军事驻防区，即御夷镇（在今河北赤城北），怀荒镇（即今河北张北县），柔玄镇（在今内蒙古兴和西北），抚冥镇（在今内蒙古四子王东南），武川镇（在今内蒙古武川县西），怀朔镇（在今内蒙古固阳西南侧）。⑤②④乙酉：四月二十五。⑤②⑤延昌：魏宣武帝元恪的第四个年号（公元五一二至五一五年）。⑤②⑥十月乙亥：十月十八。⑤②⑦始不杀其母：魏国自拓跋珪开始，凡立某个儿子为太子，必将其生母杀死，将这个婴儿交由另一个女人抚养长大。此丧尽天良的制度历经百余年，至此宣告废除。拓跋珪立拓跋嗣为太子，杀其母刘贵人事，见《魏书》卷三。⑤②⑧领：兼任。以位高兼低职曰“领”，或曰“摄”。⑤②⑨黄瓠：一种黄色的甜瓜。⑤③⓪应诏左右：在皇帝身边听候呼唤的侍者。⑤③①私事：私下向其讨好，为之做事。532 十一月乙未：十一月初九。533 太子步兵校尉：官名，掌管太子宫门的卫兵。534 平昌伏曼容：平昌郡人姓伏名曼容。535 表求制一代礼乐：上表请求让他主导来制定一套齐朝的礼乐。536 世祖：指齐武帝萧赜，公元四八三至四九三年在位。537 五礼：指吉、凶、军、宾、嘉五种礼仪制度。吉者指朝廷之礼与祭祀天地宗庙等，凶者指丧葬之礼，军者指兵阵之礼与行军之礼等，宾者指接待国内、国外的宾客之礼，嘉者指冠礼、婚礼等。538 王俭：世代为刘宋的显贵，其母是宋室的公主，后来王俭却积极地帮着萧道成篡取刘氏的政权，入齐后官居尚书令、丹杨尹等要职。传见《齐书》卷二十三。539 何胤：刘宋时期的大官僚何尚之的孙子，在齐曾任中书令，齐明帝萧鸾篡位后，何胤归隐于会稽山。传见《南齐书》卷五十四。540 东山：东方之山，即指会稽若邪山。541 徐孝嗣：齐武帝萧赜时期的权臣，齐武帝死后，受遗命辅佐幼主萧昭业，结果徐孝嗣却帮着萧鸾篡取了萧昭业的政权。最后又被萧鸾的儿子萧宝卷所杀。传见《南齐书》卷四十四。542 散逸：指人员散逸，也指整理的资料散失。543 仅有在者：意即幸存者只有一点点。544 帝即位：萧衍篡取帝位后。545 启审省置之宜：启禀皇帝重新审查他们这个机构，看是该取消，还是该保留。省，取消。置，保留。546 使外详：交给大臣们认真讨论。547 庶务权舆：各种新制度的创始与兴办。权舆，开头、初办。《诗经·秦风》中有《权舆》一篇，其中有所谓"不承权舆"之语，意思是不如开始的时候。548 宜俟隆平：应该等社会更加繁荣昌盛的时候再办。549 且省礼局：暂且把这个研究礼乐问题的机构撤销。550 并还尚书仪曹：把他们现有的这个制礼局的人员与事务，都并到尚书省的仪曹中去。551 以时修定：立刻

【原文】

十二年（癸巳，公元五一三年）

春，正月辛卯565，上祀南郊，大赦。

二月辛酉566，以兼尚书右仆射袁昂567为右[17]仆射。

己卯568，魏高阳王雍569进位太保。

郁洲迫近魏境，其民多私与魏人交市570；朐山之乱571，或阴与魏通，朐山平，心不自安。青、冀二州刺史张稷不得志，政令宽弛，僚吏颇多侵渔572。庚辰573，郁洲民徐道角等夜袭州城，杀稷，送其首降魏，魏遣前南兖州刺史樊鲁574将兵赴之。于是575魏饥，民饿死者数万。侍中游肇谏，以为"朐山滨海，卑湿难居，郁洲又在海中，得之尤为无用。

修订。以时，应时、及时。㊾② 顷之：原有的；过去的。553 经国所先：治理国家应该首先要抓的。554 可即撰次：可以马上就开始编定。555 旧学士：指南齐时已经参加该项工作的学士。556 其中疑者：过程中遇到疑难问题。557 依石渠、白虎故事：可以像过去的石渠阁、白虎观那样组织讨论。石渠阁是西汉宫中藏书的地方。汉宣帝甘露三年（公元前五一年）曾组织儒生在这里讨论经书。白虎观是东汉时期的殿阁名。建初四年（公元七九年）汉章帝曾组织儒生在这里讨论五经同异，最后形成了一部《白虎通德论》。558 请制旨断决：遇争论不休的问题，最后由皇帝做出定论。制旨，皇帝的诏命。559 右军记室参军：右军将军的记室参军。右军将军是皇帝禁军的统领者之一，记室参军是将军部下的僚属。560 列上之：抄写清楚、排列整齐地进呈给皇帝。561 己酉：十一月二十三。562 以公事左迁：由于处理公事的重大失误被降职。左迁，降职，由司徒降为骠骑大将军。563 安昌：魏县名，县治在今河南确山县南。564 隶东荆州：属东荆州管辖。魏国的东荆州州治，即今河南泌阳。

【校记】

［14］以：据章钰校，十二行本、乙十一行本皆作“而”。［15］逃亡：据章钰校，十二行本、乙十一行本二字皆互乙。［16］参军：原无此二字。据章钰校，十二行本、乙十一行本皆有此二字，今据补。

【语译】

十二年（癸巳，公元五一三年）

春季，正月初六日辛卯，梁武帝萧衍到建康城的南郊举行祭天典礼，实行大赦。

二月初六日辛酉，梁武帝任命兼任尚书右仆射的袁昂为尚书右仆射。

二十四日己卯，魏国的高阳王元雍进位为太保。

梁国管辖之下的郁洲迫近于魏国边境，郁洲的很多百姓都私下里与魏国人做买卖，梁、魏双方互相争夺朐山的时候，郁洲就有人暗中与魏军相勾结；朐山争夺战平息之后，这些人心里感到很不安。担任青、冀二州刺史的张稷由于政治上感到不得志，因而就没有严格执行国家的各项规章制度，他属下的那些僚佐、官吏便趁机侵夺霸占他人的财物。二月二十五日庚辰，郁洲的百姓徐道角等人在夜间袭击州城，杀死了刺史张稷，并把张稷的人头送往魏国向魏国投降，魏国朝廷派遣曾经担任南兖州刺史的樊鲁率领军队火速前往接管郁洲。当时魏国正在闹饥荒，百姓被饿死的有数万人。担任侍中的游肇进行劝阻，游肇认为：“朐山靠近海边，地势低洼潮湿，难以居住，郁洲又在海中，得到郁洲对我们更是一点用处也没有。郁洲对于梁朝来

其地于贼要近[576]，去此闲远[577]，以间远之兵攻要近之众，不可敌也。方今年饥民困，唯宜安静，而复劳以军旅，费以馈运，臣见其损，未见其益。”魏主不从，复遣平西将军奚康生[578]将兵逆[579]之。未发，北兖州刺史康绚[580]遣司马霍奉伯讨平之。

辛巳[581]，新作[582]太极殿。

上尝与侍中、太子少傅建昌侯沈约各疏栗事[583]，约少上三事[584]，出，谓人曰："此公护前[585]，不则羞死！"上闻之怒，欲治其罪，徐勉固谏而止。上有憾于张稷[586]，从容[587]与约语及之，约曰："左仆射[588]出作边州[589]，已往之事，何足复论！"上以为[18]约与稷昏家相为[590]，怒曰："卿言如此，是忠臣邪！"乃辇归内殿。约惧，不觉上起，犹坐如初。及还，未至床而凭空[591]，顿于户下[592]，因病。梦齐和帝[593]以剑断其舌[594]，乃呼道士奏赤章于天[595]，称"禅代之事，不由己出[596]。"上遣主书[597]黄穆之视疾，夕还，增损不即启闻[598]，惧罪，乃白赤章事。上大怒，中使谴责者数四[599]。约益惧，闰月乙丑[600]，卒。有司谥曰"文"，上曰："情怀不尽[601]曰隐。"改谥隐侯。

夏，五月，寿阳久雨，大水入城，庐舍皆没。魏扬州刺史李崇勒兵泊[602]于城上，水增未已，乃乘船附于女墙[603]，城不没者二板[604]。将佐劝崇弃寿阳保北山[605]，崇曰："吾忝守藩岳[606]，德薄致灾，淮南万里，系于吾身。一旦动足，百姓瓦解，扬州之地，恐非国物，吾岂爱一身，

说，不仅地理位置很重要，又离着他们的都城建康比较近，而距离我们的都城洛阳就相隔遥远了，我们用距离遥远的士兵去进攻敌人地理位置既重要又距离都城较近的军队，是不可能取胜的。如今我国年景不好，百姓饥饿、贫困，只求国内能够稳稳当当、平平静静，反而倒要劳烦士兵去行军打仗，增加运送粮草的花费，我只看到国家的利益会因此受到损失，而看不到有任何的好处。”魏宣武帝元恪没有听从游肇的劝告，他又派遣担任平西将军的奚康生率领军队前去迎接徐道角入魏。奚康生还没有出发，梁国担任北兖州刺史的康绚已经派遣担任司马的霍奉伯平定了徐道角的叛乱。

二月二十六日辛巳，梁国重新建造了太极殿。

梁武帝曾经要求与担任侍中、太子少傅的建昌侯沈约各自写出有关栗子的成语典故，沈约故意少写了三条典故，他出宫以后便对人说："萧衍这个人好逞能，不愿意在别人面前暴露自己的短处，否则他就会羞死!”梁武帝听到这话以后恼羞成怒，就想治沈约的罪，担任吏部尚书的徐勉极力进行劝阻，梁武帝才打消了处置沈约的念头。梁武帝对张稷怀有不满之心，曾经故意装作漫不经心似的与沈约谈论起张稷，沈约说："尚书左仆射张稷现在已经离开朝廷到边境地区担任青、冀二州刺史，以往的事情，何必再谈论!”梁武帝认为沈约与张稷是儿女亲家，所以才这么为张稷说话，于是怒气冲冲地对沈约说："你竟然说出这样的话，你还算得上是忠臣吗!”说完就乘坐着辇车回到内殿。沈约受到梁武帝的呵斥，心里非常恐惧，就连梁武帝起身离去都没有发觉，还像原先那样坐着一动不动。沈约精神恍惚地回到家中，还没有走到坐榻跟前就一屁股坐了下去，结果坐了个空，一头摔倒在房门旁边，竟因此而生起病来。沈约梦见齐和帝萧宝融用剑割断了自己的舌头，于是就让道士用红纸写了一道表章焚之以告上帝，为自己怂恿梁武帝杀死齐和帝进行辩解，他说："梁武帝篡夺齐国政权之事，不是自己出的主意。”梁武帝派遣担任主书的黄穆之到沈约的家中探病，黄穆之一直到晚上才回来，没有及时地把沈约病情的好坏禀报梁武帝，惧怕自己因此获罪，于是就把沈约召道士用红纸写奏章以告上帝的事情向梁武帝作了汇报。梁武帝听后不禁大怒，于是多次从宫中派使者谴责沈约。沈约更加恐惧，闰三月十一日乙丑，沈约在充满恐惧之中离开了人世。有关部门的官员奏请给沈约的谥号为“文”，梁武帝说："一个人的思想感情不实在、不专一叫作隐。”于是有关部门的官员便将沈约的谥号改为隐侯。

夏季，五月，寿阳地区因为长时间降雨，大水灌入寿阳城中，房舍全都被大水淹没。魏国担任扬州刺史的李崇统率军队把船只停靠在城墙边上，大水不停地上涨，李崇就把船紧靠在有垛口的小墙上，城墙只剩下两板高还没有被水淹没。李崇手下的将佐全都劝说李崇放弃寿阳城退往北山坚守，李崇对将佐们说："我愧为扬州刺史，由于我的品行不高而给寿阳人带来灾祸，淮南地面方圆一万里，责任全都担在我一个人肩上。只要我一旦动身撤退，百姓就会立即土崩瓦解，扬州这块地方，恐怕就不会再属于我国所有，我岂能因为爱惜自己的生命，而使我在西汉后期担任东郡太

取愧王尊[607]！但怜此士民无辜同死，可结筏随高[608]，人规自脱[609]，吾必与此城俱没，幸诸君勿言！”

扬州治中[610]裴绚帅城南民数千家泛舟南走[611]，避水高原，谓崇还北[612]，因自称豫州刺史[613]，与别驾[614]郑祖起等送任子[615]来请降。马仙琕遣兵赴之[616]。崇闻绚叛，未测虚实，遣国侍郎[617]韩方兴单舸召之。绚闻崇在，怅然惊恨，报曰：“比因大水颠狈[618]，为众所推。今大计已尔[619]，势不可追，恐民非公民，吏非公吏，愿公早行，无犯将士。”崇遣从弟宁朔将军神等将水军讨之，绚战败，神追拔其营。绚走，为村民所执，还，至尉升湖[620]，曰：“吾何面见李公乎！”乃投水死。绚，叔业[621]之兄孙也。郑祖起等皆伏诛。崇上表以水灾求解州任，魏主不许。

崇沈深[622]宽厚，有方略，得士众心。在寿春十年，常养壮士数千人，寇来无不摧破，邻敌谓之“卧虎”。上屡设反间以疑之，又授崇车骑大将军、开府仪同三司、万户郡公，诸子皆为县侯；而魏主素知其忠笃，委信不疑。

六月癸巳[623]，新作太庙。

秋，八月戊午[624]，以临川王宏为司空。

魏恒、肆二州[625]地震、山鸣，逾年不已，民覆压死伤甚众。

魏主幸东宫[626]，以中书监崔光[627]为太子少傅，命太子拜之，光辞不敢当，帝不许。太子南面再拜，詹事[628]王显启请从太子拜，于是宫臣[629]皆拜，光北面立，不敢答，唯西面拜谢[630]而出。

十三年（甲午，公元五一四年）

春，二月丁亥[631]，上耕藉田[632]，大赦。宋、齐藉田皆用正月，至是

守的王尊面前自感有愧呢！我只是同情这里无辜的士民将要和我一同死去，你们可以扎起木筏随着水势向高处转移，大家都要想办法脱离这场灾难，我一定要与这座寿阳城共存亡，希望你们大家不要再劝阻我！”

在李崇属下担任扬州治中的裴绚率领着寿阳城南的数千家百姓乘船向南逃走，到高原躲避水灾，他以为李崇已经离开寿阳回到北方魏国的都城洛阳，于是就自称豫州刺史，与担任别驾的郑祖起等人将自己的儿子送到梁国做人质请求投降。梁国担任振远将军的马仙琕立即派军队赶往寿阳迎接、安抚裴绚等。李崇听说裴绚叛变投降的消息后，不知道是真是假，就派遣担任国侍郎的韩方兴乘坐着一艘小船去召唤裴绚。裴绚听说李崇还在寿阳城内，不禁怅然若失，又惊讶又悔恨，他回答说：“近来因为大水成灾，在颠沛流离之际，被众人推举为带头人投降了梁国。如今投降梁国已经成为事实，是无法挽回的事情，恐怕百姓不再是刺史李崇的百姓，官吏也不再是刺史李崇的属下官吏了，希望刺史李崇赶紧离开寿阳，不要触犯将士。”李崇派遣担任宁朔将军的堂弟李神等率领扬州的水军讨伐裴绚，裴绚战败，李神捣毁了裴绚的营寨。裴绚逃跑，被村民捉住，在押送寿阳途中，当走到尉升湖地面的时候，裴绚说：“我还有什么脸面去见扬州刺史李崇啊！”于是跳入水中而死。裴绚，是裴叔业的侄孙子。郑祖起等人都受到法律的制裁被杀死。李崇因为寿阳发生水灾导致了裴绚等叛变投敌而上表给魏宣武帝请求解除自己扬州刺史的职务，魏宣武帝没有批准。

李崇性格深沉，对百姓宽厚仁慈，有一套治理地方的办法和谋略，因而得到官吏和百姓的拥护。他在寿春任职十年，曾经恩养着数千名身强体健的壮士，贼寇入侵时无不被他打败，邻近的敌人都称李崇是一只“卧虎”。梁武帝曾经多次用反间计离间魏宣武帝对李崇的信任，还授予李崇为车骑大将军、开府仪同三司、万户郡公，李崇的几个儿子也都被授予县侯，想借此收买他；而魏宣武帝一向深知李崇的忠诚笃信，照旧委任李崇为扬州刺史，对李崇一点也不怀疑。

六月初十日癸巳，梁国重新修建了太庙。

秋季，八月戊午日，梁武帝任命临川王萧宏为司空。

魏国所属的恒州、肆州发生地震、山鸣，持续了一年多的时间也没有停止，很多百姓被倒塌的房屋压死、压伤。

魏宣武帝到皇太子所居住的东宫视察，他任命担任中书监的崔光为太子少傅，令太子元诩叩拜崔光，崔光推辞，不敢接受太子的叩拜，宣武帝不答应。皇太子元诩于是面朝南向崔光拜了两拜，担任詹事的王显奏请宣武帝请求跟着太子一同叩拜崔光，于是在东宫任职的所有官员全都向崔光行了叩拜礼，崔光面朝北站立，不敢答礼，只是面向西方拜谢，表示不敢当，而后告辞退出东宫。

十三年（甲午，公元五一四年）

春季，二月初八日丁亥，梁武帝亲自到籍田进行耕作表演，宣布大赦。宋国、齐国的时候，皇帝都是在正月里到籍田进行表演，从这一年开始，梁朝的皇帝选在

始用二月，及致斋祀先农[633]。

魏东豫州刺史田益宗[634]衰老，与诸子孙聚敛无厌[635]，部内[636]苦之，咸言欲叛。魏主遣中书舍人刘桃符慰劳[637]益宗，桃符还，启益宗侵扰之状。魏主赐诏曰："桃符闻卿息鲁生[638]在淮南贪暴，为尔不已[639]，损卿诚效[640]。可令鲁生赴阙[641]，当加任使[642]。"鲁生久未至，诏徙益宗为镇东将军、济州[643]刺史。又虑其不受代[644]，遣后将军李世哲与桃符帅众袭之，奄入广陵[645]。鲁生与其弟鲁贤、超秀皆奔关南[646]，招引梁兵，攻取光城[647]已南诸戍。上以鲁生为北司州[648]刺史，鲁贤为北豫州[649]刺史，超秀为定州[650]刺史。三月，魏李世哲击鲁生等，破之，复置郡戍[651]。以益宗还洛阳，授征南将军、金紫光禄大夫。益宗上表称为桃符所谗，及言鲁生等为桃符逼逐使叛，乞摄[652]桃符与臣对辩虚实。诏不许，曰："既经大宥[653]，不容方更为狱[654]。"

秋，七月乙亥[655]，立皇子纶[656]为邵陵王，绎[657]为湘东王，纪[658]为武陵王。

冬，十月庚辰[659]，魏主遣骁骑将军马义舒慰谕柔然。

魏王足之入寇[660]也，上命宁州刺史涪人李略御之，许事平用为益州。足退，上不用，略怨望，有异谋，上杀之，其兄子苗[661]奔魏。步兵校尉泰山淳于诞[662]尝为益州主簿，自汉中入魏，二人共说魏主以取蜀之策，魏主信之。

辛亥[663]，以司徒高肇为大将军、平蜀大都督，将步骑十五万寇益州；命益州刺史傅竖眼出巴北[664]，梁州刺史羊祉[665]出庾城[666]，安西将军奚康生出绵竹[667]，抚军将军甄琛出剑阁。乙卯[668]，以中护军元遥为征南将军、都督，镇遏梁、楚[669]。游肇谏，以为"今频年[670]水旱，百姓不宜劳役。往昔开拓，皆因城主归款[671]，故有征无战。今之陈计[672]者真

二月到籍田耕作，在耕作籍田的同时，皇帝还要进行斋戒并祭祀农神。

魏国担任东豫州刺史的田益宗已经年老体衰，仍然与自己的子孙们毫无节制地搜刮民脂民膏、聚敛钱财，在他统治的区域内百姓苦不堪言，全都说要叛变。魏宣武帝派遣担任中书舍人的刘桃符前往安抚、劝说田益宗，刘桃符回到洛阳之后，便将田益宗侵扰百姓的情况向宣武帝做了汇报。魏宣武帝遂赐诏书给田益宗说："中书舍人刘桃符听说你的儿子田鲁生在淮南贪婪暴虐，对百姓搜刮个没完没了，做出这样的事情将会使你降魏的功劳大大受损。你应该让田鲁生返回朝廷，我将对他另作安排。"过了很久田鲁生也没有前往洛阳，宣武帝于是下诏调田益宗为镇东将军、济州刺史。又担心田益宗不接受任命，也不允许新任官员来接替他东豫州刺史的职务，于是就派遣担任后将军的李世哲与中书舍人刘桃符一同率军前往袭击田益宗，李世哲等出其不意地冲进了广陵城。田鲁生与他的弟弟田鲁贤、田超秀全都逃往东豫州的城关以南，他们招来梁国的军队，引导着梁军攻打光城以南的各个军事据点。梁武帝任命田鲁生为北司州刺史，任命田鲁贤为北豫州刺史，任命田超秀为定州刺史。三月，魏国的李世哲等率军袭击田鲁生等，把田鲁生等打败，在一度被梁军占领的光城以南地区重新设立魏国的郡与军事据点。李世哲等把田益宗带回洛阳，宣武帝授予田益宗征南将军、金紫光禄大夫。田益宗上表给宣武帝控告刘桃符进谗言迫害自己，并说田鲁生等人是受到刘桃符的逼迫追逐，在不得已的情况下他们才反叛朝廷，请求逮捕刘桃符与我当面对质，辨明真假。魏宣武帝下诏表示不同意，宣武帝说："既然已经赦免了田益宗谋叛的罪行，就不允许再闹起一场新的官司。"

秋季，七月二十九日乙亥，梁武帝立皇子萧纶为邵陵王，萧绎为湘东王，萧纪为武陵王。

冬季，十月初五日庚辰，魏宣武帝派遣担任骁骑将军的马义舒前往抚慰、晓谕柔然人。

当初魏国将领王足率军入侵益州的时候，梁武帝命令担任宁州刺史的涪城人李略率兵抵御魏军的入侵，许诺战事结束以后任用李略为益州刺史。王足撤兵以后，梁武帝没有兑现对李略的承诺，李略因此心怀怨恨，就准备发动叛乱，梁武帝于是杀死了李略，李略的侄子李苗投奔了魏国。担任步兵校尉的泰山人淳于诞曾经担任益州主簿，他从汉中进入魏国，李苗和淳于诞二人共同出谋划策劝说魏宣武帝夺取益州，魏宣武帝很信任他们。

十一月初六日辛亥，魏宣武帝任命担任司徒的高肇为大将军、平蜀大都督，率领十五万步兵、骑兵进犯梁国的益州；命令担任益州刺史的傅竖眼攻取巴郡以北地区，令担任梁州刺史的羊祉率军攻取涪城，令担任安西将军的奚康生率军攻取绵竹，令担任抚军将军的甄琛率军攻取剑阁。初十日乙卯，魏宣武帝任命担任中护军的元遥为征南将军、都督，驻兵镇守在古代梁国与楚国的交界线。担任侍中的游肇进行劝阻，游肇认为："如今连年遭遇水旱灾害，百姓不应该再去服劳役。以往开疆拓土都是因为梁国守城的将领主动投诚，所以大军虽然远行出征却无战斗。如今给皇帝

伪难分[673]，或有怨于彼，不可全信。蜀地险隘，镇戍无隙，岂得虚承浮说[674]而动大军？举不慎始，悔将何及！”不从，以淳于诞为骁骑将军，假[675]李苗龙骧将军，皆领乡导统军[676]。

魏降人王足[677]陈计，求堰淮水[678]以灌寿阳，上以为然。使水工陈承伯、材官将军[679]祖暅视地形，咸谓“淮内沙土漂轻不坚实，功不可就。”上弗听，发徐、杨民[680]率二十户取五丁[681]以筑之，假太子右卫率康绚都督淮上诸军事，并护堰作[682]于钟离。役人及战士合二十万，南起浮山[683]，北抵巉石[684]，依岸筑土[685]，合脊于中流[686]。

魏以前定州刺史杨津[687]为华州刺史，津，椿之弟也。先是，官受调绢[688]，尺度特长[689]，任事因缘，共相进退[690]，百姓苦之。津令悉依公尺[691]，其输物尤善[692]者，赐以杯酒；所输少劣[693]，亦为受之，但无酒以示耻。于是人竞相劝[694]，官调更胜旧日。

魏太子尚幼，每出入东宫，左右乳母而已[695]，宫臣皆不知之[696][19]。詹事杨昱[697]上言：“乞自今召太子必降手敕[698]，令臣等翼从[699]。”魏主从之，命宫臣在直[700]者从至万岁门[701]。

魏御史中尉王显[702]谓治书侍御史阳固[703]曰：“吾作太府卿[704]，府库充实，卿以为何如？”固曰：“公收百官之禄四分之一，州郡赃赎[705]，悉输京师，以此充府，未足为多[706]。且‘有聚敛之臣，宁有盗臣[707]‘，可不戒哉！”显不悦，因事奏免固官。

出谋划策的人并不真正了解敌方的情况，他们有可能因为自己对梁国有怨恨，想借助我军的力量进行报复，所以对他们的话不可以完全相信。通往蜀地的道路艰险狭隘，沿途镇守的军事据点防守严密，难道能够根据他们那些不真实的情报就轻易地出动大军远征？如果开始行动的时候就不够慎重，等到后悔的时候哪里还来得及！”魏宣武帝没有听从游肇的劝阻，宣武帝任命投诚过来的淳于诞为骁骑将军，授予李苗龙骧将军之职，令他们充当各路向导人员的统领。

从魏国投降梁国的王足献计，请求在淮河上修建拦河坝以提高淮河的水位，然后将淮河水灌入寿阳城内，梁武帝认为这个办法可行。于是就令水利工程师陈承伯、管理土木工程的武官祖暅察看地形，他们全都认为：“淮河里都是沙土，泥沙松散流动，不坚实，无法修筑拦河坝。”梁武帝没有听从他们的意见，便从徐州、扬州按照大约每二十户抽调五个民夫的标准抽调民夫去修筑淮河大坝，梁武帝授予担任太子右卫率的康绚为都督淮上诸军事，并且在钟离负责监督修筑淮河拦河大坝的工程。民夫和士兵合计起来有二十万人，南边从浮山开始，北边到达巉石山，从两岸向河中央逐渐填土筑坝，最后在淮河中央大坝合龙。

魏国朝廷任命曾经担任定州刺史的杨津为华州刺史，杨津，是杨椿的弟弟。先前，官府在接受百姓上缴调税绢帛的时候，所用的尺子与一般市面上所通用的尺子相比特别长，具体经手办理这件事情的人员又趁机与主管官员狼狈为奸，共同作恶坑害百姓，百姓苦不堪言。杨津下令一律使用国家所规定的标准尺进行计量，纳税人所缴纳的绢帛如果质量特别好，官府就赏赐给纳税人一杯美酒；如果纳税人所缴纳的绢帛质量稍微差一点，也照样接受，只是不再赏赐给他美酒，令其知道这是一种可耻的行为。于是人们彼此之间相互勉励，都是越做越好，因此官府收上来的调绢质量更加胜过往日。

魏国的皇太子元诩年纪还很小，每次出入东宫，跟随在太子身边的只有乳母和几个侍奉太子的人，东宫的官员都不知道应该跟随在太子身后共同出入。担任詹事的杨昱上书给宣武帝说：“请求陛下从今以后召见太子一定要亲自下达手谕，令我等跟从在太子的身后。”魏宣武帝采纳了杨昱的意见，命令在东宫值班的官员必须把太子护送到万岁门。

魏国担任御史中尉的王显对担任治书侍御史的阳固说：“我在担任太府卿的时候，府库一直都很充实，你认为是不是这样？”阳固回答说：“你征收文武百官四分之一的俸禄，还把州郡犯罪官员为赎罪所缴纳的钱财全部送到京师，你用这种办法来充实府库，并不值得称赞。而且《礼记·大学》有这样的话‘与其有用规章制度搜刮民财的官员，还不如有土匪强盗那样的官员呢’，怎么可以不引以为戒呢！”王显很不高兴，于是就找了一个机会上奏宣武帝免去了阳固的官职。

【段旨】

以上为第四段，写梁武帝萧衍天监十二年（公元五一三年）、十三年共两年间的大事。主要写了梁国的郁洲人杀了青、冀二州刺史张稷，送其首级于魏，请魏派兵占领朐山，结果魏兵未至，郁洲之乱被梁之北兖州刺史康绚讨平。写了魏之扬州刺史李崇在管理寿阳，与寿阳被大水漂城时的忠贞表现，令人敬佩。写了梁宁州刺史李略之侄李苗与原益州主簿淳于诞投魏后，为魏主划伐蜀之策，受魏主信任，魏主遂命高肇统领大军，以李苗、淳于诞为向导，数路大举伐蜀，游肇谏之，不从；以及梁武帝萧衍用魏降人王足之谋，发动徐、扬二州的民工在钟离修筑拦河大坝，企图壅淮水以灌魏人所据之寿阳，皆埋下后果即将不妙之伏线。此外还写了魏臣杨津为华州刺史在征收调绢时，严格使用公尺，以禁止有关官员使用长尺盘剥百姓；以及梁臣沈约与梁武帝萧衍间的矛盾与沈约患病被折磨而死等。

【注释】

㊿⑥⑤正月辛卯：正月初六。⑤⑥⑥二月辛酉：二月初六。⑤⑥⑦袁昂：宋代军阀袁颉之子，在齐为御史中丞，号为正直，入梁曾为吏部尚书，代理右仆射。传见《梁书》卷三十一。⑤⑥⑧己卯：二月二十四。⑤⑥⑨高阳王雍：元雍，孝文帝之弟，魏主元恪之叔，被封为高阳王。传见《魏书》卷二十一上。⑤⑦⓪交市：交易；做买卖。⑤⑦①朐山之乱：事在天监十年，见本段前文。⑤⑦②侵渔：贪占他人财物。⑤⑦③庚辰：二月二十五。⑤⑦④前南兖州刺史樊鲁：曾任南兖州刺史的魏人樊鲁。魏国的南兖州州治即马头郡，今安徽蒙城。⑤⑦⑤于是：当时。⑤⑦⑥于贼要近：对于梁朝来说，地势既重要，又离其都城建康较近。⑤⑦⑦去此闲远：离着我们的都城就相隔遥远了。⑤⑦⑧奚康生：魏国的名将。传见《魏书》卷七十三。⑤⑦⑨逆：迎，迎徐道角入魏。⑤⑧⓪北兖州刺史康绚：梁国的北兖州刺史姓康名绚。梁国的北兖州州治淮阴，即今江苏淮安淮阴区。⑤⑧①辛巳：二月二十六。⑤⑧②新作：重新建造。⑤⑧③各疏栗事：各自写出有关栗子的成语典故。疏，列出。据《梁书·沈约传》，沈约侍宴，正好豫州献栗，长一寸半，萧衍觉得新奇，于是与沈约一起回忆有关栗子的典故。⑤⑧④少上三事：故意少写了三条典故。⑤⑧⑤此公护前：萧衍这个人好逞能，不愿在人前暴露自己的短处，不愿让别人表现出比他强。胡三省曰："帝每集文学之士策经史事，群臣多引短推长，帝乃悦。"⑤⑧⑥有憾于张稷：对张稷有不满于心。即前注所说的既为齐帝萧宝卷之大臣，又狠毒地将其杀死。憾，恨。⑤⑧⑦从容：自然，故意装作漫不经心。⑤⑧⑧左仆射：敬称张稷，张稷在出任青、冀二州刺史前，在朝为尚书左仆射。⑤⑧⑨出作边州：出去任青、冀二州刺史。⑤⑨⓪上以为约与稷昏家相为：萧衍认为沈约是由于他和张稷是亲戚，所以才这么为张稷说话。昏家，儿女亲家。昏，同"婚"。⑤⑨①未至床而凭空：还没有走到座位前就落座，

结果坐空了。床，坐具。凭空，坐空了。㊾㊷顿于户下：一头摔在房门旁。胡三省曰："踣而首先至地为顿。"593 齐和帝：即萧宝融，萧衍初起兵时，被萧衍与萧颖胄拥立为皇帝，以反齐末帝萧宝卷。萧衍攻下建康后，萧宝融随即让位于萧衍，萧衍封萧宝融为巴陵王。但没过三天，萧衍就在沈约的怂恿下将萧宝融残酷地杀害了。594 以剑断其舌：痛恨他说坏话以害人。595 奏赤章于天：用红纸写一道表章焚之以告上帝，辨解杀齐和帝不是自己的罪过。596 禅代之事二句：萧衍篡夺齐国的政权，不是自己出的主意。597 主书：皇帝身边的侍从人员，皇帝有何言语，随即记录下来。598 增损不即启闻：有关沈约病情的好坏没有及时向上禀报。增损，重轻，指病情的变化。599 中使谴责者数四：宫中皇帝多次派使者谴责沈约。600 闰月乙丑：闰三月十一。601 情怀不尽：一个人的思想感情不实在、不专一。602 泊：停靠。603 女墙：城上的垛口小墙。604 二板：只还存有四尺高。板，筑墙的夹板，一板二尺。605 北山：寿阳城北的八公山，当年淮南王刘安与其宾客一起著书、生活过的地方。606 忝守藩岳：意即愧为扬州刺史之职。忝，谦辞，无资格以居此职。藩岳，藩篱、四岳，古代以称大邦诸侯。南北朝时期的刺史位高权重，相当于古代的诸侯。607 取愧王尊：与古代的优秀地方官王尊相比，自感有愧。王尊是西汉后期人，在任东郡（今河南濮阳）太守时，洪水泛滥，王尊为安民心，立堤上始终未曾离开。事见《汉书》卷七十六。608 结筏随高：扎起木筏，随水势向高处转移。609 人规自脱：大家都想办法各自谋取生路。规，谋划、寻求。610 扬州治中：扬州刺史李崇的僚属。治中是刺史手下的高级僚属，主管刺史府的主要事务。611 南走：向南投奔梁王朝。612 谓崇还北：说是李崇已经离开寿阳，回魏国的都城去了。613 自称豫州刺史：胡三省曰，"自宋以来，置豫州于寿阳，绚乘灾聚民，自称豫州刺史，以求梁应援"。614 别驾：刺史手下的高级僚属，其地位比治中还要略高，随刺史出行时能自乘一辆车，故称"别驾"。615 送任子：送自己的儿子前去做人质。616 遣兵赴之：派兵前往迎接、抚慰。617 国侍郎：李崇封地的管理官员。李崇是李诞之子，袭其父爵为陈留郡公。管理郡公封地事务的官员有国侍郎。这里的所谓"国"，即指公侯的封地。618 颠狈：同"颠沛"，匆忙、混乱。619 大计已尔：指投降梁国已成事实。620 尉升湖：湖泊名，方位不详，应在寿春城的南方。621 叔业：裴叔业，原是南齐的名将，齐末时率部投降魏国。传见《南齐书》卷五十一。裴叔业是裴绚的叔祖。622 沈深：性格深沉。沈，同"沉"。623 六月癸巳：六月初十。624 八月戊午：八月癸未朔，无戊午。《梁书·武帝纪》作"九月戊午"，当是。九月戊午，九月初七。625 恒、肆二州：恒州的州治平城，肆州的州治在今山西忻州城北。626 幸东宫：到太子所住的宫殿视察。627 崔光：魏国的著名儒学之臣，此时任中书监。传见《魏书》卷六十七。628 詹事：管理太子宫中事务的官员。629 宫臣：在太子宫任职的所有官员。630 西面拜谢：面向西方拜谢称不敢当。631 二月丁亥：二月初八。632 上耕藉田：皇帝萧衍亲自到示范田上去进行耕作表演。藉，通"籍"，藉田，皇帝亲自耕种那块农田。这是起源很早的一种仪式，用以表现皇帝重视农业，以身示范，鼓励全国。633 致斋祀先农：在耕籍田的同时，皇帝还要斋戒并祭祀农神。古代的所谓“农神”，即神农氏。有说神农氏即炎帝，《史记·五帝本纪》以为神农氏早于炎帝。⑭田益宗：原是豫鄂边界的少数民族头领，因率众降魏，被魏主任为东豫州刺史，盘踞在今河南息县一带。⑮聚敛无厌：无限制地搜刮民财。⑯部内：统辖区内，即今息县一带。⑰慰劳：抚问，这里实指劝告、安抚。⑱卿息鲁生：您的儿子田鲁生。息，儿子。⑲为尔不已：这个样地对百姓搜刮个没完。⑳损卿诚效：使你降魏的功劳大大受损。㉑赴阙：意即回朝，返回朝廷。㉒当加任使：另作安排。㉓济州：济州的州治卢县，在今山东东阿西北。㉔不受代：不接受新的任命，也不允许新官来接替他的原来职务。㉕奄入广陵：出其不意地冲进了广陵城。此“广陵”即新息县的广陵邑。㉖关南：东豫州的城关以南。㉗光城：魏郡名，郡治即今河南光山县。㉘北司州：在田鲁生新占有的地区设立北司州。㉙北豫州：在田鲁贤新占有的地区设立北豫州。胡三省曰：“北司、北豫，因各人所统之地而授以刺史。”㉚定州：胡三省引魏收《志》曰，“定州治蒙笼城，领弋阳、汝阴、安定、新蔡、北建宁郡，皆蛮郡也”。都在今河南南部与湖北之东北部交界地区。㉛复置郡戍：在一度被梁人占去的光城郡以南诸戍，又重新设立起魏国的郡与各个驻兵点。㉜摄：拘捕。㉝既经大宥：已经赦免了田益宗以往的罪过。㉞方更为狱：重新再闹起一场官司。狱，争讼、官司。㉟七月乙亥：七月二十九。㊱纶：萧纶，萧衍的第六子。传见《梁书》卷二十九。㊲绎：萧绎，即后来的梁元帝，萧衍的第七子。传见《梁书》卷五。㊳纪：萧纪，萧衍的第八子，后因谋反被杀。传见《梁书》卷五十五。㊴十月庚辰：十月初五。㊵魏王足之入寇：此天监四年事，当时魏将邢峦、王足率军攻入剑门，势如破竹地攻下了梁国的许多郡县，见本书前文卷一百四十六。㊶其兄子苗：李略的侄子李苗，有文武才。其叔李略被梁所杀后，为报仇而投魏国。传见《魏书》卷七十一。㊷淳于诞：在齐曾为益州主簿，在梁曾为步兵校尉，入魏后为魏国经营梁、益一带，颇有功效。传见《魏书》卷七十一。㊸辛亥：当为十一月辛亥，即十一月初六。㊹巴北：巴郡以北。㊺羊祉：父祖皆曾为刘宋吏，羊祉降魏后，先后为益州刺史、秦梁二州刺史。传见《魏书》卷八十九。㊻出庾城：经由庾城。㊼绵竹：梁县名，在今四川绵竹东南。㊽乙卯：十一月初十。㊾镇遏梁、楚：驻兵镇守在古代的梁国与楚国的交界线。胡三省曰：“此梁、楚，谓古梁、楚大界汴、汝之间也。”〖按〗战国时期梁国与楚国的交界线，一度曾在今河南南部的信阳一带地区。㊿频年：连年。(671)城主归款：守城的官长自动投诚。(672)陈计：献策；给君主出主意。(673)真伪难分：不是真正了解敌方的情况。(674)虚承浮说：顺着他们那些不真实的情报。承，顺从。(675)假：授予。(676)皆领乡导统军：都是统领各路向导人员的官。(677)魏降人王足：王足原是魏国的名将，在天监四年与邢峦统军伐蜀，攻入剑阁，势如破竹。邢峦给魏主上书请求增兵一举拔取益州，魏主不从；邢峦又请在已经夺取的地区设立州郡，派兵巩固所得，魏主又不从。致使邢峦等退兵，前功尽弃，王足一怒降梁。事见本书前文卷一百四十六天监四年。⑥⑦⑧堰淮水：修筑拦河坝以提高淮河的水位。堰，遮挡、堵塞。⑥⑦⑨材官将军：管理土木工程的武官。⑥⑧⑩徐、扬民：徐、扬二州的百姓。梁国的徐州州治在钟离，今安徽蚌埠东，扬州的州治在建康。⑥⑧①率二十户取五丁：差不多是每四家出一个劳工。率，大概。⑥⑧②护堰作：监督修筑拦河大坝的工程。⑥⑧③浮山：山名，在当时的钟离城东，今江苏盱眙城西，处于淮河的南侧。浮山北对巉石山。⑥⑧④巉石：山名，处于淮河的北侧，与南岸的浮山隔河相对。胡三省引《水经注》曰："淮水自钟离县又东径浮山，山北对巉石山。"⑥⑧⑤依岸筑土：从岸边向河中央逐渐填土筑坝。⑥⑧⑥合脊于中流：最后在河中央大坝合龙。脊，坝身。⑥⑧⑦前定州刺史杨津：杨津是魏国名将杨播与杨椿之弟，先曾任岐州刺史。传见《魏书》卷五十八。此云"前定州刺史"，与《魏书》本传不合。《魏书》是说杨津先在华州任职优秀，其后乃任定州刺史，正与本书所叙颠倒。⑥⑧⑧官受调绢：官府在接受百姓向官府上缴调税绢帛的时候。调，是当时赋税的一种，指每个成年男子每年向官府应交的绢帛。⑥⑧⑨尺度特长：官府收调绢所用的尺子与一般市面上用的尺子不同，特别长。这当然是官吏们惯用的盘剥百姓的手段之一。⑥⑨⑩任事因缘二句：具体经手这件事情的人员又趁机与主管官员狼狈为奸，共同作恶。任事，任事者，具体管理这项事务的人员。因缘，趁机会、钻空子。⑥⑨①公尺：国家规定的尺子；大家共同使用的尺子。⑥⑨②输物尤善：上交绢帛，质地优良。⑥⑨③少劣：稍微差一点。少，同"稍"。⑥⑨④竞相劝：彼此相互勉励，都越做越好。⑥⑨⑤左右乳母而已：跟在太子身边的只有乳母和几个侍候太子的人。⑥⑨⑥皆不知之：都不知道应该跟在身后，共同出入。⑥⑨⑦杨昱：杨椿之子，杨津之侄，此时任詹事。传见《魏书》卷五十八。⑥⑨⑧必降手敕：必须皇帝亲自下手谕。⑥⑨⑨翼从：跟从在身后与两侧。⑦⑩⑩在直：正在值班的太子身边的官员。⑦⑩①万岁门：胡三省曰，"洛阳宫城之东门"。⑦⑩②王显：一个懂得医术，而又廉直奉公的官员，曾任太府卿，又为御史中尉。传见《魏书》卷九十一。⑦⑩③阳固：魏国文学之臣阳尼的侄孙，为人正直，不媚权贵。传见《魏书》卷七十二。此时任御史中尉王显的僚属，为其掌管文书。⑦⑩④太府卿：掌管国家仓库的官员。⑦⑩⑤赃赎：犯罪官员为赎罪所交的钱财。⑦⑩⑥未足为多：不值得称赞。多，赞美。⑦⑩⑦有聚敛之臣二句：语出《礼记·大学》，"与其有聚敛之臣，宁有盗臣"。意思是与其有搜刮民财的官员，还不如有土匪强盗那样的官员了。聚敛，搜刮民财。因为用规章制度搜刮民财所造成的危害，比土匪强盗直接抢夺所造成的危害还要大。

【校记】

［17］右：据章钰校，孔天胤本作"左"，张敦仁《通鉴刊本识误》同。［18］为：原无此字。据章钰校，十二行本、乙十一行本皆有此字，今据补。［19］知之：据章钰校，十二行本、乙十一行本二字皆互乙。

【研析】

本卷写了梁武帝萧衍天监七年（公元五〇八年）至十三年共七年间南梁与北魏两国的大事。其中除写了梁国与魏国双方在义阳（今河南信阳）、悬瓠（今河南汝阳）、朐山（今江苏连云港市海州区）一些地区的互相争夺，彼此互有得失；梁主通过交换战俘向魏主提出停战休兵，而魏主不从，仍在调集大军，一方面进攻益州、一方面进援寿阳外。其他方面的重要事件有魏国的元勋宗室老臣元勰被外戚高肇所杀；梁国萧衍的功臣沈约、张稷与萧衍的矛盾尖锐，最终导致沈约被折磨而死、张稷在外任被杀等。其中值得议论的有如下几方面：

第一，元勰是魏孝文帝的亲兄弟，宣武帝元恪的叔父，为人既忠贞不二，又才干超群，在孝文帝后期执掌魏政，为朝廷内外所拥戴。抛开一切功劳不谈，单是在孝文帝患病于南征前线，最后死于返回洛阳的归途中，当时太子不在身边，权位之争的形势险恶，是元勰付出了巨大的努力，最后才顺顺当当地把政权交到太子元恪手中。应该说单是这一条就足够元恪感激一辈子了。再说，早在孝文帝临终前，元勰就向孝文帝请求，日后太子即位后，自己辞去一切职务，在家当平民。孝文帝无法劝止，最后还给太子留下了一封允许元勰辞官为民的遗诏。当南朝名将裴叔业携寿阳归魏时，淮南地区的形势复杂艰辛，是宣武帝元恪违背元勰的心愿把他请出来，任以为扬州刺史，以巩固寿阳地区的大好形势。待寿阳地区的形势稳定后，元勰又请求辞官家居，是元恪不准，又改换职务把他留了下来。就是这样一位既有勋劳，又不慕荣利，一心向往林泉的老人，最后竟被高肇等人纠集元勰的部下罗织罪名将其杀害了。其手段就是收买了元勰的两个老部下，答应给他们加官晋爵，让他们出来做伪证，跟当年吕后杀韩信、杀彭越的方法差不多。关键的是宣武帝元恪怎么就会相信这些东西，元勰可是个请求放弃一切权势而自甘当平民的人哪！

第二，在被高肇杀害的魏国王公中还有一个元愉，元愉被杀的罪名与其死前的表现都很奇特。元愉是宣武帝的亲兄弟，元愉犯罪的缘起是："魏主为京兆王愉纳于后之妹为妃，愉不爱，爱妾李氏，生子宝月。于后召李氏入宫，棰之。愉骄奢贪纵，所为多不法，帝召愉入禁中推按，杖愉五十，出为冀州刺史。"魏主硬把他的妻妹嫁给元愉，元愉不爱，另爱其妾李氏，而且生了儿子。于是魏主就凭着他们是皇帝、皇后，就把这一对苦命鸳鸯捉进宫去给每个人都狠狠地揍了一顿，弄到外头去当冀州刺史了。元愉在宣武帝的诸弟之中年龄最大，不仅受到的待遇比别人差，而且挨打受骂，贬到了地方还不算完，外戚高肇还整天说他的坏话不已，于是忍无可忍的元愉以讨伐高肇为名起兵造反了，其结果当然是很快地被朝廷平定，这都是没有悬念的事情。但令人刮目相看的是，元愉和李氏这一对苦命鸳鸯在兵败被俘，被押解向洛阳的途中，仍然表现得一往情深，《魏书·元愉传》对此说："愉每止宿亭传，必携李手，尽其私情。虽锁縶之中，饮食自若，略无愧惧之色。”元愉的悲剧故事，就和西汉时被吕后杀害的赵共王刘恢、赵幽王刘友的故事差不多。而元愉对其所爱的平民女子竟如此忠贞执着，更为刘恢、刘友所不及。尤其在今天讲人性、讲爱情的时代，更令人对之同情感慨不已。

第三，本卷叙事到天监十一年十月十八日，在叙述魏国的事情时有一条一句话的新闻，即“魏立皇子诩为太子，始不杀其母”。别看就一句话，其所关系的事实却相当重大。原来魏国自道武帝拓跋珪开始，凡是准备立哪个儿子为皇太子，就预先把他的生母杀死。据说这条规定是拓跋珪读古书，从汉武帝那里学来的。《魏书》卷三载拓跋珪立其子拓跋嗣为太子，杀太子之母刘贵人的情景说：“初，帝母刘贵人赐死，太祖告帝曰：‘昔汉武帝将立其子而杀其母，不令妇人后与国政，使外家为乱。汝当继统，故吾远同汉武，为长久之计。’”汉武帝将立其子刘弗陵，预先杀了刘弗陵之母钩弋夫人的故事，见《史记·外戚世家》的褚少孙所补续的部分。而且其中还说：“故诸为武帝生子者，无男女，其母无不谴死。”汉武帝为立刘弗陵而预先杀了钩弋夫人，此事的确不假；但若说“故诸为武帝生子者，无男女，其母无不谴死”，这就没有任何根据了。想不到汉武帝的这种做法后来竟得到了鲜卑族拓跋珪的欣赏，并奉为圭臬，在魏国将这种惨无人道的章程奉行了七代皇帝，历时一百多年。其实，拓跋珪在其童年的时候，魏国大乱，父亲早死，六岁的拓跋珪完全是靠着他的母亲贺氏带着他辗转流离、投亲靠友，凭着这个女人纵横捭阖的手段最后终于将其年幼的儿子拓跋珪扶上了北方统治者的王位。照理说，拓跋珪应该比任何人都对母亲的伟大体会更深，但偏偏是他竟在魏国立下了这样狠毒的章程。元恪本来不是一位英明的君主，单是在本卷与上卷所叙述的有关魏国的史实中，就记载了他一连串的决策失误，诸如他不能听邢峦的建议对梁国的益州及时下手；不能听邢峦的劝阻致使元英在钟离被梁人打得大败；不能听兄弟元怿的规劝而纵容高肇的连续作恶，又昏聩地杀害了其叔元勰；以及不听梁主萧衍提出的停战讲和，以息两国之民的和平建议。使人意想不到的是魏国居然在他生命即将结束之前，做出了这样一条立太子“始不杀其母”的规定，从而使读者的眼睛为之一亮。

第四，魏国早在英武的拓跋焘时期，就采取过一次要灭绝佛教的举动，那是在太平真君五年（公元四四四年），拓跋焘下令说：“自王、公已下至庶人，有私养沙门、师巫及金银工巧之人在其家者，皆遣诣官曹，不得容匿。限今年二月十五日，过期不出，巫师、沙门身死，主人门诛。”（《魏书·世祖纪》）这就是中国古代历史上有名的三次灭佛活动的第一次。过了六七年，到文成帝拓跋濬时期，佛教又开始复苏。当时有一名名叫昙曜的和尚，建议拓跋濬在武州山开凿五个石窟，每窟给一位魏国的皇帝雕为佛身，令全国供奉。《魏书·释老志》对此说：“昙曜白帝，于京城西武州塞凿山石壁，开窟五所，镌建佛像各一。高者七十尺，次六十尺，雕饰奇伟，冠于一世。”文中讲述的五所佛窟，即今云冈第十六二十窟，学者称之为“昙曜五窟”，大约建立于拓跋濬和平年间（公元四六〇至四六五年）。从而使武州山石窟寺升格为北魏皇室的家庙，神圣不得侵犯。利用宗教赤裸裸地为皇权服务，魏国登峰造极，也是佛教史上的一大“奇观”。接着是冯太后专权与孝文帝执政，他们所提倡、所遵行的是儒学的一套。尤其是孝文帝，他对儒家所讲的东西烂熟于心，说话、为文处处引经据典，其日常修养、其遵行熟练的程度，连以尊儒闻名的汉代皇帝也远远不如。但他们对佛教也并不排斥，对于那些著名的和尚也都以礼相待。到了宣武帝元恪的时期，情况就大大不同了，《魏书·释老志》说：“世宗笃好佛理，每年常于禁中亲讲经论，广集名僧，标明义旨。沙门条录，为《内起居》焉。上既崇之，下弥企尚。至延昌中，天下州郡僧尼寺，积有一万三千七百二十七所，徒侣逾众。”在本卷《通鉴》中也说：“时佛教盛于洛阳，中国沙门之外，自西域来者三千余人，魏主别为之立永明寺千余间以处之。处士南阳冯亮有巧思，魏主使与河南尹甄琛、沙门统僧暹择嵩山形胜之地立闲居寺，极岩壑土木之美。由是远近承风，无不事佛，比及延昌，州郡共有一万三千余寺。”又说：“魏主于式乾殿为诸僧及朝臣讲《维摩诘经》。时魏主专尚释氏，不事经籍，中书侍郎河东裴延儁上疏，以为‘汉光武、魏武帝虽在戎马之间，未尝废书；先帝迁都行师，手不释卷。良以学问多益，不可暂辍故也。陛下升法座，亲讲大觉，凡在瞻听，尘蔽俱开。然“五经”治世之模楷，应务之所先，伏愿经书互览，孔、释兼存，则内外俱周，真俗斯畅矣。’”明代敖清江对此赞许说：“裴延儁可谓善于开导君心矣。盖好佛乃魏主之锢蔽，使延儁厉言正色以谏曰‘此佛法不可尚也’，延缓方溺意于此，岂肯从而遽绝之哉？今乃劝其互览兼存，使魏主读书日久，则雅正可分、鼠璞自辨。”这是魏国政治发展的新阶段，也就是败乱现象丛生，政权日趋衰朽的表现。记载魏国当时这种腐朽现状的名著有一部《洛阳伽蓝记》，作者杨衒之。从这部书中可以详细地看到当时洛阳与其四周的寺庙之多，与其穷奢极侈的糜烂、浪费之惊人，当时这种畸形的佛教兴盛与魏国国家政权的衰败正好成反比。

卷第一百四十八　梁纪四

起旃蒙协洽（乙未，公元五一五年），尽著雍阉茂（戊戌，公元五一八年），凡四年。

【题解】

本卷写梁武帝萧衍天监十四年（公元五一五年）至天监十七年（公元五一八年）共四年间南梁与北魏两国的大事。主要写了魏宣武帝元恪死，七岁的太子元诩继位，高太后违背宣武帝的遗旨欲杀太子之母胡贵嫔，太监刘腾与大臣于忠、崔光、侯刚等人救护之。写了高氏的党羽詹事王显与孙伏连等图谋政变，被于忠所杀，于忠引任城王元澄与高阳王元雍共同管理朝政，中外悦服。写了魏人杀外戚高肇，废高太后使居于瑶光寺为尼。写了魏臣裴植、郭祚忌恨于忠专权，联合元雍欲出之，结果裴植、郭祚被于忠所杀，元雍被罢职。写了魏国的胡贵嫔进为胡太妃，又进为胡太后，与魏臣于忠、刘腾、侯刚等联手掌权。写了权臣于忠被斥离朝廷，罢去封土，往任冀州刺史。写了胡太后滥封其妹为新平郡君，任以为女侍中；其侄女之夫元谧刚被罢益州，回朝又任以为大司农卿；其父胡国珍任侍中、封安定郡公，进入魏国的决策集团。写了太后父胡国珍死，太后追赠其父为太上秦公、追赠其母为太上秦君。写了胡太后因天变而杀死高太后。写了魏臣请杀于忠，请处死擅自打死羽林的侯刚，胡太后皆护持之。写了宦官刘腾因受胡太后宠信而专权枉法，贪贿无厌的河间王元琛为求自己的跌而复起，竟认刘腾为养

【原文】

高祖武皇帝四

天监十四年（乙未，公元五一五年）

春，正月乙巳朔①，上冠太子②于太极殿，大赦。

辛亥③，上祀南郊。

甲寅④，魏主有疾。丁巳⑤，殂于式乾殿。侍中、中书监、太子少傅崔光⑥，侍中、领军将军于忠⑦，詹事王显，中庶子代人侯刚⑧迎太子诩⑨于东宫，至显阳殿。王显欲须明⑩行即位礼，崔光曰："天位

父，遂得从罪臣中步步高升。写了胡太后好佛，大修瑶光寺、永宁寺于皇宫旁，又修石窟寺于伊阙口，极尽壮丽。写了魏臣李玚指斥佛教的种种弊病，并称佛教为“鬼教”。写了任城王元澄上表痛斥佛教僧徒之恶，称其为“释氏之糟糠，法王之社鼠”，建议将众多庙宇迁出城外。写了梁将赵祖悦袭取魏之硖石城，因驻守之，魏使崔亮、李崇攻之，二将不协无功；魏使李平往督，遂攻下硖石，胡太后令李平等乘胜进攻南朝，因崔亮不服节制，李平只好退兵。写了梁将张齐与魏将傅竖眼在陕蜀边境的反复争夺，最后东益州一带重新落入魏人之手。写了梁朝为截断淮水以淹寿阳而筑浮山堰之劳民伤财、天怒人怨。写了梁国筑坝截淮后夹淮两岸被淹者数百里，寿阳之民逃依岗陇，李崇筑魏昌城于八公山以守；而梁国的淮坝亦终致崩塌，遂使缘淮下游的城戍村落十余万口皆漂流入海，萧衍之恶极矣。又写了萧衍因信佛而用大脯代替三牲，又用大饼代替大脯，终致祭祀天地、宗庙完全改用素食。此外还写了魏国冀州的妖僧作乱，最后被讨平；柔然民族在伏跋可汗（丑奴）的带领下打败高车，使柔然重又强大等。

【语译】

高祖武皇帝四

天监十四年（乙未，公元五一五年）

春季，正月初一日乙巳，梁武帝萧衍在太极殿亲自为皇太子萧统主持加冠仪式，表示皇太子已经长大成人，实行大赦。

初七日辛亥，梁武帝到建康城的南郊举行祭天典礼。

正月初十日甲寅，魏宣武帝元恪开始身患重病。十三日丁巳，魏宣武帝在式乾殿驾崩。担任侍中、中书监、太子少傅的崔光，担任侍中、领军将军的于忠，担任詹事的王显，担任中庶子的代郡人侯刚前往东宫把皇太子元诩迎接到显阳殿。詹事王显主张等到天明再为皇太子元诩举行即位典礼，崔光说：“天子的位置一刻也不能

不可暂旷⑪，何待至明！”显曰：“须奏中宫⑫。”光曰：“帝崩，太子立，国之常典，何须中宫令也！”于是，光等请太子止哭，立于东序⑬；于忠与黄门郎元昭⑭扶太子西面哭十余声止。光摄太尉⑮，奉策⑯进玺绶，太子跪受，服衮冕之服⑰，御太极殿，即皇帝位。光等与夜直群官⑱立庭中，北面稽首称万岁。昭，遵⑲之曾孙也。

高后⑳欲杀胡贵嫔㉑，中给事㉒谯郡刘腾㉓以告侯刚，刚以告于忠。忠问计于崔光，光使置贵嫔于别所，严加守卫，由是贵嫔深德四人。戊午㉔，魏大赦。己未㉕，悉召西伐、东防兵㉖。

骠骑大将军广平王怀㉗扶疾入临㉘，径至太极西庑㉙，哀恸，呼侍中、领军、黄门[1]、二卫㉚，云：“身欲上殿哭大行㉛，又须入见主上㉜。”众皆愕然相视，无敢对者。崔光攘衰振杖㉝，引汉光武崩㉞赵熹扶诸王下殿㉟故事，声色甚厉，闻者莫不称善。怀声泪俱止，曰：“侍中以古义裁我㊱，我敢不服！”遂还，仍频遣左右致谢㊲。

先是高肇擅权，尤忌宗室有时望㊳者，太子太傅[2]任城王澄㊴数为肇所谮，惧不自全，乃终日酣饮，所为如狂，朝廷机要无所关豫㊵。及世宗殂，肇拥兵于外㊶，朝野不安。于忠与门下㊷议，以肃宗幼，未能亲政，宜使太保高阳王雍㊸入居西柏堂，省决庶政㊹，以任城王澄为尚书令，总摄百揆㊺，奏皇后请即敕授㊻。王显素有宠于世宗，恃势使威，为众[3]所疾，恐不为澄等所容，与中常侍孙伏连等密谋寝门下之奏㊼，矫皇后令㊽，以高肇录尚书事㊾，以显与勃海公高猛㊿同

空缺，怎么可以等待天明呢！”王显说：“这件事情需要奏明中宫的高皇后。”崔光说：“皇帝驾崩，太子即位，这是国家的一般法典，哪里需要高皇后的懿旨！”于是，崔光等人劝说皇太子元诩停止哀哭，站立在大殿的东侧；侍中、领军将军于忠和黄门郎元昭搀扶着皇太子元诩面向西哭了十几声之后止住哭声。崔光暂时以太尉的身份，捧着先帝传位于太子的诏书和皇帝的玺印进献给太子元诩，太子元诩跪着接受了诏书、玺印，然后身穿皇帝的衮龙袍，头上戴着皇冠，来到太极殿，坐上皇帝的宝座。崔光等人与在宫中守夜值勤的文武官员全都站在殿庭当中，面朝北跪拜磕头，高呼万岁。黄门郎元昭，是元遵的曾孙。

魏国的高皇后想依照魏国的先例杀死新皇帝元诩的生身母亲胡贵嫔，在宫中担任中给事的宦官谯郡人刘腾把这件事情告诉了中庶子侯刚，侯刚又告诉了侍中、领军将军于忠。于忠向崔光请教该怎么办，崔光让人把胡贵嫔安置在一个安全的地方，派兵严加防护守卫，胡贵嫔因此事非常感谢刘腾、侯刚、于忠、崔光这四个人。正月十四日戊午，魏国实行大赦。十五日己未，魏国朝廷把西伐益州和东援寿阳的两路军队召回。

魏国担任骠骑大将军的广平王元怀勉强支撑着病体入宫哭悼宣武帝，他径直来到太极殿的西廊，哀声痛哭，他招呼侍中、领军将军、黄门郎、左卫将军、右卫将军，然后对他们说：“我想上殿去哭吊大行皇帝，还必须得进去拜见新皇帝。”众人对元怀提出的要求感到非常吃惊，大家面面相觑，没有人敢回答他。崔光挽起丧服，举起哭丧杖，按照汉光武帝刘秀驾崩时，赵熹将各王扶持下殿的故事，声色非常严厉地拒绝了元怀的要求，听到的人全都称赞崔光对此事处置得很恰当。元怀马上停住了哭声止住了眼泪，说：“侍中崔光引用古代的礼节来批评我的失误，我怎敢不服！”于是出宫回家，回家之后还一连几次地派人为自己的莽撞行为向崔光表示歉意。

此前一直是高肇专擅朝权，他特别忌恨宗室当中那些有名望而使当时朝野人士所归心的人，担任太子太傅的任城王元澄多次受到高肇谗言的诬陷，他惧怕自己的身家性命不能保全，于是就整天酗酒，行为举止就像一个疯子，他对朝廷的机要事务一概不闻不问、漠不关心。等到世宗去世的时候，高肇正以大将军的身份统领着各路伐蜀大军，朝野人士对此都感到非常不安。侍中、领军将军于忠与门下省的主要官员商议，认为肃宗年纪尚幼，还没有亲自执掌朝政的能力，应该让担任太保的高阳王元雍入居西柏堂，检查、裁决国家的各项政务，任命任城王元澄为尚书令，总领百官，奏请高皇后立即下手令给高阳王元雍、任城王元澄二人。詹事王显一向受到魏世宗的宠爱与信任，他曾经倚仗自己的权势大要威风，因而遭到众人的嫉恨，他担心自己不能被元澄等人所容纳，就与担任中常侍的孙伏连等人密谋把门下省上奏的文件压下来，然后假传奉了高皇后的命令，任命大将军高肇为录尚书事，任命詹事王显与勃海公高猛同

为侍中。于忠等闻之，托以侍疗无效[51]，执显于禁中，下诏削爵任。显临执呼冤，直阁[52]以刀镮撞其掖下[53]，送右卫府，一宿而死。庚申[54]，下诏如门下所奏，百官总己[55]听于二王，中外悦服。

二月庚辰[56]，尊皇后为皇太后。

魏主称名[57]为书告哀于高肇[58]，且召之还。肇承变[59]忧惧，朝夕哭泣，至于羸悴，归至瀍涧[60]，家人迎之，不与相见[61]。辛巳[62]，至阙下，衰服号哭，升太极殿尽哀。高阳王雍与于忠密谋，伏直寝[63]邢豹等十余人于舍人省[64]下，肇哭毕，引入西庑[65]，清河诸王[66]皆窃言目之。肇入省，豹等搤杀之，下诏暴其罪恶[67]，称肇自尽，自余亲党悉无所问，削除职爵，葬以士礼。逮昏，于厕门[68]出尸归其家。

魏之伐蜀也，军至晋寿[69]，蜀人震恐。傅竖眼将步兵三万击巴北[70]，上遣宁州刺史任太洪自阴平[71]间道入其州[72]，招诱氐、蜀[73]，绝魏运路。会魏大军北还，太洪袭破魏东洛[74]、除口[75]二戍，声言梁兵继至，氐、蜀翕然从之。太洪进围关城[76]，竖眼遣统军姜喜等击太洪，大破之，太洪弃关城走还。

癸未[77]，魏以高阳王雍为太傅、领太尉，清河王怿为司徒，广平王怀为司空。

甲午[78]，魏葬宣武皇帝于景陵，庙号世宗。己亥[79]，尊胡贵嫔为皇太妃。三月甲辰朔[80]，以高太后为尼[81]，徙居金墉[82]瑶光寺，非大节庆，不得入宫。

魏左仆射郭祚[83]表称："萧衍狂悖，谋断川渎[84]，役苦民劳，危亡已兆[85]，宜命将出师，长驱扑讨。"魏诏平南将军杨大眼督诸军镇荆山[86]。

时担任侍中。于忠等人听到这个消息之后，就给王显加上了一个给宣武帝治病无效的罪名，在宫中把王显逮捕起来，然后下诏削夺了王显的爵位和官职。王显被逮捕的时候大声呼喊自己冤枉，在皇帝身边值勤的直阁侍卫官用刀环猛撞王显的腋下，把王显押送到右卫府，过了一夜，王显就死了。正月十六日庚申，宫中下诏批准了门下省的奏章，朝中的文武百官全都老老实实地听命于高阳王元雍和任城王元澄，朝廷内外对这样的安排全都心悦诚服。

二月初七日庚辰，魏国孝明帝元诩尊奉高皇后为皇太后。

魏孝明帝写信给大将军高肇，向他通报宣武帝的死讯，元诩在书信中直称高肇之名，并且召高肇马上返回洛阳。高肇知道朝廷的情况已经发生了变化，内心非常忧愁恐惧，一天到晚只知道哭泣，以至于身形消瘦、面容憔悴，当他到达洛阳城西的瀍水边，家人去迎接他的时候，他都没有与家人相见。初八日辛巳，高肇来到皇宫门口，他身穿丧服号啕大哭，登上太极殿，在宣武帝的灵前极尽悲哀。高阳王元雍与于忠密谋，让在皇帝卧室周围值勤的武官邢豹等十几个人埋伏在中书省，高肇哭吊完毕，便被人引到太极殿的西侧房，清河王元怿等人全都窃窃私语，并不时地用眼睛扫视着高肇。高肇进入中书省，邢豹等人立刻上前掐死了高肇，孝明帝下诏公布高肇的罪行，宣称高肇是自杀身亡，而对于高肇的其他亲戚朋党全都不再予以追究，削除了高肇的职务和爵位，允许其家中用士大夫之礼安葬高肇。天黑以后，派人从侧门把高肇的尸体运出中书省，送回他的家中。

魏国在西伐蜀地的时候，军队到达晋寿时，蜀地的人非常震惊恐慌。益州刺史傅竖眼率领三万步兵攻取北巴西郡，梁武帝派遣担任宁州刺史的任太洪率军从阴平县抄小路进入傅竖眼所占据的益州境内，招引、诱导那里的氐族人、蜀人，截断了魏军的粮食运输补给线。又恰好遇到魏国伐蜀的大军奉命北撤，宁州刺史任太洪便趁机率军攻破了魏国东洛、除口两个军事据点，并扬言说梁国的大军将会相继到达，于是那些氐族人、蜀人全都俯首帖耳地服从了任太洪。任太洪率军进围了关城，傅竖眼派遣担任统军的姜喜等人进击任太洪，把任太洪打得大败，任太洪放弃了包围关城逃回了宁州。

二月初十日癸未，魏国朝廷任命高阳王元雍为太傅兼任太尉，任命清河王元怿为司徒，广平王元怀为司空。

二十一日甲午，魏国把宣武帝安葬在景陵，庙号世宗。二十六日己亥，孝明帝尊奉自己的生母胡贵嫔为皇太妃。三月初一日甲辰，令高太后削发为尼，让她搬出皇宫到金墉城内的瑶光寺居住，除非遇到特大的节日庆典，否则不许入宫。

魏国担任尚书左仆射的郭祚上表给朝廷说：“萧衍狂妄悖谬，企图修筑浮山堰以截断淮河之水，役使百姓辛苦劳作，梁国的危亡已经显露出征兆，现在应该令将领率军出征，长驱直入去讨伐消灭他。”魏国朝廷下诏令担任平南将军的杨大眼统领各军镇守荆山。

魏于忠既居门下⑧⑦，又总宿卫⑧⑧，遂专朝政，权倾一时。初，太和中⑧⑨，军国多事⑨⓪，高祖以用度不足，百官之禄四分减一，忠悉命归所减之禄⑨①。旧制：民税绢一匹别输绵⑨②八两，布一匹别输麻十五斤，忠悉罢之⑨③。乙丑⑨④，诏文武群官各进位一级。

夏，四月，浮山堰成而复溃，或言蛟龙能乘风雨破堰，其性恶铁⑨⑤，乃运东、西冶铁器⑨⑥数千万斤沈之，亦不能合。乃伐树为井干⑨⑦，填以巨石，加土其上。缘淮百里内木石无巨细皆尽，负檐⑨⑧者肩上皆穿，夏日疾疫，死者相枕，蝇虫昼夜声合⑨⑨。

魏梁州刺史薛怀吉⑩⓪破叛氐于沮水⑩①。怀吉，真度之子也。五月甲寅⑩②，南秦州⑩③刺史崔暹又破叛氐，解武兴之围⑩④。

六月，魏冀州沙门法庆以妖幻惑众，与勃海人李归伯[4]作乱，推法庆为主。法庆以尼惠晖为妻，以归伯为十住菩萨⑩⑤、平魔军司、定汉王，自号大乘。又合⑩⑥狂药，令人服之，父子兄弟不复相识，唯以杀害为事。刺史萧宝寅遣兼长史崔伯驎击之，伯驎败死。贼众益盛，所在毁寺舍，斩僧尼，烧经像，云"新佛出世，除去众魔。"秋，七月丁未⑩⑦，诏假右光禄大夫元遥征北大将军⑩⑧以讨之。

魏尚书裴植⑩⑨，自谓人门⑪⓪不后王肃⑪①，以朝廷处之不高，意常怏怏，表请解官隐嵩山⑪②，世宗不许，深怪⑪③之。及为尚书，志气骄满，每谓人曰："非我须尚书，尚书亦须我⑪④。"每入参议论⑪⑤，好面讥毁⑪⑥群官，又表⑪⑦征南将军田益宗，言："华、夷异类⑪⑧，不应在百世衣冠⑪⑨之上。"于忠、元昭见之切齿⑫⓪。

魏国的于忠已经担任了门下省的最高长官侍中，又担任领军将军，统领着朝廷所有的警卫部队，于是得以专擅朝政，权势压倒了当时所有的朝臣。当初，孝文帝元宏太和年间，国家多事，军队多次与南朝和柔然作战，孝文帝因为国库费用不足，就把百官的俸禄减少了四分之一，于忠命令把减少的官员俸禄全部发还。按照魏国旧有的制度：百姓每向国家交纳一匹绢的赋税，国家就向他们增加征收八两丝绵，每交纳一匹布的赋税，国家就向他们增加征收十五斤麻，于忠把向百姓增加征收的丝绵和麻全部免除。三月二十二日乙丑，朝廷下诏，文武百官各晋升一级。

夏季，四月，梁国在浮山修建的淮河大坝合龙之后又溃决了，有人说蛟龙能够借着风雨毁坏堤堰，据说蛟龙生性怕铁，于是就把建康城内东、西两个冶铁场所铸造的数千万斤铁器运到浮山沉入水中，大坝仍然不能合龙。于是又砍伐树木，采用把木杠楔入水中围成井栏的形状，中间填上大石头，上面再加上土的办法修筑拦河大坝。沿着淮河一百里的范围内，所有的木材、石头不论大小全部用光了，扛石头、挑土的人肩膀都被磨破了，夏季瘟疫流行，死人的尸体互相枕压着，苍蝇虫子昼夜围着尸体嗡嗡地叫个不停。

魏国担任梁州刺史的薛怀吉在沮水一带打败了叛变作乱的氐族人。薛怀吉，是薛真度的儿子。五月十二日甲寅，担任南秦州刺史的崔暹再一次把叛变的氐族人打败，解除了叛军对武兴郡城的包围。

六月，魏国冀州境内的和尚法庆用妖术蛊惑民众，与勃海人李归伯一同起兵作乱，众人推举法庆为盟主。法庆娶了尼姑惠晖做妻子，任命李归伯为十住菩萨、平魔军司、定汉王，自己则称大乘。又配制能使人发狂的药，让人喝下去之后，即使是父子兄弟也都变得互不相识，只知道一味地杀人。魏国担任冀州刺史的萧宝寅派遣兼任长史的崔伯驎率军去消灭他们，崔伯驎作战失败，阵亡。贼人的势头更加旺盛、气焰更加嚣张，所到之处毁坏寺庙僧舍，杀死和尚尼姑，烧毁佛经佛像，他们宣扬说："新佛已经降临人世，需要除去众妖魔。"秋季，七月初六日丁未，魏国朝廷下诏授予右光禄大夫元遥为征北大将军率军前往讨伐法庆乱军。

魏国担任尚书的裴植，认为自己的人品和出身门第并不比王肃低下，觉得朝廷给自己的职位不高，心里常常怏怏不乐，于是上表给宣武帝请求辞去官职到嵩山隐居，世宗没有批准他的请求，而且对他这样做感到很不理解。等到裴植担任了度支尚书以后，便趾高气扬、骄傲自满起来，他经常对别人说："不是我非要担任度支尚书这个职务，是度支尚书这个职务非我来当不可。"每次入宫在皇帝身边参与讨论，总喜欢当面讥讽、诋毁其他的官员，又上表诋毁征南将军田益宗，说："中原地区的人和那些少数民族不是同类人，田益宗的职位不应该居于百代都是官僚士大夫家庭出身的中原人之上。"担任侍中、领军将军的于忠和担任黄门郎的元昭看到裴植如此，都对他恨得咬牙切齿。

尚书左仆射郭祚，冒进[121]不已，自以东宫师傅，列辞尚书[122][5]，望封侯、仪同[123]，诏以祚为都督雍岐华三州诸军事、征西将军、雍州刺史。

祚与植皆恶于忠专横，密劝高阳王雍使出之[124]。忠闻之，大怒，令有司诬奏其罪。尚书奏[125]："羊祉告[126]植姑子皇甫仲达云'受植旨[127]，诈称被诏[128]，帅合部曲[129]欲图于忠。'臣等穷治，辞不伏引[130]，然众证明昺[131]，准律当死[132]。众证虽不见植[133]，皆言'仲达为植所使，植召仲达责问而不告列[134]'。推论情状，不同之理不可分明[135]，不得同之常狱，有所降减，计同仲达[136]处植死刑。植亲帅城众，附从王化[137]，依律上议[138]，乞赐裁处。"忠矫诏曰："凶谋既尔，罪不当恕。虽有归化之诚，无容上议，亦不须待秋分[139]。"八月己亥[140]，植与郭祚及都水使者杜陵韦儁[141]皆赐死。儁，祚之昏家也。忠又欲杀高阳王雍，崔光固执不从，乃免雍官，以王还第。朝野冤愤，莫不切齿。

丙子[142]，魏尊胡太妃为皇太后，居崇训宫。于忠领崇训卫尉[143]，刘腾为崇训太仆[144]，加侍中，侯刚为侍中、抚军将军。又以太后父国珍[145]为光禄大夫。

庚辰[146]，定州刺史田超秀[147]帅众三千降魏。

戊子[148]，魏大赦[149]。己丑[150]，魏清河王怿进位太傅，领太尉；广平王怀为太保，领司徒；任城王澄为司空。庚寅[151]，魏以车骑大将军于忠为尚书令，特进崔光为车骑大将军，并加[152]开府[6]仪同三司。

魏江阳王继[153]，熙之曾孙也，先为青州刺史，坐以良人为婢[154]夺爵。继子义[155]娶胡太后妹，壬辰[156]，诏复继本封[157]，以义为通直散骑侍郎，义妻为新平郡君[158]，仍拜女侍中[159]。

担任尚书左仆射的郭祚，不停地贪图职位晋升，他以为自己既然担任了太子师傅，就应该辞去尚书左仆射的职务，并希望被封为侯爵、被授以开府仪同三司，魏孝明帝下诏任命郭祚为都督雍、岐、华三州诸军事，征西将军、雍州刺史。

郭祚与度支尚书裴植都很厌恶于忠的专权骄横，于是就秘密劝说高阳王元雍令于忠离开朝廷到地方上去任职。于忠得知这个消息以后，不禁大怒，他命令有关部门的官员给他们捏造罪名然后上奏给皇帝。一名担任尚书的官员遂上奏说："根据梁州刺史羊祉的揭发报告，裴植姑妈的儿子皇甫仲达说自己'接受了裴植的指使，假说是奉皇帝的命令，准备率领自己的部下去除掉于忠'。我等虽然经过彻底追查审问，裴植就是拒不认罪，然而各种证据确凿，依照法律应该判处裴植死刑。众多证人虽然没有亲眼看到裴植的活动，却都认为'皇甫仲达是受了裴植的指使，裴植曾经召见皇甫仲达询问过情况，却没有对人说询问了什么问题'。以此推论，没有办法证明裴植和皇甫仲达不是同伙，不应把它看成一件平常的案件而在量刑上予以轻判，我们准备把裴植和皇甫仲达同等对待，全都判处死刑。只是裴植跟随他的叔叔裴叔业一道率领寿阳的军民投降了我们魏国，按照法律规定这件事应该由朝廷组织大臣进行合议，请陛下进行裁决。"于忠假传皇帝的命令说："他们的罪恶阴谋既然证据确凿，对他们就不应该有一点宽恕。虽然他过去有率众归降的功劳，也用不着再组织大臣合议，也不必等到秋分后再执行死刑，可以立即将其处死。"八月二十九日己亥，裴植与郭祚以及担任都水使者的杜陵人韦儁一同被赐死。韦儁，是郭祚的儿女亲家。于忠又想杀害高阳王元雍，崔光坚决不同意，于忠这才免去了高阳王元雍太傅兼太尉的职务，元雍以高阳王的身份回到自己的府第闲居。朝野都对这件冤案感到愤恨，莫不切齿痛恨于忠。

八月初六日丙子，魏国孝明帝尊奉自己的生母胡太妃为皇太后，让她居住在崇训宫。于忠兼任负责统领崇训宫禁卫军的卫尉，刘腾则成了为居住在崇训宫的皇太后赶车的太仆，并加授侍中之职，担任中庶子的侯刚被任命为侍中、抚军将军。又任命皇太后的父亲胡国珍为光禄大夫。

八月初十日庚辰，梁国担任定州刺史的田超秀率领三千人投降了魏国。

十八日戊子，魏国实行大赦。十九日己丑，魏国清河王元怿进位为太傅，兼任太尉之职；广平王元怀进位为太保，兼任司徒，任城王元澄为司空。二十日庚寅，魏国任命担任车骑大将军的于忠为尚书令，特别晋升崔光为车骑大将军，于忠与崔光同时加授开府仪同三司。

魏国的江阳王元继，是元熙的曾孙子，先前曾经担任过青州刺史，因为掠取平民家的女子为奴婢被判有罪而被剥夺了官职和爵位。元继的儿子元义娶了胡太后的妹妹为妻，因为这层关系，八月二十二日壬辰，朝廷下诏恢复元继的江阳王爵位，同时任命元义为通直散骑侍郎，封元义的妻子胡氏为新平郡君，还任命她为女侍中。

群臣奏请太后[7]临朝称制⑯，九月乙未⑯，灵太后⑯始临朝听政，犹称令以行事，群臣上书称殿下。太后聪悟，颇好读书属文，射能中针孔，政事皆手笔自决⑯。加胡国珍侍中，封安定公⑯。

自郭祚等死，诏令生杀皆出于忠，王公畏之，重足胁息⑯。太后既亲政，乃解忠侍中、领军、崇训卫尉，止为仪同三司、尚书令。后旬余，太后引门下侍官⑯于崇训宫，问曰："忠在端揆⑯[8]，声望何如？"咸曰："不称厥任⑯。"乃出忠为都督冀定瀛⑯三州诸军事、征北大将军、冀州刺史；以司空澄领尚书令。澄奏："安定公宜出入禁中，参谘大务。"诏从之。

甲寅⑰，魏元遥破大乘贼，擒法庆并渠帅⑰百余人，传首洛阳。

左游击将军赵祖悦袭魏西硖石⑰，据之以逼寿阳。更筑外城，徙缘淮之民以实城内。将军田道龙等散攻诸戍，魏扬州刺史李崇分遣诸将拒之。癸亥⑰，魏遣假镇南将军崔亮攻西硖石，又遣镇东将军萧宝寅决淮堰。

冬，十月乙酉⑰，魏以胡国珍为中书监、仪同三司，侍中如故。

甲午⑰，弘化⑰太守杜桂举郡降魏。

初，魏于忠用事，自言世宗许其优转⑰，太傅雍等皆不敢违，加忠车骑大将军。忠又自谓新故之际⑰有定社稷之功，讽百僚令加己赏，雍等议封忠常山郡公。忠又难于独受，乃讽朝廷，同在门下者皆加封邑。雍等不得已，复封崔光为博平县公。而尚书元昭等上诉不已⑰，太后敕公卿再议。太傅怿等上言："先帝升遐⑱，奉迎乘舆，侍卫省闼⑱，

魏国朝中的文武大臣上书请求胡太后代表皇帝临朝执政，九月初五日乙未，胡太后开始临朝听政，胡太后所下的命令称为令而不称诏，群臣上书也都称胡太后为殿下。胡太后很聪明，理解能力很强，非常喜欢读书写文章，射箭能够射中针眼儿，对于政事她都要亲笔写出决定。胡太后加授胡国珍为侍中，并封胡国珍为安定公。

自从郭祚等人被赐死之后，朝廷所发布的诏书、命令以及让谁生让谁死都出自于忠之手，王公大臣因此都非常惧怕于忠，处处小心谨慎，连口大气都不敢出。胡太后亲政以后，才解除了于忠所担任的侍中、领军将军、崇训宫卫尉等职务，只给于忠保留了开府仪同三司的待遇和尚书令的职务。过了十多天之后，胡太后在崇训宫召见门下省的主要官员，向他们询问说："于忠位居朝廷首辅之位，他的声望怎么样?"门下省的官员都说："和他的职位很不相称。"于是胡太后将于忠调离朝廷让他去担任都督冀、定、瀛三州诸军事、征北大将军、冀州刺史；任命担任司空的任城王元澄兼任尚书令。元澄上奏说："应该让安定公胡国珍出入皇宫，参与制定军国大计。"胡太后下诏采纳了元澄的建议。

九月十四日甲寅，魏国征北大将军元遥打败了自称大乘的妖僧法庆所领导的贼军，活捉了法庆和贼军的一百多名大头领，把他们斩首后又将他们的人头传送到洛阳示众。

梁国担任左游击将军的赵祖悦率军袭击并占领了魏国的西硖石军事据点，更加逼近寿阳城。他又在西硖石军事据点城外修筑了一道城墙，把淮河沿岸的百姓迁入城内，以充实城内的力量。将军田道龙等则分头率军去进攻魏国其他的军事据点，魏国担任扬州刺史的李崇派遣诸将分别率军去抵抗梁军的入侵。二十三日癸亥，魏国朝廷派遣代理镇南将军崔亮率军进攻刚刚占领西硖石的赵祖悦，又派遣镇东将军萧宝寅去决开梁国人在浮山修筑的拦淮大坝。

冬季，十月十六日乙酉，魏国朝廷任命安定公胡国珍为中书监、开府仪同三司，侍中的职位依然保留。

二十五日甲午，梁国担任弘化太守的杜桂献出弘化郡投降了魏国。

当初，魏国于忠掌管政权的时候，说世宗皇帝曾经答应提升他的官职，当时担任太傅的高阳王元雍等都不敢违背他，于是加授于忠为车骑大将军。于忠又认为在老皇帝去世、新皇帝即位的时候自己有安定社稷的功劳，于是就暗示文武百官给自己增加封赏，元雍等经过商议决定封于忠为常山郡公。于忠又觉得只有自己一个人受封赏不合适，于是又暗示朝臣，凡是在门下省任职的官员都要给增加封邑。元雍等在迫不得已的情况下，又封崔光为博平县公。而当时同在门下省任职并有拥立之功的尚书元昭等人由于没有得到封爵而不停地上诉，胡太后下令公卿大臣再次进行商议。担任太傅的清河王元怿等人上书说："先帝升天远去，到东宫奉迎太子回到皇宫登基称帝，担任警卫守卫宫廷，这是臣子的一般职责，不允许把这样的事情作为

乃臣子常职，不容以此为功。臣等前议授忠茅土[182]，正以[183]畏其威权，苟免暴戾[184]故也。若以功过相除[185]，悉不应赏，请皆追夺。”崔光亦奉送章绶茅土[186]，表十余上，太后从之。

高阳王雍上表自劾，称“臣初入柏堂[187]，见诏旨之行一由门下[188]，臣出君行[189]，深知其[9]不可而不能禁。于忠专权，生杀自恣，而臣不能违。忠规欲[190]杀臣，赖在事执拒[191]。臣欲出忠于外，在心未行，返[192]为忠废。忝官尸禄[193]，孤负恩私[194]，请返私门[195]，伏听司败[196]。”太后以忠有保护之功，不问其罪。十二月辛丑[197]，以雍[10]为太师，领司州牧[198]，寻复录尚书事，与太傅怿、太保怀、侍中胡国珍入居门下，同厘庶政[199]。

己酉[200]，魏崔亮至硖石，赵祖悦逆战而败，闭城自守，亮进围之。

丁卯[201]，魏主及太后谒景陵。

是冬，寒甚，淮、泗尽冻，浮山堰士卒死者什七八。

魏益州刺史傅竖眼，性清素，民、獠怀之。龙骧将军元法僧[202]代竖眼为益州刺史，素无治干[203]，加以贪残，王、贾诸姓，本州士族，法僧皆召为兵。葭萌民任令宗[204]因众心之患魏[205]也，杀魏晋寿太守，以城来降，民、獠多应之。益州刺史鄱阳王恢[206]遣巴西、梓潼二郡[207]太守张齐将兵三万迎之。法僧，熙之曾孙也。

魏岐州刺史赵郡王[11]谧[208]，幹之子也，为政暴虐。一旦，闭城门大索[209]，执人而掠之[210]，楚毒备至。又无故斩六人，阖城[211]凶惧。众遂大呼，屯门[212]。谧登楼毁梯以自固。胡太后遣游击将军王靖驰驲[213]谕城人，

自己的功劳而要求升迁。我等以前曾经商议封于忠为常山郡公，只是因为畏惧他的威权，暂且避免他发脾气逞凶而已。如果把他们的功劳和过失互相抵消，他们全都不应该受到封赏，请把给他们的封赏全部追夺回来。”崔光也请求把封赏给自己的印章、绶带、封邑全部交回朝廷，奏章先后呈递了十多次，胡太后这才同意了崔光的请求。

高阳王元雍上表自己弹劾自己，他说：“我当初进入西柏堂任职的时候，看到诏书、圣旨的执行都是由门下省的人说了算，于忠出的主意，却以皇帝的名义颁布实行，我明明知道这样做不可以却又没有能力禁止。于忠专擅朝权，让谁生让谁死全都凭他一句话，而我不能违背。于忠原本打算害死我，多亏了在位主事的大臣坚决反对，我才得以幸免。我如果要把于忠调出朝廷到地方去任职，恐怕我刚一有这种想法还没有来得及去实行，自己反倒先被于忠罢官了。我空占着官位，白白享受着国家的俸禄，辜负了朝廷的恩典，请允许我回到自己家中闭门思过，听候国家司法部门对我的惩处。”胡太后因为于忠有保护自己没有被高皇后杀死的功劳，就没有追究于忠的罪责。十二月辛丑日，任命元雍为太师，兼任司州牧，不久又任命元雍为录尚书事，与担任太傅的清河王元怿、担任太保的广平王元怀、担任侍中的胡国珍全都到门下省供职，共同处理各种政务。

闰十二月十一日己酉，魏国代理镇南将军崔亮率军到达硖石，梁国左游击将军赵祖悦率军出城迎战崔亮，失败后退入城内固守，崔亮进兵包围了硖石戍。

二十九日丁卯，魏孝明帝和胡太后前往拜谒景陵。

这年的冬天，天气特别寒冷，淮河、泗水全部结了冰，梁国在浮山修筑堤堰的士兵冻死了十分之七八。

魏国担任益州刺史的傅竖眼，品性清廉朴素，汉民和被称为獠人的少数民族都很拥护他。后来担任龙骧将军的元法僧接替傅竖眼担任了益州刺史，元法僧原本没有什么治政的才干，再加上他为人贪婪残暴，王、贾各大姓以及益州本土的名门望族，从来不服劳役，元法僧却把他们的子弟全部招去当兵。葭萌城内的百姓任令宗借助于民众全都讨厌魏国贪官污吏的心理，便杀死了魏国的晋寿太守，献出晋寿郡城前来投降梁国，很多的汉民、少数民族全都起来响应任令宗。梁国担任益州刺史的鄱阳王萧恢派遣担任巴西、梓潼二郡太守的张齐率领着三万军队前往葭萌迎接任令宗。元法僧，是元熙的曾孙。

魏国担任岐州刺史的赵郡王元谧，是元幹的儿子，统治手段极其暴虐残忍。一天早晨，他关闭城门大肆搜捕，捉住人后就严刑拷打，各种酷刑无所不用其极。还无缘无故地杀死了六个人，全城的人都非常惊慌恐惧。民众于是大呼一声，很快就夺取、占领了岐州城各面的城门。元谧登上高楼拆毁了楼梯借以自保。胡太后派遣担任游击将军的王靖乘驿车前往劝说岐州城内举行暴动的百姓，城里的百姓这才打

城人开门谢罪，奉送管籥，乃罢谧刺史。谧妃，太后从女[214]也。至洛，除大司农卿[215]。

太后以魏主尚幼，未能亲祭，欲代行祭事，礼官博议以为不可。太后以问侍中崔光，光引汉和熹邓太后[216]祭宗庙故事[217]，太后大悦，遂摄行祭事[218]。

魏南荆州刺史桓叔兴表请不隶东荆州[219]，许之。

【段旨】

以上为第一段，写梁武帝萧衍天监十四年（公元五一五年）一年间的大事。主要写了魏宣武帝元恪死，七岁的太子元诩继位，崔光为防卫太子的安全，严格阻止宗室诸王接近太子。写了高太后违背宣武帝的遗旨欲杀太子之母胡贵嫔，太监刘腾与侯刚、于忠、崔光等人救护之。写了高氏的党羽詹事王显与孙伏连等图谋政变，被于忠所杀，于忠引任城王元澄与高阳王元雍共同管理朝政，中外悦服。写了魏人杀外戚权臣高肇，废高太后使居于瑶光寺为尼。写了魏臣裴植、郭祚忌恨于忠专权，联合元雍欲出之，结果被于忠诬以欲谋害大臣，将郭祚、裴植处死，将元雍罢职。写了魏国的胡贵嫔进为胡太妃，又进为胡太后，与魏臣于忠、刘腾、侯刚等联手掌权。写了于忠被胡太后斥离朝廷，罢去封土，往任冀州刺史。写了胡太后滥封其妹为新平郡君，任以为女侍中；其侄女之夫元谧刚被罢岐州，回朝又任以为大司农卿；其父胡国珍任侍中、封安定郡公，进入魏国的决策集团。写了元雍重被胡太后任以为录尚书事，与元怿、元怀等同居门下。此外还写了梁人因筑浮山堰劳民伤财、天怒人怨，魏派傅竖眼驻兵于荆山以相机攻梁，以及魏之冀州有妖僧作乱，刺史萧宝寅讨之不能胜，魏派元遥往讨之等。

【注释】

①正月乙巳朔：正月初一是乙巳日。②上冠太子：梁武帝萧衍亲手把帽子给太子萧统戴在头上，表示萧统已到成人。时萧统虚岁十八。③辛亥：正月初七。④甲寅：正月初十。⑤丁巳：正月十三。⑥崔光：世宗时代的魏国大臣，曾任中书令，此时任中书监、太子少傅。传见《魏书》卷六十七。⑦于忠：魏国功臣于栗䃅的曾孙，于烈之子。此时任领军将军。传见《魏书》卷三十一。⑧侯刚：以善烹饪侍高祖、世宗、肃宗三帝，此

开城门向朝廷请罪，他们送回了各城门的钥匙，胡太后于是罢免了元谧岐州刺史的职务。元谧的王妃，是胡太后的侄女。元谧回到洛阳之后，立即被任命为大司农卿。

胡太后因为孝明帝元诩年纪还小，不能亲自主持祭祀，就想代替孝明帝主持祭祀，礼官经过广泛议论之后认为不可以这样做。胡太后就去询问担任侍中的崔光，崔光还引用汉代和熹邓太后在临朝称制期间曾经代替皇帝祭祀过宗庙的例子说明胡太后可以主持祭祀宗庙，胡太后非常高兴，于是就代替小皇帝元诩祭祀了魏国的宗庙。

魏国担任南荆州刺史的桓叔兴上表请求不再隶属于东荆州管辖，朝廷批准了他的请求。

时任城门校尉、通直散骑常侍。传见《魏书》卷九十三。⑨太子诩：元诩，宣武帝元恪的第二子，即日后的魏肃宗。初继位时年仅七岁。⑩须明：等待天明。须，等待。⑪不可暂旷：一刻也不能空缺。暂，片刻、一会儿。⑫须奏中宫：应该禀明皇后。中宫，指皇后。⑬东序：大殿上的东侧。⑭元昭：魏昭成帝什翼犍的后代，此时任黄门侍郎之职。传见《魏书》卷十五。⑮摄太尉：暂时以太尉的身份。摄，代理。⑯策：老皇帝传位于太子的诏书。⑰衮冕之服：皇帝的礼服与礼帽。⑱夜直群官：守夜值勤的一应官员。⑲遵：拓跋遵，昭成帝什翼犍之子，被封为略阳王。传见《魏书》卷十五。⑳高后：宣武帝元恪的高皇后，高肇的侄女。传见《魏书》卷十三。㉑欲杀胡贵嫔：胡贵嫔是新皇帝元诩的生母，高皇后是想仍奉行老皇帝拓跋珪时期的规矩，凡立为太子者杀其母。㉒中给事：官名，在宫内侍候帝后的宦官。㉓刘腾：孝文帝时入宫，后逐渐有权，至因救胡贵嫔有功，遂擅朝政。传见《魏书》卷九十四。㉔戊午：正月十四。㉕己未：正月十五日。㉖悉召西伐、东防兵：命令西伐益州与东援寿阳的两支军队撤回。㉗广平王怀：元怀，前魏主元恪之弟。传见《魏书》卷二十二。㉘扶疾入临：强支撑着病体入宫以哭魏主。临，哭悼死者。㉙太极西庑：太极殿的西廊。时魏主停灵于太极殿。㉚二卫：左卫、右卫将军。㉛大行：指已经去世，正在办丧事而尚未安葬的皇帝。大行，一去不返。㉜主上：指新继位的小皇帝。㉝攘衰振杖：挽起丧服，举起丧杖。㉞汉光武崩：汉光武刘秀是东汉王朝的开国皇帝。传见《后汉书·光武纪》。汉光武帝死于公元五七年。㉟赵熹扶诸王下殿：赵熹是东汉初期的太监。传见《后汉书》卷五十六。汉光武帝刘秀死后，在办理丧事的时候，众皇子与皇太子共坐在一席，赵熹认为这不合规矩，于是正色横剑，扶诸王下殿，以明尊卑。㊱以古义裁我：引证古代的礼节来批评我的失误。裁，压制、批评。㊲频遣左右致谢：一连几次地派人向崔光为自己的莽撞表示歉意。

〖按〗崔光之严格不准诸王上殿与接近太子，是担心有人心怀不轨，伤及太子，故采取防范如此。㊳时望：指有名望，而被当时的朝野人士所归心。㊴任城王澄：元澄，拓跋云之子，景穆帝拓跋晃之孙，是魏国有功勋有干略的老臣。为小皇帝的曾祖父一辈。传见《魏书》卷十九中。㊵无所关豫：一概不过问、不关心。豫，干预、参加。㊶拥兵于外：高肇当时为大将军，都督各路伐蜀的军队。㊷门下：门下的主要官员，指侍中崔光等。㊸高阳王雍：元雍，孝文帝之弟，宣武帝之叔，小皇帝的叔祖。传见《魏书》卷二十一上。㊹省决庶政：过问、裁决国家的各项大政方针。㊺总摄百揆：总领百官，管理好文武群臣。摄，管理。百揆，百官。㊻即敕授：立刻下手令给二王。敕，命令。㊼寝门下之奏：把门下省上报的文件压下。寝，压下。㊽矫皇后令：假传元恪高皇后的命令，此高皇后即高肇的侄女。㊾录尚书事：兼管尚书省的各项事务，一下子就使真正的尚书令变得无权了。录，兼管、分管。㊿高猛：高肇之侄，世宗元恪的妹婿。传见《魏书》卷八十三下。(51)托以侍疗无效：给王显加了一个给宣武帝治病无效的罪责。(52)直阁：皇帝身边值勤的侍卫武官，应是于忠的老部下。(53)掖下：同“腋下”。(54)庚申：正月十六。(55)总己：约束自己，老老实实地服从。(56)二月庚辰：二月初七。(57)称名：直称高肇之名，这是一种严肃的不讲客气的态度。(58)告哀于高肇：向高肇通报宣武帝元恪的死讯。(59)承变：知道了朝廷的变化。(60)瀍涧：这里即指当时洛阳城西的瀍水，旧址已到今河南洛阳城内。(61)不与相见：家人前往迎接，而高肇不与家人相见，这是一种公家的大事未办，不能先忙个人私事的礼节。(62)辛巳：二月初八。(63)直寝：在皇帝卧室周围值勤的武官。(64)舍人省：即中书省。中书省的长官为中书监、中书令，其僚属有中书舍人数名。(65)西庑：太极殿的西侧房，即舍人省的办公所在地。(66)清河诸王：清河王元怿等人，皆宣武帝的兄弟，小皇帝之叔。(67)暴其罪恶：公布高肇罪行。暴，公布、宣布。(68)厕门：同“侧门”。(69)晋寿：郡名，郡治在今四川剑阁东北，当时是魏将益州刺史傅竖眼的驻兵之地。(70)巴北：指当时的北巴西郡，郡治即今四川阆中。(71)阴平：县名，县治在今四川剑阁西。(72)入其州：进入了傅竖眼所占据的益州州治，即晋寿郡。(73)氐、蜀：指当地的氐族人与梁国人和魏国人。(74)东洛：军事据点名，在当时的白水县（今四川广元西北）。(75)除口：也写作蒢口，是当时的蒢溪入汉水的汇口。(76)关城：即白水关城，在今四川青川县的东北方、广元的西北方。(77)癸未：二月初十。(78)甲午：二月二十一。(79)己亥：二月二十六。(80)三月甲辰朔：三月初一是甲辰日。(81)以高太后为尼：以高太后曾杀死皇子昌，又杀死前皇后于氏，又为人妒忌，多杀皇子等。(82)金墉：当时洛阳城西北角的小城名。(83)郭祚：孝文、宣武时代的魏国名臣，与翟光同受信任，此时任左仆射。传见《魏书》卷六十四。(84)谋断川渎：指从上卷萧衍听王足建议为壅水以灌寿阳而修筑浮山堰截断淮河。渎，大河。(85)兆：征兆；苗头。(86)荆山：在今安徽怀远西南，当时属魏。(87)居门下：指任侍中之职。门下，即门下省，其最高长官即侍中，皇帝的心腹谋臣。(88)总宿卫：总管朝廷的所有警卫部队，指任领军将军。领军将军既总管朝廷的警卫部队，也总管全国所有的军队。⑧⑨太和中：太和是孝文帝的第三个年号（公元四七七至四九九年）。⑨⓪军国多事：指多次与南朝、柔然作战。⑨①归所减之禄：从此给各官僚发全额的俸禄。⑨②绵：丝绵。⑨③悉罢之：全部免去外加的丝与麻。⑨④乙丑：三月二十二。⑨⑤其性恶铁：据说蛟龙的生性害怕铁。恶，讨厌、害怕。⑨⑥东、西冶铁器：东西两个冶铁场所铸造的铁器。东冶、西冶都在当时的建康城内。⑨⑦为井干：用木杠做成井栏的形状。做成各种形状的大木笼。井干，井口的围栏，常做成四角或八角形。⑨⑧负檐：同“负担”。扛石头与挑土。檐，通“担”，用扁担挑东西。⑨⑨昼夜声合：一天到晚叫声不停。⑩⓪薛怀吉：薛安都之侄，薛真度之子，此时任魏之益州刺史。传见《魏书》卷六十一。薛安都、薛真度原来都是刘宋的将领，由于宋明帝刘彧的政策荒谬而率部北投魏国。⑩①沮水：沔水的上游，在今陕西勉县西。⑩②甲寅：五月十二。⑩③南秦州：魏国的南秦州，州治骆谷城，在今甘肃成县西。⑩④解武兴之围：武兴是魏郡名，郡治在今陕西略阳，时有叛乱的氐人围困武兴，故刺史崔暹击破之。⑩⑤十住菩萨：据《魏书·元遥传》，杀一人为一住菩萨，杀十人为十住菩萨。〖按〗这是法庆自定的佛名。⑩⑥合：配制。⑩⑦七月丁未：七月初六。⑩⑧假右光禄大夫元遥征北大将军：假……征北大将军，任命……为代理征北大将军。假，任其为暂时代理。元遥，景穆帝拓跋晃之孙，此前原任闲散的右光禄大夫之职。传见《魏书》卷十九上。⑩⑨裴植：南朝的降将裴叔业之侄，随其叔降魏后，曾为兖州刺史、度支尚书。传见《魏书》卷七十一。⑪⓪人门：自己的人品与出身门第。⑪①不后王肃：不在王肃之下。王肃是南齐大官僚王奂之子，因其父被齐武帝萧赜所杀而逃归魏国，深受孝文帝的赏识与器重，比作刘备与诸葛亮。曾任豫州刺史、尚书令等职。传见《魏书》卷六十三。⑪②嵩山：古代所称的五岳之一，在今河南登封北，洛阳东南方。⑪③怪：不理解、不知他为什么。⑪④尚书亦须我：意思是这个度支尚书非我不行。⑪⑤入参议论：入宫在魏主身边议论某人。⑪⑥面讥毁：当众嘲笑、诋毁被议论的官员。⑪⑦表：上表对皇帝评议某人。⑪⑧华、夷异类：少数民族与中原人不是同类人。古有“非我族类，其心必异”之语。⑪⑨衣冠：中原士大夫的穿戴。冠，礼帽。后多指士大夫、官绅。这里的“衣冠”是指汉族人与鲜卑人。当时魏人早以华人自居。但若说“百代衣冠”则含义更窄，就把鲜卑人也排斥在外了。田益宗是豫鄂交界地区的蛮族人，因率众降魏，此时被任征南将军、金紫光禄大夫。虽无多少实权，但职位显要，故裴植以为他不该居于自己这个“百代衣冠”之上。⑫⓪于忠、元昭见之切齿：于忠、元昭这两位正在当权的魏国人，虽然现在都以华人自居，但他们毕竟是北来的鲜卑人，故对裴植说这种话非常恼火。⑫①冒进：贪图进位、晋升。冒，贪婪。⑫②自以东宫师傅二句：以为自己既然当了太子少师，便应该辞去尚书省的官职。⑫③望封侯、仪同：希望被封为公侯，被授以开府仪同三司。⑫④出之：让他离开朝廷，到地方上任职。⑫⑤尚书奏：此出面揭发裴植罪行的尚书一定是被于忠收买的郭祚的部下。⑫⑥羊祉告：据羊祉揭发报告。羊祉的父祖皆曾为刘宋官吏，羊祉降魏后，先后为益州刺史、秦梁二州刺史。传见《魏书》卷八十九。㉗受植旨：接受裴植的指使；秉承裴植的意旨。㉘诈称被诏：假说是奉了皇帝的命令。㉙帅合部曲：率领部下。部曲，指部下的士兵与私家的党羽。㉚辞不伏引：意即拒不认罪。伏引，服罪、认罪。㉛众证明昺：证据确凿。昺，清楚、明确。㉜准律当死：按照法律应判死刑。准，按照。㉝虽不见植：虽然没有亲眼见到裴植的活动。㉞植召仲达责问而不告列：都说裴植曾召仲达询问过情况，但没有对人说是问了什么。㉟不同之理不可分明：没有办法证明裴植与仲达不是同伙。不同，不参与其中、不是同伙。㊱计同仲达：我们打算把裴植与仲达同等对待。㊲植亲帅城众二句：指当年裴植曾与其叔父裴叔业一道率领寿阳的军民投降魏国。事见本书前文卷一百四十三。㊳依律上议：按规定应由朝廷再组织大臣进行合议。当时魏国对重要人物或对事关重大的案件有所谓“八议之律”。八议是指由尚书省的八位长官共同合议。㊴不须待秋分：不必等到秋分后再执行死刑，立即处死。㊵八月己亥：八月二十九日。〖按〗《魏书·肃宗纪》作“乙亥”，八月初五日。㊶韦儁：韦阆之子，曾任荆州治中、都水使者，所在有声，因与郭祚是亲戚，遂被于忠所害。传见《魏书》卷四十五。㊷丙子：八月初六。㊸领崇训卫尉：兼任崇训宫的禁卫军统领，意在控制太后，总揽朝权。㊹崇训太仆：为皇太后赶车的官。㊺国珍：胡国珍。传见《魏书·外戚传下》。㊻庚辰：八月初十。㊼定州刺史田超秀：田超秀是降魏的蛮族头领田益宗之子，上年因被魏将刘桃符所袭，与其兄弟田鲁生、田鲁贤一齐降梁，梁任田鲁生为北司州刺史，任田鲁贤为北豫州刺史，任田超秀为定州刺史。此处所谓“北司州”“北豫州”“定州”，即他们当时所占之地以称之，与实际地名没有关系。㊽戊子：八月十八。㊾魏大赦：因胡氏为太后故也。㊿己丑：八月十九。⑸庚寅：八月二十。⑸并加：指于忠、崔光二人同时都加授开府仪同三司。⑸江阳王继：元继，道武帝拓跋珪的后裔，阳平王元熙的曾孙，过继给江阳王元根，袭江阳王爵。传见《魏书》卷十六。⑸坐以良人为婢：因为掠取平民家的女子为奴婢。⑸继子义：元义，小字夜叉，魏国的乱臣。传见《魏书》卷十六。⑸壬辰：八月二十二。⑸复继本封：恢复其原有的江阳王位。⑸新平郡君：此女以胡太后之妹得封为新平君，食邑为新平郡。汉武帝曾封其同母异父姐为修成君，异姓女子如此受封者历史上尚不多见。⑸仍拜女侍中：任命胡太后之妹为女侍中。如此封拜为以前所未有，吕后当年曾封其妹为林光侯，但未闻授其职权。仍，此处同“乃”。⑹临朝称制：以代理皇帝的姿态临朝执政，以皇帝的名义发号施令。⑹九月乙未：九月初五。⑹灵太后：即胡太后，死后谥曰灵，这里是预支使用。⑹手笔自决：亲手写出对一些事情的决定。⑹安定公：安定郡公，封地为安定郡。⑹重足胁息：皆言其小心害怕，一点儿不敢动、大气不敢出的样子。重足，并着脚站立。胁息，胡三省曰：“屏气鼻不敢息，唯两胁潜动以舒气息耳。”⑹门下侍官：门下省的主要官员，指侍中、散骑常侍、侍郎。⑹端揆：犹言“首辅”，朝廷的一号大臣。⑹不称厥任：与其职务不相称。厥，其。⑹冀定瀛：魏国的三州名，冀州的州治即今河北衡水市冀州区，定州的州治即今河北定州，瀛州的州治即今河北河间。⑰⓪甲寅：九月十四。⑰①渠帅：大首领。⑰②西硖石：军事据点名，在当时寿阳城西北方的淮水西岸，在今安徽凤台城的南侧。胡三省引《水经注》曰："淮水东过寿春县北，又北径山峡中，谓之峡石。对岸山上结二城，以防津要。在淮水西岸者谓之西峡石。"⑰③癸亥：九月二十三。⑰④十月乙酉：十月十六。⑰⑤甲午：十月二十五。⑰⑥弘化：梁郡名，郡治不详。胡三省曰："盖亦缘边蛮郡也。"⑰⑦许其优转：答应把他的官职往上提。⑰⑧新故之际：新老皇帝的交替之间。⑰⑨上诉不已：元昭当时也在门下省，同有拥立之功，却没有封爵，因此不断上诉。⑱⓪先帝升遐：指宣武帝元恪去世。升遐，升天远去，犹今所谓"仙逝"。⑱①侍卫省闼：守卫宫廷。闼，宫门。⑱②授忠茅土：即封于忠为常山郡公。古代天子分封某人为诸侯，都要取国家社稷坛上的一包代表那个方向的土，用茅草包起来，交给受封的人带到他受封的那个地方去立社祭祀。⑱③正以：只是因为。正，仅、只。⑱④苟免暴戾：以免他发脾气逞凶。⑱⑤相除：相互抵消。⑱⑥奉送章绶茅土：把印章、绶带、茅土都交回了朝廷。⑱⑦柏堂：即前文所说的"西柏堂"，诸国执政大臣的议事厅。⑱⑧一由门下：完全是由门下省的人说了算。⑱⑨臣出君行：于忠出的主意，以皇帝的名义颁行。臣，指于忠。⑲⓪规欲：图谋；打算。⑲①赖在事执拒：多亏了在位主事的大臣坚持反对。在位主事的大臣指崔光。执拒，坚定地拒绝。⑲②返：此处同"反"。⑲③忝官尸禄：空居其官，白享其禄。忝，猥居、不当居而居。尸，像尸一样享受祭祀。尸是古代祭祀时装作神灵的巫觋，亦如现在的木偶、泥胎、灵牌等。⑲④孤负恩私：辜负了朝廷的恩典。恩私，恩情。⑲⑤私门：家门。⑲⑥伏听司败：等待国家司法部门的惩处。司败，周朝的官名，犹如后代的廷尉、刑部尚书等。⑲⑦十二月辛丑：本年的十二月无"辛丑"日，辛丑日是闰十二月的初三。⑲⑧司州牧：首都洛阳所在州的行政长官。历来北方的各朝都把都城洛阳所在的州称作"司州"。⑲⑨同厘庶政：共同处理各项政务。⑳⓪己酉：闰十二月十一。⑳①丁卯：闰十二月二十九。⑳②元法僧：阳平王元熙的曾孙。传见《魏书》卷十六。⑳③治干：治政的才干。⑳④葭萌民任令宗：葭萌城里的百姓，姓任名令宗。葭萌是古城名，当时为晋寿郡的郡治所在地，在今四川广元南。⑳⑤患魏：讨厌魏国人。⑳⑥鄱阳王恢：萧恢，梁武帝萧衍之弟，此时任益州刺史，居成都。传见《梁书》卷二十二。⑳⑦巴西、梓潼二郡：当时梁国的巴西、梓潼二郡合设一个太守，郡治即今四川绵阳。⑳⑧赵郡王谧：元谧，拓跋干之子，宣武帝元恪的堂兄弟，此时任岐州刺史。传见《魏书》卷二十一。岐州的州治雍县，在今陕西宝鸡东北。⑳⑨大索：大肆搜捕。㉑⓪执人而掠之：捉起人来严刑拷打。掠，拷打。㉑①阖城：满城。㉑②屯门：夺取、占领了岐州城各面的城门。㉑③驰驲：乘驿车前往。驲，驿车。㉑④从女：侄女。㉑⑤除大司农卿：以见胡太后的任人唯亲，不讲一点原则。㉑⑥汉和熹邓太后：汉和帝的皇后，死后谥曰熹的邓氏女人。此人在汉和帝死后，因继位者年幼，曾临朝称制十七年。传见《后汉书》卷十。㉑⑦祭宗庙故事：邓太后在临朝称制期间，曾代替皇帝祭祀过刘氏宗庙。㉑⑧摄行祭事：代替小皇帝祭祀了魏国的宗庙。胡三省曰，"史言崔光逢女主之恶"。㉑⑨桓叔兴表请不隶东荆州：桓叔兴是东晋末年的乱

党桓玄之孙，桓诞之子，桓晖之弟。桓玄在东晋作乱兵败被杀后，其子桓诞等逃入豫鄂边境地区之蛮族，当了蛮民的酋长，孝文帝时归附于魏。传见《魏书》卷一百一。天监十一年，魏任桓叔兴为南荆州刺史，但使之受东荆州刺史管辖。

【校记】

［1］领军、黄门：据章钰校，十二行本、乙十一行本皆作“黄门领军”，张瑛《通鉴校勘记》同。［2］傅：据章钰校，十二行本、乙十一行本皆作“保”。［3］众：据章钰校，十二行本、乙十一行本皆作“世”。［4］李归伯：据章钰校，十二行本、乙十一行

【原文】

十五年（丙申，公元五一六年）

春，正月戊辰朔[220]，魏大赦，改元熙平。

魏崔亮攻硖石未下，与李崇约水陆俱进，崇屡违期不至。胡太后以诸将不壹，乃以吏部尚书李平为使持节、镇军大将军兼尚书右仆射，将步骑二千赴寿阳，别为行台[221]，节度诸军，如有乖异[222]，以军法从事。萧宝寅遣轻车将军刘智文等渡淮，攻破三垒。二月乙巳[223]，又败将军垣孟孙[224]等于淮北。李平至硖石，督李崇、崔亮等刻日[225]［12］水陆进攻，无敢乖互[226]，战屡有功。

上使左卫将军昌义之[227]将兵救浮山，未至，康绚已击魏兵，却之。上使义之与直阁王神念溯淮救硖石。崔亮遣将军博陵崔延伯[228]守下蔡[229]，延伯与别将伊瓮生夹淮为营。延伯取车轮去辋[230]，削锐其辐[231]，两两接对，揉竹为絙[232]，贯连相属，并十余道，横水为桥，两头施大鹿卢[233]，出没随意，不可烧斫。既断赵祖悦走路[234]，又令战舰

本、孔天胤本“伯”下皆有“等”字。[5]列辞尚书：原无此四字。据章钰校，十二行本、乙十一行本、孔天胤本皆有此四字，张敦仁《通鉴刊本识误》、张瑛《通鉴校勘记》同，今据补。[6]开府：据章钰校，十二行本、乙十一行本皆无此二字。[7]太后：据章钰校，十二行本、乙十一行本“太”上皆有“皇”字。[8]揆：据章钰校，十二行本、乙十一行本、孔天胤本皆作“右”。[9]其：据章钰校，十二行本、乙十一行本皆无此字。[10]雍：原作“忠”。据章钰校，十二行本、乙十一行本皆作“雍”，今据改。〖按〗与《魏书·肃宗纪》亦作“雍”。[11]赵郡王：原作“赵王”。胡三省注云：“此于‘王谧’之上逸‘郡’字。”严衍《通鉴补》改作“赵郡王”，今据补。

【语译】

十五年（丙申，公元五一六年）

春季，正月初一日戊辰，魏国实行大赦，改年号为熙平元年。

魏国代理镇南将军崔亮率军进攻硖石军事据点，没有成功，于是就与担任扬州刺史的李崇约好从水路陆路同时向硖石戍发起进攻，李崇竟然多次违背约定，到期却没有出兵。胡太后因为各将领不能采取统一行动，于是任命担任吏部尚书的李平为使持节、镇军大将军，兼任尚书右仆射，率领二千步兵、骑兵奔赴寿阳，建立了一个临时的朝廷派出机构，负责调度、指挥各路将领协同作战，如果有人不服从命令、指挥，就按照军法的规定对他们进行惩处。冀州刺史萧宝寅派遣担任轻车将军的刘智文等率军渡过淮河，攻占了梁军的三个营垒。二月初八日乙巳，刘智文等又在淮北地区打败了梁国的将军垣孟孙等。李平到达硖石，督促李崇、崔亮等定好日期从水路陆路同时向梁军发动进攻，没有人敢自行其是、不服从指挥，因此在与梁军的交战中多次获得了胜利。

梁武帝萧衍派遣担任左卫将军的昌义之率军前往救援浮山，昌义之还没有到达浮山，担任北兖州刺史的康绚已经率军把魏军打退。梁武帝令左卫将军昌义之与担任直阁将军的王神念率军沿着淮河逆流而上去救援硖石守军。魏国崔亮派遣将军博陵人崔延伯守卫下蔡城，崔延伯与另一位名叫伊瓮生的将领分别在淮河两岸修筑起营寨。崔延伯找来很多车轮，把车轮的外圈去掉，辐条削得非常尖锐，使其就像齿轮那样两两相对起来，再把竹子破成蔑丝拧成大绳，用这样的大绳把车轮串联起来，总共有十多道，横在淮河水面上当作桥梁，桥梁的两端挂在淮河两岸特制的大辘轳上，只要转动辘轳，就能随意地把这座桥梁浸在水中或者吊出水面，使梁军没有办法把它烧毁也不能把它砍断。这样一来既阻断了赵祖悦逃走时的去路，又能阻挡梁

不通，义之、神念屯梁城㉟不得进。李平部分㊱水陆攻硖石，克其外城。乙丑㊲，祖悦出降，斩之，尽俘其众。

胡太后赐崔亮书，使乘胜深入。平部分诸将，水陆并进，攻浮山堰，亮违平节度，以疾请还，随表辄发㊳。平奏处亮死刑，太后令曰："亮去留自擅，违我经略㊴，虽有小捷，岂免大咎！但吾摄御万机㊵，庶几恶杀㊶，可特听[13]以功补过。"魏师遂还。

魏中尉元匡㊷奏弹于忠"幸国大灾㊸，专擅朝命，裴、郭受冤㊹，宰辅黜辱㊺。又自矫旨为㊻仪同三司、尚书令、领崇训卫尉，原其此意㊼，欲以无上自处㊽。既事在恩后㊾，宜加显戮㊿，请遣御史一人就州行决(251)。自去岁世宗晏驾(252)以后，皇太后未亲览(253)，以前诸不由阶级(254)，或发门下诏书(255)，或由中书宣敕(256)，擅相拜授者，已经恩宥，正可免罪(257)，并宜追夺。"太后令曰："忠已蒙特原，无宜追罪，余如奏。"

匡又弹侍中侯刚掠杀羽林(258)"刚本以善烹调为尚食典御(259)，凡三十年，以有德于太后，颇专恣用事，王公皆畏附之。"廷尉处刚大辟(260)，太后曰："刚因公事掠人，邂逅致死(261)，于律不坐(262)。"少卿陈郡袁翻(263)曰："'邂逅'谓情状已露(264)，隐避不引(265)，考讯以理(266)者也。今此羽林，问则具首(267)，刚口唱打杀(268)，挝筑非理(269)，安得谓之'邂逅'！"太后乃削刚户三百，解尚[14]食典御(270)。

三月戊戌朔(271)，日有食之。

魏论西硖石之功，辛未(272)，以李崇为骠骑将军、加仪同三司，李平为尚书右仆射，崔亮进号镇北将军。亮与平争功于禁中，太后以亮为殿中尚书。

国增援硖石的战舰通过，前来增援硖石的昌义之、王神念因为无法前进，只得率军屯扎在梁城。李平派遣部队从水路陆路同时向硖石城发动进攻，很快就攻克了硖石城的外城。二月二十八日乙丑，赵祖悦出城向魏军投降，李平将赵祖悦斩首，把赵祖悦的部众全部俘虏。

胡太后赐书给代理镇南将军崔亮，让崔亮乘胜深入敌境。李平指挥诸将，从水路陆路齐头并进，进攻梁国的浮山堰，崔亮竟然违背李平的指挥，以身体有病为由请求返回，他刚上表请假，不等批复就擅自离开了自己的岗位。李平上奏朝廷请求判处崔亮死刑，胡太后下令说："崔亮擅自做主，想去就去，想留就留，违背了我的总体规划，虽然他打过小的胜仗，岂能因此而抵消他的大过失！只是我刚刚代表皇帝临朝执政，日理万机，希望尽量地不要杀人，可以破例允许他将功补过。"魏军于是班师。

魏国担任中尉的元匡上书弹劾于忠"趁国家有难之机，专擅朝权，致使度支尚书裴植与郭祚受迫害而死，担任太傅兼太尉职务的高阳王元雍遭受被免职家居的屈辱。又假传圣旨任命自己为开府仪同三司、尚书令，兼任崇训宫卫尉，推断他的本来用意，是想以地位最高自居。既然这些事情都是发生在朝廷实行大赦之后，就应该把于忠予以公开惩处，请朝廷派遣一位御史到冀州去把于忠就地处死。自从去年世宗皇帝驾崩之后，皇太后还没有过问朝政以前，那些不按照等级一步步升上来，或是由门下省发布的皇帝诏书，或是由中书省派人口头传达的皇帝命令，凡是被于忠擅自授予官爵的人，虽然已经蒙受皇恩得到宽宥，只可以免去他们个人的罪责，而他们的官爵则应该全部免除。"胡太后下令说："于忠已经蒙受特赦，就不要再追究他的罪过，其余的请求一律批准。"

中尉元匡又上疏弹劾担任侍中的侯刚将羽林卫士拷打致死之事："侯刚本来是因为善于烹调而担任了尚食典御，前后共达三十年之久，他认为自己对太后有保护之功，所以任事非常专横放肆，王公大臣全都惧怕他、巴结他。"廷尉判处侯刚死刑，胡太后说："侯刚是为了公事才拷问羽林卫士，致人死命则纯属偶然，按照法律规定不应该被判罪。"担任少卿的陈郡人袁翻说："所谓的'邂逅致死'，是指犯人犯罪的事实已经显露出来，而犯罪之人极力隐瞒就是不认罪，审问者为了让他说出实情而将其拷打致死。如今这个被拷打致死的羽林卫士，一经审问就全部招供了，而侯刚口中还是高喊着打死他，对其进行不合理的用刑而导致死亡，怎么能说是'邂逅'呢！"胡太后于是将侯刚的封地削减了三百户，解除了侯刚尚食典御的职务。

三月戊戌朔，发生日食。

魏国朝廷对攻破西硖石的将领论功行赏，初四日辛未，任命扬州刺史李崇为骠骑将军，加授仪同三司，任命李平为尚书右仆射，代理镇南将军崔亮进号为镇北将军。崔亮与李平在宫中争功，胡太后任命崔亮为殿中尚书。

魏萧宝寅在淮堰，上为手书诱之，使袭彭城，许送其国庙[273]及室家诸从[274]还北，宝寅表上其书于魏朝[275]。

夏，四月，淮堰成，长九里，下广[276]一百四十丈，上广四十五丈，高二十丈，树以杞柳[277]，军垒列居其上。

或谓康绚曰："四渎[278]，天所以节宣其气[279]，不可久塞，若凿湫东注[280]，则游波宽缓[281]，堰得不坏。"绚乃开湫东注。又纵反间于魏曰："梁人所惧开湫[282]，不畏野战[283]。"萧宝寅信之，凿山深五丈，开湫北注[284]，水日夜分流犹不减，魏军竟罢归。水之所及，夹淮方数百里。李崇作浮桥于硖石戍间，又筑魏昌城于八公山[285]东南以备。寿阳城坏，居民散就冈陇[286]，其水清彻，俯视庐舍冢墓，了然在下。

初，堰起于徐州境内[287]，刺史张豹子宣言，谓己必掌其事。既而康绚以他官来监作[288]，豹子甚惭。俄而敕豹子受绚节度，豹子遂谮绚与魏交通，上虽不纳，犹以事毕征绚还。

魏胡太后追思于忠之功，曰："岂宜以一谬弃其余勋[289]！"复封忠为灵寿县公，亦封崔光为平恩县侯。

魏元法僧遣其子景隆将兵拒张齐[290]，齐与战于葭萌，大破之，屠十余城，遂围武兴。法僧婴城自守，境内皆叛，法僧遣使间道告急于魏。魏驿召[291]镇南军司傅竖眼于淮南，以为益州刺史、西征都督，将步骑三千以赴之。竖眼入境，转战三日，行二百余里，九遇皆捷。五月，

魏国镇东将军萧宝寅奉命率军正准备破坏梁国在淮河上修建的拦河大坝，梁武帝亲笔写信给萧宝寅想引诱他，让他率军替梁国去袭击魏国占领下的彭城，许诺事成之后就把齐国宗庙里所供奉的列祖列宗的牌位以及萧宝寅留在南方的家属和诸位堂兄弟送往北方与萧宝寅团聚，萧宝寅把梁武帝写给自己的亲笔信交给了魏国朝廷。

夏季，四月，梁国在淮河上所修建的拦河大坝竣工，这个大坝长九里，大坝的底宽一百四十丈，上宽四十五丈，高二十丈，并在大坝上种植了杞柳，梁军的营垒就排列在大坝上，由士兵日夜轮流看守着大坝。

有人对担任都督淮上诸军事的康绚说："长江、黄河、淮水、济水这四条大河，是上天用以调节大自然阴阳二气的收敛与散发的，不可以长时间地将河道堵塞，如果在拦河大坝上凿出一个深洞放水向东流，那么被大坝所阻挡的淮河水就不会那么汹涌了，拦河大坝所受到的压力减小之后就不会溃决。"康绚采纳了那个人的意见，于是挖掘了一个泄洪通道让淮水向东流。康绚又派人到魏国行使反间计说："梁国人最怕的是魏国人挖开拦淮大坝放淮水淹灌梁人，而不怕与魏军在野外作战。"魏国的镇东将军萧宝寅听信了梁国人所放出的这个假信息，于是真的在浮山挖开了一道五丈深的大沟，使淮河水向北流去，大水将魏国人所占领的区域淹没，虽然日夜分流还是不见水位降低，魏军竟因此而撤走。淮水所到之处，淹没了淮河两岸方圆数百里的地方。魏国扬州刺史李崇在硖石戍之间制造起一座横跨淮河的浮桥，又在八公山东南修建了魏昌城作为后撤的避难所。寿阳城内也被洪水浸泡，城内的居民全都逃到山岗与高丘上躲避洪水，大水清澈透明，从高处往下看，被淹没在水下的房舍、坟墓，全都可以看得清清楚楚。

当初，淮河大坝从徐州境内开始修起，梁国担任徐州刺史的张豹子宣称说朝廷一定会任命自己担任监修大坝的职位。不久之后朝廷却任命了担任太子右卫率的康绚为都督淮上诸军事，张豹子非常羞愧。不久梁武帝又下令让张豹子接受康绚的调度指挥，张豹子于是暗中向梁武帝进谗言，诬陷康绚与魏国人相勾结，梁武帝虽然没有听信张豹子的谗言，但在拦淮大坝修成之后还是将康绚调回了京师建康。

魏国胡太后追念于忠当初保护自己的功劳，她说："怎么能因为他的一个错误就把他的其他功勋埋没呢！"于是又封于忠为灵寿县公，同时也封崔光为平恩县侯。

魏国担任益州刺史的元法僧派自己的儿子元景隆率军抵抗张齐，张齐在葭萌与元景隆交战，把元景隆打得大败，屠杀了魏军的十多座城，随即包围了益州州治武兴城。元法僧据城自守，益州境内的人全部背叛了元法僧，元法僧派使者抄小路向魏国朝廷紧急求救。魏国朝廷派使者乘驿站车马紧急赶往淮南去召担任镇南军司的傅竖眼，任命傅竖眼为益州刺史、西征都督，傅竖眼率领三千步骑兵奔赴益州。傅竖眼进入益州境内，连续转战了三天，行军二百多里，路上与梁军发生了九次遭遇战，全都取得了胜利。五月，傅竖眼进攻梁国担任梁州刺史的任太洪，将任太洪杀死。

竖眼击杀梁州刺史任太洪。民、獠闻竖眼至，皆喜，迎拜于路者相继。张齐退保白水[292]，竖眼入州[293]，白水以东民皆安业。

魏梓潼太守苟金龙领关城戍主[294]，梁兵至，金龙疾病[295]，不堪部分，其妻刘氏帅厉[296]城民，乘城拒战，百有余日，士卒死伤过半。戍副高景谋叛，刘氏斩景及其党与数十[15]人，自余将士，分衣减食，劳逸必同，莫不畏而怀[297]之。井在城外，为梁兵所据，会天大雨，刘氏命出公私布绢及衣服悬之，绞而取水，城中所有杂物[298]悉储之。竖眼至，梁兵乃退，魏人封其子为平昌县子。

六月庚子[299]，以尚书令王莹[300]为左光禄大夫、开府仪同三司；尚书右仆射袁昂为左仆射；吏部尚书王暕[301]为右仆射。暕，俭[302]之子也。

张齐数出白水，侵魏葭萌，傅竖眼遣虎威将军强虬攻信义将军杨兴起，杀之，复取白水。宁朔将军王光昭又败于阴平[303]，张齐亲帅骁勇二万余人与傅竖眼战，秋，七月，齐军大败，走还，小剑、大剑诸戍[304]皆弃城走，东益州[305]复入于魏。

八月乙巳[306]，魏以胡国珍为骠骑大将军、开府仪同三司、雍州刺史。国珍年老，太后实不欲令出，止[307]欲示以方面之荣[308]，竟不行。

康绚既还，张豹子不复修淮堰。九月丁丑[309]，淮水暴涨，堰坏，其声如雷，闻三百里，缘淮城戍、村落十余万口皆漂入海。初，魏人患淮堰，以任城王澄为大将军、大都督、南讨诸军事，勒众十万，将出徐州来攻堰，尚书右仆射李平以为“不假兵力[310]，终当自坏。”及闻破，太后大喜，赏平甚厚，澄遂不行。

壬辰[311]，大赦。

当地那些汉人、少数民族听说原任益州刺史傅竖眼回来了，都非常高兴，前来路上迎接叩拜他的人接连不断。张齐率军退往白水郡坚守，傅竖眼进入益州州治武兴城，白水郡以东的百姓全都安定下来各自从事自己原来的职业。

魏国担任梓潼太守的苟金龙同时兼任着白水关城的驻军统领，梁军到来的时候，苟金龙正身患重病，无力承担部署、指挥将士抵抗梁军的重任，苟金龙的妻子刘氏便挺身而出，她率领并激励城中的军民，登上城墙抵抗梁军的进攻，一直坚守了一百多天，士卒死伤超过了一半。驻军副统领高景密谋叛变降梁，刘氏杀死了高景以及高景的数十名党羽，对于其他的将士则爱护有加，她把自家的衣服拿出来分给他们穿，减少自己的饮食分给其他将士吃，坚持与将士们同甘共苦，因此没有一个人不敬畏她、拥护她。水井都在城外，已经被梁军所占有，城内缺乏饮水，恰好天降大雨，刘氏就命令拿出官府和私人的布匹绢帛以及衣物张挂起来让雨淋湿，然后拧下衣物上的水以供饮用，城中所有能够用来盛水的坛坛罐罐全都拿出来储满了水。等到益州刺史傅竖眼到来之后，梁军才退去，魏国朝廷封刘氏的儿子为平昌县子爵。

六月初五日庚子，梁武帝任命担任尚书令的王莹为左光禄大夫、开府仪同三司；任命担任尚书右仆射的袁昂为左仆射；任命担任吏部尚书的王暕为尚书右仆射。王暕，是王俭的儿子。

张齐多次从白水郡出兵，侵扰魏国的葭萌，傅竖眼派遣担任虎威将军的强虬进攻梁国担任信义将军的杨兴起，把杨兴起杀死，又夺取了白水关。梁国担任宁朔将军的王光昭又在阴平与魏军的作战中遭遇失败，张齐遂亲自率领二万多名骁勇之士与傅竖眼展开激战，秋季，七月，张齐军被傅竖眼所率领的魏军打得大败，张齐率领着属下的残兵败将逃走，小剑山、大剑山上的各个军事据点的梁国守军全都弃城逃走，东益州再次落入魏国人之手。

八月十一日乙巳，魏国朝廷任命胡国珍为骠骑大将军、开府仪同三司、雍州刺史。当时胡国珍已经年老，胡太后实际上并不是真想让胡国珍离开朝廷到地方上任职，只是想让胡国珍享受一下主持一方军政的荣耀，所以胡国珍并没有真正地去雍州担任刺史。

康绚回到朝廷之后，徐州刺史张豹子并没有继续维修淮河大坝。九月十三日丁丑，淮河水位暴涨，堤堰崩溃，发出的声响像打雷，三百里以内的人都听见了大坝崩塌的声音，沿着淮城军事据点、周围的村落全部被洪水淹没，十多万人随洪水漂入大海。当初，魏国人担忧淮河大坝会给魏国带来灾难，遂任命任城王元澄为大将军、大都督、南讨诸军事，率领十万大军准备从徐州出兵前来夺取大坝，担任尚书右仆射的李平认为："用不着出兵动武，大坝最终会自己崩坏。"等到听说淮河大坝崩溃的消息之后，胡太后非常高兴，赏赐给李平的财物非常丰厚，任城王元澄因此没有出行。

九月二十八日壬辰，梁国实行大赦。

魏胡太后数幸宗戚勋贵之家，侍中崔光表谏曰："《礼》，诸侯非问疾吊丧而入诸臣之家，谓之君臣为谑[312]。不言王后夫人[313]，明无适臣家之义[314]。夫人，父母在有归宁[315]，没则使卿宁[316]。汉上官皇后将废昌邑[317]，霍光，外祖也[318]，亲为宰辅[319]，后犹御武帐以接群臣[320]，示男女之别也。今帝族方衍[321]，勋贵增迁[322]，祗请遂多[323]，将成彝式[324]。愿陛下简息[325]游幸，则率土属赖[326]，含生[327]仰悦矣。"

任城王澄以北边镇将选举弥轻[328]，恐贼虏窥边，山陵[329]危迫，奏求重镇将之选，修警备之严。诏公卿议之。廷尉少卿袁翻议，以为"比[330]缘边州郡，官不择人[331]，唯论资级。或值贪污之人，广开戍逻[332]，多置帅领，或用其左右姻亲，或受人货财请属[333]，皆无防寇之心，唯有聚敛之意。其勇力之兵，驱令抄掠，若遇强敌，即为奴虏；如有执获[334]，夺为己富。其羸弱老小之辈，微解金铁之工，少闲草木之作[335]，无不搜营穷垒[336]，苦役百端[337]。自余或伐木深山，或芸草平陆[338]，贩贸往还[339]，相望道路。此等禄既不多，赀亦有限，皆收其实绢[340]，给其虚粟[341]。穷其力，薄其衣，用其功，节其食，绵冬历夏[342]，加之疾苦，死于沟渎者什常七八。是以邻敌[343]伺间，扰我疆埸[344]，皆由边任[345]不得其人故也。愚谓自今已后，南北边诸藩[346]，及所统郡县府佐、统军至于戍主，皆令朝臣王公已下各举所知，必选其才，不拘阶级[347]。若称职及败官[348]，并所举之人[349]随事赏罚。"太后不能用。及正光[350]之末，

魏国的胡太后曾经多次到宗室、亲戚、功勋、权贵人家中巡视，担任侍中的崔光上表劝谏胡太后说：“《礼记·礼运》上说，诸侯如果不是为了探问疾病、吊唁死者而无缘无故到臣子的家中去，等于是君与臣在开玩笑。虽然没有提到天子的王后与诸侯的夫人，说明王后与夫人也没有到臣子家里去的道理。至于诸侯的夫人，当她的父母还健在的时候，夫人可以回家探视自己的父母，一旦她的父母去世，如果再要问候其家，就应该由朝廷派卿一级的大臣前往。西汉时期上官皇后将要废掉新即位的小皇帝刘贺为昌邑王的时候，当时辅佐朝政的霍光是上官皇后的外祖父，如此亲近的人担任宰辅，但上官皇后在接见群臣宣布命令的时候，仍然要躲在帐子后面以示男女有别。如今皇帝家族不断有生子之庆，功勋贵戚屡有升官增俸之喜，敬请您前去参加的事情会越来越多，这样发展下去就会形成章程。希望陛下停止巡游临幸，那么举国上下都将托您的福，所有的生灵都会感到由衷的喜悦。”

任城王元澄因为朝廷对北边镇将的选拔越来越不重视，恐怕贼虏伺机侵扰边境，致使魏国远在云中郡的先帝陵墓受到威胁，于是奏请朝廷对北边镇将的选拔任用工作给予足够的重视，要加强边防警戒。胡太后下令公卿大臣商讨这件事情。担任廷尉少卿的袁翻建议：“近来那些靠近边境的州郡，任命官吏的时候根本不管其人的实际能力如何，只看重人选的资历级别。如果遇到的是个贪官污吏，就会大规模地扩展边防哨所与巡逻人员，大量安置将帅统领，有的任用自己的左右姻亲担任将帅，有的因为接受了别人的钱财，于是就走后门，把他们安排进来担任军队的统领，这些人全都没有防备贼寇的心思，只知道一门心思地为自己聚敛财物。那些勇敢有力的士兵，都被将帅统领们驱赶着到敌人境内去抄掠，如果遇到强大的敌人，这些士兵就被敌人所俘虏；如果捉到了敌兵，夺得了敌人的财物，就被那些将帅统领夺去据为己有。那些身体羸弱的老幼之人，其中稍微懂得一点炼铁冶铜技术的，或者稍微熟悉一点养花种树的技术的，没有一个不被从军营中搜索出来，派去从事各种痛苦的劳动。其他士兵有的被派到深山里去砍伐木材，有的被派到平原上去割草，还有的被派去走南闯北地做买卖，路途之上被派去做买卖的人一拨接着一拨，相互都能看得见。这些人的俸禄原本不多，所用资本也很有限，而将帅、统领们向他们收缴的都是真正的钱财，而付给他们的是一张写有粮食若干的支票。用尽了他们的力气，剥削了他们的劳动成果，却又不让他们穿暖吃饱，就这样从冬到夏，再加上疾病劳苦，死于沟壑的就占了十分之七八。邻近的柔然人所以敢伺机侵扰我国的边境，都是由于防守边境的官员选用不当造成的。我愚蠢地认为，从今以后，凡是靠近南北边境的各州刺史、镇将，以及所管辖的郡县府佐、统军以至于军事据点的驻军头领，都要由朝廷中王公以下的大臣各自举荐自己所了解的人，一定要选拔适合的人才去充任，不论他们原来的职务是多么低微。如果被举荐的人称职，那么举荐他的大臣与他一同受奖赏；如果被举荐的人因为不称职而败坏了国家公务，那么举荐他的大臣就与他一同受处罚。”胡太后没有采用袁翻的建议。等到孝明帝正光末年，

北边盗贼群起[351]，遂逼旧都[352]，犯山陵，如澄所虑。

冬，十一月，交州[353]刺史李娶斩交州反者阮宗孝，传首建康。

初，魏世宗作瑶光寺未就，是岁，胡太后又作永宁寺，皆在宫侧。又作石窟寺于伊阙口[354]，皆极土木之美[355]。而永宁尤盛，有金像高丈八者一，如中人[356]者十，玉像二。为九层浮图[357]，掘地筑基，下及黄泉[358]。浮图高九十丈，上刹[359]复高十丈，每夜静，铃铎[360]声闻十里。佛殿如太极殿，南门如端门[361]。僧房千间，珠玉锦绣，骇人心目[362]。自佛法入中国[363]，塔庙之盛未之有也。扬州刺史李崇上表，以为"高祖迁都垂三十年[364]，明堂[365]未修，太学荒废，城阙府寺[366]颇亦颓坏，非所以[367]追隆堂构[368]，仪刑万国[369]者也。今国子[370]虽有学官之名，而无教授[371]之实，何异兔丝、燕麦[372]，南箕、北斗[373]！事不两兴，须有进退，宜罢尚方雕靡之作[374]，省永宁土木之功，减瑶光材瓦之力，分石窟镌琢[375]之劳，及诸事役非急者。于三时农隙[376]修此数条[377]，使国容严显[378]，礼化兴行，不亦休哉[379]！"太后优令答之[380]，而不用其言。

太后好事佛，民多绝户为沙门[381]，高阳王友李玚[382]上言："三千之罪莫大于不孝，不孝之大无过于绝祀[383]，岂得轻纵[384]背礼之情[385]，肆[386]其向法[387]之意。一身亲老[388]，弃家绝养，缺当世之礼，而求将来之益[389]。孔子云：'未知生，焉知死[390]？'安有弃堂堂之政[391]而从鬼教[392]乎？又，今南服未静[393]，众役仍烦[394]，百姓之情，实多避役。若复听之，恐捐弃孝慈，比屋[395]皆为沙门矣。"都统[396]僧暹等忿玚谓之"鬼

北部边境一带盗贼蜂拥而起，逼近旧都平城，践踏了皇家陵寝，果真像任城王元澄当初所担忧的那样。

冬季，十一月，梁国担任交州刺史的李畟斩杀了交州境内起兵叛乱的阮宗孝，把阮宗孝的首级传送到建康示众。

当初，魏世宗建造瑶光寺没有建成，这一年，胡太后又开始建造永宁寺，瑶光寺与永宁寺都在皇宫旁边。又在伊阙山口建造石窟寺，都极尽建筑艺术的精美。而永宁寺的规模尤其盛大，寺内有高一丈八尺的金佛像一尊，像平常人一样大小的佛像十尊，玉制的佛像二尊。还建造了一座九层的佛塔，佛塔的地基挖得深到地下有水的地方。佛塔高九十丈，佛塔的上柱又高出十丈，每到夜深人静的时候，佛塔上的风铃叮当作响，声音能够传出十里远。佛殿就像太极殿一样宏伟壮丽，佛殿的南门就像皇帝宫殿的南大门。永宁寺有一千间供僧人居住的房舍，都是用珠玉锦绣绸缎做装饰，华贵到令人感到吃惊的程度。自从佛教传入中国之后，佛塔寺庙规模的盛大从来没有像现在这样。扬州刺史李崇上表给胡太后，李崇认为："自从高祖迁都洛阳以来到现在已经将近三十年，就连供皇帝进行祭祀、讲礼、尊贤与发布政令的明堂都没有修建，太学已经荒废，国都的城墙与朝廷各官府的衙门也有很多都已经倾颓破损，现在还不是大力扩张祖业、给国内的其他各地与境外的其他各邦国做模范的时候。如今国子学虽然挂着一个学府的名号，却没有教课授徒、教书育人的实际，这和兔丝、燕麦，南箕、北斗这些徒有其名而无实际用途的东西有什么两样！当事情不能保证两全其美的时候，就应该有所取舍、有所为有所不为，现在应该令为宫廷服务的尚方署停止制造那些没有实用价值而白白耗费人力物力的东西，缩小永宁寺土木工程的规模，减少建造瑶光寺使用的木材砖瓦，停止石窟寺雕琢奢靡的劳作，以及其他各种不是当务之急的工程。在春、夏、秋三个农忙季节的空闲时间应开工修建明堂、太学、城阙、府衙等几项国家急需的项目，使国家的面貌庄严显赫，礼仪教化兴盛推广，这岂不是更好吗！"胡太后下令对李崇的意见予以了肯定和表扬，却没有采纳他的意见。

胡太后喜欢侍奉佛教，因此民间有很多百姓宁可不顾家庭断绝子嗣的危险而令自己的儿子进入佛寺去当和尚，高阳王元雍的僚属李玚于是上书给朝廷说："三千种大罪当中最大的一种罪就是不孝，而不孝之罪中最大的一种就是没有后代，岂能轻易地纵容百姓违背孝道，放任他们为了崇尚佛法。在父母已经年老需要赡养的情况下，唯一的儿子还要抛弃家庭，断绝对父母的赡养去做和尚，这种行为有损于当代礼仪规定，却只为祈求下辈子能得到幸福。孔子说：'连活着的事情都无法预知，又怎么能知道死后的事情呢？'岂能抛弃光明正大的儒家所提倡的政教而去从事佛家所提倡的鬼教呢？再有，如今南方战事还没有平静，各种劳役接连不断，百姓所以要出家当和尚，实际上大多数都是为了逃避劳役。如果再听之任之，恐怕都要捐弃子孝父慈的天伦之乐，挨家挨户都成了和尚了。"担任都统的僧暹等人对李玚把佛教称为"鬼教"的说法感

教”，以为谤佛，泣诉于太后。太后责之，玚曰：“天曰神，地曰祇，人曰鬼。《传》曰：‘明则有礼乐，幽则有鬼神。‘然则明者为堂堂，幽者为鬼教。佛本出于人，名之为鬼，愚谓非谤。”太后虽知玚言为允，难违暹等之意，罚玚金一两。

魏征南大将军田益宗求为东豫州[397]刺史，以招二子[398]，太后不许，竟卒于洛阳。

柔然伏跋可汗[399]壮健善用兵，是岁，西击高车[400]，大破之，执其王弥俄突，系其足于驽马[401]，顿曳[402]杀之，漆其头为饮器[403]。邻国先羁属柔然[404]后叛去者，伏跋皆击灭之，其国复强。

【段旨】

以上为第二段，写梁武帝萧衍天监十五年（公元五一六年）一年间的大事。主要写了梁将赵祖悦袭取魏之硖石城，因驻守之，魏使崔亮、李崇攻之，二将不协无功；魏使李平往督，遂攻下硖石，胡太后令李平等乘胜进攻南朝，因崔亮不服节制，李平只好退兵。写了梁国筑坝截淮以淹寿阳，寿阳之民逃依岗陇，李崇筑魏昌城于八公山以守，夹淮两岸被淹者数百里，到处一片泽国；而梁国的淮坝终致崩塌，使缘淮下游的城戍村落十余万口皆漂入海。写了梁将张齐与魏将傅竖眼在陕蜀边境的反复争夺，最后东益州一带重新落入魏人之手。写了魏臣元澄建议整顿腐败的边防，建议加强对边将的考察与任用，胡太后不听，导致后患。写了魏臣又请杀于忠，请处死擅自打死羽林的侯刚，胡太后皆护持之；胡太后数幸戚勋之家，崔光上表以谏。写了胡太后好佛，大修瑶光寺、永宁寺于皇宫旁，又修石窟寺于伊阙口，极尽壮丽，李崇谏之，不听。此外还写了柔然民族在伏跋可汗（丑奴）的带领下打败高车，使柔然重新强大起来等。

【注释】

[220]正月戊辰朔：正月初一是戊辰日。[221]别为行台：临时建立了一个中央的派出机构。行台，临时的朝廷，有如皇帝亲临。[222]乖异：不服从命令。[223]二月乙巳：二月初八。[224]垣孟孙：梁将名。[225]刻日：定好日期。[226]乖互：同前“乖异”，自行其是，不服从指挥。[227]昌义之：萧衍的开国功臣，梁朝的著名将领，此时任左卫将军。传见《梁书》卷

到十分气愤，认为李玚是在诽谤佛教，就到胡太后面前进行哭诉。胡太后为此责备了李玚，李玚说："天称为神，地称为祇，人死后称为鬼。《礼记》记载说：'光明的地方则有礼仪音乐，幽暗的地方则有鬼怪神灵。'如此说来光明正大的是政教，幽暗的就是鬼教。佛祖本来是人身，死了则称他为鬼，我认为这不是诽谤。"胡太后虽然知道李玚说得很在理，但难以违背僧暹等人的心意，于是罚了李玚一两黄金。

魏国担任征南大将军的田益宗请求担任东豫州刺史，以招引自己投降梁国的两个儿子田鲁生、田鲁贤返回魏国，胡太后没有同意，田益宗后来死在了洛阳。

柔然伏跋可汗身体健康强壮，很善于用兵打仗，这一年，伏跋可汗两次率军向西进攻高车人，把高车人打得大败，活捉了高车王弥俄突，他把弥俄突的双脚捆住拖在劣马的身后，让劣马拖着弥俄突奔跑，一直把弥俄突拖死，然后他把弥俄突的头骨用油漆涂饰之后当作尿壶使用。邻近那些曾经服从于柔然而后叛离了柔然的小国，全都被伏跋可汗所消灭，柔然国在伏跋可汗的统治下再次强大起来。

十八。㉘崔延伯：魏国名将，博陵（今河北蠡县南）人，官至右卫将军。㉙下蔡：古城名，即今安徽凤台，在当时寿阳城的北方，夹淮水筑有新旧两城。㉚辋：车轮的外圈。㉛辐：车轮的辐条。㉜揉竹为絙：用竹子拧成大绳索。㉝鹿卢：今写作"辘轳"。可用来汲水或举重物的装置。㉞走路：乘船逃走之路。㉟梁城：梁郡的郡治所在地，在今安徽寿县东北，凤阳西南。㊱部分：指挥、派遣。㊲乙丑：二月二十八。㊳随表辄发：刚上表请假，不等回复就离开了岗位。发，动身。㊴经略：方略、总体规划。㊵摄御万机：代理皇帝职权。㊶庶几恶杀：尽量争取不杀人。胡三省曰："亮，崔光之族弟也，故平奏不行。"㊷元匡：景穆帝拓跋晃之孙，广平王拓跋洛侯之子，被封为济南王。此时任御史中尉之职。传见《魏书》卷十九上。㊸幸国大灾：趁国家有难之际，指世宗死，新君刚继位。幸，正好赶上。㊹裴、郭受冤：指裴植、郭祚被于忠所杀。㊺宰辅黜辱：指元雍被免职。㊻矫旨为：假传圣旨任命自己为……。㊼原其此意：推断他本来的意思。㊽以无上自处：以地位最高自居。无上，上边再没有比他地位高的人。㊾事在恩后：事情发生在大赦之后。㊿宜加显戮：应该给予公开的惩处。(251)就州行决：到冀州去把他杀死。此时于忠任冀州刺史。(252)晏驾：宫车晚出，隐称皇帝之死。(253)未亲览：未过问朝廷政事以前。(254)不由阶级：不是按等级一步步升上来的官员。(255)发门下诏书：由门下省发布的皇帝命令。(256)由中书宣敕：由中书省派人口传的皇帝命令。(257)正可免罪：只可免去他们个人的罪责，不能再让他们继续为此官职。正，此处的意思同"只"。(258)掠杀羽林：将羽林卫士拷打致死。(259)尚食典御：官名，胡三省曰，"掌调和御食，温凉寒热，以时供进则尝之"。典御，保证能让皇帝合适地进用。御，用。(260)大辟：杀头；处

死。㉖邂逅致死：偶然致人死命。㉖不坐：不定罪。㉖袁翻：陈郡（郡治在今河南淮阳）人，官至中书令。传见《魏书》卷六十九。㉖情状已露：犯罪的事实已经显露。㉖隐避不引：但他就是隐瞒不承认。㉖考讯以理：审问者就是为了让他说出实情。㉖具首：全部招认。㉖口唱打杀：口中高喊打死他。㉖挝筑非理：不合理的用刑。㉗解尚食典御：解除了他尚食典御的职务。㉗三月戊戌朔：三月戊辰朔，无戊戌日。疑记载有误。㉗辛未：三月初四。㉗国庙：齐国宗庙里所供奉的列祖列宗的灵牌。㉗室家诸从：萧宝寅留在南方的家室与诸位堂兄弟。㉗上其书于魏朝：把萧衍的来信送交了魏国朝廷，以表示自己绝不与梁朝有任何牵连。㉗下广：大坝的底宽。㉗杞柳：树名，与柳树的性质接近，容易成活，枝条柔韧，可编织箱筐等物。㉗四渎：古代所称的四条大河，即长江、黄河、淮水、济水。㉗节宣其气：以调节大自然阴阳二气的收敛与散发。节宣，犹言吐纳。㉘凿梨东注：在拦河大坝上凿出一个深洞放水向东流。梨，通"湫"，洞穴、潭穴。㉘游波宽缓：大坝所阻拦的淮河水就不那么汹涌了。㉘开梨：指放淮水以淹梁人。㉘不畏野战：不怕与魏人在平原上作战。㉘开梨北注：在魏国人占领的区域里也放满了水，以阻止梁人的进攻。㉘八公山：在寿阳城正北方的不远处，当年淮南王刘安曾在此山召集宾客文人以修《淮南子》与炼丹制药等。㉘冈陇：山岗与高丘。㉘堰起于徐州境内：截淮筑坝的地段是在徐州刺史的管辖区域。梁国徐州的州治钟离，在今安徽蚌埠东南，凤阳的东北侧。而康绚率军筑坝的浮山就在钟离城的东侧不远。㉘康绚以他官来监作：康绚在来此监护筑坝前在朝任太子右卫率。㉘以一谬弃其余勋：胡三省曰，"胡后以于忠拥护有功，若忠之专横，其谬固非一也"。㉙张齐：梁武帝萧衍的开国功臣，与张稷、王珍国共谋并亲手杀了南齐的末帝萧宝卷，入梁后，曾任历阳太守，此时受益州刺史萧恢命率军救葭萌。传见《梁书》卷十七。㉙驿召：由驿站车马急召。〖按〗此时傅竖眼任崔亮军司，驻淮南。㉙白水：梁郡名，郡治在今四川广元西北，即白水关。㉙入州：即进驻到武兴城。当时魏国益州州治即武兴。㉙领关城戍主：兼任白水关城驻军统领。㉙疾病：病重。㉙帅厉：率领并激励。厉，同"励"。㉙怀：归心，拥护。㉙杂物：指各种能盛水的坛坛罐罐。㉙六月庚子：六月初五。㉚王莹：先是刘宋皇帝的驸马，后为南齐的侍中，入梁后又任尚书令。传见《梁书》卷十六。㉚王暕：王俭之子，在齐曾为驸马，入梁后曾为吏部尚书。传见《梁书》卷二十一。㉚俭：王俭，南齐萧道成的开国功臣，官居尚书令。传见《南齐书》卷二十三。㉚阴平：梁郡名，郡治在今四川剑阁西北，白水郡的西南方。㉚小剑、大剑诸戍：指小剑山、大剑山上的各军事据点。大剑山在今四川剑阁北，小剑山在大剑山的西北方。㉚东益州：魏国曾设立过的州名，州治即上文所说的"武兴"，亦即今陕西略阳。胡三省曰："领武兴、仇池、凿头、广长、广业、梓潼、洛丛七郡。"㉚八月乙巳：八月十一。㉚止：通"只"。㉚方面之荣：主持一方军政的荣耀。㉚九月丁丑：九月十三。㉛不假兵力：用不着出兵动武。假，借、使用。㉛壬辰：九月二十八。㉛君臣为谑：语见《礼记·礼运》。谑，戏谑。胡三省引《礼记》注曰："无故而相之，是戏谑也，陈灵公与孔宁、仪行父数如夏氏，以取弑焉。”⑬ 不言王后夫人：没有说天子的王后与诸侯的夫人也可以因为问疾吊丧而入诸臣之家。在西周与春秋时期，周天子的正妻称王后，诸侯的正妻称夫人。⑭ 无适臣家之义：没有到诸臣家里去的道理。适，去、前往。⑮ 归宁：回家探视父母。宁，向父母问安。⑯ 没则使卿宁：诸侯夫人的父母已经去世，如再问候其家，则由朝廷派卿一级的大臣前往。《左传》襄公十二年，“楚司马子庚聘于秦，为夫人宁，礼也”。⑰ 上官皇后将废昌邑：当汉昭帝的皇后要宣布废黜新继位的小皇帝刘贺为昌邑王的时候。汉昭帝死后，由于他本人无后，朝廷选立了他的侄子刘贺为皇帝。在位十七天，霍光又看着他不行，于是让汉昭帝的皇后出面宣布把刘贺废掉了。汉昭帝的皇后是上官桀的女儿，霍光的外孙女。刘贺是老昌邑王刘髆的儿子，汉武帝的孙子。刘贺被从皇帝座位上赶下后，只好又回去当他原来的昌邑王了。⑱ 霍光二句：霍光是汉昭帝上官皇后的外祖父，当时西汉政权的实际把持者。先是受汉武帝的委任辅佐汉武帝的小儿子汉昭帝刘弗陵。刘弗陵又短命而死，没有后代，于是先找来了刘弗陵的侄子刘贺；结果刘贺又被霍光废掉，又从民间找来了被汉武帝所杀的原太子刘据的孙子刘询，立以为帝，即汉宣帝。过程详见《汉书·霍光传》与《汉书·武五子传》。⑲ 亲为宰辅：是如此亲近的人身为执政大臣。⑳ 后犹御武帐以接群臣：但上官皇后在接见群臣宣布命令的时候仍要躲在帐子后面以示男女有别。御武帐，坐在设有武装防护的帐子里。㉑ 帝族方衍：皇帝元氏家族不断有生子之庆。衍，降生。㉒ 勋贵增迁：勋臣贵戚都屡有升官增俸之喜。㉓ 祗请遂多：敬请您前去参加的事情会越来越多。祗，恭敬。胡三省曰：“谓宗戚勋贵之家凡有吉庆，皆请太后临幸。”㉔ 将成彝式：这些发展下去都会成为章程。彝，章程、法式。㉕ 简息：简少、停止。㉖ 率土属赖：举国上下都将托您的福。率土，整个国家的疆土。率，循、沿着。属赖，依托。㉗ 含生：凡有生命的，泛指一切人，甚至一切动植物。曹植的《对酒行》有诗曰：“含生蒙泽，草木茂延。”㉘ 选举弥轻：被选镇将的资历越来越浅。㉙ 山陵：指魏国先王的陵墓。魏显祖拓跋弘以上诸帝的陵墓都在云中郡，郡治在今内蒙古的和林格尔城北。㉚ 比：近来。㉛ 不择人：不管其本人的实际能力如何。㉜ 广开戍逻：大规模地扩展边防哨所与巡逻人员。㉝ 请属：请托、走后门、求人帮着办事。㉞ 执获：捉到了敌兵、夺得了敌财。㉟ 少闲草木之作：稍微熟悉一些养花种树的技术。闲，同“娴”，熟习。㊱ 搜营穷垒：从营房、堡垒之中把他们找来。㊲ 苦役百端：让他们从事各种痛苦的劳动。㊳ 芸草平陆：到平原上割草。㊴ 贩贸往还：更有些是让他们去走南闯北地做买卖。㊵ 收其实绢：让他们缴纳的是真正的钱财。绢，南北朝与隋唐时期用绢帛充当货币使用。㊶ 给其虚粟：发给他们的是一张写有粮食若干的支票。㊷ 绵冬历夏：从冬到夏。绵，接连不断。㊸ 邻敌：指柔然人。㊹ 疆埸：边疆。㊺ 边任：防守边疆的职官。㊻ 诸藩：各州的刺史。藩，古代以称各国诸侯，南北朝时即指各州刺史，因其兼掌军政，雄踞一方，有如古之诸侯。㊼ 不拘阶级：不论他们原来的职务是多么低微。㊽ 败官：败坏了国家的公务，即不称职。㊾ 所举之人：举荐他们任职的人。㊿ 正光：魏肃宗的第三个年号（公元五二〇至五二五年）。(351) 盗贼群起：胡三省曰，"正光四年，破六韩拔陵、卫可孤等反；孝昌初年，云中没矣"。(352) 旧都：指平城，今山西大同。(353) 交州：梁州名，州治龙编，在今越南河内东北。(354) 伊阙口：伊阙山的两山相对如门处，伊水在其下流过。伊阙在今河南洛阳城南。所谓"石窟寺"即今之龙门石窟。(355) 极土木之美：是建筑艺术中的佼佼者。(356) 如中人：和平常人一样大小。(357) 九层浮图：佛塔九层。(358) 下及黄泉：挖坑打地基，挖到出水的深度。胡三省引杜预曰："地中之泉，故曰黄泉。"(359) 上刹：胡三省曰，"刹，柱也，浮图上柱，今谓之'相轮'"。(360) 铃铎：塔上风铃。铎，大铃。(361) 端门：皇帝宫殿的南大门。(362) 骇人心目：华贵得让人吃惊。(363) 自佛法入中国：据记载佛教传入中国是在西汉末期，中国的第一座寺庙建于东汉明帝时期，即今河南洛阳的白马寺。(364) 垂三十年：将近三十年。魏国自孝文帝太和十七年（公元四九三年）从平城迁都到洛阳。(365) 明堂：儒家所宣传的古代帝王进行祭祀、讲礼、尊贤与发布政令的场所。(366) 城阙府寺：国都的城墙与各中央官府的衙门。府寺，犹言府衙。这里的"寺"字与宗教无关。(367) 非所以：还不是……的时候。(368) 追隆堂构：在先帝已有旧物的基础上大肆发展光大。《尚书 · 周书 · 大诰》有所谓"若考作室，既厎法，厥子乃弗肯堂，矧肯构？"意思是父亲（考）为盖房子画出了蓝图（厎法），但做儿子的连修筑堂基都不肯，更何况让他建造屋宇了。后来人们遂以"堂构"比喻祖先的遗业。"追隆堂构"即大肆扩张祖业。(369) 仪刑万国：给国内的各地区与其境外的其他邦国作模范。(370) 国子：国子学，这里即指"太学"。(371) 教授：教课授徒，以教书育人。(372) 兔丝、燕麦：以比喻徒有其名，而无实际用途的东西。兔丝是蔓生植物，虽名曰丝，不能织布。燕麦是一种野生植物，名虽为麦，不可以做饭吃。(373) 南箕、北斗：二星名，名为箕、斗，却不可以当作实际物件应用。《诗经》有所谓"维南有箕，不可以簸扬；维北有斗，不可以挹酒浆"，都比喻不能起实际作用，名存实亡。(374) 罢尚方雕靡之作：停止为宫廷服务的机构再制造没有实用而白白耗费人力物力的东西。尚方，尚方署，为宫廷制造器物的机构。(375) 镌琢：雕金曰镌，雕玉石曰琢。(376) 三时农隙：春、夏、秋三个务农季节的空闲时间。(377) 修此数条：指明堂、太学、城阙、府寺等国家的急需之所。(378) 严显：庄严、显赫。(379) 不亦休哉：这岂不是更好吗。休，美好。(380) 优令答之：下诏书予以肯定、表扬，但就是不采纳。优令，意同"优诏"，用好话安慰之。(381) 绝户为沙门：一个儿子

【原文】

十六年（丁酉，公元五一七年）

春，正月辛未[405]，上祀南郊。

魏大乘余贼复相聚，突入瀛州[406]，刺史宇文福之子员外散骑侍郎延

也不留，不顾家庭的灭绝而去当和尚。㊷高阳王友李玚：高阳王元雍的僚属李玚。友是闲散官名，如同幕僚、宾客。李玚是秦州刺史李孝伯的从孙，曾任尚书仆射、冀州刺史。传见《魏书》卷五十三。㊸绝祀：没有后代。古语有所谓"不孝有三，无后为大"。㊹轻纵：随意地放纵。㊺背礼之情：指不守孝道，抛家去当和尚。㊻肆：放任；随其便。㊼向法：崇尚佛法。㊽一身亲老：一个儿子的家庭，父母又已年老。㊾求将来之益：胡三省曰，"佛法以今世修种为来生因果"。即希望下一辈子享福。㊿未知生二句：连活着的事情都无法预知，又怎么能知道死后的事呢。这是孔子回答子路的话，见《论语·先进》。(391)堂堂之政：光明正大的政教，指儒家倡导的规章。(392)鬼教：因佛教讲来生、讲轮回，故称之鬼教。(393)南服未静：南方战线尚未平静。南服，指江南的梁国政权。服，指王畿以外的地域。(394)众役仍烦：兵役、劳役接连不断。仍烦，犹言频繁、繁多。(395)比屋：一家挨一家。(396)都统：官名，掌管佛教与僧尼的官员。(397)东豫州：魏州名，州治即今河南息县。(398)以招二子：田益宗的三个儿子田鲁生、田鲁贤、田超秀于天监十三年一同降梁，皆被授为刺史，其中田超秀于上年又叛降归魏。此时在梁朝的是田鲁生与田鲁贤。(399)伏跋可汗：名丑奴，伏图可汗之子，公元五〇八到五二〇年在位。传见《魏书》卷一百三。(400)高车：也称"铁勒""敕勒"，北方的少数民族名，当时活动在柔然民族的北方，约当今之蒙古国与俄罗斯的邻近地区。传见《魏书》卷一百三。(401)驽马：劣马。(402)顿曳：拖拉。(403)饮器：溺器。《淮南子·道应》，"大败知伯，破其头以为饮器"。高诱注："饮，溺。"〖按〗溺器是一解，其实作饮水、饮酒之器，也无不可，皆有证可查。(404)羁属柔然：大体上服从于柔然。羁属，羁縻属之，松散地服从。

【校记】

［12］刻日：原无此二字。据章钰校，十二行本、乙十一行本皆有此二字，今据补。［13］特听：原作"听特"。据章钰校，十二行本、乙十一行本、孔天胤本二字皆互乙，今据改。〖按〗《魏书·崔亮传》作"特听"。［14］尚：原作"尝"。严衍《通鉴补》改作"尚"，今据以校正。［15］十：原作"千"。胡三省注云："'数千'当作'数十'。"严衍《通鉴补》正作"十"，今据以校正。

【语译】

十六年（丁酉，公元五一七年）

春季，正月初九日辛未，梁武帝萧衍到建康城的南郊祭天。

魏国自称大乘的妖僧法庆的余众又集聚在一起，他们突然攻入瀛州境内，担任

帅奴客[407]拒之。贼烧斋阁[408]，延突火[409]抱福出外，肌发皆焦，勒众苦战，贼遂散走，追讨，平之。

甲戌[410]，魏大赦。

魏初，民间皆不用钱，高祖太和十九年[411]，始铸太和五铢钱，遣钱工在所[412]鼓铸；民有欲铸钱者，听就官炉，铜必精练[413]，无得殽杂。世宗永平三年[414]，又铸五铢钱，禁天下用钱不依准式[415]者。既而洛阳及诸州、镇所用钱各不同，商货不通。尚书令任城王澄上言，以为“不行之钱[416]，律有明式[417]，指谓鸡眼、镮凿[418]，更无余禁[419]。计[420]河南诸州今所行者[16]悉非制限[421]，昔来绳禁[422]，愚窃惑焉。又河北既无新钱，复禁旧者，专以单丝之缣[423]、疏缕之布[424]，狭幅促度[425]，不中常式[426]，裂匹为尺[427]，以济有无[428]，徒成杼轴之劳[429]，不免饥寒之苦，殆非所以救恤冻馁[430]，子育黎元[431]之意也。钱之为用，贯襁相属[432]，不假度量，平均简易，济世之宜，谓为深允[433]。乞并下[434]诸方州、镇，其太和与新铸五铢及古诸钱方俗所便用[435]者，但内外全好[436]，虽有大小之异，并得通行，贵贱之差[437]，自依乡价。庶货环海内[438]，公私无壅。其鸡眼、镮凿及盗铸、毁大为小、生新巧伪[439]不如法者，据律罪之。”诏从之。然河北少钱，民犹用物交易，钱不入市。

魏人多窃冒[440]军功，尚书左丞卢同阅吏部勋书[441]，因加检核，得窃阶[442]者三百余人，乃奏：“乞集吏部、中兵二局勋簿[443]，对句奏案[444]，更造两通，一关吏部[445]，一留兵局[446]。又，在军斩首成一阶[447]以上者，

瀛州刺史的宇文福的儿子员外散骑侍郎宇文延率领着家奴与门客进行抵抗。贼众烧毁了刺史办公的斋阁，宇文延冲入火中把自己的父亲宇文福救了出来，自己的肌肤、头发都被大火烧焦了，但宇文延仍然指挥众人拼死苦战，贼众这才溃散逃走，宇文延率领众人进行追击，终于把这伙贼众消灭。

十二日甲戌，魏国实行大赦。

魏国建国初期，民间都不使用钱币，魏高祖元宏太和十九年，才开始铸造太和五铢钱，派铸钱的工人到国家规定的铸钱场所鼓风冶铜铸造铜钱；如果普通百姓想要铸造铜钱，也允许他们到国有的铸钱场所进行铸钱，但所使用的铜必须精纯，不得有其他杂质。世宗皇帝元恪永平三年，又开始铸造五铢钱，同时禁止天下百姓使用那些不符合国家规定标准样式的铜钱。后来因为洛阳与其他各州、各军镇所流通的钱币各不相同，导致商品货物无法流通。担任尚书令的任城王元澄上书给胡太后，元澄认为："关于不准许流通的铜钱，法律上都有明确的规定，指的是那些又薄又小钱眼如鸡眼的钱以及把钱眼凿大以取铜而仅剩外缘的钱，其他的钱币则不需要禁止。考虑到河南各州目前所流通的铜钱都不是过去法律明令禁止的，近来所发布的禁令却禁止那些铜钱流通，我实在感到疑惑不解。再有，黄河以北地区目前既没有铸造新的铜钱，又禁止旧的铜钱流通，那里只能以粗织的单薄的丝绢、麻线织成的纹理稀疏的麻布充当货币，这些丝绢、麻布的宽度和长度都不够尺寸，与平常的布匹规格不相符，因为不够一匹的长度，只好按照实际尺寸计算，将其分成若干块来充当货币使用，进行物品交换，织布人白白花费了很多劳苦，仍然避免不了饥饿寒冷的痛苦，这恐怕不是朝廷用来救助挨饿受冻者，善待黎民百姓的本意。使用铜钱进行交易，只要用绳索把钱币串联在一起就行了，也不需要度量，既公平又简单易行，是帮助百姓进行物品交易的最好办法，我认为很合适、很公平。请同时下令给各方的州、军镇，凡是太和五铢钱与近来铸造的五铢钱以及古钱币为各方的百姓所喜欢使用的，只要钱币的内外完全没有破损，虽然有大钱小钱的区别，都允许流通使用，各种铜钱之间的贵贱比率，自然应该按照当地的价格。希望能使货物在全国之内流通起来，这样做对公家与私人都有利。对那些铸造鸡眼钱的人、凿去铜钱里圈儿以取其铜的人，以及盗铸的人、毁大钱为小钱的人、新生出各种办法弄虚作假的人，一律按照法律的规定来治他们的罪。"胡太后下诏采纳元澄的意见。然而河北地区由于缺少铜钱，民间还是采用以货易货的办法进行交易，铜钱并没有进入市场。

魏国有好多人假冒军功，担任尚书左丞的卢同查阅吏部所编制的记载功勋的文书，趁机进行了一番检查核实，查出了偷着提升等级的竟有三百多人，于是上奏朝廷："请求将吏部、五兵尚书所管的左中兵、右中兵两个部门的功劳簿集中起来，对照着进行考核，然后写出上报的结论，另外再抄写成一式两份，一份交给吏部，一份留在中兵二局存档。再有，在军队当中因为斩下敌兵首级而获得提升一级以上的人，

即令行台、军司[448]给券[449]，当中竖裂，一支付勋人[450]，一支送门下[451]，以防伪巧。”太后从之。同，玄[452]之族孙也。中尉元匡[453]奏请[17]：“取景明元年[454]已来内外考簿[455]、吏部除书[456]、中兵勋案[457]，并诸殿最[458]，欲以案校窃阶盗官之人[459]。”太后许之。尚书令任城王澄表以为“法忌烦苛，治贵清约，御史之体[460]，风闻是司[461]。若闻有冒勋妄阶，止应摄其一簿[462]，研检虚实，绳以典刑。岂有移一省之案[463]，寻两纪之事[464]，如此求过，谁堪其罪？斯实圣朝所宜重慎也。”太后乃止。又以匡所言数不从，虑其辞解[465]，欲奖安之，乃加镇东将军。二月丁未[466]，立匡为东平王。

三月丙子[467]，敕织官，文锦[468]不得为仙人、鸟兽之形，为其裁翦[469]，有乖仁恕。

丁亥[470]，魏广平文穆王怀[471]卒。

夏，四月戊申[472]，魏以中书监胡国珍为司徒。

诏以宗庙用牲[18]，有累冥道[473]，宜皆以面为之[474]。于是朝野喧哗，以为宗庙去牲[475]，乃是不复血食[476]，帝竟不从。八坐[477]乃议以大脯[478]代一元大武[479]。

秋，八月丁未[480]，魏诏[481][19]太师高阳王雍入居门下[482]，参决尚书奏事[483]。

冬，十月，诏以宗庙犹用脯脩[484]，更议代之，于是以大饼代大脯，其余尽用蔬果。又起至敬殿、景阳台，置七庙座[485]，每月中再设净馔[486]。

乙卯[487]，魏诏：“北京士民未迁者[488]，悉听留居为永业[489]。”

要令行台、军司发给他们证明文书，要求将证明文书竖着一分为二，一半发给立功应受奖的人作为立功证明，另一半要同时送交门下省保存，以防伪造取巧。”胡太后采纳了卢同的这个建议。卢同，是卢玄的族孙。担任中尉的元匡上奏请求：“把宣武帝元恪景明元年以来对朝内官员的考核记录与地方官员的考核记录、吏部任命官员的文书、中兵局所掌管的立功受奖者的档案，以及在对官吏的业绩考核中谁是最后一名、谁是第一名的名单调集出来，想要彻底清查一遍看看到底有多少人骗取了等级与官职。”胡太后批准了元匡的奏请。担任尚书令的任城王元澄上表给胡太后，元澄认为：“法律最忌讳的是繁杂苛刻，治理国家贵在执法简单明确，御史这个职位的主要职责，是把他所听闻到的事情都搜集起来。如果听到有人假冒功勋、妄加升级，也只应把与此有关的一些记录或档案控制起来，进行研究核查，弄清真假，对违法乱纪的人绳之以法。岂能把一个机关部门的全部档案搬出来，核查这将近二十年间的所有事情，用这种办法寻找过错，谁能承受得了这样的罪过？这实在是圣明的朝廷所应该慎重对待的。”胡太后这才不再支持元匡的做法。胡太后又因为元匡的建议已经多次不被采纳，担心元匡会因此而请求解官辞职，就想通过奖赏来安慰元匡，于是加授中尉元匡为镇东将军。二月十六日丁未，封元匡为东平王。

三月十五日丙子，梁武帝下令给主管纺织行业的官员，凡是带有图案花纹的丝织品一律不许纺织成仙人、鸟兽的图形，因为在用料时对着仙人、鸟兽的图形下剪子，违背了仁爱宽恕的道德准则。

二十六日丁亥，魏国的广平文穆王元怀去世。

夏季，四月十八日戊申，魏国朝廷任命胡太后的父亲、担任中书监的胡国珍为司徒。

梁武帝下诏认为在祭祀宗庙的时候使用牲畜做祭品，会使祖先的威灵蒙受损失，祭品都应该改用做成牛、羊、猪形状的面食，用以代替活的牛、羊、猪。梁武帝的这道诏令引起朝野一片哗然，人们普遍认为祭祀宗庙时不用牛、羊、猪做祭品，就意味着国家灭亡，子孙失去了统治权力，祖先不再享受后人的祭祀，萧衍始终不为这些意见所左右。于是尚书令、尚书左仆射、尚书右仆射再加上五部尚书这八位议事的大臣经过商议提出了祭祀时用大肉干代替一头牛的建议。

秋季，八月十八日丁未，魏国的胡太后下诏令担任太师的高阳王元雍到门下省任职，一起参谋决定尚书省所提出的处理诸事的意见。

冬季，十月，梁武帝下诏认为祭祀宗庙的祭品还用大肉干不妥，讨论用别的祭品代替，于是遂用大饼代替大肉干，其他的祭品全部改用蔬菜水果。又建造了至敬殿、景阳台，其中安置梁武帝萧衍七代祖先的灵牌，每月的月中再用素食祭祀一回。

二十七日乙卯，魏国的胡太后下诏：“北方旧都平城的百姓按照当初的规定应该搬迁到洛阳来，但目前还没有搬迁的士民，全部允许他们留在平城成为那里永久的居民。”

十一月甲子[490]，巴州[491]刺史牟汉宠叛，降魏。

十二月，柔然伏跋可汗遣俟斤尉比建[492]等请和于魏，用敌国[493]之礼。

是岁，以右卫将军冯道根[494]为豫州刺史。道根谨厚木讷[495]，行军能检敕[496]士卒，诸将争功，道根独默然。为政清简，吏民怀之。上尝叹曰："道根所在，令朝廷不复忆有一州[497]。"

魏尚书崔亮奏请于王屋[498]等山采铜铸钱，从之。是后民多私铸，钱稍[499]薄小，用之益轻[500]。

十七年（戊戌，公元五一八年）

春，正月甲子[501]，魏以氐酋杨定[502]为阴平王[503]。

魏秦州羌[504]反。

二月癸巳[505]，安成康王秀[506]卒。秀虽与上布衣昆弟[507]，及为君臣，小心畏敬，过于疏贱[508]，上益以此贤之。秀与弟始兴王憺[509]尤相友爱，憺久为荆州刺史[20]，常中分其禄[510]以给秀，秀称心[511]受之，亦不辞多也。

甲辰[512]，大赦[513]。

己酉[514]，魏大赦，改元神龟[515]。

魏东益州氐[516]反。

魏主引见柔然使者，让[517]之以藩礼不备[518]，议依[519]汉待匈奴故事[520]，遣使报之。司农少卿张伦上表，以为"太祖经启帝图[521]，日有不暇[522]，遂令竖子游魂一方[523]，亦由中国多虞[524]，急诸华[525]而缓夷狄也。高祖方事南辕[526]，未遑北伐[527]。世宗遵述遗志[528]，虏使之来，受而弗答[529]。以为大明临御[530]，国富兵强，抗敌之礼[531]，何惮而为之[532]？何求而行之[533]？今虏虽慕德而来，亦欲观我强弱，若使王人[534]衔命虏庭[535]，与为

十一月初七日甲子，梁国担任巴州刺史的牟汉宠叛变，投降了魏国。

十二月，柔然伏跋可汗派遣担任俟斤的尉比建等人为使者到魏国请求恢复两国间的友好关系，采用的是地位平等的国家的礼节。

这一年，梁武帝任命担任右卫将军的冯道根为豫州刺史。冯道根为人谨慎厚道，不善言辞，行军的时候能够约束士卒，在其他将领争夺功劳的时候，只有冯道根一人默不作声。他为政清廉简洁，官吏和百姓都很拥护他。梁武帝曾经感叹地说："冯道根所在的地方从来不给朝廷添任何麻烦，几乎让朝廷忘记了这个州的存在。"

魏国担任殿中尚书的崔亮上书给胡太后，奏请在王屋等山开采铜矿铸造铜钱，胡太后批准了崔亮的请求。从此以后有很多百姓都私自铸钱，铜钱渐渐地变得越来越薄越小，也就越来越不值钱。

十七年（戊戌，公元五一八年）

春季，正月初八日甲子，魏国朝廷封氐族人首领杨定为阴平王。

魏国秦州境内的羌族人起兵造反。

二月初七日癸巳，梁国的安成康王萧秀去世。萧秀虽然与梁武帝萧衍是平民时期的亲兄弟，但等到萧衍做了皇帝，萧秀与萧衍之间的君臣名分已定之后，萧秀便处处小心谨慎，对梁武帝充满敬畏，其程度超过了那些远亲和地位低贱的人，梁武帝因此更加认为萧秀是一个贤能的人。萧秀与弟弟始兴王萧憺之间特别友爱，萧憺长期担任荆州刺史，他经常把自己所得的俸禄分出一半送给萧秀，萧秀也心安理得地接受，从不推辞说给得太多了。

二月十八日甲辰，梁国实行大赦。

二十三日己酉，魏国实行大赦。改年号为神龟元年。

魏国东益州境内的氐族人起兵造反。

魏孝明帝元诩召见柔然使者，谴责柔然没有像一个附属国那样对待自己的宗主国魏国，就准备像西汉后期对待匈奴人那样对待柔然人，派遣使者前往柔然通报魏国朝廷的这个决定。担任司农少卿的张伦上表给朝廷，张伦认为："太祖拓跋珪在中原地区经营创建魏国政权的时候，抽不出一点空闲的时间来顾及北方，遂使柔然的首领社仑像游魂一样占领了漠北一带地区，也是因为中原地区令人忧虑的事情很多，所以太祖把对南朝的战争放在了第一位而没有急于对付北方的柔然人。孝文帝元宏则忙于迁都洛阳，也没有顾得上出兵讨伐北方逐渐强大起来的柔然人。世宗元恪遵循孝文帝的遗志，继续把与南朝的斗争放在第一位，柔然派使者前来，世宗只是接受了柔然的朝献而没有派使者到柔然回访。因为我国是由英明的皇帝治理国家，所以国富兵强，柔然人却请求与我国建立平等的国家关系，我们惧怕柔然人什么而要答应他们这样的请求呢？我们能从柔然人那里得到什么好处而非要答应这样的条件不可呢？现在柔然派使者前来虽然是因为仰慕我国的德政，同时也是为了窥伺我国国力的强弱，如果

昆弟[536]，恐非祖宗之意也。苟事不获已，应为制诏[537]，示以上下之仪[538]，命宰臣致书[539]，谕以归顺之道，观其从违[540]，徐以恩威进退[541]之，则王者之体正矣。岂可以戎狄兼并[542]，而遽亏典礼[543]乎？”不从。伦，白泽[544]之子也。

三月辛未[545]，魏灵寿武敬公于忠[546]卒。

魏南秦州氐反，遣龙骧将军崔袭持节谕之。

夏，四月丁酉[547]，魏秦文宣公胡国珍[548]卒，赠假黄钺[549]、相国、都督中外诸军事、太师，号曰太上秦公[550]，加九锡[551][21]，葬以殊礼，赠䍁仪卫[552]，事极优厚。又迎太后母皇甫氏之柩与国珍合葬，谓之太上秦孝穆君。谏议大夫常山张普惠[553]以为“前世后父无称‘太上’者，‘太上’之名不可施于人臣。”诣阙上疏陈之，左右莫敢为通。会胡氏穿圹[554]，下有磐石[555]，乃密表，以为“天无二日，土无二王，‘太上’者因‘上’而生名[556]也。皇太后称‘令’以系‘敕’下[557]，盖取三从之道[558]，远同文母[559]列于十乱[560]。今司徒为‘太上’，恐乖系敕之意。孔子称‘必也正名[561]乎！’比克吉定兆[562]，而以浅改卜[563]，亦或天地神灵所以垂至戒[564]、启圣情[565]也。伏愿停逼上之号[566]，以邀谦光之福[567]。”太后乃亲至国珍宅，召集五品以上博议。王公皆希太后意[568]，争诘难普惠[569]，普惠应机辩析，无能屈者。太后使元义宣令于普惠曰：“朕之所行，孝子之志；卿之所陈，忠臣之道。群公已有成议，卿不得苦夺朕怀[570]。后有所见[571]，勿难言也[572]。”

皇帝的使者奉命出使柔然，与柔然结为兄弟之邦，恐怕不符合祖宗的心意。如果事情是出于不得已而需要和他们建立友好关系，也应该给他们下一道诏书，向他们讲清楚魏国与柔然之间的上下君臣关系，令辅政大臣给他们写信，劝说他们归顺魏国，看看他们是服从还是不服从，然后再慢慢地用恩德鼓励他们归顺，用威势击败他们的反抗，那么君王的体面才光明正大。岂能因为柔然伏跋可汗新破了高车并灭掉了邻近背叛他的小国，使柔然的国力再次强盛起来，就答应与柔然建立平等的国家关系、结为兄弟之邦，而使魏国的国家地位在礼法上受到损害呢?”胡太后没有听从张伦的意见。张伦，是张白泽的儿子。

三月十六日辛未，魏国的灵寿武敬公于忠去世。

魏国南秦州境内的氐族人起兵造反，魏国朝廷派遣担任龙骧将军的崔袭手持皇帝颁发的符节前往南秦州劝谕他们归顺朝廷。

夏季，四月十二日丁酉，魏国胡太后的父亲秦文宣公胡国珍去世，胡太后追赠他假黄钺、相国、都督中外诸军事、太师的称号，尊称其为太上秦公，还加授给他九种特殊的礼遇，用非同一般的礼仪规模安葬了他，朝廷赠给胡国珍家非常优厚的丧礼，出殡时派出了庞大的仪仗队，丧事办得极其隆重。胡太后又将自己母亲皇甫氏的灵柩迎来与胡国珍合葬在一起，尊称皇甫氏为太上秦孝穆君。担任谏议大夫的常山郡人张普惠认为:“此前皇后的父亲从来没有被尊称为‘太上’的，‘太上’这个称呼不能用来称呼人臣。”于是就来到皇宫门口呈递条陈，左右的人没有人敢替他向胡太后通报。正巧遇到胡家在为胡国珍深挖墓穴的时候，挖到一块巨大的石头无法再继续向下挖而改选别处，张普惠于是秘密上表给胡太后，认为:“天上没有两个太阳，地上没有两个皇帝，‘太上’是因为位在皇帝之‘上’而得名。皇太后所以将自己发布的旨意称为‘令’，放置在皇帝的‘敕’字之下，是遵守着在家从父，既嫁从夫，夫死从子的道德标准，想象当年周武王的母亲太姒一样列于十位治世贤臣的行列。如今尊称位为司徒的秦郡公胡国珍为‘太上’，恐怕违背了太后不称敕而称令的本意。孔子曾经说过‘一定要名实相副!’近来为秦文宣公胡国珍所选定的认为吉祥的墓地，在深挖墓穴时却遇到大石头无法向下挖而不得不改选他处，这也许就是天地神灵在给我们提出严肃的警告、启发圣上的内心觉悟。希望太后停止使用高出帝王的太上称号，以求得到谦虚的美誉。”胡太后于是亲自到胡国珍的宅第，召集五品以上的官员就此事广泛地听取意见。王公大臣都迎合胡太后的想法，争先恐后地对张普惠提出责难，施加压力，张普惠随机应变，分析得头头是道，没有人能使张普惠理屈词穷。胡太后让元义向张普惠传达自己的诏令说:“我这样做，是为了表达一个孝子的孝心；而先生所陈述的道理，则表现了一个忠臣的为臣之道。群臣经过讨论已经形成决议，先生就不要再这样苦苦地劝说让我改变想法。今后先生如果发现什么问题或有什么想法，千万不要难于开口，还是希望能够照常提出来。”

太后为太上君[573]造寺，壮丽埒于永宁[574]。

尚书奏复征[575]民绵麻之税，张普惠上疏，以为“高祖废大斗、去长尺、改重称[576]，以爱民薄赋。知军国须绵麻之用，故于绢增税绵八两，于布增税麻十五斤，民以称尺所减，不啻绵麻[577]，故鼓舞供调[578]。自兹以降[579]，所税绢布，浸复长阔[580]，百姓嗟怨，闻于朝野。宰辅[581]不寻其本在于幅广度长，遽罢绵麻[582]。既而尚书以国用不足，复欲征敛。去天下之大信，弃已行之成诏，追前之非[583]，遂后之失[584]。不思库中大有绵麻[585]，而群臣共窃之也。何则？所输之物，或斤羡百铢[586]，未闻有司依律以罪州郡;或小有滥恶[587]，则坐户主[588]，连及三长[589]。是以在库绢布，逾制[590]者多，群臣受俸[591]，人求长阔厚重[592]，无复准极[593]，未闻以端幅有余[594]还求输官[595]者也。今欲复调绵麻[596]，当先正称尺[597]，明立严禁，无得放溢，使天下知二圣之心爱民惜法如此，则太和之政[598]复见于神龟[599]矣。”

普惠又以魏主好游骋苑囿，不亲视朝，过崇佛法，郊庙之事[600]多委有司[601]，上疏切谏，以为“殖不思之冥业[602]，损巨费于生民。减禄削力[603]，近供无事之僧；崇饰云殿[604]，远邀[605]未然之报[606]。昧爽之臣[607]稽首于外[608]，玄寂之众[609]遨游于内[610]，愆礼忤时[611]，人灵未穆[612]。愚谓修朝夕之因[613]，求祇劫之果[614]，未若收万国之欢心以事其亲，使天下和平，灾害不生也。伏愿淑慎威仪[615]，为万邦作式[616]。躬致郊庙之虔[617]，亲纡

胡太后为自己的母亲太上君建造了一座寺院，其豪华壮丽的程度与永宁寺差不多。

魏国尚书省的官员建议朝廷恢复向百姓征收绵、麻等赋税，谏议大夫张普惠上书给胡太后，张普惠认为："魏高祖元宏废掉大斗改用小斗、去掉长尺改用短尺、不再使用重秤，是为了爱护百姓，减轻百姓的赋税。知道军队和国家需要绵、麻，所以在征收绢税的时候增收八两税绵，在征收布税的时候增收十五斤税麻，百姓认为政府使用的新秤、短尺所减少的税收，不只在于棉麻这些实物，更重要的是体现了国家的信义，所以百姓欢欣鼓舞地向国家交纳赋税。但自此以后，官府所征收的绢、布，逐渐地又长起来了、宽起来了，百姓哀叹抱怨的声音，朝野都能听得到。当时的执政大臣于忠根本不考虑原因出在征收的绢布幅度加宽加长上，就匆忙地下令废除了对棉麻的征收。后来尚书省因为国家费用不足，又想要恢复向百姓征收税绵、税麻。这样做的结果就是失去天下人的信任，抛弃已经施行的既定政策，继续执行以前的错误章程，又拾起了后来的错误办法。不考虑国库中储存的棉麻有的是，只不过是被群臣盗窃一空罢了。为什么这样说呢？向百姓征收来的物品，有时说是一斤，实际上要比公平秤多出百铢，从来没有听说有关部门按照法律惩治过那些违反规定多向百姓征税的州郡官员；如果百姓所交纳的物品稍微有点瑕疵，交纳赋税的户主就要受到惩罚，还要牵连到邻长、里长、党长。所以国库里储存的绢、布，超过应有的数额很多，群臣从国库里领取绢帛为薪俸，人人都挑那些超出规定长度的、幅面宽的、厚实的、分量重的绢布，谁也不说我只要我应得的数额，也从来没有听说过有哪一个官员因为自己领取的绢布超过了自己应得的长度和幅宽而请求把多出的部分送还给有关部门的。现在如果还想恢复向百姓收取税绵、税麻，就应当先把征税用的秤、尺测定好，明确标准，严格禁止使用重秤、长尺，不许随意超过标准向百姓多征收，要让天下的百姓全都知道二位圣主是如此的爱护人民和尊重法律，那么太和年间的美好政治就会重新出现在神龟年间了。"

谏议大夫张普惠又因为魏国的小皇帝元诩喜欢到苑囿中游玩、骑马驰骋，不亲自到朝中参与主持朝政，而且过度崇奉佛法，而把到南郊祭天与到宗庙祭祀祖先的事情都让有关部门的官员代替，于是上疏给胡太后诚恳地进行劝谏，张普惠认为："广建那些不可想象的为来世祈福的佛教事业，耗损了本该用于国计民生的巨额费用。减少百官的俸禄，消耗百姓的体力，从近处来说只是为了供奉那些无事可做的僧众；把寺院盖得高入云霄，又极力进行装饰，目的只是追求遥远的来生未必会有结果的回报。天还不亮就来上朝的群臣在宫门外磕头却见不到皇帝，和尚尼姑反而自在地在宫内到处游逛，该行的礼节不亲行，该守的节令不遵守，臣民与鬼神都不得安心宁静。我愚蠢地认为与其早晚吃斋、念佛，搞点眼前的修行，以求不知多少年代以后的善报，倒不如让亿万百姓高高兴兴地去孝顺他们的父母，使天下得到和平，灾害永不发生。但愿皇帝注意自己的一举一动，为普天之下的臣民做好榜样。亲自到南郊祭天、到宗庙祭祀祖先以尽虔敬之礼，并且亲自参加初一、十五祭祀天

朔望之礼[618]。释奠成均[619]，竭心千亩[620]，量撤[621]僧寺不急之华，还复[622]百官久折之秩[623]。已造者务令简约速成，未造者一切不复更为。则孝弟可以通神明[624]，德教可以光四海，节用爱人，法俗俱赖[625]矣。”寻敕外议释奠之礼，又自是每月一陛见群臣[626]，皆用普惠之言也。

普惠复表论时政得失，太后与帝引普惠于宣光殿，随事诘难。

临川王宏妾弟吴法寿杀人而匿于宏府中，上敕宏出之[627]，即日伏辜[628]。南司[629]奏免宏官，上注[630]曰：“爱宏者兄弟私亲，免宏者王者正法。所奏可。”五月戊寅[631]，司徒、骠骑大将军、扬州刺史临川王宏免。

宏自洛口之败[632]，常怀愧愤，都下每有窃发[633]，辄以宏为名[634]，屡为有司所奏，上每赦之。上幸光宅寺[635]，有盗伏于骠骑航[636]，待上夜出。上将行，心动，乃于朱雀航过。事发，称为宏所使。上泣谓宏曰：“我人才胜汝百倍，当此[637]犹恐不堪，汝何为者？我非不能为汉文帝[638]，念汝愚耳！”宏顿首称无之，故因匿法寿免宏官。

宏奢僭过度[639]，殖货无厌[640]。库屋垂百间，在内堂之后，关籥甚严[641]，有疑是铠仗[642]者，密以闻。上于友爱[643]甚厚，殊不悦。他日，送盛馔与宏爱妾江氏曰：“当来就汝懽宴。”独携故人射声校尉[644]丘佗卿往，与宏及江大饮，半醉后，谓曰：“我今欲履行汝后房[645]。”即呼舆[646]径往堂后，宏恐上见其货贿[647]，颜色怖惧。上意益疑之，于是屋

地鬼神的活动，以及参加太学的活动，给太学的先师敬酒，努力做好耕种籍田的礼仪，适当地减少寺院并非急需的费用，发给百官长期以来所克扣的薪俸。已经开工建造的寺庙一定要令其简省快速完成，还没有开工建造的寺庙一律不再开工建设。那么皇帝的孝悌之德可以感动神明，道德教化可以光照四海，节约费用，爱护人民，佛教徒和凡夫俗子都会赖以得福。”不久，孝明帝下诏令外廷讨论祭奠先师的礼仪，从此以后，孝明帝每月在朝堂上会见一次群臣，这些都是采纳了张普惠的建议。

谏议大夫张普惠又上表给胡太后，对时政的得失提出自己的看法，胡太后与孝明帝把张普惠召到宣光殿，对张普惠所议论的每件事情提出诘问和辩论。

梁国临川王萧宏小妾的弟弟吴法寿杀了人之后就躲藏到萧宏的王府中，梁武帝敕令萧宏把吴法寿交出来，就在萧宏把吴法寿交出来的当天，吴法寿就被依法处死了。御史台的官员上疏给梁武帝请求罢免萧宏的官职，梁武帝批示说：“爱护萧宏是我们兄弟间的私人情分，罢免萧宏的官职则是皇帝的正当执法。批准御史台所奏。”五月二十四日戊寅，担任司徒、骠骑大将军、扬州刺史的临川王萧宏被免去了一切官职。

萧宏自从洛口与魏军作战期间因为自己的懦弱无能、单身逃脱而导致梁军失败以后，经常怀着一种愧疚与愤懑的心情，京师里每当有事故发生，就总是说受萧宏的指使，因此，萧宏曾经多次遭到有关部门的弹劾，而梁武帝每次都赦免了他。梁武帝驾临光宅寺，有刺客隐藏在骠骑大将军萧宏王府门前的骠骑桥下，等待着梁武帝夜里出来时对梁武帝发动袭击。梁武帝正准备出行的时候，突然感到心里一惊，于是就没有走骠骑桥而是改道朱雀桥。那个刺客被抓获之后，竟然说是受萧宏的指使。梁武帝流着眼泪对萧宏说：“我的才能胜过你一百倍，做这个皇帝还恐怕做不好，而你这样做到底是为了什么？我不是不能像汉文帝杀死淮南王那样杀死你，只是考虑你是一个愚蠢的人而已！”萧宏给梁武帝磕头说自己绝对没有干这种事，梁武帝于是借着萧宏藏匿吴法寿之事，罢免了萧宏的官职。

萧宏生活奢侈、行为放纵得超过了本分，聚积财货没有满足的时候。他所拥有的库房将近一百间，就建在王府内堂的后面，库房的门窗全都锁得严严实实，有人怀疑库房里储藏的是铠甲、兵器，就秘密地向梁武帝做了汇报。梁武帝非常看重兄弟之间的手足之情，却因为这件事闹得心里很不高兴。有一天，梁武帝派人把一桌丰盛的酒宴送到萧宏的爱妾江氏那里，梁武帝对江氏说：“我要到你那里高高兴兴地宴饮一次。”梁武帝于是独自携带着自己的老朋友担任射声校尉的丘佗卿前往临川王的府邸，梁武帝与萧宏以及萧宏的小妾江氏一起开怀畅饮，喝得半醉以后，梁武帝突然对萧宏说：“我今天想要看一看你的后院。”于是立即命令属下备轿，径直来到临川王府内堂的后院，萧宏非常担心梁武帝会看到自己库房中所储存的财宝，脸上不禁流露出惊慌恐惧的神色。梁武帝因此更加怀疑他，于是就一个屋子一个屋子逐个

屋检视，每钱百万为一聚，黄榜标之，千万为一库，悬一紫标，如此三十余间。上与佗卿屈指计，见钱三亿余万，余屋贮布、绢、丝、绵、漆、蜜、纻、蜡等杂货，但见满库，不知多少。上始知非仗，大悦，谓曰："阿六，汝生计大可[648]！"乃更剧饮[649]至夜，举烛而还。兄弟方更敦睦。

宏都下有数十邸[650]，出悬钱立券[651]，每以田宅、邸店悬上文契[652]。期讫[653]，便驱券主夺其宅[654]，都下、东土百姓[655]，失业[656]非一。上后知之，制悬券[657]不得复驱夺，自此始。

侍中、领军将军吴平侯昺[658]，雅有风力[659]，为上所重，军国大事皆与议决，以为安右将军[660]，监扬州[661]。昺自以越亲居扬州[662]，涕泣恳让[663]，上不许。在州尤称明断，符教[664]严整。

辛巳[665]，以宏为中军将军、中书监。六月乙酉[666]，又以本号行司徒[667]。

臣光曰："宏为将则覆[668]三军，为臣则涉大逆[669]，高祖贷[670]其死罪可矣。数旬之间，还为三公，于兄弟之恩诚厚矣，王者之法果安在哉?"

初，洛阳有汉所立《三字石经》[671]，虽屡经丧乱而初无损失[672]。及魏冯熙、常伯夫[673]相继为洛州刺史[674]，毁取[675]以建浮图精舍[676]，遂大致颓落[677]，所存者委于榛莽[678]，道俗[679]随意取之。侍中、领国子祭酒[680]崔光请遣官守视，命国子博士[681]李郁等补其残缺，胡太后许之。会元义、刘腾作乱[682]，事遂寝[683]。

秋，七月，魏河州羌却铁忽[684][22]反，自称水池王[685]。诏以主客郎

进行巡视检查，他看到屋子里每一百万钱聚成一堆，还用黄色的标签标上钱的数目，每个库房之中存满一千万钱，就悬挂一个紫色的标签，像这样堆满一千万钱的库房就有三十多间。梁武帝与丘佗卿屈着手指粗略计算了一下，现钱大约有三亿万，其他的库房里所储存的都是布、绢、丝、绵、漆、蜂蜜、苎麻、蜡等各种杂货，只见每个库房都装得满满的，却不知道到底有多少。梁武帝这才知道库房中储存的不是兵器、铠甲，心里非常高兴，于是对萧宏说："阿六，你这日子过得不错啊！"于是重新开怀痛饮到深夜，梁武帝才举着蜡烛回到皇宫。兄弟之间又重新和睦友好起来。

临川王萧宏在京城里有好几十处宅院，萧宏每次放债与人立借据的时候，都要把借钱人用作抵押的田宅、邸店写在契约上。到期之后，不管借钱人还得起钱还是还不起钱都将其从自家的宅院里驱赶出去，强行夺占别人的住宅，建康城里与建康城东部地区的百姓，这样被剥夺了房地产的不止一家。梁武帝后来知道了这些情况，便下令给所有放债的人不许再强行驱赶借钱人以夺取借钱人的房地产，这一规定就是从这时候开始的。

梁国担任侍中、领军将军的吴平侯萧昺，文雅而有节操，很受梁武帝的赏识，军国大事都让他参与讨论决定，曾经任命他为安右将军，候补扬州刺史。萧昺认为自己超越了梁武帝的几个同胞兄弟去担任扬州刺史有些不合适，就流着眼泪言辞恳切地进行推让，梁武帝没有答应他。萧昺在扬州刺史任内特别以精明果断、政令严整而著称。

五月二十七日辛巳，梁武帝任命萧宏为中军将军、中书监。六月初一日乙酉，萧宏又以中军将军、中书监的称号代理司徒之职。

司马光说："萧宏担任将帅则使三军被魏军所消灭，为臣则涉嫌阴谋刺杀梁武帝，高祖萧衍赦免他的死罪就足够可以的了。然而却在几十天之内，又令萧宏位列三公，这样做对兄弟之恩来说确实是够深厚的，但把国家的法律置于何地呢？"

当初，洛阳城内保存有汉魏时期用古文、小篆、汉隶三种字体写刻的《三字石经》，虽然经过多次战乱却没有造成一点损坏。等到北魏冯熙、常伯夫相继担任过洛州刺史时，他们毁坏了刻有五经文字的石材拿去建造佛教寺院和僧舍，于是《三字石经》大部分被毁坏，剩下的部分则被丢弃在杂乱丛生的草木之中，和尚与平民百姓可以随意将其取走。担任侍中兼国子祭酒的崔光请求朝廷派官吏负责保管这些残留的石经，令担任国子博士的李郁等人将石经的残缺部分修补起来，胡太后批准了崔光的请求。碰巧遇到元义、刘腾作乱，这件事情遂被搁置下来。

秋季，七月，魏国河州境内的羌族首领却铁忽聚众造反，他自称水池王。魏孝

源子恭[686]为行台以讨之。子恭至河州，严勒[687]州郡及诸军，毋得犯民一物，亦不得轻与贼战，然后示以威恩，使知悔惧。八月，铁忽等相帅[688]诣子恭降，首尾不及二旬。子恭，怀[689]之子也。

魏宦者刘腾[690]，手不解书[691]，而多奸谋，善揣人意。胡太后以其保护之功[692]，累迁至侍中、右光禄大夫，遂干预政事，纳赂为人求官，无不效者。河间王琛[693]，简[694]之子也；为定州[695]刺史，以贪纵著名，及罢州还，太后诏曰："琛在定州，唯不将中山宫来[696]，自余无所不致，何可更复叙用[697]！"遂废于家。琛乃求为腾养息[698]，赂腾金宝巨万[699]计。腾为之言于太后，得兼都官尚书[700]，出为秦州刺史。会腾疾笃[701]，太后欲及其生而贵之，九月癸未朔[702]，以腾为卫将军[703]，加仪同三司。

魏胡太后以天文有变[704]，欲以崇宪高太后当之[705]。戊申[706]夜，高太后暴卒。冬，十月丁卯[707]，以尼礼[708]葬于北邙[709]，谥曰顺皇后。百官单衣邪巾[710]，送至墓所，事讫而除[711]。

乙亥[712]，以临川王宏为司徒。

魏胡太后遣使者宋云与比丘惠生[713]如西域[714]求佛经。司空任城王澄奏："昔高祖迁都，制城内[715]唯听置僧、尼寺各一，余皆置于城外，盖以道俗殊归[716]，欲其净居尘外[717]故也。正始三年[718]，沙门统惠深[719]始违前禁，自是卷诏不行[720]，私谒弥众[721]，都城之中，寺逾五百，占夺民居，三分且一[722]，屠沽尘秽，连比[723]杂居。往者代北有法秀之谋[724]，冀州有大乘之变[725]。太和、景明之制[726]，非徒使缁素殊途[727]，盖亦

明帝下诏令担任主客郎的源子恭建立临时的朝廷派出机构，以朝廷的名义出兵讨伐以却铁忽为首的羌族叛乱。源子恭到达河州之后，严格约束州郡以及各军，不许他们侵夺百姓的一件东西，也不许轻易出兵与叛羌作战，然后才向叛羌展示朝廷的威仪、施与他们恩惠，使他们知道悔改和有所畏惧。八月，羌人首领却铁忽等人一同来向源子恭投降，在前后不到二十天的时间里就平定了羌族人的叛乱。源子恭，是源怀的儿子。

魏国的宦官刘腾，手虽然不会写字，头脑中却有很多的奸谋诡计，善于揣测别人的心意。胡太后因为刘腾有保护自己的功劳，于是就连续提升刘腾做了侍中、右光禄大夫，使刘腾得以干预朝政，刘腾接纳贿赂，为别人求取官职，就没有不成功的。河间王元琛，是元简的儿子；元琛担任定州刺史的时候，就以贪婪放纵出名，等到元琛被免去定州刺史职务回到洛阳之后，胡太后下诏说："元琛从定州返回洛阳，唯一没有被他带回洛阳的就是中山国的王宫，其他的东西没有不被他搬运回来的，这样的人还怎么能再被按级录用！"元琛于是便赋闲家居。元琛于是请求做刘腾的养子，他用来贿赂刘腾的金银财宝数以万万计。刘腾为元琛向胡太后求情，元琛终于得到了兼都官尚书之职，又被调离朝廷出任秦州刺史。正遇到刘腾病重，胡太后想趁着刘腾活着的时候令他地位尊贵，九月初一日癸未，胡太后任命刘腾为卫将军，加授开府仪同三司。

魏国的胡太后因为天象发生了异常变化，就想用杀死高太后的办法来搪塞这一劫。九月二十六日戊申夜间，高太后突然暴病身亡。冬季，十月十五日丁卯，以安葬尼姑的仪式把高太后埋葬在洛阳城北面的邙山，谥号为顺皇后。文武百官身穿单层布帛的长衣，头上斜压着便帽，把高太后送到墓地，下葬完毕就算万事大吉了。

二十三日乙亥，梁武帝任命临川王萧宏为司徒。

魏国的胡太后派遣宋云为使者，与一个名叫惠生的和尚前往西域求取佛经。担任司空的任城王元澄上书给胡太后说："过去高祖迁都洛阳的时候，规定洛阳城内只准许建造一座寺庙、一座尼姑庵，其他的寺庙和尼姑庵全都要建在洛阳城外，因为和尚与平民百姓走的不是同一条路，想让他们远离尘世住在人迹罕至的地方。宣武帝正始三年，洛阳地区的佛教首领惠深开始违背以前的禁令，在洛阳城内修建寺庙，从此以后就把高祖禁止在洛阳城内修建寺庙的诏命束之高阁，没有人再执行这道禁令，于是私自向有关部门请求建造寺庙的人越来越多，现在的洛阳城内，寺庙超过了五百座，其中霸占抢夺民宅的已经接近三分之一，和尚、尼姑与屠户、酒家以及其他俗世的污秽行业紧挨着混杂而居。过去在代北曾经发生过和尚法秀以妖术惑众，在平城发动叛乱的事情，在冀州也发生过和尚法庆以妖术惑众，自称大乘而起兵叛乱的事情。孝文帝太和年间、宣武帝景明年间，朝廷两次下诏所作出的规定，不光是为了让僧人与世俗百姓分开居住，互不干涉，也是为了防微杜渐，能够及时预防各种灾变的

以防微杜渐[728]。昔如来阐教[729]，多依山林。今此僧徒，恋著城邑，正以诱于利欲[730]，不能自已[731]，此乃释氏之糟糠[732]，法王之社鼠[733]，内戒[734]所不容，国典所共弃也。臣谓都城内寺未成可徙者，宜悉徙于郭外[735]，僧不满五十者，并小从大[736]。外州亦准此[737]。”诏从之[738][23]。然卒不能行。

是岁，魏太师雍等奏：“盐池天藏[739]，资育群生[740]，先朝为之禁限[741]，亦非苟[742]与细民争利。但利起天池[743]，取用无法，或豪贵封护[744]，或近民吝守[745]，贫弱远来[746]，邈然绝望[747]。因置主司[748]，令其裁察，强弱相兼[749]，务令得所[750]。什一之税[751]，自古有之，所务者远近齐平，公私两宜耳。及甄琛启求罢禁[752][24]，乃为绕池之民尉保光等[753]擅自固护[754]。语其障禁[755]，倍于官司[756]，取与自由[757]，贵贱任口[758]。请依先朝禁之为便。”诏从之。

【段旨】

以上为第三段，写梁武帝萧衍天监十六年（公元五一七年）、十七年共两年间的大事。主要写了魏国的胡太后追赠其父胡国珍为太上秦公、追赠其母为太上秦君，张普惠谏之，胡太后不从。写了魏国的贪官污吏使用长尺、重秤、大斗以搜刮百姓，张普惠上书请求核正量器；张普惠又因魏主佞佛、又好游猎、不见群臣而上言诸事。写了宦官刘腾因受胡太后宠信而专权枉法，贪贿无厌的河间王元琛为求自己的跌而复起，竟认刘腾为养父，遂得从罪臣中步步高升。写了胡太后因天变而杀死高太后。写了魏人为建筑佛寺，毁取洛阳石经以为石材，致汉、魏石经所存无几。写了魏任城王元澄继李玚斥佛教为鬼教后，又上表痛斥佛教僧徒之恶，称其为“释氏之糟糠，法王之社鼠”，建议将众多庙宇迁出城外，皆未获实行。写了梁武帝因信佛而用大脯代替三牲，又用大饼代替大脯，终致祭祀天地、宗庙完全改用素食。写了梁武帝之弟萧宏贪纵不法，不惜一切手段聚敛钱财，又以放债为诱饵，夺人房屋田产，只因未发现其他野心，于是被萧衍大加封赏。此外还写了魏与柔然的重新建立邦交，以及对晋南盐池重新实行政府管理等。

发生。当初如来佛在给世人讲经布道的时候，大多是在依山傍林的地方。现在这些和尚贪恋城市的繁华愿意居住在城邑之中，正是被世俗的利益欲望所吸引，无法克制自己，这些僧众都是释迦牟尼所创建的佛门中的渣滓，是法王释迦牟尼身边的败类，是佛教的戒律所不允许，国法所严格禁止的。我认为洛阳城内那些还没有竣工的、可以搬迁的寺庙，应该把它们全部迁到洛阳城的外城以外，凡是寺庙中的和尚不满五十人的小寺庙，都要进行合并，合并成几个大的寺庙。外州也要照此办理。”胡太后下诏批准。然而最终也没能照此执行。

这一年，魏国担任太师的高阳王元雍等人上书给胡太后说：“晋南地区的大盐池是上天赐给人们的大宝藏，养育着远近的黎民百姓，从前朝廷做出过一些限制民间私人采盐而由国家专营的规定，并不光是为了和小民争利。而是因为盐池是天然资源，如果没有法律约束，任凭私人随意开采，可能就被豪门贵族所控制垄断，也可能会被附近的百姓贪婪地把持起来，那些贫穷老弱为了采盐远道而来，却只能眼巴巴地看着没有一点办法。因此国家才设置了专门的管理官员，让他们负责监督裁决，让那些有钱有势的豪强与无钱无势的弱势群体都能得到好处，务必让他们各自找到自己的位置，发挥各自的作用。按照他们所得的十分之一进行抽税，这是自古以来就有的，关键是要让远近的人一律平等，使公家与私人都能得到好处。等到甄琛请求朝廷取消了私人开采盐池的禁令之后，盐池才被周围的百姓尉保光等人为了自己一群人的利益而擅自据为己有。说起他们所建立的种种规章，比起原来官府的两倍还多，开采多少，卖给什么人，都由他们说了算，至于盐价的贵贱高低，全都凭他们随便一说。请求朝廷还是按照先前禁止私人采盐的诏令办理为好。”胡太后下诏批准。

【注释】

㊵正月辛未：正月初九。㊶瀛州：魏州名，州治即今河北河间。㊷奴客：家奴与门客。㊸斋阁：此指刺史办公的厅堂。㊹突火：冒着大火。㊺甲戌：正月十二。㊻太和十九年：太和是孝文帝元宏的第三个年号。太和十九年相当于齐明帝萧鸾建武二年（公元四九五年）。㊼在所：在各规定的铸钱场所。㊽精练：精纯。㊾永平三年：永平是宣武帝元恪的第三个年号。永平三年相当于梁武帝天监九年（公元五一〇年）。㊿准式：国家规定的标准样式。416不行之钱：不准流通的铜钱。417律有明式：法律上有明确的标准。418鸡眼、镮凿：都是明令禁止通行的铜钱名。胡三省曰：“鸡眼者，指钱薄小，钱眼如鸡眼也。镮凿云者，谓凿好以取铜，仅存其肉也。”凿好即凿大铜钱的孔，只剩一个外缘。419更无余禁：没有别的钱需要禁止。420计：考虑；考虑目前的情况。421悉非制限：

都不是过去法律所禁止的。㊷昔来绳禁：最近以来所发布的禁令。昔来，指近期以来。⑬单丝之缣：指粗织的、单薄的丝绢。⑭疏缕之布：用麻线粗织的、单薄的麻布。⑮狭幅促度：宽度长度都不够尺寸。幅，指宽度。度，指长度。⑯不中常式：与平常的规格不相符。⑰裂匹为尺：因为不够一匹的长度，只好分成若干块按尺计算。⑱以济有无：指充当货币使用。济有无，交换物品。⑲徒成杼轴之劳：白白花去了织绢、织布的劳苦。杼，织布机的梭子。⑳救恤冻馁：救助挨冻受饿者。恤，哀怜。馁，饥饿。㉑子育黎元：善待黎民百姓。子育，像养育亲生儿子一样的善待。㉒贯繦相属：用绳索串连在一起。贯、繦，都是穿钱的绳索。㉓深允：很合适；很公平。㉔并下：同时下令给……。㉕方俗所便用：为各方的百姓所喜欢使用。㉖但内外全好：只要铜钱本身没有破损。㉗贵贱之差：各种不同的铜钱之间的贵贱比率。㉘庶货环海内：以期能让货物在全国之内流通无阻。㉙生新巧伪：又生出新的弄虚作假的办法。㊵窃冒：假冒。㊶吏部勋书：吏部所编制的记载功勋的文书。㊷窃阶：偷升等级。㊸集吏部、中兵二局勋簿：集……勋簿，把不同机关所掌管的记功簿调到一起。中兵二局，指五兵尚书所管的左中兵、右中兵两个部门，都是管理京城守卫部队的机构。㊹对句奏案：对照进行考核，而后写出上报的结论。㊺一关吏部：一份交给吏部。关，通知，这里即交给，交给吏部按此授勋发奖。㊻留兵局：留在中兵二局存档。㊼斩首成一阶：斩一个敌兵之首而获升一级。这是从商鞅变法时就实行的奖赏军功的规定。㊽行台、军司：军司，有人认为是“军司马”一职的简称，实际上是军队中主管司法事务的高级官员，地位仅次于方面军主将，多为中央直接任命，亦有以军司一职统兵征战者。行台，行尚书台的简称，出现于魏晋之际。最初是皇帝出行、巡省时设置的流动中央政府，同时会在都城相对地设“留台”，处理政务、军务、祭祀等事宜。北魏后期，多设置非皇帝行台，用于处理地方各种事务，权力极大。㊾给券：发给证明文件。㊿一支付勋人：一半发给立功应受奖的人。(451)一支送门下：另一半则同时送交门下省。〖按〗门下省直接管理军事，早在汉武帝时的中朝就是如此。(452)玄：卢玄，魏国著名的儒臣。传见《魏书》卷四十七。卢同是卢玄的族孙，曾为邢峦的部下，后为尚书左丞。传见《魏书》卷七十六。(453)中尉元匡：元匡时任御史中尉，是朝廷上主管监察的官员。(454)景明元年：宣武帝元恪的第一个年号，景明元年即公元五〇〇年。(455)内外考簿：对朝内官员与地方官员的考核记录。(456)吏部除书：吏部任命官吏的文书。除，任命。(457)中兵勋案：中兵局所掌管的立功受奖者的档案。(458)诸殿最：对官吏业绩考核的记录。谁是第一名、谁是最后一名。殿，最后。最，第一。(459)案校窃阶盗官之人：想彻底清查一遍看有多少骗取等级与骗取官职的人。(460)御史之体：御史这个职位的主要责任。体，性、性能。(461)风闻是司：是把他所听到的事情都搜集起来。(462)摄其一簿：对这一本都进行检查。摄，收、控制。(463)一省之案：一个机关部门的全部文书档案。(464)寻两纪之事：检查二十四年间的所有事情。古称十二年为一纪。从世宗景明元年（公元五〇〇年）至今共十八年，“两纪”是其约数。(465)辞解：请解官辞职。(466)二月丁未：二月十六。㊻㊼三月丙子：三月十五。㊻㊽文锦：有图案花纹的丝织品。文，同“纹”，花纹。㊻㊾裁翦：指用料时对着仙人、对着鸟兽下剪子。㊼⓪丁亥：三月二十六。㊼①广平文穆王怀：元怀，宣武帝元恪之弟，被封为广平王，谥曰文穆。传见《魏书》卷二十二。㊼②四月戊申：四月十八。㊼③有累冥道：使祖先的威灵蒙受损失。因为佛教提倡不杀生，后人为祭祖先而杀生，这就会使祖先蒙受不慈悲之名。冥，幽，这里指先人的鬼魂。㊼④以面为之：用面粉做成牛猪羊之形，以代替用活的动物作供品。㊼⑤去牲：祭祀时不用牛羊猪为供品。㊼⑥不复血食：不再享受后人的祭祀，亦即国家灭亡，子孙失去了统治权力。这是从远古以来人们就习惯于杀牲祭祀宗庙而言。㊼⑦八坐：八位议事的国家大臣，即尚书令，尚书左右仆射，再加五部的尚书。㊼⑧大脯：大肉干。㊼⑨一元大武：指祭祀所用的牛。《礼记·曲礼》：“牛曰一元大武。”一元，一头。大武，大脚印。㊽⓪八月丁未：八月十八。㊽①魏诏：魏国的胡太后下诏。㊽②入居门下：到门下省帮着太后与几位侍中参谋政事。㊽③参决尚书奏事：一起参谋决定尚书省所提出的处理诸事的意见。㊽④脯脩：肉干。㊽⑤七庙座：萧衍七代祖先的灵牌。㊽⑥再设净馔：再用素食祭祀一回。㊽⑦乙卯：十月二十七。㊽⑧北京士民未迁者：按当初规定，平城的百姓应该搬迁到洛阳城来的。北京，指旧都平城。㊽⑨留居为永业：允许留在今大同为永久的居民，不用再搬迁了。㊾⓪十一月甲子：十一月初七。㊾①巴州：此指北巴州，州治即当时的巴西郡，即今之四川绵阳。㊾②俟斤尉比建：俟斤是官位名，其人曰尉比建。㊾③敌国：地位平等的国家。敌，对、相等。㊾④冯道根：梁武帝萧衍的开国功臣，梁初的名将。传见《梁书》卷十二。㊾⑤木讷：不善言辞。㊾⑥检敕：约束；管理。㊾⑦不复忆有一州：几乎可以让人忘却这个州的存在，因为它从不给朝廷添任何麻烦，让朝廷为之操心。㊾⑧王屋：山名，在今山西阳城与垣曲之间。㊾⑨稍：渐渐。㊿⓪益轻：越来越不值钱，即所谓“贬值”。㊿①甲子：正月初八。㊿②杨定：当时该地区氐族世代头领杨氏家族的后代，此前其家族的封号已被魏人所灭，今又封之为王。杨氏家族于近二百年来一直叛服于南朝、北朝之间。传见《魏书》《晋书》《宋书》《南齐书》《梁书》。㊿③阴平王：阴平郡王，阴平郡的郡治在今四川剑阁西北。㊿④秦州羌：秦州地区的少数民族。魏国秦州的州治下邽，即今甘肃天水市。㊿⑤二月癸巳：二月初七。㊿⑥安成康王秀：萧秀，梁武帝萧衍之弟，被封为安成郡王，谥曰康。传见《梁书》卷二十二。㊿⑦布衣昆弟：平民时期的亲兄弟。㊿⑧过于疏贱：比那些远亲和地位低贱的人还要小心谨慎。㊿⑨始兴王憺：萧憺，萧衍与萧秀之弟，被封为始兴郡王。传见《梁书》卷二十二。⑤①⓪中分其禄：把自己所得的俸禄分出一半。〖按〗当时的荆州是南朝以来最大、最重要的州，俸禄收入非其他州所可比。胡三省曰：“荆州总西夏之寄，俸入优厚。”⑤①①称心：安心；心安理得。⑤①②甲辰：二月十八。⑤①③大赦：大赦的主语是梁武帝萧衍。⑤①④己酉：二月二十三。⑤①⑤神龟：为魏肃宗元诩的第二个年号（公元五一八至五一九年）。⑤①⑥东益州氐：东益州境内的氐族人。魏国的东益州州治武兴，即今陕西略阳。⑤①⑦让：责备、轻度地谴责。⑤①⑧藩礼不备：不像一个附属国对待宗主国的样子。⑤①⑨议依：计划按照。⑳汉待匈奴故事：像西汉后期对待匈奴人的样子。胡三省曰："汉宣帝待呼韩邪位在诸侯王上，盖称臣也。"㉑太祖经启帝图：指拓跋珪在中原地区经营创建魏国政权。启，开发、扩大。㉒日有不暇：没有一点空闲。㉓令竖子游魂一方：指在道武帝经营中原时期，柔然的首领社仑占领了漠北一带地区。游魂，这里是轻贱地喻称柔然人的活动。㉔中国多虞：中原地区可忧虑的事情多，指晋、宋以来魏与南朝的战争接连不断。㉕急诸华：把对南朝的战争放在第一位。㉖高祖方事南辕：孝文帝正忙于迁都洛阳，进军淮、汉。南辕，车驾南行。㉗未遑北伐：顾不上讨伐北方的柔然。未遑，无暇、没有时间。㉘世宗遵述遗志：宣武帝元恪遵循孝文帝的遗志，继续把与南朝的斗争放在第一位。遵述，遵循。述，继续。㉙受而弗答：只是接受其朝献而不派使回报。㉚大明临御：英明的皇帝治理国家。大明，英明之极。㉛抗敌之礼：两国对等的礼节。此前柔然曾多次遣使请求与魏国建立平等的国家关系。抗敌，二字的意思一样，都是对等、平等的意思。㉜何惮而为之：有什么惧怕而答应这样的请求呢。宣武帝曾严厉地斥责了柔然人的这种请求。㉝何求而行之：有什么必要答应这样的条件呢。㉞王人：天子的使者。㉟衔命虏庭：奉命出使柔然。㊱与为昆弟：与其结为兄弟之邦。㊲应为制诏：应该给他们下一道诏书。㊳示以上下之仪：给他们讲清魏与柔然的上下君臣关系。㊴命宰臣致书：让辅政大臣给他们写信。㊵观其从违：看他们听还是不听。㊶进退：鼓励与谴责。㊷戎狄兼并：指伏跋可汗新破高车及灭邻国叛者而使柔然国力强盛。㊸遽亏典礼：使魏国的国家地位在礼法上受到损害。〖按〗此处《通鉴》的文字似有疏漏，据以往宣武帝对柔然的态度，与此处之"让之以藩礼不备"看，此处的"遣使报之"，绝对应该是使柔然人称臣；但据张伦的上书，似乎又是魏国答应了与柔然以兄弟之礼相交。二者歧异，榫卯不接。㊹白泽：张白泽，拓跋珪时代的名臣张衮的后裔，张白泽在显祖拓跋弘与孝文帝时代都深受重视，在处理与柔然的问题上发表过重要见解。传见《魏书》卷二十四。㊺三月辛未：三月十六。㊻灵寿武敬公于忠：于忠生前被封为灵寿郡公，谥曰武敬。㊼四月丁酉：四月十二。㊽秦文宣公胡国珍：胡国珍生前被封为秦郡公，谥曰文宣。㊾赠假黄钺：追赠假黄钺的称号。假黄钺，即授予黄钺，授予专征统帅的生杀之权。㊿太上秦公：至高无上的秦公。551加九锡：加赠给九种特殊的礼节性待遇。552赠襚仪卫：朝廷赠给胡国珍家的丧礼以及出殡时派出仪仗队。襚，赠给死者的衣被，实际指赠给死者家庭的一笔财礼。553常山张普惠：常山郡人张普惠。常山郡的郡治在今石家庄的东北侧。张普惠是魏国的儒学礼法之臣，此时任谏议大夫。传见《魏书》卷七十八。554穿圹：挖坟坑。圹，坟墓。555下有磐石：挖地遇有巨大的石头，意思是应该另选别的地方。556因"上"而生名：位在皇帝之上，如刘邦称其父曰"太上皇"，即在刘邦之上。557以系"敕"下：放置在皇帝的"敕"字之下。558三从之道：指在家从父，既嫁从夫，夫死从子。559远同文母：像当年周武王的母亲太姒一样。560列于十乱：十位治世的贤臣。乱，治理乱世，即治理。当年周武王曾曰"予有乱臣十人"。此十臣是太公望、周公旦、召公奭、毕公高、荣公、太颠、闳夭、散宜生、南宫括、文母。561 正名：要名实相副。562 克吉定兆：能根据吉利选定墓地。兆，墓地的范围。563 以浅改卜：因挖坑遇到大石而改选他处。浅，指原址下有磐石，无法再向下挖。564 垂至戒：给我们提出了严肃的警告。至，切实、到位。565 启圣情：启发圣上的内心觉悟。566 逼上之号：逼迫，甚至高出帝王的称号。指太上秦公、太上秦孝穆君。567 以邀谦光之福：以求得到谦虚的美誉。568 希太后意：迎合胡太后的想法。569 争诘难普惠：争先恐后地对张普惠提出责难，施加压力。570 苦夺朕怀：非要改变我的想法。571 后有所见：日后遇到其他问题，又有什么想法。572 勿难言也：还是希望你能照常提出。573 太上君：即胡太后之亡母。574 埒于永宁：与永宁寺差不多。埒，相当、相等。575 尚书奏复征：尚书省建议朝廷恢复向百姓征收……。576 改重称：不再使用重秤。此处"称"字同"秤"。"重称"与上文"大斗""长尺"相对，都是贪官污吏用来搜刮百姓、获取额外民财的手段。577 不啻绵麻：不止在棉麻这些实物，更重要的是体现了国家的信义。578 鼓舞供调：欢欣鼓舞地向国家缴纳赋税。579 自兹以降：从此以后。580 浸复长阔：征收的绢帛渐渐地又长起来了、宽起来了。581 宰辅：当时的执政大臣，指于忠。582 遽罢绵麻：匆忙地下令废除了对棉麻的征收。于忠罢棉麻事见本书上卷天监十四年。583 追前之非：又继续起以前的错误章程，指又使用起"大斗""长尺""重称"。584 遂后之失：又拾起了后来的错误办法，指重新征收棉麻。585 库中大有绵麻：国库储存的棉麻有的是。586 或斤羡百铢：说是征收一斤，实际征来得要比公平秤多出上百铢。羡，多出。铢，一两的二十分之一。587 小有滥恶：稍微有点小毛病。滥恶，瑕疵。588 坐户主：交赋税的户主就要受到惩处。坐，因……而获罪。589 三长：指邻长、里长、党长。590 逾制：超过应有的数额。591 受俸：领取国库里绢帛为薪俸。592 人求长阔厚重：谁都挑那些超过实际数额的东西拿。593 无复准极：谁也不说我只要我应得的数量。准极，恰够标准和质与量。594 端幅有余：说是几端几匹，实则多出好多。古代布帛六丈为一端、四丈为一匹。端幅，端指长度、幅指面宽。595 还求输官：还请求给官家还回去。输官，送还有关部门。596 复调绵麻：再收取棉麻充当赋税。调，当时赋税的一种。597 先正称尺：先把收税用的量器测定好。称，同"秤"。598 太和之政：孝文帝太和年间的美好政治。599 复见于神龟：又在今天的神龟年间出现了。600 郊庙之事：南郊祭天与祭祀宗庙之事。601 多委有司：都让有关部门的官员代替前去。602 殖不思之冥业：广建了许多不可想象的宗教事业。殖，增建。冥业，指寄一切希望于来生的佛教。603 减禄削力：减少百官的俸禄，消耗百姓的劳力。604 崇饰云殿：把寺院盖得高入云霄，又极力装饰。605 远邀：远求。606 未然之报：未必有结果的回报。607 昧爽之臣：天不亮就来上朝的群臣。昧爽，天未全明。608 稽首于外：在宫门外磕头，见不到皇帝。609 玄寂之众：指和尚尼姑。610 遨游于内：反而自在地到宫内游玩。611 愆礼忤时：该行的礼节不亲行，该守的节令不遵守。愆，缺少，指不行祭祀天地宗庙之礼。忤，犯，动息不遵时令，指游骋园囿。612 人灵未穆：臣民与鬼神都不安心宁静。613 修朝夕之因：搞一点眼前的修行，如吃斋、念佛等。614 求祇劫之果：

以求不知多少年代以后的善报。祇劫，胡三省曰："释氏之言祇劫，犹言无数劫也。"⑮淑慎威仪：注意自己的一举一动。淑慎，搞好、修炼好。威仪，行动做派。⑯为万邦作式：为普天下的臣民做好楷模。式，榜样。⑰躬致郊庙之虔：该祭天地宗庙的时候要亲自前往极尽虔敬之礼。⑱亲纡朔望之礼：要亲自参加初一、十五的祭祀天地鬼神之事。纡，缠绕，这里指参加。⑲释奠成均：要参加太学的活动，给太学的先师敬酒。释奠，为礼敬先师而洒酒于地。成均，胡三省曰："五帝之学曰成均。"⑳竭心千亩：努力做好耕种籍田的礼仪。千亩，周天子的籍田。天子耕种籍田，以表示他对国家农业的重视。㉑量撤：适当地减少。撤，裁剪。㉒还复：归还；发给。㉓久折之秩：好久以来所克扣的薪俸。㉔孝弟可以通神明：皇帝的孝悌之德可以感动神明。孝弟，同"孝悌"。神明，即神灵。㉕法俗俱赖：僧俗两类皆赖以得福。㉖陛见群臣：在朝堂上会见群臣。㉗敕宏出之：命令萧宏交出来。㉘伏辜：伏法，指被诛。㉙南司：胡三省曰，"御史台曰南台，亦曰南司"。㉚注：批示。㉛五月戊寅：五月二十四。㉜洛口之败：萧宏为大帅统兵与魏军相会于洛口，因其懦弱无能，单身逃脱，致使梁军惨败事，见本书卷一百四十六天监五年。㉝都下每有窃发：建康城里每有事故发生。㉞辄以宏为名：总说是受萧宏的指使。㉟光宅寺：胡三省曰，"帝以三桥旧宅为光宅寺，三桥在秣陵县同夏里"。㊱骠骑航：临川王萧宏府前的浮桥。胡三省曰："宏府面秦淮，于府前为浮桥，谓之骠骑航，以宏官名也。"当时萧宏任骠骑大将军。㊲当此：做这个皇帝。㊳我非不能为汉文帝：我不是不能像汉文帝杀淮南王那样也杀死你。淮南厉王刘长是汉文帝之弟，因骄横不法，被汉文帝流放，途中绝食而死。见《史记·淮南衡山列传》。㊴奢僭过度：奢侈与行为放纵都超越本分。㊵殖货无厌：聚敛财货没个满足。货，钱财。㊶关籥甚严：门窗锁得严严实实。㊷铠仗：铠甲、兵器。㊸友爱：兄弟手足之情。㊹射声校尉：宫廷禁卫部队的统领之一，上属于领军将军。㊺履行汝后房：看看你的宅院。履行，巡行。㊻呼舆：令属下备轿。舆，软轿，即今所谓滑竿。㊼货贿：财宝。㊽汝生计大可：你这日子过得不错。㊾剧饮：痛饮。㊿都下有数十邸：在京城里有几十套房子。邸，宅院、屋舍。(651)出悬钱立券：在放债与人立借据的时候。悬钱，放债以收利息。券，借据。(652)以田宅、邸店悬上文契：把借债人可以做抵押的田宅、邸店也写在契约上。悬上，预先写在上面，如曰"若到期不能还钱，则将某处房子一所，抵给放债人"云云。(653)期讫：到期之后。(654)驱券主夺其宅：即使借债者有钱还也不要钱，而是硬将人家从房子里赶走。(655)都下、东土百姓：建康城里的与建康城外的东方地区的百姓。(656)失业：被剥夺房地产。业，这里指产业。(657)制悬券：下令所有放债的人。(658)吴平侯昺：萧昺，梁武帝萧衍的堂侄，因功被封为吴平侯。传见《梁书》卷二十四。(659)风力：风骨、气节。(660)安右将军：胡三省曰，"帝所置百号将军之一也"。(661)监扬州：尚未正式任之为扬州刺史，先令其监管扬州之事。(662)越亲居扬州：超越了梁武帝的几个亲兄弟而当了扬州刺史。扬州刺史地位崇高，通常都由皇帝的至亲担任。(663)恳让：恳求推让。(664)符教：所下的各种命令。符、教，都是文体名，指王公大臣所下的各种命令。⑥⑥⑤辛巳：五月二十七。〖按〗《梁书·武帝纪》作“五月辛巳”。⑥⑥⑥六月乙酉：六月初一。⑥⑥⑦以本号行司徒：以中军将军、中书监的称号代理司徒之职。行，代理。司徒，是加官名，只表示地位高，没有实际职权。⑥⑥⑧覆：倾覆；被人消灭。⑥⑥⑨大逆：阴谋刺杀梁武帝。⑥⑦⓪贷：饶；放过。⑥⑦①《三字石经》：也称《三体石经》。东汉灵帝时蔡邕用隶体书五经文字，刻石立于洛阳太学门外，此为《一字石经》。至魏正始（三国魏齐王曹芳的年号）年间又用古文、小篆、汉隶三种字体书写石经，立在汉碑西侧，称《三体石经》。⑥⑦②初无损失：一点损坏也没有。初，根本、完全。⑥⑦③冯熙、常伯夫：冯熙是孝文帝时代的外戚。事迹见《魏书·外戚传》。常伯夫的事迹不详。⑥⑦④洛州刺史：洛州的州治即今河南洛阳。魏国在孝文帝迁都到洛阳之前，洛阳一直是洛州刺史的驻地。⑥⑦⑤毁取：指毁取刻有五经文字的石材。⑥⑦⑥浮图精舍：即佛教寺院，僧人修炼、居住的地方。⑥⑦⑦大致颓落：大部分被损坏。⑥⑦⑧委于榛莽：丢弃在杂乱丛生的草木之中。⑥⑦⑨道俗：僧人与平民百姓。⑥⑧⓪领国子祭酒：兼任国子祭酒。国子祭酒是管理太学的行政官员。领，兼任。⑥⑧①国子博士：太学里的教官。太学里的学生称博士弟子。⑥⑧②元义、刘腾作乱：事在梁武帝普通二年，见本书下卷。⑥⑧③事遂寝：事情遂被搁置起来。⑥⑧④河州羌却铁忽：河州地区的羌族头领名叫却铁忽。河州的州治枹罕，在今甘肃临夏回族自治州东北。⑥⑧⑤水池王：水池是河州治下的一个县名，上属于洪和郡，却铁忽在此县内割据称王。⑥⑧⑥主客郎源子恭：主客郎是朝官名，主管接待外国、外族的宾客。源子恭是魏国元勋老臣源贺之孙，此时任主客郎。传见《魏书》卷四十一。⑥⑧⑦严勒：严厉控制。⑥⑧⑧相帅：彼此一道。⑥⑧⑨怀：源怀，源贺之子，太武帝与孝文帝时代的股肱大臣。传见《魏书》卷四十一。⑥⑨⓪刘腾：胡太后掌权时代的宦官，因援救胡太后有功，被胡太后宠信。传见《魏书》卷九十四。⑥⑨①手不解书：不会写字。解，能、会。⑥⑨②保护之功：指宣武帝死，太子元诩即位，高太后欲杀太子之母胡贵嫔，由于刘腾及时地报告给了侯刚、于忠等，从而使胡氏获救，并当上了太后。⑥⑨③河间王琛：文成帝拓跋濬之孙。传见《魏书》卷二十。⑥⑨④简：文成帝拓跋濬之子，被封为齐郡王。传见《魏书》卷二十。⑥⑨⑤定州：州治即今河北定州。⑥⑨⑥唯不将中山宫来：除了没把中山国的王宫也搬回来之外。将，携带、搬取。⑥⑨⑦叙用：按级进用。⑥⑨⑧为腾养息：为刘腾做干儿子；认刘腾为养父。⑥⑨⑨巨万：万万，即所谓“亿”。⑦⓪⓪都官尚书：主管首都地区的监察与弹劾。⑦⓪①疾笃：病重。⑦⓪②九月癸未朔：九月初一是癸未日。⑦⓪③卫将军：加官名，将军中级别很高者，只低于骠骑将军、车骑将军。⑦⓪④天文有变：指日食、月食、彗星等。⑦⓪⑤欲以崇宪高太后当之：想用杀死高太后的办法来搪塞这一劫。当，搪塞。自西汉以来常有处死丞相或其他大臣以冲顶这种劫难者。高太后，已被朝廷所废的宣武帝的皇后，谥曰崇宪。⑦⓪⑥戊申：九月二十六。⑦⓪⑦十月丁卯：十月十五。⑦⓪⑧以尼礼：像葬一个尼姑一样。⑦⓪⑨北邙：山名，在洛阳城的北侧，历来是官僚贵族死后埋葬的地方。⑦①⓪单衣邪巾：单层布帛的长衣，斜压在头上的便帽，这是一种次于朝服的礼服。胡三省曰：“邪巾者，斜压于首。舍衰绖丧冠而单衣邪巾，示不成丧也。”意她根本不配办丧事。⑪事讫而除：下葬后就算万事大吉了。⑫乙亥：十月二十三。⑬比丘惠生：和尚名叫惠生。比丘，和尚的另一种称呼。⑭如西域：实际是去印度，但古代之所以说“如西域”或“上西天”，这是因为当时人们无法从云南一带出发前往，只能经新疆再往南绕行。而当时的新疆就是人们所说的“西域”了。⑮制城内：规定洛阳城内。⑯道俗殊归：和尚与平民百姓走的不是一条路，各自的目标不同。⑰欲其净居尘外：想让他们去住在人迹罕至之处。⑱正始三年：正始是宣武帝元恪的第二个年号。正始三年即公元五〇六年。⑲沙门统惠深：洛阳佛教的头领名叫惠深。⑳卷诏不行：把诏书收起来，不再执行孝文帝颁布的命令。㉑私谒弥众：私自向有关官员请求建立寺庙。㉒三分且一：已经快到三分之一。㉓连比：紧挨着。㉔法秀之谋：指和尚法秀以妖术惑众，在平城发动叛乱的事情，见本书卷一百三十五建元三年。㉕大乘之变：冀州的和尚法庆自称“大乘”，发动叛乱事，见本卷前文。㉖太和、景明之制：孝文帝与宣武帝的两次下诏作出规定。太和是孝文帝的年号（公元四七七至四九九年）。景明是宣武帝的年号（公元五〇〇至五〇三年）。㉗使缁素殊途：让僧人与百姓分开居住，互不干涉。缁，黑衣、僧服。素，白衣，指士民之服。㉘防微杜渐：及时地预防各种灾变的发生。㉙昔如来阐教：想当初如来佛给世人讲经布道的时候。阐教，阐释教义。㉚诱于利欲：被世俗的利益欲望所吸引。㉛不能自已：无法克制自己。㉜释氏之糟糠：佛门中的渣滓。㉝法王之社鼠：释迦牟尼身边的败类。法王，犹言佛祖。社鼠，藏在社树洞穴中的老鼠。因为社树是供人祭祀用的，不能对之薰烧，故老鼠有恃无恐。㉞内戒：佛教的戒律。㉟悉徙于郭外：全部搬迁到洛阳的外城之外。郭，外城。㊱并小从大：把一些小寺庙都加以归并，合成几个大寺庙。㊲准此：照此办理。㊳诏从之：魏主下诏说同意照办。㊴盐池天藏：晋南地区的大盐池是上天赐给人们的大宝藏。天藏，老天爷的大宝库。㊵资育群生：养育着远近的黎民百姓。㊶为之禁限：为采盐做出过一些规定。禁限，禁令、限制。㊷苟：只是。㊸利起天池：其可图之利是盐池自然生成的。㊹豪贵封护：被豪门贵族所控制垄断。㊺近民吝守：被当地人贪婪地把持起来。㊻贫弱远来：贫弱的当地人与远来外乡人。㊼邈然绝望：眼巴巴地看着没有一点办法。㊽因置主司：因此国家才设置了专门的管理官员。㊾强弱相兼：让那些有钱有势的与无钱无势的都能得到好处。㊿务令得所：各自找到自己的位置，发挥各自的作用。有钱的出钱，有力的出力。(751)什一之税：指农业税，农民种田向国家缴税。(752)甄琛启求罢禁：甄琛请求朝廷取消盐池禁令的事情，见本书前文卷一百四十六天监五年。当时的执政大臣元勰等就认为不可取。(753)绕池之民尉保光等：盐池周围的百姓尉保光等人。(754)擅自固护：专门保护他们一群人的利益。擅，专。(755)语其障禁：说起他们所建立的种种规章。(756)倍于官司：比起原来官府的两倍还要多。(757)取与自由：开采多少与卖给什么人，都由他们说了算。(758)贵贱任口：盐价的高低都凭他们随便说。

【校记】

［16］者：原无此字。据章钰校，十二行本、乙十一行本、孔天胤本皆有此字，张敦仁《通鉴刊本识误》同，今据补。［17］请：原无此字。据章钰校，十二行本、乙十一行本皆有此字，今据补。［18］牲：据章钰校，十二行本、乙十一行本“牲”下皆有“牢”字。［19］魏诏：原作“诏魏”。胡三省注云：“‘魏’字当在‘诏’字之上。”今据严衍《通鉴补》改作“魏诏”。［20］刺史：原无此二字。据章钰校，十二行本、乙十一行本、孔天胤本皆有此二字，今据补。［21］加九锡：原无此三字。据章钰校，十二行本、乙十一行本、孔天胤本皆有此三字，张瑛《通鉴校勘记》同，今据补。［22］忽：据章钰校，十二行本、乙十一行本、孔天胤本皆作“怱”。［23］诏从之：原无此三字。据章钰校，十二行本、乙十一行本、孔天胤本皆有此三字，张敦仁《通鉴刊本识误》、张瑛《通鉴校勘记》皆同，今据补。［24］罢禁：原作“禁集”。据章钰校，十二行本、乙十一行本、孔天胤本皆作“罢禁”，张瑛《通鉴校勘记》同，严衍《通鉴补》亦作“罢禁”，今据改。〖按〗《魏书·食货志》：“后中尉甄琛启求罢禁。”

【研析】

本卷写梁武帝萧衍天监十四年（公元五一五年）至天监十七年共四年间南梁与北魏两国的大事。其中最值得议论的有如下几层。

第一，梁武帝萧衍听用魏国降人王足的建议，在当时的钟离（今安徽凤阳东北侧）城东的淮河上修筑拦河大坝，目的是提高淮河上游的水位，以求灌淹淮河南侧当时被魏国人占据的寿阳城，也就是今天的安徽寿县。此役从天监十三年十月动工，“发徐、杨民率二十户取五丁以筑之，……役人及战士合二十万，南起浮山，北抵巉石，依岸筑土，合脊于中流”。梁国为修筑此坝可说是费了牛劲，据记载：“浮山堰成而复溃，或言蛟龙能乘风雨破堰，其性恶铁，乃运东、西冶铁器数千万斤沈之，亦不能合。乃伐树为井干，填以巨石，加土其上。缘淮百里内木石无巨细皆尽，负檐者肩上皆穿，夏日疾疫，死者相枕，蝇虫昼夜声合”；“是冬，寒甚，淮、泗尽冻，浮山堰士卒死者什七八”。经过整整一年半的努力，大坝终于建成了，“长九里，下广一百四十丈，上广四十五丈，高二十丈，树以杞柳，军垒列居其上”。也的确给魏人占领的寿阳城带来了困难：“寿阳城坏，居民散就冈陇，其水清澈，俯视庐舍冢墓，了然在下”。但相比之下还是梁国人遭的罪更多，在大坝刚修完的第五个月，“九月丁丑，淮水暴涨，堰坏，其声如雷，闻三百里，缘淮城戍村落十余万口皆漂入海”。清代王夫之《读通鉴论》说：“壅水以灌人之国邑，未闻其能胜者也。幸而自败，不幸而即以自亡。自亡者如智伯，败者梁武也。梁人十余万漂入于海，而寿阳如故。天下后世至不仁者，或以此谋献之嗜杀之君，其亦知所鉴乎？残忍之谋愈变而愈左，勿惑其说，尚自免于败亡乎?”明代尹起莘说：“梁主崇尚浮屠，好生恶杀，然以一淮堰之故，士卒死者不可胜数，今又漂没十余万口，前后所杀不知其几？原其本意特为一寿阳城而已。孟子所谓‘争城以战杀人盈城，罪不容于死’，况无故糜烂其民者哉?”寿阳城自东晋以来一直是南朝北部的边境重镇，二百年来一直在浴血奋战，屏蔽着历代江南王朝的贪生苟活。如今由于南朝的腐朽而落入了魏人之手，于是萧衍就想把它彻底淹没，化之为泽国鱼虾！萧衍还是人吗？但他居然还为了信佛而在祭祀宗庙时不忍再用三牲，而换用大饼；还下令“敕织官，文锦不得为仙人鸟兽之形，为其裁翦，有乖仁恕”也。这种假惺惺不也表现得太滑稽了吗?

第二，萧衍对百姓、对一般官吏凶得很，但对他的亲属、近臣却一味纵容、姑息，极尽包庇之能事。他的胞弟萧宏于天监五年为大帅，前因怯懦失去战机，后因怯懦竟弃军而逃，造成梁军在洛口的惨败。对此罪不容诛之人不仅未受任何惩处，很快又成了中军将军、扬州刺史；不久又成了骠骑将军、司徒、行太子太傅等。司马光写《通鉴》到此说：“宏为将则覆三军，为臣则涉大逆，高祖贷其死罪可矣。数旬之间，还为三公，于兄弟之恩诚厚矣，王者之法果安在哉?”萧宏在战场上胆怯如鼠，在聚敛钱财上却胆大包天，嗜钱如命。他在“都下有数十邸，出悬钱立券，每以田宅邸店悬上文契。期讫，便驱券主夺其宅，都下、东土百姓，失业非一”。也就是说，他是以放贷为手段，吸引人向他借钱，到该还账时他不要人家还钱，而是趁机掠夺人家的房产地产。做法真够损的。

有人告发他宅院后区的许多房子，关锁甚严，人不得近，疑其私藏铠甲、兵器，图谋不轨。萧衍也怀疑他有问题，于是扬言要到他的府上喝酒，又不由分说地要参观他的宅院，从而闯进了他的那些密室。只见：“每钱百万为一聚，黄榜标之，千万为一库，悬一紫标，如此三十余间。上与佗卿屈指计，见钱三亿余万，余屋贮布、绢、丝、绵、漆、蜜、纻、蜡等杂货，但见满库，不知多少。”这段描写很生动，很像是法国小说《欧也妮·葛朗台》写老吝啬鬼死后的财产多得无法计算一样。但由于萧衍发现他的胞弟原来只是贪钱，而没有其他意图，对自己的皇位没有任何威胁后，于是喜出望外地说：“阿六，汝生计大可!”于是遂“更剧饮至夜，举烛而还。兄弟方更敦睦”。

第三，关于盐业的管理，国营好还是私营好。魏宣武帝元恪正始三年（公元五〇六年），御史中尉甄琛向魏主建言说：“夫一家之长，必惠养子孙。天下之君，必惠养兆民，未有为人父母而吝其醯醢，富有群生而榷其一物者也。今县官鄣护河东盐池而收其利，是专奉口腹而不及四体也。……乞弛盐禁，与民共之!”也就是开禁今山西南部运城一带的盐池，让当地百姓自由开采、自由买卖。对此，当时魏国的元老大臣元勰、邢峦等都以为甄琛的建议是“坐谈则理高，行之则事阙”，以为“古之善治民者，必污隆随时，丰俭称事，役养消息以成其性命。若任其自生，随其饮啄，乃是刍狗万物，何以君为？是故圣人敛山泽之货以宽田畴之赋；收关市之税以助什一之储，取此与彼，皆非为身，所谓资天地之产，惠天地之民也。今盐池之禁，为日已久，积而散之，以济军国，非专为供太官之膳羞，给后宫之服玩。既利不在己，则彼我一也。然自禁盐以来，有司多慢，出纳之间，或不如法。是使细民嗟怨，负贩轻议，此乃用之者无方，非作之者有失也。一旦罢之，恐乖本旨。一行一改，法若弈棋。参论理要，宜如旧式”。元勰、邢峦的这段说理是很重要的。他们说清了前代为什么要实行盐业官营，也讲清了政策本身与执行中的问题两者应该分开，不能因噎废食。可惜魏主元恪听不进去，于是“卒从琛议”，从正始三年四月起，“罢盐池禁”。结果实行了十五年，到魏肃宗元诩神龟二年（公元五一八年）实在乱得非整治不可了，太师元雍等上表说：“盐池天藏，资育群生，先朝为之禁限，亦非苟与细民争利。但利起天池，取用无法，或豪贵封护，或近民吝守，贫弱远来，邈然绝望。因置主司，令其裁察，强弱相兼，务令得所。什一之税，自古有之，所务者远近齐平，公私两宜耳。及甄琛启求罢禁，乃为绕池之民尉保光等擅自固护。语其障禁，倍于官司，取与自由，贵贱任口。请依先朝禁之为便。”王夫之《读通鉴论》说：“弛盐禁以任民之采，徒利一方之豪民，而不知广国储以宽农，其为稗政也无疑。甄琛，奸人也，元恪信之，罢盐禁，而元勰、邢峦之言不用。夫琛之欺主而恪听其欺，固以琛为利民之大惠，而损己以从之也。人君之大患，莫甚于有惠民之心，而小人资之以行其奸私。夫琛之言此，非自欲干没，则受富商豪民之赂而为之言尔。于国损，于民病，奚恤哉？”大片的盐池，又是关系国计民生的重要产业，国家一旦放手不管，必然要被当地的土豪、恶霸以及当地的官员所把持、所垄断；即使将其化整为零，公平地分配给当地小民，小民也还得合伙经营，这与农村的各自耕种一小块土地是完全不同的。当年桑弘羊实行盐铁官营，具体操作中的一些弊病是应该不断完善的，关键在于加强管理，而不是要废除它。

卷第一百四十九　梁纪五

起屠维大渊献（己亥，公元五一九年），尽昭阳单阏（癸卯，公元五二三年），凡五年。

【题解】

本卷写梁武帝萧衍天监十八年（公元五一九年）至普通四年（公元五二三年）共五年间南梁与北魏两国的大事。主要写了魏征西将军张彝之子张仲瑀建言压抑武人，不令武人“豫清品”，结果引发朝廷禁卫部队明目张胆的暴乱，张彝的府第被抄，张彝活活被打死，足见魏国的刑政之混乱。写了魏臣崔亮任吏部尚书，唯按任职时间的长短以提拔官员，后世又相继成习，以见魏国选举制度之衰败。写了魏国皇室与官僚贵族的生活奢华，写了河间王元琛与高阳王元雍之斗富，恰如西晋的王恺与石崇，以见魏国统治阶级之糜烂。写了魏国的中尉元匡正直敢触权贵，前与外戚高肇相斗，差点被杀，今与元澄相斗，又被陷罪几死。写了魏国的勋臣杨椿之子杨昱向胡太后报告了元义的贪赃受贿，元义即罗织罪名害杨椿一家，胡太后发现将之救下，但对元义等人丝毫不予惩治，以见胡太后之养患酿乱。写了魏之幸臣刘腾、元义罗织罪名杀害了清河王元怿、禁闭了胡太后、控制起小皇帝元诩，政无巨细，悉决于二人之手。写了河间王元琛无耻地自求给刘腾当养子，汝南王元悦卖身投靠元义，又反过来丧心病狂地欺凌其兄元怿之子元亶。写了相州刺史元熙起兵于邺城以讨刘腾、元义，但很快地失败被杀。写了魏将奚

【原文】

高祖武皇帝五

天监十八年（己亥，公元五一九年）

春，正月甲申①，以尚书左仆射袁昂为尚书[1]令②，右仆射王暕③为左仆射，太子詹事徐勉④为右仆射。

丁亥⑤，魏主下诏，称“皇[2]太后临朝践极⑥，岁将半纪⑦，宜称‘诏’以令宇内⑧。”

辛卯⑨，上祀南郊。

魏征西将军、平陆文侯[3]张彝⑩之子仲瑀上封事⑪，求铨别[4]选

康生先是参与了刘腾、元义之谋，与之深相委托，后来又欲结胡太后谋诛元义、刘腾，结果被元义等所杀。写了柔然内乱，伏跋可汗被杀，新可汗阿那瓌又被打败逃往魏国，而夺得政权的示发旋又被阿那瓌的堂兄弟婆罗门打败；不久，婆罗门可汗又被嚈哒人打败，也逃归魏国，魏人权衡得失，遂两立阿那瓌、婆罗门皆为可汗，分治东西，使之与高车相互制约，以减少魏国北部边境的压力。写了被魏国安置在居延泽的婆罗门可汗遁投嚈哒，魏将出兵讨擒之。写了魏之元孚出使劳慰阿那瓌可汗，阿那瓌竟挟持元孚以侵掠魏边，最后被魏将李崇、元纂所打败。写了魏宦官刘腾之死，魏廷为之治丧如失考妣。写了元继、元义父子之贪婪，致使请托公行，魏国人心思乱。写了魏人破六韩拔陵作乱，杀沃野镇将，围武川、攻怀朔，北方诸镇多陷混乱之中。此外还写了魏国遣人到西域乾罗国取经，两年后返回洛阳；梁萧宏之子萧正德因未能当上皇太子而逃到魏国，又因不受魏人重视而返回梁国，萧衍竟不加惩治，仍复其原职；以及写了高欢的出世，为其日后的故事埋下伏线；等等。

【语译】

高祖武皇帝五

天监十八年（己亥，公元五一九年）

春季，正月初四日甲申，梁武帝萧衍任命担任尚书左仆射的袁昂为尚书令，任命担任尚书右仆射的王暕为尚书左仆射，任命担任太子詹事的徐勉为尚书右仆射。

初七日丁亥，魏国的孝明帝元诩下诏，说“皇太后坐在皇帝的宝座上代替皇帝执政，时间已经将近六年，应该把皇太后所发布的指令改称为‘诏’，以号令全国。”

十一日辛卯，梁武帝到建康城的南郊举行祭天典礼。

魏国担任征西将军的平陆文侯张彝的儿子张仲瑀向胡太后呈递了一本密封的奏章，

格⑫，排抑武人，不使豫清品⑬。于是喧谤⑭盈路，立榜大巷⑮，克期会集⑯，屠害其家，彝父子晏然不以为意⑰。二月庚午⑱，羽林、虎贲⑲近千人，相帅至尚书省诟骂，求⑳仲瑀兄左民郎中始均㉑不获，以瓦石击省门。上下慑惧㉒，莫敢禁讨㉓。遂持火掠道中薪蒿，以杖石为兵器，直造其第㉔，曳彝堂下，捶辱极意，唱呼动地㉕[5]，焚其第舍。始均逾垣走，复还拜贼，请其父命，贼就殴击，生投之火中。仲瑀重伤走免，彝仅有余息㉖，再宿㉗而死。远近震骇。胡太后收掩㉘羽林、虎贲凶强者八人斩之，其余不复穷治㉙。乙亥㉚，大赦以安之㉛，因令武官得依资入选。识者知魏之将乱矣。

时官员既少，应选者多，吏部尚书李韶㉜铨注不行㉝，大致怨嗟，更以殿中尚书崔亮为吏部尚书。亮奏为格制㉞，不问士之贤愚，专以停解月日㉟为断，沈滞者㊱皆称其能。亮甥司空谘议刘景安与亮书曰："殷、周以乡塾贡士㊲，两汉由州郡荐才㊳，魏、晋因循，又置中正㊴，虽未尽美，应什收六七㊵。而朝廷贡才㊶，止求其文㊷，不取其理；察孝廉唯论章句㊸，不及治道㊹；立中正不考才行，空辩氏姓㊺。取士之途不博，沙汰㊻之理未精。舅属当铨衡㊼，宜改张易调㊽，如何反为停年格㊾以限之，天下士子谁复修厉㊿名行哉！"亮复书曰："汝所言乃有深致51。吾昨52为此格，有由而然。古今不同，时宜须异53。昔子产

请求修改选拔官员的条例，他主张排挤压制武将，不把武将列入高雅的人群。消息传出去之后，社会舆论便公开地对张仲瑀进行攻击诽谤，指责的声音充满了大街小巷，有人在街巷树立起布告栏，张贴告示，约定时间大家集合，一起去屠杀张彝全家，张彝父子安然自若全不把它当一回事。二月二十日庚午，皇帝禁卫军中有将近一千名的羽林军、虎贲军，相继来到尚书省高声诟骂，寻找张仲瑀的哥哥、担任左民郎中的张始均，但没有找到，这些人就用砖瓦石头猛砸尚书省的大门。整个尚书省的大小官员都惶恐不安，没有人敢出来制止他们、派兵镇压他们。于是这些人手持火把，沿途抢夺百姓的柴薪蒿草，把木棍石块当作武器，径直冲向张彝的宅第，他们把张彝拖到堂下，百般捶击凌辱，呼号之声震天动地，又用带来的柴草纵火焚烧了张彝的府第房舍。张始均翻越围墙逃走，后来又返回来给这些暴徒下跪，请求饶恕自己父亲的一条老命，暴徒涌上前来殴打张始均，把张始均活活地扔到大火中烧死。张仲瑀受了重伤逃走，张彝仅仅还有一些微弱的气息，第二天夜里就死了。远近的人听到这个消息都感到非常震惊和恐惧。胡太后下诏将羽林军、虎贲军中带头闹事的最凶暴最强横的八个人拘捕起来，将其斩首，而对其余的人则没有再进行彻底的追究。二十五日乙亥，胡太后宣布大赦，以安抚那些对张彝一家实施暴行的羽林军、虎贲军，并趁机令武官可以依照资格入选清品。有远见卓识的人知道魏国就要发生内乱了。

当时魏国的官员已经很少，而应选的人很多，担任吏部尚书的李韶却不给那些准备接受任命的官员做鉴定、写评语，因此招致了很多的抱怨，胡太后便将担任殿中尚书的崔亮改任为吏部尚书。崔亮给胡太后递交了一套选官的条例，不管候选的官员是贤能还是愚蠢，只以任满后等待铨选的时间长短为标准，那些任满后长期没有得到重新任命的人都称赞崔亮很有才干。崔亮的外甥担任司空谘议的刘景安写信给崔亮说："殷、周时期是从乡学里选拔人才，两汉时期是由州郡逐级向上推荐人才，魏、晋在沿用前代这一做法的基础上，又在州、郡两级设立了主管评议、推荐人才的中正官，专门负责考察本地人才的品德、门第、才干，并将他们分为九等，作为朝廷选拔官吏的依据，虽然这种制度未必尽善尽美，还是能够选中六七成吧。而朝廷主管部门所执行的选举推荐人才的标准，只求文章写得好，而不管文章的内容是否行得通；考察孝廉，只看他对古书篇章、字句的理解能力如何，而不管他是否具备处理政务的能力；而所设立的中正对所举荐的人也不考察他们的才能品行，只分析他们的姓氏和门第出身如何。选举人才的途径不广泛，淘汰不合格人才的办法不精确。舅父主管着评定人才的工作，本来应该改弦更张制定出更好地选任官员的办法，为什么反倒以官员任满离职后等待铨选的年限作为唯一的条件，如此一来天下的读书人谁还会再去修养磨炼以求不断提高自己的名节品行呢！"崔亮回信说："你所说的话很有深意。我此前所制定的这一套选官条例，也是事出有因才只得这样做的。古今时代不同了，采取的措施也应该随之而有所改变。春秋末期郑国著名的宰相子

铸刑书㊹以救弊，叔向讥之以正法㊺，何异汝以古礼难权宜㊻哉！”洛阳令代人薛琡㊼上书言：“黎元㊽之命，系于长吏，若以选曹唯取年劳㊾，不简能否，义均行雁，次若贯鱼㊿，执簿呼名，一吏足矣，数人而用[61]，何谓铨衡？”书奏，不报。后因请见，复奏“乞令王公贵臣荐贤以补郡县[62]”，诏公卿议之，事亦寝。其后甄琛等继亮为吏部尚书，利其便己，踵[63]而行之，魏之选举失人，自亮始也。

初，燕燕郡太守高湖[64]奔魏，其子谧[65]为侍御史，坐法徙怀朔镇[66]，世居北边，遂习鲜卑之俗[67]。谧孙欢[68]，沈深有大志，家贫，执役[69]在平城。富人娄氏女见而奇之，遂嫁焉，始有马，得给镇为函使[70]。至洛阳，见张彝之死，还家，倾赀[71]以结客。或问其故，欢曰：“宿卫相帅[72]焚大臣之第，朝廷惧其乱而不问，为政如此，事可知矣，财物岂可常守邪！”欢与怀朔省事[73]云中司马子如[74]、秀容刘贵[75]、中山贾显智[76]、户曹史咸阳孙腾[77]、外兵史[78]怀朔侯景[79]、狱掾善无尉景[80]、广宁蔡儁[81]特相友善，并以任侠[82]雄于乡里[83]。

夏，四月丁巳[84]，大赦。

五月戊戌[85]，魏以任城王澄[86]为司徒，京兆王继[87]为司空。

魏累世强盛，东夷[88]、西域[89]贡献不绝，又立互市[90]以致南货，至是府库盈溢。胡太后尝幸绢藏[91]，命王公、嫔主[92]从行者百余人各自负绢[93]，称力取之[94]，少者不减百余匹[95]。尚书令、仪同三司李崇、章武

产把法律条文刻在铜鼎上，以便让人们都能看到法律、遵守法律，晋国思想守旧的大官像叔向却用礼乐治国的老一套做法讥讽子产的以法治国，这和你用古礼来责难我根据时代变化所采取的变通措施有什么区别呢！”担任洛阳县令的代地人薛琡上书给胡太后说：“黎民百姓的命运，全都掌握在官吏的手中，如今选任官员只把混得年头很长，没有功劳也有苦劳作为唯一标准，而不管他有没有执政的才能，这就好像是天空飞行的大雁，一个跟着一个，又像穿成一串的鱼，一个挨着一个，按照这种办法，只需要一个官吏手里拿着名簿按照先后次序叫名就足够了，如果这样数着人头任用，还叫什么衡量选拔？”奏章报上去之后，如同石沉大海没有得到任何答复。后来薛琡因为有其他的事情需要请求胡太后召见，就又趁机向胡太后建议“请求让那些王公贵臣向朝廷举荐贤才以补充有空缺的郡守与县令”，胡太后下诏让公卿大臣就薛琡的建议进行商议，事情过后也没有人再提起。后来甄琛等人接替崔亮先后担任吏部尚书的时候，觉得以论资排辈的办法提拔任用官吏对自己有利，于是继续沿用崔亮制定的这套办法，魏国在选拔任用官吏方面失去人才，就是从崔亮开始的。

当初，慕容氏所建立的后燕时期，担任燕郡太守的高湖率众投降了魏国，高湖的儿子高谧担任魏国的侍御史，因为犯法被判处流放怀朔镇，于是高谧的后代遂世代居住在魏国的北方，并逐渐习惯了当地鲜卑族原有的风俗习惯。高谧的孙子高欢，为人深沉稳重，胸怀大志，因为家里贫穷，遂到平城服劳役。有一户姓娄的富家女儿看到高欢长得相貌非凡而感到惊异，于是就嫁给了高欢，高欢这才有了一匹马，得以在怀朔军镇担任一名骑马往京城洛阳送信的人。他在洛阳亲眼看见了张彝被羽林军、虎贲军殴打致死的情景，回到家中以后，他把家里所有的家财拿出来结交宾客。有人问他为什么要这样做，高欢说：“在皇宫担任警卫的人成群结伙地一起焚烧了大臣张彝的府第，朝廷惧怕他们作乱而不敢对其进行追查审问，执政执成了这种样子，事情的结果就可想而知了，家里的财产难道还能长期保有吗！”高欢与在怀朔军镇担任小官吏的云中郡人司马子如、秀容郡人刘贵、中山郡人贾显智、担任户曹史的咸阳人孙腾、在怀朔军镇治下担任外兵史的侯景、担任狱掾的善无郡人尉景、广宁郡人蔡儁关系特别友好亲密，他们都以行侠仗义而称雄于本乡本土。

夏季，四月初八日丁巳，梁国实行大赦。

五月二十日戊戌，魏国朝廷任命任城王元澄为司徒，任命京兆王元继为司空。

魏国已经一连几代国力强盛，东方的少数民族政权、古代西域的那些小国一直向魏国进贡，从来没有断绝过，魏国又设立了对外的贸易场所以吸引南方的货物，此时魏国的府库中储存的各种财货非常充裕。胡太后曾经到朝廷储藏绸缎的仓库里视察，她让陪同自己视察的那些王公、皇帝的嫔妃、公主以及随身的侍从等一百多人各自尽着自己的力气扛着绢帛回家，扛得最少的人也不少于一百多匹。担任尚书令、开府仪同三司的李崇，章武王元融由于扛的绢帛太多太重，以至于摔倒在地上，

王融[96]负绢过重，颠仆于地，崇伤腰，融损足，太后夺其绢，使空出，时人笑之。融，太洛之子也。侍中崔光止取两匹，太后怪其少，对曰："臣两手唯堪两匹。"众皆愧之。

时魏宗室权幸之臣，竞为豪侈，高阳王雍，富贵冠一国，宫室园圃，侔于禁苑[97]，僮仆六千，伎女五百，出则仪卫[98]塞道路，归则歌吹连日夜，一食直钱数万。李崇富埒于雍[99]而性俭啬，尝谓人曰："高阳一食[100]，敌我千日[101]。"

河间王琛[102]，每欲与雍争富，骏马十余匹，皆以银为槽，窗户之上，玉凤衔铃，金龙吐旆[103]。尝会诸王宴饮，酒器有水精钟[104][6]，马脑碗[105]，赤玉卮[106]，制作精巧，皆中国[107]所无。又陈女乐、名马及诸奇宝，复引诸王历观府库，金钱、缯布[108]，不可胜计，顾谓章武王融曰："不恨我不见石崇[109]，恨石崇不见我！"融素以富自负，归而惋叹，卧疾[7]三日。京兆王继闻而省之[110]，谓曰："卿之货财计不减于彼[111]，何为愧羡乃尔！"融曰："始谓富于我者独高阳耳，不意复有河间！"继曰："卿似袁术在淮南[112]，不知世间复有刘备[113]耳。"融乃笑而起。

太后好佛，营建诸寺，无复穷已[114]，令诸州各建五级浮图[115]，民力疲弊。诸王、贵人、宦官、羽林各建寺于洛阳，相高以壮丽[116]。太后数设斋会[117]，施僧物动以万计，赏赐左右无节，所费不赀[118]，而未尝施惠及民。府库渐虚，乃减削百官禄力[119]。任城王澄上表，以为"萧衍常蓄窥觎之志[120]，宜及国家强盛，将士旅力[121]，早图混壹[122]之功。比年以来，公私贫困，宜节省浮费[123]以周急务。"太后虽不能用，常优礼之。

李崇摔伤了腰，元融摔伤了脚，胡太后便夺回了他们所扛的绢帛，让他们空着手离开，当时的人都讥笑他们贪财而不要命。元融，是元太洛的儿子。担任侍中的崔光只拿了两匹绢，胡太后对他只拿这么少感到有些奇怪，就问他为什么只拿两匹，崔光回答说："我这两只手只拿得动两匹。"与他相比，众人都感到很惭愧。

当时魏国宗室中那些有权势、受宠幸的大臣，全都互相攀比，看谁最豪华奢侈，高阳王元雍，其富有和尊贵在全国范围内名列第一位，宫室苑囿与皇家的园林差不多，他家有六千个僮仆，五百名歌舞女，每当出门的时候，仪仗队、卫队塞满了道路，回家之后便夜以继日地歌舞、吹奏，一顿饭就要花费数万钱。李崇富足的程度和元雍不相上下，而他生性节俭吝啬，他曾经对人说："高阳王家一顿饭所花的钱，顶得上我们家一千天的饭钱。"

河间王元琛总想与高阳王元雍家比阔气，他家有十多匹骏马，全都用银质的槽子喂养，门窗上悬挂着的是用玉石雕刻的凤鸟，凤鸟的口中叼着铃铛；用纯金打造的金龙口中叼着一种类似旗子的饰物。元琛曾经邀请诸位亲王到自己的家中聚会宴饮，使用的饮酒器皿有用水晶制成的酒杯，用玛瑙制成的碗，用赤玉制成的酒杯，件件器皿都制作得精巧绝伦，全都是中原地区所没有的。又陈列女子乐队、名马以及各种奇珍异宝，他又领着各位亲王逐个参观自己的府库，只见府库中储存的金钱、丝织的绢帛与麻织品多得不可胜数，元琛回过头来对章武王元融说："没有见过石崇并不令我感到遗憾，遗憾的是石崇没有见过我！"元融一向以富有而自负，他回到家里之后，认为自家比不上河间王家富有而怅恨、叹息，竟因此而病了三天。京兆王元继听到消息之后就到元融的家中进行探望，他对元融说："你家的财富绝对不比河间王元琛家的少，为什么竟会惭愧、羡慕到如此的地步！"元融回答说："早先我还认为比我富有的人只有高阳王元雍一家，没想到竟然还有河间王元琛！"元继说："你就像当年袁术在淮南称帝的时候，竟然不知道世间还有一个刘备。"元融这才笑着从床上爬了起来。

胡太后信奉佛教，便没完没了地大肆营建寺庙，她还下令各州都要建造五层高的佛塔，弄得百姓筋疲力尽。那些诸侯王、地位显贵的人、宦官、羽林军都在洛阳城内建立寺庙，全都攀比着看谁建造的寺庙更壮丽。胡太后多次举办向僧人施舍的佛教活动，她施舍给僧人的财物动不动就有上万钱，赏赐给身边侍从的财物也多得毫无限度，用在这些方面的花费简直多得无法计算，却从来没有把财物施惠给平民百姓。国家的府库渐渐空虚起来，胡太后就削减百官的俸禄与为之服务的人员。任城王元澄上书给胡太后，元澄认为："梁武帝萧衍常常蓄谋伺机进攻我们，我们应该趁着国家强盛，将士愿意为国家出力的时机，早日谋划出兵消灭梁国、完成统一天下的大业。近年以来，公家和个人都很贫困，应该节省不必要的开支，把财力用到急需要办的事务上。"胡太后虽然没有采纳元澄的建议，却经常对他优礼相待。

魏自永平[124]以来，营明堂、辟雍[125]，役者多不过千人，有司复借以修寺及供他役，十余年竟不能成。起部郎[126]源子恭[127]上书，以为“废经国之务，资不急之费[128]，宜彻减诸役[129]，早图就功[130]，使祖宗有严配[131]之期，苍生[132]有礼乐之富[133]。”诏从之，然亦不能成[134]也。

魏人陈仲儒请依京房[135]立准[136]以调八音[137]。有司诘仲儒：“京房律准[138]，今虽有其器，晓之者鲜[139]。仲儒所受何师？出何典籍？”仲儒对言：“性颇爱琴，又尝读司马彪《续汉书》[140]，见京房准术[141]，成数昞然[142]。遂竭愚思，钻研甚久，颇有所得。夫准者本[8]以代律[143]，取其分数，调校乐器[144]。窃寻调声之礼[145]，宫、商宜浊[146]，徵、羽宜清[147]。若依公孙崇[148]，止以十二律声[149]，而云还相为宫[150]，清浊悉足[151]。唯黄钟管最长[152]，故以黄钟为宫[153]，则往往相顺[154]。若均之八音[155]，犹须错采众音[156]，配成其美。若以应钟为宫，蕤宾为徵，则徵浊而宫清[157]，虽有其韵，不成音曲[158]。若以中吕为宫，则十二律中全无所取[159]。今依京房书，中吕为宫[160]，乃以去灭[161]为商，执始[162]为徵，然后方韵[163]。而崇乃以中吕为宫[164]，犹用林钟为徵，何由可谐？但音声精微，史传简略，旧志准十三弦[165]，隐间九尺[166]，不言须柱以不[167]。又，一寸之内有万九千六百八十三分，微细难明[168]。仲儒私曾考验[169]，准当施柱[170]，但前却柱中[171]，以约准分[172]，则相生之韵已自应合[173]。其中弦粗细[174]，须与琴宫相类[175]，施轸[176]以调声，令与黄钟相合[177]。中弦下依数画六十律清浊之节[178]。其余十二弦须施柱如筝[179]，即于中弦按尽一周之声[180]，度著十二弦上[181]。

魏国自从宣武帝元恪永平年间以来，国家出资建造的供帝王祭祀、尊贤、讲礼、发布政令的明堂，帝王亲临讲学的太学里的辟雍，所用的民夫最多的时候也不超过一千人，有关部门又借口修建寺庙以及别处需要劳役而将人员调走，因此虽然花费了十多年的时间也没有将明堂、辟雍建成。担任起部郎的源子恭上书给胡太后，源子恭认为："废弛治理国家的当务之急，却把钱财用于不重要、不急需的项目上去，应该削减那些营建佛寺的各种劳役，早日把明堂、辟雍建成，使祖宗早日享受配天之祭，使全国的黎民百姓能过上礼乐治世的幸福生活。"胡太后下诏批准源子恭的建议，然而明堂、辟雍还是没有建成。

魏国人陈仲儒请求朝廷以西汉儒生京房所制造的定音乐器为标准来调整匏、土、革、木、石、金、丝、竹这八类乐器。有关部门的官员责难陈仲儒说："京房所制定的定音乐器，现在虽然还有，懂得如何使用的人却很少。你陈仲儒接受的是哪一位师傅的指教？又是出自哪种经典著作？"陈仲儒回答说："我天生喜欢弹琴，又读过西晋司马彪所著的《续汉书》，从《续汉书·礼乐志》中见到过京房所制定的定音乐器的技术原理，各项数据都写得清清楚楚。于是我就竭力思考，钻研了很久，很有收获。京房所以要制作一个定音乐器，本是让它代替此前所使用的十二支律管，用其分数的办法调整校对各种乐器的音值。我寻思调整五个音阶的音值，宫音、商音的音值应该是低音，徵音、羽音的音值应该是高音。如果依照太乐令公孙崇的意见，只用过去的黄钟、太簇、姑洗、蕤宾、夷则、亡射、大吕、夹钟、中吕、林钟、南吕、应钟这十二个律管来检测各种乐器的音高，而称之为还相为宫，这样音高音低的问题就全都解决了。而在十二根定音管中，黄钟管声音最洪亮，所以用黄钟管来确定宫音，则往往和谐流畅。如果要使用各种乐器一起演奏时，还得需要交叉使用各种调式，才能配成美妙的音乐。如果用应钟管来确定宫音，用蕤宾管来确定徵音，就会形成徵音低沉而宫音高飘的现象，虽然也有一定的韵律，但不是和谐流畅的曲调了。如果用中吕管来确定宫音，那么十二律中的各种调式就全不成为乐音了。如果按照京房所著书中的规定，用中吕管来确定宫音，用去灭为商音，用执始为徵音，这样才能成为和谐的曲调。而公孙崇是用中吕管来确定宫音，还用林钟管来确定徵音，怎么可能使曲调和谐流畅呢？但是五音、十二调精深微妙，历史流传下来的记载又很简略，旧史书上只记载说京房的律准是十三根弦，琴上有九尺长的纹饰，没有说明乐器上需不需要有架弦的柱。还有，一寸之内有一万九千六百八十三分，那些细密而繁多的刻度究竟表明什么，也让人看不明白。我私下里研究考察过，京房的定音乐器上应该是有柱的，只要向前或向后移动柱的中心，对好那些微细难明的刻度，那种合乎韵律的乐音就自然地发出来了。京房律准十三根弦的中弦的粗细，大概与琴上的大弦差不多，律准上也要有轸的装置来调整声调，把中弦的声调调整得与黄钟律的高低相一致。在紧靠中弦后面的一根弦上依五声十二律旋相为宫的规律刻画出六十律的高低刻度，其他的十二根弦也都需要装上柱，就像筝那样，就在中弦上把六十律的每个音都弹一遍，再一一地把它们都标明在十二根弦上。

然后依相生之法[182]，以次运行，取十二律之商、徵[183]。商、徵既定，又依琴五调调声之法[184]以均乐器[185]，然后错采众声以文饰之[186]，若事有乖此[187]，声则不和[188]。且燧人[189]不师资而习火[190]，延寿[191]不束脩以变律[192]，故云知之者欲教而无从[193]，心达者[194]体知而无师[195]，苟有一毫所得，皆关心抱[196]，岂必要经师受[197]然后为奇[198]哉！”尚书萧宝寅[199]奏仲儒学不师受，轻欲制作，不合〔9〕依许[200]。事遂寝。

魏中尉东平王匡[201]以论议数为任城王澄所夺[202]，愤恚，复治其故棺[203]，欲奏攻澄[204]。澄因奏匡罪状三十余条，廷尉[205]处以死刑[206]。秋，八月己未[207]，诏免死，削除官爵，以车骑将军侯刚[208]代领中尉。三公郎中辛雄[209]奏理匡[210]，以为“历奉三朝[211]，骨鲠之迹[212]，朝野具知，故高祖赐名曰匡[213]。先帝既已容之于前[214]，陛下亦宜宽之于后，若终贬黜，恐杜忠臣之口[215]。”未几，复除匡平州[216]刺史。雄，琛[217]之族孙也。

九月庚寅[218]〔10〕，胡太后游嵩高[219]。癸巳[220]，还宫。

太后从容[221]谓兼中书舍人杨昱[222]曰：“亲姻在外，不称人心[223]，卿有闻，慎勿讳隐！”昱奏扬州刺史李崇五车载货[224]、恒州[225]〔11〕刺史杨钧造银食器十具，并〔12〕饷领军元义[226]。太后召义夫妻，泣而责之。义由是怨昱。昱叔父舒妻，武昌王和[227]之妹也。和即义之从祖。舒卒，元氏频请别居[228]，昱父椿泣责，不听，元氏恨之。会瀛州[229]民刘宣明谋反，事觉，逃亡。义使和及元氏诬告昱藏匿宣明，且云：“昱父定州刺史椿，叔父华州刺史津[230]，并送甲仗[231]三百具，谋为不逞[232]。”义复构成[233]之。遣御仗[234]五百人夜围昱宅，收之，一无所获。太后问其状，昱具对为

然后按照三分损益法，依次运行，在十二根弦上找到用十二律确定的商音与徵音的位置。商音、徵音的位置确定之后，再依照琴的宫、商、角、徵、羽五种调式调声的方法来调定乐器，然后把不同乐器发出的不同音质、不同音色的声音通通修饰一遍，如果稍微有一点不按这种规律进行，就得不到和谐流畅的乐曲。况且燧人氏没有向老师学习就发明了钻木取火，京房的老师焦延寿没有拜过老师也能变十二律为六十律，所以说有知识的人想把自己的知识传授给人却没有合适的受教者，聪明而且一看就懂的人没有老师的教导也能自学成才，即使只是一丝一毫的收获，都是经过认真思考、用心学习得来的，难道非要经过老师的传授然后才能做出奇特的贡献吗！”担任尚书令的萧宝寅上书给胡太后，奏称陈仲儒的学问没有经过老师的传授，就轻易地想要制作，不应该批准他的请求。这件事于是就被搁置下来。

魏国担任中尉的东平王元匡因为自己的建议多次被任城王元澄否决，心里非常气愤恼怒，就又把他原来准备的那口棺材重新修理了一番，准备给胡太后上奏章弹劾攻击元澄。元澄趁机上奏了元匡的三十多条罪状，廷尉秉承任城王的意旨判处元匡死刑。秋季，八月十二日己未，胡太后下诏免除元匡的死罪，剥夺了元匡的官职和爵位，任命担任车骑将军的侯刚代替元匡兼任中尉之职。担任三公郎中的辛雄上书给孝明帝元诩为东平王元匡辩冤，辛雄认为：“东平王元匡曾经先后在孝文帝、宣武帝、孝明帝三位皇帝驾下为臣，其正直刚强的形象，朝中无人不知，民间无人不晓，所以高祖给他赐名元匡。从前先帝孝文帝既然能够宽容地对待东平王元匡，陛下现在也应该能够宽恕元匡，如果最终贬黜了元匡，恐怕会让忠正之臣今后不敢再说话。”时过不久，朝廷就又任命东平王元匡为平州刺史。辛雄，是辛琛的族孙。

九月十四日庚寅，胡太后前往嵩山游览。十七日癸巳，胡太后返回洛阳的皇宫。

胡太后很随意似的对兼任中书舍人的杨昱说：“皇室的一些姻亲在外地做官，可能会有不尽如人意而被人憎恨的地方，你如果听到了什么就说什么，千万不要避讳隐瞒！”杨昱于是奏称扬州刺史李崇用五辆车拉着财货、恒州刺史杨钧打造了银质食器十套，一起给担任领军将军的元义送礼。胡太后将元义夫妇招来，流着眼泪责备了他们一番。元义因此非常怨恨杨昱。杨昱叔父杨舒的妻子，是武昌王元和的妹妹。元和就是元义的叔祖父。杨舒去世以后，杨舒的妻子元氏一再请求分家搬出去住，杨昱的父亲杨椿流着眼泪责备元氏不应该这样做，元氏不但不听，反而因此对杨椿怀恨在心。碰巧遇到瀛州的百姓刘宣明聚众谋反，事情被发觉之后，刘宣明就逃跑了。领军将军元义遂怂恿武昌王元和与杨舒的妻子元氏诬告中书舍人杨昱藏匿了刘宣明，而且说：“杨昱的父亲是担任定州刺史的杨椿，杨昱的叔父是担任华州刺史的杨津，他们每个人都送给刘明宣三百套铠甲与兵器，阴谋造反。”元义又给杨昱编织了一套罪名以坐实杨氏的罪行。胡太后听信了他们的谗言，遂派遣五百名御林军连夜包围了杨昱的住宅，先将杨昱拘捕起来，又将杨昱的家仔细地搜查了一遍，却什么违禁的东西也没有搜查出来。胡太后亲自审问杨昱，杨昱便把招致元氏怨恨的缘

元氏所怨。太后解昱缚，处和及元氏死刑，既而义营救之，和直[235]免官，元氏竟不坐。

冬，十二月癸丑[236]，魏任城文宣王澄[237]卒。

庚申[238]，魏大赦。

是岁，高句丽王云[239]卒，世子安立。

魏以郎选[240]不精，大加沙汰[241]，唯朱元旭[242]、辛雄、羊深[243]、源子恭及范阳祖莹[244]等八人以才用见留，余皆罢遣。深，祉[245]之子也。

【段旨】

以上为第一段，写梁武帝萧衍天监十八年（公元五一九年）一年间的大事。主要写了魏臣张彝之子张仲瑀建言压抑武人，不令武人“豫清品”，结果竟引发朝廷禁卫部队明目张胆的暴乱，张彝的府第被抄，张彝活活被打死，对此重大暴乱胡太后竟不敢追查元凶，只拘杀了几个闹事的小卒，而又下令大赦以安慰乱党，足见魏国刑政之混乱。写了魏臣崔亮任吏部尚书，唯按任职时间的长短以提拔官员，后世又相继成习，以见魏国选举制度之衰败。写了魏国皇室与官僚贵族的生活奢华，写了河间王元琛与高阳王元雍之斗富，章武王元融之腐朽，恰如西晋的王恺与石崇，以见魏国统治阶级之腐朽。写了魏国的中尉元匡正直敢触权贵，前与外戚高肇相斗，差点被杀，今与元澄相斗，又被陷罪几死。写了魏国的勋臣杨椿之子杨昱向胡太后报告了元义的贪赃受贿，元义即罗织罪名害杨椿一家，胡太后发现将之救下，但对元义等人丝毫不予惩治，以见胡太后之养患酿乱。此外还写了高欢的出世，以及其日后起家的班底。写了魏国上下的一片佞佛，不惜一切地耗费民脂民膏，而朝廷的一个明堂、太学的一个辟雍竟连年累月无法修成等。

【注释】

①正月甲申：正月初四。②袁昂为尚书令：袁昂是刘宋名臣袁顗之子，在齐曾为御史中丞，人称正直；入梁后，曾为吏部尚书、五兵尚书、左仆射等，今为尚书令。传见《梁书》卷三十一。③王暕：齐朝的权臣王俭之子，入梁后曾为五兵尚书、右仆射，今为左仆射。传见《梁书》卷二十一。④徐勉：梁朝的干练并公正有为之臣，曾为吏部尚书、右仆射等。传见《梁书》卷二十五。⑤丁亥：正月初七。⑥践极：犹言登基、即位。⑦半纪：六年。古称十二年为一纪。胡太后自延昌四年（公元五一五年）临朝，至

故详细地向胡太后讲述了一遍。胡太后立即为杨昱松了绑，判处武昌王元和以及杨舒的妻子元氏死刑，后来因为领军将军元义出面进行营救，武昌王元和仅被免去了官职，杨舒的妻子元氏竟然没有受到任何处罚。

冬季，十二月初八日癸丑，魏国的任城文宣王元澄去世。

十五日庚申，魏国实行大赦。

这一年，高句丽王高云去世，世子高安继位为高句丽王。

魏国朝廷认为各部门郎官一职的任命没有经过精心选择，于是就大量地淘汰郎官，只有朱元旭、辛雄、羊深、源子恭以及范阳郡人祖莹等八个人因为确实有才干而被留用，其余的人全部被罢免遣送回家。羊深，是羊祉的儿子。

今五年，所以说“将半纪”。⑧ 宜称诏以令宇内：皇帝的命令称“诏”，胡太后虽实际掌握政权，但执政以来仍是称“令”而未称“诏”。⑨ 辛卯：正月十一。⑩ 平陆文侯张彝：张彝是孝文帝、宣武帝时期的有名之臣，为秦州刺史治理州务有方，被封为平陆侯，文字是谥。此时任征西将军。传见《魏书》卷六十四。⑪ 封事：密封的奏章。⑫ 铨别选格：修改选拔官员的条例。⑬ 不使豫清品：不把武将列入高雅的人群。豫，参与、加入。〖按〗贬抑武将是南朝士族的恶习，不想张彝北人也效此恶劣的一套。⑭ 喧谤：公开地攻击诽谤。⑮ 立榜大巷：在街巷上竖起布告栏。榜，大牌子。⑯ 克期会集：约定时间大家集合。克，约定。⑰ 父子晏然不以为意：晏然，安然，不当一回事的样子。胡三省曰：“方羽林、虎贲立榜克期之初，魏朝既不为之严加禁遏，纵彝父子欲以为意，奈之何哉？”⑱ 二月庚午：二月二十。⑲ 羽林、虎贲：都是皇帝禁卫军中的称号名，所谓“羽林”，盖言其行动可如飞鸟之快；所谓“虎贲”，盖言其可如虎豹之威猛也。⑳ 求：寻找。㉑ 左民郎中始均：张始均，张仲瑀之兄，时任左民尚书属下的郎中之职。左民尚书即后代的户部尚书。郎中是尚书的下属。㉒ 上下慑惧：整个尚书省的官员都惶恐不安。㉓ 莫敢禁讨：没有人敢出来制止他们、派兵镇压他们。㉔ 直造其第：直奔张彝家。造，向、抵达。㉕ 唱呼动地：呼号之声震天动地。㉖ 仅有余息：仅还有些微弱的气息。㉗ 再宿：第二天夜里。㉘ 收掩：拘捕。㉙ 不复穷治：不再彻底追究。㉚ 乙亥：二月二十五。㉛ 大赦以安之：不严惩凶犯，反而大赦，胡氏何以如此惧怕羽林、虎贲？盖以此次事件即由禁卫军队之统领所掀起也。㉜ 李韶：西凉王李暠的后代，李宝之孙。李宝归降于拓跋焘后，曾被任并州刺史、镇北将军等职。李韶在孝文帝、宣武帝时皆受信重，曾任定州刺史、相州刺史等职。传见《魏书》卷三十九。㉝ 铨注不行：不给应接受任命的官员做出鉴定、写出评语。这里指不进行选官、任官的工作。不行，不采取行动、渎职。㉞ 奏为格制：给朝廷订出了一套选官的条例。㉟ 停解月日：即任满后等待铨选的时间长短。㊱ 沈滞者：被积压了很长

时间的人。㊲以乡塾贡士：从乡学里选拔人才。胡三省引《周官·王制》："命乡论秀士，升之司徒，曰'选士'；司徒论秀士而升之学，曰'俊士'。"㊳由州郡荐才：按照贤良方正、秀才异等、孝廉等科目由州郡逐级向上推荐人才。㊴中正：主管评议推荐人才的官名。在州郡两级都设此职，负责考察本地人才的品德、门第、才干，分为九等，作为朝廷选拔官吏的依据。正式设立此官，实行九品中正制是在魏文帝黄初元年。㊵应什收六七：还是能选中个六七成。㊶朝廷贡才：朝廷主管部门所执行的选择推荐人才的标准。㊷止求其文：只求文章写得好。止，意思同"只"。㊸唯论章句：只看他对古书篇章字句的理解如何。章句，篇章、字句。㊹不及治道：不管他处理政府工作的能力如何。治道，治国平天下的本领。㊺空辩氏姓：只分析他们的家族出身如何。㊻沙汰：淘汰。㊼属当铨衡：主管评定人才的工作，指任吏部尚书。㊽改张易调：本指调整乐器的弦，使声音和谐。此处比喻改变选任官员的做法。㊾停年格：即此前崔亮所采取的办法，一律按照在任官员任职年限的长短。㊿修厉：修养磨炼以求不断提高。厉，磨炼。51深致：深意；高境界。52昨：此前。53时宜须异：采取的措施也应该随之而变化。《韩非子》有所谓"时移则事异，事异则备变"，此约用其意。54子产铸刑书：子产是春秋末期郑国的著名宰相，他为了让人们都看到并懂得法律、遵守法律，破天荒地把法律条文刻在了铜鼎上。事见《左传》昭公六年。55叔向讥之以正法：叔向是春秋末期思想比较守旧的晋国官僚，他面对礼崩乐坏，旧秩序一去不返的情景很是伤感，他对子产这种具有新思想的人物持批评的态度。他反对子产的以法治国，主张用礼用乐，用忠孝仁义等，从正面引导整个社会，比后来儒家的学说还要更加保守。正法，指礼乐治国的老生常谈。56权宜：临时制宜，根据时代变化采取变通的措施。57薛琡：宣武帝时曾为洛阳令，胡太后时为吏部郎中，后来官做得很大。传见《北齐书》卷二十六、《北史》卷二十五。58黎元：黎民百姓。元，是善的意思。59年劳：混得年头长，没有功劳也有苦劳。60义均行雁二句：行雁，天空上的雁行，一个跟着一个。贯鱼，穿成一串的鱼，一条挨着一条。两句都是比喻论资排辈。61数人而用：数着人头任用。62补郡县：以补充有空缺的郡守与县令。63踵：接踵；跟在后面，继续。64燕燕郡太守高湖：从前后燕时代的燕郡太守高湖。所谓"后燕"是指十六国时慕容垂所建立的燕国，从公元三八四年开始到公元四〇三年结束，共历时二十年。高湖先在后燕主慕容垂、慕容宝手下为臣，曾任燕郡太守，反对燕国与魏国作对。至慕容宝被魏国大破于参合陂之后，高湖遂率众投降魏主拓跋珪。到拓跋焘时代，高湖帮着拓跋焘灭了北凉，被任为凉州镇大将，甚有惠政。传见《魏书》卷三十二。65其子谧：高谧，拓跋弘时期曾任兰台御史，执法不避权贵。传见《魏书》卷三十二。66怀朔镇：魏国北方的军镇名，地址在今内蒙古固阳西南。67遂习鲜卑之俗：魏国统治者本来就是鲜卑人，这里说高谧长期居北边始"习鲜卑之俗"者，因魏国统治者从很早就主动接受汉族文化，到孝文帝时更强制鲜卑人完全汉化，故而洛阳地区的鲜卑人已经变得差不多了，而北部边境地区则相对保留了较多的鲜卑族的原有风习，这是自然的。⑥⑧谥孙欢：高欢，一名贺六浑，亦即后来建立北齐政权的神武帝。传见《北齐书》卷一、卷二。⑥⑨执役：服劳役。⑦⓪给镇为函使：给军镇上当骑马往京城送信的人。此处的军镇指怀朔镇，镇址在今内蒙古固阳的西南侧。函使，胡三省曰："凡书表皆函封，函使者，使奉函诣京师也。"⑦①倾赀：花出全部家财。⑦②相帅：成群结伙，一齐行动。⑦③怀朔省事：怀朔军镇的小吏，掌管巡视、了解情况。⑦④云中司马子如：云中郡人姓司马名子如。云中郡的郡治在今内蒙古和林格尔的北侧。司马子如原在魏为小吏，后在北齐官至太尉。传见《北齐书》卷十八。⑦⑤秀容刘贵：秀容是魏郡名，郡治在今山西原平西南、忻州西北。刘贵是秀容郡人，在魏时为小吏，入东魏后官至御史中尉。传见《北齐书》卷十九。⑦⑥中山贾显智：中山是魏郡名，也是州名，即今河北定州。贾显智在胡太后时期曾为冗从仆射，魏末乘乱官至骠骑大将军。传见《魏书》卷八十。⑦⑦孙腾：在魏时为小吏，入东魏官至司徒。传见《北齐书》卷十八。⑦⑧外兵史：外兵尚书属下主管文书案卷的小吏。⑦⑨怀朔侯景：怀朔军镇治下的将士侯景，初为魏将尔朱荣的部下，后归高欢。高欢死，降梁为河南王，后举兵叛乱，攻破建康，萧衍（梁武帝）被困饿死。侯景自立为汉帝，史称"侯景之乱"。传见《梁书》卷五十六。⑧⓪善无尉景：善无郡人姓尉名景。善无郡的郡治在今山西右玉南、左云西。尉景是高欢的姐夫。传见《北齐书》卷十五。⑧①广宁蔡儁：广宁是魏郡名，郡治在今山西代县西北、朔州东南。蔡儁在魏时为小吏，入东魏后官至扬州刺史。传见《北齐书》卷十九。⑧②任侠：以行侠仗义为己任。⑧③雄于乡里：称雄于本乡本土。乡、里，都是古代居民的基层编制名。⑧④四月丁巳：四月初八。⑧⑤五月戊戌：五月二十。⑧⑥任城王澄：元澄，魏国的宗室功勋老臣，景穆帝拓跋晃之孙，拓跋云之子。传见《魏书》卷十九中。⑧⑦京兆王继：元继，道武帝拓跋珪的后代，南平王拓跋霄之子，过继于京兆王元根为后，故称京兆王。因元根改封为江阳王，故元继实应称江阳王。传见《魏书》卷十六。⑧⑧东夷：东方的少数民族政权，如契丹、库莫奚、高句丽等。⑧⑨西域：自古以来的西域小国，如车师、高昌、鄯善等。⑨⓪互市：对外贸易的场所。⑨①绢藏：收藏丝绸绢帛的仓库。⑨②王公、嫔主：王公指魏国的宗室诸郡王，与郡王之子被封为公者，及群臣之以功勋被封为公者。嫔指魏国皇帝之诸妃妾。主，公主，指皇帝之诸姐妹、诸女。⑨③负绢：扛着绢帛回家。负，背着、扛着。⑨④称力取之：尽着自己的力气随便扛，能扛多少是多少。称力，量力。⑨⑤少者不减百余匹：最少的也不低于上百匹。古代的一匹约当现在的十丈。⑨⑥章武王融：元融，景穆帝拓跋晃之孙，拓跋太洛之子。传见《魏书》卷十九下。⑨⑦侔于禁苑：与皇家的园林差不多。侔，相当、相比美。⑨⑧仪卫：仪仗队、卫队。⑨⑨富埒于雍：富足的程度与元雍不相上下。埒，相当、相比。⑩⓪高阳一食：高阳王元雍家的一顿饭。⑩①敌我千日：顶得上我们家的一千天。敌，顶、相等。⑩②河间王琛：元琛，文成帝拓跋濬之孙，孝文帝的堂兄弟。传见《魏书》卷二十。⑩③吐旆：口中叼着下垂的饰物。旆，旗子一类的东西。⑩④水精钟：水晶制成的酒杯。水精，今作"水晶"。钟，酒杯。⑩⑤马脑碗：玛瑙制成的碗。马脑，同

"玛瑙"。⑯ 赤玉卮：赤玉做成的酒杯。卮，酒杯。⑰ 中国：指魏国所处的中原地区。⑱ 缯布：丝织的绢帛与麻织品，当时都可以当钱币使用。⑲ 石崇：东晋时期的大贵族，以豪富与奢靡著称，曾与王恺斗富。传见《晋书》卷三十三。⑩ 省之：前往探看章武王元融。由此句乃知上句尤不可少"卧疾"二字。⑪ 计不减于彼：绝对不比河间王元琛少。⑫ 袁术在淮南：〖按〗袁术是东汉末年的大军阀，曾于献帝初平四年（公元一九三年）据寿春僭称帝号。后被曹操打败，愤恚而死。传见《后汉书》卷一百五。淮南，即指寿春。寿春既处淮河南侧，又是西汉刘安为淮南王时的都城。⑬ 不知世间复有刘备：〖按〗京兆王元继说章武王元融"似袁术在淮南，不知世间复有刘备"，应有典故，今不详。⑭ 无复穷已：没完没了。⑮ 五级浮图：五层高的佛塔。⑯ 相高以壮丽：以壮丽相竞，看谁建造得更壮丽。相高，相互竞赛。⑰ 斋会：向僧人施舍的佛教活动。⑱ 不赀：无法计算。⑲ 禄力：百官的俸禄与为之服务的人员。力，官员的侍从与奴仆。当时各个官府中都有为之效力做工的奴仆。陶渊明为彭泽县令，手下也有这种人员。⑳ 窥觎之志：伺机进攻我们的心思。窥觎，暗中找空子、找机会。㉑ 旅力：愿意为国家出力、效力。㉒ 混壹：统一天下。㉓ 浮费：不必要的开支。㉔ 永平：魏世宗元恪的第三个年号（公元五〇八至五一一年）。㉕ 营明堂、辟雍：建造国家的礼仪性建筑。明堂是儒家所宣传的古代帝王祭祀、尊贤、讲礼、发布政教的场所。辟雍是古代太学里的中心建筑，是帝王亲临讲学的场所。㉖ 起部郎：主管建筑、营造的官员，相当于后代的工部尚书。㉗ 源子恭：魏国元勋老臣源贺之孙，曾任主客郎，此时任起部郎。传见《魏书》卷四十一。㉘ 资不急之费：把钱用到不重要、不急需的项目上去。资，投资、把钱用于……。㉙ 彻减诸役：撤销那些营建佛寺的各种劳役。彻减，通"撤减"，撤除、削减。㉚ 就功：完成那些明堂、辟雍一类的工程。㉛ 严配：指享受配天之祭，也就是当皇帝祭天的时候，将自己祖先的灵牌摆在老天爷灵位的旁边，陪着老天爷享受祭祀。《孝经》中有孔子曰："孝莫大于严父，严父莫大于配天。昔者周公郊祀后稷以配天，宗祀文王于明堂以配上帝。"㉜ 苍生：全国的黎民百姓。㉝ 有礼乐之富：能过上礼乐治世的幸福生活。㉞ 不能成：建造不成明堂与辟雍。㉟ 京房：西汉儒生，今文易学的创始人，通晓音律。传见《汉书》卷八十八。㊱ 立准：制造一个定音的乐器。准，定音的乐器。㊲ 八音：八种用不同材质制造的乐器，即匏、土、革、木、石、金、丝、竹八类。这里即泛指古代的一切乐器。㊳ 京房律准：京房制造的律准，相传其状如瑟。㊴ 晓之者鲜：明白如何使用的人很少。鲜，少。㊵ 司马彪《续汉书》：司马彪是西晋人，司马懿的侄孙。传见《晋书》卷八十二。司马彪作有《续汉书》八十篇。其纪、传部分已经亡佚，其八志现存于范晔的《后汉书》中，乃后人取司马彪书以补范晔书之缺。㊶ 见京房准术：意即陈仲孺是从司马彪《续汉书》的《礼乐志》中见到了京房所制造的定音乐器的技术原理。〖按〗司马彪有关此问题的文字，胡三省在注释《资治通鉴》时已经全文引入。因篇幅太长，又太专门、太琐细，故此处不加转录。㊷ 成数昞然：各项数据都写得清清楚楚。㊸ 准者本以代律：京房所以要制造一个准器，本是为了让它代替此前所用的十二支律管。⑭调校乐器：调整校对各种乐器的音值。⑮调声之礼：调整五个音阶的音值。中国古代的音阶，也叫五声、五音，指宫、商、角、徵、羽。⑯浊：音低。⑰清：音高。⑱公孙崇：当时魏国的乐师，曾制造乐尺，也是用来校正乐器音高的律器。公孙崇造乐尺事，见本书卷一百四十七天监八年。⑲止以十二律声：只用过去的十二个律管来检测各种乐器的音高。十二律，古代用以校定音高的十二个律管，即阳律的黄钟、太簇、姑洗、蕤宾、夷则、亡射；与阴律的大吕、夹钟、中吕、林钟、南吕、应钟。十二律各有固定的音高。⑳还相为宫：也称旋相为宫，十二律更迭为宫。在中国古代音乐中，宫、商、角、徵、羽五声皆可作为音阶的第一级音，同时也就可以形成五种不同的调式。但宫、商、角、徵、羽只有相对的音高，没有绝对的音高，在实际音乐中它们的音高要用律来确定。而这种用律来定宫音，以形成多种调式的方法，叫作“还相为宫”。还，意思同“旋”。㉑清浊悉足：各种音高音低的问题就全都解决了。㉒黄钟管最长：在十二根定音管中，黄钟是十二律之始，声音最洪亮。㉓以黄钟为宫：用黄钟来确定宫音。㉔相顺：和谐流畅。㉕均之八音：如果要使用各种乐器一起演奏时。㉖错采众音：即“旋相为宫”，交叉使用各种调式。㉗则徵浊而宫清：那使得徵音低沉，宫音高飘。㉘虽有其韵二句：虽然也还有一定的韵律，但就不是和谐流畅的曲调了。㉙十二律中全无所取：十二律中的各种调式就全不成为乐音了。⑯中吕为宫：用中吕管来定宫音。中吕，也作“仲吕”，古代的十二个定音管，即所谓十二律之一。⑯去灭：京房所制六十律中的新律名。⑯执始：京房所制六十律中的新律名。⑯然后方韵：这样才能成为和谐的曲调。⑯以中吕为宫：以中吕作为宫调。⑯旧志准十三弦：旧史书上只记载说京房的律准是十三根弦。⑯隐间九尺：琴上有九尺长的纹饰。⑯不言须柱以不：也没有说需不需要有架弦的柱。柱是琴瑟一类的乐器上将弦架起来的支柱。以不，同“与否”。⑯微细难明：那些细密而繁多的刻度究竟是表明什么，让人看不明白。⑯私曾考验：暗自研究考察。⑰准当施柱：京房的律准上应该是有柱的。⑰但前却柱中：只要向前或向后移动柱的中心。⑰以约准分：以对好那些微细难明的刻度。⑰则相生之韵已自应合：那种合乎韵律的乐音就自然地发出来了。⑰其中弦粗细：京房律准十三根弦的中弦的粗细。⑰须与琴宫相类：大致与琴上的大弦差不多。⑰施轸：京房的律准上也要有轸的装置。轸是控制琴弦松紧的转轴。⑰令与黄钟相合：将其中弦的声音调得与黄钟律的高低相一致。⑰中弦下依数画六十律清浊之节：在紧靠中弦后面的一根弦上依五声十二律旋相为宫的规律刻画出六十宫调的高低刻度。六十律，五音与十二律相配的六十个乐调。⑰其余十二弦须施柱如筝：其他的十二根弦也都装上柱，和筝的样子相似。⑱于中弦按尽一周之声：先在中弦上把六十律的每个音都弹一遍。一周之声，六十律的每一个音。⑱度著十二弦上：一一地把它们都标明在十二根弦上。⑱依相生之法：即按照三分损益法。⑱取十二律之商、徵：找到十二条弦上的用十二律确定的商音与徵音的位置。⑱五调调声之法：依宫、商、角、徵、羽五种调式调声的方法。⑱⑤均乐器：调定乐器。⑱⑥错采众声以文饰之：把不同乐器发出的不同音质、不同音色的声音通通修饰一遍。⑱⑦事有乖此：稍有一点不按这种规矩进行。⑱⑧声则不和：就得不到和谐、流畅的乐曲。⑱⑨燧人：燧人氏，传说中的发明钻木取火的人。⑲⓪不师资而习火：没有向老师学习就发明了钻木取火。不师资，没有老师为凭借。⑲①延寿：焦延寿，京房的老师。⑲②不束脩以变律：没有拜过老师也能变十二律为六十律。束脩，一小捆干肉，古时送给老师的薄礼。不束脩即没有拜过老师。变律，变十二律为六十律。⑲③欲教而无从：想传授给人但没有合适的受教者。⑲④心达者：聪明而一看就懂。⑲⑤体知而无师：没有老师也能够自学成才。⑲⑥皆关心抱：这都是通过用心思考、用心学习得来的。关，通过。⑲⑦经师受：经过老师的传授。受，通“授”，也可以解释为从师受教。⑲⑧为奇：做出奇特的贡献。⑲⑨尚书萧宝寅：齐明帝萧鸾之子，齐朝的末代皇帝萧宝卷被萧衍所杀，萧衍篡位建梁后，大肆捕杀萧鸾诸子，萧宝寅逃到魏国，深受魏人重视，此时加官为尚书令。传见《魏书》卷五十九。⑳⓪不合依许：不应该准其制作。不合，不该。⑳①中尉东平王匡：元匡，景穆帝拓跋晃的后代，拓跋洛侯的嗣子，被封为东平王，此时任御史中尉。传见《魏书》卷十九上。⑳②所夺：所驳回；所否定。⑳③复治其故棺：又重新修理他已经做好的棺材。元匡此前曾与外戚高肇拼死相斗，抬着棺材上朝，见本书卷一百四十七天监七年。现又准备与元澄拼死相斗。⑳④欲奏攻澄：准备向皇帝攻击弹劾元澄。⑳⑤廷尉：国家的最高司法长官。⑳⑥处以死刑：处元匡以死刑，完全是秉着元澄的意旨行事。⑳⑦八月己未：八月十二。⑳⑧侯刚：胡太后的宠臣，因护持胡太后有功，此时任车骑将军。传见《魏书》卷九十三。⑳⑨三公郎中辛雄：当时正直敢言的官吏，曾为清河王元怿的部下，后元怿进为太尉，辛雄遂任三公郎中。传见《魏书》卷七十七。㉑⓪奏理匡：上书为元匡辩冤、申诉。㉑①历奉三朝：指先后在孝文帝元宏、宣武帝元恪、今之魏帝元诩驾下为臣。㉑②骨鲠之迹：正直刚强的形象。㉑③高祖赐名曰匡：孝文帝给元匡改掉旧名，让他叫元匡事，见《魏书》卷七十七。㉑④容之于前：元匡前与高肇以死相拼，被高肇一党定为死罪，宣武帝赦之，将其降为光禄大夫。㉑⑤杜忠臣之口：让忠正之臣日后不敢说话。杜，堵塞。㉑⑥平州：魏州名，州治肥如，在今河北迁安东北。㉑⑦琛：辛琛，当时的直正敢言之臣，先后为元丽、李崇之属下，多有可称，见《魏书》卷七十七。㉑⑧九月庚寅：九月十四。㉑⑨嵩高：即中岳嵩山，在今河南登封北。㉒⓪癸巳：九月十七。㉒①从容：平和、随意的样子。㉒②杨昱：魏国的功勋大臣杨椿之子，为人直正敢言，时为太尉掾，兼中书舍人。传见《魏书》卷五十八。㉒③不称人心：不合人意，被人所憎恨。㉒④五车载货：极言其向人行贿所用的财货之多。㉒⑤恒州：魏州名，州治平城，即今山西大同。㉒⑥并饷领军元义：一起给领军将军元义送礼。饷，馈赠，这里即指行贿。元义，《魏书》作“元叉”，魏江阳王元继之子，胡太后的妹夫。凭着胡太后的势力飞黄腾达，任领军将军之职。传见《魏书》卷十六。㉒⑦武昌王和：元和，道武帝拓跋珪的后代，拓跋曜的曾孙。传见《魏书》卷十六。㉒⑧频请别居：一再地请求分家搬出去住。㉒⑨瀛州：魏州名，州治即今河北河间。㉚华州刺史津：杨津，杨椿之弟，先后为岐州刺史、华州刺史。传见《魏书》卷五十八。华州的州治在今陕西蒲城东。㉛甲仗：铠甲与兵器。㉜谋为不逞：即阴谋造反。不逞，不快、不满意。这里即指“谋反”。㉝构成：罗织罪名。㉞御仗：御林军。㉟直：仅。㊱十二月癸丑：十二月初八。㊲任城文宣王澄：元澄被封为任城郡王，死后谥曰文宣。㊳庚申：十二月十五。㊴高句丽王云：高句丽是朝鲜族的古国名，自北燕灭亡以来一直臣属于魏。都城即今平壤。其国王名云，是老国王琏之孙。传见《魏书》卷一百。㊵郎选：朝廷各部门郎官一职的选拔与委任。当时朝廷各部门如尚书省、中书省、门下省、秘书省等都有郎、郎中等职。㊶沙汰：犹今所谓淘汰。胡三省曰：“以水淘去沙石，谓之沙汰，故以喻去不肖。”㊷朱元旭：当时的才能之臣，曾为太学博士、度支郎中。传见《魏书》卷七十二。㊸羊深：羊祉之子，当时的才学干练之臣，此前曾任骑兵郎、驾部郎等职，后官至车骑大将军。传见《魏书》卷七十七。㊹范阳祖莹：范阳是郡名，郡治即今河北涿州。祖莹是当时著名的秀才与文学之士，曾为国子博士、户部郎中等职，后官至车骑大将军。又因帮助高欢迁东魏有功，进爵为伯。传见《魏书》卷八十二。㊺祉：羊祉。羊祉在魏宣武帝正始年间（公元五〇四至五〇七年）曾任梁、益二州刺史。

【校记】

［1］书：原无此字。据章钰校，十二行本、乙十一行本、孔天胤本皆有此字，张瑛《通鉴校勘记》同，今据补。［2］皇：原无此字。据章钰校，十二行本、乙十一行本、孔天胤本皆有此字，张敦仁《通鉴刊本识误》同，今据补。〖按〗肃宗孝明帝即位后即尊皇太妃胡氏为皇太后。《魏书·肃宗纪》亦载此诏，称胡氏为皇太后。［3］平陆文侯：原无此四字。据章钰校，十二行本、乙十一行本、孔天胤本皆有此四字，张敦仁《通鉴刊本识误》、张瑛《通鉴校勘记》同，今据补。［4］别：原作“削”。严衍《通鉴补》改作“别”，今据改。〖按〗《魏书·张彝传》作“铨别选格”。［5］唱呼动地：原无此四字。据章钰校，十二行本、乙十一行本、孔天胤本皆有此四字，张敦仁《通鉴刊本识误》、张瑛《通鉴校勘记》同，今据补。［6］钟：原作“锋”。胡三省注云：“一本‘锋’’作‘钟’。”今据改。〖按〗严衍《通鉴补》改作“钵”。［7］卧疾：原无此二字。据章钰校，十二行本、乙十一行本、孔天胤本皆有此二字，张敦仁《通鉴刊本识误》、张瑛《通鉴校勘记》同，今据补。［8］本：原作“所”。据章钰校，十二行本、乙十一行本、孔天胤本皆作“本”，今据改。〖按〗《魏书·乐志》云：“至于准者，本以代律。”其意甚明，言立准式，初其本心。［9］合：原作“敢”。据章钰校，十二行本、乙十一行本、孔天胤本皆作“合”，今据改。［10］庚寅：原作“庚寅朔”。据章钰校，十二行本、乙十一行本、孔天胤本皆无“朔”字，张敦仁《通鉴刊本识误》同，今据删。〖按〗天监十八年九月丁丑朔，庚寅为十四日。［11］恒州：原作“相州”。据章钰校，十二行本、乙十一行本、孔天胤本皆作

“恒州”，今据改。〖按〗《魏书·杨播传附椿子昱传》载杨钧为“恒州刺史”。[12]十具，并：原无此三字。据章钰校，十二行本、孔天胤本皆有此三字，张敦仁《通鉴刊本识误》云：‘器’下脱‘十具’二字。”今从章校补。〖按〗《魏书·杨播传附椿子昱传》载：“恒州刺史杨钧造银食器十具，并饷领军元义。”

【原文】

普通元年（庚子，公元五二〇年）

春，正月乙亥朔[246]，改元[247]，大赦。

丙子[248]，日有食之。

己卯[249]，以临川王宏为太尉、扬州刺史，金紫光禄大夫王份[250]为尚书左仆射。份，奂[251]之弟也。

左军将军豫宁威伯冯道根[252]卒。是日上春[253]，祠二庙[254]，既出宫，有司以闻[255]。上问中书舍人朱异曰：“吉凶同日[256]，今可行乎[257]？”对曰：“昔卫献公闻柳庄死[258]，不释祭服而往[259]。道根虽未为社稷之臣[260]，亦有劳王室[261]，临之[262]，礼也。”上即幸其宅，哭之甚恸。

高句丽世子安遣使入贡[263]。二月癸丑[264]，以安为宁东将军、高句丽王，遣使者江法盛授安衣冠剑佩。魏光州[265]兵就海中执之，送洛阳。

魏太傅、侍中清河文献王怿[266]美风仪，胡太后逼而幸之[267]。然素有才能，辅政多所匡益，好文学，礼敬士人，时望甚重[268]。侍中、领军将军元义在门下[269]，兼总禁兵，恃宠骄恣，志欲无极，怿每裁之以法[270]，义由是怨之。卫将军、仪同三司刘腾[271]，权倾内外，吏部希腾意[272]，奏用腾弟为郡[273]，人资乖越[274]，怿抑而不奏，腾亦怨之。龙骧府长史宋维[275]，弁之子也，怿荐为通直郎[276]，浮薄无行。义许维以富贵，使告司

【语译】

普通元年（庚子，公元五二〇年）

春季，正月初一日乙亥，梁国改年号天监为普通元年，实行大赦。

初二日丙子，发生日食。

初五日己卯，梁武帝萧衍任命临川王萧宏为太尉、扬州刺史，任命担任金紫光禄大夫的王份为尚书左仆射。王份，是王奂的弟弟。

梁国担任左军将军的豫宁威伯冯道根去世。冯道根去世的这一天是在正月，梁武帝在同一天前往祭祀太庙以及太祖太夫人的小庙，梁武帝已经离开了皇宫，有关部门的官员才向他报告冯道根的死讯。梁武帝向担任中书舍人的朱异询问说："祭庙这样的吉礼和冯道根去世前往吊唁这样的凶礼发生在同一天，今天可以去吊唁冯道根吗?"朱异回答说："春秋时期的卫献公听到担任太史的柳庄去世的消息，没有换下祭祀的礼服就去吊唁柳庄了。冯道根虽然称不上是与国家政权同生死、共命运的骨干之臣，但对国家也是做出过贡献、立有功劳的大臣，陛下亲自到他的家中进行吊唁，是合乎礼法的。"梁武帝立即到冯道根的家中进行吊丧，哭得很悲恸。

高句丽的世子高安刚刚继承了王位就派使者来到梁国报告新王即位的消息，并向梁国进贡。二月初九日癸丑，梁武帝任命高安为宁东将军、高句丽国王，并派江法盛为使者前往高句丽授予高句丽王高安王者的衣冠和佩剑。魏国光州的士兵在海上逮捕了江法盛，把江法盛押送到了魏国的都城洛阳。

魏国担任太傅、侍中的清河文献王元怿仪表堂堂，风度翩翩，胡太后逼着元怿与自己发生了关系。然而元怿一向很有才能，辅佐朝政做出了很多贡献，他爱好文学，敬重士人，在当时享有很高的声望。担任侍中、领军将军的元义在门下省任职，同时兼管着禁卫军，他仗着胡太后对自己的恩宠而态度傲慢行为放纵，他的野心和欲望大得没边，元怿每每用正当的礼法对他有所裁抑，元义因此对元怿怀恨在心。担任卫将军、开府仪同三司的刘腾，权倾朝野，吏部迎合着刘腾的心意，向朝廷奏请任用刘腾的弟弟为郡守，而刘腾弟弟的人品与资历都不够担任郡守的条件，元怿便扣留了吏部的奏章而没有上奏，因此刘腾也怨恨元怿。担任龙骧府长史的宋维，是宋弁的儿子，元怿举荐宋维担任了通直散骑侍郎，宋维为人轻浮，品行不佳。元义许诺事成之后令宋维享受荣华富贵，他指使宋维控告担任司染都尉的韩文殊父

染都尉㉗韩文殊父子谋作乱立怿㉘。怿坐禁止㉙，按验，无反状，得释，维当反坐㉚。义言于太后曰："今诛维，后有真反者，人莫敢告。"乃黜维为昌平郡守㉛。

义恐怿终为己害，乃与刘腾密谋，使主食中黄门㉜胡定自列㉝云："怿货定㉞使毒魏主，若己得为帝，许定以富贵。"帝时年十一，信之。秋，七月丙子㉟，太后在嘉福殿㊱，未御前殿，义奉帝御显阳殿，腾闭永巷门㊲，太后不得出。怿入，遇义于含章殿㊳后，义厉声不听怿入㊴，怿曰："汝欲反邪？"义曰："义不反，正欲缚反者耳！"命宗士㊵及直斋㊶执怿衣袂，将入㊷含章东省㊸，使人防守之。腾称诏㊹集公卿议，论怿大逆㊺。众咸畏义，无敢异者，唯仆射新泰文贞公游肇㊻抗言㊼以为不可，终不下署㊽。

义、腾持公卿议入奏㊾[13]，俄而得"可"㊿，夜中杀怿(301)。于是诈为太后诏，自称有疾，还政于帝。幽(302)太后于北宫宣光殿，宫门昼夜长闭，内外断绝，腾自执管钥，帝亦不得省见(303)，裁听传食(304)而已。太后服膳俱废，不免饥寒，乃叹曰："养虎得噬，我之谓矣。"义[14]使中常侍酒泉[15]贾粲(305)侍帝书(306)，密令防察动止。义遂与太师高阳王雍等同辅政，帝谓义为姨父。义与腾表里擅权，义为外御，腾为内防，常直禁省(307)，共裁刑赏(308)，政无巨细，决于二人，威振内外，百僚重迹(309)。朝野闻怿死，莫不丧气，胡夷为之剺面(310)者数百人。游肇愤邑(311)而卒。

己卯(312)，江、淮、海并溢。

辛卯(313)，魏主加元服(314)，大赦，改元正光(315)。

魏相州刺史中山文庄王熙(316)，英之子也，与弟给事黄门侍郎略、

子阴谋作乱，准备拥立清河王元怿为皇帝。元怿因此受到牵连而被禁闭宫中，经过调查审问，没有查出清河王有丝毫造反的迹象，元怿这才被释放回家，宋维理当以诬告被治罪。元义对胡太后说：“如果诛杀了宋维，以后再有真谋反的人，就没有人敢告发了。”胡太后就将宋维贬为昌平郡守。

元义担心元怿终究会成为自己的祸害，就与卫将军刘腾密谋，让担任主食中黄门的胡定出来坦白自首说：“元怿曾经用金钱收买我，让我下毒毒死皇帝，如果元怿自己能够当上皇帝，许诺赏赐给我荣华富贵。”孝明帝元诩当时只有十一岁，便相信了胡定对元怿的栽赃陷害。秋季，七月初四日丙子，胡太后在后宫的嘉福殿，没有到前殿理事，元义侍奉着小皇帝元诩来到显阳殿，卫将军刘腾关闭了由前殿通往后宫的永巷门，令胡太后不能出宫。元怿进宫，在含章殿的后面遇到了元义，元义严厉地喝止元怿不许他进入后宫，元怿责问元义说：“你要造反吗？”元义反驳说：“元义不想造反，元义正准备捉拿造反的人！”元义于是命令宗师手下的吏士以及在皇帝办公的殿阁周围值勤的武官揪住元怿的衣袖，把元怿挟持到含章殿东侧的门下省，派人严加看守。刘腾假借皇帝的名义召集公卿大臣进行议论，判定元怿阴谋造反，犯了大逆不道之罪。众臣全都畏惧元义的权势，没有人敢提出不同意见，只有担任尚书右仆射的新泰文贞公游肇高声认为不可以这样对待清河王元怿，他始终没有在元义等人所拟定的文件上签名。

元义、刘腾拿着公卿大臣讨论的意见入奏小皇帝元诩，不一会儿的工夫就获得了小皇帝手诏“可”的批复，于是便在半夜杀死了元怿。元义、刘腾等又伪造胡太后的诏书，称胡太后身体有病，把执掌朝政的权力交还给小皇帝。元义等人把胡太后禁闭在北宫的宣光殿，宫门昼夜关闭，使胡太后断绝了与外界的任何联系，刘腾亲自掌管着宫门的钥匙，就连小皇帝也不能进宫问候胡太后，只允许给胡太后送去一些吃的。胡太后的衣服膳食等供应全部被废止，免不了要忍受饥寒，她这才叹息着说：“豢养老虎的人反而被老虎吃掉，说的就是我了。”元义让担任中常侍的酒泉郡人贾粲陪着小皇帝读书，秘密令贾粲防范、观察小皇帝的一举一动。元义遂与担任太师的高阳王元雍等一同辅佐朝政，小皇帝称元义为姨父。元义与刘腾内外专权，元义防御宫廷以外，刘腾防御宫廷以内，他们二人经常在门下省、中书省值班，共同决定处死谁和奖赏谁的大事，政令不管大小，全都由他们二人决定，其权势震慑了朝廷内外，文武百官全都战战兢兢、小心翼翼，不敢乱说乱动。朝野人士听到清河王元怿被杀死的消息，无不垂头丧气，就连那些少数民族为了表达对元怿之死的悲哀而用刀划破自己脸的就有数百人之多。游肇因为过度悲愤、抑郁而死。

七月初七日己卯，长江、淮河、湖海全都泛滥成灾。

十九日辛卯，魏国掌权的元义、刘腾等人为小皇帝元诩举行了加冠典礼，实行大赦，改年号为正光。

魏国担任相州刺史的中山文庄王元熙，是中山王元英的儿子，他与自己的弟弟

司徒祭酒纂[317]，皆为清河王怿所厚，闻怿死，起兵于邺[318]，上表欲诛元义、刘腾，纂亡奔邺[319]。后十日，长史柳元章[320]等帅城人[321]鼓噪而入，杀其左右，执熙、纂并诸子置于高楼。八月甲寅[322]，元义遣尚书左丞卢同就斩熙于邺街，并其子弟。

熙好文学，有风义[323]，名士多与之游，将死，与故知书曰："吾与弟俱蒙皇太后知遇，兄据大州[324]，弟则入侍[325]，殷勤言色[326]，恩同慈母。今皇太后见废北宫[327]，太傅清河王横受屠酷，主上幼年，独在前殿。君亲[328]如此，无以自安，故帅兵民欲建大义于天下。但智力浅短，旋见囚执[329]，上惭朝廷，下愧相知。本以名义干心[330]，不得不尔，流肠碎首，复何言哉！凡百君子，各敬尔仪[331]，为国为身，善勖名节[332]！"闻者怜之。熙首至洛阳，亲故莫敢视，前骁骑将军刁整[333]独收其尸而藏之。整，雍[334]之孙也。卢同希义意，穷治熙党与，锁济阴内史[335]杨昱赴邺，考讯百日，乃得还任。义以同为黄门侍郎[336]。

元略亡抵故人河内司马始宾[337]，始宾与略缚荻筏夜渡孟津[338]，诣屯留栗法光[339]家，转依西河[340]太守刁双，匿之经年。时购略[341]甚急，略惧，求送出境。双曰："会有一死[342]，所难遇者为知己死耳，愿不以为虑[343]。"略固求南奔，双乃使从子昌送略渡江，遂来奔[344]，上封略为中山王。双，雍之族孙也。义诬刁整送略，并其子弟收系[345]之，御史王基等力为辩雪，乃得免。

甲子[346]，侍中、车骑将军永昌严侯韦叡[347]卒。时上方崇释氏，士民无不从风而靡，独叡自以位居大臣[348]，不欲与俗俯仰[349]，所行略如平日[350]。

担任给事黄门侍郎的元略、担任司徒祭酒的元纂，都曾经得到过清河王元怿的厚爱，他们听到元怿被杀的消息，就在邺城准备起兵，他先上表给魏国朝廷请求诛杀元义、刘腾，担任司徒祭酒的元纂逃离京城前往邺城投奔自己的哥哥元熙。过了十天，在相州刺史元熙手下担任长史的柳元章等人率领邺城的兵民呐喊着冲入元熙的刺史府，杀死了元熙身边的侍从，活捉了元熙、元纂以及元熙的几个儿子，把他们囚禁在高楼上。八月十三日甲寅，权臣元义派遣担任尚书左丞的卢同来到邺城，在邺城的大街上把元熙斩首，同时被斩首的还有元熙的儿子、元熙的弟弟元纂。

元熙喜好文学，有风采、讲义气，很多有名的人士都与他有交往，元熙临死的时候给自己的老朋友写信说："我与弟弟元略、元纂全都受到皇太后的知遇之恩，我这个当哥哥的担任相州刺史，弟弟元略担任给事黄门侍郎，在皇太后、皇帝身边服务，胡太后对我们亲热恳切的语言与态度，恩同慈母。如今皇太后被废黜、囚禁在北宫，担任太傅的清河王元怿横遭残酷杀害，小皇帝元诩还很年幼，独自在前殿。皇帝处在如此孤立无援的境地，我的内心实在无法得到安宁，所以我才率领军民准备建大义于天下。但由于我智力短浅，很快就被乱党所拘捕囚禁，对上我有愧于朝廷，对下有愧于知己。我之所以要发动起义，乃是出于一种心存大义，想维护正当的名分，不得不这样做，即使我被流肠碎首，还有什么话好说呢！但愿诸位君子，都注意你们的行动举止吧，为了国家社稷也是为了自己，好好注意自己的名声与节操！"听说此事的人都很同情元熙。元熙的人头被传送到洛阳，亲戚朋友没有人敢去看望，曾经担任过骁骑将军的刁整独自收殓了元熙的尸体并埋藏起来。刁整，是刁雍的孙子。尚书左丞卢同为了迎合元义的心意，于是严厉追究元熙的同党，他用锁链把担任济阴内史的杨昱锁起来押赴邺城，拷打审问了一百天，始终没有从杨昱的身上抓到任何把柄，才不得不把杨昱放回任所。元义任命卢同为黄门侍郎。

担任给事黄门侍郎的元略逃到自己的老朋友河内郡人司马始宾那里，司马始宾与元略用芦苇捆成筏子连夜从孟津渡过黄河，投奔到屯留县的栗法光家里，后来又辗转来到西河郡，依附于担任西河太守的刁双，他在刁双那里躲藏了一年多。当时朝廷到处悬赏捉拿元略，情况非常危急，元略非常恐惧，就请求刁双把自己送出魏国国境。刁双说："人都会有一死，所难遇到的是能为知己者而死，希望你不要怕连累我。"元略坚持请求向南投奔梁国，刁双只好派自己的侄子刁昌护送元略渡过长江，元略遂逃亡到了梁国，梁武帝封元略为中山王。刁双，是刁雍的族孙。元义诬陷刁整护送元略渡江投奔梁国，就把刁整以及他的子弟抓捕、关押起来，担任御史的王基等人极力为刁整辩护昭雪，刁整才免于被杀。

八月二十三日甲子，梁国担任侍中、车骑将军的永昌严侯韦叡去世。当时梁武帝正在尊奉佛教，全国的官吏和百姓无不闻风而动，跟着信奉佛教，只有韦叡认为自己位居大臣，不愿意随波逐流，他的行为举止还和从前差不多。

九月戊戌[351]，魏以高阳王雍为丞相，总摄内外，与元义同决庶务。

初，柔然佗汗可汗纳伏名敦之妻候吕陵氏，生伏跋可汗及阿那瓌等六子。伏跋既立，忽亡[352]其幼子祖惠，求募不能得。有巫地万[353]言祖惠今在天上，我能呼之[354]，乃于大泽中施帐幄，祀天神，祖惠忽在帐中，自云恒在天上[355]。伏跋大喜，号地万为圣女，纳为可贺敦[356]。地万既挟左道[357]，复有姿色，伏跋敬而爱之，信用其言，干乱国政。如是积岁[358]，祖惠浸长[359]，语其母曰："我常[360]在地万家，未尝上天，上天者地万教我也。"其母具以状告伏跋，伏跋曰："地万能前知未然[361]，勿为谗也[362]。"既而地万惧，谮祖惠于伏跋[363]而杀之。候吕陵氏遣其大臣具列[364]等绞杀地万。伏跋怒，欲诛具列等。会阿至罗[365]入寇，伏跋击之，兵败而还。候吕陵氏与大臣共杀伏跋，立其弟阿那瓌为可汗。阿那瓌立十日，其族兄示发帅众数万击之，阿那瓌战败，与其弟乙居伐[366]轻骑奔魏。示发杀候吕陵氏及阿那瓌二弟。

魏清河王怿死，汝南王悦[367]了无[368]恨元义之意，以"桑落酒"候之[369]，尽其私佞[370]。义大喜，冬，十月乙卯[371]，以悦为侍中、太尉。悦就怿子亶求怿服玩[372]，不时称旨[373]，杖亶百下，几死[374]。

柔然可汗阿那瓌将至魏，魏主使司空京兆王继、侍中崔光等相次迎之，赐劳甚厚。魏主引见阿那瓌于显阳殿，因置宴，置阿那瓌位于亲王之下。宴将罢，阿那瓌执启[375]立于座后[376]，诏引至御座前，阿那瓌再拜言曰："臣以家难，轻来诣阙[377]，本国臣民，皆已逃散。陛下恩隆天地，乞兵送还本国，诛翦叛逆，收集亡散[378]，臣当统帅遗民[379]，奉事陛下。言不能尽，别有启陈[380]。"仍以启[381]授中书舍人常景[382]以闻。景，爽之孙也。

九月二十七日戊戌，魏国朝廷任命高阳王元雍为丞相，总揽内外朝政，与领军将军元义共同裁决各项政务。

当初，柔然佗汗可汗将伏名敦的妻子候吕陵氏接入宫中，候吕陵氏生下了伏跋可汗和阿那瓌等六个儿子。伏跋可汗继位以后，他的小儿子祖惠突然走失了，虽经悬赏也没有找到。有一个名叫地万的女巫对伏跋可汗说祖惠如今在天上，我能喊他从天上回来，于是就在沼泽地中搭建起帐幄，祭祀天神，祖惠突然出现在帐中，他说自己一直住在天上。伏跋可汗非常高兴，称地万为圣女，并将地万接入宫中封为可贺敦。可贺敦地万既会使用巫术，人又长得漂亮，伏跋可汗对地万既尊敬又宠爱，对地万所说的话深信不疑、无不采纳，于是地万得以干预扰乱国政。这样过了几年之后，祖惠也渐渐长大了，祖惠告诉自己的母亲说："我曾经在地万家里居住，从来没有上过天，我说在天上是地万教我这样说的。"祖惠的母亲就把祖惠所说的事情详细地告诉了伏跋可汗，伏跋可汗说："地万能预先知道还没有发生的事情，你不要说她的坏话。"后来地万知道了这件事，她感到很害怕，就在伏跋可汗面前说祖惠的坏话，伏跋可汗就把祖惠杀死了。候吕陵氏派大臣具列等人绞死了地万。伏跋可汗非常愤怒，就要杀死具列等人。碰巧遇到阿至罗部落入侵柔然，伏跋可汗亲自率军前往迎敌，结果是大败而回。候吕陵氏与大臣共同杀死了自己的儿子伏跋可汗，立伏跋可汗的弟弟阿那瓌为柔然可汗。阿那瓌即位才十天，他的堂兄示发便率领着数万部众进攻阿那瓌，阿那瓌战败后，与自己的弟弟乙居伐骑着装备轻便、行动迅速的马投奔了魏国。示发杀死了候吕陵氏和阿那瓌的两个弟弟。

魏国清河王元怿被元义所害，元怿的弟弟汝南王元悦却一点也不憎恨元义，反而携带着"桑落酒"去拜访元义，在元义面前极尽其谄媚讨好之能事。元义看到元悦如此，不禁喜形于色，冬季，十月十五日乙卯，元义任命元悦为侍中、太尉。元悦到元怿的家中向元怿的儿子元亶索要元怿生前的服饰与玩赏之物，元亶没有及时地满足元悦的要求，元悦就用棍棒重打了元亶一百下，差一点儿没把元亶打死。

柔然可汗阿那瓌即将到达魏国，魏孝明帝元诩令担任司空的京兆王元继、担任侍中的崔光等人相继前往迎接，赏赐慰劳给阿那瓌的财物非常丰厚。魏孝明帝在显阳殿召见阿那瓌，并摆设宴席招待他，把阿那瓌的座席安排在亲王的下首。宴会将要结束的时候，阿那瓌手里拿着一份奏章站在座位后面，像是有话要说的样子，孝明帝下诏让把阿那瓌领到自己的御座前，阿那瓌拜了两拜说："我因为家族内部发生了内乱，所以匆匆忙忙地来到贵国的宫门之下，我国的臣民，都已经四处逃散。陛下对我的恩德大如天地，请求陛下派兵把我送回柔然，诛灭叛逆，重新聚合起四散奔逃的旧日臣民，我一定会率领着亡国之民前来侍奉陛下。言语不能尽情表达，我还有一份奏章做详细的说明。"于是就把手中的奏章交给中书舍人常景，由常景转奏给孝明帝。常景，是常爽的孙子。

十一月己亥[383]，魏立阿那瓌为朔方公、蠕蠕王，赐以衣服、轺车[384]，禄恤仪卫[385]，一如亲王。时魏方强盛，于洛水桥南御道东作四馆，道西立四里：有自江南来降者处之金陵馆[386]，三年之后赐宅于归正里；自北夷降者处燕然馆[387]，赐宅于归德里；自东夷降者处扶桑馆[388]，赐宅于慕化里；自西夷降者处崦嵫馆[389]，赐宅于慕义里。及阿那瓌入朝，以燕然馆处之。阿那瓌屡求返国，朝议异同不决[390]，阿那瓌以金百斤赂元义，遂听北归。十二月壬子[391]，魏敕怀朔都督[392]简锐骑[393]二千护送阿那瓌达境首[394]，观机招纳[395]。若彼迎候，宜赐缯帛、车马，礼饯而返[396]；如不容受，听还阙庭[397]。其行装资遣，付尚书量给[398]。

辛酉[399]，魏以京兆王继为司徒[400]。

魏遣使者刘善明来聘[401]，始复通好[402]。

二年（辛丑，公元五二一年）

春，正月辛巳[403]，上祀南郊[404]。

置孤独园于建康，以收养穷民。

戊子[405]，大赦。

魏南秦州氐[406]反。

魏发近郡兵[407]万五千人，使怀朔镇将杨钧将之，送柔然可汗阿那瓌返国[408]。尚书左丞张普惠上疏，以为："蠕蠕久为边患，今兹天降丧乱，荼毒其心[409]，盖欲使之知有道[410]之可乐，革面稽首以奉大魏[411]也。陛下宜安民恭己[412]以悦服其心。阿那瓌束身归命[413]，抚之[414]可也。乃更先自劳扰，兴师郊甸[415]之内，投诸荒裔[416]之外，救累世之勍敌[417]，资天亡之丑虏[418]，臣愚未见其可也。此乃边将贪窃一时之功[419]，不思兵为凶器，

十一月二十九日己亥，魏国朝廷封阿那瓌为朔方公、蠕蠕王，并赏赐给他衣服、轺车，阿那瓌所享受的薪俸、家庭生活补贴、仪仗队、卫队等待遇都与亲王一样。当时魏国正处在强盛时期，所以在洛水桥南御道的东侧建造了四座馆驿，在御道的西侧设立了四个里巷。从江南投降过来的人都暂时被安置在金陵馆，三年之后再把位于御道西侧的归正里的宅院赏赐给他们居住；来自北方各国、各民族的人都暂时被安置在燕然馆，三年之后再把位于御道西侧的归德里的宅院赏赐给他们居住；来自东方各民族的人都暂时被安置在扶桑馆，三年之后再把位于御道西侧的慕化里的宅院赏赐给他们居住；来自西方各国、各民族的人都暂时被安置在崦嵫馆，三年之后再把位于御道西侧的慕义里的宅院赏赐给他们居住。等到阿那瓌入朝之后，就把他安置在了燕然馆之内。阿那瓌多次请求回国，朝中的大臣有人同意放他走，有人反对放他走，彼此争论不休，阿那瓌遂用百金贿赂了元义，朝廷这才同意放阿那瓌返回柔然。十二月十三日壬子，魏孝明帝令怀朔镇的驻军统领挑选二千名精锐的骑兵护送阿那瓌到达魏国的边境，找机会进行招抚工作。如果柔然人前来迎接阿那瓌，就把绸缎、布帛、车马赏赐给他们，按照礼节为阿那瓌设宴送他们回去；如果柔然人不接受阿那瓌回国，就任由阿那瓌返回洛阳，至于阿那瓌的行装以及路上所需的费用，就由尚书省酌情供给。

十二月二十二日辛酉，魏国朝廷任命京兆王元继为司徒。

魏国派遣刘善明为使者到梁国进行友好访问，梁、魏两国又开始恢复了平等友好的国家关系。

二年（辛丑，公元五二一年）

春季，正月十二日辛巳，梁武帝到南郊举行祭天典礼。

梁国在建康城内设置孤独园，用来收养孤独穷苦的百姓。

十九日戊子，梁国实行大赦。

魏国南秦州境内的氐族人起兵造反。

魏国发动京师洛阳附近各郡的武装力量一万五千人，派怀朔军镇的驻军将领杨钧率领，护送柔然可汗阿那瓌返回柔然。担任尚书左丞的张普惠上书给朝廷，张普惠认为："蠕蠕长期以来一直在北部制造边患，今年上天给他们降下了亡国之乱，触动他们的心灵、让他们尝点苦头，是想让他们知道讲究仁义道德的魏国人生活是多么的幸福快乐，让他们洗心革面、磕着头来侍奉伟大的魏国。皇帝陛下应该安定民心、遵礼守道、治理好自己的国家，让他们对我们魏国感到心悦诚服。阿那瓌只身前来投顺魏国，只要我们好好地接待他、安慰他就可以了。现在反而先烦劳起自己来，在畿辅各郡兴师动众，把他们派往荒无人烟的地方，去救助多少代以来的强大敌人，资助老天想要灭亡的野蛮人，我生性愚蠢，看不到这样做会有什么好处。这是边防将领贪图一时的立功受奖，而没有考虑到出动军队是凶器，君主只有在迫不

王者不得已而用之。况今旱暵[420]方甚，圣慈降膳[421]，乃以万五千人使杨钧为将，欲定蠕蠕，干时[422]而动，其可济乎！脱有颠覆之变，杨钧之肉，其足食乎！宰辅专好小名，不图安危大计，此微臣所以寒心者也。且阿那瓌之不还，负何信义[423]！臣贱不及议[424]，文书所过[425]，不敢不陈。”弗听[16]。阿那瓌辞于西堂，诏赐以军器、衣被、杂采[426]、粮畜，事事优厚，命侍中崔光等劳遣[427]于外郭。

阿那瓌之南奔也，其从父兄婆罗门帅众数万入讨示发，破之，示发奔地豆干[428]，地豆干杀之，国人推婆罗门为弥偶可社句[429]可汗。杨钧表称：“柔然已立君长，恐未肯以杀兄之人郊迎其弟。轻往虚返，徒损国威。自非广加兵众，无以送其入北。”二月，魏人使旧尝奉使柔然者牒云具仁[430]往谕婆罗门，使迎阿那瓌。

辛丑[431]，上祀明堂。

庚戌[432]，魏使假抚军将军[433]邴虬讨南秦叛氐。

魏元义、刘腾之幽胡太后也，右卫将军奚康生[434]预其谋[435]，义以康生为抚军大将军、河南尹[436]，仍使之领左右[437]。康生子难当[438]娶侍中、左卫将军侯刚女，刚子，义之妹夫也，义以康生通姻，深相委托[439]，三人率多俱宿禁中，时或迭出[440]，以难当为千牛备身[441]。康生性粗武[442]，言气高下[443]，义稍惮之，见于颜色[444]，康生亦微惧不安。

甲午[445]，魏主朝太后于西林园，文武侍坐，酒酣迭舞，康生乃为力士舞[446]。及折旋[447]之际，每顾视太后，举手蹈足、瞋目颔首[448]，为执杀之势[449]，太后解其意而不敢言。日暮，太后欲携帝宿宣光殿，侯刚曰：“至尊已朝讫[450]，嫔御在南[451]，何必留宿？”康生曰：“至尊陛下之儿，随陛下将东西[452]，更复访谁[453]！”群臣莫敢应。太后自起援帝臂[454]，下堂而去。

得已的情况下才使用它。何况现在我国的干旱十分严重，连慈善的皇帝都降低了自己的伙食标准，在这个时候却派遣杨钧为将领率领一万五千人，想要去平定蠕蠕的内乱，逆时而动，岂能成功！如果遭到意外的失败，杨钧的那身肉，够他们吃吗！宰辅专好博取一些小的名声，不考虑国家安危的大计，这是令我这个地位低微的小臣感到寒心的地方。况且，即使阿那瓌回不了柔然，我们有什么对不起他！我的官小没有资格参加朝廷讨论，但文书经过我的手，我不敢不把自己的看法上奏给朝廷知道。”朝廷没有采纳他的意见。阿那瓌在西堂向孝明帝告辞，孝明帝下诏赐给阿那瓌军器、衣服被褥、各种绢帛、粮食牲畜，事事都很优厚，并令侍中崔光等人到洛阳城外慰劳阿那瓌，为他送行。

阿那瓌向南投奔魏国的时候，他的堂兄婆罗门率领着数万人讨伐示发，把示发打败，示发兵败后逃往地豆干，地豆干杀死了示发，柔然人推举婆罗门为弥偶可社句可汗。杨钧上表给魏国朝廷说：“柔然现在已经有了君主，恐怕那个杀死其堂兄的人不会到郊外来迎接他的堂弟。我们轻率地出兵护送阿那瓌回国，却徒劳往返，白白地损害了我国的声威。除非增加大量军队，否则无法把阿那瓌送回北方的柔然。”二月，魏国派遣曾经奉命出使过柔然的牒云具仁为使者，前往柔然劝说婆罗门，让婆罗门迎接阿那瓌回国。

二月初三日辛丑，梁武帝到明堂祭祀祖先。

十二日庚戌，魏国派遣担任代理抚军将军的邴虬率军去讨伐南秦州境内造反的氐族人。

魏国的领军将军元义、卫将军刘腾在囚禁胡太后的时候，担任右卫将军的奚康生参与谋划了这件事，所以元义任命奚康生为抚军大将军、河南尹，仍然让奚康生统领皇帝身边的禁卫军。奚康生的儿子奚难当娶了侍中、左卫将军侯刚的女儿为妻，而侯刚的儿子又是元义的妹夫，元义因为奚康生与自己有这层姻亲关系，所以与奚康生紧密勾结在一起，他们三个人多数情况下都住在宫里，有时轮流出宫，任命奚难当为千牛备身。奚康生性情粗放、强硬，言谈气势随意高低，元义因此对奚康生稍微有些忌惮，脸上经常表现出不高兴的样子，奚康生也因此而有些畏惧和不安。

三月二十六日甲午，魏孝明帝在西林园朝见胡太后，文武大臣在旁边陪坐，当酒喝得正尽兴的时候，大臣轮番起舞，奚康生便跳起了力士舞，每当旋转之时，他就用眼睛示意胡太后，一举手、一跺脚、一瞪眼、一点头，都在暗示胡太后赶紧下令逮捕元义、刘腾，将他们杀掉，胡太后了解奚康生的心思却不敢说话。天色暗下来了，胡太后想要带着小皇帝元诩住在宣光殿，侯刚说：“皇帝已经朝拜完太后，侍候皇帝的嫔妃都在南宫，太后何必要留皇帝住在宣光殿呢？”奚康生反驳侯刚说：“皇帝是太后陛下的儿子，跟随太后愿意去哪就去哪，有什么必要非得征得别人的同意！”在座的群臣没有人敢回应他。胡太后趁机站起身来拉着小皇帝的手臂，下堂而去。

康生大呼，唱万岁[455]。帝前入阁[456]，左右竞相排[457]，阁不得闭。康生夺难当千牛刀，斫直后元思辅[458]，乃得定。帝既升宣光殿，左右侍臣俱立西阶下。康生乘酒势将出处分[459]，为义所执，锁于门下[460]。光禄勋贾粲[461]绐太后[462]曰："侍官怀恐不安，陛下宜亲安慰。"太后信之，适下殿[463]，粲即扶帝出东序[464]，前御显阳殿，还[17]闭太后于宣光殿。至晚，义不出，令侍中、黄门、仆射、尚书等十余人就康生所[465]讯其事[466]，处康生斩刑，难当绞刑。义与刚并在内，矫诏决之[467]。康生如奏，难当恕死从流[468]。难当哭辞父，康生慷慨不悲，曰："我不反死[469]，汝何哭也[470]？"时已昏暗，有司驱康生赴市，斩之。尚食典御[471]奚混与康生同执刀入内，亦坐绞。难当以侯刚婿，得留百余日，竟流安州[472]。久之，义使行台卢同[473]就杀之。以刘腾为司空。八坐[474]、九卿[475]常旦造腾宅[476]，参其颜色[477]，然后赴省府[478]，亦有历[18]日不能[19]见者。公私属请[479]，唯视货多少；舟车之利[480]，山泽之饶[481]，所在榷固[482]，刻剥六镇[483]，交通互市[484]，岁入利息以巨万万[485]计，逼夺邻舍以广其居，远近苦之。

京兆王继自以父子权位太盛，固请以司徒让车骑大将军、仪同三司崔光。夏，四月庚子[486]，以继为太保，侍中如故，继固辞，不许。壬寅[487]，以崔光为司徒，侍中、祭酒、著作[488]如故。

魏牒云具仁至柔然，婆罗门殊骄慢，无逊避[489]心，责具仁礼敬[490]，具仁不屈，婆罗门乃遣大臣丘升头[491]等将兵二千随具仁迎阿那瓌。五月，具仁还镇[492]，具道其状，阿那瓌惧，不敢进，上表请还洛阳。

辛巳[493]，魏南荆州刺史桓叔兴[494]据所部来降[495]。

奚康生高呼万岁。小皇帝跟随胡太后走在前边先进入了宣光殿，左右的侍从也都争先恐后地往宣光殿里挤，导致阁门无法关闭。奚康生伸手从奚难当的手中夺过千牛刀，砍倒了在皇帝身后担任警卫的元思辅，混乱局面才安定下来。小皇帝已经登上宣光殿，皇帝身边的侍臣都站立在西侧台阶的下面。奚康生借着酒力准备挺身而出发号施令，却被元义当场捉住，锁在了门下省。担任光禄勋的贾粲欺骗胡太后说："侍卫的官员现在心里都恐惧不安，太后陛下应该亲自去安慰他们。"胡太后相信了贾粲的话，才刚刚走下宣光殿，贾粲就挟持着小皇帝从宣光殿的东侧屋走出，前往显阳殿，仍旧把胡太后关闭在宣光殿。到了晚上，元义没有出宫，他令侍中、黄门侍郎、尚书仆射、尚书等十多名高级官员到关押奚康生的地方审问奚康生为什么要这样做，判处奚康生斩刑，儿子奚难当绞刑。元义与侯刚全在宫内，他们假传皇帝的命令对判决予以批准。奚康生就像奏请中的判决那样即将被斩首，奚难当则被免除死刑改为流放。奚难当哭着和父亲告别，奚康生一点也不悲痛，他慷慨地说："我不是因为造反而被杀，你有什么可哭的呢?"当时天色已经昏暗下来，有关部门的官员押解着奚康生来到闹市，将奚康生斩首。担任尚食典御的奚混因与奚康生一同带刀入宫，也被判处了绞刑。奚难当因为是侯刚的女婿，才得以在京城停留了一百多天，最后被流放到了安州。过了很长时间，元义让在行台任职的卢同前往安州就地把奚难当杀死。任命刘腾为司空。尚书令、尚书左仆射、尚书右仆射，以及五部尚书这八个议政大臣以及九卿等高级官员经常在早晨到刘腾的府中进行拜访，先摸摸刘腾的心思，然后再到各自的部门上班，也有一整天不能见到刘腾的时候。不论是官府还是私人，凡是请求刘腾代办某事，刘腾办与不办只看贿赂的多少；他全面控制着水路、陆路各码头、关口的税收，山林湖海的出产，对上述各个领域都进行垄断，克扣缘边各军镇的军饷，逼迫军镇给他进贡送礼，开展边境贸易获取税收，每年所获取的利益以万亿计，还逼迫强占邻家的住宅以扩大自己的住宅，远近的百姓被他搞得痛苦不堪。

京兆王元继因为自己与元义父子二人的权力太大职位太高，坚决请求把自己司徒的职位让给担任车骑大将军、开府仪同三司的崔光。夏季，四月初三日庚子，魏国朝廷改任京兆王元继为太保，侍中的职位依然保留，元继坚决推辞，没有获得批准。初五日壬寅，任命崔光为司徒，侍中、祭酒、著作等官职依然如故。

魏国奉命出使柔然的牒云具仁到达柔然，柔然现任可汗婆罗门态度特别傲慢，没有一点准备退位、将可汗的位置让给阿那瓌的意思，却要求牒云具仁向他行礼致敬，牒云具仁不肯屈服，婆罗门这才派遣大臣丘升头等人率领二千名士兵跟随着牒云具仁前来迎接阿那瓌。五月，牒云具仁回到怀朔镇，他详细地讲述了会见婆罗门的情况，阿那瓌心里很害怕，不敢继续前进，他上表给魏国朝廷请求返回洛阳。

五月十四日辛巳，魏国担任南荆州刺史的桓叔兴率众投降梁国。

六月丁卯⑯，义州⑰刺史文僧明、边城⑱太守田守德拥所部降魏，皆蛮酋也。魏以僧明为西豫州刺史，守德为义州刺史。

癸卯⑲，琬琰殿火⑳，延烧后宫三千间。

秋，七月丁酉㉑，以大匠卿裴邃㉒为信武将军，假节，督众军讨义州，破魏义州刺史封寿于檀公岘㉓，遂围其城；寿请降，复取义州。魏以尚书左丞张普惠为行台，将兵救之，不及。

以裴邃为豫州刺史，镇合肥。邃欲袭寿阳，阴结寿阳民李瓜花等为内应。邃已勒兵为期日㉔，恐魏觉之，先移魏[20]扬州㉕云："魏始于马头置戍㉖，如闻㉗复欲修白捺故城㉘，若尔，便相侵逼㉙，此亦须营欧阳㉚，设交境㉛之备。今板卒已集㉜，唯听信还㉝。"扬州刺史长孙稚㉞谋于僚佐，皆曰："此无修白捺之意，宜以实报之。"录事参军杨侃㉟曰："白捺小城，本非形胜㊱，邃好狡数㊲，今集兵遣移㊳，恐有他意。"稚大寤曰："录事可亟作移报之㊴。"侃报移曰："彼之纂兵㊵，想别有意，何为妄构白捺㊶！'他人有心，予忖度之㊷'，勿谓秦无人㊸也。"邃得移，以为魏人已觉，即散其兵。瓜花等以失期，遂相告发，伏诛者十余家。稚，观㊹之子。侃，播㊺之子也[21]。

初，高车王弥俄突死，其众悉归嚈哒㊻。后数年，嚈哒遣弥俄突弟伊匐帅余众还国。伊匐击柔然可汗婆罗门，大破之，婆罗门帅十部落诣凉州㊼，请降于魏。柔然余众数万相帅迎阿那瓌，阿那瓌表称："本国大乱，姓姓别居，迭相抄掠。当今北人鹄望待拯㊽，乞依前恩，赐[22]给臣精兵一万，送臣碛北㊾，抚定荒民。"诏付中书、门下博议，

六月初一日丁卯，梁国担任义州刺史的文僧明、担任边城太守的田守德率领自己的部众投降了魏国，这两个人都是少数民族的首领。魏国任命文僧明为西豫州刺史，任命田守德为义州刺史。

癸卯日，梁国的琬琰殿发生火灾，大火向四周蔓延，烧毁了后宫的三千间房屋。

秋季，七月初一日丁酉，梁武帝任命担任大匠卿的裴邃为信武将军，假节，统领众军讨伐叛梁降魏的义州刺史文僧明等，裴邃在檀公岘打败了魏国担任义州刺史的封寿，乘胜包围了义州州城；封寿向裴邃请求投降，梁国重新夺回了义州。魏国令担任尚书左丞的张普惠代表朝廷建立一个临时的办事机构，率军去救援义州，张普惠还没有到达义州，义州刺史封寿就已经向梁军投降了。

梁武帝任命裴邃为豫州刺史，驻守合肥。裴邃准备袭击魏国占领下的寿阳，于是就暗中结交寿阳城内的百姓李瓜花等人，令他们为自己做内应。裴邃集合好军队，约定了袭击寿阳的日期，由于担心被魏军发觉，就先向魏国的扬州发出通告说："魏国起初在马头设立军事据点，近来好像听说你们又想在白捺故城修建军事据点，如果真是这样的话，就是你们在对我方进行威胁，现在我们也要在欧阳建立军事据点，加强两国交界地带的边防。现在我们建筑军事据点的士卒已经集合好，我们敬候你们的答复。"魏国担任扬州刺史的长孙稚与自己的僚佐进行商议，那些僚佐们都说："我们并没有在白捺故城修建军事据点的想法，应该把我们的真实情况告诉他们。"担任录事参军的杨侃说："白捺只是一个小城，本来就不是什么重要的地方，裴邃善于要滑头、搞阴谋诡计，现在他调动军队，派人来下通告，恐怕是有别的用意。"长孙稚突然醒悟过来，说："录事参军应该赶紧写一篇檄文回应他。"杨侃于是写了一篇公文答复裴邃说："你们集结军队，想来是另有打算，为什么凭空编造出我们要在白捺故城屯兵的说法！'别人的心思，我能够猜得出来'，你不要认为魏国没有人能识破你们想玩的那一套。"裴邃得到扬州魏国人发布的通告，以为魏国人已经察觉了自己的用意，于是就解散了已经集结起来的军队。在寿阳城内准备为梁军做内应的李瓜花等人因为无法在约定的日期起事，于是就互相告发，被诛杀的有十多家。长孙稚，是长孙观的儿子。杨侃，是杨播的儿子。

当初，高车王弥俄突被柔然伏跋可汗杀死的时候，他的部众全都归顺了嚈哒国。过了几年，嚈哒国王派遣弥俄突的弟弟伊匐率领手下残存的部众返回高车。伊匐率领部众攻击柔然可汗婆罗门，把婆罗门打得大败，婆罗门率领着十个部落来到凉州，请求投降魏国。其余的数万名柔然人互相跟随着来迎接阿那瓌回国，阿那瓌上书给魏国朝廷说："我国国内已经大乱，国民全都按照姓氏分开居住，彼此之间互相掳掠。如今北方的柔然人正像天鹅那样伸长脖子急切地盼望着被解救出来，乞求皇帝陛下依照以前对我的恩德，恩赐拨给我一万精兵，护送我回到大漠以北，去安抚那些因为战乱而荒芜了的土地上的人民。"孝明帝下诏给中书省、门下省，令他们就此事

凉州刺史袁翻以为“自国家都洛以来，蠕蠕、高车迭相吞噬，始则蠕蠕授首[530]，既而高车被擒[531]。今高车自奋于衰微之中，克雪仇耻，诚由种类繁多，终不能相灭。自二虏交斗，边境无尘数十年矣，此中国之利也。今蠕蠕两主[532]相继归诚，虽戎狄禽兽，终无纯固[533]之节，然存亡继绝[534]，帝王本务。若弃而不受，则亏我大德；若纳而抚养，则损我资储。或全徙内地，则非直[535]其情不愿，亦恐终为后患，刘、石[536]是也。且蠕蠕尚存，则高车犹有内顾之忧[537]，未暇窥窬上国[538]；若其全灭[539]，则高车跋扈[540]之势，岂易可知？今蠕蠕虽乱而部落犹众，处处棋布，以望旧主，高车虽强，未能尽服也。愚谓蠕蠕二主并宜存之，居阿那瓌于东，处婆罗门于西，分其降民，各有攸属[541]。阿那瓌所居非所经见[542]，不敢臆度[543]；婆罗门请修西海故城[544]以处之。西海在酒泉之北，去高车所居金山[545]千余里，实北虏往来之冲要[546]，土地沃衍[547]，大宜耕稼。宜遣一良将，配以兵仗，监护婆罗门，因令屯田[548]，以省转输[549]之劳。其北则临大碛，野兽所聚，使蠕蠕射猎，彼此相资[550]，足以自固。外以辅蠕蠕之微弱，内亦防高车之畔援[551]，此安边保塞之长计也。若婆罗门能收离聚散，复兴其国者，渐令北转，徙度流沙，则是我之外藩，高车勍敌[552]，西北之虞[553]可以无虑。如其奸回反覆[554]，不过为逋逃之寇[555]，于我何损哉？”朝议是之。

九月，柔然可汗俟匿伐诣怀朔镇请兵，且迎阿那瓌。俟匿伐，阿那瓌之兄也。冬，十月，录尚书事高阳王雍等奏：“怀朔镇北吐若奚泉，原野平沃，请置阿那瓌于吐若奚泉，婆罗门于故西海郡，令各帅部落，收集离散。阿那瓌所居既在境外，宜少优遣[556]，婆罗门不得比之。

进行广泛的讨论，担任凉州刺史的袁翻认为：“自从国家迁都洛阳以来，蠕蠕、高车两个国家互相吞噬，开始的时候是蠕蠕的佗汗可汗被高车人杀死，后来高车国王弥俄突被柔然伏跋可汗所擒获、杀死。如今的高车国王伊匐发愤图强，从衰微中崛起，报了被灭国的深仇大恨、雪了奇耻大辱，确实是由于这两个国家部落繁多，最终谁也灭不了谁。自从这两个少数民族国家相互争斗以来，我国北部的边境上已经有几十年没有战争的烟尘了，这对中国是有利的。如今蠕蠕的两位首领阿那瓌和婆罗门先后归降我国，即使戎狄是禽兽一般的野蛮人，终究不会有纯洁、坚定的节操，然而使灭亡之国得以复存、使断绝之嗣得以延续，是帝王的根本要务。如果我们抛弃了他们，不接受他们的投诚，我们的高尚道德就会受到伤害；如果我们护送他们回到他们的本土，对他们进行抚养，就会耗损我国的资财储备。如果把他们全部迁移到我们的境内居住，不只是他们心里不愿意，我们也担心他们将来会成为我国的祸患，刘渊、石勒就是前车之鉴。而且，如果蠕蠕国继续存在，那么高车人还有背后之忧，因而就顾不上趁机进攻我国；如果蠕蠕被彻底消灭，那么高车国将会蛮横霸道到什么程度，岂是容易预料得到的呢？如今蠕蠕虽然发生了内乱，然而部落仍然还有很多，就像棋盘中的棋子那样到处分布着，他们殷切地盼望着旧日的主人早日回国，高车虽然很强大，却不能彻底征服蠕蠕。我认为应该让蠕蠕的两个主子同时并存，把阿那瓌安置在蠕蠕的东部，把婆罗门安置在蠕蠕的西部，把投降过来的蠕蠕人一分为二，每人分得一半。阿那瓌所居住的地方我没有亲眼见过，不敢妄加猜测；而婆罗门请求修复西海故城作为自己的居住地。西海在酒泉以北，距离高车国所居住的金山有一千多里路，确实是北方少数民族往来的必经之地，那里的土地肥沃而宽广，非常适宜耕种。我们应该派遣一位优秀的将领，配给他军队武器，让他负责监护婆罗门，并让他们在那里屯田，这样就可以节省往那里运输粮草等各种给养的劳役。那里北边接近大沙漠，是野兽聚集出没的地方，让蠕蠕人进行射猎，与我军彼此互补，完全可以长期在那里坚守。对外可以帮助微弱的蠕蠕，对内也可以防止飞扬跋扈的高车人的侵扰，这是安定边境、保护边塞的长久之计。如果婆罗门能够将离散的蠕蠕人收聚起来，复兴他的国家，就让他逐渐向北迁移，渡过大沙漠，他就成了我国外部的一道藩篱，也会是高车族的强大敌人，那么我国西北方面的种种担忧就可以消除了。如果他们心怀邪恶、反复无常，也不过就是一伙蟊贼逃跑了，对我们有什么损害呢？”朝中参与讨论的人都同意他的意见，认为可行。

九月，柔然可汗俟匿伐到魏国的怀朔镇请求魏国出兵援助，同时迎请阿那瓌回国。俟匿伐，是阿那瓌的哥哥。冬季，十月，担任录尚书事的高阳王元雍等人上书给朝廷说：“怀朔镇以北的吐若奚泉一带，地势平坦、土地肥沃，请把阿那瓌安置在吐若奚泉，把婆罗门安置在过去的西海郡，让他们各自率领自己的部落，收集离散的蠕蠕人。阿那瓌所居住的地方既然处在边境以外，就应该稍微多馈送

其婆罗门未降以前蠕蠕归化者[557]，悉令州、镇部送怀朔镇以付阿那瓌。”诏从之。

十一月癸丑[558]，魏侍中、车骑大将军侯刚加仪同三司。

魏以东益、南秦氐皆反，庚辰[559]，以秦州刺史河间王琛为行台[560]以讨之。琛恃刘腾之势[561]，贪暴无所畏忌，大为氐所败。中尉弹奏，会赦，除名，寻复王爵。

魏以安西将军元洪超[562]兼尚书行台，诣敦煌[563]安置柔然婆罗门。

【段旨】

以上为第二段，写梁武帝萧衍普通元年（公元五二〇年）、二年共两年间的大事。主要写了魏之幸臣刘腾、元义罗织罪名杀害了清河王元怿，禁闭了胡太后、控制小皇帝元诩，拉高阳王元雍与之一起把持魏国政权，事无巨细，悉决于刘腾、元义之手。写河间王元琛无耻地自求给刘腾当养子，汝南王元悦卖身投靠元义，又反过来丧心病狂地欺凌其侄元怿之子元亶。写相州刺史元熙起兵于邺城以讨刘腾、元义，但很快地被其长史柳元景打败被杀，其弟元略在众义士的帮助下，逃入梁朝。写魏将奚康生先是参与了刘腾、元义之谋，与之深相委托，后来奚康生又欲结胡太后谋诛元义、刘腾，结果被元义等杀死。写柔然内乱，伏跋可汗被杀，新可汗阿那瓌又被打败逃往魏国，而夺得政权的示发旋又被阿那瓌的堂兄弟婆罗门打败，国人立婆罗门为可汗；不久，婆罗门可汗又被嚈哒人打败，也逃归魏国，魏人权衡得失，遂立阿那瓌、婆罗门皆为可汗，分治东西，使之与高车相互制约，以减少魏国北部边境的压力。此外还写了魏派使者与梁朝修复停战友好。写了梁国义州、边城的守将叛变降魏，梁将裴邃破魏兵复取义州；梁将裴邃又据合肥欲袭寿阳，结果被魏将杨侃识破遂取消计划；以及写梁将冯道根卒，萧衍祭祀时闻丧，不释服而往吊之；等等。

给他一些东西，婆罗门不能与阿那瓌相攀比。那些在婆罗门没有投降以前就已经投奔魏国的蠕蠕人，全部让州、镇率领着护送到怀朔镇交给阿那瓌。”魏孝明帝下诏批准。

十一月十九日癸丑，魏国担任侍中、车骑大将军的侯刚加授开府仪同三司。

魏国因为东益州、南秦州境内的氐族人全都起兵造反，庚辰日，令担任秦州刺史的河间王元琛以朝廷的名义出兵讨伐叛逆的氐族人。元琛倚仗着刘腾的权势，贪婪残暴得无所顾忌，被氐族人打得大败。中尉上表弹劾元琛，碰巧遇到朝廷实行大赦，元琛只被除了名，然而不久又恢复了元琛河间王的爵位。

魏国朝廷令担任安西将军的元洪超兼任尚书行台，前往敦煌安置柔然可汗婆罗门。

【注释】

㉔⑥正月乙亥朔：正月初一是乙亥日。㉔⑦改元：改年号“天监”为“普通”。㉔⑧丙子：正月初二。㉔⑨己卯：正月初五。㉕⑩王份：齐朝大官僚王奂之弟，在齐曾为中书侍郎、黄门侍郎，入梁后为散骑常侍、起部尚书，今又为左仆射。传见《梁书》卷二十一。㉕①奂：王奂，在刘宋时曾任吏部尚书，入齐后为右仆射，又为雍州刺史，因谋叛被齐武帝所杀。传见《南齐书》卷四十九。㉕②豫宁威伯冯道根：冯道根是梁初的著名将领，初为王茂的部下，破建康有功；又随讨陈伯之有功，此时为豫州刺史。传见《梁书》卷十八。冯道根生前被封为豫宁县伯，谥曰威。㉕③上春：农历正月。㉕④祠二庙：梁武帝往祭太庙及太祖太夫人的小庙。胡三省曰：“帝立太庙，祀太祖文皇帝以上为六亲庙，皆同为一堂，共庭而别室。又有小庙，太祖太夫人庙也，非嫡，故别立庙。皇帝每祭太庙讫，乃诣小庙，亦以一太牢，如太庙礼。”㉕⑤有司以闻：有关官员将冯道根死的消息报告梁武帝。㉕⑥吉凶同日：祭祀太庙、小庙算是吉礼；冯道根死，前往吊唁，这算凶礼，二者发生在同一天。㉕⑦今可行乎：今天可以去吊唁冯道根吗。㉕⑧卫献公闻柳庄死：卫献公是春秋时期的卫国诸侯，灵公之子，公元前四七九至前四七八年在位。事迹见于《史记·卫康叔世家》。柳庄是卫国的太史，一位主管祭祀的官员。㉕⑨不释祭服而往：没有换下祭祀的礼服，就去吊唁柳庄了。因为柳庄的官虽不大，但卫庄公认为他是社稷之臣，故而当卫庄公正在祭祀，听到柳庄去世的消息时，就采取了这种匆忙的措施。事见《礼记·檀弓》。㉖⑩虽未为社稷之臣：虽然称不上是与国家政权同生死、共命运的骨干大臣。㉖①有劳王室：对国家政权做过贡献，立有功劳。王室，帝王的家庭。㉖②临之：帝王前去哭吊。临，哭吊死者。㉖③遣使入贡：高句丽王的世子名安，上年其父（名云）死，今年世子安刚即王位，

故派使者到宗主国来告新王即位，这是应有的礼节。㉖④二月癸丑：二月初九。㉖⑤光州：魏州名，州治即今山东莱州。㉖⑥清河文献王怿：元怿，孝文帝元宏之子，宣武帝元恪之弟，被封为清河王，死后谥曰文献。传见《魏书》卷二十二。㉖⑦逼而幸之：逼着清河王与她发生了关系。㉖⑧时望甚重：在当时的社会上威望很高。㉖⑨门下：指门下省，皇帝最贴身的办事机构，主管皇帝诏命的发出。当时元义在门下省任侍中。㉗⓪裁之以法：以正当的礼法对之有所裁抑。裁，抑制、约束。㉗①刘腾：宣武帝元恪时代的宦官，宣武帝死，皇太子刚即位时，因护持胡太后有功，被任太仆、卫将军、加官侍中。传见《魏书》卷九十四。㉗②希腾意：迎合着刘腾的心思。㉗③为郡：为郡太守。㉗④人资乖越：人品与资历都与条件不合。胡三省曰："人非其才曰乖，资非其次曰越。"㉗⑤龙骧府长史宋维：宋维是孝文帝时的大臣宋弁之子，前因谄事高肇被贬为益州龙骧将军府长史，后被荐为通直郎。传见《魏书》卷六十三。㉗⑥通直郎：通直散骑侍郎的简称。㉗⑦司染都尉：官名，上属太府寺，主管为宫廷染练为彩色。㉗⑧立怿：立元怿为皇帝。㉗⑨怿坐禁止：元怿因此被禁闭宫中。㉘⓪维当反坐：宋维理应以诬告治罪。㉘①昌平郡守：昌平郡的太守。当时的昌平郡治在今河北蔚县东北。㉘②主食中黄门：为皇帝主管饮食的宦官。㉘③自列：坦白自首。㉘④货定：用钱收买胡定。㉘⑤七月丙子：七月初四。㉘⑥嘉福殿：后宫里的殿名。㉘⑦永巷门：由前殿通往后宫的门。永巷，后宫中的长巷。㉘⑧含章殿：宫廷前部的殿名。㉘⑨不听怿入：不许元怿进入后宫。不听，不许、不让。㉙⓪宗士：宗师手下的吏士。宗师，职犹宗正，掌管皇帝家族事务的官员。元怿是皇族的大臣，要动他必须通过宗师，故元义事先就安排了这方面的人。㉙①直斋：意同"直阁"，在皇帝办公的殿阁周围值勤的武官。㉙②将入：拉入；挟持进。㉙③含章东省：含章殿东侧的门下省，亦即元义等人上班议事的地方。㉙④称诏：假借皇帝的名义。㉙⑤论怿大逆：判定元怿要造反。论，判、治罪。㉙⑥新泰文贞公游肇：游肇是魏国的儒学老臣游明根之子，为官清正，忠直敢言，此时任尚书右仆射。传见《魏书》卷五十四。游肇生前被封为新泰县公，死后谥曰文贞。㉙⑦抗言：毫不掩饰地说。㉙⑧不下署：不在文件上签名。㉙⑨持公卿议入奏：拿着群臣讨论的意见入奏小皇帝元诩。㉚⓪俄而得"可"：很快地就得到了小皇帝的批准。㉚①夜中杀怿：在半夜杀了元怿。㉚②幽：禁闭。㉚③省见：进见问候。省，看视、请安。㉚④裁听传食：只允许给胡太后送去一些吃的。裁，通"才"，只。㉚⑤中常侍酒泉贾粲：酒泉人贾粲为中常侍之职。中常侍是受宠太监所任的官名，经常在皇帝的身边服务。酒泉是郡名，郡治即今甘肃酒泉市。贾粲的事迹见《魏书》卷九十四。㉚⑥侍帝书：陪着皇帝读书。㉚⑦常直禁省：经常在门下省、中书省值班。禁省，皇帝所居与国家的决策部门所在地。㉚⑧共裁刑赏：共同决定杀谁赏谁的大事。㉚⑨重迹：犹言"重足""叠足"，都是恭恭敬敬、不敢乱动的样子。㉛⓪剺面：悲伤时用刀划脸，是某些少数民族的一种风俗。㉛①愤邑：愤怒、悲伤。㉛②己卯：七月初七。㉛③辛卯：七月十九。㉛④加元服：行加冠礼。元服，冠、帽子。古代帝王行加冠礼多在十六岁，此时魏主元诩只有十一岁。元义等急于干此事，无非是想把他们的一些罪行移到小皇帝头上而已。㉛⑤ 正光：魏肃宗元诩的第三个年号（公元五二〇至五二四年）。㉛⑥ 中山文庄王熙：元熙，继其父元英为中山王，文庄二字是谥。曾任秘书监，此时任相州刺史。传见《魏书》卷十九下。㉛⑦ 司徒祭酒纂：元纂，为司徒元怿的属官。胡三省曰："自曹魏以来，公府有东、西阁祭酒。"元纂与元略之传并见于《魏书》卷十九下。㉛⑧ 邺：古城名，在今河北临漳西南。当时为相州的州治所在地。㉛⑨ 亡奔邺：从洛阳逃到邺城以就其兄。㉜⓪ 长史柳元章：相州刺史元熙的长史柳元章。长史为三公、督军以及刺史的高级僚属，为诸史之长。㉜① 城人：邺城里的兵民。㉜② 八月甲寅：八月十三。㉜③ 有风义：有风采、讲义气。㉜④ 据大州：指为相州刺史，相州为上等州。㉜⑤ 入侍：指元略为给事黄门侍郎，服务于皇帝、太后身边。㉜⑥ 殷勤言色：亲热恳切的语言与态度。㉜⑦ 见废北宫：被废黜、被囚禁于北宫。㉜⑧ 君亲：指皇帝元诩。㉜⑨ 旋见囚执：很快地被乱党所擒。旋，转眼之间。㉝⓪ 本以名义干心：我之所以发动起义，乃是出于一种心存大义，想维护正当的名分。干心，系心、存于心中。㉝① 各敬尔仪：都注意你们的行动举止吧。敬，谨慎。仪，仪范、举止。㉝② 善勖名节：好好注意自己的名声与节操。勖，勉励。㉝③ 刁整：刁雍之孙，刁遵之子，此时在魏为郎中，又任骁骑将军。传见《魏书》卷三十八。刁整的弟妇是元熙之姐。刁整至东魏时官至卫大将军。㉝④ 雍：东晋末期人，因其伯父刁逵曾责打刘裕，刘裕掌权后遂诛刁氏一门，刁雍被人掩护，逃入后秦，又转入魏国，从此一心为魏反刘宋，给刘宋的北部边境造成了许多麻烦。传见《魏书》卷三十八。㉝⑤ 济阴内史：济阴郡的内史。内史是官名，职同太守。当时凡一般的郡，其长官称太守；如是某王、某公的封地，则其长官称内史。卢同之所以迫害杨昱，是因为元义此前即加害过杨氏，因胡太后发现杨氏冤枉，故将其释放。现卢同又为讨好元义而加害杨昱。㉝⑥ 黄门侍郎：皇帝的侍从官员，上属于门下省。㉝⑦ 河内司马始宾：河内郡人姓司马名始宾。河内郡的郡治野王，即今河南沁阳。㉝⑧ 孟津：也称盟津，黄河渡口名，在今河南孟州南的黄河边上。㉝⑨ 屯留栗法光：屯留县的栗法光。屯留是古县名，县治即山西襄垣，在长治的北方。㉞⓪ 西河：魏郡名，郡治即今山西汾阳。㉞① 购略：悬赏捉拿元略。㉞② 会有一死：人总是要有一死的。会，必、一定。㉞③ 愿不以为虑：希望你不要怕连累我。㉞④ 遂来奔：遂逃到了梁王朝。㉞⑤ 收系：拘捕、关押。㉞⑥ 甲子：八月二十三。㉞⑦ 永昌严侯韦叡：韦叡是梁朝的名将，在与魏国的边境战斗中屡著功勋。传见《梁书》卷十二。韦叡生前封永昌县侯，死后谥曰严。㉞⑧ 位居大臣：韦叡一生曾任豫州刺史、江州刺史、雍州刺史、散骑常侍、护军将军。㉞⑨ 与俗俯仰：义同随世浮沉、随波逐流。㉟⓪ 略如平日：还和从前当平民、当小官的时候一样。胡三省曰："史言韦叡于事佛之朝，矫之以正，几于以道事君者。"㉟① 九月戊戌：九月二十七。㉟② 亡：丢失。㉟③ 巫地万：巫女名地万。㉟④ 我能呼之：我能喊他回来。㉟⑤ 恒在天上：一直住在天上。㉟⑥ 可贺敦：可汗正妻的名号，犹如中原的皇后。㉟⑦ 挟左道：会使巫术。左道，旁门邪道。㉟⑧ 积岁：过了一些年。㉟⑨ 浸长：渐渐长大了。㊱⓪ 常：通"尝"，曾经。㊱① 前知未然：预先知道还没有发生的事情。㊱勿为谗也：你不要说她的坏话。㊲谮祖惠于伏跋：在伏跋跟前说祖惠的坏话。谮，在尊长面前说坏话以害人。㊳具列：人名。㊴阿至罗：当时的少数民族部落名。胡三省曰："阿至罗，虏之别种，居北河之东，世附于魏。"所谓"北河"即内蒙古河套地区的黄河北道，在今内蒙古杭锦后旗与五原的北侧。㊵乙居伐：人名。㊶汝南王悦：元悦，孝文帝之子，清河王元怿之弟，被封为汝南郡王。传见《魏书》卷二十二。㊷了无：一点也没有。㊸以"桑落酒"候之：带着桑落酒前去拜见元义。桑落酒，当时河东郡（郡治即今山西永济）出产的一种美酒名。候，拜访、请安。㊹尽其私佞：极尽其谄媚讨好之能事。佞，说好话、讨好。㊺十月乙卯：十月十五。㊻求怿服玩：讨要元怿生前的服饰与玩赏之物。㊼不时称旨：元亶没有及时地满足他的要求。称旨，满意、合他的心思。㊽几死：差点没把元亶打死。㊾执启：拿着一份奏章。㊿立于座后：不想退席，像是有话要说的样子。㊿轻来诣阙：匆忙地来到贵国宫前。轻，匆忙、草率。不具备一个国家首脑的来访之礼。㊿收集亡散：重新聚合起奔逃四散的旧日臣民。㊿遗民：亡国之民。㊿别有启陈：还有一封奏章做详细说明。㊿仍以启：于是把奏章……。仍，意思同"乃"，与今"仍旧"的"仍"意思不同。㊿常景：魏国的著名儒生常爽之孙，此时在魏任中书舍人之职。传见《魏书》卷八十二。其祖常爽传见《魏书》卷八十四。㊿十一月己亥：十一月二十九。㊿轺车：一马拉的轻便车。㊿禄恤仪卫：当时魏国给贵族、大臣的优厚待遇。禄指俸禄，即今所谓工资、薪水。恤指照顾家庭老幼的补贴钱。仪指出行时所用的仪仗队。卫指警卫人员。㊿金陵馆：金陵是古代南京的别称，用以名馆表示里面所住的都是来自江南王朝的人。㊿燕然馆：燕然山是今蒙古国乌兰巴托东南的大山，西汉名将霍去病大破匈奴后曾在此山刻石勒铭，用以名馆是表示住在里面的都是来自北方诸民族的人。㊿扶桑馆：扶桑是古代传说中的神树，是红日升起的地方，用以名馆是表示住在里面的都是来自东方各民族的人。㊿崦嵫馆：崦嵫也是传说中的山名，是落日西沉的地方，用以名馆是表示住在里面的都是来自西方各国、各民族的人。有关扶桑、崦嵫的说法，见《山海经》《淮南子》《十洲记》。〖按〗魏国统治者的这种浮夸、炫耀，与当年秦始皇灭六国后，在渭水河北建造六国都城以安置六国降王的意思相似。㊿异同不决：有人同意放他走，有人反对放他走，彼此争论不休。㊿十二月壬子：十二月十三。㊿怀朔都督：怀朔镇的驻军统帅。怀朔镇在今内蒙古固阳西南，今包头的正北方。㊿简锐骑：挑选精锐的骑兵。简，选拔。㊿境首：国境边上。㊿观机招纳：看机会酌情进行招抚工作。㊿礼饯而返：按礼节给他们治宴送他们回去。㊿听还阙庭：任由阿那瓌返回洛阳。㊿量给：酌情供给。〖按〗此时魏国正由元义、元雍两个坏蛋执政，但对于这些事务的处理竟井井有条，情景可观。㊿辛酉：十二月二十二。㊿魏以京兆王继为司徒：京兆王元继是元义之父，于是元义夫妻、父子一门鸡犬升天。㊿来聘：前来进行友好访问。聘，两国间的礼节性互访。㊿始复通好：又恢复了平等友好的两国关系。〖按〗南北两朝近十几年来的战争不息是始自齐明帝建武二年（公元四九五年）的魏军大举南伐，其后双方在东线的钟离、寿阳，中路的义阳，西路的南阳等地一直争夺不休。入梁后武帝萧衍曾乘交换战俘之际，向魏主元恪提出停战讲和，元恪顽固不听。今之元义、元雍当政，竟实现了南北议和，不失为一项良政。㊸正月辛巳：正月十二。㊹上祀南郊：梁武帝萧衍到南郊祭天。㊺戊子：正月十九。㊻南秦州氐：南秦州境内的少数民族。魏国南秦州州治骆谷城，也就是当时的仇池郡，在今甘肃成县西。㊼近郡兵：京师洛阳附近的武装力量。胡三省曰："近郡，近辅诸郡也。"㊽送柔然可汗阿那瓌返国：前文既云"魏敕怀朔都督简锐骑二千护送阿那瓌达境首"，今又云"发近郡兵万五千人，使怀朔镇将杨钧将之，送柔然可汗阿那瓌返国"，为何作如此变动，史文缺乏交代。参看《魏书·蠕蠕传》，大概是上次命令下于不知柔然境内已有新主，此次是知道柔然这时已有新可汗婆罗门上台，虑其不会让位，故增派重兵。㊾荼毒其心：老天爷故意要给这些野蛮人一点苦头尝尝。荼毒，残害。㊿有道：指讲仁义道德的国家政权，即魏国。411以奉大魏：尊崇魏国、听从魏国的管辖。412安民恭己：安定民心，皇帝自己也遵礼守道，先要治好自己的魏国。413束身归命：指前来投顺魏国。414抚之：好好地接待他、安慰他。415兴师郊甸：即前所谓"发近郡兵万五千人"。416投诸荒裔：把他们扔到荒无人烟的地方上去。417累世之勍敌：多少代以来的强大敌人。古称三十年为"一世"，或称"一代"。418丑虏：群盗；野蛮人。丑，众、类。419边将贪窃一时之功：据张普惠此文，边将是指杨钧，似乎是杨钧建议要征兵，要深入柔然。但据《魏书·蠕蠕传》，知杨钧亦反对此事，二者关系不清。420旱暵：干旱。421圣慈降膳：连慈善的皇帝都降低了膳食标准。圣慈，即慈圣。422干时：逆时。干，忤逆。423负何信义：我们有什么对不起他。424臣贱不及议：我的官小没资格参加讨论。胡三省曰："汉自议郎以上皆得预朝廷大议，尚书二丞，于当时位不为卑，而以为贱不及议，盖自曹魏以后朝廷大议止及八座以上。"425文书所过：文书经过我的手。〖按〗当时的朝廷文件都要经尚书左、右二丞过目。426杂采：各种绢帛。427劳遣：慰劳送行。428地豆干：据《魏书·高句丽传》，"干"当作"于"。地豆于是古国名，在今内蒙古东乌珠穆沁旗一带。429弥偶可社句：当时鲜卑语所称的柔然可汗的名号，意思是"安静"。430牒云具仁：人名，姓牒云，名具仁。431辛丑：二月初三。432庚戌：二月十二。433假抚军将军：代理抚军将军。假，临时充任。434奚康生：当时魏国的名将，原任右卫将军，是宫廷禁卫军队的统领之一。传见《魏书》卷七十三。435预其谋：参与谋划这件事。预，参加。436河南尹：国都洛阳所在郡的行政长官，职同太守。但因它是首都所在郡，故地位崇高，名声显要，得参与朝政。437领左右：统领皇帝身边的禁兵。438难当：奚难当，《魏书·奚康生传》作"奚难"。传见《魏书》卷七十三。439深相委托：紧密勾结。440时或迭出：有时轮流出去。迭，更替、轮流。441千牛备身：侍卫官的一种名号，佩带千牛刀以侍卫于宫中。千牛刀，一种锋利的刀，意思是取《庄子》语称其刀可以解千牛而刃不钝。442粗武：粗放、强硬。443言气高下：言谈气势随意高低，缺乏克制。444见于颜色：脸上时而表现出不高兴的样子。445甲午：三月二十六。依例应在“甲午”前增“三月”二字。㊻力士舞：一种表现勇猛、壮健的舞蹈。㊼折旋：回身、旋转。㊽举手蹈足、瞋目颔首：一扬手、一跺脚、一瞪眼、一点头。㊾为执杀之势：意思是让胡太后下令把元义、刘腾等人抓起来杀掉。㊿朝讫：朝见太后已毕。451嫔御在南：侍候皇帝的女人都在南院。当时胡太后被禁闭在北宫，魏主元诩被挟持居住在南宫。452随陛下将东西：随太后之意领着去哪里都行。将，携、领。453更复访谁：还有什么必要征求别人的意见。访，问。奚康生的立场是希望太后与皇帝在一起。454援帝臂：拉着皇帝的胳膊。援，引、拉着。455唱万岁：高呼万岁，盛赞太后做得好。456帝前入阁：实即胡太后与皇帝都进入了宣光殿。阁，殿门。457竞相排：相互拥挤推搡。458斫直后元思辅：砍倒了直后元思辅。直后是在皇帝身后担任警卫的官名，与直斋、直阁相类似。元思辅是元义、刘腾的一党。459处分：安排；布置。460锁于门下：锁在了门下省。461光禄勋贾粲：光禄勋是主管守卫宫廷门户的官员。贾粲是元义、刘腾的一党。462绐太后：欺骗胡太后。绐，哄骗。463适下殿：刚刚走下宣光殿。464出东序：由宣光殿的东侧屋走出。序，正屋两侧的小屋。465就康生所：到关押奚康生的地方。466讯其事：审问他究竟想要干什么。467矫诏决之：假托皇帝的命令作出决定。468恕死从流：饶过死罪改为流放。469我不反死：我不是因为造反而被杀。470汝何哭也：你有什么可哭的呢。也，同“耶”，反问语气。471尚食典御：皇帝的近侍人员，负责为皇帝先尝入口的东西。472安州：州治即今河北隆化。473行台卢同：行台是朝廷的派出机构，代表朝廷行使某种职权。胡三省曰：“魏太祖既得中山，将北还，虑中原有变，乃于邺、中山置行台，后因之。”卢同是元义的死党。474八坐：又作“八座”，即尚书八座，指尚书令、左右仆射及五部尚书。475九卿：原是秦汉时朝的朝廷官名，指太常、郎中令、卫尉、太仆、廷尉、大行令、宗正、大司农、少府。南北朝时没有实际的九卿一词，这里提到九卿，大约相当今之部长一级。476旦造腾宅：每天早晨赶到刘腾府上。477参其颜色：摸摸他的心思。478赴省府：再到各自的部门。省府，各省、各府，指朝廷的各种办事机构。479属请：请托；请求代为办事。480舟车之利：控制水路、陆路各码头、各关口的税收。481山泽之饶：各种山林湖海的出产。482所在榷固：在上述的各个领域都进行垄断，实行专买专卖。榷，本指独木桥，借用为垄断之意。483刻剥六镇：克扣缘边各军镇的军饷，逼迫军镇给他进贡送礼。484交通互市：开展边境贸易，收取关税。485巨万万：巨万即亿，巨万万即万亿。〖按〗古书行文常用“以巨万计”形容财富之多，今曰“以巨万万计”，略显生涩，《魏书·刘腾传》作“以巨万计”，或当然也。486四月庚子：四月初三。487壬寅：四月初五。488祭酒、著作：二官名，祭酒是主管太学的行政长官，著作是主管国家史馆的官员，二职皆为崔光所兼任。489逊避：自己退位，让位于阿那瓌。490责具仁礼敬：要求牒云具仁向他行礼。责，要求。491丘升头：人名。492还镇：回到怀朔镇。493辛巳：五月十四。494南荆州刺史桓叔兴：桓叔兴，东晋末年的乱党头子桓玄之孙，桓诞之子。桓玄在东晋作乱称帝失败被杀，桓诞逃入鄂豫边境的少数民族，被推为头领，桓叔兴后来率此少数民族部众投降于魏，魏人任以为南荆州刺史，以今河南确山县为其州治，但让他隶属于东荆州。桓叔兴不乐意，魏遂允其独立存在。事见本书上卷。㊾⑤据所部来降：据《梁书·武帝纪》，桓叔兴据南荆州投降梁朝事在本年的七月。司马光《通鉴考异》曰，“《梁帝纪》：‘七月叔兴帅众降’，盖记奏到之日，今从《魏帝纪》”。㊾⑥六月丁卯：六月初一。㊾⑦义州：梁州名，州治在今河南光山县东南。㊾⑧边城：梁郡名，郡治在今河南固始东南。㊾⑨癸卯：六月无“癸卯”日，此处疑记载有误。⑤⓪⓪琬琰殿火：梁国的琬琰殿失火被焚。《梁书·武帝纪》叙此事于本年五月。⑤⓪①七月丁酉：七月初一。⑤⓪②大匠卿裴邃：原是南齐的官吏，被裴叔业裹胁降魏，后于战场逃回，为梁国破魏军有功，被任大匠卿。传见《梁书》卷二十八。⑤⓪③檀公岘：山名，在当时的边城郡境内。⑤⓪④期日：约定好日期。⑤⓪⑤移魏扬州：向魏国的扬州发出通告说。魏国扬州的州治寿阳即今安徽寿县。移是文体名，与檄的性质相似，约当今之“通告”“告……书”。⑤⓪⑥始于马头置戍：起先是在马头建立了军事据点。魏国的马头郡即今安徽蒙城，在蚌埠的西北方。⑤⓪⑦如闻：近来仿佛听说。如，表示不确定。⑤⓪⑧白捺故城：胡三省曰，“白捺当在马头东北或东南”。⑤⓪⑨若尔二句：假如果真如此，这就是你们对我方进行威胁。侵逼，做出了一种进攻的姿态。⑤①⓪此亦须营欧阳：我方也要在欧阳建立军事据点。欧阳，具体方位不详，应在今合肥的北方，靠近寿县一带。⑤①①交境：边境；两国的交界地带。⑤①②板卒已集：建筑工事的士兵已经集合好。板，夯土筑城使用的工具。⑤①③唯听信还：我们静候你们的回答。信，使者。还，给予回音。⑤①④长孙稚：魏国的扬州刺史姓长孙，名稚。长孙稚是魏国名将长孙道生的曾孙，长孙观之子。传见《魏书》卷二十五。⑤①⑤杨侃：魏国名将杨播之子。传见《魏书》卷五十八。⑤①⑥本非形胜：本来就不是什么重要的地方。形胜，指地形条件优越。⑤①⑦好狡数：善于耍滑头，玩阴谋诡计。狡数，狡猾的伎俩。⑤①⑧集兵遣移：集结军队，发出檄文。⑤①⑨亟作移报之：赶紧写一篇檄文回应他。⑤②⓪彼之纂兵：你们的集结军队。彼，你，此称对方。与现代文之称第三方的意思不同。纂，集结。⑤②①妄构白捺：凭空编造出我们在白捺屯兵的说法。⑤②②他人有心二句：别人的心思，我能猜得出来。语出《诗经·巧言》。这里是说你们的阴谋诡计骗不了人。⑤②③勿谓秦无人：春秋时代晋国人对秦国进行欺诈，秦国的决策者没有体察，秦国的大夫绕朝在给晋国人送行时说：“勿谓秦无人，吾谋适不用也。”事见《左传》文公十三年与《史记·晋世家》。这里的意思是你不要觉得魏国没有人，不能识破你们想玩的那一套！⑤②④观：长孙观，魏显祖与孝文帝时期的名将，两次平定吐谷浑有大功。传见《魏书》卷二十五。⑤②⑤播：杨播，杨椿之兄，兄弟皆孝文帝时代的名将，杨播随孝文帝攻钟离、攻邓城皆有大功。传见《魏书》卷五十八。⑤②⑥嚈哒：西域小国名，约在今新疆北部的阿勒泰一带地区。⑤②⑦凉州：魏州名，州治即今甘肃武威。⑤②⑧鹄望待拯：伸长脖子盼望解救。鹄，天鹅。天鹅的脖子长，以形容人的急切盼望之态。⑤②⑨碛北：大漠以北。碛，沙石地。⑤③⓪蠕蠕授首：指高车族几经动乱后归服于魏国，并大破柔然，杀佗汗可汗，遣使入贡于魏。事见本书卷一百四十七天监七年，与《魏书》卷一百三。㉛高车被擒：指高车头领弥俄突被柔然主丑奴打败被擒杀害事。事见本书上卷天监十五年。㉜两主：指阿那瓌与婆罗门。㉝纯固：纯洁、坚定。㉞存亡继绝：使灭亡之国得存，使断绝之嗣得续。㉟非直：不止。㊱刘、石：刘渊、石勒。刘渊是匈奴族人，石勒是羯族人，由于汉王朝打败匈奴与羯族等少数民族后，都把他们迁到汉帝国的境内居住，结果到西晋内部发生混战时，这些少数民族遂乘隙而起，前后建立了许多少数民族的政权，如刘渊建立了汉，后又称赵；石勒建立了后赵，其他还有前燕、后燕、前秦、后秦等，历史上有所谓“五胡十六国”。㊲内顾之忧：实即背后之忧，因为高车在柔然的北方。㊳未暇窥窬上国：顾不上乘机进攻我们魏国。窥窬，窥测时机。窬，缝隙、时机。上国，大国、宗主国。魏人自称。㊴若其全灭：若柔然被彻底消灭。㊵跋扈：蛮横霸道。㊶各有攸属：各有所属，每人分一半。㊷瓌所居非所经见：阿那瓌所居住的地方我们没有亲眼见过。㊸不敢臆度：不敢瞎猜。臆，心想。㊹西海故城：指汉代在居延泽修筑的城堡，在今内蒙古额济纳旗东南，今甘肃酒泉市的东北方。西海，古称居延泽。㊺金山：即今新疆北部的阿勒泰山，在居延泽的西北方。㊻冲要：要冲；必经之地。㊼沃衍：肥沃而宽广。㊽屯田：令军队且耕且守。㊾转输：指运输粮草等各种给养。㊿彼此相资：彼此互补。(551)畔援：跋扈的样子。胡三省曰：“《韩诗》云：‘畔援，武强也。’郑玄云：‘跋扈也’。”(552)高车勍敌：高车族的强大敌人。勍，强劲。(553)西北之虞：对西北地区的种种忧虑。虞，虑。(554)奸回反覆：邪恶、叛变。回，险恶。(555)逋逃之寇：一伙子毛贼逃跑了。逋，逃。(556)宜少优遣：应该较多地馈送他一些东西。(557)归化者：投奔魏国的人。(558)十一月癸丑：十一月十九。(559)庚辰：十一月乙未朔，无庚辰，疑为十二月。《魏书·肃宗纪》作“十二月庚辰”，即十二月十七日。(560)为行台：打着朝廷的名义。

【原文】

三年（壬寅，公元五二二年）

春，正月庚子(564)，以尚书令袁昂为中书监，吴郡太守王暕为尚书左仆射。

辛亥(565)，魏主耕籍田(566)。

魏宋云与惠生(567)自洛阳西行四千里，至赤岭(568)，乃出魏境；又西行，再期(569)，至乾罗国(570)而还。二月，达洛阳，得佛经一百七十部。

高车王伊匐遣使入贡于魏。夏，四月庚辰(571)，魏以伊匐为镇西将军、西海郡公、高车王。久之，伊匐与柔然战败，其弟越居杀伊匐自立。

行台是朝廷的派出机构。561 恃刘腾之势：因河间王元琛曾无耻地自求给刘腾当了养子。562 元洪超：昭成帝什翼犍的后代。传见《魏书》卷十五。563 诣敦煌：魏朝廷要安排婆罗门居住在居延故城，而居延故城乃上属于凉州；今乃曰“诣敦煌”者，或居延一带的军事上属于敦煌军镇管辖。

【校记】

［13］奏：原无此字。据章钰校，十二行本、乙十一行本、孔天胤本皆有此字，张瑛《通鉴校勘记》同，今据补。［14］义：原作“又”。严衍《通鉴补》改作“义”，当是，今从改。［15］酒泉：原无此二字。据章钰校，十二行本、乙十一行本、孔天胤本皆有此二字，今据补。［16］弗听：原无此二字。据章钰校，十二行本、乙十一行本、孔天胤本皆有此二字，张敦仁《通鉴刊本识误》同，今据补。［17］还：原无此字。据章钰校，十二行本、乙十一行本、孔天胤本皆有此字，张敦仁《通鉴刊本识误》同，今据补。〖按〗《魏书·阉官贾粲传》载：“还闭太后于宣光殿。”［18］历：原作“终”。据章钰校，十二行本、乙十一行本、孔天胤本皆作“历”，张敦仁《通鉴刊本识误》同，今据改。〖按〗《魏书·阉官刘腾传》作“历”。［19］能：原作“得”。胡三省注云：“‘得’或作‘能’。”据章钰校，十二行本、乙十一行本、孔天胤本皆作“能”，张敦仁《通鉴刊本识误》同，今据改。［20］魏：原无此字。据章钰校，十二行本、乙十一行本、孔天胤本皆有此字，张瑛《通鉴校勘记》同，今据补。［21］也：原无此字。据章钰校，十二行本、乙十一行本、孔天胤本皆有此字，张敦仁《通鉴刊本识误》同，今据补。［22］赐：原无此字。据章钰校，十二行本、乙十一行本、孔天胤本皆有此字，今据补。〖按〗《魏书·蠕蠕传》云：“赐给精兵一万。”

【语译】

三年（壬寅，公元五二二年）

春季，正月初七日庚子，梁武帝萧衍任命担任尚书令的袁昂为中书监，任命担任吴郡太守的王暕为尚书左仆射。

十八日辛亥，魏国的小皇帝元诩到专门供皇帝进行农事活动的那块农田里进行耕作。

魏国奉命前往西域取经的使者宋云与和尚惠生从洛阳向西走了四千里路，到达赤岭，这才走出了魏国国境；他们继续西行，一共走了两年，然后到达乾罗国，在乾罗国求取了佛家经典之后就往回返。二月，宋云与惠生回到洛阳，一共带回了一百七十部佛家经典。

高车王伊匐派遣使者到魏国进献贡品。夏季，四月十九日庚辰，魏国朝廷任命高车王伊匐为镇西将军、西海郡公、高车王。很久以后，高车王伊匐在与柔然人的作战中失败，伊匐的弟弟越居杀死了伊匐自立为王。

五月壬辰朔[572]，日有食之，既[573]。癸巳[574]，大赦[575]。

冬，十一月甲午[576]，领军将军始兴忠武王憺[577]卒。

乙巳[578]，魏主祀圜丘[579]。

初，魏世宗[580][23]以《玄始历》[581]浸疏[582]，命更造新历。至是，著作郎崔光表取荡寇将军张龙祥[583]等九家所上历，候验得失，合为一历，以壬子为元[584]，应魏之水德[585]，命曰《正光历》。丙午[586]，初行《正光历》，大赦。

十二月乙酉[587]，魏以车骑大将军、尚书右仆射元钦[588]为仪同三司，太保京兆王继为太傅，司徒崔光为太保。

初，太子统[589]之未生也，上养临川王宏之子正德[590]为子。正德少粗险[591]，上即位，正德意望东宫[592]。及太子统生，正德还本[593]，赐爵西丰侯。正德怏怏不满意，常蓄异谋。是岁，正德自黄门侍郎为轻车将军，顷之，亡奔魏，自称废太子避祸而来。魏尚书左仆射萧宝寅上表曰："岂有伯[594]为天子，父[595]作扬州，弃彼密亲，远投他国？不如杀之。"由是魏人待之甚薄。正德乃杀一小儿，称为己子，远营葬地[596]，魏人不疑。明年，复自魏逃归。上泣而诲[597]之，复其封爵。

柔然阿那瓌求粟为种，魏与之万石[598]。

婆罗门帅部落叛魏，亡归嚈哒。魏以平西府长史代人费穆[599]兼尚书右丞、西北道行台，将兵讨之，柔然遁去。穆谓诸将曰："戎狄之性，见敌即走，乘虚复出，若不使之破胆[600]，终恐疲于奔命[601]。"乃简练[602]精骑，伏于山谷，以步兵之羸[603]者为外营，柔然果至，奋击，大破之。婆罗门为凉州军所擒，送洛阳。

四年（癸卯，公元五二三年）

春，正月辛卯[604]，上祀南郊，大赦。丙午[605]，祀明堂。二月乙亥[606]，耕藉田。

柔然大饥，阿那瓌帅其众入魏境，表求赈给。己亥[607]，魏以尚书左

五月初一日壬辰，发生日全食。初二日癸巳，梁国实行大赦。

冬季，十一月初六日甲午，梁国担任领军将军的始兴忠武王萧憺去世。

十七日乙巳，魏国的小皇帝在圜丘举行祭天典礼。

当初，魏国世宗皇帝元恪因为《玄始历》在实际应用中差得越来越多，因而下令编制新历法。到现在，担任著作郎的崔光上表，请求采用荡寇将军张龙祥等九家所进呈的历法，经过观测验证，各取所长，然后合并成为一种历法，以壬子年作为新历法推算的开端，目的是与魏国的以水德称帝相应，命名为《正光历》。十一月十八日丙午，开始使用《正光历》，同时实行大赦。

十二月二十七日乙酉，魏国朝廷任命担任车骑大将军、尚书右仆射的元钦为开府仪同三司，任命担任太保的京兆王元继为太傅，任命担任司徒的崔光为太保。

当初，梁国的皇太子萧统还没有出生的时候，梁武帝过继了临川王萧宏的儿子萧正德为子嗣。萧正德自幼就粗鲁阴险，等到梁武帝做了皇帝以后，萧正德就希望能立自己为太子。等到皇太子萧统出生之后，萧正德就回到了他的生父萧宏那里，梁武帝封赏萧正德为西丰侯。萧正德怏怏不乐，很不满意，经常想着搞点阴谋诡计。这一年，萧正德由黄门侍郎升为轻车将军，过了不久，萧正德就逃奔到魏国去了，他自称是被废的皇太子，为了躲避灾祸才逃到魏国来。在魏国担任尚书左仆射的萧宝寅上表给小皇帝说："岂有自己的伯父做皇帝，自己的父亲担任扬州刺史，却抛弃与自己关系最亲最近的人，远投别国的道理呢？不如把他杀死。"因此魏国人对萧正德非常瞧不起。萧正德就杀害了一个小孩子，说是自己的儿子死了，要到远处去买一块地来埋葬他，因此没有引起魏国人的怀疑。第二年，萧正德又从魏国逃回了梁国。梁武帝流着眼泪教导了萧正德一番之后，就又恢复了萧正德的爵位。

柔然可汗阿那瓌向魏国请求粮种，魏国给了他一万石的粮食做种子。

柔然可汗婆罗门率领着自己的部落背叛了魏国，逃奔到嚈哒。魏国任命担任平西府长史的代郡人费穆兼任尚书右丞、西北道行台，率军讨伐柔然可汗婆罗门，婆罗门闻讯后逃走。费穆对属下的各将领说："柔然人生性狡猾，他们看见敌人就逃跑，看到有机可乘就又出来侵扰，如果不把他们吓破胆，恐怕我们日后总要为征讨他们而疲于奔命。"于是费穆就挑选出一些精锐的骑兵，预先埋伏在山谷中，然后令步兵当中那些年老体弱的士兵驻扎在明显的地方来引诱柔然人，柔然人果然来攻，等他们进入了伏击圈以后，预先埋伏的精锐骑兵奋勇出击，把柔然人打得大败。柔然可汗婆罗门被魏国的凉州军活捉，送往洛阳。

四年（癸卯，公元五二三年）

春季，正月初四日辛卯，梁武帝到建康城的南郊举行祭天典礼，实行大赦。十九日丙午，梁武帝到明堂祭祀祖先。己亥日，梁武帝到籍田进行耕种。

柔然国内发生了严重的饥荒，可汗阿那瓌率领自己的部众进入魏国境内，他上表给魏国朝廷请求给予赈济。二月二十二日己卯，魏国任命担任尚书左丞的元孚为

丞元孚[608]为行台尚书，持节抚谕柔然。孚，谭之孙也。将行，表陈便宜[609]，以为“蠕蠕久来强大，昔在代京，常为重备。今天祚大魏[610]，使彼自乱亡，稽首请服。朝廷鸠其散亡[611]，礼送令返，宜因此时善思远策。昔汉宣[612]之世，呼韩款塞[613]，汉遣董忠、韩昌领边郡士马送出朔方[614]，因留卫助[615]。又，光武[616]时亦使中郎将[617]段彬置安集掾史[618]，随单于所在，参察动静。今宜略依旧事，借其闲地，听其田牧，粗置官属[619]，示相慰抚。严戒边兵，因令防察，使亲不至矫诈[620]，疏不容反叛[621]，最策之得[622]者也。”魏人不从。

柔然俟匿伐入朝于魏。

三月，魏司空刘腾卒。宦官为腾义息[623]重服[624]者四十余人，衰绖[625]送葬者以百数，朝贵送葬者塞路满野。

夏，四月，魏元孚持白虎幡[626]劳阿那瓌于柔玄、怀荒二镇[627]之间。阿那瓌众号三十万，阴有异志，遂拘留孚，载以辒车[628]。每集其众，坐孚东厢[629]，称为行台，甚加礼敬。引兵而南，所过剽掠，至平城，乃听孚还。有司奏孚辱命，抵罪[630]。甲申[631]，魏遣尚书令李崇、左仆射元纂[632]帅骑十万击柔然。阿那瓌闻之，驱良民二千、公私马牛羊数十万北遁。崇追之三千余里，不及而还。

纂使铠曹参军于谨[633]帅骑二千追柔然，至郁对原[634]，前后十七战，屡破之。谨，忠之从曾孙也，性深沈，有识量，涉猎经史。少时，屏居[635]田里，不求仕进。或劝之仕，谨曰：“州郡之职[636]，昔人所鄙[637]，台鼎之位[638]，须待时[639]来。”纂闻其名而辟[640]之。后帅轻骑出塞觇候[641]，

行台尚书，持节前往安抚柔然人。元孚，是元谭的孙子。元孚即将出发的时候，上表给朝廷，提出了临时制宜的解决办法，元孚认为："蠕蠕长期以来一直都很强大，过去我们把平城作为都城的时候，经常要对他们严加戒备。如今上天保佑我们魏国，使柔然人发生内乱而导致衰亡，这才迫使他们向我们磕头请求臣服。朝廷把逃散的柔然人聚合起来，以礼相送，让他们返回自己的国土，我们应该趁着这个大好时机好好地考虑出一个长远的对策。过去汉宣帝的时候，匈奴呼韩邪单于前来归降汉王朝，汉宣帝派遣董忠、韩昌率领着边郡的人马护送呼韩邪单于北出朔方郡回到匈奴，董忠、韩昌遂在呼韩邪单于的驻地留了下来，帮助与保护呼韩邪单于开展各项活动。还有，汉光武帝时期也曾派遣担任中郎将的段彬为匈奴设立了安集掾史以协助匈奴单于维持所部的秩序，跟随在单于身边，随时观察匈奴单于的动向。现在我们也应该大体按照这些旧的做法，借给他们闲散的土地，允许他们在上面种田放牧，大体设置一个相应的办事衙门，表示对他们的慰问和安抚。严厉告诫守边的士兵，让他们对柔然人加强防守与观察，使关系最亲密时不至于被他们所欺骗，关系最疏远时不要令他们背叛，最好的办法就是如此。"魏国朝廷没有听从元孚的建议。

柔然可汗俟匿伐亲自到魏国朝见魏明帝。

三月，魏国担任司空的宦官刘腾去世。宦官当中为刘腾做干儿子而身穿重孝的有四十多人，身穿丧服、腰中系着麻绳为刘腾送葬的有上百人，朝廷显贵前来为刘腾送葬的更是多得堵塞了道路，充满了田野。

夏季，四月，魏国尚书左丞元孚奉命手持绣有白虎图案的竖旗来到柔玄镇、怀荒镇之间柔然可汗阿那瓌的驻地进行慰问。阿那瓌的部众号称三十万，阿那瓌暗中已经怀有谋反之心，他拘留了元孚，将元孚软禁在辒车里，载着他一起行动。阿那瓌每次集合部众，就让元孚坐在大堂的东厢，宣称元孚代表魏国朝廷，对元孚表现得非常恭敬有礼。阿那瓌率兵南行，所过之处无不大肆掳掠，到达平城的时候，阿那瓌才将元孚放回。有关部门的官员上书弹劾元孚有辱使命，元孚遂被判罪。二十八日甲申，魏国派遣担任尚书令的李崇、担任尚书左仆射的元纂率领十万骑兵奔袭叛变的柔然可汗阿那瓌。阿那瓌听到消息以后，就驱赶着掳掠来的二千名良家子弟、几十万头公家和私人的马、牛、羊向北逃走。李崇向北追赶了三千多里，也没有追上阿那瓌，无功而返。

尚书左仆射元纂派遣担任铠曹参军的于谨率领二千骑兵追击柔然阿那瓌，一直向北追到郁对原，前后历经十七次战斗，多次把柔然人打败。于谨，是于忠的堂曾孙，性格深沉稳重，有胆识有气度，广泛阅读过经史书籍。于谨年轻的时候，隐居在田间，不求做官。有人劝他出去做官，于谨说："在州里、郡里当个小吏，过去是被人瞧不起的，如果想在朝廷上位列三公，则需要等待时机的到来。"元纂听说了于谨的名声遂聘任于谨当自己的僚属。后来于谨率领轻骑兵出塞去侦察敌情，正巧碰到

属[642]铁勒[643]数千骑奄至[644]，谨以众寡不敌，退必不免[645]，乃散其众骑，使匿丛薄[646]之间，又遣人升山指麾[647]，若部分[648]军众者。铁勒望见，虽疑有伏兵，自恃其众，进军逼谨[649]。谨以常乘骏马，一紫一騧[650]，铁勒所识，乃使二人各乘一马突阵而出，铁勒以为谨也，争逐之。谨帅余军击其追骑，铁勒遂走，谨因得入塞[651]。

李崇长史钜鹿魏兰根[652]说崇曰："昔缘边初置诸镇，地广人稀，或征发中原强宗[653]子弟，或国之肺腑[654]，寄以爪牙[655]。中年[656]以来，有司号为'府户'[657]，役同厮养[658]，官婚班齿[659]，致失清流[660]。而本来族类[661]，各居荣显，顾瞻彼此，理当愤怨。宜改镇立州，分置郡县，凡是'府户'，悉免为民，入仕次叙[662]，一准其旧，文武兼用，威恩并施。此计若行，国家庶无北顾之虑矣。"崇为之奏闻，事寝，不报。

初，元义既幽胡太后，常入直于魏主所居殿侧，曲尽佞媚[663]，帝由是宠信之。义出入禁中，恒令勇士持兵以自先后[664]。时[665]出休于千秋门外，施木栏楯[666]，使腹心防守以备窃发[667]，士民求见者，遥对之而已。其始执政之时，矫情自饰[668]，以谦勤接物[669]，时事得失，颇以关怀。既得志，遂自骄慢，嗜酒好色，贪吝宝贿，与夺任情[670]，纪纲坏乱。父京兆王继尤贪纵，与其妻、子各受赂遗，请属有司[671]，莫敢违者。乃至郡县小吏亦不得公选[672]，牧、守、令、长[673]率皆贪污之人。由是百姓困穷，人人思乱。

武卫将军于景，忠之弟也，谋废义，义黜为怀荒镇将。及柔然入寇，镇民请粮，景不肯给，镇民不胜忿，遂反，执景，杀之。未几，

铁勒人的数千骑兵突然到来，于谨因为自己兵力太少，肯定打不过人数众多的敌人，如果撤退必然是死路一条，于是他就让手下的骑兵分散开来，分别隐藏在草木丛生的地方，又派人爬到山上指指点点，做出一种像是在分配、调度、指挥下面士兵采取行动的样子。铁勒的军队看到以后，虽然怀疑魏军在此处设有埋伏，但他们仗着自己人多势众，继续向着于谨逼近过来。于谨把自己经常骑的铁勒士兵都认识的两匹马，一匹紫色的、一匹身黄嘴黑的，让二个士兵分别骑着冲出敌人的军阵，铁勒的军队误认为是于谨突出了包围，便都争先恐后地跟去追击。于谨率领着余下的那些骑兵追击铁勒的追兵，铁勒骑兵于是逃走，于谨这才得以平安回到魏国境内。

在尚书令李崇属下担任长史的钜鹿郡人魏兰根对李崇说："过去在边境地区开始设置各军镇的时候，边境地区还是地广人稀，有时候就从中原地区征调那些豪族、有权势人家的子弟，或是征调帝王的近亲，把他们当作得力的将领，把边镇的安全寄托给他们。中期以来，有关部门把这些军镇管辖区域内的百姓叫作'府户'，把他们看作奴仆一样任意役使，而做官、联姻都要讲究门第高低，行伍出身或从事军队工作的官员则被人瞧不起，不被列入清流。原来那些没有投身军界、没有在军镇任职的家族子弟，又都各自占据着荣耀显赫的地位，相互对比，相差太悬殊，按理说这些投身军界、在军镇任职的豪族、有权势人家的子弟以及帝王的近亲心怀不满与怨恨是情有可原的。现在应该把军改为州，在州中设置郡、县，凡是'府户'，都要把他们当作平民对待，进入官场与职位的升迁，一律以他们投身军界以前的出身门第为准，文武兼用，恩威并施。如果能够照此办理，国家或许才能没有北顾之忧了。"李崇将魏兰根的意见代为上奏，奏章竟被搁置起来，没有得到任何批复。

当初，元义囚禁了胡太后以后，就经常到小皇帝所居住的宫殿旁边值勤，在小皇帝面前花言巧语、百般献媚讨好，小皇帝因此而宠信元义。元义出入宫中，经常命令勇士手持兵器在自己的前后护卫。有时出宫到千秋门外休息，就在自己休息的处所四周架起木栏杆，让自己的心腹人员站岗放哨，防备暗中突然发生事变，凡是有士民前来求见，都只能远远地看看他而已。元义开始执政的时候，为了掩饰自己的真实面目，就伪装成一副谦逊勤谨的样子待人接物，对于时政的得失，也很放在心上。等到自己得志以后，就逐渐地态度傲慢起来，喜欢喝酒、爱好美色，贪婪吝啬、收受贿赂，封赏谁、罢免谁全凭自己的爱憎，致使国家的法律法规被破坏，社会秩序陷于混乱。元义的父亲京兆王元继尤其贪婪放纵，他与自己的妻子、儿子全都收受贿赂、接受馈赠，他要求各部门都要按照他的心思办事，没有人敢违背他。以至于连郡里、县里的小官吏也不能秉公任用，州刺史、郡太守、县令、县长大体上都是贪污受贿之人。因此百姓困苦贫穷，人人都想造反。

担任武卫将军的于景，是于忠的弟弟，图谋废掉元义，元义就把于景贬为怀荒镇将。等到柔然入侵魏国的时候，怀荒军镇管辖区域内的百姓向于景请求发放粮食赈灾，于景不肯，镇民不胜愤怒，于是起来造反，他们活捉了于景，把于景杀死。

沃野镇民破六韩拔陵[674]聚众反，杀镇将，改元真王，诸镇华、夷之民往往响应，拔陵引兵南侵，遣别帅卫可孤[675]围武川镇[676]，又攻怀朔镇[677]。尖山贺拔度拔[678]及其三子允、胜、岳皆有材勇[679]，怀朔镇将杨钧擢度拔为统军，三子为军主以拒之。

魏景明[680]之初，世宗命宦者白整[681]为高祖及文昭高后[682]凿二佛龛于龙门山[683]，皆高百尺。永平[684]中，刘腾复为世宗凿一龛，至是二十四年，凡用十八万二千余工而未成。

秋，七月辛亥[685]，魏诏："见在朝官[686]，依令七十合解[687]者，可给本官半禄，以终其身。"

九月，魏诏侍中、太尉汝南王悦入居门下，与丞相高阳王雍参决尚书奏事。

冬，十月庚午[688]，以中书监、中卫将军袁昂为尚书令，即本号开府仪同三司。

魏平恩文宣公崔光[689]疾笃，魏主亲抚视之，拜其子励为齐州刺史，为之撤乐，罢游眺。丁酉[690]，光卒，帝临，哭之恸，为减常膳。

光宽和乐善，终日怡怡[691]，未尝忿恚。于忠、元义用事，以光旧德[692]，皆尊敬之，事多咨决，而不能救裴、郭、清河之死，时人比之张禹、胡广[693]。光且死，荐都官尚书贾思伯为侍讲，帝从思伯受《春秋》。思伯虽贵，倾身[694]下士。或问思伯曰："公何以能不骄？"思伯曰："衰至便骄[695]，何常之有？"当时以为雅谈。

十一月癸未朔[696]，日有食之。

甲辰[697]，尚书左仆射王暕卒。

梁初唯扬、荆、郢、江、湘、梁、益七州[698]用钱，交、广[699]用金银，余州杂以谷帛交易。上乃铸五铢钱[700]，肉好，周郭[701]皆备。别铸无肉郭[702]者，谓之"女钱"。民间私用古[24]钱[703]交易，禁之不能止，

不久，沃野军镇管辖区域内的镇民破六韩拔陵聚众造反，他们杀死了沃野镇将，改年号为真王元年，各军镇内的汉人、少数民族到处起来响应，破六韩拔陵率领着这些跟随自己造反的士兵向南侵略，他派遣另外一支头领名叫卫可孤的部队包围了武川镇，又进攻怀朔镇。尖山县人贺拔度拔和他的三个儿子贺拔允、贺拔胜、贺拔岳都有强健的体格和勇力，怀朔镇镇将杨钧提拔贺拔度拔为统军，贺拔度拔的三个儿子为军主，一同抵抗卫可孤的进攻。

魏宣武帝景明初年，世宗元恪命令宦官白整在龙门山为高祖和高祖的文昭高皇后开凿了两个佛龛，两个佛龛都高达百尺。宣武帝永平中期，宦官刘腾又在龙门山为世宗开凿佛龛，从那时到现在已经过去了二十四年，总共花费了十八万二千多个工时还没有凿成。

秋季，七月二十七日辛亥，魏国的小皇帝下诏："现在在职的朝廷官员，依照法律规定，年满七十应该解职退休的人，可以发给他们原来一半的俸禄，用来颐养天年。"

九月，魏国的小皇帝下诏，命令担任侍中、太尉的汝南王元悦到门下省任职，与担任丞相的高阳王元雍一同参与裁决尚书省的奏章。

冬季，十月十七日庚午，梁武帝任命担任中书监、中卫将军的袁昂为尚书令，以尚书令的名号开府仪同三司。

魏国的平恩文宣公崔光病势沉重，魏国的小皇帝亲自到他的府上安慰他、探望他，并任命崔光的儿子崔励为齐州刺史，因为崔光病重之事，小皇帝还取消了奏乐，停止了游览。十一月十五日丁酉，崔光去世，小皇帝亲自到崔光的灵前吊唁，哭得非常悲恸，因为崔光的去世，小皇帝减少了每天的正常饮食。

平恩文宣公崔光为人宽厚和气、乐于为善，每天都是一副和颜悦色的样子，从来没有流露过自己的愤怒与怨恨。于忠、元义先后掌握大权，因为崔光是位德高望重的老臣，众人都很尊敬他，很多事情都先征求崔光的意见再作决定，然而崔光没能挽救裴植、郭祚以及清河王元怿之死，当时的人遂把崔光比作是汉朝的张禹、胡广。崔光在临死的时候，向孝明帝推荐担任都官尚书的贾思伯为侍讲，孝明帝跟随贾思伯学习《春秋》。贾思伯虽然地位高贵了，却谦卑自身、礼待士人。有人问贾思伯说："先生是怎么做到不骄傲的？"贾思伯回答说："当一个人快要走下坡路衰败才骄傲，哪有什么永恒？"当时的人认为他说话高雅。

十一月初一日癸未，发生日食。

二十二日甲辰，梁国担任尚书左仆射的王暕去世。

梁国初年只有扬州、荆州、郢州、江州、湘州、梁州、益州这七个州在做交易的时候使用铜钱，交州、广州使用的是金银，其他的州则用粮食、布帛、绸缎做交易。于是梁武帝就下令铸造五铢钱，新铸造的五铢钱钱体、钱眼、钱郭都完好齐备。而另行铸造的只有钱体而没有厚起的周边的钱则被称为"女钱"。民间私自用古钱进行交易，朝廷虽然明令禁止使用古钱，但不能阻止，于是决定全部禁止使用铜钱。

乃议尽罢铜钱。十二月戊午⑰⓪④，始铸铁钱。

魏以汝南王悦为太保。

【段旨】

以上为第三段，写梁武帝萧衍普通三年（公元五二二年）、四年共两年间的大事。主要写了魏国遣人到西域乾罗国取经，两年后返回洛阳。写了被魏国安置在居延泽的柔然可汗婆罗门逋投嚈哒，魏将出兵讨擒之。写了魏之元孚出使劳慰柔然可汗阿那瓌，阿那瓌挟持元孚以侵掠魏边，结果元孚以辱命被判罪，魏将李崇、元纂出兵伐柔然，所战皆捷。写了魏兰根上书言军镇制度之弊病、所存矛盾之尖锐，魏之执政皆不听。写了魏宦官刘腾之死，魏廷为之治丧，如失考妣。写了元继、元义父子为政之贪婪，致使请托公行，魏国人心思乱。写了魏人破六韩拔陵作乱，杀沃野镇将，围武川、攻怀朔，北方诸镇多陷混乱之中。写了梁萧宏之子萧正德因未能为皇太子而逃到魏国，又因不受魏人重视而返回梁国，萧衍对此竟不加惩治，仍复其原职；以及梁国废止一切铜钱，改铸铁钱等。

【注释】

⑤⑥④正月庚子：正月初七。⑤⑥⑤辛亥：正月十八。⑤⑥⑥籍田：皇帝的农业示范田，皇帝亲自在籍田上劳动，一是表示自己对农业的重视，二是想通过自己的示范作用，鼓励全国农民积极从事农业生产。据说，籍田上收获的粮食用以祭祀宗庙。⑤⑥⑦宋云与惠生：二人是奉魏国胡太后之命前往西域取经的人，宋云是魏国的使者，惠生是魏国的和尚。二人奉命西行事见本书上卷天监十七年。⑤⑥⑧赤岭：今名日月山，在今青海的湟源西，因土石皆赤，不生草木而得名。⑤⑥⑨再期：一共经过两周年。⑤⑦⓪乾罗国：地址不详，他处亦未见此国之名。⑤⑦①四月庚辰：四月十九。⑤⑦②五月壬辰朔：五月初一是壬辰日。⑤⑦③既：尽；日全食。⑤⑦④癸巳：五月初二。⑤⑦⑤大赦：梁国宣布大赦。⑤⑦⑥十一月甲午：十一月初六。⑤⑦⑦始兴忠武王憺：萧憺，梁武帝萧衍之弟，被封为始兴郡王，忠武二字是谥。始兴郡的郡治在今广东韶关市西南侧。⑤⑦⑧乙巳：十一月十七。⑤⑦⑨圜丘：皇帝祭天的坛台。今北京市天坛公园之圜丘就是清代皇帝祭天的地方。⑤⑧⓪魏世宗：即宣武帝元恪，庙号世宗。公元五〇〇至五一五年在位。⑤⑧①《玄始历》：魏国此前使用的历法，自宋文帝元嘉二十九年（公元四五二年）开始使用。⑤⑧②浸疏：差得越来越多。⑤⑧③张龙祥：有本作“张农祥”。⑤⑧④以壬子为元：以壬子年作为新历法推算的开端。⑤⑧⑤应魏之水德：目的是与魏国的以水德称帝相应。秦汉时期的方士们用五行相生相克的学说来附会王朝命运的兴废。鲜卑人也学这一套，因他们是兴起于北方，故自称“水德”。胡三省曰：“壬癸，水也，水旺于子，故

十二月初六日戊午，开始铸造铁钱。

魏国朝廷任命汝南王元悦为太保。

以壬子为元。”586 丙午：十一月十八。587 十二月乙酉：十二月二十七。588 元钦：景穆帝拓跋晃之孙，阳平王拓跋新成之子。传见《魏书》卷十九上。589 太子统：梁武帝萧衍的太子萧统，未继位而死，谥曰昭明。传见《梁书》卷八。590 正德：萧正德，临川王萧宏的第三子。侯景叛乱，立正德为天子，后被杀。传见《梁书》卷五十五。591 少粗险：自幼粗鲁阴险。592 意望东宫：希望当皇太子。593 还本：又回到了他原来的生父萧宏那里。594 伯：指萧衍。595 父：指萧宏。596 远营葬地：离开洛阳远远地出去为其子寻觅地点、建造坟墓，其实是准备逃跑。597 诲：教导；训导。598 石：重量单位，一百二十斤为一石。599 代人费穆：代郡人费穆，此时任平西将军府的长史。代郡的郡治即今山西大同。600 破胆：以喻恐惧之极，此处指令其吃到苦头，接受教训。601 终恐疲于奔命：恐怕我们日后总要为征讨他们而疲于奔命。602 简练：挑选。603 羸：瘦弱；病弱。604 正月辛卯：正月初四。605 丙午：正月十九。606 二月乙亥：二月十八。607 己亥：二月戊午朔，无己亥，恐记载有误。《魏书·肃宗纪》作“己卯”，二月二十二。608 元孚：太武帝拓跋焘之曾孙，临淮王元谭之孙。元孚此时任尚书左丞。传见《魏书》卷十八。609 陈便宜：提出了临时制宜的解决办法。610 天祚大魏：老天爷保佑我们魏国。祚，福，这里用为动词，意即保佑。611 鸠其散亡：把逃散的柔然人集合起来。鸠，集、聚合。612 汉宣：汉宣帝，名询，汉武帝的曾孙，公元前七三至前四九年在位。613 呼韩款塞：匈奴呼韩邪单于前来归降汉王朝。当时匈奴内乱不已，国内有数单于并立，呼韩邪单于被其他部落打败，于是投归汉王朝，寻求帮助。事在汉宣帝甘露二年（公元前五二年），见本书卷二十七与《汉书·匈奴传》。款塞，叩边关的门，这里即指归降、投诚。614 送出朔方：送呼韩邪单于北出朔方郡回匈奴。朔方，汉郡名，郡治在今内蒙古乌拉特前旗东南。615 因留卫助：两员汉将就在呼韩邪的驻地留下来，帮助与保护呼韩邪单于开展各项活动。616 光武：光武帝刘秀，东汉的开国皇帝，公元二五至五七年在位。617 中郎将：中郎将是皇帝的卫队长，上属于郎中令。618 置安集掾史：设立了一个协助匈奴单于维持所部秩序的官员。掾史，古代官吏级别不很高的类名。东汉初期的匈奴局势仍像西汉后期一样混乱，大体说来是分成两大部分，南边靠近汉王朝的部分，称作“南匈奴”，基本上是依附于汉王朝；靠北的部分称作“北匈奴”，比较凶狠好战，经常发动对南匈奴与汉王朝边境的战争。刘秀派段彬出使南匈奴，为南匈奴设立安集掾史的一回，是在建武二十六年。当时的南匈奴居住在今内蒙古河套一带，经常受到北匈奴的侵扰，请求汉王朝给予保护。于是汉王朝设立了匈奴中郎将，率军驻扎在南匈奴地区。详情见本书卷

四十四与《后汉书·匈奴传》。⑲粗置官属：大体设立一个相应的办事衙门。粗，大致地。⑳亲不至矫诈：关系最密近时也要防备不要被它欺骗。㉑疏不容反叛：关系最疏远时也要掌握别让它叛变。㉒最策之得：最好不过的状态就是如此。㉓义息：义子；干儿子。㉔重服：亲缘关系近的孝服，最重的孝服即斩衰。㉕衰绖：身穿丧服，腰系麻绳。衰，丧服，有齐衰、斩衰之分。绖，麻织的带子，系在头上与腰间。㉖白虎幡：绣有白虎图像的竖旗，朝廷的使者持之以宣布皇帝的诏令。㉗柔玄、怀荒二镇：魏国北部边境上的两个军镇名，柔玄镇的驻地在今河北尚义西，怀荒镇的驻地即今河北张北县。㉘辒车：也称辒凉车，可以防寒防晒、可坐可卧的车子。㉙坐孚东厢：让元孚坐在大堂的东侧。东厢，这里即指坐在东侧，面向西。㉚抵罪：处以辱命之罪。抵，当、判处。㉛甲申：四月二十八。㉜左仆射元纂：魏中山王元英之子，元熙之弟。传见《魏书》卷十九下。㉝于谨：魏国大臣于忠的侄曾孙，当时的名将，后以定关西之功屡任要职，在周封燕国公。传见《周书》卷十五。㉞郁对原：具体方位不详。㉟屏居：隐居；不问世事地居住在……。屏，排除。㊱州郡之职：指在州郡当小吏，绝不是指任太守、刺史那种方面大员。㊲昔人所鄙：过去是被人瞧不起的。东汉时的梁竦曾说，“州郡之职，徒劳人耳”。意思是做州郡的小吏，只是令人烦劳而已。事见《后汉书》卷六十四。㊳台鼎之位：指朝廷上的三公。过去常以三公与天上的三台星，鼎的三足相比，极言其地位之崇高与作用之重大。㊴时：时机；机遇。㊵辟：聘任，聘任于谨当自己的僚属。㊶觇候：伺探敌情。觇、候，都是窥视、伺探的意思。㊷属：正好；正好碰上。㊸铁勒：也称“敕勒”，高车族的别称。㊹奄至：突然而至。㊺不免：不能逃脱，死路一条。㊻丛薄：草木丛生的地方。㊼升山指麾：爬到山上去做出一种像是指挥下面士兵行动的样子。升，登、爬上。指挥，意同“指挥”。㊽部分：分配；调动。㊾逼谨：向着于谨围拢过来。㊿騧：身黄嘴黑的马。(651)入塞：回到魏国的边境之内。塞，国境上的边防工事。(652)钜鹿魏兰根：钜鹿是魏郡名，郡治曲阳，在今河北晋州西侧。魏兰根此时为李崇做僚属，后官至尚书右仆射。传见《北齐书》卷二十三。(653)强宗：豪族；有权势的人家。(654)国之肺腑：帝王的近亲。(655)寄以爪牙：把他们当作得力的将领，把边镇的安全寄托给他们。爪牙，以喻猛将，语出《诗经·祈父》：“祈父！予王之爪牙。”(656)中年：中期。(657)号为府户：有人称这些军镇管辖区内的百姓叫作府户。(658)役同厮养：这些在军镇管辖下生活的人如同奴仆。厮、养，都是奴仆的意思，只是分工不同而已。《公羊传》韦昭注：“析薪为厮，炊烹为养。”(659)官婚班齿：做官、联姻都要讲究门第高低，行伍出身或从事军队工作的官员都被人瞧不起。(660)致失清流：不被列入清流。“清流”指清正儒雅的上流人。本卷开头写张彝因提此主张而被禁军打死，可见矛盾之尖锐。不入清流的家族在进入官场、与人通婚等问题上都将受到严重的歧视。(661)本来族类：那些没有投身军界、没在军镇任职的家族。(662)入仕次叙：进入官场与职位的升迁。次叙，按资格提升。叙，提升、任用。(663)佞媚：花言巧语、献媚讨好。⑥⑥④以自先后：在自己的前后护卫。⑥⑥⑤时：有时。⑥⑥⑥施木栏楯：在自己休息的处所四围架起木栏杆。⑥⑥⑦窃发：暗中突然发生事变。⑥⑥⑧矫情自饰：掩饰真情，外表装得好好的。⑥⑥⑨谦勤接物：谦虚礼貌地对待人。⑥⑦⓪与夺任情：封赏谁与罢免谁全凭自己的爱憎。⑥⑦①请属有司：让各部门按照他们的心思办事。请属，要求与嘱托。属，同“嘱”。⑥⑦②不得公选：没法秉公任用。⑥⑦③牧、守、令、长：州刺史、郡太守、县令、县长。凡大县的长官称令，小县的长官称长。⑥⑦④破六韩拔陵：匈奴单于的后代，姓破六韩，名拔陵。破六韩，又称“破洛汗”。⑥⑦⑤别帅卫可孤：另派出的一支军队其头领名卫可孤。⑥⑦⑥武川镇：镇址在今内蒙古武川县西。⑥⑦⑦怀朔镇：镇址在今内蒙古固阳西南侧。⑥⑦⑧尖山贺拔度拔：尖山县人名贺拔度拔。尖山县属神武郡，在今内蒙古武川县一带。贺拔度拔与其三子贺拔允、贺拔胜、贺拔岳，皆见于《北齐书》卷十九、《周书》卷十四。⑥⑦⑨材勇：体格与勇力。⑥⑧⓪景明：宣武帝元恪的第一个年号（公元五〇〇至五〇三年）。⑥⑧①白整：魏孝文帝、宣武帝时期的宦官，曾被任为长秋卿，卒赠平北将军、并州刺史。传见《魏书》卷九十四。⑥⑧②文昭高后：孝文帝元宏的高皇后，谥曰文昭。传见《魏书》卷十三。⑥⑧③龙门山：也称“伊阙”，在今河南洛阳城南。所谓“佛龛”即今之龙门石窟。⑥⑧④永平：宣武帝元恪的第三个年号（公元五〇八至五一一年）。⑥⑧⑤七月辛亥：七月二十七。⑥⑧⑥见在朝官：现在在职的朝廷官员。⑥⑧⑦七十合解：年满七十应该退休的人。解，解除职务。⑥⑧⑧十月庚午：十月十七。⑥⑧⑨平恩文宣公崔光：崔光生前被封为平恩郡公，死后谥曰文宣。⑥⑨⓪丁酉：十一月十五。〖按〗依例“丁酉”上应有“十一月”三字，《魏书·肃宗纪》作“十一月丁酉”。⑥⑨①怡怡：和悦的样子。⑥⑨②旧德：德高望重的老臣。⑥⑨③张禹、胡广：汉代的两个佞幸之臣。张禹在西汉成帝时为丞相，当时外戚王氏专政，张禹虽然是帝师，也只唯诺逢迎，只求保有自己的富贵。传见《汉书》卷八十一。胡广历侍东汉六帝，官至太傅。当时朝廷衰微，外戚宦官专政，胡广只图自保。当时京中有谚语说：“万事不理问伯始，天下中庸有胡公。”传见《后汉书》卷七十四。⑥⑨④倾身：犹言“尽心”。《魏书·贾思伯传》作“轻身下士”，轻卑自身，礼待士人。⑥⑨⑤衰至便骄：当一个人快要走下坡路才骄傲。⑥⑨⑥癸未朔：十一月初一。⑥⑨⑦甲辰：十一月二十二。⑥⑨⑧扬、荆、郢、江、湘、梁、益七州：扬州的州治建康，即今南京，荆州的州治江陵，即今湖北江陵西北的纪南城，郢州的州治夏口，即今湖北武汉的汉口，江州的州治湓城，即今江西九江市，湘州的州治即今湖南长沙，梁州的州治即今陕西汉中，益州的州治即今四川成都。⑥⑨⑨交、广：梁之二州名，交州的州治龙编，在今越南河内的东北，广州的州治即今广东广州。⑦⓪⓪五铢钱：铜钱的重量为五铢。当时以二十铢为一两。⑦⓪①肉好二句：铜钱的钱体称肉，铜钱的方孔称好，铜钱周边厚起的部分称郭。⑦⓪②无肉郭：光有钱体而没有厚起的周边。⑦⓪③古钱：前代流传下来的铜钱。⑦⓪④十二月戊午：十二月初六。

【校记】

［23］魏世宗：原作“魏世祖”。据章钰校，十二行本、乙十一行本、孔天胤本皆作“魏世宗”，今据改。〖按〗《魏书 · 律历志》载魏世祖平凉州得《玄始历》，世宗景明中命更造新历。［24］古：原作“女”。据章钰校，十二行本、乙十一行本、孔天胤本皆作“古”，今据改。

【研析】

本卷写梁武帝萧衍天监十八年（公元五一九年）至普通四年（公元五二三年）共五年间南梁与北魏两国的大事。其中可议论的有如下几点。

第一，魏国征西将军张彝之子身为给事中的张仲瑀向朝廷建言，要求修改选拔官员的条例，要求“排抑武人，不使豫清品”。消息传开，骂声四起，反应最迅速、最强烈的是京城里的禁卫部队，他们公开地张贴告示，集合人马，约定时间要同时动手以捣毁张氏家族。结果朝廷上下竟置若罔闻，没有一个人出来干涉一声；而张氏家族竟也“父子晏然，不以为意”。于是一场暴乱发生了。暴乱分子们“羽林、虎贲近千人，相帅至尚书省诟骂”，捉拿张仲瑀之兄左民郎中张始均，没有抓到，暴徒们遂“以瓦石击省门”，而整个尚书省的官员竟“上下慑惧，莫敢禁讨”。接着暴乱分子们“遂持火掠道中薪蒿，以杖石为兵器”，蜂拥地杀向张彝家。他们“曳彝堂下，捶辱极意，唱呼动地，焚其第舍。始均逾垣走，复还拜贼，请其父命，贼就殴击，生投之火中。仲瑀重伤走免，彝仅有余息，再宿而死”。结果是老臣张彝被打死，大儿子张始均被投入火中烧死，张仲瑀受重伤逃脱。这场暴乱发生在皇帝脚下、宫掖跟前，活活打死官居一品的朝廷大臣，可以说是亘古所未闻。胡太后是怎么处理的呢？她先是“收掩羽林、虎贲凶强者八人斩之，其余不复穷治”，只杀了几个最冒尖的小卒以搪塞事端，其他一概不问。接着又宣布“大赦以安之”，让其他诸多的暴乱分子们安下心来；接着又宣布张仲瑀的建议不算数，而“令武官得依资入选”。

这里边的问题有两方面，一个是自命清高儒雅的朝野士族轻视职业军人、职业武将的问题，这个问题首先发生在南朝。东晋以来的南朝军队软弱怯懦，不堪一击，造成这种现实的原因很多，但军人的待遇可怜，等同于奴隶；将军的地位低下，被整个上流社会所鄙视，则是其中重要的原因之一。钱穆《国史大纲》曾说：“兵卒在当时的社会上变成一种特殊卑下的身份，固与贵族封建时代兵队即贵族者有异；亦与西汉定制，凡国家公民皆需服兵役者不同。军人的地位只与奴隶、罪犯相等，从军只是当苦役。”全国的军队如此，而驻守边疆的军队与将军的身份，尤其受人歧视。北朝的制度是亦步亦趋地效法南朝，北朝氏族之蔑视边方镇将的程度比起南朝还要更令人憎恶。这是造成魏国后来那些边镇纷起作乱的重要原因。这是一个尖锐矛盾的火药桶，贵族成性的张仲瑀不小心失手点燃了它，引起了一场毁灭家族的暴乱；而愚蠢的张彝竟在临死前还坚持说："臣第二息仲瑀所上之事，益治实多，既曰有益，宁容默尔？通呈有日，未简神听；岂图众忿，乃至于此！"（《魏书·张彝传》）作乱者是禁卫部队的士兵，背后站着的是一群大大小小的军中的将领。胡太后知道问题的严重性，她不敢得罪人太多，因此只好和稀泥；张彝竟至死不悟，真是活该！至于问题闹到如此地步，以及最后如此解决，也的确说明北魏王朝已经是病入膏肓了。

第二，本卷写了魏国上自帝后，下至王公贵族普遍贪婪、自私、奢侈、腐朽的惊人。文章写帝后与上流社会无限度地兴建佛寺说："太后好佛，营建诸寺，无复穷已，令诸州各建五级浮图，民力疲弊。诸王、贵人、宦官、羽林各建寺于洛阳，相高以壮丽。太后数设斋会，施僧物动以万计，赏赐左右无节，所费不赀，而未尝施惠及民。"文章写胡太后以府库之物赏赐群臣说："魏累世强盛，东夷、西域贡献不绝，又立互市以致南货，至是府库盈溢。胡太后尝幸绢藏，命王公、嫔主从行者百余人各自负绢，称力取之，少者不减百余匹。尚书令、仪同三司李崇，章武王融负绢过重，颠仆于地，崇伤腰，融损足，太后夺其绢，使空出，时人笑之。融，太洛之子也。侍中崔光止取两匹，太后怪其少，对曰：'臣两手唯堪两匹。'众皆愧之。"尤其令人憎恶的是文章还写了魏国王公大臣的斗富："时魏宗室权幸之臣，竞为豪侈，高阳王雍，富贵冠一国，宫室园圃，侔于禁苑，僮仆六千，妓女五百，出则仪卫塞道路，归则歌吹连日夜，一食直钱数万。李崇富埒于雍而性俭啬，尝谓人曰：'高阳一食，敌我千日。'河间王琛，每欲与雍争富，骏马十余匹，皆以银为槽，窗户之上，玉凤衔铃，金龙吐旆。尝会诸王宴饮，酒器有水精钟，马脑椀，赤玉卮，制作精巧，皆中国所无。又陈女乐、名马及诸奇宝，复引诸王历观府库，金钱、缯布，不可胜计，顾谓章武王融曰：'不恨我不见石崇，恨石崇不见我！'融素以富自负，归而惋叹，卧疾三日。京兆王继闻而省之，谓曰：'卿之货财计不减于彼，何为愧羡乃尔？'融曰：'始谓富于我者独高阳耳，不意复有河间！'"想不到当初《世说新语》中王恺、石崇相互斗富的情景，又在北魏出现了。由此可见这些少数民族的贵族社会竟腐朽、空虚到了何种的程度！

第三，本卷用大量的篇幅写了柔然内部的矛盾、混乱与相互篡杀；写了柔然与高车族的相互斗争与相互消长，以及魏国对其背后的北方民族所采取的政策等。这里写到了柔然可汗又背信叛魏，魏将于谨奉命追击柔然，"前后十七战，屡破之"。而后又加叙了一个于谨镇守边城与铁勒作战的故事说："后帅轻骑出塞觇候，属铁勒数千骑奄至，谨以众寡不敌，退必不免，乃散其众骑，使匿丛薄之间，又遣人升山指麾，若部分军众者。铁勒望见，虽疑有伏兵，自恃其众，进军逼谨。谨以常乘骏马，一紫一骝，铁勒所识，乃使二人各乘一马突阵而出，铁勒以为谨也，争逐之。谨帅余军击其追骑，铁勒遂走，谨因得入塞。”这段文章的框架，是模仿《史记·李将军列传》所写的李广追杀射雕者而突遇匈奴大军的情景；所不同的在这里是于谨派人上山假做指麾、调度之状以迷惑敌军；又派人骑自己之马突围，吸引敌兵追赶，而自己从后追击之，此又与《三国志》所写的赵云的破敌方法相似。皆见作者的文章技巧之高。

卷第一百五十　梁纪六

起阏逢执徐（甲辰，公元五二四年），尽旃蒙大荒落（乙巳，公元五二五年），凡二年。

【题解】

本卷写梁武帝萧衍普通五年（公元五二四年）、六年共两年间南梁与北魏两国的大事。主要写了魏国北部的变民领袖破六韩拔陵连续打败临淮王元彧所率领的朝廷军，随后又攻下了武川、怀朔二镇；接着高平镇的百姓又反，以应破六韩拔陵，北方州镇全部落入了破六韩拔陵之手。写了柔然王阿那瓌助魏讨伐破六韩拔陵，屡破其兵。写了魏将元渊用参军于谨之谋，招得铁勒三万户来降，又大败破六韩拔陵之众。写了魏国西部的二夏、豳、凉地区民变并起，杀其刺史李彦、崔游，变民领袖莫折大提与其子莫折念生先后相继称王，其部将莫折天生攻陷岐州，擒杀魏将元志与刺史裴芬之，又攻泾州，打败了光禄大夫薛峦。写了魏将萧宝寅、崔延伯先是打败了莫折天生，后又被莫折念生之将万俟丑奴、宿勤明达所打败，崔延伯战死，魏国的朝廷为之震恐。写了梁武帝萧衍乘魏国北部、西部大乱之际，使其将裴邃、萧渊藻等率军北出，攻取了新蔡、郑城，汝、颍之地响应；裴邃又大破魏军于寿阳城下，斩首万余级；又攻取狄城、曲阳、秦墟、东莞、马头诸城，成景儁又攻拔睢陵、彭宝孙又攻拔琅邪，致使魏之诸将多弃城

【原文】

高祖武皇帝六

普通五年（甲辰，公元五二四年）

春，正月辛丑①，魏主祀南郊。

三月，魏以临淮王彧②都督北讨诸军事，讨破六韩拔陵③。

夏，四月，高平镇民赫连恩④等反，推敕勒⑤酋长胡琛为高平王，攻高平镇以应拔陵。魏将卢祖迁击破之，琛北走。

卫可孤⑥攻怀朔镇经年，外援不至，杨钧⑦使贺拔胜⑧诣临淮王

走，东海太守、荆山戍主皆以城降；梁国中路的李国兴又取魏之三关，进围义阳；西路的梁将曹义宗又攻取了魏国的顺阳郡；其中影响巨大而又充满戏剧性的是魏国的徐州刺史元法僧率部降梁，梁使名将陈庆之、成景儁等接应之，魏将元鉴往讨元法僧，被元法僧打败，从而使徐州落入梁人之手；接着身任徐州刺史的梁武帝萧衍之子萧综公然背叛萧衍，竟以徐州刺史的身份投降了魏国，致使徐州的梁军损失十之七八，魏国又不费吹灰之力拿回了徐州。此外还写了魏之乱臣元义对胡太后禁防渐缓，胡太后遂与魏主元诩定谋，解除了元义的一切职务，重新恢复摄政，接着便据刘腾之墓，诛其养子，又依次罢去侯刚，杀死贾粲，又在群臣的坚持下杀了元义，罢黜了元继，使乱党基本肃清，但胡太后又宠幸郑俨、徐纥，二人勾结，群臣附之，魏政日益混乱。还写了梁朝名将裴邃病死军中，以及在魏国的频繁叛乱中斛律金、尔朱荣、高欢等纷纷崭露头角，为他们日后的叱咤风云做了铺垫。

【语译】

高祖武皇帝六

普通五年（甲辰，公元五二四年）

春季，正月二十日辛丑，魏孝明帝元诩在洛阳的南郊举行祭天典礼。

三月，魏国朝廷任命临淮王元彧为都督北讨诸军事，率军讨伐聚众造反的沃野镇民破六韩拔陵。

夏季，四月，魏国高平镇的百姓赫连恩等人起兵造反，他们推举敕勒族的酋长胡琛为高平王，高平王胡琛率众攻打高平镇以响应破六韩拔陵。魏国将领卢祖迁出兵将其打败，胡琛向北方逃走。

破六韩拔陵的部将卫可孤率军围攻怀朔镇已经一年，外面的援军一直不见踪影，怀朔镇将杨钧派手下将领贺拔胜到临淮王元彧那里告急求救。贺拔胜招募了十多名

彧告急。胜募敢死少年十余骑，夜伺隙溃围出，贼骑追及之，胜曰：“我贺拔破胡⑨也！”贼不敢逼。胜见彧于云中⑩，说之曰：“怀朔被围，旦夕沦陷，大王今顿兵不进，怀朔若陷，则武川⑪亦危，贼之锐气百倍，虽有良、平⑫，不能为大王计矣。”彧许为出师。胜还，复突围而入。钧复遣胜出觇⑬武川，武川已陷。胜驰还，怀朔亦溃，胜父子俱为可孤所虏。

五月，临淮王彧与破六韩拔陵战于五原⑭，兵败，彧坐削除官爵。安北将军陇西李叔仁又败于白道⑮，贼势日盛。

魏主引丞相、令、仆、尚书、侍中、黄门于显阳殿，问之曰：“今寇连恒、朔⑯，逼近金陵⑰，计将安出？”吏部尚书元脩义⑱请遣重臣督军镇恒、朔⑲以捍寇。帝曰：“去岁阿那瓌叛乱，遣李崇北征，崇上表求改镇为州，朕以旧章难革⑳，不从其请。寻㉑崇此表，开镇户㉒非冀之心㉓，致有今日之患。但既往难追，聊复略论㉔耳。然崇贵戚重望㉕，器识㉖英敏，意欲还[1]遣崇行，何如？”仆射萧宝寅等皆曰：“如此，实合群望。”崇曰：“臣以六镇遐僻，密迩寇戎㉗，欲以慰悦彼心，岂敢导之为乱！臣罪当就死，陛下赦之。今更遣臣北行，正是报恩改过之秋。但臣年七十，加之疲病，不堪军旅，愿更择贤材。”帝不许。脩义，天赐之子也。

臣光曰：“李崇之表，乃所以销祸于未萌，制胜于无形㉘。魏肃宗既不能用，及乱生之后，曾无愧谢之言㉙，乃更以为崇罪，彼不明之君，乌可与谋哉！《诗》云：‘听言则对，诵言如醉，匪用其良，覆俾我悖㉚’，其是之谓矣。”

敢死少年骑兵，利用黑夜做掩护寻找机会杀出叛贼的重围，贼军的骑兵追上了贺拔胜等人，贺拔胜大声说：“我是贺拔破胡！”贼军骑兵遂不敢向他逼近。贺拔胜到云中郡求见临淮王元彧，他对元彧说：“怀朔镇被叛民围困了一年，现在已经是危在旦夕，大王如今不肯出兵前往救援，怀朔镇一旦落入叛贼的手中，那么武川镇也就危险了，到那时贼军的锐气就会增加一百倍，即使有张良、陈平那样善于出谋划策的人出来，也无法为大王想出好办法了。”元彧这才答应出兵救援怀朔镇。贺拔胜返回的时候，再次突破叛贼的包围进入怀朔镇。镇将杨钧又派遣贺拔胜前往探测武川镇的情况，而武川镇此时已经被贼军攻陷。贺拔胜飞马返回了怀朔镇，怀朔镇也很快就被叛军攻破了，贺拔胜父子全被卫可孤俘虏。

五月，临淮王元彧在五原与叛民首领破六韩拔陵作战中失败，元彧因此被剥夺了官职和爵位。担任安北将军的陇西人李叔仁又在白道与叛民作战失败，于是贼军的声势越来越强大。

魏孝明帝在显阳殿召见丞相、尚书令、尚书仆射、尚书、侍中、黄门，向他们询问说：“如今恒州、朔州的寇盗连成一片，已经逼近先公先王的陵园金陵，你们有什么消灭寇盗的好办法？”担任吏部尚书的元脩义请求派遣重要大臣统军镇守恒州、朔州，以抵御那些贼寇。孝明帝说：“去年柔然可汗阿那瓌背叛魏国的时候，朝廷派李崇率军北征，李崇曾经上表给朝廷，请求将军镇改为州，我当时认为旧有的规章制度很难改变，所以没有听从李崇的建议。令人没有想到的是李崇的这道奏章，竟然引发了镇将与军镇上各级将士的非分之想，才导致了今天的祸患。但是已经过去了的事情就很难再追回来，现在也不过是随便说说而已。然而李崇既是贵戚，又有很高的威望，气度、见识英明敏锐，所以我想再派遣李崇前往，你们认为怎么样？”担任尚书左仆射的萧宝寅等人都说：“如果这样，确实符合大家的愿望。”李崇说：“我因为北方六镇遥远偏僻，靠近敌对的戎狄之邦，主张改镇为州是想安慰镇将之心，让他们高兴，怎敢引导他们制造叛乱！我的罪过应当被处死，而皇帝陛下赦免了我。如今又派遣我前往北方，正是我报恩改过的好机会。只是我现在已经七十岁了，再加上疲劳多病，承受不了行军打仗的艰辛，所以希望另外选派贤能的人前去。”孝明帝不同意李崇的意见。元脩义，是元天赐的儿子。

司马光说：“李崇所上的请求改军镇为州的表章，是把灾祸消灭在还没有萌芽的状态，把祸患解决在还没有爆发之前的好办法。魏肃宗当时没有能够采纳李崇的建议，等到祸乱发生之后，竟然连句认错道歉的话都没有，反而更加认定是李崇的罪过，像元诩这样一个不明是非的国君，怎么可以和他共同筹划国事呢！《诗经·桑柔》说：‘好听的话就回答，听到诤言就装醉，贤良之士不肯用，反而视我为悖狂’，说的就是魏孝明帝这种人。”

壬申㉛，加崇使持节、开府仪同三司、北讨大都督，命抚军将军崔暹㉜、镇军将军广阳王渊㉝[2]皆受崇节度。渊，嘉之子也。

六月，以豫州刺史裴邃㉞督征讨诸军事以伐魏。

魏自破六韩拔陵之反，二夏㉟、豳、凉㊱寇盗蜂起。秦州㊲刺史李彦，政刑残虐，在下皆怨，是月，城内薛珍等聚党突入㊳州门，擒彦，杀之，推其党莫折大提为帅，大提自称秦王。魏遣雍州刺史元志㊴讨之。

初，南秦州㊵豪右㊶杨松柏兄弟，数为寇盗，刺史博陵崔游㊷诱之使降，引为主簿，接以辞色㊸，使说下群氐㊹，既而因宴会尽收斩之，由是所部㊺莫不猜惧。游闻李彦死，自知不安，欲逃去，未果。城民张长命、韩祖香、孙掩等攻游，杀之，以城应大提。大提遣其党卜胡袭高平，克之，杀镇将赫连略、行台高元荣。大提寻卒，子念生自称天子，置百官，改元天建。

丁酉㊻，魏大赦。

秋，七月甲寅㊼，魏遣吏部尚书元脩义兼尚书仆射，为西道行台，帅诸将讨莫折念生。

崔暹违李崇节度，与破六韩拔陵战于白道，大败，单骑走还。拔陵并力攻崇，崇力战，不能御，引还云中，与之相持。

广阳王渊上言："先朝都平城，以北边为重，盛简亲贤㊽，拥麾作镇㊾，配以高门子弟㊿，以死防遏。非唯不废仕宦(51)，乃更独得复除(52)，当时人物，忻慕为之。太和(53)中，仆射李冲(54)用事，凉州土人(55)悉免厮役(56)；帝乡旧门(57)，仍防边戍，自非得罪当世，莫肯与之为伍。本镇驱使(58)，但为虞候、白直(59)，一生推迁，不过军主(60)，然其同族留京师者得上品通官。

五月二十三日壬申，魏国朝廷加授尚书令李崇为使持节、开府仪同三司、北讨大都督，命令担任抚军将军的崔暹、担任镇军将军的广阳王元渊都要接受李崇的调遣、指挥。元渊，是元嘉的儿子。

六月，梁武帝萧衍任命担任豫州刺史的裴邃为督征讨诸军事，统军讨伐魏国。

魏国自从破六韩拔陵造反之后，夏州和东夏州、豳州、凉州境内的寇盗蜂拥而起，担任秦州刺史的李彦，为政残酷暴虐，在他管辖之下的人都对他怀有深深的怨恨，这一月，城内的薛珍等人聚集党徒突然冲入州府大门，活捉了秦州刺史李彦，把李彦杀死，随后又推举他的同党莫折大提为帅，莫折大提自称秦王。魏国朝廷派遣担任雍州刺史的元志出兵讨伐莫折大提等。

当初，南秦州境内的豪门世家杨松柏兄弟，曾经多次做强盗，担任南秦州刺史的博陵郡人崔游诱导杨松柏兄弟使他们投降了朝廷，拉他们做了主簿，和颜悦色地接待他们，让他们劝说各部落的氐族人出来投降，后来却又摆下鸿门宴把他们全部抓捕起来斩首，因此在崔游统领下的人无不心怀猜忌恐惧。南秦州刺史崔游听到秦州刺史李彦被杀的消息之后，知道自己的生命安全已经没有了保证，就准备弃职逃走，却没有逃成。南秦州州治仇池城内的百姓张长命、韩祖香、孙掩等人起义攻击崔游，把崔游杀死，以整座城池响应自称秦王的莫折大提。莫折大提派遣自己的党羽卜胡率众袭击高平镇，将高平攻克，杀死了高平镇将赫连略、行台高元荣。不久莫折大提去世，莫折大提的儿子莫折念生自称天子，设置文武百官，改年号为天建元年。

六月十八日丁酉，魏国实行大赦。

秋季，七月初六日甲寅，魏国朝廷派遣担任吏部尚书的元脩义兼任尚书仆射，为西道行台，率领各路将领前往秦州讨伐莫折念生。

担任抚军将军的崔暹不听北讨大都督李崇的调度指挥，在白道擅自与破六韩拔陵开战，结果被破六韩拔陵打得大败，只剩自己一个人骑马逃了回来。破六韩拔陵集中兵力进攻李崇，李崇拼力死战也抵挡不住破六韩拔陵的攻势，只得率军退回到云中郡，与破六韩拔陵展开对峙。

广阳王元渊上书给孝明帝说："我国早先建都平城的时候，都是以北边的防务为重点，尽量地挑选那些与皇帝的血缘关系亲密而又有德有才能的人，让他们手持指挥旗来做镇将，再派遣那些出身高贵的青年人来为他们充当僚属，这些人会拼尽死力防守来阻遏北方的敌人。这样一来不仅不妨碍他们官职的提升，还能免除徭役，当时的人都很高兴，都希望能去边镇。孝文帝太和年间，担任尚书仆射的李冲掌握朝政大权，他的家乡凉州地区的平民百姓全部被免除到军镇服役；而皇帝的同乡平城地区的旧族子弟，仍然要到边镇去服役戍边，当时如果不是犯了罪的人，没有人愿意去边镇服役与他们为伍。在本镇供职的士人，只能充当虞候、白直这种职务，他们在军中服务一辈子，顶多只能当一个军主，他们留在京师的同族子弟却能得到上品通官。

在镇者即为清途所隔[61]，或多逃逸，乃峻边兵之格[62]，镇人不听浮游在外[63]，于是少年不得从师，长者不得游宦[64]，独为匪人[65]，言之流涕。自定鼎伊、洛[66]，边任益轻，唯底滞凡才[67]，乃出为镇将，转相模习[68]，专事聚敛。或诸方奸吏[69]，犯罪配边，为之指踪[70]，政以贿立[71]，边人无不切齿。及阿那瓌背恩纵掠[72]，发奔命追之[73]，十五万众度沙漠，不日而还[74]。边人见此援师，遂自意轻中国[75]。尚书令臣崇求改镇为州，抑亦先觉[76]，朝廷未许。而高阙戍主御下失和，拔陵杀之[77]，遂相帅为乱，攻城掠地，所过夷灭，王师屡北[78]，贼党日盛。此段之举，指望销平，而崔暹只轮不返，臣崇与臣遂巡复路[79]，相与还次云中[80]，将士之情莫不解体。今日所虑，非止西北，将恐诸镇寻亦如此，天下之事，何易可量！”书奏，不省。

诏征崔暹系廷尉[81]，暹以女妓、田园赂元义，卒得不坐[82]。

丁丑[83]，莫折念生遣其都督杨伯年等[3]攻仇鸠、河池二戍[84]，东益州[85]刺史魏子建遣将军伊祥等击破之，斩首千余级。东益州本氐王杨绍先[86]之国，将佐皆以城民劲勇[87]，二秦[88]反者皆其族类，请先收其器械。子建曰：“城民数经行阵[89]，抚之足以为用，急之[90]则腹背为患[91]。”乃悉召城民，慰谕之，既而渐分其父兄子弟外戍诸郡，内外相顾，卒无叛者。子建，兰根[92]之族兄也。

魏凉州幢帅[93]于菩提等执刺史宋颖，据州反。

八月庚寅[94]，徐州刺史成景儁拔魏童城[95]。

魏员外散骑侍郎李苗上书曰：“凡食少兵精，利于速战；粮多卒众，

在军镇的人既然被清流士族所压抑，因而就有很多人不得不逃离军镇，于是朝廷就加强对军镇士兵的严格管理，不准许军镇的人到外地漫游，遂导致少年人不能到外地从师学习，年长的人不能去外地谋差事，独自遭受非人的待遇，说起来就让人伤心流泪。自从迁都洛阳以来，边防的官职更加受到轻视，只有那些得不到升迁的平庸人，才出京去担任镇将，这些人到任之后，就转而互相效法、互相沿袭，专门以聚敛钱财为能事。或者是各地区那些为非作歹的官吏，犯罪之后被发配到边镇，有人便给他们出谋划策、指出道路，于是他们的官位也就靠着钱财办成了，边镇的人对此无不痛恨得咬牙切齿。等到柔然可汗阿那瓌背弃恩义，大肆纵兵抢劫魏国的边境，直抵平城以来，朝廷派遣担任尚书令的李崇、担任尚书左仆射的元纂率领骑兵奔袭柔然可汗阿那瓌，十五万骑兵向北渡过大沙漠追赶了三千里，也没有追上，没过几天就回来了。边境的人看见这样的增援部队，心中就有些看不起他们。担任尚书令的大臣李崇请求改军镇为州，这也许是一种先见之明，而朝廷没有采纳他的意见。而高阙军事据点的驻军头领与自己的部下有矛盾，所以被破六韩拔陵杀死，于是便一处接着一处发生叛乱，他们攻城略地，所过之处全部被夷为平地，朝廷的军队多次被叛军打败，贼党的势力却一天比一天强盛。这次朝廷派遣尚书令李崇为使持节、开府仪同三司、北讨大都督的军事行动，原本指望着他们能把恒州、朔州的寇盗一举消灭，而抚军将军崔暹在白道一战竟然全军覆没，连一个车轮子也没有带回来，大臣李崇与我迟疑徘徊了半天，最后又退了回来，共同退回到云中驻扎，将士的心情无不离散。如今我所担忧的，不只是西北方，恐怕各军镇都将如此，天下的事情，估量起来谈何容易！”奏章呈递上去之后，如石沉大海，没有得到任何回音。

魏孝明帝下诏将抚军将军崔暹调回京师下廷尉狱，送法庭受审，崔暹用女伎、田园向当权者元义行贿，最终没有受到任何惩处。

七月二十九日丁丑，自称天子的莫折念生派遣属下担任都督的杨伯年等人率众进攻仇鸠、河池两个军事据点，魏国担任东益州刺史的魏子建派遣将军伊祥等人将杨伯年打败，斩获了一千多颗首级。东益州本来是氐族人首领杨绍先的领地，将佐都认为武兴城中的居民勇敢剽悍，秦州和南秦州境内造反的都是他们这些氐族人，就请求先收缴城中居民的器械。魏子建说：“城中的居民都是久经战斗的，安抚他们完全可以让他们为我所用，如果把他们逼急了我们就会腹背受敌。”魏子建就把城中的所有居民全部召集起来，安抚他们、给他们讲明道理，过后又逐渐把他们的父兄子弟分别派到各郡戍守，使他们内外互相照应，有所顾忌，从此以后便再也没有人叛变。魏子建，是魏兰根的堂兄。

魏国在凉州刺史属下担任幢帅的于菩提等逮捕了凉州刺史宋颖，占据凉州造反。

八月十二日庚寅，梁国担任徐州刺史的成景儁率军攻占了魏国的僮县县城。

魏国担任员外散骑侍郎的李苗上书给孝明帝说：“凡是在粮食少、士兵精锐的情

事宜持久。今陇贼[96]猖狂，非有素蓄[97]，虽据两城[98]，本无德义，其势在于疾攻，日有降纳[99]，迟则人情离沮[100]，坐待崩溃。夫飚至风举[101]，逆者求万一之功[102]；高壁深垒[103]，王师有全制之策[104]。但天下久泰[105]，人不晓兵，奔利[106]不相待，逃难[107]不相顾，将无法令，士非教习，不思长久之计，各有轻敌之心。如令陇东[108]不守，汧军[109]败散，则两秦[110]遂强，三辅[111]危弱，国之右臂[112]于斯废矣。宜敕大将坚壁勿战，别命偏裨[113]帅精兵数千，出麦积崖[114]以袭其后，则汧、岐[4]之下，群妖自散。”

魏以苗为统军，与别将淳于诞俱出梁、益，隶魏子建[5]。未至，莫折念生遣其弟高阳王天生将兵下陇[115]。甲午[116]，都督元志与战于陇口，志兵败，弃众东保岐州[117]。

东西部敕勒皆叛魏，附于破六韩拔陵，魏主始思李崇及广阳王渊之言。丙申[118]，下诏“诸州镇军贯[119]非有罪配隶[120]者，皆免为民，改镇为州。”以怀朔镇为朔州，更命朔州曰云州[121]。遣兼黄门侍郎郦道元[122]为大使，抚慰六镇。时六镇已尽叛，道元不果行。

先是，代人迁洛者，多为选部所抑，不得仕进[123]。及六镇叛，元义乃用代来寒[6]人[124]为传诏[125]以慰悦之。廷尉评[126]代人山伟奏记[127]，称义德美[128]，义擢伟为尚书二千石郎[129]。

秀容[130]人乞伏莫于聚众攻郡，杀太守，丁酉[131]，南秀容牧子[132]万于乞真反[133][7]，杀太仆卿[134]陆延，秀容酋长尔朱荣[135]讨平之。荣，羽健

况下，采取速战速决的办法最为有利；而在粮食充足、士兵众多的情况下，则适合打持久战。如今陇山地区的盗贼莫折念生等势力十分猖狂，然而他们平时并没有粮草、衣物、兵器等方面的储备，虽然占据了秦州、高平二城，却根本没有道德正义可言，他们的优势在于猛烈攻击，每天都有人去归附他，如果他们的进攻迟缓就会导致人心离散、瓦解，坐着等待崩溃。叛军的兴起好像风起云涌，他们就像赌博一样总幻想着获得哪怕只有万分之一希望的成功；面对急于求胜的叛军，朝廷军必须准备打持久战，只有稳扎稳打才是克敌制胜的万全之策。但是由于国家长期以来太平无事，人们已经不懂得战争，看到有利可图的时候他们就争先恐后谁也不等谁，而在躲避困难危险的时候他们又只顾自己而不管别人，将领不能发号施令，士兵没有经过培养训练，上上下下全都没有长久的考虑，每个人却又存在着轻敌的思想。假使陇山以东陷入叛贼之手，雍州刺史元志的军队也战败溃散，莫折念生旗下的秦州与南秦州的叛军势力将更加强大，长安一带朝廷统治区就显得很危险、力量很薄弱，国家都城西部的这条右臂就被废掉了。朝廷应该命令大将坚壁清野，不要与叛贼交战，另外命令偏将率领几千名精兵，从麦积山出兵去袭击贼军的背后，那么汧河、岐原一带地区的那些叛贼就会自行溃散。”

魏国朝廷于是任命员外散骑侍郎李苗为统军，与担任一支独立部队将领的淳于诞一同从梁州、益州出兵，隶属于东益州刺史魏子建。李苗、淳于诞还没有到达，莫折念生已经派遣自己的弟弟高阳王莫折天生率军越过陇山东下。八月十六日甲午，都督元志在陇口与莫折天生交战，元志作战失败之后，就抛弃众人向东逃往岐州据守。

东部敕勒与西部敕勒全都背叛了魏国，归附了破六韩拔陵，魏孝明帝这时才开始想起尚书令李崇以及广阳王元渊所说过的话。八月十八日丙申，孝明帝下诏说：“各州各军镇中军籍身份的人如果不是因为犯罪而被流放发配服役的人，都免除他们的军人身份，恢复为平民，改军镇为州。”将怀朔镇改为朔州，把原来的朔州改为云州。派遣兼任黄门侍郎的郦道元为大使，前往沃野镇、怀朔镇、武川镇、抚冥镇、柔玄镇、怀荒镇六军镇进行安抚、慰问。当时由于六个军镇已经全部背叛，所以郦道元没有去成。

先前，从代郡迁到洛阳的人，多数都受到吏部的压制，不能进入官场为官。等到六镇发生叛乱的时候，领军将军元义就任用从代郡迁到洛阳的出身门第低微的人为传诏，用以安慰、取悦那些从代郡迁到洛阳的人。担任廷尉评的代郡人山伟因此上奏章给孝明帝，为领军将军元义歌功颂德，元义便提升山伟为尚书省享受二千石俸禄的郎官。

魏国秀容郡人乞伏莫于聚集民众进攻郡城，他们杀死了秀容郡太守，八月十九日丁酉，南秀容的放牧者名叫万于乞真的也起来“造反”，他杀死了担任太仆卿的陆延，秀容一带的少数民族头领尔朱荣率领自己的部众将万于乞真消灭。尔朱荣，是

之玄孙也。其祖代勤[136]，尝出猎，部民射虎，误中其髀[137]，代勤拔箭，不复推问，所部莫不感悦。官至肆州[138]刺史，赐爵梁郡公，年九十余而卒，子新兴立。新兴时，畜牧尤蕃息[139]，牛羊驼马，色别为群[140]，弥漫川谷，不可胜数。魏每出师，新兴辄献马及资粮以助军，高祖[141]嘉之。新兴老，请传爵于子荣，魏朝许之。荣神机明决[142]，御众[143]严整。时四方兵起，荣阴有大志，散其畜牧、资财，招合骁勇，结纳豪桀，于是侯景[144]、司马子如、贾显度[145]及五原段荣[146]、太安窦泰[147]皆往依之。显度，显智之兄也。

戊戌[148]，莫折念生遣都督窦双攻魏盘头郡[149]，东益州刺史魏子建遣将军窦念祖击破之。

九月戊申[150]，成景儁拔魏睢陵[151]。戊午[152]，北兖州[153]刺史赵景悦围荆山[154]。裴邃帅骑三千袭寿阳，壬戌[155]夜，斩关而入，克其外郭。魏扬州刺史长孙稚御之，一日九战，后军蔡秀成失道不至，邃引兵还。别将击魏淮阳[156]，魏使行台郦道元、都督河间王琛救寿阳，安乐王鉴[157]救淮阳。鉴，诠之子也。

魏西道行台元脩义得风疾[158]，不能治军。壬申[159]，魏以尚书左仆射齐王萧宝寅为西道行台、大都督，帅诸将讨莫折念生。

宋颖密求救于吐谷浑王伏连筹，伏连筹自将救凉州，于菩提弃城走，追斩之。城民赵天安等复推宋颖为刺史。

河间王琛军至西硖石[160]，解涡阳[161]围，复荆山戍。青、冀二州[162]刺史王神念与战，为琛所败。冬，十月戊寅[163]，裴邃、元树攻魏建陵城[164]，克之，辛巳[165]，拔曲沭[166][8]；扫虏将军彭宝孙拔琅邪[167]。

魏营州[168]城民刘安定、就德兴[169]执刺史李仲遵，据城反。城民王恶兒斩安定以降。德兴东走，自称燕王。

胡琛遣其将宿勤明达[170]寇豳、夏、北华[171]三州，壬午[172][9]，魏遣都督北海王颢[173]帅诸将讨之。颢，详之子也。

尔朱羽健的玄孙。尔朱荣的祖父尔朱代勤，曾经外出打猎，他部落中的百姓在射击老虎的时候，误中了尔朱代勤的大腿，尔朱代勤拔出大腿上的箭头，却没有追究那个人的罪责，因此他的部下没有人不感激、喜欢他的。尔朱代勤做官做到肆州刺史，被封为梁郡公，活到九十多岁时去世，尔朱代勤的儿子尔朱新兴继承了他的爵位。尔朱新兴时期，他的牲畜繁殖得很多，他把牛、羊、骆驼、马，按照不同的颜色分群放牧，牲畜散见于山川河谷，多得不可胜数。魏国军队每次出兵打仗，尔朱新兴都捐献马匹以及粮食进行资助，高祖元宏为此褒奖了他。尔朱新兴年老以后，请求把爵位传给自己的儿子尔朱荣，魏国朝廷批准了他的请求。尔朱荣为人英明果断，带兵纪律严明整肃。当时四面八方都在起兵造反，尔朱荣野心勃勃，胸怀大志，他将牲畜、资产、财宝全部变卖，所换来的钱全部用于招募骁勇的武士，接纳四方的英雄豪杰，于是侯景、司马子如、贾显度以及五原郡人段荣、太安郡人窦泰全都前往秀容依附于他。贾显度，是贾显智的哥哥。

八月二十日戊戌，莫折念生派遣属下担任都督的窦双攻取魏国的盘头郡，魏国担任东益州刺史的魏子建派遣部将窦念祖率军打败了窦双的进攻。

九月初一日戊申，梁国担任徐州刺史的成景儁攻下了魏国的睢陵城。十一日戊午，梁国担任北兖州刺史的赵景悦包围了荆山。裴邃率领三千骑兵袭击寿阳，十五日壬戌夜间，裴邃砍开寿阳城门攻入寿阳，占领了寿阳城的外城。魏国担任扬州刺史的长孙稚率军进行抵抗，一天之内双方就发生了九次战斗，因为梁国统领后续部队的蔡秀成迷失道路没有及时赶到增援，裴邃只好率军退出寿阳。另外一支军队的将领攻击魏国的淮阳郡，魏国派遣行台郦道元、都督河间王元琛率军救援寿阳，派安乐王元鉴率军救援淮阳。元鉴，是元诠的儿子。

魏国担任西道行台的元脩义得了中风，不能统领军队。九月二十五日壬申，魏国任命担任尚书左仆射的齐王萧宝寅为西道行台、大都督，统领各将讨伐莫折念生。

魏国的凉州刺史宋颖秘密向吐谷浑王伏连筹求救，伏连筹亲自率军前往凉州救援宋颖，造反的幢帅于菩提弃城逃走，被追兵斩首。凉州城中的百姓赵天安等人又推戴宋颖为凉州刺史。

魏国的都督河间王元琛率军赶往寿阳的途中到达西硖石，解除了涡阳的包围，收复了荆山军事据点。梁国担任青、冀二州刺史的王神念与元琛军交战，被元琛军打败。冬季，十月初一日戊寅，裴邃与元树一同进攻魏国的建陵城，将建陵城攻克，初四日辛巳，又攻克了曲沭城；梁国担任扫虏将军的彭宝孙攻占了琅邪郡。

魏国营州城内的百姓刘安定，就德兴捉住了担任营州刺史的李仲遵，占据营州城造反。营州城内的百姓王恶兒杀死刘安定投降了官府。就德兴向东逃走，自称燕王。

敕勒族酋长胡琛派遣手下的部将宿勤明达率众进攻魏国的豳州、夏州、北华州三个州，十月初五日壬午，魏国朝廷派遣担任都督的北海王元颢率领各将前往讨伐。元颢，是元详的儿子。

甲申[174]，彭宝孙拔檀丘[175]。辛卯[176]，裴邃拔狄城[177]。丙申[178]，又拔甓城[179]，进屯黎浆[180]。壬寅[181]，魏东海[182]太守韦敬欣以司吾城[183]降。定远将军曹世宗拔曲阳[184]，甲辰[185]，又拔秦墟[186]，魏守将多弃城走。

魏使黄门侍郎卢同持节诣营州慰劳，就德兴降而复反。诏以同为幽州刺史兼尚书行台，同屡为德兴所败而还。

魏朔方胡[187]反，围夏州刺史源子雍[188]，城中食尽，煮马皮而食之，众无贰心。子雍欲自出求粮，留其子延伯守统万，将佐皆曰："今四方离叛，粮尽援绝，不若父子俱去。"子雍泣曰："吾世荷国恩，当毕命此城，但无食可守，故欲往东州[189]为诸君营数月之食。若幸而得之，保全必矣。"乃帅羸弱诣东夏州运粮，延伯与将佐哭而送之。子雍行数日，胡帅曹阿各拔[190]邀击，擒之。子雍潜遣人赍书，敕城中努力固守。阖城忧惧，延伯谕之曰："吾父吉凶未可知，方寸焦烂。但奉命守城，所为者重，不敢以私害公。诸君幸得此心[191]。"于是众感其义，莫不奋励。子雍虽被擒，胡人常以民礼事之，子雍为陈祸福，劝阿各拔降。会阿各拔卒，其弟桑生竟[192]帅其众随子雍降。子雍见行台北海王颢，具陈诸贼可灭之状，颢给子雍兵，令其先驱[193]。时东夏州阖境皆反，所在屯结[194]，子雍转斗而前，九旬之中，凡数十战，遂平东夏州，征税粟以馈统万，二夏由是获全[195]。子雍，怀之子也。

魏广阳王渊上言："今六镇尽叛，高车二部[196]亦与之同，以此疲兵击之，必无胜理。不若选练精兵守恒州诸要[197]，更为后图。"遂与李崇引兵还平城。崇谓诸将曰："云中[198]者，白道之冲[199]，贼之咽喉，若此

十月初七日甲申，梁国的扫虏将军彭宝孙攻下了魏国的檀丘。十四日辛卯，裴邃攻下了魏国的狄城。十九日丙申，又攻下了魏国的甓城，然后进军，把军队屯扎在黎浆。二十五日壬寅，魏国担任东海太守的韦敬欣献出司吾城向梁军投降。梁国担任定远将军的曹世宗攻占了魏国的曲阳县城，二十七日甲辰，又攻占了魏国的秦墟军事据点，魏国的守将大多数都弃城逃跑。

魏国朝廷派遣担任黄门侍郎的卢同手持符节前往营州去慰劳投降朝廷的就德兴，然而就德兴投降不久便再次发动叛乱。孝明帝下诏任命卢同为幽州刺史兼尚书行台，卢同多次被就德兴打败之后便返回了洛阳。

魏国朔州境内的匈奴人造反，他们将夏州刺史源子雍包围在统万城中，城内的粮食已经吃光了，守城的将士与民众就煮马皮充饥，众人守城的决心毫不动摇。源子雍想自己出城去寻找粮食，留下自己的儿子源延伯守卫统万城，将佐们都说："如今四方对于朝廷来说已经是众叛亲离，我们处在粮尽援绝的境地，不如你们父子一同逃生去吧。"源子雍流着眼泪对众将佐说："我家世代蒙受国家的大恩，就应该与此城共存亡，但是没有粮食就不能守住此城，所以我才准备前往东夏州为你们筹集几个月的粮食。如果我侥幸能够筹集到粮食，保住统万城就一定没有问题。"于是就亲自率领着一些瘦弱的士兵前往东夏州运粮，源延伯与将佐哭着将源子雍送出城去。源子雍走了几天，匈奴族人的首领曹阿各拔在半路上拦击他们，把源子雍活捉了。源子雍暗中派人携带书信，命令统万城中的将士努力固守。全城的军民都非常担忧、恐惧，源延伯就劝他们说："我父亲的生命安危尚未可知，我的内心已经焦急得无法承受。但是我已经奉命守城，所承担的责任无比重大，我不敢因为自己的私情而损害国家的利益。希望你们各位能够体察我的这种心情。"于是众人都受到他大义的感染，无不以奋勇杀敌自勉。源子雍虽然被匈奴人所擒获，但匈奴人经常以属下百姓对待长官的礼节对待源子雍，源子雍就为他们分析祸福以及利害得失，劝说曹阿各拔投降。碰巧此时曹阿各拔去世，他的弟弟曹桑生终于率领他的部众向源子雍投降。源子雍参见担任行台的北海王元颢，为元颢详细分析了各处叛贼可以被消灭的情况，元颢于是拨给源子雍军队，令源子雍充当先锋。当时东夏州全境之内到处都在起兵造反，各处都在聚众坚守，源子雍一边战斗一边前进，九十天当中，总共经过了数十次战斗，终于平息了东夏州境内所有的叛乱，他把征收的粮食调往统万城，夏州和东夏州因此而获得保全。源子雍，是源怀的儿子。

魏国广阳王元渊上书给孝明帝说："如今北方的六个军镇已经全部背叛了朝廷，东西两部的高车人也和他们一样，我们用现在这些疲惫不堪的士兵去抗击他们，一定没有获胜的道理。倒不如选拔经过训练的精锐士兵守住恒州北部地区的各个要塞，以后再做打算。"于是与李崇一同率军回到平城。李崇对诸将领说："云中郡的郡治盛乐一带，正好对着敌方的交通要道白道，那里是贼人的咽喉，如果这地方守不住，

地不全，则并、肆危矣。当留一人镇之，谁可者？”众举费穆，崇乃请穆[200]为云州[10]刺史。

贺拔度拔父子及武川宇文肱[201]纠合乡里豪杰，共袭卫可孤，杀之，度拔寻与铁勒战死。肱，逸豆归[202]之玄孙也。

李崇引国子博士祖莹[203]为长史，广阳王渊奏莹诈增首级，盗没军资，莹坐除名，崇亦免官削爵征还。渊专总[204]军政。

莫折天生进攻魏岐州，十一月戊申[205]，陷之，执都督元志及刺史裴芬之，送莫折念生，杀之。念生又使卜胡等寇泾州[206]，败光禄大夫薛峦[207]于平凉[208]东。峦，安都之孙也。

丙辰[209]，彭宝孙拔魏东莞[210]。壬戌[211]，裴邃攻寿阳之安城[212]。丙寅[213]，马头[214]、安城皆降。

高平人攻杀卜胡，共迎胡琛。

魏以黄门侍郎杨昱[215]兼侍中，持节监北海王颢军，以救豳州，豳州围解。蜀贼张映龙、姜神达攻雍州，雍州刺史元脩义请援，一日一夜，书移九通[216]。都督李叔仁迟疑不赴。昱曰：“长安，关中基本[217]，若长安不守，大军自然瓦散，留此[218]何益！”遂与叔仁进击之，斩神达，余党散走。

十二月戊寅[219]，魏荆山降。

壬辰[220]，魏以京兆王继为太师、大将军，都督西道诸军以讨莫折念生。

乙巳[221]，武勇将军李国兴攻魏平靖关[222]。辛丑[223]，信威长史杨乾攻武阳关[224]，壬寅[225]，攻岘关[226]，皆克之。国兴进围郢州[227]，魏郢州刺史裴询[228]与蛮酋西郢州[229]刺史田朴特相表里[230]以拒之。围城近百日，魏援军至，国兴引还。询，骏[231]之孙也。

魏汾州[232]诸胡反，以章武王融[233]为大都督，将兵讨之。

那么并州、肆州就危险了。应当留下一位将领镇守云中，你们认为谁留下合适?”大家都推荐费穆，李崇于是奏请朝廷任命费穆为云州刺史。

贺拔度拔和他的儿子贺拔允、贺拔胜、贺拔岳以及武川人宇文肱纠集了乡里的英雄豪杰，共同袭击破六韩拔陵的部将卫可孤，把卫可孤杀死，不久，贺拔度拔在与铁勒人的一次作战中不幸阵亡。宇文肱，是宇文逸豆归的玄孙。

尚书令李崇任命担任国子博士的祖莹为长史，广阳王元渊向孝明帝奏报说祖莹谎报杀敌数量，盗窃军用物资，祖莹于是被免职除名，李崇受到祖莹的牵连也被免官削去爵位调回洛阳。广阳王元渊得以独揽军政大权。

莫折天生奉命率军进攻魏国的岐州，十一月初二日戊申，他们攻陷了岐州城，活捉了魏国都督元志和岐州刺史裴芬之，他们把元志和裴芬之押送到莫折念生那里，莫折念生杀死了元志和裴芬之。莫折念生又派部将卜胡等人进犯泾州，卜胡在平凉以东打败了光禄大夫薛峦。薛峦，是薛安都的孙子。

十一月初十日丙辰，梁国的扫虏将军彭宝孙攻下了魏国的东莞。十六日壬戌，裴邃进攻寿阳附近的安城县。二十日丙寅，马头郡、安城县的魏国守军全部向梁军投降。

高平人攻打莫折念生的部将卜胡，将卜胡杀死，然后共同迎接胡琛。

魏国朝廷任命担任黄门侍郎的杨昱兼任侍中，令他手持符节做北海王元颢的监军，以解救被包围的豳州，包围豳州的乱军随即解除了对豳州的包围。蜀地的叛贼张映龙、姜神达率众进攻魏国的雍州，担任雍州刺史的元脩义向杨昱紧急求援，一天一夜之间，连续发出了九封告急求救文书。担任都督的李叔仁迟疑不决，没有发兵赶去救援。杨昱说:“长安，是关中的根本所在，如果长安守不住，大军自然就会土崩瓦解，我们留在这里还有什么用处呢!”于是与李叔仁一同进军攻打张映龙、姜神达，斩杀了姜神达，其余的党羽全都溃散逃走。

十二月初二日戊寅，魏国荆山的守军向梁国的军队投降。

十六日壬辰，魏国朝廷任命京兆王元继为太师、大将军，都督西道诸军讨伐秦州境内的叛民莫折念生等。

十二月二十九日乙巳，梁国担任武勇将军的李国兴率军进攻魏国的平靖关。二十五日辛丑，梁国担任信威长史的杨乾率军进攻魏国的武阳关，二十六日壬寅，进攻魏国的岘关，梁军将平靖关、武阳关、岘关全部攻克。武勇将军李国兴继续进兵包围了郢州，魏国担任郢州刺史的裴询与担任西郢州刺史的蛮族酋长田朴特互为外援抵抗李国兴的进攻。李国兴将郢州城包围了将近一百天，魏国的援军到来之后，李国兴率军返回。裴询，是裴骏的孙子。

魏国汾州境内的各部匈奴人全都起来造反，魏国朝廷任命章武王元融为大都督，率军前往讨伐汾州境内造反的匈奴族人。

魏魏子建招谕南秦诸氐，稍稍降附，遂复六郡、十二戍，斩贼帅[11]韩祖香。魏以子建兼尚书、为行台，刺史如故，梁、巴、二益㉞、二秦㉟诸州皆受节度。

莫折念生遣兵攻凉州，城民赵天安复执刺史以应之。

是岁，侍中、太子詹事周舍坐事免，散骑常侍钱唐朱异㊱代掌机密，军旅谋议，方镇改易，朝仪诏敕皆典之。异好文义㊲，多艺能㊳，精力敏赡㊴，上以是任之。

【段旨】

以上为第一段，写梁武帝萧衍普通五年（公元五二四年）一年间的大事。主要写了魏国与柔然的矛盾纠纷未得解决，而其国内各地区纷纷爆发了反对朝廷的武装叛乱，主要有破六韩拔陵连续打败了临淮王元彧所率的朝廷军，又攻下了武川、怀朔二镇；接着高平镇的百姓起义，以应破六韩拔陵，致北方的州镇全部落入破六韩拔陵之手。写了西部的二夏、豳、凉地区民变并起，秦州的百姓杀了残暴的刺史李彦，南秦州的百姓杀了其刺史崔游，暴动者的头领莫折大提与其子莫折念生相继称王，其部将莫折天生攻陷岐州，擒杀魏将元志与刺史裴芬之；又攻泾州，打败了光禄大夫薛峦；这时东北地区营州的百姓就德兴杀死了营州刺史，自称燕王，魏使卢同讨之，被打得大败而回。在这种魏地烽烟四起，许多朝廷军不堪一击，许多名将纷纷败北的情势下，也有少数将领颇显优异，主要有夏州刺史源怀之子源子雍平定了当地的叛乱，使二夏获全；魏将杨昱、元颢，先解了豳州之围，又及时地打败了进攻雍州的蜀地武装，从而使长安地区获全。还有贺拔度拔父子与宇文肱等袭杀了莫折念生的大将卫可孤；东益州刺史魏子建招抚梁、益，稳定了六郡十二戍等。写了梁武帝萧衍乘魏国北部、西部大乱之际，调动诸将在东线纷纷出兵，成景儁攻拔睢陵、彭宝孙攻拔琅邪、裴邃攻拔建陵、曲沭，又一度攻入寿阳的外郭；又攻取狄城、曲阳、秦墟、东莞、马头诸城，致使魏之诸将多弃城走，东海太守、荆山戍主皆以城降；李国兴又取魏三关，进围义阳；此外还写了魏国的名臣李崇被罢职，元渊专总军政，以及梁武帝萧衍宠任佞臣朱异，从而埋下祸根等。

魏国担任东益州刺史的魏子建招抚、劝谕南秦州境内那些造反的氐族人，那些人逐渐投降归顺了朝廷，魏国遂恢复了六郡、十二戍，斩杀了贼帅韩祖香。魏国朝廷任命魏子建兼任尚书、为行台，仍然担任东益州刺史，梁州、巴州、益州与东益州、秦州和南秦州全都接受魏子建的调度指挥。

叛民首领莫折念生派兵进攻凉州，凉州城内的百姓赵天安又活捉了凉州刺史宋颖以响应莫折念生。

这一年，梁国担任侍中、太子詹事的周舍因为受到牵连而被免去了官职，担任散骑常侍的钱唐人朱异代替周舍掌管朝廷机密，凡是有关行军打仗方面的谋划，方镇官员的任免调动，朝廷礼仪、皇帝的诏书敕令全都由他主管。朱异爱好文章、义理，多才多艺，思维敏捷、精力充沛，梁武帝萧衍因为这个原因而重用他。

【注释】

① 正月辛丑：正月二十日。② 临淮王彧：元彧，魏太武帝拓跋焘的后裔，袭其先人之位为临淮王。传见《魏书》卷十八。③ 讨破六韩拔陵：破六韩拔陵是魏国沃野镇的百姓，姓破六韩，名拔陵，于上年五月率众反，杀镇将，又围武川镇，攻怀朔镇。④ 高平镇民赫连恩：高平镇的百姓，姓赫连，名恩。高平镇的驻地即今宁夏固原。⑤ 敕勒：当时的少数民族名，也称“铁勒”“高车”，当时活动在柔然的北方，约当今蒙古国的乌兰巴托以北，俄罗斯的贝加尔湖以南地区。⑥ 卫可孤：破六韩拔陵的部将，自上年即率军攻怀朔镇。怀朔镇的驻地在今内蒙古固阳的西南侧。⑦ 杨钧：魏将名，时为怀朔镇的镇将。⑧ 贺拔胜：贺拔度拔的第二子，父子四人皆在杨钧部下效力。⑨ 破胡：贺拔胜字破胡。⑩ 云中：魏郡名，郡治在今内蒙古和林格尔城北。⑪ 武川：是魏国北方的军镇名，驻地在今内蒙古武川县西，自上年就被破六韩拔陵的军队所围困。⑫ 良、平：张良、陈平，都是汉高祖刘邦部下的谋士，后人常代指最善于筹谋划策的军师。⑬ 觇：探测。⑭ 五原：古城名，汉时曾为五原郡的郡治所在地，在今内蒙古包头西北。距今之五原距离甚远。⑮ 白道：古道路名，胡三省曰，“武川镇北有白道谷，谷口有白道城，自城北出有高坂，谓之白道岭”。⑯ 寇连恒、朔：恒州、朔州的寇盗连成一片。恒州的州治平城，即今山西大同，朔州的州治即当时云中郡的郡治所在地，在今内蒙古和林格尔北侧。⑰ 金陵：魏国先公先王的陵园墓地，在云中郡境内。⑱ 元脩义：景穆帝拓跋晃的后代，汝阴王元天赐之子。传见《魏书》卷十九上。⑲ 镇恒、朔：收拾、调集恒、朔二州的军事力量。⑳ 革：改；改变。㉑ 寻：思考；推度。㉒ 开镇户：引发了镇将与军镇上的各级将士。开，启发、引起。㉓ 非冀之心：非分的愿望。〖按〗此可谓倒打一耙。元义等人可恶。㉔ 聊复略论：不过是说说而已。㉕ 贵戚重望：既是贵戚，又有很高的威望。李

崇是文成帝拓跋濬的元皇后之兄李诞之子。㉖器识：气度、见识。㉗密迩寇戎：靠近敌对的戎狄之邦。密迩，挨近。㉘制胜于无形：指将祸乱解决在未爆发之前。无形，还没有发生、没有形成。㉙曾无愧谢之言：连句认错道歉的话都没有。曾，转折语词，相当口语中的"连个"。㉚听言则对四句：语出《诗经·桑柔》，意思是好听的话就回答，听到诤言就装醉，贤良之士不肯用，反而视我为悖狂。㉛壬申：五月二十三。㉜崔暹：当时有名的酷吏，此前曾任南兖州刺史、瀛州刺史，严酷且又好利。传见《魏书》卷八十九。㉝广阳王渊：魏太武帝拓跋焘的曾孙，广阳王元嘉之子。传见《魏书》卷十八。下文同改。㉞裴邃：梁朝名将，与魏军作战屡立奇功，前因破取义州，被任豫州刺史，镇合肥。传见《梁书》卷二十八。㉟二夏：夏州与东夏州。夏州的州治统万城，在今陕西榆林市横山区西北，东夏州的州治在今陕西延长西北。㊱豳、凉：魏之二州名，豳州的州治即今甘肃宁县，凉州的州治即今甘肃武威。㊲秦州：魏州名，州治即今甘肃天水市。㊳突入：冲入。㊴元志：元齐之子，烈帝拓跋翳槐的后代，此时任雍州刺史。传见《魏书》卷十四。雍州的州治长安，在今陕西西安西北部。㊵南秦州：魏州名，州治仇池，在今甘肃西和东南。㊶豪右：豪门世家的代表人物。㊷博陵崔游：魏国著名文学之臣崔挺的同族，崔游曾任凉州刺史，又任南秦州刺史。传见《魏书》卷五十七。博陵是魏郡名，郡治即今河北安平。㊸接以辞色：和颜悦色地接待他们。㊹说下群氐：劝说各部落的氐族人让他们投降。下，出降。㊺所部：在他统率下的。㊻丁酉：六月十八。㊼甲寅：七月初六。㊽盛简亲贤：尽量地挑选那些与皇帝的血缘亲密、又有德有能的人。㊾拥麾作镇：手持指挥旗来做镇将。麾，大将的指挥旗。㊿配以高门子弟：派那些出身高贵的青年人来充当僚属。胡三省曰："高门子弟，谓其先世与魏同起于代北者，所谓大姓九十九。"(51)非唯不废仕宦：不仅不妨碍官职的提升。(52)乃更独得复除：还能特别地获得免除徭役。(53)太和：魏孝文帝的第三个年号（公元四七七至四九九年）。(54)李冲：李宝之子，孝文帝时代的亲信大臣，曾任中书令、尚书仆射等职。传见《魏书》卷五十三。(55)凉州土人：凉州地区的平民百姓。(56)悉免厮役：都能免除到军镇服役。胡三省曰："李宝自敦煌入朝于魏，至子冲亲贵，厚其乡人，故凉土之人悉免厮役。"(57)帝乡旧门：平城地区的旧族人。帝乡，魏国皇帝的同乡。(58)本镇驱使：在本镇供职的士人。(59)但为虞候、白直：只能充当虞候、白直这种职务。虞候是官僚的侍从。白直是在职任事而不发给任何俸禄者。(60)一生推迁二句：在军中服务一辈子，顶多也就是个军主，即一支小部队的头领，类似连、排长。(61)为清途所隔：被清流士族所压抑，如上卷征西将军张彝之子张仲瑀建言"武人不得预于清流"，即其显例之一。(62)峻边兵之格：加强对军镇士兵的严格管理。峻……之格，狠狠地加强其规章制度。峻，强化、严厉处置。(63)不听浮游在外：不允许到外地漫游。(64)游宦：去外地谋差事。(65)独为匪人：独自遭受非人的待遇。《诗经·何草不黄》有所谓"何草不玄？何人不矜？哀我征夫，独为匪民！""匪民""匪人"意思相同，后者乃唐人为避讳而改。(66)自定鼎伊、洛：自从迁都洛阳以来。

定鼎，将传国之鼎安放在何处，即指建都。㊲ 底滞凡才：不能升迁的平庸人。㊳ 模习：效法、沿袭。㊴ 诸方奸吏：各地区的为非作歹的官吏。㊵ 为之指踪：有人给他们出谋划策、指出道路。㊶ 政以贿立：于是他们的官位也就这样靠着钱办成了。㊷ 阿那瓌背恩纵掠：即上卷所说的魏使者元孚慰劳阿那瓌，被阿那瓌挟持，率兵大掠魏边，直抵平城事。㊸ 发奔命追之：发骑兵追之。但称自己的骑兵曰“奔命”，于理不合，疑是作《通鉴》者杂采误用《魏书·元渊传》“及阿那瓌背恩纵掠，窃奔，命师追之”之语而成。㊹ 不日而还：没过几天就回来了。㊺ 遂自意轻中国：胡三省曰，“师速而疾，边人见其不能尽敌而反，意遂轻之”。㊻ 抑亦先觉：这也是一种先见之明。抑，转折语词。㊼ 高阙戍主御下失和二句：这里的叙事与前文榫卯不接，前文但云“沃野镇民破六韩拔陵聚众反，杀镇将，改元真王”，未言镇将有“御下失和”事；又前文所言被杀者乃“沃野镇将”，此处又曰“高阙戍主”，不知缘何歧异？高阙，在今内蒙古杭锦后旗北。《水经注》有所谓“其山中断，两岸双阙云举，望若阙焉，故有高阙之名。”㊽ 屡北：屡败。北，同“背”，败。㊾ 逡巡复路：迟疑徘徊了半天，最终又退了回来。逡巡，犹豫不前的样子。㊿ 还次云中：退回来驻守云中郡。次，驻、驻守。㉑ 系廷尉：下廷尉狱，送法庭受审。廷尉是全国的最高司法长官。㉒ 不坐：没罪；不受惩处。㉓ 丁丑：七月二十九。㉔ 仇鸠、河池二戍：胡三省曰，“河池即今凤州河池市，有河池水；仇鸠亦当与河池相近”。河池戍，在今甘肃徽县西北。㉕ 东益州：魏国的东益州州治武兴，即今陕西略阳。㉖ 氐王杨绍先：杨绍先是杨集始之子。杨氏是仇池一带地区的氐族首领杨氏家族的后裔，二百年来在仇池一带世代称王，依叛于南、北朝之间。传见《魏书》《晋书》《南齐书》等。㉗ 城民劲勇：武兴城的居民勇敢剽悍。㉘ 二秦：南秦州与北秦州。北秦州的州治即今甘肃天水市，南秦州的州治即仇池，在今甘肃西和东南。㉙ 数经行阵：都是久经战斗的。数，屡次。㉚ 急之：如果把他们逼急了。㉛ 腹背为患：我们将腹背受敌。因为在那一带地区到处都是氐族人。㉜ 兰根：魏兰根，曾为李崇的僚属，后官至尚书右仆射。传见《北齐书》卷二十三。㉝ 凉州幢帅：凉州刺史属下的军官名，统领百余人，当时每百人授予一幢，其头领即称幢帅。幢是旗帜一类的仪仗，用布做成圆筒形，用长竿从中挑起。凉州的州治即今甘肃武威。㉞ 八月庚寅：八月十二。㉟ 童城：僮县县城，在今江苏沭阳西南侧。㊱ 陇贼：指莫折念生，莫折大提之子。㊲ 素蓄：平时的蓄积，指粮草衣物兵器等储备。㊳ 两城：指秦州的州治即今天水市、高平镇的驻地即今宁夏固原。㊴ 日有降纳：每天都有人去归附他。⑩⓪ 离沮：犹言瓦解、叛散。⑩① 飚至风举：犹言风起云涌，比喻一哄而起、八方响应的突然来势。⑩② 逆者求万一之功：造反者总是像赌博一样幻想如此成功。逆者，造反者。万一之功，侥幸成功。⑩③ 高壁深垒：准备打持久战。⑩④ 全制之策：稳扎稳打地彻底打败敌人。这两句是说面对急于取胜的一哄而起的敌人，稳扎稳打才是万全之策。⑩⑤ 久泰：长期以来不打仗。⑩⑥ 奔利：趋利；见到有利可图。⑩⑦ 逃难：躲避困难危险。⑩⑧ 陇东：陇山以东，指当时汧水流域的汧城（即今陕西陇县）、雍县（今陕西宝鸡东北）一带地区。⑲ 汧军：即当时元志所统领的军队。汧，河水名，从西北的陇山流来，经今陕西陇县、千阳东南流，在宝鸡东汇入渭水。⑳ 两秦：此指莫折念生旗下的南、北秦州的百姓武装。⑪ 三辅：古指长安一带地区，即今陕西西安一带的魏国统治地区。⑫ 国之右臂：魏国国都西部的骨干地区。⑬ 偏裨：偏将；小将。率领着小股的武装力量。⑭ 麦积崖：麦积山，在今甘肃天水市的东南方。⑮ 下陇：过陇山东下。⑯ 甲午：八月十六。⑰ 岐州：魏州名，州治雍县，在今陕西宝鸡东北。⑱ 丙申：八月十八。⑲ 军贯：军籍；军人的身份。⑳ 非有罪配隶：不是由于犯罪而流放发配前来的。㉑ 云州：州治盛乐，在今内蒙古托克托东北。㉒ 郦道元：当时著名的地理学家，著有《水经注》，曾任河南尹、御史中尉等职，为政酷烈。事见《魏书·酷吏传》。㉓ 不得仕进：不能进入官场为官。㉔ 代来寒人：从代郡迁到洛阳的非士族人员。寒人，出身门第低微的人，与士族相对而言。㉕ 传诏：官名，地位不甚高，但地位重要。㉖ 廷尉评：即汉代的“廷尉平”，廷尉的属官，主管评议诉讼，后又改称“大理评事”。㉗ 代人山伟奏记：代郡迁洛的人士姓山名伟者给皇帝上书。奏记，文体名，群臣给皇帝所上的奏章。㉘ 称义德美：为元义歌功颂德。德美，操行品德高尚。㉙ 尚书二千石郎：尚书省的郎官，约当今之司局级，本来不到二千石，元义特别给他定为二千石级。二千石通常为郡太守与诸侯相的级别。㉚ 秀容：魏郡名，郡治在今山西原平西南、忻州的西北方。㉛ 丁酉：八月十九。㉜ 南秀容牧子：南秀容的放牧者。南秀容的具体方位不详，应距秀容郡治不远。㉝ 万于乞真反：万于乞真是少数民族人名。㉞ 太仆卿：太仆的僚属，太仆是为朝廷掌管车马的官员。㉟ 尔朱荣：姓尔朱，名荣。秀容一带的少数民族头领，其家于数世前即为魏国皇帝的部下，率众放牧于秀容川，其祖曾为肆州刺史，其父赠恒州刺史。尔朱荣曾率兵隶李崇北讨柔然，其后招纳侯景、高欢等，兵势渐盛。后入据洛阳，杀胡太后、少帝，专断朝政。传见《魏书》卷七十四。㊱ 代勤：羽健之子，太武帝拓跋焘敬哀皇后之舅，曾任肆州刺史。羽健、代勤事并见《魏书》卷七十四。㊲ 髀：大腿。㊳ 肆州：魏州名，州治即今山西忻州。㊴ 蕃息：繁殖得多。㊵ 色别为群：相同颜色的牲畜归为一群。㊶ 高祖：指孝文帝拓跋宏。㊷ 神机明决：为人英明果断。神机，神态、心机。㊸ 御众：带兵。御，统领、指挥。㊹ 侯景：初为魏将尔朱荣的部下，后归高欢。高欢死，降梁为河南王，后举兵叛乱，攻破建康，萧衍（梁武帝）被困饿死。侯景自立为皇帝，史称“侯景之乱”。传见《梁书》卷五十六。㊺ 贾显度：初为薄骨律镇的将官，后投归尔朱荣，魏末官至骠骑大将军。传见《魏书》卷八十。㊻ 五原段荣：五原是魏郡名，郡治在今内蒙古包头西北。段荣传见《北齐书》卷十六。㊼ 太安窦泰：太安是魏郡名，胡三省曰，“时魏于怀朔镇置朔州，并置太安郡”。窦泰于天平四年（公元五三七年）与北周宇文泰作战，兵败自杀。传见《北齐书》卷十五。㊽ 戊戌：八月二十。㊾ 盘头郡：上属东益州，在今陕西略阳附近。㊿ 九月戊申：九月初一。(151) 睢陵：古城名，即今江苏睢宁。(152) 戊午：九月十一。(153) 北兖州：梁州名，州治即今江苏淮安市淮阴区。(154) 荆山：县名，在今安徽蚌埠西南。⑮⑤壬戌：九月十五。⑮⑥别将击魏淮阳：胡三省曰，“此梁所遣别将也，非裴邃所部”。淮阳，魏郡名，郡治即上文所说的睢陵城，已被梁将成景儁所拔，此又所谓“击淮阳”，乃击淮阳郡之余地。⑮⑦安乐王鉴：元鉴，文成帝拓跋濬的曾孙，拓跋诠之子。传见《魏书》卷二十。⑮⑧得风疾：得了中风病。⑮⑨壬申：九月二十五。⑯⓪硖石：魏国的军事要塞名，在当时寿阳城西北方的淮水西岸，在今安徽凤台城的南侧。胡三省引《水经注》曰：“淮水东过寿春县北，又北径山峡中，谓之峡石。对岸山上结二城，以防津要。在淮水西岸者谓之西峡石。”⑯①涡阳：即今安徽蒙城，当时为魏国马头郡的郡治，同时也是南兖州的州治所在地。⑯②青、冀二州：梁国的州名，二州共设一刺史，州治在今江苏的连云港市。⑯③十月戊寅：十月初一。⑯④建陵城：建陵是魏县名，即今山东郯城。⑯⑤辛巳：十月初四。⑯⑥曲沭：《水经注》，“沭水过建陵县故城东，又南径陵山西，魏立大堰遏水西流，两渎之会，置城防之，曰曲沭城”。曲沭城应离今山东郯城不远。⑯⑦琅邪：魏郡名，郡治即丘，在今山东临沂西。⑯⑧营州：魏州名，州治即今辽宁朝阳。⑯⑨就德兴：人名，姓就，名德兴。⑰⓪宿勤明达：人名，姓宿勤，名明达。⑰①豳、夏、北华：魏之三州名，豳州的州治安定，即今甘肃宁县，夏州的州治统万，在今陕西榆林市横山区西，北华州的州治在今陕西宜君东北。⑰②壬午：十月初五。⑰③北海王颢：元颢，元详之子，孝文帝之侄。传见《魏书》卷二十一上。⑰④甲申：十月初七。⑰⑤檀丘：具体方位不详，应在今江苏新沂周围。⑰⑥辛卯：十月十四。⑰⑦狄城：具体方位不详，应在今江苏新沂周围。⑰⑧丙申：十月十九。⑰⑨甓城：具体方位不详，应在今江苏新沂周围。⑱⓪黎浆：具体方位不详，应在今江苏新沂周围。⑱①壬寅：十月二十五。⑱②东海：魏郡名，郡治司吾城，在今江苏新沂南，上属于魏之徐州。⑱③司吾城：司吾县的县城，当时为魏东海郡的郡治所在地。⑱④曲阳：魏县名，后废入今安徽定远。⑱⑤甲辰：十月二十七。⑱⑥秦墟：魏之军事据点名，应距当时的曲阳不远。⑱⑦朔方胡：朔州境内的匈奴族。朔州的州治盛乐，在今内蒙古托克托东北。⑱⑧源子雍：魏国名将源贺之孙，源怀之子，此时任夏州刺史。传见《魏书》卷四十一。⑱⑨东州：东夏州，州治在今陕西延长西北。⑲⓪曹阿各拔：人名，姓曹，名阿各拔。⑲①幸得此心：希望能体察这种心情。⑲②竟：居然；终于。⑲③先驱：充当先锋。⑲④所在屯结：各处都聚众坚守。⑲⑤二夏由是获全：胡三省曰，“史言源氏诸子皆有才具，而天降丧乱，终无救魏氏之衰也”。⑲⑥高车二部：胡三省曰，“高车自阿伏至罗与穷奇分为二部，所谓东、西部敕勒也”。阿伏至罗与穷奇分为两部在孝文帝太和十一年（公元四八七年）。⑲⑦恒州诸要：恒州北部地区的各个要塞。⑲⑧云中：此指云中郡的郡治盛乐（今内蒙古托克托东北）一带。⑲⑨白道之冲：正好对着敌方的白道。白道，柔然境内贯通南北的要道，见本段前文。冲，交通要道、必经之地。⑳⓪请穆：奏请任命费穆。⑳①宇文肱：北周文皇帝宇文泰之父，鲜卑酋长，数代居于武川。事见《周书》卷一。⑳②逸豆归：鲜卑部落头领，晋康帝建元二年（公元三四四年）被前燕主慕容皝所灭。事见《周书》卷一。⑳③祖莹：魏国的博雅多学之臣，曾为国子博士、国子祭酒、殿中尚书等职。传见《魏书》卷八十二。㉔ 专总：犹言“独揽”。㉕ 十一月戊申：十一月初二。㉖ 泾州：州治安定，即今甘肃泾川县。㉗ 薛峦：薛安都之孙，时任光禄大夫之职。传见《魏书》卷六十一。薛安都原是刘宋名将，后逃归魏国。㉘ 平凉：魏郡名，郡治在今甘肃平凉西南。㉙ 丙辰：十一月初十。㉚ 东莞：魏郡名，郡治即今山东莒县。㉛ 壬戌：十一月十六。㉜ 寿阳之安城：寿阳附近之安城县。所以要特别提出“寿阳”，因寿阳是魏国突出于淮河以南的占领区，四周多是梁地，而安城乃属魏者也。㉝ 丙寅：十一月二十。㉞ 马头：魏郡名，魏国东南前线的军事重镇，郡治涡阳，即今安徽蒙城，在寿阳的西北方。㉟ 杨昱：魏国名将杨椿之子，时为黄门侍郎。传见《魏书》卷五十八。㊱ 书移九通：发出求救的书信、移文共九件。移，文体名，与檄文的性质相近，这里即指文告。㊲ 基本：犹言“根本”。㊳ 留此：我们驻军在这里。㊴ 戊寅：十二月初二。㊵ 壬辰：十二月十六日。㊶ 乙巳：十二月二十九日。〖按〗“乙巳”当在“壬寅”后，疑文字次序有颠倒。㊷ 平靖关：在义阳郡（今河南信阳）的西南方，豫鄂交界的三关之一，当时属魏。㊸ 辛丑：十二月二十五。㊹ 武阳关：在义阳郡（今河南信阳）的正南方，豫鄂交界的三关之一，当时属魏。㊺ 壬寅：十二月二十六日。㊻ 岘关：又称“黄岘关”，在义阳郡（今河南信阳）的东南方，豫鄂交界的三关之一，当时属魏。㊼ 郢州：魏国的郢州州治即在义阳郡，今河南信阳。㊽ 裴询：裴骏之子，曾任秘书监，此时任郢州刺史，有干略。传见《魏书》卷四十五。㊾ 西郢州：魏国的西郢州即今河南泌阳，在义阳的西北方。㊿ 相表里：相互为外援。(231) 骏：裴骏，拓跋焘时代的河东名人，有干略，崔浩视之为“三河领袖”，曾任中书侍郎。传见《魏书》卷四十五。(232) 汾州：魏州名，州治蒲子城，即今山西隰县。(233) 章武王融：元融，景穆帝拓跋晃之曾孙，袭其父祖之爵为章武王。传见《魏书》卷十九下。(234) 梁、巴、二益：魏之四州名，实际只有少量地区属魏，大多徒有虚名。胡三省曰：“魏置梁州于南郑（即今陕西汉中）；置巴州于汉巴西郡（即

【原文】

六年（乙巳，公元五二五年）

春，正月丙午(240)，雍州刺史晋安王纲(241)遣安北长史(242)柳浑破魏南乡郡(243)，司马董当门破魏晋城(244)。庚戌(245)，又破马圈(246)、彫阳(247)二城。

辛亥(248)，上祀南郊，大赦。

魏徐州刺史元法僧(249)，素附元义，见义骄恣，恐祸及己，遂谋反。魏遣中书舍人张文伯至彭城，法僧谓曰：“吾欲与汝去危就安，能从我

今四川绵阳）；置益州于晋寿郡（在今四川剑阁东北）；东益州于武兴郡（即今陕西略阳）。”㉟二秦：胡三省曰，“置秦州于上邽（今甘肃天水市）；南秦州于仇池（今甘肃西和东南）”。㊱朱异：钱唐（今杭州）人，官至中领军。后劝萧衍纳侯景投降，导致了祸乱。传见《梁书》卷三十八。㊲好文义：爱好文章、义理，意即有学问、有文采。㊳多艺能：指算学、书法、下棋等技能。㊴敏赡：思维敏捷、精力充沛。

【校记】

［1］还：原无此字。据章钰校，十二行本、乙十一行本、孔天胤本皆有此字，今据补。［2］渊：原“深”。胡三省注云：“魏收《魏书》作‘广阳王渊’，李延寿《北史》作‘广阳王深’，盖避唐讳，《通鉴》承用之。”今据以校正。下同。［3］等：原无此字。据章钰校，十二行本、乙十一行本、孔天胤本皆有此字，今据补。［4］岐：原作“陇”。据章钰校，十二行本、乙十一行本皆作“岐”，张敦仁《通鉴刊本识误》同，今据改。〖按〗《魏书·李苗传》作“岐”。［5］隶魏子建：原无此四字。据章钰校，十二行本、乙十一行本、孔天胤本皆有此四字，张敦仁《通鉴刊本识误》、张瑛《通鉴校勘记》同，今据补。［6］寒：原无此字。据章钰校，十二行本、乙十一行本、孔天胤本皆有此字，张敦仁《通鉴刊本识误》、张瑛《通鉴校勘记》同，今据补。［7］反：原无此字。据章钰校，十二行本、乙十一行本、孔天胤本皆有此字，张敦仁《通鉴刊本识误》、张瑛《通鉴校勘记》同，今据补。［8］曲沭：原作“曲木”。胡三省注云：“‘曲木’当作‘曲沭’。”当是，今从改。［9］壬午：原无此二字。据章钰校，十二行本、乙十一行本、孔天胤本皆有此二字，张敦仁《通鉴刊本识误》同，今据补。［10］云州：原作“朔州”。胡三省注云：“时云中已改为云州，‘朔’当作‘云’。”严衍《通鉴补》改作“云州”，今据以校正。［11］贼帅：原无此二字。据章钰校，十二行本、乙十一行本、孔天胤本皆有此二字，今据补。

【语译】

六年（乙巳，公元五二五年）

春季，正月初一日丙午，梁国担任雍州刺史的晋安王萧纲派遣自己属下担任安北长史的柳浑攻破了魏国的南乡郡，派属下担任司马的董当门攻破了魏国的晋城。初五日庚戌，又攻破了魏国的马圈、彫阳二城。

初六日辛亥，梁武帝萧衍到建康城的南郊举行祭天典礼，实行大赦。

魏国担任徐州刺史的元法僧，一向依附于权臣元义，后来看到元义越来越骄横放纵，恐怕将来灾祸会牵连到自己，于是就准备谋反。魏国朝廷派遣担任中书舍人的张文伯来到彭城，元法僧对张文伯说：“我想与你一同远离危险，达到平安，你能

乎？”文伯曰：“我宁死见文陵[250]松柏，安能去忠义而从叛逆乎！”法僧杀之。庚申[251]，法僧杀行台高谅，称帝，改元天启，立诸子为王。魏发兵击之，法僧乃遣其子景仲来降。

安东长史元显和[252]，丽之子也，举兵与法僧战，法僧擒之，执其手，命使共坐，显和不肯，曰：“与翁[253]皆出皇家，一朝以地外叛，独不畏良史乎？”法僧犹欲慰谕之，显和曰：“我宁死为忠鬼，不能生为叛臣。”乃杀之。

上使散骑常侍朱异使于法僧[254]，以宣城太守元略为大都督，与将军义兴陈庆之[255]、胡龙牙、成景儁等将兵应接。

莫折天生军于黑水[256]，兵势甚盛。魏以岐州刺史崔延伯[257]为征西将军、西道都督，帅众五万讨之，延伯与行台萧宝寅军于马嵬[258]。延伯素骁勇，宝寅趣之使战，延伯曰：“明晨为公参贼勇怯[259]。”乃选精兵数千西度黑水，整陈[260]进[12]向天生营。宝寅军于水东，遥为继援。延伯直抵天生营下，扬威胁之，徐引兵还。天生见延伯众少，争开营逐之，其众多于延伯十倍，蹙[261]延伯于水次[262]，宝寅望之失色。延伯自为后殿，不与之战，使其众先渡，部伍严整，天生兵不敢击。须臾，渡毕，延伯徐渡，天生之众亦引还。宝寅喜曰：“崔君之勇，关、张[263]不如。”延伯曰：“此贼非老奴敌也，明公但安坐，观老奴破之。”癸亥[264]，延伯勒兵出，宝寅举军继其后。天生悉众逆战，延伯身先士卒，陷[265]其前锋，将士尽锐竞进，大破之，俘斩十余万，追奔至小陇[266]，岐、雍及陇东皆平。将士稽留采掠，天生遂塞陇道[267]，由是诸军不能进。

服从我吗？”张文伯回答说：“我宁可死了去见孝文帝陵墓上的松柏，怎么能背弃忠义地服从叛逆呢！”元法僧就杀死了张文伯。正月十五日庚申，元法僧杀死了担任行台的高谅，自行称帝，改年号为天启元年，把自己的儿子全都封为王爵。魏国朝廷发兵攻打元法僧，元法僧就派自己的儿子元景仲到梁国请求投降。

安东长史元显和，是元丽的儿子，他起兵与元法僧作战，元法僧活捉了元显和之后，便拉着元显和的手，让元显和与自己坐在一起，元显和不肯和他坐在一起，说：“我与伯父都是出身皇族，一朝之间就要献出土地叛逃梁国，难道你就不怕优秀的史官秉笔直书使你在历史上留下千古骂名吗？”元法僧还想继续安慰劝说元显和，元显和说：“我宁可死了做一个忠诚之鬼，也不愿活着做一个背叛国家的叛臣贼子。”元法僧就杀死了元显和。

梁武帝派遣担任散骑常侍的朱异为使者到元法僧那里，与元法僧当面商谈有关投降梁国的事宜，又任命担任宣城太守的元略为大都督，与将军义兴人陈庆之、胡龙牙、成景儁等率军前往接应元法僧。

莫折天生率军驻扎在黑水岸边，此时他的兵势已经非常强盛。魏国朝廷任命担任岐州刺史的崔延伯为征西将军、西道都督，率领五万军队前往黑水讨伐莫折天生，崔延伯与担任西道行台大都督的萧宝寅把军队驻扎在马嵬城。崔延伯一向骁勇善战，萧宝寅便催促崔延伯出战，崔延伯说：“明天早晨我为你去检验一下贼军是勇敢还是怯懦。”崔延伯挑选了数千名精锐的士兵向西渡过黑水，排成整齐的行列向莫折天生的军营前进。萧宝寅把军队驻扎在黑水东岸，遥相声援。崔延伯率领着这数千名精兵径直抵达莫折天生的营盘前，耀武扬威地威胁了莫折天生一番之后，又慢慢地率军返回。莫折天生的部队看到崔延伯所率领的军队人数很少，便都争着打开营门追击崔延伯，追出来的人数比崔延伯的多十倍，追兵把崔延伯逼到黑水岸边，萧宝寅望见这种情形不禁大惊失色。而崔延伯则亲自担任殿后，并不与敌军交战，他让属下的数千名精兵先向东渡过黑水，部队的行列依然庄严整齐，丝毫没有惊慌失措的样子，莫折天生的军队不敢向他们展开进攻。不一会儿的工夫，崔延伯的数千名士兵就全部渡过了黑水，崔延伯自己这才不慌不忙地渡过了黑水，莫折天生的追兵也都退了回去。萧宝寅喜出望外地说：“崔先生的勇敢，就连关羽、张飞都比不上你。”崔延伯说：“这些贼军不是我的敌手，明公你只管安坐在这里，观看我如何打败他们。”正月十八日癸亥，崔延伯组织军队出击，萧宝寅率领全军紧随其后。莫折天生把属下所有的军队全部投入战斗，崔延伯身先士卒，攻入敌军的前锋阵地，将士们全都竭尽奋勇争相进击，把莫折天生打得溃不成军，仅此一战就俘虏、斩杀了十多万贼军，把残余的敌军一直追赶到小陇山，岐州、雍州以及陇山以东地区的叛乱于是全部被平定。将士们稽留在原地进行搜罗抢掠，莫折天生趁机堵塞了从岐州进入陇山以西的通道，因此崔延伯、萧宝寅的军队无法前进。

宝寅破宛川㉖⑧，俘其民以为奴婢，以美女十人赏岐州刺史魏兰根，兰根辞曰："此县介于强寇㉖⑨，不能自立，故附从以救死㉗⓪。官军之至，宜矜而抚之，奈何助贼为虐，翦以为贱役㉗①乎！"悉求其父兄而归之。

己巳㉗②[13]，裴邃拔魏新蔡郡㉗③，诏侍中、领军将军西昌侯渊藻㉗④将众前驱，南兖州刺史豫章王综㉗⑤与诸将继进。癸酉㉗⑥，裴邃拔郑城㉗⑦，汝、颍㉗⑧之间，所在响应。

魏河间王琛等惮邃威名，军于城父㉗⑨，累月不进，魏朝遣廷尉少卿崔孝芬㉘⓪持节、赍斋库刀㉘①以趣㉘②之。孝芬，挺之子也。琛至寿阳，欲出兵决战。长孙稚㉘③以为久雨未可出，琛不听，引兵五万出城击邃。邃为四甄㉘④以待之，使直阁将军李祖怜先挑战而伪退，稚、琛悉众追之，四甄竞发，魏师大败，斩首万余级。琛走入城，稚勒兵而殿，遂闭门自固，不敢复出。

魏安乐王鉴将兵讨元法僧，击元略于彭城南，略大败，与数十骑走入城。鉴不设备，法僧出击，大破之，鉴单骑奔归。将军王希聃拔魏南阳平㉘⑤，执太守薛昙尚㉘⑥。昙尚，虎子之子也。甲戌㉘⑦，以法僧为司空，封始安郡公。

魏以安丰王延明㉘⑧为东道行台㉘⑨，临淮王彧㉙⓪为都督，以击彭城。

魏以京兆王继为太尉。

二月乙未㉙①，赵景悦拔魏龙亢㉙②。

初，魏刘腾既卒，胡太后及魏主左右防卫微缓㉙③。元义亦自宽，时出游于外，留连不返，其所亲谏，义不纳。太后察知之。去秋，太后对帝谓群臣曰："今隔绝我母子，不听往来，复何用我为㉙④？我当出家，修道于嵩山闲居寺耳。"因欲自[14]下发。帝及群臣叩头泣涕，

齐王萧宝寅攻入宛川县，俘虏了那里的百姓作为奴婢，并把十名美女赏赐给担任岐州刺史的魏兰根，魏兰根推辞说："宛川县夹在强寇的中间，没有能力自立，所以居民只好勉强服从贼寇以求活命。官军到来之后，应该同情他们、安抚他们才是，怎么能再助纣为虐，掠取他们来做奴婢呢!"萧宝寅于是把他们的父兄全都找来，把掠来作奴婢的那些人送交给他们领回家去。

正月二十四日己巳，裴邃攻占了魏国的新蔡郡，梁武帝下诏命令担任侍中、领军将军的西昌侯萧渊藻率军充当前锋，令担任南兖州刺史的豫章王萧综与其他各将相继进兵。二十八日癸酉，裴邃攻克了魏国的郑城，汝水、颍水之间，到处有人起来响应裴邃。

魏国的河间王元琛等人畏惧梁国豫州刺史裴邃的威名，遂把军队驻扎在城父，几个月都不敢前进一步，魏国朝廷派遣担任廷尉少卿的崔孝芬手持符节、抱着千牛刀前来催促元琛出战。崔孝芬，是崔挺的儿子。元琛率军到达寿阳，准备出兵与梁军决战。担任扬州刺史的长孙稚因为大雨持续了很长时间，认为目前不适合出兵作战，元琛没有听从长孙稚的劝告，就率领五万将士出城攻打裴邃。裴邃已经在四面设下埋伏专等元琛出来交战，裴邃令担任直阁将军的李祖怜先出来向元琛挑战而后假装败退，长孙稚、元琛出动全军追击，他们很快进入裴邃的伏击圈，四面埋伏的军队争先恐后地冲杀出来，魏军立即被打得大败，有一万多人被梁军砍下了脑袋。元琛率先逃入寿阳城内，扬州刺史长孙稚率军殿后，掩护部队撤回寿阳城，于是关闭城门进行坚守，再也不敢出城与梁军作战。

魏国的安乐王元鉴率军讨伐叛变投梁的徐州刺史元法僧，元鉴在彭城以南把梁国的宣城太守元略打得大败，元略带着数十名骑兵狼狈地逃入彭城。元鉴在毫无戒备的情况下，又被元法僧打得大败，元鉴单枪匹马逃了回去。梁国将军王希聃攻下了魏国的南阳平郡，活捉了南阳平太守薛昙尚。薛昙尚，是薛虎子的儿子。正月二十九日甲戌，梁武帝任命元法僧为司空，封元法僧为始安郡公。

魏国朝廷任命安丰王元延明为东道行台，任命临淮王元彧为都督，前往攻打彭城。

魏国朝廷任命京兆王元继为太尉。

二月二十日乙未，梁国的北兖州刺史赵景悦攻占了魏国的龙亢。

当初，魏国的权臣宦官刘腾去世以后，元义一党便逐渐放松了对胡太后以及魏孝明帝元诩的防卫。元义自己也有些放松警惕，时常出宫游玩，留恋不返，亲信劝谏他，他也不肯采纳。胡太后已经察觉到了这种变化。去年秋天，胡太后当着孝明帝的面对群臣说："现在将我们母子隔绝，不允许我们母子自由往来，还要我干什么?我应当出家，到嵩山的闲居寺去修道。"于是假装要剪掉自己的头发。孝明帝以及群

殷勤苦请，太后声色愈厉[295]。帝乃宿于嘉福殿[296]，积数日，遂与太后密谋黜义。然帝深匿形迹[297]，太后有忿恚，欲得往来显阳[298]之言，皆以告义。又对义流涕，叙太后欲出家，忧怖之心，日有数四[299]。义殊不以为疑，乃劝帝从太后所欲。于是太后数御显阳殿，二宫无复禁碍。义举元法僧为徐州，法僧反，太后数以为言[300]，义深愧悔。

丞相高阳王雍，虽位居义上，而深畏惮之。会太后与帝游洛水[301]，雍邀二宫幸其第。日晏[302]，帝与太后至雍内室，从官皆不得入，遂相与定图义之计。于是太后谓义曰："元郎[303]若忠于朝廷，无反心，何故不去领军[304]，以余官[305]辅政？"义甚惧，免冠求解领军。乃以义为骠骑大将军、开府仪同三司、尚书令、侍中、领左右[306]。

戊戌[307]，魏大赦[308]。

壬寅[309][15]，莫折念生遣都督杨鲊等攻仇池郡[310]，行台魏子建击破之。

三月己酉[311]，上幸白下城[312]，履行[313]六军顿所[314]。乙丑[315]，命豫章王综权顿[316]彭城，总督众军，并摄徐州府事[317]。己巳[318]，以元法僧之子景隆为衡州[319]刺史，景仲为广州[320]刺史。上召法僧及元略还建康，法僧驱彭城吏民万余人南渡。法僧至建康，上宠待甚厚。元略恶其为人，与之言，未尝笑。

魏诏京兆王继班师[321]。

北梁州[16]刺史锡休儒等自魏兴[322]侵魏梁州[323]，攻直城[324]。魏梁州刺史傅竖眼[325]遣其子敬绍击之，休儒等败还。

柔然王阿那瓌为魏讨破六韩拔陵，魏遣牒云具仁赍杂物劳赐之。阿那瓌勒众十万，自武川西向沃野，屡破拔陵兵。夏，四月，魏主复遣中书舍人冯儁劳赐阿那瓌。阿那瓌部落浸强，自称敕连头兵豆伐[326]可汗。

臣全都磕头哭泣，苦苦哀求胡太后不要这样做，胡太后态度越发强硬。孝明帝当晚就住在了胡太后被限居的嘉福殿，并一连住了好几天，孝明帝与胡太后趁机秘密商议准备废黜元义。但是孝明帝的内心想法丝毫不表现出来，他只把胡太后很生气，希望能够允许她随时前往显阳殿看望儿子的话，全部告诉了元义。孝明帝又在元义面前痛哭流涕，把太后想要到嵩山闲居寺出家修道，以及自己为此而感到忧虑恐怖的心情，每天都在元义面前说上四五次。元义一点也没有怀疑他，反而劝说孝明帝顺从太后的想法。于是胡太后被解除了禁闭，她多次前往显阳殿，胡太后与皇帝之间的往来没有了禁令与障碍。元义举荐元法僧为徐州刺史，元法僧叛变投降梁国以后，胡太后多次借此责备元义，元义深感惭愧和悔恨。

魏国担任丞相的高阳王元雍，虽然他的职位在领军将军元义之上，然而他的内心非常惧怕元义。碰巧遇到胡太后与孝明帝到洛水游玩，元雍趁机邀请胡太后和孝明帝到自己的府第做客。在傍晚时分，孝明帝与胡太后来到元雍的内室休息，随从的官员都不得入内，胡太后、孝明帝遂与元雍一起定下了除掉元义的计策。后来胡太后对元义说："你如果忠于朝廷，没有造反之心，为什么不愿意辞去领军将军的职务，而以其他的职位辅佐朝政呢?"元义非常恐惧，立即摘下头上的帽子请求辞去领军将军的职务。孝明帝于是改任元义为骠骑大将军、开府仪同三司、尚书令、侍中、统领皇帝身边的侍从人员。

二月二十三日戊戌，魏国实行大赦。

二十七日壬寅，莫折念生派遣属下担任都督的杨鲊等人进攻仇池郡，担任尚书、行台、东益州刺史的魏子建率军把杨鲊打败。

三月初五日己酉，梁武帝亲自前往白下城，步行巡视了皇帝禁卫军的驻地。二十一日乙丑，梁武帝命令豫章王萧综暂时驻扎在彭城，全面负责统领指挥众军作战，并临时代理徐州都督府的一切事务。二十五日己巳，梁武帝任命元法僧的儿子元景隆为衡州刺史，任命元景仲为广州刺史。梁武帝把司空元法僧和宣城太守元略召回建康，元法僧驱赶着彭城的一万多名官吏和百姓向南渡过长江。元法僧到达建康之后，梁武帝对他非常宠爱，待遇也非常优厚。宣城太守元略厌恶元法僧的为人，每次与元法僧说话的时候，从来没有露过笑脸。

魏国孝明帝下诏令京兆王元继班师回朝。

梁国担任北梁州刺史的锡休儒等人从魏兴郡出兵入侵魏国的梁州，进攻直城。魏国担任梁州刺史的傅竖眼派遣自己的儿子傅敬绍进攻锡休儒，锡休儒等战败后撤回。

柔然王阿那瓌出兵为魏国讨伐破六韩拔陵，魏国派遣牒云具仁携带着各种杂物前往慰劳赏赐阿那瓌。阿那瓌率领十万大军，从武川镇向西直指沃野镇，多次打败破六韩拔陵的军队。夏季，四月，魏孝明帝又派遣担任中书舍人的冯儁去慰劳赏赐阿那瓌。阿那瓌的部落由此逐渐强盛起来，遂自称敕连头兵豆伐可汗。

魏元义虽解兵权，犹总任内外，殊不自意㉗有废黜之理。胡太后意犹豫未决，侍中穆绍㉘劝太后速去之。绍，亮之子也。潘嫔有宠于魏主，宦官张景嵩说之云："义欲害嫔。"嫔泣诉于帝曰："义非独欲杀妾，又[17]将不利于陛下。"帝信之，因义出宿，解义侍中。明旦，义将入宫，门者不纳。辛卯㉙，太后复临朝摄政，下诏追削刘腾官爵，除义名为民。

清河国郎中令韩子熙㉚上书为清河王怿㉛讼冤，乞诛元义等，曰："昔赵高柄秦㉜，令关东鼎沸㉝；今元义专魏，使四方云扰㉞。开逆之端㉟，起于宋维㊱；成祸之末，良由刘腾㊲，宜枭首洿宫㊳，斩骸沈族㊴，以明其罪。"太后命发刘腾之墓，露散其骨，籍没家赀㊵，尽杀其养子㊶。以子熙为中书舍人㊷。子熙，麒麟之孙也。

初，宋维父弁常曰："维性疏险，必败吾家。"李崇、郭祚、游肇㊸亦曰："伯绪㊹凶疏，终倾宋氏。若得杀身㊺，幸矣。"维阿附元义，超迁至洛州㊻刺史，至是除名，寻赐死。

义之解领军也，太后以义党与尚强，未可猝制㊼，乃以侯刚㊽代义为领军以安其意㊾。寻出刚为冀州㊿刺史，加仪同三司，未至州，黜为征虏将军，卒于家。太后欲杀贾粲(351)，以义党多，恐惊动内外，乃出粲为济州(352)刺史，寻追杀之，籍没其家。唯义以妹夫，未忍行诛。

先是给事黄门侍郎元顺(353)以刚直忤义意，出为齐州(354)刺史，太后征还，为侍中。侍坐于太后，义妻在太后侧，顺指之曰："陛下奈何

魏国的权臣元义虽然被解除了领军将军的职务，失去了兵权，但仍然掌握着朝廷内外的大权，管理着宫廷内外的事务，根本就没有感觉到自己有被废黜的可能。胡太后心里还在犹豫不决，担任侍中的穆绍劝说胡太后赶紧除掉元义。穆绍，是穆亮的儿子。潘嫔妃很受孝明帝的宠爱，宦官张景嵩对潘嫔妃说："元义想要害死你。"潘嫔妃于是哭着向孝明帝诉说："元义不光是想要杀我，也将做出不利于陛下的事情。"孝明帝相信了潘嫔妃的话，就趁着元义出宫回家休息的机会，解除了元义侍中的职务。第二天早晨，元义将要入宫，守卫宫门的人不让元义进宫。四月十七日辛卯，胡太后再次临朝摄政，她下诏追削宦官刘腾的官职和爵位，将元义从皇家名籍中除名，贬元义为平民。

在清河王封国内担任郎中令的韩子熙上书给孝明帝，为清河王元怿申诉冤屈，请求朝廷诛杀元义等人，韩子熙说："过去宦官赵高掌握秦朝权柄的时候，引起函谷关以东地区以陈胜、吴广为首的农民大起义，终于推翻了秦朝的统治；如今元义专擅魏国朝权，致使四面八方、国内国外到处起兵反对魏国。逆乱的开端，起始于宋维诬陷清河王元怿，致使清河王元怿被杀；造成祸乱的恶果，确实是由于宦官刘腾，应该砍下刘腾的人头，悬挂在高竿上示众，将刘腾的住所挖成大坑，坑里灌满污水，再将刘腾的躯体斩成碎块，将刘腾的家族灭绝，以表明刘腾的罪大恶极。"胡太后接受了韩子熙的意见，下令掘开刘腾的坟墓，把刘腾的尸骨暴露在荒野之中，抄没了刘腾的全部家产，把刘腾的养子全部杀光。胡太后任命韩子熙为中书舍人。韩子熙，是韩麒麟的孙子。

当初，宋维的父亲宋弁曾经说过："宋维性格粗疏，为人阴险，一定会败坏我家。"李崇、郭祚、游肇也曾经说过："宋维为人凶恶残忍，性格粗疏，一定会毁灭宋家。如果只是他自身被杀而不连累家人就算万幸了。"宋维阿谀奉承、依附于元义，被破格提升至洛州刺史，到现在才被除名，不久皇帝赐他自杀而死。

元义解除领军将军职务的时候，胡太后因为元义党羽的势力还很强大，不可能一下子全部把他们铲除干净，于是就令元义的同党侯刚代替元义担任领军将军以稳定元义一党之心。不久又将侯刚调离朝廷，任命侯刚为冀州刺史，加授侯刚开府仪同三司，侯刚离开朝廷前往冀州上任，还没有到达冀州任所，就被贬为征虏将军，最后死在了家中。胡太后还想杀掉元义的心腹贾粲，因为元义的党羽众多，恐怕惊动朝廷内外，于是就让贾粲离开京师去担任济州刺史，不久便派人追上去把贾粲杀死，并抄没了贾粲的全部家产。只有元义因为是胡太后的妹夫，胡太后不忍心将元义杀死。

早先，担任给事黄门侍郎的元顺因为刚强正直违背了元义的心意，便被元义调离朝廷到齐州去担任刺史，现在胡太后把元顺征调回朝廷，任命为侍中。元顺陪侍胡太后闲坐，元义的妻子坐在胡太后的旁边，元顺指着元义的妻子对胡太后说："陛

以一妹之故，不正元义之罪[355]，使天下不得伸其冤愤？”太后嘿然[356]。顺，澄之子也。他日，太后从容谓侍臣曰：“刘腾、元义昔尝[18]邀朕[357]求铁券，冀[358]得不死，朕赖不与[359]。”韩子熙曰：“事关生杀，岂系铁券[360]！且陛下昔虽不与，何解今日不杀[361]！”太后怃然[362]。未几，有告“义及弟爪[19]谋诱六镇降户[363]反于定州[364]，又招鲁阳[365]诸蛮侵扰伊阙[366]，欲为内应”。得其手书[367]，太后犹未忍杀之。群臣固执不已，魏主亦以为言，太后乃从之，赐义及弟爪死于家，犹赠义骠骑大将军、仪同三司、尚书令。江阳王继废于家，病卒。前幽州刺史卢同[368]坐义党除名。

太后颇事妆饰[369]，数出游幸，元顺面谏曰：“《礼》，妇人夫没自称‘未亡人‘，首去珠玉，衣不文采[370]。陛下母临天下[371]，年垂不惑[372]，修饰过甚，何以仪刑后世[373]！”太后惭而还宫，召顺，责之曰：“千里相征，岂欲众中见辱[374]邪！”顺曰：“陛下不畏天下之笑，而耻臣之一言乎？”

顺与穆绍同直，顺因醉入其寝所，绍拥被[375]而起，正色让顺曰：“身二十年侍中，与卿先君[376]亟连职事[377]，纵卿方进用[378]，何宜相排突[379]也？”遂谢事[380]还家，诏谕久之，乃起。

初，郑羲之兄孙俨[381]为司徒胡国珍行参军，私得幸于太后，人未之知。萧宝寅之西讨[382]，以俨为开府属[383]。太后再摄政，俨请奉使还朝，太后留之，拜谏议大夫、中书舍人，领尝[20]食典御[384]，昼夜禁中。每休沐[385]，太后常遣宦者随之，俨见其妻，唯得言家事[386]而已。中书舍人乐安徐纥[387]，粗有文学，先以谄事赵脩[388]，坐徙枹罕[389]。后还，复除中书舍人，又谄事清河王怿。怿死，出为雁门[390]太守。还洛，复谄事元义。义败，太后以纥为怿所厚，复召为中书舍人，纥又谄事郑俨。

下为什么因为一个妹妹，就不给元义应有的惩罚，而使天下人不能申冤泄愤呢？”胡太后默然不语。元顺，是元澄的儿子。有一天，胡太后很随意地对身边的侍臣说：“刘腾、元义过去曾经要挟我发给他们免死铁券，希望将来不被处死，幸亏我没给他们。”中书舍人韩子熙说：“事关生杀的大权应该掌握在皇帝手中，即使他们有免死铁券，该杀的时候难道就不杀吗！况且陛下过去虽然没有发给他们免死铁券，与今天的该杀而不杀有何关系！”胡太后表现出一副很伤心的样子。不久，有人告发说“元义和他的弟弟元爪阴谋引诱北方的怀朔镇、武川镇、抚冥镇、柔玄镇、怀荒镇、御夷镇这六个镇所收抚的降人在定州造反，又招引鲁阳郡境内的那些少数民族侵扰伊阙，元义为他们做内应”。同时截获了元义的亲笔信，胡太后还是不忍心杀掉元义。群臣坚决要求太后处死元义，魏孝明帝也劝说胡太后处死元义，胡太后这才同意将元义除掉，她赐元义和他的弟弟元爪在自己的家中自杀，元义死后，胡太后还是追赠元义为骠骑大将军、开府仪同三司、尚书令。元义的父亲江阳王元继也被免去官职，在家闲居，后来病死家中。曾经担任过幽州刺史的卢同因为是元义的同党也被免官。

胡太后非常喜欢梳妆打扮，她多次外出游览，担任侍中的元顺当面劝谏胡太后说：“《礼记》中说，妇人的丈夫死后就称自己为‘未亡人’，头上要去掉珠宝美玉，不穿有花纹有亮色的衣服。陛下母仪天下，管理着全国的臣民，论年纪也已经接近四十岁的不惑之年，如此地注重装饰打扮，怎么能为后代人做榜样！”胡太后惭愧地回到宫中，她将元顺召到面前，责备元顺说：“我把你从一千多里以外的地方征调进京，难道是想让你在大庭广众之中羞辱我吗！”元顺说：“陛下不畏惧天下人的耻笑，反倒把我的一句话当作耻辱吗？”

侍中元顺与同样担任侍中的穆绍同时在皇宫中值班，元顺因为喝醉了酒而误入穆绍的寝室，穆绍裹着被子站起身来，态度严肃地责备元顺说：“我担任了二十年侍中，与你的父亲元澄多次共事，纵然你正受到提拔重用，怎么能对人不讲一点礼貌呢？”于是就辞职回家了，胡太后下诏劝说了很长时间，穆绍才回来任职。

当初，郑羲的堂孙郑俨在担任司徒的胡国珍手下担任行参军，私下得到胡太后的宠幸，人们都不知道。萧宝寅在西征莫折念生的时候，任用郑俨为开府的属官。胡太后再次摄政以后，郑俨向萧宝寅请求派自己为使者回朝，胡太后趁机把郑俨留在身边，任命郑俨为谏议大夫、中书舍人，兼任尝食典御，昼夜留在皇宫之内。每当轮到郑俨休假回家的时候，胡太后经常派宦官跟着郑俨，郑俨见到自己的妻子，只能说一些有关家中的事务。担任中书舍人的乐安郡人徐纥，略微有些文学方面的修养，先前因为向赵脩谄媚取宠，赵脩被杀以后，徐纥受到牵连被流放到枹罕。后来回到洛阳，又被任命为中书舍人，他又巴结清河王元怿。元怿死了以后，徐纥被调出京师到雁门去担任太守。回到洛阳以后，又巴结权臣元义。元义败亡之后，胡太后因为徐纥曾经受到元怿的厚待，就又召徐纥为中书舍人，徐纥又开始巴结郑俨。

俨以纥有智数，仗为谋主；纥以俨有内宠，倾身承接[391]，共相表里，势倾内外，号为“徐、郑”。

俨累迁至中书令、车骑将军；纥累迁至给事黄门侍郎，仍领舍人，总摄中书、门下之事，军国诏令莫不由之。纥有机辩、强力，终日治事，略无休息，不以为劳。时有急诏，令数吏执笔，或行或卧，人别占之[392]，造次俱成[393]，不失事理[394]。然无经国大体[395]，专好小数[396]，见人矫为恭谨，远近辐凑附之[397]。

给事黄门侍郎袁翻[398]、李神轨[399]皆领中书舍人，为太后所信任，时人云神轨亦得幸于太后，众莫能明也。神轨求婚[400]于散骑常侍卢义僖[401]，义僖不许。黄门侍郎王诵[402]谓义僖曰：“昔人不以一女易众男[403]，卿岂易之邪？”义僖曰：“所以不从者，正为此耳。从之，恐祸大而速。”诵乃坚握义僖手曰：“我闻有命，不敢以告人。”[404]女遂适他族。临婚之夕，太后遣中使[405]宣敕停之，内外惶怖，义僖夷然[406]自若。神轨，崇之子。义僖，度世之孙也。

胡琛据高平，遣其大将万[21]俟丑奴[407]、宿勤明达等寇魏泾州，将军卢祖迁、伊瓮生讨之，不克。萧宝寅、崔延伯既破莫折天生，引兵会祖迁等于安定[408]，甲卒十二万，铁马八千，军威甚盛。丑奴军于安定西北七里，时以轻骑挑战，大兵未交，辄委走[409]。延伯恃其勇，且新有功，遂唱议[410]为先驱击之。别造大盾，内为锁柱[411]，使壮士负以趋，谓之“排城”；置辎重于中，战士在外，自安定北缘原[412]北上。将战，有贼数百骑诈持文书，云是降簿，且乞缓师。宝寅、延伯未及阅视，宿勤明达引兵自东北至，降贼自西竞下，覆背击之，延伯上马奋击，

郑俨因为徐纥有智谋有手段，就依靠徐纥，把徐纥作为智囊；徐纥因为郑俨受到胡太后的宠幸，就全身心地奉承、巴结郑俨，与郑俨互为表里，权势压倒朝廷内外，被人们称为“徐、郑”。

郑俨连续得到提升，一直做到中书令、车骑将军；徐纥则升迁到给事黄门侍郎，仍然兼任中书舍人，总管中书省、门下省的一切事务，凡是有关军国大事，胡太后的诏书命令无不出自徐纥之手。徐纥为人机敏、有口才、精力充沛，一天到晚地处理政务，没有一点工夫休息，也不感到疲劳。有时需要紧急起草诏书，徐纥就让几个官吏同时执笔，而他有时徘徊，有时躺卧，分别给每个执笔人口授词句，于是一份诏书很快就起草完了，而且都能合情合理。然而徐纥没有治理国家大事的才具，专门在一些小事情上耍心眼，见到人就装出一副恭敬谨慎的样子，远近的人就像辐条归向车毂一样都来趋从归附于他。

担任给事黄门侍郎的袁翻、李神轨都兼任着中书舍人的职务，受到胡太后的信任，当时的人都说李神轨也得到胡太后的宠幸，是真是假众人谁也说不清楚。李神轨为自己的儿子向担任散骑常侍的卢义僖求婚，卢义僖不同意。黄门侍郎王诵对卢义僖说：“过去的人绝不会为了一个女儿的安全而牺牲好几个儿子的性命，你难道要为了一个女儿而牺牲自己的儿子吗？”卢义僖说：“我不答应这门婚事，就是为了这个原因。我如果答应了他的求婚，恐怕我的灾祸会更大而且来得更快。”王诵于是紧紧地握着卢义僖的手说：“我听从天命，不敢把这件事告诉别人。”卢义僖于是把自己的女儿嫁给了别的家族。临近结婚的那天晚上，胡太后从宫中派来的使者宣布胡太后的敕令，令卢义僖停止出嫁女儿，卢义僖家里家外的人都感到惊惶恐惧，卢义僖仍然神色坦然。李神轨，是李崇的儿子。卢义僖，是卢度世的孙子。

敕勒族酋长胡琛以高平镇为根据地，他派遣属下大将万俟丑奴、宿勤明达等人骚扰、掠夺魏国的泾州，魏国的将军卢祖迁、伊瓮生率军对其进行讨伐，没有取胜。西道行台大都督萧宝寅与征西将军、西道都督崔延伯打败了莫折天生以后，就率领军队和卢祖迁等人在安定城会合，他们手下拥有十二万全副武装的士兵，八千匹配有铁甲的战马，战斗力很强。万俟丑奴把军队驻扎在安定城西北七里远的地方，他时常派轻骑兵前来挑战，然而还没等与朝廷军交锋就丢下一些铠甲、兵器逃走。崔延伯依仗着自己的勇敢善战，又刚刚打了胜仗、新立了战功，于是提议由自己担任前锋去进攻万俟丑奴。他还另造了一种大型盾牌，盾牌的背面有立柱，全用大锁链连接起来，让壮勇之士抱持着向前推进，他们称其为“排城”；把军用物资安置在排城当中，野战部队则在排城以外，他们从安定城以北沿着平坦宽阔的高坡北上。在即将与敌人开战的时候，忽然有数百名敌军的骑兵手执诈降文书，说是前来递交投降的名单，并请求暂缓进兵。萧宝寅、崔延伯还没有来得及观看降书的内容，叛军大将宿勤明达就已经率领军队从东北方向杀来，那些说要投降的叛贼从西方争相杀来，魏国的朝廷军腹背受敌，征西将军崔延伯纵身上马奋勇杀敌，追杀败逃的敌军

逐北径抵其营。贼皆轻骑，延伯军杂步卒，战久疲乏，贼乘间得入排城，延伯遂大败，死伤近二万人，宝寅收众，退保安定。延伯自耻其败，乃缮甲兵、募骁勇，复自安定西进，去贼七里[413]结营。壬辰[414]，不告宝寅，独出袭贼，大破之，俄顷，平其数栅。贼见军士采掠[415]散乱，复还击之，魏兵大败，延伯中流矢卒，士卒死者万余人。时大寇未平，复失骁将，朝野为之忧恐。于是贼势愈盛，而群臣自外来者，太后问之，皆言贼弱，以求悦媚，由是将帅求益兵者往往不与。

五月，夷陵烈侯裴邃[416]卒。邃深沈有思略，为政宽明，将吏爱而惮之。壬子[417]，以中护军夏侯亶[418]督寿阳诸军事，驰驿代邃[419]。

益州刺史临汝侯渊猷[420]遣其将樊文炽、萧世澄等将兵围魏益州[421]长史和安于小剑[422]，魏益州刺史邴虬遣统军河南胡小虎[423]、崔珍宝将兵救之。文炽袭破其栅，皆擒之，使小虎于城下说和安令早降，小虎遥谓安曰："我栅失备，为贼所擒，观其兵力，殊不足言。努力坚守，魏行台[424]、傅梁州[425]援兵已至。"语未终，军士以刀殴杀之。西南道军司淳于诞[426]引兵救小剑，文炽置栅于龙须山上以防归路[427]。戊辰[428]，诞密募壮士夜登山烧其栅，梁军望见归路绝，皆恼惧，诞乘而击之，文炽大败，仅以身免，虏世澄等将吏十一人，斩获万计。魏子建以世澄购胡小虎之尸，得而葬之。

魏魏昌武康伯李崇[429]卒。

初，帝纳齐[22]东昏侯宠姬吴淑媛[430]，七月而生豫章王综[431]，宫中多疑之。及淑媛宠衰怨望，密谓综曰："汝七月生儿，安得比诸皇

一直追杀到贼军的营寨之前。贼军都是轻骑兵，而崔延伯的军队中还杂有步兵，作战时间一长战士都非常疲乏，贼军趁机攻入排城，崔延伯所率的先锋部队于是大败，连死带伤的接近二万人，萧宝寅收拾起兵众，退回安定城坚守。崔延伯把这次失败看作奇耻大辱，于是就修缮武器、铠甲、招募骁勇善战的士兵，又从安定城出发向西进军，在距离贼军营寨七里远的地方安下营寨。四月十八日壬辰，崔延伯也不通知萧宝寅，就独自出兵去袭击贼军，把贼军打得大败，不一会儿的工夫，就摧毁了贼军的好几道寨栅。贼军看到崔延伯手下的官军到处收取、抢夺战利品，秩序散乱，就又回过头来进行反击，把朝廷军打得大败，崔延伯中了流箭身亡，士卒死了一万多人。当时主要的贼寇还没有被消灭，朝廷军中又失去了一员骁将，朝野都为之忧愁恐惧。贼军的声势越来越强盛，群臣从外地入京，胡太后向他们询问贼情的时候，他们都说贼军的势力很弱小，希望以此来讨好胡太后，因此，前方征讨叛贼的将帅向朝廷请求增兵的时候，胡太后往往不给他们增兵。

五月，梁国的夷陵烈侯裴邃在军中去世。裴邃为人深沉，有思想有谋略，政令宽松明白，军中的将士和官吏都很爱戴他、敬畏他。初八日壬子，梁武帝任命担任中护军的夏侯亶统领寿阳地区诸军事，乘驿车飞速前往寿阳军中接替裴邃的职务。

梁国担任益州刺史的临汝侯萧渊猷派遣他的部将樊文炽、萧世澄等人率军把魏国担任益州长史的和安包围在小剑山的军事据点里，魏国担任益州刺史的邴虬派遣担任统军的河南郡人胡小虎、崔珍宝率军赶往小剑山救援和安。梁国将领樊文炽攻入了胡小虎、崔珍宝的营寨，把胡小虎等手下的魏军全部俘虏，樊文炽让胡小虎在小剑城下劝说益州长史和安，让和安早日向梁军投降。胡小虎站在小剑城下，远远地向和安喊话说："我的营寨由于防守不严密，我已经被贼军俘虏，我看他们的兵力，实在不值得一提。你要努力坚守，东益州刺史魏子建、梁州刺史傅竖眼率领的援军已经到了。"胡小虎的话还没有说完，就被梁国的士兵用刀砍死了。魏国担任西南道军司的淳于诞率军来救援小剑山，樊文炽在龙须山上设置木栅防守自己的退路。五月二十四日戊辰，淳于诞秘密招募壮士利用黑夜作掩护登上龙须山烧毁了樊文炽设置的木栅，梁国的军队望见龙须山上的木栅被烧毁，退路被断绝，都惊恐不安，淳于诞乘机向樊文炽军发起进攻，樊文炽军于是大败，只有樊文炽一个人逃脱。淳于诞军俘虏了梁国的萧世澄等将吏十一人。杀死、俘获的梁军数以万计。担任行台的魏子建用梁将萧世澄换回统军胡小虎的尸体，把胡小虎安葬。

魏国的魏昌武康伯李崇去世。

当初，梁武帝将齐国东昏侯萧宝卷最宠爱的吴淑媛纳入自己的宫中，入宫七个月就生下了豫章王萧综，宫中的人都怀疑萧综不是梁武帝的儿子。等到吴淑媛不再受到梁武帝的宠爱，心里就产生了怨恨，她秘密地对自己的儿子萧综说："你是我入宫七个月后生下来的儿子，怎能和其他的皇子相比呢！然而你是太子的二弟，希望

子！然汝太子次弟，幸保富贵，勿泄也㊽！”与综相抱而泣。综由是自疑，昼则谈谑如常，夜则于静室闭户，披发席藁㊾，私于别室祭齐氏七庙㊿。又微服至曲阿拜齐高宗[23]陵㊿，闻俗说割血沥骨㊿，渗则为父子，遂潜发东昏侯冢，并自杀一男㊿试之，皆验，由是常怀异志㊿，专伺时变。综有勇力，能手制奔马㊿。轻财好士，唯留附身故衣㊿，余皆分施，恒致罄乏㊿。屡上便宜㊿，求为边任，上未之许。常于内斋布沙于地，终日跣行㊿，足下生胝㊿，日能行三百里。王、侯、妃、主及外人皆知其志，而上性严重㊿，人莫敢言。又使通问㊿于萧宝寅，谓之“叔父”。为南兖州刺史，不见宾客，辞讼㊿隔帘听之。出则垂帷于舆，恶人识其面。

及在彭城，魏安丰王延明、临淮王彧将兵二万逼彭城，胜负久未决。上虑综败没㊿，敕综引军还。综恐南归不复得至北边，乃密遣人送降款于彧，魏人皆不之信，彧募人入综军验其虚实，无敢行者。殿中侍御史济阴鹿悆㊿为彧监军，请行，曰：“若综有诚心，与之盟约；如其诈也，何惜一夫㊿！”时两敌相对，内外严固㊿，悆单骑间出㊿，径趣㊿彭城，为综军所执，问其来状㊿。悆曰：“临淮王使我来，欲有交易㊿耳。”时元略已南还㊿，综闻之，谓成景儁等曰：“我常疑元略规欲反城㊿，将㊿验其虚实，故遣左右为略使㊿，入魏军中，呼彼一人。

你能保住自己的富贵，不要把这件事情泄露出去!”说完就与萧综抱在一起痛哭起来。萧综从此以后就对自己的身世产生了怀疑，他在白天的时候还像往常一样谈笑风生，然而到了夜间就在一处安静的房间里关上门，披散着头发，睡在草席上，又暗中在别的屋子里祭祀齐王朝的七代列祖列宗。还换上平民的衣服到曲阿祭拜齐高宗萧鸾的陵墓，他从民间听说把活人的鲜血滴在死人的骨头上，如果鲜血渗入骨内，就说明是父子关系，于是萧综就偷偷地挖开了东昏侯萧宝卷的坟墓，把自己的鲜血滴在萧宝卷的枯骨上，并亲手杀死了自己的一个儿子，又把自己的鲜血滴在儿子的骨头上进行试验，结果都得到了验证，从此以后，萧综就经常想着要推翻梁朝萧衍的统治、恢复齐王朝，他把一门心思都用在侦伺时局的变化上，以求实现自己的愿望。萧综勇猛有力，能够徒手制服狂奔的马。他一向轻视钱财，喜欢结交士人，只把自己贴身穿的旧衣服留下来，其余衣服全都分别施与别人，于是经常把自己弄得缺衣少食、一无所有。萧综多次上书给梁武帝论说国家当前的急务，请求到边疆任职，梁武帝都没有答应他。萧综经常在内室的地上铺满沙土，整天光着脚在上面行走，脚底板都磨出了一层厚厚的皮，每天能走三百里。王、侯、嫔妃、公主以及外人都知道萧综的志向，但由于梁武帝性情严厉，所以没有人敢去对他说。萧综又暗中派人到魏国给齐王萧宝寅通消息，称萧宝寅为“叔父”。萧综担任南兖州刺史的时候，从来不会见宾客，即使遇到僚属或普通百姓有什么争执不下的问题时，他也是隔着一道帘子听取当事人的申诉。外出的时候一定要把车子的帷幔放下来，他厌恶别人看到他的脸。

等到萧综奉命暂时驻扎在彭城的时候，魏国担任东道行台的安丰王元延明，担任都督的临淮王元彧奉命率领二万军队逼近彭城，双方相持了很久也没有决定出谁胜谁负。梁武帝担心萧综兵败会被魏国人所俘虏，就下令让萧综率军返回。萧综担心一旦自己向南回到京师建康就很难再到北部的边境地区了，于是就暗中派人给魏国的临淮王元彧送交降书，魏国人都不相信萧综会投降魏国，元彧便招募人准备进入萧综的军营查看虚实，却没有人敢去。在朝中担任殿中侍御史的济阴人鹿悆在元彧的军中担任监军，他主动请求前往萧综的军中去探个究竟，鹿悆对临淮王元彧说：“如果萧综确实诚心诚意想要投降的话，我就与他缔结盟约；如果他是诈降，何必吝惜像我这样一位普通人的性命呢!”当时两军正处于交战状态，军营以外的人进入军营以及军营内部的人离开军营都检查得很严格，鹿悆一个人骑着马潜出军营，径直奔向彭城，路上他被萧综的军卒所抓获，并询问他的来意，鹿悆回答说：“是魏国的临淮王元彧派我前来，想要与你们做一笔买卖。”当时宣城太守元略已经回军南下，萧综听到俘获了鹿悆的消息后，就对担任徐州刺史的成景儁等人说：“我经常怀疑元略阴谋想把徐州送还给魏国，向魏国投降，为了验证一下这件事情的虚实，我故意派遣我的左右假装是元略的使者，到魏军当中，叫他们派一个人前来接洽。

今其人果来，可遣人诈为略有疾在深室，呼至户外，令人传言谢之[460]。”综又遣腹心安定梁话[461]迎悆，密以意状[462]语之。悆薄暮[463]入城，先引见[464]胡龙牙，龙牙曰：“元中山[465]甚欲相见，故遣呼卿[466]。”又曰：“安丰、临淮，将少弱卒[467]，规复此城[468]，容可得乎[469]？”悆曰：“彭城，魏之东鄙[470]，势在必争，得否在天，非人所测。”龙牙曰：“当如卿言。”又引见成景儁，景儁与坐，谓曰：“卿不为刺客邪？”悆曰：“今者奉使，欲返命本朝[471]，相刺之事，更卜后图[472]。”景儁为设饮食，乃引至一所，诈令一人自室中出，为元略致意曰：“我昔有以南向[473]，且遣相呼[474]，欲闻乡事[475]，晚来[476]疾作，不获相见[477]。”悆曰：“早奉音旨[478]，冒险祇赴[479]，不得瞻见[480]，内怀反侧[481]。”遂辞退。诸将竞问魏士马多少，悆盛陈有劲兵数十万。诸将相谓曰：“此华辞[482]耳！”悆曰：“崇朝可验[483]，何华之有！”乃遣悆还。景儁[24]送之于[25]戏马台[484]，北望城堑，谓曰：“险固如此，岂魏所能取！”悆曰：“攻守在人，何论险固[485]！”悆还，于路复与梁话申固盟约[486]。六月庚辰[487]，综与梁话及淮阴苗文宠夜出，步投彧[26]军。及旦，斋内诸冏[488]犹闭不开，众莫知所以，唯见城外魏军呼曰：“汝豫章王昨夜已来，在我军中，汝尚何为？”城中求王不获，军遂大溃。魏人入彭城，乘胜追击梁兵[27]，复取诸城[489]，至宿预[490]而还。将佐士卒死没者什七八，唯陈庆之帅所部得还。

上闻之，惊骇，有司奏削综爵土，绝属籍[491]，更其子直姓悖氏[492]。未旬日[493]，诏复属籍，封直为永新侯[494]。

西丰侯正德[495]自魏还，志行无悛[496]，多聚亡命[497]，夜剽掠[498]杀

如今他们果然派人来了，可以派人谎称元略有病正在内室卧床不起，把魏国派来的人引到门外，令人假装是元略派的人出去和他说话。”萧综又派遣自己的心腹安定郡人梁话去迎接鹿悆，偷偷地把萧综想要投降魏国的意图以及萧综为防止被成景儁识破所做出的种种安排告诉了鹿悆。鹿悆在傍晚的时候进入彭城，萧综先派人领着鹿悆去会见了将军胡龙牙，胡龙牙对鹿悆说：“中山王元略非常想见到你，所以派人叫你前来。”胡龙牙又说：“安丰王元延明、临淮王元彧的军中将少卒弱，你们想要再将彭城夺回去，怎么能成功呢？”鹿悆回答说：“彭城，是魏国东方的边境重镇，无论如何我们都要来争夺，能不能重新将彭城夺回去要看天意，不是人所能预测的。”胡龙牙说：“你说得很对。”又领着鹿悆去见徐州刺史成景儁，成景儁与鹿悆坐下之后，便对鹿悆说：“你不会是魏国派来的刺客吧？”鹿悆说：“我这次是奉命前来出使，我还准备回去向本朝的皇帝复命，至于行刺的事情，就另找机会，日后再想办法吧。”成景儁为鹿悆准备了饮食，鹿悆吃饱喝足之后，成景儁就把鹿悆引到一个所在，让一个假装是元略的人从屋里走出来，替元略向鹿悆致意说：“我此前本来想要到南方去办一件事情，故而派人叫你来，想听一听家乡方面的消息，后来疾病发作，就没法再与你见面了。”鹿悆说：“我早已知道了你的意图，所以冒着生命危险恭敬地前来赴约，却不能拜见你，我的内心很不安。”于是告辞而退。诸将领都竞相向鹿悆打听魏军的将士兵马有多少，鹿悆就夸张地说魏军有数十万精兵锐卒，诸将相互议论说：“他这是在吹牛！”鹿悆说：“明天早晨你们就可以得到验证，我何必要吹牛呢！”于是送鹿悆返回魏国的军营。成景儁在戏马台送别鹿悆，他向北眺望着彭城的城墙与护城河，对鹿悆说：“彭城如此的险要坚固，岂是魏军能够夺取的！”鹿悆回答说：“进攻和防守都取决于人，城池的险固不险固起不了决定作用！”鹿悆在返回的路上，又与萧综的心腹之人梁话牢牢地确定了盟约。六月初七日庚辰，萧综与梁话和淮阴人苗文宠在夜间偷偷地离开了彭城，步行投奔了临淮王元彧军。等到天亮之后，萧综府中的内室门还关闭着没有打开，众人全都不知道出了什么事情，只听城外的魏军大声呼叫说：“你们的豫章王昨天夜里已经来到我们这里，现在他就在我们军中，你们还能有什么作为呢？”城中的人找不到豫章王萧综，军队立即全部溃散。魏军进入彭城，并乘胜追杀梁国的士兵，他们把由于徐州刺史元法僧叛变降梁而失去的各城全部夺回，魏军一直追击到宿预才返回。梁军的将佐士兵死亡、被俘的有十分之七八，只有将军陈庆之率领着自己的部队返回。

梁武帝听到消息以后，非常震惊，有关部门的官员上书请求削夺萧综的爵位和封国，从皇室的族籍上除去萧综的名字，把萧综的儿子萧直改姓为悖。然而不到十天的工夫，梁武帝就又下诏恢复了萧综的皇族身份，并封萧综的儿子萧直为永新侯。

梁国的西丰侯萧正德曾经叛逃到魏国，又从魏国逃了回来，但他的思想行为没有任何改变，他聚集了很多的亡命之徒，夜深人静的时候就到路上去抢劫杀人，

人[28]于道，以轻车将军从综北伐，弃军辄还[499]。上积其前后罪恶，免官削爵，徙临海[500]。未至，追赦之。

综至洛阳，见魏主，还就馆，为齐东昏侯举哀，服斩衰[501]三年。太后以下并就馆吊之，赏赐礼遇甚厚，拜司空，封高平郡公、丹杨王，更名赞。以苗文宠、梁话皆为光禄大夫。封鹿悆为定陶县子，除员外散骑常侍[502]。

综长史济阳江革[503]、司马范阳[504]祖暅之皆为魏所虏，安丰王延明闻其才名，厚遇之，革称足疾不拜。延明使暅之作欹器漏刻铭[505]，革唾骂暅之曰："卿荷国厚恩，乃为虏立铭，孤负朝廷！"延明闻之，令革作《大小寺碑》[506]《祭彭祖》[507]文，革辞不为。延明将棰[508]之，革厉色[509]曰："江革行年六十，今日得死为幸，誓不为人执笔！"延明知不可屈，乃止。日给脱粟[510][29]饭三升[511]，仅全其生而已。

上密召夏侯亶还，使休兵合肥，俟淮堰成[512]复进。

癸未[513]，魏大赦，改元孝昌[514]。

破六韩拔陵围魏广阳王渊于五原[515]，军主贺拔胜募二百人开东门出战，斩首百余级，贼稍退。渊拔军向朔州，胜常为殿[516]。

云州刺史费穆，招抚离散，四面拒敌。时北境州镇皆没，唯云中一城独存[517]。久之[30]，道路阻绝，援军不至，粮仗俱尽，穆弃城南奔尔朱荣于秀容，既而诣阙请罪，诏原之。

长流参军于谨[518]言于广阳王渊曰："今寇盗蜂起，未易专用武力胜也。谨请奉大王之威命，谕以祸福，庶几稍可离[519]也。"渊许之。谨兼通诸国语，乃单骑诣叛胡营，见其酋长，开示恩信[520]，于是西部铁勒酋长乜列河[521]等将三万余户南诣渊降。渊欲引兵至折敷岭[522]迎之，谨曰：

在梁武帝命令大军北伐的时候，西丰侯萧正德也以轻车将军的身份跟随豫章王萧综北伐，萧综投奔魏军之后，萧正德扔下军队就自己回来了。梁武帝把萧正德前后的罪恶累积起来，于是免去了萧正德的官职，削夺了萧正德的爵位，把萧正德流放到临海郡。萧正德还没有到达流放地，梁武帝就已经派人追上他，赦免了他的罪。

萧综到达魏国的都城洛阳，拜见过魏孝明帝之后回到宾馆，就为故齐国的东昏侯萧宝卷举行哀悼，他穿着子女为父母所穿的那种丧服为东昏侯守孝三年。胡太后及其以下的官员全都到萧综所住的宾馆进行吊唁，胡太后给萧综的赏赐和礼节待遇都很丰厚隆重，任命萧综为司空，封为高平郡公、丹杨王，萧综改名为萧赞。魏国任命苗文宠、梁话都为光禄大夫。封鹿悆为定陶县子爵，并任命鹿悆为员外散骑常侍。

曾在萧综手下担任长史的济阳郡人江革、担任司马的范阳郡人祖暅之都被魏军俘虏，魏国的安丰王元延明知道了他们的才能和名声以后，就很厚待他们，江革对元延明说自己的脚有病不能跪拜。元延明让祖暅之写了欹器、漏刻铭文，江革唾骂祖暅之说："你蒙受国家的厚恩，竟然为贼虏写作铭文，辜负了朝廷对你的厚恩!"元延明听说以后，就令江革写《大小寺碑》《祭彭祖文》，江革拒绝为元延明写作。元延明准备用棍棒捶打江革，江革面色严厉地说："我江革已经是快六十岁的人了，如果我今天被你打死了我将感到很荣幸，即使是死也绝不为你执笔写文章!"元延明知道不能使江革屈服，于是就不再优待江革。每天只为江革提供三升粗米，仅够维持江革的生命而已。

梁武帝秘密地把夏侯亶召回，让他在合肥休整军队，等待淮河堤坝修成之后再进兵北伐。

六月初十日癸未，魏国实行大赦，改年号为孝昌元年。

破六韩拔陵率众把魏国的广阳王元渊包围在五原城，五原城中担任军主的贺拔胜招募二百人的敢死队打开五原城的东门出城与贼军作战，杀死了一百多名贼军，贼军这才稍微后退了一些。元渊利用这个机会放弃了五原城拔营向朔州撤退，军主贺拔胜经常担任后卫。

魏国担任云州刺史的费穆，召集、抚慰那些离散之人，四面抵抗敌军。当时魏国北部边境的州镇全部陷落，只有云中一座孤城还属于魏国朝廷所有。时间一久，城内与外部的交通断绝，也没有援军赶来增援，云中城内的粮食、武器全部消耗光了，费穆不得不抛弃云中城向南投奔秀容县的尔朱荣，后来费穆前往洛阳向朝廷请罪，胡太后宽恕了他。

担任长流参军的于谨对广阳王元渊说："如今盗贼蜂拥而起，专门依靠武力不容易取胜。我请求奉命前去对他们讲明福祸利害关系，或许能使他们渐渐地离开叛匪，归顺朝廷。"元渊批准了于谨的请求。于谨精通各国语言，于是就独自一个人骑着马前往叛变的匈奴人的军营，会见他们的酋长，向匈奴人酋长表示出朝廷对他们的恩典与诚信，于是西部铁勒的酋长乜列河等便率领三万多户居民向南来投降广阳王元渊。元渊想要率军到折敷岭去迎接乜列河等，于谨说："破六韩拔陵的势力非常强

“破六韩拔陵兵势甚盛，闻乜列河等来降，必引兵邀523之，若先据险要，未易敌也。不若以乜列河饵之524，而伏兵以待之，必可破也。”渊从之，拔陵果引兵邀击乜列河，尽俘其众，伏兵发，拔陵大败，复得乜列河之众而还。

柔然头兵可汗525大破破六韩拔陵，斩其将孔雀等。拔陵避柔然，南徙渡河526。将军李叔仁以拔陵稍逼，求援于广阳王渊，渊帅众赴之。贼前后降附者二十万人，渊与行台元纂表“乞于恒州北别立郡县，安置降户，随宜赈贷527，息其乱心。”魏朝不从，诏黄门侍郎杨昱分处之[31]冀、定、瀛三州528就食。渊谓纂曰：“此辈复为乞活529矣。”

秋，七月壬戌530，大赦。

八月，魏柔玄镇民杜洛周聚众反于上谷531，改元真王，攻没郡县，高欢532、蔡儁533、尉景534及段荣535、安定彭乐皆从之。洛周围魏燕州刺史博陵崔秉536，九月丙辰537，魏以幽州刺史常景538兼尚书，为行台，与幽州都督元谭讨之。景，爽之孙也。自卢龙塞539至军都关540，皆置兵守险，谭屯居庸关541。

冬，十月，吐谷浑542遣兵击赵天安543，天安降，凉州复为魏。

平西将军高徽544奉使嚈哒545，还至枹罕546。会河州刺史元祚卒，前刺史梁钊之子景进引莫折念生兵围其城。长史元永等推徽行州事547，勒兵固守。景进亦自行州事548。徽请兵于吐谷浑，吐谷浑救之，景进败走。徽，湖之孙也。

魏方有事于西北549，二荆、西郢550群蛮皆反，断三鵶路551，杀都督，寇掠北至襄城552。汝水有冉氏、向氏、田氏，种落最盛，其余大者万家，小者千室，各称王、侯，屯据险要，道路不通。十二月壬午553，

盛，他听到乜列河等人率众来降的消息，一定会率军在半路上截击，如果他们抢先占据了险要的地势，就不容易抵抗他们。倒不如把乜列河当作诱饵来引诱破六韩拔陵，我们预先设下埋伏等待破六韩拔陵前来上钩，一定能将破六韩拔陵打败。”元渊听从了于谨的意见，破六韩拔陵果然率军截击乜列河等，把乜列河的部众全部俘虏，元渊埋伏的军队突然向破六韩拔陵的军队发起进攻，把破六韩拔陵的军队打得大败，重新夺回了乜列河的部众，而后回师。

柔然敕连头兵豆伐可汗阿那瓌把破六韩拔陵打得大败，斩杀了破六韩拔陵的将领孔雀等。破六韩拔陵避开柔然的军队，渡过黄河向南迁徙。将军李叔仁因为破六韩拔陵的军队日益逼近，就向广阳王元渊求救，元渊率领部众赶去救援李叔仁。贼军当中先后向元渊投降归顺的有二十万人，元渊与担任行台的元纂上表给胡太后，他们在上奏的表章中“请求朝廷在恒州以北地区另行设立郡县，用以安置那些投降的人，再根据情况对他们进行救济，以平息他们的叛乱之心”。魏国朝廷没有批准他们的请求，胡太后下诏令担任黄门侍郎的杨昱把投降、归附的那些人分别安置在冀州、定州、瀛州境内自己去找饭吃。元渊对元纂说：“这些人又成了靠乞讨为生的丐帮了。”

秋季，七月十九日壬戌，梁国实行大赦。

八月，魏国柔玄镇境内的百姓杜洛周在上谷郡聚众造反，改年号为真王元年，他们到处攻打郡县，高欢、蔡儁、尉景以及段荣、安定郡人彭乐都跟随了杜洛周。杜洛周率领部众包围了魏国担任燕州刺史的博陵人崔秉，九月十四日丙辰，魏国朝廷任命担任幽州刺史的常景兼尚书，为行台，与担任幽州都督的元谭一同讨伐杜洛周。常景，是常爽的孙子。从卢龙塞到军都关，凡是险要的地方，朝廷都派兵进行防守，幽州都督元谭率军驻守在居庸关。

冬季，十月，吐谷浑派军队进攻赵天安，赵天安向魏国朝廷投降，凉州重归魏国所有。

魏国担任平西将军的高徽奉命出使嚈哒，返回的时候到达枹罕。正遇上担任河州刺史的元祚去世，前任河州刺史梁钊的儿子梁景进引领莫折念生的军队包围了河州州城枹罕。担任长史的元永等人推举平西将军高徽临时代理河州刺史的职务，高徽指挥军队固守枹罕城。梁景进也自任为代理和州刺史。平西将军高徽向吐谷浑请求出兵救援，吐谷浑派遣军队赶来救援，梁景进战败逃走。高徽，是高湖的孙子。

魏国西部有莫折念生作乱，北部有破六韩拔陵作乱，朝廷把主要精力放在了对付西、北方的叛乱上，而西荆州、北荆州、西郢州境内的各少数民族全都趁机起来造反，他们截断了南阳、洛阳之间的三鵶路，杀死了都督，肆意骚扰抢夺，往北一直到达襄城。汝水一带地区有冉氏、向氏、田氏，他们的族群势力最为强盛，其他比较大的族群有上万家，小的族群也有上千家，各自称王、称侯，占据着险要的地势，于是道路被切断，不能通行。十二月十二日壬午，魏国孝明帝下诏说：“我要亲

魏主下诏曰："朕将亲御六师，扫荡逋秽[554]，今先讨荆蛮，疆理南服[555]。"时群蛮引梁将曹义宗等围魏荆州[556]，魏都督崔暹将兵数万救之，至鲁阳[557]，不敢进。魏更以临淮王彧为征南大将军，将兵讨鲁阳蛮，司空长史辛雄为行台左丞，东趣叶城[558]。别遣征虏将军裴衍、恒农太守京兆王罴将兵一万，自武关[559]出通三鸦路，以救荆州。

衍等未至，彧军已屯汝上[560]，州郡被蛮寇者争来请救，彧以处分道别[561]，不欲应之，辛雄曰："今裴衍未至，王士众已集，蛮左唐突[562]，挠乱近畿[563]，王秉麾阃外[564]，见可而进，何论别道！"彧恐后有得失之责，邀雄符下[565]。雄以群蛮闻魏主将自出，心必震动，可乘势破也，遂符彧军，令速赴击。群蛮闻之，果散走。

魏主欲自出讨贼，中书令袁翻谏而止。辛雄自军中上疏曰："凡人所以临陈忘身，触白刃而不惮者，一求荣名，二贪重赏，三畏刑罚，四避祸难，非此数者，虽圣王不能使其臣，慈父不能厉[566]其子矣。明主深知其情，故赏必行，罚必信，使亲疏贵贱勇怯贤愚，闻钟鼓之声[567]，见旌旗之列，莫不奋激，竞赴敌场，岂厌久生[568]而乐速死哉？利害悬于前，欲罢不能耳。自秦、陇逆节[569]，蛮左乱常[570]，已历数载，凡在戎役数十万人，捍御[32]三方[571][33]，败多胜少，迹其所由[572]，皆[34]不明赏罚之故也。陛下虽降明诏，赏不移时[573]，然将士之勋，历稔[574]不决；亡军之卒[575]，晏然在家[576]，是使节士无所劝慕[577]，庸人无所畏慑[578]。进而击贼，死交而赏赊[579]；退而逃散，身全而无罪，此其所以

自统领全国的军队，扫平各地的叛贼，现在首先要讨伐荆州境内造反的少数民族，整顿南方的秩序。”当时那些少数民族正在引导着梁国的将领曹义宗等人包围魏国的荆州，魏国担任都督的崔暹率领数万军队前往救援荆州，军队到达鲁阳的时候就不敢继续前进了。魏国改任临淮王元彧为征南大将军，令其率军讨伐鲁阳城那些造反的少数民族，司空长史辛雄担任行台左丞，军队向着东方叶城的方向前进。另外又派遣担任征虏将军的裴衍、担任恒农太守的京兆人王罴率领一万军队，从武关出发去打通三鵶路，以便解救荆州。

征虏将军裴衍等人还没有到达目的地，征南大将军临淮王元彧的军队已经屯扎在汝水之滨，那些遭受蛮人骚扰抢劫的州郡争相前来向元彧求救，元彧认为出兵救援被蛮人侵扰的州郡与皇帝交给自己的任务方向不一致，就不想答应他们的请求，担任行台左丞的辛雄说：“现在裴衍的军队还没有到来，大王您的军队已经在这里集结完毕，这个地区的蛮夷嚣张横行，将直接威胁到洛阳郊区的安全，大王您在京城之外掌握着军队的指挥大权，看见可以进兵就应该进兵，还讲什么前进方向相同不相同!”元彧担心如果发生失误自己就得承担责任，遂请求辛雄以行台左丞的名义给自己颁发一道命令。辛雄认为那些蛮夷听到魏国皇帝将要御驾亲征的消息，心里一定受到很大的震动，可以趁着这个机会把群蛮打败，于是就颁发给元彧一道命令，令元彧火速派兵出击。那些蛮夷听到消息以后，果然四散逃走。

魏孝明帝想要亲自出京去讨伐叛贼，因为中书令袁翻的劝阻而没有付诸行动。辛雄从军中上书给胡太后说：“大凡临阵杀敌奋不顾身，身冒白刃而毫不畏惧、毫不退缩的人，他们第一是为了求得一个光荣的名号，第二是为了得到国家的重赏，第三是惧怕临阵脱逃会受到刑法的制裁，第四是为了躲避祸患灾难，如果不是为了这几样，即使是圣明的君王也不能驱使他的臣子、慈爱的父亲也不能勉励他的儿子面对死亡而毫不畏惧。英明的君主深知这个道理，所以该奖赏的一定要奖赏，该惩罚的一定要惩罚，让那些关系亲近的或是疏远的、地位尊贵的或是卑贱的、性情勇敢的或是怯懦的、智力贤能的或是愚蠢的，只要听见军中的钟鼓奏响，看见旌旗的队列，无不兴奋起来、激动起来，竞相奔赴杀敌的战场，难道是他们不想多活一些时候而乐意快点去死吗？是利害关系摆在面前，想不去赴汤蹈火也不可能罢了。自从秦州、陇山地区莫折大提、莫折念生发动叛乱，南方的蛮夷扰乱纲常以来，已经好几年了，总计在军队当中服役的有数十万人，他们西讨秦、陇之贼，北御边镇之乱，南击蛮左之叛，打的败仗多而胜仗少，追溯世事，这些都是因为赏罚不明造成的。陛下虽然颁布了明确的诏书，毫不耽搁地及时行赏，然而将士的功勋，即使拖延一年也决定不下来；打了败仗，损失了军队的人，安然地待在家里。这使有功的将士得不到鼓励，不能令人羡慕他们、向他们学习，而平庸的人也不用担心受到惩罚。奋进杀敌的人，死亡就在眼前，获得奖赏却不知在何年何月；临阵脱逃的人，身体

望敌奔沮[580]，不肯尽力者也。陛下诚能号令必信，赏罚必行，则军威必张，盗贼必息矣。”疏奏，不省[581]。

曹义宗等取顺阳[582]、马圈[583]，与裴衍等战于淅阳[584]，义宗等败退。衍等复取顺阳，进围马圈。洛州刺史董绍以马圈城坚，衍等粮少，上书言其必败。未几，义宗击衍等，破之，复取顺阳。魏以王罴为荆州刺史。

邵陵王纶[585]摄南徐州事[586]，在州喜怒不恒[587]，肆行非法。遨游市里，问卖䱉[588]者曰:“刺史何如?”对言:“躁虐!”纶怒，令吞䱉而死。百姓惶骇，道路以目[589]。尝逢丧车，夺孝子服而著之，匍匐号叫。签帅惧罪[590]，密以闻。上始严责纶，而不能改，于是遣代[591]。纶悖慢[592]逾甚，乃取一老翁[35]短瘦类上者[593]，加以衮冕[594]，置之高坐，朝以为君，自陈无罪;使就坐剥褫[595]，捶之于庭[596]。又作新棺，贮司马崔会意[597]，以輴车挽歌[598]为送葬之法，使妪乘车悲号。会意不能堪，轻骑还都以闻。上恐其奔逸[599]，以禁兵取之，将于狱赐尽，太子统[600]流涕固谏，得免。戊子[601]，免纶官，削爵土。

魏山胡[602]刘蠡升反，自称天子，置百官。

初，敕勒酋长斛律金[603]事怀朔镇将杨钧为军主[604]，行兵用匈奴法，望尘知马步多少，嗅地知军远近。及破六韩拔陵反，金拥众[605]归之，拔陵署[606]金为王。既而知拔陵终无所成，乃诣云州降[607]，仍稍引其众南出黄瓜堆[608]，为杜洛周所破，脱身归尔朱荣，荣以为别将[609]。

得到保全而没有罪过，这就是军人望见敌人就逃跑、溃散，不肯尽力杀敌的原因。陛下如果能够确实做到号令必信，赏罚必行，那么军威一定能够得到张扬，盗贼一定能被平定。”奏章呈递上去之后，胡太后不加理睬。

梁国的将领曹义宗等人攻取了魏国的顺阳、马圈城，与魏国征虏将军裴衍等战于淅阳，曹义宗等失败后撤退，裴衍等人又夺回了顺阳，并乘胜进军包围了马圈城。魏国担任洛州刺史的董绍因为马圈城坚固难攻，征虏将军裴衍等人军中的粮食又不充足，于是上书给魏国朝廷，说裴衍等人围攻马圈城一定会失败。不久，梁将曹义宗攻击裴衍等，果然把裴衍打败，梁军再次夺取了顺阳。魏国朝廷任命王罴为荆州刺史。

梁国的邵陵王萧纶代理南徐州刺史的职务，他在南徐州刺史任上喜怒无常，肆意违法乱纪。他在集市上到处游荡，向卖鳝鱼的摊贩询问说：“你觉得现在的徐州刺史怎么样?”卖鳝鱼的小摊贩回答说：“徐州刺史急躁暴虐!”萧纶听了大怒，立即命令那个小摊贩把鳝鱼活着吞下肚去而导致小摊贩死亡。百姓因此被吓得在道路上相遇连话都不敢说，只能用眼神打个招呼。萧纶曾经遇到一辆出殡的丧车，他夺下孝子身上的丧服就穿在自己的身上，然后趴在地上大声嚎叫。萧纶的典签惧怕获罪，就秘密地把萧纶的所作所为奏报给梁武帝。梁武帝这才开始严厉地责备萧纶，而萧纶依然不改。梁武帝就另外派人来接替了南徐州刺史的职务。萧纶的荒唐、反常行为变本加厉，他竟然找了一位和梁武帝长得很像的矮小瘦弱的老头儿，让老头儿穿上皇帝的龙袍，戴上皇冠，坐在高处，萧纶把他当作皇帝一样进行朝拜，还向他陈述自己没有犯罪；然后又让人过去在座位上剥下老头儿的衮冕，拉到庭院中用棍子打他。萧纶又制作了一口新棺材，把担任司马的崔会意装在棺材里，然后把棺材放到辆车上，让乐队唱着挽歌，做送葬的游戏，还让老年妇女坐在车上悲哀地号哭。崔会意不堪忍受这种侮辱，就轻装骑着马回到建康报告了梁武帝。梁武帝担心萧纶逃到魏国去，就让禁卫军去逮捕萧纶，准备赐萧纶在狱中自杀，太子萧统流着眼泪极力劝谏，萧纶才免于一死。十二月十八日戊子，梁武帝免去了萧纶的官职，削夺了萧纶的爵位和封地。

魏国境内的山胡人刘蠡升聚众造反，他自称天子，并设置了文武百官。

当初，敕勒酋长斛律金在魏国怀朔镇将杨钧手下担任一支部队的部队长，行军打仗全都按照匈奴族人的老办法，他望见飞扬的尘土就能够估计出敌人骑步兵有多少人，趴在地上听听声音就能够知道敌军的远近。等到破六韩拔陵聚众造反的时候，斛律金就带领着自己的部众归顺了破六韩拔陵，破六韩拔陵任命斛律金为王。后来斛律金看到破六韩拔陵最终将一事无成，就前往云州投降了魏国担任云州刺史的费穆，然后率领着自己的部下逐渐向南移动，到达云州东南方的黄瓜堆，被叛民首领杜洛周打败，斛律金摆脱了杜洛周的追击之后便投奔了秀容县的少数民族头领尔朱荣，尔朱荣任命斛律金为一支独立部队的头领。

【段旨】

以上为第二段，写梁武帝萧衍普通六年（公元五二五年）一年间的大事。主要写了魏徐州刺史元法僧率部降梁，梁使名将陈庆之、成景儁等接应之，魏将元鉴往讨元法僧于徐州，被元法僧打败，从而使徐州落入梁人之手。写了莫折念生之将莫折天生越陇山东出以侵岐、雍，被魏岐州刺史崔延伯打败，退回陇西。写了梁使其将裴邃、萧渊藻等率军北出，攻取了新蔡、郑城，汝、颍之间所在响应；裴邃又大破魏军于寿阳城下，斩首万余级，魏军据守寿阳不敢出。写了魏之乱臣元义对胡太后的禁防渐缓，胡太后遂与魏主元诩定谋，解除了元义的一切职务，重新恢复摄政，接着发刘腾之墓，诛其养子，又依次罢去侯刚，杀死贾粲，又在群臣的坚持下杀了元义，罢黜了元继，乱党基本肃清，但胡太后又宠幸郑俨、徐纥，二人勾结，群臣附之，魏政日益混乱。写了柔然王阿那瓌助魏讨伐破六韩拔陵，屡破其兵。写了魏将元渊用参军于谨之策，招得铁勒三万户来降，又大败破六韩拔陵之众。写了魏将萧宝寅、崔延伯被莫折念生之将万俟丑奴、宿勤明达所败，崔延伯战死，魏朝野为之忧恐。写了梁将曹义宗攻取了魏之顺阳郡，梁之益州刺史派将进攻魏之小剑戍，被魏将淳于诞、魏子建等击破之。写了鄂豫边境地区的群蛮见魏国西部、北部的形势紧急，遂亦趁机纷纷起兵反魏，魏将元彧在其僚属辛雄的建议下就势击败了汝水流域的群蛮。写了梁武帝萧衍之子萧综的种种叛逆行动，最后竟以徐州刺史的身份投降魏国，致使徐州的梁军损失十之七八，徐州又回归魏国。又写了萧衍的另一个儿子萧纶在南徐州刺史的任上因肆行不法而被遣代，萧纶不思悛悔，反而更加狂悖不法，致被萧衍下狱，废为平民。此外还写了梁朝名将裴邃病死军中，以及在魏国的频繁叛乱中，高欢、尔朱荣、斛律金等纷纷崭露头角，为他们日后的叱咤风云作了铺垫。

【注释】

㉔⓪ 正月丙午：正月初一。㉔① 晋安王纲：萧纲，萧衍之子，即后来的梁简文帝。传见《梁书》卷四。㉔② 安北长史：安北将军萧纲的长史。长史是官名，为将军的高级僚属，众史之长。㉔③ 南乡郡：郡治在今河南淅川县南。㉔④ 晋城：方位不详，应距南乡不远。㉔⑤ 庚戌：正月初五。㉔⑥ 马圈：地名，在今河南邓州北。㉔⑦ 彫阳：方位不详，应距马圈不远。㉔⑧ 辛亥：正月初六。㉔⑨ 元法僧：道武帝拓跋珪的后代，此时任安东将军，徐州刺史。传见《魏书》卷十六、《梁书》卷九。㉕⓪ 文陵：孝文帝的陵墓。㉕① 庚申：正月十五。㉕② 元显和：景穆帝拓跋晃的后代，元丽之子，此时任元法僧的长史。传见《魏书》卷十九上。㉕③ 翁：父辈。以族属论，元法僧是元显和的父辈。㉕④ 使于法僧：出使到元法僧处，与之当面商谈。㉕⑤ 陈庆之：梁朝的名将，屡与魏战有大功，后又大破侯景。传见《梁书》

卷三十二。㉖黑水：渭水的支流，在今陕西宜川县北，南岸有黑城。㉗崔延伯：初为南齐小将，后投魏国，孝文帝时曾任荆州刺史，此时为征西将军，行岐州刺史。传见《魏书》卷七十三。㉘马嵬：古城名，在今陕西兴平西。㉙参贼勇怯：检验一下敌兵是勇敢还是怯懦。㉖⓪整陈：排着整齐的行列。㉖①蹙：挤；逼迫。㉖②水次：水边。㉖③关、张：三国时期蜀国的关羽和张飞。㉖④癸亥：正月十八。㉖⑤陷：攻入；冲进。㉖⑥小陇：小陇山，在今陕西陇县西。㉖⑦陇道：岐州进入陇山以西的通道。㉖⑧宛川：魏县名，即陈仓县，在今陕西宝鸡西南。㉖⑨介于强寇：夹在强寇的中间。介，被夹在。㉗⓪附从以救死：勉强服从以求活命。救死，求生。㉗①翦以为贱役：掠之来做奴隶。翦，掠取。贱役，指做奴婢。㉗②己巳：正月二十四。㉗③新蔡郡：郡治即今河南新蔡。㉗④渊藻：萧渊藻，梁武帝萧衍之侄，萧懿之次子，《梁书》只称作"藻"，无"渊"字，乃唐人为避讳所削也。传见《梁书》卷二十三。㉗⑤豫章王综：萧综，萧衍的次子，此时为南兖州刺史。传见《梁书》卷五十五。梁朝的南兖州州治广陵，即今江苏扬州。㉗⑥癸酉：正月二十八。㉗⑦郑城：县名，即今安徽颍上。㉗⑧汝、颍：二水名，都由今之河南中部流入今安徽的西北部汇入淮河。㉗⑨城父：县名，县治在今安徽亳州东南。㉘⓪崔孝芬：孝文、宣武时期的正直官吏崔挺之子，此时任廷尉少卿，后官至车骑大将军。传见《魏书》卷五十七。㉘①斋库刀：亦称"千牛刀"，犹如他时之所谓"尚方宝剑"。送千牛刀表示如果再停止不前，将以此斩之。㉘②趣：催促。㉘③长孙稚：魏国的名臣长孙观之子，此时任扬州刺史，驻兵寿阳。传见《魏书》卷二十五。㉘④四甄：犹今所谓四面埋伏。甄，军队的左右两翼。㉘⑤南阳平：魏郡名，郡治在今安徽宿州东南。㉘⑥薛昙尚：孝文帝时的魏国名将薛虎子之子，时为南阳平郡太守。传见《魏书》卷四十四。㉘⑦甲戌：正月二十九。㉘⑧安丰王延明：元延明，文成帝拓跋濬之孙，上文所提到的元略之侄。传见《魏书》卷二十。㉘⑨东道行台：朝廷派往东方的专员，代行朝廷职权。㉙⓪彧：太武帝拓跋焘的曾孙，继其父为临淮王。传见《魏书》卷十八。㉙①二月乙未：二月二十。㉙②龙亢：地名，距今安徽颍上不远。㉙③微缓：稍稍有所放松。㉙④复何用我为：还要我干什么。㉙⑤声色愈厉：态度越发强硬。厉，严、强烈。㉙⑥嘉福殿：时太后被限居于此处。㉙⑦深匿形迹：内心的真实想法丝毫不表现出来。㉙⑧欲得往来显阳：要求可以随意到显阳宫去。当时肃宗元诩居住在显阳宫。㉙⑨日有数四：每天都说上四五次。㉚⓪数以为言：屡次借此责备他。㉚①洛水：自西南方流来，经洛阳城的南面东北流入黄河。㉚②日晏：日暮；天傍晚。㉚③元郎：因元义是胡太后的妹夫，故以亲昵语呼之。㉚④去领军：辞去领军将军的职务。领军将军是全国最高的军事长官。㉚⑤余官：当时元义的其他职务还有尚书令、侍中等。㉚⑥领左右：统领皇帝身边的侍卫人员。㉚⑦戊戌：二月二十三。㉚⑧魏大赦：此大赦的意义有二，其一是胡太后被解除禁闭，恢复自由，甚感庆幸；其二是赦免以往的犯罪对元义之党能稳定其心。㉚⑨壬寅：二月二十七。㉛⓪仇池郡：魏郡名，郡治骆谷城，在今甘肃西和南。㉛①三月己酉：三月初五。㉛②白下城：在当时建康城北的长江东岸，也就是侨置琅邪郡的郡治所在地。随着南京城的不断扩大，现在已经到了南京下关区，白下城即在狮子山的山麓。⑬履行：步行巡视。⑭六军顿所：皇帝禁卫军的驻地。⑮乙丑：三月二十一。⑯权顿：暂时驻扎。⑰摄徐州府事：临时代理徐州都督府的一切事务。⑱己巳：三月二十五。⑲衡州：梁朝的州名，州治在今广东英德西北，也是当时阳山郡的郡治所在地。⑳广州：州治即今广州。㉑班师：回师。上年京兆王继为大都督，节度西道诸军，今胡太后将杀元义，故召其父使回。㉒魏兴：当时北梁州的州治所在地，在今陕西安康西北。㉓魏梁州：州治南郑，即今陕西汉中。㉔直城：当时直州的州治所在地，在魏兴的西北方。㉕傅竖眼：魏国的名将，此时任梁州刺史。传见《魏书》卷七十。㉖敕连头兵豆伐：柔然语，意思即“总揽”。㉗不自意：没有感觉到。㉘穆绍：魏国的元勋老臣穆崇的后代，穆亮之子，此时任中书监、侍中。传见《魏书》卷二十七。㉙辛卯：四月十七。㉚韩子熙：魏国的名臣韩麒麟之孙，韩显宗之子，后为国子祭酒。传见《魏书》卷六十。㉛清河王怿：元怿，宣武帝之弟，现时魏主之叔，上卷普通元年被元义所杀。传见《魏书》卷二十二。㉜赵高柄秦：赵高是秦始皇时的宦官，秦始皇死后，伙同李斯篡改诏书杀扶苏、立胡亥，导致秦国灭亡。事见《史记·李斯列传》。柄秦，执掌秦政之柄。㉝关东鼎沸：以比喻陈胜、吴广带头发起的天下农民大起义之风起云涌。关东，函谷关以东，秦国本土以外的旧时六国之地。㉞云扰：乱云翻滚，指国内国外到处起兵反魏。㉟开逆之端：逆乱的最先开头。开，引头。㊱宋维：孝文帝时代的亲幸之臣宋弁之子，为清河王怿之僚属，受元义收买，诬陷清河王怿，致清河王怿被杀。传见《梁书》卷六十三。㊲刘腾：宣武帝时代的宦官，宣武帝死后，太子元诩继位，因护卫元诩的生母胡氏有功，被后来临朝执政的胡太后所宠幸权倾一时时，已于普通四年（公元五二三年）病死。传见《魏书》卷九十四。㊳枭首洿宫：将其本人斩首，悬其首于高竿示众；将其住所挖成大坑，灌满污水，以泄众人之愤。《礼记·檀弓下》：“洿其宫而猪焉。”孔疏：“谓掘洿其宫使水聚积。”㊴斩骸沈族：将其躯体断为碎块，将其家族全部灭绝。沈，同“沉”，灭绝。㊵籍没家赀：没收其家庭的全部财产入官。㊶尽杀其养子：刘腾本无子，但许多攀附权贵者为其当养子，河间王元琛即其中之一。㊷中书舍人：官名，中书省的官员，为皇帝起草文件、传达诏命。㊸游肇：魏国的儒学之臣游明根之子，曾任中书令，为人正直，不畏权贵。传见《魏书》卷五十五。㊹伯绪：宋维的字。当宋维之父的面称宋维的字，是对其父的尊重。㊺杀身：自身被杀，未连累家人。㊻洛州：州治即今陕西商洛市商州区。㊼猝制：一时之间全部拿下。㊽侯刚：宣武帝元恪的宠信之臣，为尝食之官，护卫太子元诩继位为帝，护卫胡太后安全皆有大功，后与元义结党，但自身无太大罪恶。传见《魏书》卷九十三。㊾以安其意：以稳住元义一党的心思。㊿冀州：魏州名，州治即今河北衡水市冀州区。(351)贾粲：胡太后时期的宦官，因佐助元义幽禁胡太后，被元义所亲。传见《魏书》卷九十四。(352)济州：魏州名，州治卢县，在今山东东阿西北，聊城东南。(353)元顺：景穆帝拓跋晃之后，任城王云之孙，任城王澄之子，继其父位为任城王。

传见《魏书》卷十九。胡三省曰："任城王云及澄，魏宗室之贤王也。"㉞齐州：魏州名，州治历城，即今山东济南。㉟正元义之罪：正……罪，治罪，给予应有的惩处。㊱嘿然：同"默然"，没有作声。㊲尝邀朕：曾经要挟我、逼迫我。邀，这里同"要"，要挟。㊳冀：希望。㊴赖不与：幸亏没有给他。赖，幸亏、多亏。㊵岂系铁券：哪在他有没有铁券。即使有铁券，该杀也还得杀。㊶何解今日不杀：与今天的该杀而不杀有何关系。㊷怃然：怅然；伤心的样子。㊸六镇降户：北方的六镇所收抚的降人而被安置到定州的。魏国的北方六镇指怀朔镇、武川镇、抚冥镇、柔玄镇、怀荒镇、御夷镇。㊹定州：魏州名，州治卢奴，即今河北定州。㊺鲁阳：魏郡名，郡治山北，即今河南鲁山县。㊻伊阙：山口名，在今河南洛阳西南，即今之所谓"龙门"。㊼手书：亲笔信。㊽卢同：魏国儒学之臣卢玄的族人，曾任尚书左丞、度支尚书，曾帮着元义杀害元熙，穷究党羽。传见《魏书》卷七十六。㊾事妆饰：好梳妆打扮。㊿衣不文采：不穿有花纹、有亮色的衣服。371母临天下：为天下之母，管理天下之民。372年垂不惑：年近四十岁。孔子曰："三十而立，四十而不惑。"373仪刑后世：给后代人做榜样。仪刑，仪范、典型，都是"楷模"的意思。刑，此处通"型"。374众中见辱：在大庭广众之中羞辱我。375拥被：围裹着被子。376与卿先君：与您的父亲元澄。377亟连职事：多次共事。378方进用：正蒙提拔、任用。379何宜相排突：怎么能对人不讲一点礼貌。排突，唐突、不礼貌。380谢事：辞职。381俨：郑俨，胡太后的男宠，官至车骑将军。传见《魏书》卷九十三。382西讨：西讨莫折念生。383开府属：为萧宝寅的属官。时萧宝寅为开府、西道行台、征西大都督。384尝食典御：给皇帝预先尝食的官。385休沐：休假日，古代官吏在家休息、沐浴的日子。386唯得言家事：不许说别的、干别的，因为孙俨是太后的人。387乐安徐纥：乐安郡（郡治即今山东寿光）人徐纥，胡太后的宠幸。传见《魏书》卷九十三。388赵脩：宣武帝时代的宠臣，后被外戚高肇所杀。传见《魏书》卷九十三。389徙枹罕：流放到枹罕。枹罕在今甘肃临夏回族自治州东北，当时为河州的州治所在地。390雁门：魏郡名，郡治广武，在今山西代县的西南侧。391承接：巴结；奉承。392人别占之：分别对每人口授词句。393造次俱成：很快地就全部完成了。造次，匆忙之间、顷刻之间。394不失事理：都能合情合理。395无经国大体：没有处理国家大事的才具。396专好小数：专门在一些小事情上耍心眼。397远近辐凑附之：远近的人都来趋从归附于他。辐凑，如辐条之归向车毂。398袁翻：魏国的文学之臣，又为胡太后所宠信，曾为中书令，与徐纥并掌文翰。传见《魏书》卷六十九。399李神轨：魏国的名臣李崇之子，胡太后的男宠，也是当时著名的将领。传见《魏书》卷六十六。400求婚：指为其子求婚。401卢义僖：魏国的儒学之臣卢度世之孙，卢敏之子，曾为卫尉卿、都官尚书之职。传见《魏书》卷四十七。402王诵：孝文帝时期的名臣王肃之侄。传见《魏书》卷六十三。403不以一女易众男：绝不为了一个女儿的安全而牺牲好几个儿子的性命。晋惠帝时，大臣乐广的女儿为成都王司马颖之妃。及司马颖造反时，长沙王司马乂派兵往讨，有人向司马乂进言，说乐广与司马颖勾结谋反。司马又问乐广，乐广神色不变地说："广岂以五男易一女哉？"意思是说我要是勾结司马颖谋反，女儿是保住了，而在朝廷的五个儿子都要被朝廷所杀。事见本书前文卷八十五。易，交换。㊸我闻有命二句：语出《诗经·扬之水》。这里借用诗句表示心知李神轨与魏太后的关系，而不敢明说。㊹中使：宫中派出的使者。㊺夷然：神色坦然的样子。㊻万俟丑奴：姓万俟，名丑奴。㊼安定：古城名，即当时泾州的州治所在地，在今甘肃泾川县北。㊽辄委走：总是丢下一些铠甲兵器逃去。㊾唱议：同"倡议"，提议。㊿内为锁柱：大盾牌的背面有立柱，并用大锁链连接。⑫缘原：沿着平坦宽阔的高坡。⑬去贼七里：在离敌营只有七里远的地方。《魏书·崔延伯传》作"七十里"，似乎太缓，情势不合。⑭壬辰：四月十八。⑮采掠：收取；抢夺东西。⑯夷陵烈侯裴邃：裴邃生前被封为夷陵侯，死后谥曰烈。夷陵是县名，在今湖北宜昌东南。《谥法解》："有功安民曰烈，秉德尊业曰烈。"⑰壬子：五月初八。⑱夏侯亶：梁朝的名将，开国功臣夏侯详之子。传见《梁书》卷二十八。⑲驰驿代邃：乘驿车飞快地前往军中接替裴邃的职务。⑳临汝侯渊猷：萧渊猷，梁武帝萧衍之侄，萧懿之子，萧渊藻之弟，被封为临汝侯，此时为益州刺史。传见《南史》卷五十一。㉑魏益州：州治晋寿，在今四川剑阁东北。㉒小剑：即小剑山，在今四川剑阁的西北方，其地有魏国的军事据点。㉓胡小虎：河南郡（郡治即今河南洛阳）人，魏国的忠正慷慨之士，有如《左传》中的解扬。传见《魏书》卷八十七。㉔魏行台：指魏子建，时为行台、征西都督、东益州刺史，驻守武兴，即今陕西略阳。行台，是尚书省设在地方的派出机构，其长官也被称为"行台"，犹如所谓特派员。㉕傅梁州：指傅竖眼，魏国名将，此时为梁州刺史，驻守在今陕西汉中。㉖西南道军司淳于诞：军司，意同"军师"，军中的参谋人员。晋人为避司马师之讳而改。淳于诞是魏国名将。传见《魏书》卷七十一。此时为奉命单出率军援救小剑者。㉗防归路：防守自己的退路。㉘戊辰：五月二十四。㉙魏昌武康伯李崇：李崇生前被封为魏昌伯，死后谥曰武康。魏昌是县名，李崇的封地。伯是爵名。《谥法》："克定祸乱曰武；温柔好乐曰康。"㉚吴淑媛：淑媛是后妃的封号名，不是人名。胡三省注："魏文帝置淑媛，宋明帝以淑媛为九嫔之首，齐、梁因之。"㉛豫章王综：萧综。传见《梁书》卷五十五。㉜勿泄也：不要泄露你不是萧衍的儿子。㉝披发席藁：披散着头发，睡在草席上，这是古人为父母守丧的礼节。因为他自认是齐朝末帝东昏侯的遗腹子，所以他要为他被杀的父亲守丧。藁，禾秆编织的席子。㉞齐氏七庙：齐王朝的列祖列宗之庙，指齐高帝、武帝、郁林王、海陵王、明帝、东昏侯、和帝。㉟高宗陵：齐明帝萧鸾的陵墓。㊱割血沥骨：割活人之血滴在死人的骨头。沥，滴。㊲自杀一男：杀死自己的一个儿子来进行试验。㊳异志：推翻梁朝、恢复齐朝的心思。㊴手制奔马：徒手制服狂奔的马。㊵附身故衣：贴身穿的旧衣服。㊶恒致罄乏：经常把自己弄得缺衣少食。罄，尽、衣食断绝。㊷上便宜：上书给皇帝，论说国家当前的急务。㊸跣行：光着脚在沙砾上行走。㊹胝：胼胝；脚底磨出的厚皮。㊺严重：严厉；严肃。㊻通问：通消息。㊼辞讼：僚属或百姓有什么争执不下的问题。㊽败没：兵败被魏人所俘。㊾鹿悆：济阴（今山东菏泽市定陶区西北）人，官至金紫光禄大夫。传见《魏书》卷七十九。㊿一夫：一个普通人，指自己。451内外严固：营外人入营，与营内人出营都检查得很严。452间出：犹言潜出，化装而出。453径趣：直奔。454来状：来意。455欲有交易：有买卖要做；有东西要交换。456元略已南还：梁朝方面的元略与魏国方面的元彧是平辈兄弟，都是魏王的宗室，故鹿悆打着元彧的旗号，仿佛是找元略；而萧综则为了掩护自己故意把事情推到了元略头上。457规欲反城：阴谋想从徐州反城降魏。规，谋划。458将：为了。459为略使：假装是元略的使者。460令人传言谢之：假装是元略派个人出去和他说话。461安定梁话：安定郡人姓梁名话，萧综的心腹。462意状：指萧综欲降魏的意图，与萧综为防成景儁所做出的种种表演。胡三省曰："意者，传综欲降之意；状者，告以诡与成景儁设谋之状。"463薄暮：傍晚。464引见：引之使见。这是萧综为掩护自己故意的安排。465元中山：元略。元略降梁后，被梁封为中山王。466故遣呼卿：所以派人叫你前来。467将少弱卒：率领着数量不多而又疲弱无力的士兵前来。468规复此城：想把此城再夺回去。复，收回、夺回。469容可得乎：那怎么能办得到呢。容可，岂可。470东鄙：东方的边地。鄙，边鄙、边境。471欲返命本朝：还打算回朝向皇帝回报。472更卜后图：另找别的机会；日后再想办法。473有以南向：想要到南方去办些事。隐指袭击梁王朝。474且遣相呼：故而派人招呼你来。475欲闻乡事：想听听家乡的消息。隐指与魏军协调行动。476晚来：后来。477不获相见：没法再与你见面了。478早奉音旨：早已得知你的意图。音旨，言谈意旨。479冒险祇赴：冒险恭敬地来到此地。祇，恭敬。480瞻见：拜见。瞻，仰视。481内怀反侧：内心很是不安。482华辞：空话；吹牛。483崇朝可验：明天早晨你就可以看到。崇朝，终朝、从天亮到吃早饭之间。比喻时间短促。崇，尽、终。484戏马台：徐州城内的一处古迹，相传当年项羽为西楚霸王时，曾在此骑马，并检阅军队。戏马，骑马驰骋。485何论险固：险固不险固起不了作用。486申固盟约：牢牢地确定了盟约。487六月庚辰：六月初七。488斋内诸閤：萧综府内的内室之门。閤，内室之门。489复取诸城：将由于魏将元法僧叛变，随同徐州一起归梁的诸城重新夺回。490宿预：古城名，在今江苏宿迁东侧，当时徐州的东南方。491绝属籍：从萧氏皇室的宗谱上削去他的名字。492更其子直姓悖氏：把萧综的儿子萧直改为姓"悖"。493未旬日：不到十天。494永新侯：封地永新县，县治在今江西永新西，当时尚属于安成郡。495西丰侯正德：萧正德，梁武帝萧衍之侄，临川王萧宏的第三子，因未能为皇太子曾于前年叛逃到魏国。事见本书上卷。返回后又被封为西丰县侯。496志行无悛：思想行为没有任何悔改。悛，悔改。497亡命：犯罪潜逃的人。498剽掠：抢夺。499弃军辄还：随便地扔下军队就自己回家了。500徙临海：流放到临海郡，临海郡的郡治在今浙江临海东南。501斩衰：子女为父母所穿的孝服，用麻布做成，衣边不加缘饰。502除员外散骑常侍：除，选任、任命。员外，定额以外，有如现在的"后补"。散骑常侍，皇帝的参谋顾问人员。503济阳江革：济阳是魏郡名，郡治在今河南兰考东北。江革自南齐有才名，受江祏等所宠任。入梁后曾任御史中丞，有正直之名，后又为萧综的长史。传见《梁书》卷三十六。⑤⓪④范阳：魏郡名，郡治即今河北涿州。⑤⓪⑤攲器漏刻铭：攲器漏刻上的铭文。攲器，古代的一种盛酒器皿，因其容易倾覆，故名。攲，倾斜。漏刻，一种计时器。《北齐书·方伎传·信都芳传》载："芳又撰次古来浑天、地动、攲器、漏刻诸巧事，并画图，名曰'器准'。"则攲器、漏刻实为两种器物。⑤⓪⑥《大小寺碑》：《通鉴考异》云，"《南史》作'丈八寺碑'，今从《梁书》"。〖按〗百衲本《梁书·江革传》《南史·江革传》皆作"丈八寺碑"，且今山西长治县城南荫城镇桑梓村有寺名为"丈八寺"，寺内有塔名"丈八寺塔"，"大小"当为"丈八"之讹。⑤⓪⑦彭祖：传说中的五帝之一颛顼的后代，相传在尧时被封于彭城。胡三省曰："彭城，大彭氏之墟也，故祭之。"⑤⓪⑧棰：用棍棒打人。⑤⓪⑨厉色：面色严厉。⑤①⓪脱粟：去皮的粗米。⑤①①三升：当时的一升约等于现在的三百毫升，当时的三升还不到现在的一升。⑤①②俟淮堰成：据其说话可知，梁武帝萧衍为了淹寿阳，又在重修拦淮大坝。⑤①③癸未：六月初十。⑤①④孝昌：魏明帝的第四个年号（公元五二五至五二七年）。⑤①⑤五原：古城名，在今内蒙古包头西北。⑤①⑥为殿：为后卫，以抵抗敌军的追击与骚扰。⑤①⑦云中一城独存：胡三省曰，"去年，李崇使费穆守云中"。⑤①⑧长流参军于谨：长流参军是诸王的僚属，胡三省曰，"长流参军主禁防，从公府置长流参军，小府无长流，置禁防参军"。于谨是魏国元勋于栗磾的后代。传见《北史》卷二十三。⑤①⑨庶几稍可离：或许能让他们渐渐地离开叛匪，归向朝廷。庶几，或许。稍，渐渐。⑤②⓪开示恩信：向他们表示出朝廷的恩典与信义。开示，展示。⑤②①乜列河：人名，姓乜，名列河。⑤②②折敷岭：胡三省曰，"《通典》作'折敦岭'"。具体方位不详。⑤②③邀：半路截击。⑤②④以乜列河饵之：把乜列河当作诱饵，吸引破六韩拔陵上钩。饵，钓鱼用的小虫。⑤②⑤头兵可汗：即此前所说的阿那瓌可汗，由于他的部落渐趋统一，又连败破六韩拔陵，势力渐大，故改号敕连头兵豆伐可汗，即"把持一切"。事见《魏书》卷一百三。⑤②⑥渡河：渡过内蒙古境内的东西走向的黄河而到达鄂尔多斯一带。⑤②⑦随宜赈贷：根据情况进行救济。⑤②⑧冀、定、瀛三州：都在今之河北境内，冀州的州治即今冀州，定州的州治即今定州，瀛州的州治即今河间。⑤②⑨乞活：犹如今之乞丐帮，游手好闲，专以乞讨为生；又名为乞讨，其实连偷带抢，甚至具有某种黑社会的性质。早在东晋时期就有这种人，成为国家的一大祸害，故此曰"复为"。⑤③⓪壬戌：七月十九。⑤③①上谷：郡名，郡治即今北京市延庆。⑤③②高欢：即日后的北齐神武帝。传见《北齐书》卷一。⑤③③蔡儁：高欢的开国功臣。传见《北齐书》卷十九。⑤③④尉景：高欢的开国功臣，又是高欢的姐夫。传见《北齐书》卷十五。⑤③⑤段荣：高欢的开国功臣，又是高欢之皇后的姐夫。传见《北齐书》卷十六。⑤③⑥崔秉：博陵安平（今河北安平）人，魏国的儒学之臣崔鉴之子，曾为燕州刺史、左光禄大夫。传见《魏书》卷四十九。⑤③⑦九月丙辰：九月十四。⑤③⑧常景：魏国的儒学之臣常爽之孙，博闻多识。传见《魏书》卷八十二。⑤③⑨卢龙塞：关隘名，在今河北迁安西。⑤④⓪军都关：关隘名，在居庸关的东北方。⑤④①居庸关：关隘名，在今北京市昌平的西北方，离八达岭不远。542 吐谷浑：当时为魏国的附属国，国都即今青海都兰。543 赵天安：凉州人，于上年挟凉州刺史宋颖反魏，以应莫折念生。544 高徽：魏国的老臣高湖之孙，高拔之弟，高欢的堂兄弟。传见《魏书》卷三十二。545 嚈哒：当时的西域小国名，约在今新疆北部的阿勒泰一带地区。546 枹罕：古城名，在今甘肃临夏回族自治州东北，当时的河州州治所在地。547 行州事：临时代理河州刺史。548 亦自行州事：也自任为代理河州刺史。549 有事于西北：西方有莫折念生作乱，北方有破六韩拔陵作乱。550 二荆、西郢：西荆州的州治上洛，即今陕西商州，北荆州的州治襄城，即今河南襄城，西郢州的州治真阳，在今河南正阳西北。551 三鸦路：古道路名，在今河南鲁山县南，是南阳、洛阳之间最近捷的通道。552 襄城：魏郡名，郡治即今河南襄城。553 十二月壬午：十二月十二。554 逋秽：逃亡在外，尚未归案的匪盗。此指魏国境内各地的叛贼。555 疆理南服：整顿南方的秩序。南服，南方的管辖地区。556 魏荆州：魏国荆州的州治穰县，即今河南邓州。557 鲁阳：古城名，也称鲁阳关，即今河南鲁山县。558 叶城：叶县古城，在今河南叶县的西南方。559 武关：关隘名，在今陕西丹凤东南。560 汝上：汝水之滨。上，指水边。561 处分道别：与皇帝交给的任务方向不同。处分，指令、分配的任务。道别，方向不同。562 蛮左唐突：这个地区的蛮夷嚣张横行。胡三省曰："自宋以来，豫部诸蛮率谓之蛮左，所置蛮郡谓之左郡。"563 挠乱近畿：直接威胁到洛阳郊区的安全。564 秉麾阃外：执大将的指挥旗于京城之外。阃，国都城门的门槛。565 邀雄符下：请求辛雄颁发一道命令。当时辛雄为行台的尚书左丞，有下达命令的权力。符，调兵的凭证，这里即指命令。566 厉：同"励"，勉励、激励。567 钟鼓之声：军中的乐器鸣奏。568 厌久生：不想多活些时候。厌，厌恶。569 秦、陇逆节：指莫折大提、莫折念生发动叛乱。570 蛮左乱常：南方的蛮夷掀起叛乱。乱常，破坏纲常，也就是"造反"的意思。571 捍御三方：指西讨秦陇之贼，北御边镇之乱，南击蛮左之叛。572 迹其所由：追溯世事如此的原因。迹，追溯、寻根究底。573 赏不移时：毫不耽搁地及时行赏。574 历稔：拖延一年。稔，庄稼成熟，常用以指称一年的时间。575 亡军之卒：打了败仗，损失了军队的人，如萧宏、萧正德之流。〖按〗"亡军"非士卒之罪，此处似应作"亡军之率"。576 晏然在家：安然地待在家里，不受任何惩处。晏然，安然、自由自在的样子。577 无所劝慕：得不到鼓励，也不能让人学习。578 无所畏慑：不用担心受到惩罚。579 死交而赏赊：丧命就在眼前，而获赏不知在何年何月。交，接触，极言其近。赊，遥远、没有期限。580 奔沮：逃跑、溃散。581 不省：没有看；没有理睬。582 顺阳：魏郡名，郡治南乡，在今河南淅川县南。583 马圈：古城名，在今河南镇平南，当时顺阳郡的东方。584 淅阳：魏郡名，郡治即今河南西峡县，在顺阳郡的北方。585 邵陵王纶：萧纶，梁武帝萧衍的第六子。传见《梁书》卷二十九。586 摄南徐州事：代理南徐州刺史。梁国的南徐州州治即今江苏镇江市。587 喜怒不恒：喜怒无常。588 鲌：同"鳝"，一种长相像蛇的鱼。589 道路以目：胡三省曰，"道路相逢者，但以目相视而不敢言"。590 签帅惧罪：萧纶的典签怕皇帝怪罪到自己。签帅，即典签，诸侯、刺史的僚属，开始地位不高，只类似一个书记员，后来变成了受皇帝委任，前来监视诸侯、刺史的特派员。因其权大，故人们称之为"签帅"。㉑遣代：另派了别人来代替他为刺史。592悖慢：荒唐野蛮。悖，反常。593类上者：长相像萧衍的人。上，指萧衍。594加以衮冕：给他穿上龙袍、戴上皇冠。衮冕，皇帝的礼服、礼帽。595使就坐剥褫：打发人过去在他所坐的位子上剥下他的衮冕。褫，剥下衣服。596捶之于庭：在院里用棍子打他。597贮司马崔会意：把他的僚属崔会意装在里头。598輴车挽歌：把棺木装上輴车，让乐队唱着挽歌。輴车，拉棺材的车。挽歌，送殡的歌曲。599奔逸：逃跑，逃到魏国。600太子统：萧统，萧衍的长子，后来未及即位而死，谥曰昭明，爱好文章，编有《文选》，即通常所说的《昭明文选》。传见《梁书》卷八。601戊子：十二月十八。602山胡：胡三省曰，"即汾州之稽胡"。汾州的州治蒲子城，即今山西隰县。山胡大约活动在今山西的岢岚、兴县、岚县、临县等一带地区。603斛律金：姓斛律，名金，敕勒族的酋长，初为魏国镇将杨钧的部下，后一度投归破六韩拔陵，后又投归魏将尔朱荣，最后成为高欢的功臣。传见《北齐书》卷十七。604军主：一支部队的部队长。军主不是军衔，也不是固定的官名，只称其现有的职务。605拥众：率领部下。606署：任命。607乃诣云州降：乃到云州（州治盛乐，在今内蒙古和林格尔北侧）归降了魏国。当时驻守云州的魏将是费穆，任云州刺史。608黄瓜堆：地名，在今山西山阴东北，当时云州的东南方。609别将：犹今所谓"独立大队"的长官，不在嫡系部属的序列之内。

【校记】

［12］进：原无此字。据章钰校，十二行本、乙十一行本、孔天胤本皆有此字，张敦仁《通鉴刊本识误》同，今据补。［13］己巳：原作"乙巳"。据章钰校，十二行本、乙十一行本皆作"己巳"，张敦仁《通鉴刊本识误》同，今从改。〖按〗是年正月无乙巳日，《梁书·武帝纪下》亦作"己巳"。［14］欲自：原作"自欲"。据章钰校，十二行本、乙十一行本、孔天胤本二字皆互乙，张敦仁《通鉴刊本识误》同，今据改。［15］壬寅：原作"壬辰"。胡三省注云："以上戊戌，下三月己酉推之，'壬辰'当作'壬寅'。"严衍《通鉴补》改作"壬寅"，当是，今从改。［16］北梁州：原作"北凉州"。胡三省注云："'凉'当作'梁'。"严衍《通鉴补》改作"北梁州"，今据以校正。［17］杀妾又：原作"害妾"。据章钰校，十二行本、乙十一行本、孔天胤本皆作"杀妾又"，张敦仁《通鉴刊本识误》同，今据改。［18］尝：据章钰校，十二行本、乙十一行本皆无此字。［19］爪：原作"瓜"。据章钰校，十二行本、乙十一行本、孔天胤本皆作"爪"，今据改。下同。〖按〗《魏书》《北史》皆作"爪"。［20］尝：张敦仁《通鉴刊本识误》认为当作"尚"。［21］万：原作"萬"。胡三省注云："'萬'当作'万'。"据章钰校，十二行本、乙十一行本、孔天胤本皆作"万"，张敦仁《通鉴刊本识误》同，今据改。［22］齐：原无此字。据章钰校，十二行本、乙十一行本、孔天胤本皆有此字，今据补。［23］齐高

宗：原作“齐太宗”。胡三省注云：“齐无太宗，当是高宗。”严衍《通鉴补》改作“高”，今从改。[24] 景儁：原作“成景儁”。据章钰校，十二行本、乙十一行本、孔天胤本皆无“成”字，张瑛《通鉴校勘记》同，今据删。[25] 于：原无此字。据章钰校，十二行本、乙十一行本、孔天胤本皆有此字，今据补。[26] 彧：原作“魏”。据章钰校，十二行本、乙十一行本、孔天胤本皆作“彧”，张瑛《通鉴校勘记》同，今据改。〖按〗《魏书·萧宝夤传附从子替传》载：“与宠，诂夜出，步投彧军。”[27] 梁兵：原无此二字。据章钰校，十二行本、乙十一行本、孔天胤本皆有此二字，张敦仁《通鉴刊本识误》同，今据补。[28] 杀人：原无此二字。据章钰校，十二行本、乙十一行本、孔天胤本皆有此二字，今据补。[29] 脱粟：原作“脱粟饭”。据章钰校，十二行本、乙十一行本、孔天胤本皆无“饭”字，今据删。[30] 久之：原无此二字。据章钰校，十二行本、乙十一行本、孔天胤本皆有此二字，张敦仁《通鉴刊本识误》、张瑛《通鉴校勘记》同，今据补。[31] 之：据章钰校，十二行本、乙十一行本“之”下皆有“于”字。[32] 凡在戎役数十万人，捍御：原无此十字。据章钰校，十二行本、乙十一行本、孔天胤本皆有此十字，张敦仁《通鉴刊本识误》同，今据补。[33] 三方：原作“三方之师”。据章钰校，十二行本、乙十一行本、孔天胤本皆无“之师”二字，张敦仁《通鉴刊本识误》同，今据删。[34] 皆：原无此字。据章钰校，十二行本、乙十一行本、孔天胤本皆有此字，张敦仁《通鉴刊本识误》同，今据补。[35] 翁：据章钰校，十二行本、乙十一行本皆作“公”。

【研析】

本卷写梁武帝萧衍普通五年（公元五二四年）、六年共两年间南梁与北魏两国的大事。其最主要的部分是写了魏国政权的严重危机。其外部危机主要来自两方面，第一是民变、兵变蜂起，首先在沃野镇举旗起义的是破六韩拔陵，他们先攻取了沃野、武川、怀朔三镇，其后北方的各州镇纷纷起而响应，前往讨伐的临淮王元彧、广阳王元渊以及朝廷重臣李崇等都相继失败，纷纷逃回。另一支是在秦州发动起义的莫折大提与其子莫折念生。他们攻陷岐州、泾州，以致使魏国名将崔延伯战死，魏国的朝廷为之震恐。其他还有河北北部的杜洛周、河北南部的鲜于脩礼、北京一带的葛荣，以及魏国官僚独立称王的元法僧、刘灵助等，遍及全国，不胜枚数。第二是梁朝的边方诸将也相机进取，攻占了魏国的许多城镇，魏国的边将纷纷向梁国投降。与此同时魏国政权的内部也变化不定，先是元义软禁了胡太后，接着胡太后又夺回政权，消灭了元义一党；接着胡太后起用了恶人郑俨、徐纥，从而使魏国朝廷变得更加腐败。总之一句话，魏国已到了穷途末路，不可收拾了。在这种一片混乱的情势下，特别令人深思的有以下几点。

首先，魏国缘何突然地陷于民变蜂起，而民变的势力又缘何如此之大，而魏国的朝廷又缘何如此不堪一击？

魏国的孝文帝无疑是中国古代最英明、最贤达的皇帝之一，他所实行的政策、他所建立的功业、他的为人处世、他个人的生活、谈吐，不论哪一项都应该是在继秦皇、汉武、唐宗、宋祖之后就应该数到的为数不多的佼佼者之一。但令人奇怪的是，为什么在他去世后仅仅过了二十四年，魏国就成了这种样子！我想大概有如下几方面。

第一，孝文帝南迁洛阳后，鲜卑贵族迅速地腐化堕落，他们沉靡于声色犬马、吃喝玩乐之中，东晋以来南朝种种最腐朽、最令人憎恶的坏章程、坏作风，诸如门阀制度、士大夫习气，甚至连王恺、石崇斗富那样的腐朽典型，都被他们乐此不疲地接了过来。这样的社会还能培养出坚强有力、奋发有为的下一代吗？

第二，孝文帝死后，魏国一些很优秀、很有才干、很有功勋的大臣被无辜杀害，其中最令人痛惜的是孝文帝之弟彭城王元勰，其他还有裴植、郭祚等。至于有才略、有贡献而无辜被压抑、被挫折的大臣如邢峦、王足等皆屡进良策而被置之不理。

第三，自宣武帝元恪起，带头迷信佛教，大修佛寺，大造石窟；胡太后执政，更迷恋信奉到无以复加，从此满朝迎合取媚，致使风靡全国。本书卷一百四十八曾载："初，魏世宗作瑶光寺未就，是岁，胡太后又作永宁寺，皆在宫侧。又作石窟寺于伊阙口，皆极土木之美。而永宁尤盛，有金像高丈八者一，如中人者十，玉像二。为九层浮图，掘地筑基，下及黄泉。浮图高九十丈，上刹复高十丈，每夜静，铃铎声闻十里。佛殿如太极殿，南门如端门。僧房千间，珠玉锦绣，骇人心目。自佛法入中国，塔庙之盛未之有也。"这种穷奢极侈的背后就是千百万劳动人民的啼疾号寒，"取之尽锱铢，用之如泥沙"，如此的贫富对立，劳动人民怎能不造反呢？

第四，当时的一些头脑清醒，有忧患意识的官吏，对于如此严重的局面，对魏国朝廷不是没有提出过建议，但宣武帝、胡太后、魏明帝都置若罔闻。如对于引起破六韩拔陵起义的北方六镇存在的尖锐矛盾，李崇就严肃地提出，要提高北方诸镇的权益，要改镇设州，但魏明帝不听。等六镇发动叛乱了，魏明帝不仅自己不承担罪责，反而倒打一耙，说是李崇的上表勾起了六镇的不安。司马光对此说："李崇之表，乃所以消祸于未萌，制胜于无形。魏肃宗既不能用，及乱生之后，曾无愧谢之言，乃更以为崇罪，彼不明之君，乌可与谋哉！"

宋代胡寅总结魏国败亡的原因说："魏氏之乱，始于世宗奉佛，政事不修；重以肃宗幼弱，胡后称制，秽德彰闻；元澄雍怿，才薄力弱，刘腾、元义，擅权黩货，以召六镇之兵。虽然其间非无忠谋至计、排难解纷者，而朝廷忽焉，如元匡、崔光…皆不听也。然则非尔朱荣、高欢有为魏毒也，魏自亡耳。"

其次，本卷写胡太后与梁将裴邃、梁武帝子萧综几个人物较为生动，其事件亦有深刻思考价值。

胡太后是魏宣武帝的嫔妃，魏明帝元诩的生母，元诩继位后，封之为太后。靠着刘腾、侯刚、于忠、崔光四人的救助，得免于高太后的迫害。高太后垮台被杀时魏明帝六岁，胡太后临朝执政。胡太后与献文帝之母冯太后相比，有相同之处，就是她们自己为了把持政权，都曾残酷地杀了自己的亲生儿子，掌权后又都养着一些男宠。但二人的重大不同在于冯太后在政治上很有作为、很有建树，并为孝文帝的重大改革奠定了基础；冯太后所养的男宠没有一个专权乱政者，相反其中的李冲就是一个既有忠心又有才干的治世名臣，在冯太后死后，一直受孝文帝倚重，并直到宣武帝继位，仍担负着朝廷的重任。胡太后则不然，政治上几乎没有任何建树，开始因刘腾、侯刚等对之有恩，便大加重用，致使刘腾等横极一时，后来祸害及至胡太后自身。胡太后所特别宠信的几乎没有什么好人，最坏的是她的妹夫元义，此人原在蜀地任职，因贪赃败政被查办，调回朝廷后，反而被胡太后破格任用，后来遂成为朝廷的首辅。元义还不满足，遂与刘腾等发动政变，软禁了胡太后，自己专断朝政。后来胡太后又动脑筋，发动反政变，捕杀了元义一党，重新临朝执政。胡太后二次临朝所宠信的是她的男宠郑俨、徐纥、李神轨。郑俨“昼夜禁中，宠爱尤甚。俨每休沐，太后常遣阉童随侍，俨见其妻，唯得言家事而已。俨以纥有智数，仗为谋主；纥以俨宠幸既盛，倾身承接。共相表里，势动中外”。后来随着其子魏明帝的年龄渐大，胡太后感到是一种麻烦，于是就与她的宠幸谋划，毒死了十九岁的魏明帝，另立了一个两岁的小傀儡，以便于他们在政事方面的操控与生活方面的为所欲为。胡太后与郑俨、徐纥为首的这个统治集团，实在是太黑暗腐朽，太倒行逆施了，因此招致人神共嫉，尔朱荣就是在这种情况下带领军队进入洛阳，把胡太后与小傀儡投进了黄河，把朝官二千人通通杀了个精光。当然，这是后话，这些要到《梁纪八》中才说到。

在魏国政权动乱不定，社会又民变、兵变蜂起的时候，边境问题当然就更加没有人过问了，这是梁朝收复中原的好时机，可惜腐朽黑暗的梁王朝根本没有动员全国军民大干一场的想法与雄心，充其量他们不过是想在边境上捞点小便宜而已，完全没有更多的打算。在这当中，裴邃的表现是杰出的。裴邃原是南朝刘宋的小将，宋将裴叔业因恨刘宋末年政局的黑暗，在寿阳率豫州军民投降魏国，深受魏人喜爱，在魏国名臣王肃部下为将，随王肃镇守寿阳，裴邃遂乘隙逃归梁朝，梁朝任以为庐江太守，处于与魏国作战的边防前线，曾击破魏将吕颇的进攻；又进攻邵阳洲，击溃魏军；进克羊石城，斩魏将元康；又破霍邱城，斩魏将宁永仁。普通二年，梁将义州刺史文僧明以州降魏，梁派裴邃往讨，裴邃出其不意，大破魏之义州刺史封寿于檀公岘，封寿被迫降梁，义州之乱获平，裴邃被任为豫州刺史，镇守北方的军事重镇合肥。普通五年九月，裴邃率军攻魏之寿阳，一度攻入了寿阳的外郭。接着“十月戊寅，裴邃、元树攻魏建陵城，克之，辛巳，拔曲沭”“辛卯，裴邃拔狄城。丙申，又拔甓城，进屯黎浆”“(十一月)壬戌，裴邃攻寿阳之安城。丙寅，马头、安城皆降”。普通六年一月，裴邃攻拔魏之新蔡郡，又攻拔郑城，汝、颍之间，所在响应。“魏河间王琛等惮邃威名，军于城父，累月不进，魏朝遣廷尉少卿崔孝芬持节、赍斋库刀以趣之。……琛至寿阳，欲出兵决战。长孙稚以为久雨未可出，琛不听，引兵五万出城击邃。邃为四甄以待之，使直阁将军李祖怜先挑战而伪退，稚、琛悉众追之，四甄竞发，魏师大败，斩首万余级。琛走入城，稚勒兵而殿，遂闭门自固，不敢复出。”这是多么势如破竹的奋勇前进、战胜攻取？这是多么令人心旷神怡的长胜之兵？自晋末的刘裕以来，几时见过南朝有如此动人的英雄名将？可惜天不假年，其年五月，裴邃卒于军中。历史家满含深情地写道：“及其卒也，淮、肥间莫不流涕，以为邃不死，洛阳不足拔也。”(《梁书·裴邃传》)

在这魏国举国陷于釜中游鱼，梁国北方各镇纷纷向魏国展开胜利进攻的时刻，梁武帝萧衍的儿子徐州刺史豫章王萧综竟然抛掉徐州单身投降了魏国。这个消息不仅让梁国的朝野无法置信，连接受其投降的魏国边将也难以置信，因为这个事件太滑稽、太令人不可思议了，但这是千真万确的事实。史文对此写道：“初，帝纳齐东昏侯宠姬吴淑媛，七月而生豫章王综，宫中多疑之。及淑媛宠衰怨望，密谓综曰：‘汝七月生儿，安得比诸皇子！然汝太子次弟，幸保富贵，勿泄也！’与综相抱而泣。综由是自疑，昼则谈谑如常，夜则于静室闭户，披发席藁，私于别室祭齐氏七庙。又微服至曲阿拜齐高宗陵，闻俗说割血沥骨，渗则为父子，遂潜发东昏侯冢，并自杀一男试之，皆验，由是常怀异志，专伺时变。综有勇力，能手制奔马。轻财好士，唯留附身故衣，余皆分施，恒致罄乏。屡上便宜，求为边任，上未之许。常于内斋布沙于地，终日跣行，足下生胝，日能行三百里。王、侯、妃、主及外人皆知其志，而上性严重，人莫敢言。”萧综后来被任为徐州刺史，徐州是当时梁国北方最大的军事重镇，兵多将广，为其他军镇所无法比拟。萧综日夜寻找时机与魏将暗中联络，但魏将无人相信。后又专门派亲信潜入魏营，向魏将临淮王元彧泣血陈情，元彧又派专人以使者的身份到徐州反复考察，又与萧综的密使申固盟约。于是在“六月庚辰，综与梁话及淮阴苗文宠夜出，步投彧军。及旦，斋内诸阎犹闭不开，众莫知所以，唯见城外魏军呼曰：‘汝豫章王昨夜已来，在我军中，汝尚何为？’城中求王不获，军遂大溃。魏人入彭城，乘胜追击梁兵，复取诸城，至宿预而还。将佐士卒死没者什七八。”“综至洛阳，见魏主，还就馆，为齐东昏侯举哀，服斩衰三年。太后以下并就馆吊之，赏赐礼遇甚厚，拜司空，封高平郡公、丹杨王。”这个故事写萧综对其父亲南齐的末代皇帝萧宝卷的深信不疑与感情之深都令人惊诧，也觉得异常可笑；而对萧衍灭齐篡位，并收宠萧宝卷的爱妃，结果竟养育了如此一个白眼狼的因果报应，也着实令人觉得玄而又玄。说实话，其真相究竟如何，谁又能说得清呢？反正历史上有这么一说！

卷第一百五十一　梁纪七

起柔兆敦牂（丙午，公元五二六年），尽强圉协洽（丁未，公元五二七年），凡二年。

【题解】

本卷写梁武帝萧衍普通七年（公元五二六年）、大通元年（公元五二七年）共两年间南梁与北魏两国的大事。主要写了魏国安州的三个军事据点叛变以应在上谷起兵称王的变民头领杜洛周，魏将常景、元谭率军往讨，双方互有胜败；当杜洛周往攻范阳郡时，幽州城之变民缚其刺史王延年与行台常景开城门以降杜洛周。写了定州之流民鲜于脩礼起兵反魏，不久，鲜于脩礼被其部下所杀，领导权落入了部将葛荣之手，随后葛荣又破杀了魏将元融、擒杀了魏将元渊，于是自立为齐王；接着葛荣又围攻殷州，殷州刺史崔楷守城以死；魏安乐王元鉴以相州投降葛荣；其后葛荣又攻陷冀州，魏派源子邕、裴衍进救冀州，结果二将战败，被葛荣所杀。写了秦州一带的变民头领莫折念生大破萧宝寅于泾州，东秦州刺史以城降莫折念生，岐州变民又执其刺史魏兰根以降，豳州刺史战没，接着莫折念生又进据北华州、占领潼关，一时之间，关中大扰；但不久莫折念生被秦州民杜粲所杀，杜粲自行州事；南秦州辛琛亦自行州事，皆以城降萧宝寅。写了魏之雍州刺史杨椿病退，萧宝寅接任关中大都督、雍州刺史。写了萧宝寅杀朝廷派往关中

【原文】

高祖武皇帝七

普通七年（丙午，公元五二六年）

春，正月辛丑朔①，大赦。

壬子②，魏以汝南王悦③领太尉。

魏安州石离、穴城、斛盐④三戍兵反，应杜洛周，众合二万，洛周自松岍⑤赴之。行台常景使别将崔仲哲屯军都关⑥以邀之，仲哲战没，元谭军夜溃⑦，魏以别将李琚代谭为都督。仲哲，秉⑧之子也。

初，魏广阳王渊通于城阳王徽⑨之妃。徽为尚书令，为胡太后所信

的大使郦道元，在长安自立为齐帝，僚属苏湛正言劝阻，萧宝寅不听；长史毛遐起兵马祇栅以拒之，只有河东、正平二郡人起兵以应萧宝寅。写了梁将豫州刺史夏侯亶进攻寿阳，魏将扬州刺史李宪以寿阳降梁，梁将夏侯亶任豫州与南豫州二州刺史，抚慰二州百姓得以生息。写了梁将夏侯夔攻取了魏之平静、穆陵、阴山三关，而后又与湛僧智合作围攻魏之东豫州（今河南息县），魏东豫州刺史元庆和以城降梁；接着梁将又进据安阳、楚城等地，从而使义阳与魏国的联络中断，成为孤城。写了梁将陈庆之、曹仲宗、韦放等进围魏之涡阳，陈庆之等大破魏国援军元昭之众于涡阳城下，涡阳城主王纬降梁；梁将成景儁等又攻得魏之临潼、竹邑、萧县诸城。此外还写了胡太后以礼召回了因受元义之害而降梁的元略，任以为大将军、尚书令，但元略也还是不敢触犯“徐郑”专权的气焰，以及秀容一带的地方军阀尔朱荣袭取魏之肆州，任其亲信为刺史，魏主不能制的政治混乱等。

【语译】

高祖武皇帝七

普通七年（丙午，公元五二六年）

春季，正月初一日辛丑，梁国实行大赦。

十二日壬子，魏国朝廷令汝南王元悦兼任太尉一职。

魏国安州境内的石离、穴城、斛盐三个军事据点的士兵起来造反，以响应杜洛周，这三个军事据点的兵力合计起来有二万人，杜洛周从松岍赶赴安州与他们会合。担任行台的常景派遣另外一支部队的统领崔仲哲率领军队屯扎在军都关截击杜洛周，崔仲哲阵亡，元谭所率领的军队于夜间溃散，魏国朝廷任命另外一支军队的首领李琚代替元谭为都督。崔仲哲，是崔秉的儿子。

当初，魏国的广阳王元渊与城阳王元徽的王妃通奸。元徽担任尚书令，非常受

任。会恒州人请渊为刺史，徽言渊心不可测。及杜洛周反，五原降户在恒州者谋奉渊为主，渊惧，上书求还洛阳⑩。魏以左卫将军杨津⑪代渊为北道大都督，诏渊为吏部尚书。徽，长寿之孙⑫[1]也。

五原降户鲜于脩礼⑬等帅北镇流民反于定州之左城⑭，改元鲁兴，引兵向州城，州兵御之不利。杨津至灵丘⑮，闻定州危迫，引兵救之，入据州城。脩礼至，津欲出击之，长史许被不听，津手剑⑯击之，被走得免。津开门出战，斩首数百，贼退，人心少安。诏寻以津为定州刺史兼北道行台。魏以扬州刺史长孙稚⑰为大都督、北讨诸军事，与河间王琛⑱共讨脩礼。

二月甲戌⑲，北伐众军解严⑳。

魏西部敕勒斛律洛阳反于桑乾㉑西，与费也头牧子㉒相连结。三月甲寅㉓，游击将军尔朱荣㉔击破洛阳于深井㉕、牧子于河西㉖。

夏，四月乙酉㉗，临川靖惠王宏㉘卒。

魏大赦。

癸巳㉙，魏以侍中、车骑大将军城阳王徽为仪同三司。徽与给事黄门侍郎徐纥㉚共毁侍中元顺㉛于太后，出为护军将军、太常卿。顺奉辞㉜于西游园，纥侍侧，顺指之谓太后曰："此魏之宰嚭㉝，魏国不亡，此终不死。"纥胁肩㉞而出，顺抗声㉟叱之曰："尔刀笔小才㊱，止堪供几案㊲之用，岂应污辱门下㊳，斁我彝伦㊴！"因振衣㊵而起。太后默然。

魏朔州㊶城民鲜于阿胡㊷等据城反。

杜洛周南出，钞掠蓟城㊸，魏常景遣统军梁仲礼击破之。丁未㊹，都督李琚与洛周战于蓟城之北，败没。常景帅众拒之，洛周引还上谷㊺。

长孙稚行至邺㊻，诏解大都督，以河间王琛代之。稚上言："向与琛同在淮南，琛败臣全㊼，遂成私隙㊽，今难以受其节度㊾。"魏朝不

胡太后的信任。碰巧恒州人请求朝廷任命元渊为恒州刺史，元徽便在胡太后面前说元渊心不可测。等到杜洛周造反的时候，五原叛民中那些投降朝廷的人又在恒州谋划拥戴元渊为首领，驻兵朔州的元渊非常恐惧，于是上书给朝廷请求返回洛阳。魏国朝廷任命担任左卫将军的杨津代替元渊为北道大都督，胡太后下诏任命元渊为吏部尚书。元徽，是元长寿的孙子。

五原郡已经向朝廷投降的叛民首领鲜于脩礼等又率领北镇的流民在定州境内的左城造反，改年号为鲁兴，然后率兵向定州城进发，定州城的守军无力抵抗叛军的进攻。北道大都督杨津率军到达灵丘，听到定州城情势危险紧迫，就率军赶往定州援救，杨津抢先进入、占据了定州城。叛民首领鲜于脩礼率众到达定州以后，杨津就要率军出城攻打鲜于脩礼，担任长史的许被不听指挥，杨津手握佩剑准备击杀许被，幸亏许被逃得快才保住性命。杨津打开城门与鲜于脩礼作战，斩杀了数百名叛贼，贼军这才退走，定州城内的人才稍微安下心来。不久，魏孝明帝元诩下诏任命杨津为定州刺史，兼北道行台。魏国朝廷任命担任扬州刺史的长孙稚为大都督、北讨诸军事，与河间王元琛一同率军讨伐鲜于脩礼。

二月初五日甲戌，梁国的北伐军解除了军事状态。

魏国境内的西部敕勒头领斛律洛阳在桑乾郡西部起兵造反，与费也头牧子互相联合。三月十五日甲寅，担任游击将军的尔朱荣率领自己的部众在深井打败了斛律洛阳，在北河之西打败了费也头牧子。

夏季，四月十七日乙酉，梁国的临川靖惠王萧宏去世。

魏国实行大赦。

四月二十五日癸巳，魏国朝廷任命担任侍中、车骑大将军的城阳王元徽为开府仪同三司。元徽与担任给事黄门侍郎的徐纥共同在胡太后面前诋毁担任侍中的元顺，胡太后于是把元顺赶出皇宫，让元顺去担任护军将军、太常卿。元顺在西游园向胡太后辞别，徐纥侍奉在胡太后的身边，元顺指着徐纥对胡太后说："他就是魏国的宰嚭，魏国不灭亡，他就不会死。"徐纥耸了耸肩膀就出去了，元顺高声斥责徐纥说："你只有抄抄写写的小本事，只配在几案前当个书童使用，让你在门下省做官，简直玷污了门下省，败坏了我朝的纲常！"说完便拂袖而起。胡太后默不作声。

魏国朔州城的百姓鲜于阿胡等占据州城造反。

上谷郡的叛民首领杜洛周率众向南进发，掠夺蓟县县城，魏国行台常景派遣担任统军的梁仲礼打败了杜洛周。丁未日，都督李琚与杜洛周在蓟县县城以北的一次战斗中，战败身亡。行台常景亲自率军抵抗杜洛周，杜洛周率军退回上谷郡。

长孙稚率军到达邺城的时候，胡太后下诏解除了长孙稚大都督的职务，令河间王元琛代替长孙稚担任大都督。长孙稚上书给胡太后说："以前我与河间王元琛一同在淮南与梁将裴邃作战，元琛不采纳我的建议导致作战失败而我率军殿后掩护部队撤入寿阳城内，因此我们两人之间产生了怨恨，现在让我接受元琛的指挥调遣，我

听。前至呼沱[50]，稚未欲战，琛不从。鲜于脩礼邀击稚于五鹿[51]，琛不赴救，稚军大败，稚、琛并坐除名。

五月丁未[52]，魏主下诏将北讨[53]，内外戒严，既而不行。

衡州刺史元略[54]，自至江南，晨夕哭泣，常如居丧。及魏元义死[55]，胡太后欲召之，知略因刁双获免[56]，征双为光禄大夫，遣江革、祖暅之[57]南还以求略。上备礼遣之，宠赠甚厚。略始济淮，魏拜略为侍中，赐爵义阳王。以司马始宾[58]为给事中，栗法光[59]为本县令，刁昌[60]为东平[61]太守，刁双为西兖州[62]刺史。凡略所过，一餐一宿皆赏之。

魏以丞相高阳王雍为大司马。复以广阳王渊为大都督，讨鲜于脩礼，章武王融[63]为左都督，裴衍[64]为右都督，并受渊节度。

渊以其子自随，城阳王徽言于太后曰："广阳王携其爱子，握兵在外，将有异志。"乃敕融、衍潜为之备[65]。融、衍以敕示渊，渊惧，事无大小，不敢自决。太后使问其故，对曰："徽衔臣次骨[66]，臣疏远在外，徽之构臣[67]，无所不为。自徽执政以来，臣所表请[68]，多不从允。徽非但害臣而已，从臣将士有勋劳者皆见排抑，不得比他军，仍深被憎嫉。或因其有罪，加以深文[69]，至于殊死[70]，以是从臣行者，莫不悚惧。有言臣善者，视之如仇雠；言臣恶者，待之如亲戚。徽居中用事，朝夕欲陷臣于不测之诛，臣何以自安！陛下若使徽出临外州[71]，臣无内顾之忧，庶可以毕命贼庭，展其忠力。"太后不听。徽与中书舍人郑俨等更相阿党[72]，外似柔谨，内实忌克[73]，赏罚任情，魏政由是愈乱。

觉得很困难。”魏国朝廷没有听取长孙稚的意见。大军前进到呼沱河，长孙稚不想马上与鲜于脩礼作战，元琛不同意。鲜于脩礼在五鹿截击长孙稚，元琛不肯出兵救援，导致长孙稚军队失败。长孙稚、元琛都因此获罪而被除名。

五月初九日丁未，魏孝明帝下诏准备御驾亲征定州一带的叛乱，朝廷内外进入紧急军事状态，后来孝明帝却没有成行。

担任衡州刺史的元略，自从逃到江南归降梁朝以来，一天到晚总是泪流满面，经常像居丧一样。等到魏国的权臣元义被杀之后，胡太后就想把元略从梁国召回来，胡太后知道元略因为靠西河太守刁双的保护才免于被元义所杀，于是就将刁双征调到洛阳任命为光禄大夫，把江革、祖暅之遣送回南方的梁国，用他们交换元略。梁武帝萧衍准备了一份丰厚的礼物赠送给元略，送元略返回魏国。元略刚刚向北渡过淮河，魏国朝廷就任命元略为侍中，封元略为义阳王。任命司马始宾为给事中，任命栗法光为屯留县令，任命刁昌为东平郡太守，任命刁双为西兖州刺史。在元略逃难时所经过的地方，凡是为他提供了一餐一宿帮助的，全都得到了朝廷的封赏。

魏国朝廷任命担任丞相的高阳王元雍为大司马。又任命广阳王元渊为大都督，出兵讨伐定州的叛民首领鲜于脩礼，任命章武王元融为左都督，任命裴衍为右都督，全都接受大都督广阳王元渊的调度、指挥。

广阳王元渊让自己的儿子跟随在自己身边，城阳王元徽借机在胡太后面前诋毁元渊说：“广阳王携带着自己最喜爱的儿子领军出征，他在外手握兵权，恐怕有不可告人的野心。”胡太后于是命令左都督章武王元融、右都督裴衍暗中对元渊加强防备。元融、裴衍把胡太后的手令拿给元渊看，元渊看后非常恐惧，因此军中的事情无论大小都向朝廷请示报告，元渊自己根本不敢作决定。胡太后派使者询问元渊为什么要这样做，元渊回答说：“城阳王元徽对我之恨深刻入骨，我和皇族疏远，又领兵在外作战，元徽为了给我罗织罪名，什么事情都干得出来。自从元徽掌握朝权以来，凡是我所上表请求的事情，朝廷多数都不批准。元徽不只加害我一个人，凡是跟随我建立功勋的将士都受到元徽的排挤和压制，根本不能和其他的军队相比，而且还受到元徽的憎恨与嫉妒。有时他趁我的部下犯了罪，就故意加深加重地歪曲法律条文给定成重罪，直至给其判成死刑才肯罢休，因为这个原因，跟随我出兵打仗的人，无不心怀恐惧。如果有谁说我几句好话，元徽就把他看得像仇敌一样；而对于说我坏话的人，元徽对待他们就像对待自己的亲戚一样。元徽在朝中掌权，一天到晚都想陷害我，将使我遭到不可预测的杀戮，我怎么能有安全之感呢！如果陛下让元徽到外地去担任州刺史，我没有了内顾之忧，才可能为陛下效命疆场，展现我对陛下的忠心与能力。”胡太后没有听从元渊的意见。元徽与中书舍人郑俨等人互相吹捧、互相勾结，表面上看好像待人很温和、处事很谨慎，内心里却相互记恨敌对，他们任意赏罚，魏国的朝政因此更加混乱不堪。

戊申[74]，魏燕州刺史崔秉[75]帅众弃城奔定州。

乙丑[76]，魏以安西将军宗正珍孙[77]为都督，讨汾州反胡[78]。

六月，魏绛蜀陈双炽[79]聚众反，自号始建王。魏以假镇西将军长孙稚为讨蜀都督[80]。别将河东薛脩义轻骑诣双炽垒下，晓以利害，双炽即降。诏以脩义为龙门镇将[81]。

丙子[82]，魏徙义阳王略为东平王，顷之，迁大将军、尚书令，为胡太后所委任，与城阳王徽相埒[83]，然徐、郑用事，略亦不敢违[84]也。

杜洛周遣都督王曹纥真[85]等将兵掠蓟南，秋，七月丙午[86]，行台常景遣都督于荣等击之于栗园[87]，大破之，斩曹纥真及将卒三千余级。洛周帅众南趣范阳[88]，景与荣等又破之。

魏仆射元纂以行台镇恒州[89]。鲜于阿胡拥朔州流民寇恒州，戊申[90]，陷平城，纂奔冀州。

上闻淮堰水盛[91]，寿阳城几没，复遣郢州刺史元树[92]等自北道攻黎浆[93]，豫州刺史夏侯亶[94]等自南道攻寿阳。

八月癸巳[95]，贼帅元洪业斩鲜于脩礼，请降于魏，贼党葛荣[96]复杀洪业自立。

魏安北将军、都督恒朔讨虏诸军事尔朱荣过肆州[97]，肆州刺史尉庆宾忌之，据城不出。荣怒，举兵袭肆州，执庆宾，还秀容，署其从叔羽生为刺史，魏朝不能制。

初，贺拔允及弟胜、岳[98]从元纂在恒州，平城之陷也，允兄弟相失，岳奔尔朱荣，胜奔肆州。荣克肆州，得胜，大喜曰："得卿兄弟，天下不足平[99]也！"以为别将[100]，军中大事多与之谋。

九月己酉[101]，鄱阳忠烈王恢[102]卒。

葛荣既得鲜于脩礼[2]之众，北趣瀛州[103]，魏广阳忠武王渊自交津[104]引兵蹑之。辛亥[105]，荣至白牛逻[106]，轻骑掩击章武庄武王融，

五月初十日戊申，魏国担任燕州刺史的崔秉率领自己的部下丢下燕州城跑到定州投靠了叛民首领鲜于脩礼。

二十七日乙丑，魏国朝廷任命担任安西将军的宗正珍孙为都督，讨伐汾州地区以刘蠡升为叛乱首领的山胡人。

六月，魏国蜀地人迁居到绛郡的陈双炽聚众造反，自称始建王。魏国朝廷任命代理镇西将军长孙稚为讨蜀都督。另一支军队的首领河东郡人薛脩义轻装骑马来到陈双炽的营垒前，为陈双炽分析形势、讲明利害关系，陈双炽立即向朝廷军投降。胡太后下诏任命薛脩义为龙门要塞的驻军统领。

六月初九日丙子，魏国改封义阳王元略为东平王，不久，又提升东平王元略为大将军、尚书令，元略深受胡太后重用，其程度与城阳王元徽相等，然而徐纥、郑俨在朝中掌握大权，元略也不敢违背他们。

上谷郡的叛民首领杜洛周派遣属下被封为都督王的曹纥真等人率军抢掠蓟县的南部地区，秋季，七月初九日丙午，魏国担任行台的常景派遣都督于荣等在栗园袭击曹纥真，把曹纥真打得大败，斩杀了曹纥真和他的三千多名将卒。杜洛周率领部众向南奔赴范阳郡，常景与于荣等再一次把杜洛周打败。

魏国担任尚书仆射的元纂以行台的身份镇守恒州。朔州叛民首领鲜于阿胡率领着朔州的流民攻打恒州，七月十一日戊申，鲜于阿胡攻占了平城，元纂从恒州逃往冀州。

梁武帝听说淮河大坝上游的水势浩大，寿阳城几乎被水淹没的消息，就又派遣担任郢州刺史的元树等人从北道进攻魏国的黎浆军事据点，派担任豫州刺史的夏侯亶等从南道进攻寿阳。

八月二十七日癸巳，叛贼中的一名头领元洪业杀死了叛民首领鲜于脩礼，向魏国朝廷请求投降，叛贼党羽葛荣杀死了元洪业自立为王。

魏国担任安北将军，都督恒州、朔州讨虏诸军事的尔朱荣率军经过肆州的时候，担任肆州刺史的尉庆宾忌恨尔朱荣，就据守肆州城不出。尔朱荣因此大怒，立即指挥军队袭击肆州，活捉了尉庆宾，把尉庆宾带回秀容郡，并自行任命他的堂叔尔朱羽生为肆州刺史，魏国朝廷对尔朱荣的这种做法无力制止。

当初，贺拔允和他的弟弟贺拔胜、贺拔岳兄弟三人都跟随尚书仆射元纂驻守在恒州，平城被叛民鲜于阿胡攻陷的时候，贺拔允与自己的兄弟失散，贺拔岳投奔了尔朱荣，贺拔胜投奔了肆州刺史尉庆宾。尔朱荣攻克肆州的时候，得到了贺拔胜，他非常高兴地说："我得到你们兄弟，平定天下就不在话下了！"尔朱荣任命贺拔胜为独当一面的将领，关于军中的大事，尔朱荣多数都与贺拔胜进行商议。

九月十三日己酉，梁国的鄱阳忠烈王萧恢去世。

自立为王的叛民首领葛荣收编了鲜于脩礼的部众之后，就向北进攻魏国的瀛州，魏国广阳忠武王元渊从交津率军尾追葛荣。十五日辛亥，葛荣到达白牛逻，他派轻

杀之。荣自称天子，国号齐，改元广安。渊闻融败，停军不进。侍中元晏密言于太后曰："广阳王盘桓不进，坐图非望。有于谨[107]者，智略过人，为其谋主，风尘之际[108]，恐非陛下之纯臣[109]也。"太后深然之，诏榜[110]尚书省门，募能获谨者有重赏。谨闻之，谓渊曰："今女主临朝，信用谗佞，苟不明白殿下素心[111]，恐祸至无日[112]。谨请束身诣阙[113]，归罪有司[114]。"遂径诣榜下，自称于谨，有司以闻。太后引见，大怒。谨备论渊忠款[115]，兼陈停军之状，太后意解，遂舍之。

渊引军还，趣定州，定州刺史杨津亦疑渊有异志，渊闻之，止于州南佛寺。经二日，渊召都督毛谧等数人，交臂[116]为约，危难之际，期相拯恤[117]。谧愈疑之，密告津，云渊谋不轨。津遣谧讨渊，渊走出，谧呼噪逐渊。渊与左右间行至博陵[118]界，逢葛荣游骑[119]，劫之诣荣。贼徒见渊，颇有喜者，荣新立，恶之[120]，遂杀渊。城阳王徽诬渊降贼，录[121]其妻子。渊府佐宋游道为之诉理[122]，乃得释。游道，繇[123]之玄孙也。

甲申[124]，魏行台常景破杜洛周，斩其武川王贺拔文兴等，捕虏四百人。

就德兴[125]陷魏平州[126]，杀刺史王买奴。

天水民吕伯度，本莫折念生之党也，后更据显亲[127]以拒念生，已而不胜，亡归胡琛，琛以为大都督、秦王，资以士马，使击念生。伯度屡破念生军，复据显亲，乃叛琛，东引[128]魏军。念生窘迫，乞降于萧宝寅，宝寅使行台左丞崔士和据秦州[129]。魏以伯度为泾州刺史，封平秦郡公。大都督元脩义[130]停军陇口[131]，久不进，念生复反，执士和送胡

骑兵偷袭了章武庄武王元融，把章武王元融杀死。葛荣自称天子，国号齐，改年号为广安元年。元渊听到元融失败被杀的消息之后，就命令军队停止前进。担任侍中的元晏秘密地向胡太后报告说："广阳王徘徊不前，坐在那里图谋非分之想。在他手下有一位名叫于谨的人，他的智慧谋略超过一般人，是广阳王的智囊，目前正值战乱时期，恐怕广阳王不是陛下的忠贞之臣。"胡太后认为元晏说得非常对，于是下诏令尚书省张贴布告，招募能够抓获于谨的人，朝廷将给予重赏。长流参军于谨听到这个消息之后，就对元渊说："如今胡太后临朝听政，她又听信谗言，重用奸佞，如果不明确地表达出殿下对朝廷的一片纯洁之心，恐怕大祸临头就在顷刻之间。我请求到朝廷自首，请主管此事的部门对我进行审理。"于谨径直来到皇榜之下，口称于谨，有关部门的官员赶紧报告了胡太后。胡太后非常愤怒地召见了于谨。于谨详细地论证了广阳王元渊的忠实之心、忠诚之状，同时说明了元渊停止不前的原因，胡太后了解了事实真相之后，愤怒的情绪遂缓解下来，于是她放了于谨。

元渊率军返回，赶赴定州，担任定州刺史的杨津也怀疑元渊有政治野心，元渊知道这个情况之后，就停在了定州南佛寺不再前进。过了两天，元渊把都督毛谥等人召集起来，与他们握手缔结盟约，希望在危难之际，能够互相救助。毛谥对元渊更加怀疑，他秘密告诉定州刺史杨津，说元渊图谋不轨。杨津遂派毛谥率军讨伐元渊，元渊见状立即逃出军营，毛谥一边呼喊一边追赶元渊。元渊带着自己身边侍从抄小路来到博陵地界，正好碰到葛荣派出的侦察骑兵，侦察骑兵劫持着元渊来到葛荣的驻所。贼徒看见元渊，有些人显得很高兴，葛荣刚刚自称皇帝，看到自己的一些部下喜欢元渊，担心他们会抛弃自己拥戴元渊，所以非常厌恶元渊，就把元渊杀死了。城阳王元徽诬陷元渊投降了反贼，就逮捕了元渊的妻儿。在元渊王府中担任僚佐的宋游道为元渊申诉、解释，胡太后才把元渊的妻儿释放。宋游道，是宋繇的玄孙。

十月十八日甲申，魏国担任行台的常景率军打败了上谷郡的叛民首领杜洛周，杀死了杜洛周所封的武川王贺拔文兴等，俘虏了四百人。

就德兴攻陷了魏国的平州，杀死了担任平州刺史的王买奴。

天水百姓吕伯度，原本是莫折念生的同党，后来又另起炉灶占据显亲县反对莫折念生，不久作战失利，吕伯度就投顺了敕勒族酋长胡琛，胡琛任命吕伯度为大都督、秦王，资助吕伯度一些兵士、马匹，让他去攻打莫折念生。吕伯度多次打败了莫折念生的军队，当他再次占据了显亲县之后，就又背叛了胡琛，到东边联络魏国的朝廷军。莫折念生面临的形势十分窘迫，于是就向魏国的西道行台大都督萧宝寅请求投降，萧宝寅让担任行台左丞的崔士和据守秦州。魏国朝廷任命吕伯度为泾州刺史，封吕伯度为平秦郡公。大都督元脩义把军队驻扎在陇山山口，长时间不肯进军，莫折念生于是再次造反，他擒获了行台左丞崔士和，把崔士和送往敕勒族酋长

琛，于道杀之。久之，伯度为万俟丑奴[132]所杀，贼势益盛，宝寅不能制。胡琛与莫折念生交通[133]，事破六韩拔陵浸慢[134]，拔陵遣其臣费律至高平，诱琛，斩之，丑奴尽并其众。

冬，十一月庚辰[135]，大赦。

丁贵嫔[136]卒，太子水浆不入口，上使谓之曰："毁不灭性[137]，况我在邪！"乃进粥数合[138]。太子体素肥壮，腰带十围[139]，至是减削过半。

夏侯亶等军入魏境，所向皆下。辛巳[140]，魏扬州刺史李宪以寿阳降，宣猛将军陈庆之[141]入据其城，凡降城五十二，获男女七万五千口。丁亥[142]，纵[143]李宪还魏，复以寿阳为豫州[144]，改合肥为南豫州[145]，以夏侯亶为豫、南豫二州刺史。寿阳久罹兵革[146]，民多离散，亶轻刑薄赋，务农省役，顷之，民户充复[147]。

杜洛周围范阳，戊戌[148]，民执魏幽州刺史王延年、行台常景送洛周，开门纳之[149]。

魏齐州平原[150]民刘树等反，攻陷郡县，频败州军，刺史元欣以平原房士达为将，讨平之。

曹义宗[151]据穰城[152]以逼新野[153]，魏遣都督魏承祖及尚书左丞、南道行台辛纂[154]救之。义宗战不利，不敢进。纂，雄之从父兄也。

魏盗贼日滋，征讨不息，国用耗竭，豫征六年租调[155]，犹不足，乃罢百官所给酒肉[156]。又税[157]入市者人一钱，及邸店[158]皆有税，百姓嗟怨。吏部郎中辛雄上疏，以为"华夷[3]之民相聚为乱，岂有余憾[159]哉？正以守令不得其人，百姓不堪其命[160]故也。宜及此时早加慰抚。但郡县选举[161]，由来共轻[162]，贵游俊才[163]，莫肯居此。宜改其弊，

胡琛那里，却在半路上杀死了崔士和。过了很久以后，吕伯度被胡琛的部将万俟丑奴杀死，贼军的势力更加强盛，萧宝寅已经没有办法制服叛军。胡琛与莫折念生互相往来，他对破六韩拔陵的态度渐渐地傲慢起来。破六韩拔陵派遣他的属臣费律前往高平，引诱胡琛，把胡琛杀死，胡琛的部将万俟丑奴趁机全部收编了胡琛的部众。

冬季，十一月十五日庚辰，梁国实行大赦。

梁武帝的丁贵嫔去世，皇太子萧统因此不吃不喝，梁武帝派人对萧统说："因为自己的父母去世而哀伤消瘦是应该的，但不能哀伤太过而危及自己的生命，何况我还活在世上呢！"萧统这才喝了一点儿粥。太子萧统的体格一向很肥壮，腰带有十围，到现在腰围已经减少了一大半。

梁国担任豫州刺史的夏侯亶等率军进入魏国的境内，所向披靡。十一月十六日辛巳，魏国担任扬州刺史的李宪献出寿阳城向梁军投降，宣猛将军陈庆之立即率军进驻寿阳城，魏国总共有五十二座城投降了梁国，梁军获得魏国男男女女总计七万五千人。二十二日丁亥，梁军放魏国扬州刺史李宪返回魏国，梁国又把寿阳作为豫州州治的所在地，把合肥作为南豫州州治，梁武帝任命夏侯亶为豫州、南豫州二州刺史。寿阳长期遭受战乱之苦，居民大多数都四处逃散，夏侯亶减省刑罚、降低民众的赋税，把农业生产作为首要任务，节省徭役，不久，寿阳的户数就得到了恢复。

上谷郡叛民首领杜洛周率领部众包围了范阳，十二月初四日戊戌，幽州的百姓捉获了魏国担任幽州刺史的王延年和行台常景，把他们押送给杜洛周，打开城门欢迎杜洛周入城。

魏国齐州辖区之内的平原郡百姓刘树等聚众造反，他们攻克郡县，屡次打败齐州的官军，担任齐州刺史的元欣任命平原郡人房士达为将，率军平定了造反的刘树等。

梁国将领曹义宗所占据的穰城逼近新野，魏国派遣担任都督的魏承祖和担任尚书左丞、南道行台的辛纂率军前往救援新野。梁将曹义宗与辛纂作战不利，因此不敢继续前进。辛纂，是辛雄的堂兄。

魏国境内的盗贼日益滋生，朝廷不停地派兵征讨，国家的资财因此枯竭，已经预先向百姓征收了六年的捐税，但还是不够用，于是朝廷就将作为生活补贴而发给文武百官的酒肉停发了。又向进入市场做买卖的人每人征收一钱的税款，就连旅店都要征税，因而引起百姓的强烈不满，人人都唉声叹气、口出怨言。担任吏部郎中的辛雄上疏给胡太后，辛雄认为："汉族人和少数民族相互聚集在一起反抗朝廷，难道是因为有别的怨恨吗？只是因为朝廷所委任的郡守县令不合适，百姓在他们的治理之下无法再活下去了，所以才起来造反。应该趁着现在及早对百姓慰问安抚。但是朝廷长期以来一直不重视对郡、县两级官员的任用，出身高贵的名门子弟和真正有才干的杰出人物，都不肯去担任郡守县令。应该改正这个弊端，把郡县分成三个

分郡县为三等，清官选补之法⑯⁴，妙尽才望⑯⁵。如不可并，后地先才⑯⁶，不得拘以停年⑯⁷。三载黜陟，有称职者，补在京名官；如不历守令，不得为内职⑯⁸。则人思自勉⑯⁹，枉屈可申⑰⁰，强暴⑰¹自息矣”。不听。

【段旨】

以上为第一段，写梁武帝萧衍普通七年（公元五二六年）一年间的大事。主要写了魏国安州的三个军事据点叛变以应在上谷起兵称王的变民头领杜洛周，魏将常景、元谭率军往讨，双方互有胜败；当杜洛周往攻范阳郡时，幽州城变民缚其刺史王延年与行台常景开城门以降杜洛周。写了定州之流民鲜于脩礼起兵反魏，刺史杨津据守州城，魏将长孙稚、元琛率军往讨，被鲜于脩礼打败；不久，鲜于脩礼被其部将元洪业所杀，另一部将葛荣又杀了元洪业，遂据有鲜于脩礼之众，破杀魏将元融，自立为齐王；受命往讨定州叛乱的魏将元渊因被部下与定州刺史杨津所疑，合谋袭之，元渊逃离部众，被葛荣所俘杀。写了莫折念生因部将吕伯度叛变而被削弱，一度乞降于魏将萧宝寅，不久，莫折念生又与胡琛联合起来，胡琛之将万俟丑奴破杀了吕伯度，二人的势力转强。不久，胡琛被破六韩拔陵所诱杀，其部将万俟丑奴遂为其军之首。写了胡太后以礼召回了因受元义之害而降梁的元略，任为大将军、尚书令，但元略也还是不敢触犯“徐郑”专权的气焰。写了梁将豫州刺史夏侯亶进攻寿阳，魏将扬州刺史李宪以寿阳降梁，梁将夏侯亶任豫州与南豫州二州刺史，抚慰二州百姓得以生息。此外还写了魏之仆射元纂镇守恒州，被鲜于阿胡所率之朔州乱民攻入州城，元纂弃城而走；营州叛民之自称燕王的就德兴攻陷平州，杀其刺史王买奴，以及秀容一带的地方军阀尔朱荣袭取魏之肆州，任其亲信为刺史，魏主不能制的一片混乱等。

【注释】

①正月辛丑朔：正月初一。②壬子：正月十二。③汝南王悦：元悦，孝文帝之子，宣武帝之弟。传见《魏书》卷二十二。④安州石离、穴城、斛盐：安州境内的石离、穴城、斛盐三个军事据点。安州的州治燕乐在今河北隆化，斛盐戍在今河北滦平南，石离、穴城二据点的方位不详。⑤松岍：有说应作“松陉”，即松陉岭，在今辽宁建平北，当时营州（州治即今辽宁朝阳）的西北方。⑥军都关：在今居庸关的东北方。⑦元谭军夜溃：时魏幽州都督元谭驻军于居庸关。事见本书上卷普通六年。⑧秉：崔秉，魏国的儒学之臣崔鉴之子，此时为燕州刺史。传见《魏书》卷四十九。⑨城阳王徽：元徽，景穆

等级，彻底整顿选任官吏的办法，应该善于把出身门第好的、有才能声望的人选拔上来担任郡守县令。如果二者不能兼顾，就把门第出身放在后头，把才干放在前面，不要再受任职先后与所任时间长短的限制。三年考核一次，该罢免的罢免、该提升的提升，对那些称职的官员，就调到京师让他们担任重要的官职；如果没有担任郡守县令的经历，就不许在朝廷内担任官职。如此一来，官吏们都会勉励自己尽职尽责，百姓的冤枉委屈就可以得到伸张昭雪，造反、作乱的事情自然就会消失了”。胡太后没有采纳辛雄的意见。

帝拓跋晃的曾孙。传见《魏书》卷十九下。⑩求还洛阳：此时广阳王渊驻兵在朔州。朔州的州治盛乐，在今内蒙古和林格尔城北侧。⑪杨津：魏国名将杨椿之弟。传见《魏书》卷五十八。⑫长寿之孙：长寿是景穆帝拓跋晃之子。长寿之子曰鸾，元鸾之子即元徽，元徽是长寿之孙。⑬五原降户鲜于脩礼：五原郡的降魏之人姓鲜于，名脩礼。五原郡的郡治在今内蒙古包头西。⑭左城：即左人城，在今河北唐县西。当时的定州州治即今河北定州。〖按〗《魏书·甄琛传附子楷传》《魏书·地形志》皆作“左人城”。胡三省注云：“《水经注》，中山唐县有左人城。”当以左人城为是。⑮灵丘：指北灵丘郡，郡治即今河北蔚县。⑯手剑：亲手挥剑。⑰长孙稚：姓长孙，名稚，魏国元勋长孙道生之孙，长孙观之子。传见《魏书》卷二十五。⑱河间王琛：元琛，文成帝拓跋濬之孙，拓跋若的嗣子。传见《魏书》卷二十。⑲二月甲戌：二月初五。⑳解严：解除军事状态。㉑桑乾：河水名，也是郡名。桑乾河是永定河的上游，桑乾郡的郡治在今山西山阴的城东。桑乾河就在桑乾郡的城下由西南向东北流过。㉒费也头牧子：人名，姓费也头，名牧子。㉓三月甲寅：三月十五。㉔尔朱荣：原是秀容郡（今山西忻州西北、原平西南）内少数民族武装的头领，后成为归属于魏国朝廷的一股武装势力，在与邻近地区的反政府势力作战中日益强大，以致朝廷也无法管辖。传见《魏书》卷七十四。㉕深井：具体方位不详，应距桑乾城不远。㉖河西：胡三省曰，“北河之西”。所谓“北河”，即流经今内蒙古五原、杭锦后旗以北的黄河北道，当时称“北河”，现在称乌加河。㉗四月乙酉：四月十七。㉘临川靖惠王宏：萧宏，梁武帝萧衍的六弟，被封为临川王，谥曰靖惠。一个未受惩处的败军之将，一个嗜钱如命的吝啬鬼。传见《梁书》卷二十二。㉙癸巳：四月二十五。㉚徐纥：魏国的乱臣，受胡太后宠幸，与郑俨共掌魏国朝政。传见《魏书》卷九十三。㉛元顺：景穆帝拓跋晃之后，任城王云之孙，任城王澄之子，继其父位为任城王。胡三省曰：“任城王云及澄，魏宗室之贤王也。”元顺是魏国的正直之臣，曾受乱臣元义的迫害，又对胡太后屡进正言。传见《魏书》卷十九中。㉜奉辞：告辞；辞别。㉝宰嚭：春秋时代吴王夫差的太宰伯嚭（嚭，亦作“嚭”）。为越王勾践做内奸，谗害元勋老

臣伍子胥，最终使吴国灭亡。事见《史记·伍子胥列传》。㉞胁肩：敛肩，故作谨慎的样子。胁，敛。胡三省曰："朱元晦曰：胁肩，竦体也，小人侧媚之态。"㉟抗声：大声；厉声。㊱刀笔小才：只有抄抄写写的本事。刀笔，上古的书写工具，用笔写在竹木上，有错误则用刀削之。㊲几案：犹今之写字台。㊳污辱门下：你在门下省做官，是玷污了门下省。徐纥当时任侍中，是门下省的官员。㊴斁我彝伦：败坏我朝的纲常。斁，败坏。彝伦，纲常、常道。㊵振衣：犹言"拂袖""甩袖"。㊶魏朔州：此指原来的怀朔镇，在今内蒙古固阳西南侧，原来的朔州今已改名云州。㊷鲜于阿胡：人名，姓鲜于，名阿胡。㊸钞掠蓟城：掠夺蓟县县城。钞掠，同"抄掠"。蓟城，当时幽州的州治所在地，即今北京市的西南部。㊹丁未：此处疑有误，本年的四月无"丁未"日。㊺上谷：郡名，郡治即今北京市延庆，杜洛周发动叛乱的原发之地。㊻邺：古城名，当时魏国相州的州治所在地，在今河北临漳西南。㊼琛败臣全：指元琛被裴邃所败事，见本书上卷普通六年。㊽私隙：私怨；个人之间的怨恨。㊾受其节度：听他调遣、受他指挥。节度，调遣、指挥。㊿呼沱：即今之滹沱河，从河北阜平城西之太行山流来，东经定州、饶阳、河间，东北流到今天津市东南入海。51五鹿：地名，具体方位不详。52五月丁未：五月初九。53将北讨：御驾亲讨定州一带的叛乱。54元略：魏景穆帝拓跋晃的曾孙，中山王元英之子，其兄元熙因讨伐乱臣元义失败被杀，家族蒙难，元略逃归梁朝。传见《魏书》卷十九下。55元义死：胡太后恢复摄政，杀死元义事，见本书上卷普通六年。56因刁双获免：刁双是元略的旧相识，元略逃梁前，曾依刁双避之年余，后在刁双的帮助下逃到梁朝。57江革、祖暅之：二人都是梁武帝之子萧综的僚属，萧综在徐州叛降魏国时，江革、祖暅之亦被魏军所掳。事见本书上卷普通六年。58司马始宾：元略的旧相识，元略逃难时，是由司马始宾护送他结筏渡河，到屯留县往依栗法光。59栗法光：屯留县人，崇尚义气，他慷慨地接纳了元略，而后将元略护送给当时任西河太守的刁双。当时的屯留县在今山西长治屯留东北。60刁昌：刁双之侄，是他亲自护送元略逃到梁朝。61东平：魏郡名，郡治无盐，在今山东东平东。62西兖州：州治左城，在今山东菏泽市定陶区西，当时为济阴郡的郡治所在地。63章武王融：元融，景穆帝拓跋晃之曾孙，袭其父祖之爵为章武王，为人豪富而贪婪。传见《魏书》卷十九下。64裴衍：裴叔业之侄，此时任北道都督。传见《魏书》卷七十一。65潜为之备：胡三省曰，"疑则勿任，任则勿疑。既以渊为大督，而又使小督备之，何以责其殄寇乎"？66衔臣次骨：对我之恨深刻至骨。衔，怀恨。次骨，至骨。67构臣：给我罗织罪名。68臣所表请：凡我所上表请求的事情。69深文：故意加深加重地歪曲法律条文给人定罪。70至于殊死：直至给人定为死刑。71出临外州：到外地去任州刺史。72更相阿党：相互吹捧；相互勾结。73内实忌克：内心里相互忌恨、相互敌对。74戊申：五月初十。75燕州刺史崔秉：魏国燕州的州治广宁，即今河北涿鹿。胡三省曰："燕州自去年八月为杜洛周所围。"崔秉是魏国的儒学之臣崔鉴之子，此时任燕州刺史。传见《魏书》卷四十九。76乙丑：五月二十七。77宗正珍孙：姓宗正，名珍孙。胡三省曰："汉楚元王刘交之子郢客孙德，世为宗正，子孙因以为氏。"⑱ 汾州反胡：刘蠡升所统领之山胡。刘蠡升率山胡造反，自称天子，置百官，事在本书上卷普通六年。汾州的州治蒲子城，即今山西隰县。⑲ 绛蜀陈双炽：绛郡的蜀人，姓陈名双炽。胡三省曰："蜀人徙居绛郡者，谓之'绛蜀'。"绛郡的郡治在今山西绛县的南侧。⑳ 讨蜀都督：以讨伐绛蜀为其主要任务。㉑ 龙门镇将：龙门要塞的驻军统领。龙门要塞在今山西河津，西靠黄河，其西北侧有龙门山。㉒ 丙子：六月初九。㉓ 相埒：相比；相等同。㉔ 略亦不敢违：胡三省曰，"魏当时宗室，略其巨擘也。史言其居淫昏之朝，不能矫正"。㉕ 都督王曹纥真：杜洛周的部将曹纥真，被封为都督王。胡三省曰："时杜洛周、葛荣等作乱，其军中将领无不加以王爵，曹纥真以都督加王号，故曰'都督王'。"㉖ 七月丙午：七月初九。㉗ 栗园：当在固安县（今河北固安）。固安的栗子，在当时享有盛名。㉘ 范阳：魏郡名，郡治在今河北涿州。㉙ 恒州：魏州名，州治平城，在今山西大同的东北侧。㉚ 戊申：七月十一。㉛ 淮堰水盛：胡三省曰，"观此，盖淮堰复成也"。㉜ 元树：魏献文帝拓跋弘之孙，咸阳王元禧之子，因元禧在魏叛乱被杀，元树逃往梁国，在梁任郢州刺史。传见《魏书》卷二十一上、《梁书》卷三十九。梁国的郢州州治夏口，即今湖北武汉之汉口。㉝ 黎浆：河水名，也是军事据点名，在当时寿阳城的南方。㉞ 豫州刺史夏侯亶：梁国的豫州州治此时在合肥。夏侯亶是梁国的开国功臣夏侯详之子，梁将裴邃病死于军中后，夏侯亶代之为豫州刺史。传见《梁书》卷三十九。㉟ 八月癸巳：八月二十七。㊱ 葛荣：原是魏国怀朔镇的镇将，后转入了在定州起事鲜于脩礼的民军，鲜于脩礼被杀后，葛荣夺得了此军的头领地位，自己独立称王。此后遂强大一时，最后被魏将尔朱荣所破杀。㊲ 肆州：魏州名，州治在今山西忻州西北。㊳ 贺拔允及弟胜、岳：三人都是贺拔度拔的儿子，贺拔氏父子四人都以勇敢善战闻名，他们曾打败、杀死了莫折念生的大将卫可孤，后投归于魏将尔朱荣的属下。传见于《北齐书》卷十九、《周书》卷十四。㊴ 天下不足平：平天下不在话下，极言其容易。⑩⓪ 别将：独当一面的将领。⑩① 九月己酉：九月十三。⑩② 鄱阳忠烈王恢：萧恢，梁武帝萧衍的九弟，此时为荆州刺史，传见《梁书》卷二十二。生前被封为鄱阳王，死后谥曰忠烈。⑩③ 瀛州：魏州名，州治即今河北的河间。⑩④ 交津：漳水与清水的交汇处，在今河北沧州西南。⑩⑤ 辛亥：九月十五。⑩⑥ 白牛逻：地名，在今河北博野。⑩⑦ 于谨：魏国元勋于栗磾的六世孙，先为广阳王元渊的僚属，后成为西魏的重臣。传见《北史》卷二十三。⑩⑧ 风尘之际：战乱之时。⑩⑨ 纯臣：忠贞之臣。纯，指忠贞无二心。⑪⓪ 榜：布告。这里用如动词，意即张榜。⑪① 素心：本心；纯洁之心。⑪② 祸至无日：犹言祸不旋踵，大祸临头就在顷刻之间。无日，顷刻之间。⑪③ 束身诣阙：到朝廷自首。束身，自缚。⑪④ 归罪有司：向主管此事的部门投案。有司，有关部门。⑪⑤ 忠款：忠实之心；忠诚之状。⑪⑥ 交臂：犹今握手，关系亲密的样子。⑪⑦ 期相拯恤：希望能相互关心、相互救助。⑪⑧ 博陵：魏郡名，郡治即今河北安平。⑪⑨ 游骑：流动的侦察骑兵。⑫⓪ 恶之：对元渊很厌恶。〖按〗葛荣见部下视元渊而喜，担心他们会拥戴元渊，故而对他厌恶。㉑录：拘捕。㉒诉理：申诉、解释。㉓繇：宋繇，原是西凉王李氏之臣，后西凉被沮渠蒙逊所灭，宋繇遂属北凉；北凉被魏所灭，宋繇又由北凉降魏，赐爵清水公。传见《魏书》卷五十二。㉔甲申：应作"十月甲申"，十月十八。"甲申"前应增"十月"二字。㉕就德兴：姓就，名德兴，营州人。于普通五年执其刺史据城反，失败后，东走辽东，自称燕王。魏派卢同率兵往讨，被就德兴击败。事见本书上卷。㉖平州：魏州名，州治肥如，在今河北迁安东北。㉗显亲：县名，在今甘肃天水市西北。㉘引：招引。㉙秦州：魏州名，州治上封，即今甘肃天水市。㉚元脩义：魏景穆帝拓跋晃之孙，拓跋天赐之子，无能而又贪婪。传见《魏书》卷十九上。㉛陇口：陇山的山口，陕西与甘肃之间的重要通道。㉜万俟丑奴：姓万俟，名丑奴，胡琛的部将，曾大破魏将崔延伯，杀之。事见本书上卷普通六年。㉝交通：相互往来。㉞事破六韩拔陵浸慢：胡琛刚于高平兴兵举事时，曾以响应、拥戴破六韩拔陵为名。事见本书上卷普通五年。浸慢，渐渐地傲慢起来，不再把尊崇破六韩拔陵当作一回事。㉟十一月庚辰：十一月十五。㊱丁贵嫔：太子萧统的生母。贵嫔是后妃的封号名，此女名令光。传见《梁书》卷七。㊲毁不灭性：因为父母之死而哀伤消瘦是应该的，但不能太过而危及自己的性命。语出《孝经·丧亲》，是孔子说过的话。毁，因哀伤而消瘦。灭性，有损于生命。性，生也。㊳数合：极言其少。合是容量单位，一升的十分之一。㊴十围：极言其腰围之粗。围，长度量词，两手大拇指与食指合拢的圆周长。㊵辛巳：十一月十六。㊶宣猛将军陈庆之：宣猛将军是将军的名号。陈庆之是梁朝的名将，数次与魏战皆有大功。传见《梁书》卷三十二。㊷丁亥：十一月二十二。㊸纵：释放；放还。㊹为豫州：作为梁国豫州的州治所在地。㊺改合肥为南豫州：早在齐将裴叔业以合肥降魏前，合肥就是南朝豫州的州治；裴叔业以合肥降魏后，合肥成了魏国的扬州州治，南朝只好将自己的豫州州治南迁到了合肥。今合肥被南朝收复，豫州州治迁回寿阳，故将合肥的州政府改称为南豫州。㊻久罹兵革：长期地陷于战乱之中。罹，陷入、遭遇。㊼充复：充实、恢复。㊽戊戌：应是十二月戊戌，即十二月初四。"戊戌"前依例应增"十二月"三字。㊾开门纳之：胡三省曰，"常景击杜洛周，数战数胜，而终于为虏者，民乐于从乱而疾视其上也"。㊿齐州平原：指齐州的东平原郡。齐州的州治历城，即今山东济

【原文】

大通元年（丁未，公元五二七年）

春，正月乙丑[172]，以尚书左仆射徐勉[173]为仆射[174]。

辛未[175]，上祀南郊。

甲戌[176]，魏以司空皇甫度为司徒，仪同三司萧宝寅为司空。

南，东平原郡的郡治梁邹，在今山东邹平北。⑮曹义宗：梁朝名将曹景宗之弟。传见《南史》卷五十五。曹义宗于普通六年率军北上，攻取了魏国的顺阳郡，见本书上卷。⑮穰城：即今河南邓州。⑮新野：魏郡名，郡治即今河南新野。新野在穰城的东南方。⑮辛纂：魏国名臣辛雄的堂兄，时为尚书左丞、南道行台。传见《魏书》卷七十七。⑮租调：泛称捐税。根据当时规定，每个成年男子每年向国家交粮食二石，是为租；交绢二丈、绵三两，是为调。⑮百官所给酒肉：根据规定，魏国当时除发给政府官吏固定的俸禄外，还发给他们一定数量的酒肉，作为生活补贴。⑮税：这里用如动词，征收。⑮邸店：旅店。邸，官邸，原指地方官员、外地的王侯在京城修建的临时住宿之所，也可以理解为驻京办事处，也类似国营旅店。⑮余憾：其他的怨恨、不满。⑯不堪其命：在他们的管制下无法再活下去。⑯郡县选举：对郡、县两级官员的任命。⑯由来共轻：长期以来都极其轻视。⑯贵游俊才：贵游指出身高贵的名门子弟。俊才指真正有才干的杰出人物。⑯清官选补之法：彻底整顿选任官吏的办法。清，清理、整顿。⑯妙尽才望：要善于把那些有才能、出身好的人才选拔上来。才望，才干与家庭的名望。⑯后地先才：把出身放在后头，把才干放在前面。⑯不得拘以停年：不要受任职先后与所任时间的长短为限。停年，任此职的年头。魏国前些时候崔亮为吏部尚书，不管其人的才干、治绩如何，通通以任职年限为升迁依据，称作“停年格”，见本书前文卷一百四十九天监十八年。⑯内职：朝廷内的官职。⑯人思自勉：为官吏者都会勉励自己尽职尽责。⑰枉屈可申：百姓的冤枉委屈可以获得伸张昭雪。⑰强暴：指作乱、造反的行为。

【校记】

［1］孙：原误作“子”。据章钰校，甲十一行本、乙十一行本皆作“孙”，今据改。〖按〗《魏书·景穆十二王下》，长寿之子曰鸾；徽鸾之子，即为长寿之孙。［2］鲜于脩礼：原作“杜洛周”。胡三省注云：“魏王武泰元年葛荣方并杜洛周，此得鲜于脩礼之众也。”严衍《通鉴补》改作“鲜于脩礼”，今据以校正。［3］夷：据章钰校，甲十一行本、乙十一行本、孔天胤本皆作“夏”。

【语译】

大通元年（丁未，公元五二七年）

春季，正月初一日乙丑，梁武帝任命担任尚书左仆射的徐勉为尚书仆射。

初七日辛未，梁武帝萧衍到建康城的南郊举行祭天典礼。

初十日甲戌，魏国朝廷任命担任司空的皇甫度为司徒，任命开府仪同三司萧宝寅为司空。

魏分定、相二州四郡置殷州[177]，以北道行台博陵崔楷[178]为刺史。楷表称："州今新立，尺刃[179]斗粮，皆所未有，乞资[180]以兵粮。"诏付外量闻[181]，竟无所给。或劝楷留家[182]，单骑之官，楷曰："吾闻食人之禄者忧人之忧，若吾独往，则将士谁肯固志哉！"遂举家之官。葛荣逼州城，或劝减弱小以避之，楷遣幼子及一女夜出。既而悔之，曰："人谓吾心不固，亏忠而全爱[183]也。"遂命追还。贼至，强弱相悬，又无守御[184]之具。楷抚勉将士以拒之，莫不争奋，皆曰："崔公尚不惜百口[185]，吾属何爱一身！"连战不息，死者相枕，终无叛志。辛未[186]，城陷，楷执节不屈，荣杀之，遂围冀州。

魏[4]萧宝寅出兵累年，将士疲弊，秦贼[187]击之，宝寅大败于泾州[188]，收散兵万余人，屯逍遥园。东秦州[189]刺史潘义渊以汧城[190]降贼。莫折念生进逼岐州[191]，城人执刺史魏兰根[192]应之。豳州[193]刺史毕祖晖战没，行台辛深弃城走，北海王颢军亦败。贼帅胡引祖据北华州[194]，叱干麒麟据豳州以应天生，关中大扰[195]。雍州刺史杨椿[196]募兵得七千余人，帅以拒守，诏加椿侍中兼尚书右仆射，为行台，节度关西诸将。北地功曹[197]毛鸿宾引贼抄掠渭北，雍州录事参军杨侃将兵三千掩击之。鸿宾惧，请讨贼自效，遂擒送宿勤乌过仁[198]。乌过仁者，明达之兄子也。莫折天生乘胜寇雍州，萧宝寅部将羊侃隐身堑中射之，应弦而毙，其众遂溃。侃，祉之子也。

魏右民郎[199]阳平路思令[200]上疏，以为"师出有功，在于将帅，得

魏国从定州、相州二州中将赵郡、钜鹿、南钜鹿、广宗四个郡划分出来设置为殷州，任命担任北道行台的博陵郡人崔楷为殷州刺史。崔楷上表给胡太后说："殷州现在刚刚设立，州里连一尺长的小兵器、一斗的粮食储备都没有，请求朝廷支援殷州一些兵器、粮食。"胡太后下诏让主管该项目的职能部门酌情提出一个数目奏报给皇帝知道，最后竟然一点儿也提供不了。有人劝说崔楷不要带着家眷到殷州上任，只自己一个人骑马前往赴任，崔楷答复说："我听说食人俸禄的人，就要为人分担忧愁，如果我独自前往殷州赴任，那么殷州的将士谁还肯安下心来固守殷州呢！"于是崔楷就携带着全家前往殷州任所。葛荣率众逼近殷州城，有人劝说崔楷将自己家属中的弱小者送出城外暂且躲避一下，崔楷就把自己最小的儿子和一个女儿连夜送出城去。过后崔楷就后悔了，他说："人们会议论我没有固守殷州城的决心，我这样做虽然保全了我所爱的家人却有亏忠臣之节。"于是立即令人把自己的一对小儿女追回来。葛荣所率领的贼军来到殷州城下，相比之下贼强我弱，相差悬殊，又没有守城御敌的兵器器械。崔楷抚慰全城的将士，勉励他们全力抵抗贼军的进攻，将士们无不争先奋勇，都说："崔公尚且不怕搭上全家一百口人的性命，我等怎么能因为爱惜自己一人之身而不奋勇杀敌！"全城的将士发挥连续作战的精神，他们根本顾不上休息，战死者的尸体横七竖八地你压着我、我压着你的满地都是，却始终没有人叛变投敌。辛未日，殷州城被葛荣的叛军攻陷，崔楷手持朝廷颁发的符节，誓死不屈，葛荣杀死了崔楷，随后又率众包围了冀州城。

魏国萧宝寅率军连年在外作战，属下的将士已经疲惫不堪。南秦州的叛民首领莫折念生率军攻打萧宝寅，萧宝寅在泾州被莫折念生打得大败，他收集起溃散的残兵败将，只得到一万多人，驻扎在逍遥园。魏国担任东秦州刺史的潘义渊献出汧城投降了叛贼莫折念生。莫折念生得胜之后又率众向魏国的岐州城逼近，岐州城中的人擒获了担任岐州刺史的魏兰根以响应莫折念生。担任豳州刺史的毕祖晖在与叛军的战斗中阵亡，担任行台的辛深弃城逃走，北海王元颢的军队也被叛军打败。贼军的将帅胡引祖占据了北华州，叱干麒麟又占领了豳州以响应莫折天生，关中地区全部陷入战乱。魏国担任雍州刺史的杨椿招募了七千多名士兵，杨椿就率领着这些临时招募来的士兵抵抗着叛军的进攻，守卫着雍州城，胡太后下诏加授雍州刺史杨椿为侍中兼尚书右仆射，为行台，全面统领指挥函谷关以西诸将与贼军作战。担任北地郡功曹的毛鸿宾勾引贼军抄掠渭水以北地区，担任雍州录事参军的杨侃率领三千名士兵突然袭击毛鸿宾。毛鸿宾非常恐惧，请求亲自去讨伐叛军为国效力，毛鸿宾于是擒获了宿勤乌过仁，将宿勤乌过仁押送给杨侃。宿勤乌过仁，是敕勒族酋长胡琛部将宿勤明达的侄子。莫折天生乘胜进攻雍州，萧宝寅的部将羊侃隐藏在堑壕之中拉开弓向莫折天生射去，莫折天生应声倒毙，他的部众于是四散溃逃而去。羊侃，是羊祉的儿子。

魏国担任右民郎的阳平郡人路思令上疏给胡太后，路思令认为："军队出征打

其人则六合[201]唾掌可清，失其人则三河[202]方为战地。窃以比年[203]将帅多宠贵子孙，衔杯跃马[204]，志逸气浮[205]，轩眉攘〔5〕腕[206]，以攻战自许。及临大敌，忧怖交怀，雄图锐气，一朝顿尽。乃令羸弱在前以当寇，强壮居后以卫身，兼复器械不精，进止无节[207]，以当负险之众[208]，敌数战之虏[209]，欲其不败，岂可得哉？是以兵知必败，始集而先逃，将帅畏敌，迁延[210]而不进。国家谓官爵未满[211]，屡加宠命[212]，复疑赏赉之轻，日散金帛。帑藏[213]空竭，民财殚尽[214]，遂使贼徒益甚，生民凋弊[215]，凡以此也[216]。夫德可感义夫，恩可劝[217]死士。今若黜陟幽明[218]，赏罚善恶[219]，简练[220]士卒，缮修器械，先遣辩士晓以祸福[221]，如其不悛[222]，以顺讨逆，如此，则何异厉萧斧而伐朝菌[223]，鼓洪炉而燎毛发[224]哉？”弗听。

戊子[225]，魏以皇甫度为太尉。

己丑[226]，魏主以四方未平，诏内外戒严，将亲出讨，竟亦不行。

谯州[227]刺史湛僧智围魏东豫州[228]，将军彭群、王辩围琅邪[229]，魏敕青、南青二州[230]救琅邪。司州[231]刺史夏侯夔[232]帅壮武将军裴之礼[233]等出义阳道，攻魏平静、穆陵、阴山三关[234]，皆克之。夔，亶之弟。之礼，邃之子也。

魏东清河郡[235]山贼群起，诏以齐州长史房景伯[236]为东清河太守。郡民刘简虎尝无礼于景伯，举家亡去，景伯穷捕[237]，禽之，署其子为西曹掾[238]，令谕山贼。贼以景伯不念旧恶，皆相帅出降。

景伯母崔氏，通经，有明识。贝丘[239]妇人列[240]其子不孝，景伯以白其母，母曰：“吾闻闻名不如见面，山民未知礼义，何足深责！”乃召其

仗能够为国家立功的关键，完全取决于将帅的指挥，如果得到优秀的将帅，那么廓清天下就是非常容易的事情了，如果所任用的将帅根本不是将帅的材料，那么洛阳地区就会成为战场。我认为近年以来的将帅大多是由受宠的贵族子孙担任，他们只会饮酒之后纵马驰骋，一副心高气傲，扬眉吐气，不可一世的情态，以能攻善战进行自我夸耀。等到他们面临强大敌人的时候，忧愁、恐惧便萦绕于内心，平日里大展宏图的锐气，一朝之间就丧失殆尽。于是就令那些羸弱的士兵冲在前面为他们抵挡贼寇，令那些身体强壮的士兵在后面保护着自己，再加上我军武器不精，号令不明、纪律松散，用这样的军队来面对占据着险要地形的贼众，去对付屡经战斗的强虏，即使想让他们不打败仗，又怎么能够做得到呢？所以士兵知道作战一定会失败，于是与贼军刚一交战就抢先逃跑，将帅内心畏惧敌人，所以就故意拖延而不敢前进。国家认为是给他们加官晋爵不够，于是对他们一次次地下达晋升职位的命令，朝廷又怀疑给他们的赏赐太轻，就每天从国库中拿出金银布帛对他们进行赏赐。国库里的金银储备空虚，民间的财物被搜刮得干干净净，于是贼徒日益猖獗，百姓没法生活，都是这样造成的。道德可以感化那些正义的人，恩惠可以鼓励那些不怕死的人。现在如果能贬黜那些昏庸的将帅，晋升英明的将帅，做到赏善罚恶，选拔操练士卒，制造、修理兵器器械，先派遣能说善辩的人给变民乱党讲清祸福、指明出路，如果他们仍然不思悔改，就以顺讨逆，如此一来，就如同用磨好的大斧子去砍一朵粪堆的小蘑菇、拉风箱把大炉子里的火吹得旺旺地去烧毛发一样，哪里还用得着费什么力气呢？”胡太后没有听从路思令的建议。

正月二十四日戊子，魏国朝廷任命皇甫度为太尉。

二十五日己丑，魏孝明帝元诩因为四方的叛乱还没有平息，于是下诏朝廷内外进入军事状态，他表示自己要御驾亲征去讨伐叛逆，最后却没有这样去做。

梁国担任谯州刺史的湛僧智率军包围了魏国的东豫州州城，梁国的将军彭群、王辩包围了魏国的琅邪郡城，魏国胡太后敕令青州、南青州二州出兵援救琅邪。梁国担任司州刺史的夏侯夔率领着担任壮武将军的裴之礼等经过义阳道，进攻魏国的平静关、穆陵关、阴山关，将三关全部占领。夏侯夔，是夏侯亶的弟弟。裴之礼，是裴邃的儿子。

魏国东清河郡境内山区的盗贼蜂拥而起，胡太后下诏任命担任齐州长史的房景伯为东清河太守。郡中的百姓刘简虎曾经对房景伯不礼貌，惧怕房景伯报复自己，于是就带着全家逃走，房景伯不惜一切地全力进行追捕，终于捉住了刘简虎，提拔刘简虎的儿子为西曹掾，让他去劝说山贼投降。山贼因为房景伯不念旧恶，全都相继出来投降。

房景伯的母亲崔氏，精通儒家经典著作，聪明而有见识。贝丘县的一名妇女状告自己的儿子不孝顺，房景伯告诉了自己的母亲崔氏，崔氏说：“我听说闻名不如见面，山里的百姓不懂得礼仪，何必深刻地去责备他呢！”崔氏就把状告儿子的那名妇女召来，让

母，与之对榻共食，使其子侍立堂下，观景伯供食。未旬日，悔过求还。崔氏曰："此虽面惭，其心未也，且置之㉑。"凡二十余日，其子叩头流血，母涕泣乞还，然后听之，卒以孝闻。景伯，法寿㉒之族子也。

二月，秦贼据魏潼关。

庚申㉓，魏东郡㉔民赵显德反，杀太守裴烟，自号都督。

将军成景儁攻魏彭城，魏以前荆州刺史崔孝芬为徐州行台以御之。先是，孝芬坐元义党与卢同等俱除名，及将赴徐州，入辞太后，太后谓孝芬曰："我与卿姻戚㉕，奈何内头元义车中㉖，称'此老妪会须去之'㉗？"孝芬曰："臣蒙国厚恩，实无斯语。假令有之，谁能得闻！若有闻者，此于元义亲密过臣远矣。"太后意解，怅然有愧色。景儁欲堰泗水㉘以灌彭城，孝芬与都督李叔仁等击之，景儁遁还。

三月甲子㉙，魏主诏将西讨，中外戒严。会秦贼西走，复得潼关，戊辰㉚，诏回驾北讨。其实皆不行。

葛荣久围信都㉛，魏以金紫光禄大夫源子邕㉜为北讨大都督以救之。

初，上作同泰寺，又开大通门以对之，取其反语相协㉝，上晨夕幸寺，皆出入是门。辛未㉞，上幸寺舍身㉟。甲戌㊱，还宫㊲。大赦，改元㊳。

魏齐州广川㊴民刘钧聚众反，自署大行台。清河民房项[6]自署大都督，屯据昌国城㊵。

夏，四月，魏将元斌之讨东郡，斩赵显德。

己酉㊶，柔然头兵可汗遣使入贡于魏，且请讨群贼。魏人畏其反覆，诏以盛暑，且俟后敕㊷。

她坐在对面与自己一同进餐，让她的儿子侍立在堂下，观看房景伯怎样为自己的母亲端茶送饭。不到十天的时间，那个儿子就知道自己错在哪里而请求回去。崔氏说："他虽然表面上有些惭愧，但内心还没有真正受到触动，再等一等。"就这样过了二十多天，那个妇女的儿子磕头流血，他的母亲也痛哭流涕地请求放回她的儿子，这时候房景伯才令他们母子回家，后来那个儿子以孝行闻名于乡里。房景伯，是房法寿的族侄。

二月，秦州境内自称秦王的叛民莫折念生攻占了魏国的潼关。

二十七日庚申，魏国东郡的百姓赵显德聚众造反，杀死了东郡太守裴烟，自称都督。

梁国将军成景儁出兵进攻魏国的彭城，魏国朝廷任命曾经担任过荆州刺史的崔孝芬为徐州行台抵御成景儁的进攻。此前，崔孝芬因为是元义的同党与卢同等人一同被除名，等到崔孝芬准备前往徐州赴任的时候，入宫向胡太后辞行，胡太后对崔孝芬说："我和你是姻亲，你为什么一头钻进元义的车中，还怂恿他说'这个必须把老太婆除掉'?"崔孝芬解释说："我蒙受国家厚恩，实在没有说过这样的话。假如我说过这样的话，谁能把这个话告诉太后知道呢！假如有人能够把这样的话告诉给太后知道，那么这个人与元义的关系一定远远胜过我与元义的关系。"胡太后听了之后对崔孝芬的怨恨消除，脸上流露出愧疚的神色。梁将成景儁想要在泗水下游筑坝以抬高上游的水位，然后在上游放水灌入彭城，崔孝芬与都督李叔仁等率军袭击成景儁，成景儁逃回梁国境内。

三月初一日甲子，魏孝明帝下诏说要御驾西征，朝廷内外再次进入军事状态。碰巧遇到秦州的叛贼莫折念生向西逃走，官军又收复了潼关，初五日戊辰，孝明帝下诏从西征回驾然后北征。其实他既没有亲自西征也没有亲自北征。

自称齐王的叛民首领葛荣长期包围着魏国的信都，魏国朝廷任命担任金紫光禄大夫的源子邕为北讨大都督率军解救信都之围。

当初，梁武帝建造同泰寺，又开凿大通门和同泰寺遥遥相对，取其反切的字音相对仗，平仄也相对，梁武帝早晚前往同泰寺，都从大通门出入。三月初八日辛未，梁武帝到同泰寺出家当和尚。十一日甲戌，梁武帝从同泰寺回到皇宫。大赦天下，改年号为大通元年。

魏国齐州所属的广川郡百姓刘钧聚众造反，自封为大行台。清河郡的百姓房项自封为大都督，率众驻扎在昌国县的县城。

夏季，四月，魏国的将领元斌之率军讨伐东郡境内的贼军，杀死了自称都督的贼民首领赵显德。

十七日己酉，柔然敕连头兵豆伐可汗阿那瓌派使者向魏国朝廷进贡，同时请求出兵帮助魏国讨伐境内的那些叛贼。魏国人惧怕他们反复无常，胡太后于是下诏说目前天气炎热，请等待以后的命令。

魏萧宝寅之败也，有司处以死刑，诏免为庶人。雍州刺史杨椿有疾求解[263]，复以宝寅为都督雍泾等四州诸军事、征西将军、雍州刺史、开府仪同三司、西讨大都督，自关以西皆受节度。椿还乡里[264]，其子昱将适洛阳，椿谓之曰："当今雍州刺史亦无逾于宝寅者，但其上佐[265]，朝廷应遣心膂重臣，何得任其牒用[266]？此乃圣朝百虑之一失也。且宝寅不藉刺史为荣[267]，吾观其得州，喜悦特甚，至于赏罚云为[268]，不依常宪[269]，恐有异心。汝今赴京师，当以吾此意启二圣[270]，并白宰辅[271]，更遣长史、司马、防城都督[272]，欲安关中，正须三人耳。如其不遣，必成深忧。"昱面启魏主及太后，皆不听。

五月丙寅[273]，成景儁攻魏临潼、竹邑[274]，拔之。东宫直阁兰钦攻魏萧城[275]、厥固[276]，拔之，钦斩魏将曹龙牙。

六月，魏都督李叔仁讨刘钧，平之。

秋，七月，魏陈郡[277]民刘获、郑辩反于西华[278]，改元天授，与湛僧智通谋，魏以行东豫州刺史谯国曹世表[279]为东南道行台以讨之，源子恭代世表为东豫州。诸将以贼众强，官军弱，且皆败散之余，不敢战，欲保城自固。世表方病背肿，舆出[280]，呼统军[281]是云宝[282]，谓曰："湛僧智所以敢深入为寇者，以获、辩皆州民之望[283]，为之内应也。向[284]闻获引兵欲迎僧智，去此八十里，今出其不意，一战可破，获破，则僧智自走矣。"乃选士马付宝，暮出城，比晓而至，击获，大破之，穷讨，余党悉平。僧智闻之，遁还。郑辩与子恭亲旧，亡匿子恭所，世表集

魏国萧宝寅因为在泾州被叛民首领莫折念生打得大败，朝廷有关部门的官员判处萧宝寅死刑，胡太后下诏将萧宝寅贬为平民。魏国担任雍州刺史的杨椿因为身体有病请求辞职，魏国朝廷又任命萧宝寅为都督雍、泾等四州诸军事、征西将军、雍州刺史、开府仪同三司、西讨大都督，从函谷关以西各州郡的军队全部受萧宝寅的调度指挥。杨椿回到自己的故乡华阴县，杨椿的儿子杨昱准备前往洛阳，杨椿对他的儿子杨昱说："如今雍州刺史的人选没有人能胜过萧宝寅，但是萧宝寅的高级僚属，应该由朝廷派遣心腹重臣去担任，怎么能够听任萧宝寅自己下文书聘用呢？这是圣明的朝廷百虑当中的一个失误。而且凭萧宝寅目前的地位，他不应该把当上雍州刺史视为一种荣耀，我看到他在得到雍州刺史这个职位的时候特别喜悦，至于如何奖赏、如何惩罚一类的事情，他并不按照平常的惯例行事，恐怕他有背叛朝廷的野心。你现在就要前往京师洛阳，应当把我的这个意见禀报给胡太后和皇帝知道，同时也要转告朝中的各位执政大臣，让他们为萧宝寅另行派遣长史、司马、防城都督三位高级僚属，想要安定关中，朝廷就得为萧宝寅派遣这三个人。如果朝廷不为萧宝寅派遣这三个人，萧宝寅必然成为国家深切的忧患。"杨昱把他父亲杨椿的意见当面禀告了魏孝明帝和胡太后，孝明帝和胡太后都没有把杨椿的意见当回事。

五月初四日丙寅，梁国将领成景儁率军进攻魏国的临潼、竹邑，将临潼、竹邑全部占领。梁国担任东宫直阁的兰钦率军进攻魏国的萧城、厥固，将萧城、厥固攻克，兰钦斩杀了魏将曹龙牙。

六月，魏国担任都督的李叔仁出兵讨伐刘钧，把刘钧消灭。

秋季，七月，魏国境内陈郡的百姓刘获、郑辩在西华县造反，改年号为天授元年，他们与梁国的谯州刺史湛僧智相勾结，魏国朝廷任命代理东豫州刺史的谯国人曹世表为东南道行台，率军前往西华县讨伐起兵造反的刘获、郑辩，令源子恭代替曹世表为东豫州刺史。诸将因为贼军势力强大，而官军不仅力量薄弱，而且现有的这些兵力都是打过败仗逃散剩下来的残兵败将，根本就不敢和贼军作战，只想占据城池进行坚守，以求保住自己的性命。新被任命为东南道行台的曹世表正在生病，他的背部红肿，让人用担架抬着，他把担任统军的是云宝叫到跟前，对是云宝说："梁国的谯州刺史湛僧智所以敢于率领军队深入我国州境之内进行抢掠，是因为聚众造反的刘获、郑辩全是受到本州百姓拥护和仰戴的人，有他们为湛僧智做内应。刚才我听说刘获率军要去迎接湛僧智，他们距离这里只有八十里路，如果我军出其不意打他一个措手不及，一战就可以把刘获打败，刘获被打败之后，湛僧智没有了内应就会自动退走。"于是挑选兵马交给统军是云宝率领，是云宝在傍晚时分率军出城，等到天亮时就赶到了目的地，他们突然向刘获发起进攻，把刘获打得大败，又对其余党穷追猛打，把刘获的余党全部消灭。湛僧智听到刘获全军覆没的消息后，就逃了回去。郑辩与担任东豫州刺史的源子恭是亲密的老朋友，郑辩逃到源子恭那里躲藏起来，东南道行台曹世表把所有的将吏召集起来，当面责备源子恭不应该藏

将吏面责子恭，收辩，斩之。

魏相州刺史安乐王鉴[285]与北道都督裴衍共救信都。鉴幸魏多故[286]，阴有异志，遂据邺，叛降葛荣。

己丑[287]，魏大赦。

初，侍御史辽东高道穆[288]奉使相州，前刺史李世哲[289]奢纵不法，道穆按之。世哲弟神轨用事，道穆兄谦之家奴诉良[290]，神轨收谦之系廷尉。赦将出，神轨启太后先赐谦之死，朝士[291]哀之。

彭群、王辩围琅邪，自春[7]及秋，魏青州刺史彭城王劭[292]遣司马鹿悆，南青州刺史胡平遣长史刘仁之将兵击群、辩，破之，群战没。劭，勰之子也。

八月，魏遣都督源子邕、李神轨、裴衍攻邺[293]。子邕行及汤阴[294]，安乐王鉴遣弟斌之夜袭子邕营，不克，子邕乘胜进围邺城。丁未[295]，拔之，斩鉴，传首洛阳，改姓拓跋氏。魏因遣子邕、裴衍讨葛荣。

九月，秦州城民杜粲杀莫折念生阖门皆尽，粲自行州事。南秦州城民辛琛亦自行州事，遣使诣萧宝寅请降。魏复以宝寅为尚书令，还其旧封[296]。

谯州刺史湛僧智围魏东豫州刺史元庆和于广陵[297]，魏将军元显伯救之，司州刺史夏侯夔自武阳[298]引兵助僧智。冬十月，夔至城下，庆和举城降。夔以让僧智，僧智曰："庆和欲降公，不欲降僧智，今往，必乖其意。且僧智所将[299]应募乌合之人，不可御以法[300]，公持军素严，必无侵暴，受降纳附，深得其宜。"夔乃登城，拔魏帜，建[301]梁帜，庆和束兵而出，吏民安堵，获男女四万余口。

匿反贼郑辩，下令逮捕了郑辩，把郑辩杀死。

魏国担任相州刺史的安乐王元鉴与担任北道都督的裴衍共同率军救援信都。元鉴把魏国越来越多的叛乱当作自己的一件幸事，暗中有趁机夺取政权的野心，于是他占据邺城，背叛朝廷投降了自称齐王的葛荣。

七月二十八日己丑，魏国实行大赦。

当初，魏国担任侍御史的辽东人高道穆奉命出使相州，前任相州刺史李世哲生活奢侈、行为放纵、不遵守法纪，高道穆惩办了李世哲。李世哲的弟弟李神轨在朝中掌握大权，高道穆的哥哥高谦之的家奴控告他的主子高谦之逼迫良民为婢，李神轨借机逮捕了高谦之，把高谦之交给廷尉进行审理。魏国朝廷即将实行大赦，高谦之遇赦后就能被释放出狱，李神轨启奏胡太后在大赦令发布之前先赐死了高谦之，朝廷群臣对高谦之之死全都感到很痛心。

梁国的将军彭群、王辩率军围攻魏国的琅邪城，他们从春天一直到秋天也没有将琅邪城攻克，魏国担任青州刺史的彭城王元劭派遣属下担任司马的鹿悆，担任南青州刺史的胡平派遣属下担任长史的刘仁之率军攻打彭群、王辩，把彭群、王辩打败，彭群作战身亡。元劭，是元勰的儿子。

八月，魏国派遣担任都督的源子邕、李神轨、裴衍攻打占据邺城叛变的安乐王元鉴。源子邕率军到达汤阴县的时候，安乐王元鉴派遣自己的弟弟元斌之率军在夜间偷袭了源子邕的军营，没有成功，源子邕乘胜进兵包围了邺城。十七日丁未，源子邕攻克了邺城，杀死了安乐王元鉴，把元鉴的人头送到洛阳示众，将元鉴改姓为拓跋氏。魏国朝廷趁势派遣源子邕、裴衍率军讨伐自封为齐王的叛民首领葛荣。

九月，魏国秦州城内的百姓杜粲把自称秦王的叛民首领莫折念生的满门全部杀死，杜粲自行担任了秦州刺史。南秦州城内的百姓辛琛也自行担任了南秦州刺史，他派遣使者到萧宝寅那里请求投降。魏国朝廷再次任命萧宝寅为尚书令，恢复萧宝寅原有的一切官职、爵位和封地。

梁国的谯州刺史湛僧智把魏国担任东豫州刺史的元庆和包围在广陵，魏国将军元显伯率军前往广陵救援元庆和，梁国担任司州刺史的夏侯夔从武阳率军赶往广陵增援湛僧智。冬季，十月，夏侯夔率军到达广陵城下，元庆和献出广陵城向夏侯夔投降。夏侯夔让谯州刺史湛僧智接收元庆和的投降，湛僧智说："元庆和想投降你，不想投降我，如果由我去接收他的投降，一定不合他的心意。而且我所率领的军队都是响应招募而来的乌合之众，难以用军纪约束他们，你带兵一向纪律严明，一定不会发生侵扰强暴的事情，由你去接收投降、招纳归附最合适。"于是夏侯夔登上广陵城，拔除魏国的旗帜，插上梁国的旗帜，元庆和约束军队出城投降，广陵城内的官吏和百姓没有受到丝毫骚扰，秩序如同平日一般，梁军共获得男女四万多口。

臣光曰:“湛僧智可谓君子矣!忘其积时攻战[302]之劳,以授一朝新至之将,知己之短,不掩人之长,功成不取以济国事,忠且无私,可谓君子矣!”

元显伯宵遁,诸军追之,斩获万计。诏以僧智领东豫州刺史,镇广陵。夔引军屯安阳[303],遣别将屠楚城[304],由是义阳北道遂与魏绝。

领军曹仲宗、东宫直阁陈庆之攻魏涡阳[305],诏寻阳太守韦放[306]将兵会之。魏散骑常侍费穆引兵奄至[307],放营垒未立,麾下止有二百余人,放免胄下马,据胡床处分[308],士皆殊死战,莫不一当百,魏兵遂退。放,叡之子也。

魏又遣将军元昭等众五万救涡阳,前军至驼涧[309],去涡阳四十里。陈庆之欲逆战[310],韦放以魏之前锋必皆轻锐,不如勿击,待其来至。庆之曰:“魏兵远来疲倦,去我既远,必不见疑,及其未集,须挫其气。诸军[8]若疑,庆之请独取之。”于是帅麾下二百骑进击,破之,魏人惊骇。庆之乃还,与诸将连营而进,背涡阳城与魏军相持。自春至冬,数十百战,将士疲弊。闻魏人欲筑垒于军后,曹仲宗等恐腹背受敌,议引军还。庆之杖节军门[311]曰:“共来至此,涉历一岁,糜费极多。今诸君皆无斗心,唯谋退缩,岂是欲立功名,直聚为抄暴[312]耳!吾闻置兵死地,乃可求生[313],须虏大合[314],然后与战。审欲班师[315],庆之别有密敕[316],今日犯者,当依敕行之!”仲宗等乃止。

魏人作十三城,欲以控制梁军。庆之衔枚夜出,陷其四城,涡阳城主王纬乞降。韦放简遣降者三十余人分报魏诸营,陈庆之陈其俘

司马光说：“湛僧智可以称得上是一个君子了！湛僧智忘记了自己长期围攻广陵的辛劳，把接收敌人投降的功劳授予一位刚刚到来的将领，他知道自己的短处，不掩盖别人的长处，大功告成而不以功臣自居，一心为了成就国家的统一大业，忠诚而没有私心，这样的人才可以称得上是君子！”

魏将元显伯在夜间率领所部逃走，梁国各军赶去追杀，杀死、俘虏的魏军人数以万计。梁武帝下诏任命湛僧智兼任东豫州刺史，驻军广陵。夏侯夔率军驻扎在安阳，他派遣另外一支军队的主帅率领所部杀光了楚城的人，从此以后，义阳北道与魏国的联络便因此而中断。

梁国担任领军将军的曹仲宗、担任东宫直阁的陈庆之率军进攻魏国的涡阳，梁武帝下诏令担任寻阳太守的韦放率领军队前往涡阳与他们会合。魏国担任散骑常侍的费穆率军突然而至，韦放的营垒还没有建好，手下只有二百多人，韦放摘下自己的头盔、跳下战马，坐在小椅子上进行指挥，二百多名将士全都拼死作战，无不以一敌百，魏军于是退走。韦放，是韦叡的儿子。

魏国朝廷又派遣将军元昭等人率领五万人马救援涡阳，前锋部队已经到达驼涧，距离涡阳只有四十里。陈庆之就要出兵给魏军一个迎头痛击，韦放认为魏国的前锋部队一定都是轻装前进的精锐部队，不如先不出兵，等他们来到跟前的时候再出战。陈庆之说：“魏国的军队远道而来，将士一定已经疲惫不堪，他们距离我们既然还远，一定不会怀疑我们会出兵迎击，趁着他们的大部队还没有会集，必须先要挫败他们的锐气。诸位如果有什么疑虑，我请求独自率军前往迎击他们。”于是陈庆之便率领自己部下的二百名骑兵进击魏军的前锋，把魏军前锋打败，魏军非常惊慌恐惧。陈庆之率军返回之后，便与各位将领连营而进，他们背对涡阳与前来救援的魏军展开对峙。从春天一直到冬天，梁、魏双方经过数十百次战斗，将士都已经疲惫不堪。梁军听到魏军准备在自己背后修筑堡垒的消息，领军将军曹仲宗等担心自己腹背受敌，就商议率军撤回。陈庆之手持符节站在军门之前说：“我们一同率军来到这里，经过了一年数百次的战斗，花费了太多的人力物力。现在各位将领全都没有了继续战斗的决心，一心只想着如何退缩，这哪里是想建立功名，只是聚集在一起抄掠百姓的财物而已！我听兵法上说，置之死地而后可以求得生存，我们要等到敌人大规模地聚合起来，然后再与他们决战。如果你们一定要撤退，我这里另有皇帝的密令，如果今天有人违抗，我就依照皇帝的密令对其进行惩处！”曹仲宗等人这才不再坚持撤退。

魏军建造了十三座城垒，想用这些城垒控制住梁军。陈庆之让士兵口衔木棍利用黑夜作掩护悄悄离开营寨，攻陷了魏军的四个城垒，魏国涡阳城中的驻军头领王纬向梁军请求投降。韦放从投降的魏军中挑选出三十多人，让他们分别到魏军的各

𪄳㉛，鼓噪随之，魏[9]九城皆溃，追击之，俘斩略尽，尸咽涡水㉘，所降城中男女三万余口。

萧宝寅之败于泾州也，或劝之归罪洛阳㉙，或曰："不若留关中立功自效。"行台都令史河间冯景曰："拥兵不还，此罪将大。"宝寅不从，自念㉚出师累年，糜费不赀㉛，一旦覆败，内不自安，魏朝亦疑之。

中尉郦道元㉜，素名严猛，司州牧㉝汝南王悦嬖人丘念㉞，弄权纵恣㉟，道元收念付狱。悦请之于胡太后，太后欲赦[10]之，道元杀之，并以劾悦。

时宝寅反状已露，悦乃奏以道元为关右大使㊱。宝寅闻之，谓为取己㊲，甚惧，长安轻薄子弟㊳复劝使举兵。宝寅以问河东柳楷，楷曰："大王，齐明帝㊴子，天下所属㊵，今日之举，实允人望㊶。且谣言㊷'鸾生十子九子毈㊸，一子不毈关中乱㊹。'乱者，治也㊺[11]。大王当治关中，何所疑！"道元至阴盘驿㊻，宝寅遣其将郭子恢攻杀之，收殡㊼其尸，表言白贼㊽所害。又上表自理㊾，称为杨椿父子所谮㊿。

宝寅行台郎中武功苏湛，卧病在家，宝寅令湛从母弟㊶开府属㊷天水姜俭说湛曰："元略受萧衍旨㊸，欲见剿除㊹，道元之来，事不可测，吾不能坐受死亡，今须为身计，不复作魏臣矣。死生荣辱，与卿共之。"湛闻之，举声大哭。俭遽止之曰："何得便尔㊺？"湛曰："我百口今屠灭，云何不哭？"哭数十声，徐谓俭曰："为我白齐王㊻，王本以穷鸟㊼投人，赖朝廷假王羽翼㊽，荣宠至此。属国步多虞㊾，不能竭忠

个营垒报告梁军攻陷四城、涡阳城中的驻军头领王纬已经向梁军投降的消息，陈庆之把俘虏的魏军与从被杀死魏军尸体上割下的耳朵排列在队列前边，梁军在后面擂鼓呐喊向前行进，魏军其余的九座城垒全部崩溃，梁军穷追猛打，把魏军俘虏、斩杀得几乎一个不剩，魏军的尸体堵塞了涡水，使涡水流之不畅，城中向梁军投降的男男女女有三万多人。

萧宝寅在泾州被莫折念生打败的时候，就有人劝说萧宝寅返回洛阳向朝廷请罪，也有人对萧宝寅说："不如留在关中立功赎罪。"在萧宝寅属下担任行台都令史的河间人冯景说："统兵在外不肯回京请罪，这个罪名会更大。"萧宝寅没有听从冯景的劝告，自己寻思数年来率军出征，所花费的钱财多得无法计算，一旦覆败，不仅自己内心很不安，朝廷也会怀疑自己。

魏国担任御史中尉的郦道元，一向以严厉威猛闻名，担任司州牧的汝南王元悦的一个名叫丘念的男宠，依仗汝南王的势力招权纳贿、肆意横行，郦道元遂把丘念逮捕下狱。元悦为自己的男宠向胡太后求情，胡太后就想赦免丘念，郦道元坚持把丘念杀死，并以此弹劾了元悦。

当时齐王萧宝寅叛变的迹象已经显露出来，元悦就上奏朝廷请求任命郦道元为关右大使，去巡察安抚关西地区。萧宝寅听到这个消息以后，以为朝廷是派郦道元来袭捕自己，因此非常恐惧，长安那些轻浮浅薄的贵族子弟又劝说萧宝寅起兵叛乱。萧宝寅去征求河东郡人柳楷的意见，柳楷说："大王你本是齐国齐明帝萧鸾的儿子，你的一举一动都为天下人所瞩目，今日举兵造反，实在是符合民心的事情。而且民谣说：'萧鸾所生的十个儿子有九个被人早早地杀死，剩下一个不死的会来削平关中地区的战乱。'所谓的乱，就是治理的意思。大王应当治理关中地区，还有什么可以疑虑的呢！"郦道元到达阴盘县内的驿站，萧宝寅派自己的部将郭子恢攻杀了郦道元，萧宝寅收殓了郦道元的尸体，向朝廷奏称郦道元是被白贼杀害的。萧宝寅又上表给朝廷为自己申诉冤情，说自己遭到杨椿父子的陷害。

在萧宝寅手下担任行台郎中的武功人苏湛，当时正在自己的家中养病，萧宝寅让苏湛的姨表兄弟、担任开府属的天水人姜俭去劝说苏湛，姜俭传达萧宝寅的话说："元略从梁国返回魏国的时候接受了梁国皇帝萧衍的秘密旨意，准备消灭我们这些从南朝过来的人，郦道元此次前来，事情是吉是凶还不可预测，我不能坐以待毙，如今我必须为保全自己做好打算，我不能再做魏国的臣子了。是死是生是荣是辱，我要与你一同承担。"苏湛听了这些话以后，不禁放声大哭。姜俭急忙制止他说："你怎么突然就这个样子了？"苏湛说："我家的这一百口人就要被屠灭了，我怎能不哭呢？"苏湛哭了几十声之后，才慢慢地对姜俭说："你替我转告齐王说：大王本来像是一只走投无路的鸟逃到魏国来依靠别人，倚仗着魏国朝廷给自己装配的羽翼，大王才得以享受到如此的荣耀和宠信。现在正当魏国多灾多难的时刻，大王不能竭尽忠诚报

报德，乃欲乘人间隙[350]，信惑[351]行路无识之语[352]，欲以羸败之兵守关问鼎[353]。今魏德虽衰，天命未改。且王之恩义未洽于民[354]，但见其败，未见有成，苏湛不能以百口为王族灭[355]。”宝寅复使谓曰：“我救死不得不尔，所以不先相白[356]者，恐沮吾计[357]耳。”湛曰：“凡谋大事，当得天下奇才与之从事，今但与长安博徒[358]谋之，此有成理不？湛恐荆棘必生于斋阁[359]，愿赐骸骨[360]归乡里，庶得病死[361]，下见先人。”宝寅素重湛，且知其不为己用，听还武功[362]。

甲寅[363]，宝寅自称齐帝，改元隆绪，赦其所部[364]，置百官。都督长史毛遐[365]，鸿宾之兄也，与鸿宾帅氐、羌起兵于马祗栅[366]以拒宝寅，宝寅遣大将军卢祖迁击之，为遐所杀。宝寅方祀南郊[367]，行即位礼未毕，闻败，色变，不暇整部伍，狼狈而归。以姜俭为尚书左丞，委以心腹。文安[368]周惠达为宝寅使，在洛阳，有司欲收之，惠达逃归长安。宝寅以惠达为光禄勋[369]。

丹杨王萧赞[370]闻宝寅反，惧而出走，趣白马山[371][12]，至河桥[372]，为人所获，魏主知其不预谋，释而慰之。行台郎[373]封伟伯等与关中豪桀谋举兵诛宝寅，事泄而死。

魏以尚书仆射长孙稚为行台以讨宝寅。

正平[374]民薛凤贤反，宗人薛脩义亦聚众河东[375]，分据盐池[376]，攻围蒲坂，东西连结以应宝寅。诏都督宗正珍孙讨之。

十一月丁卯[377]，以护军萧渊藻[378]为北讨都督，镇涡阳。戊辰[379]，以涡阳置[13]西徐州。

葛荣围魏[14]信都，自春及冬，冀州刺史元孚帅励将士，昼夜拒守，粮储既竭，外无救援。己丑[380]，城陷，荣执孚，逐出居民，冻死者

答魏国的恩德，反而想趁着魏国有空子可钻，听信行路之人那些毫无道理的谣言，想用手下那些羸弱且又遭受过失败的军队守住潼关、割据关中、窥伺天位。如今魏国的国运虽然衰微，但是天命还没有改变。而且大王还没有做到让天下的百姓都对您感恩戴德，所以我只看见大王会失败，而看不到大王的成功，我不能让我这百口之家因为大王您而被灭族。”萧宝寅又派遣使者对苏湛说：“我为了使自己不被杀死才不得不这样去做，我之所以没有预先将准备谋反的事情告诉你，是担心你会劝阻我，使我的计划不能实行。”苏湛回复说：“凡是谋划重大的事情，一定要得到天下的奇才，与他们共同从事才有可能获得成功，如今大王只与长安城中那些不务正业的一群赌徒进行谋划，怎么会有成功的道理？我担忧大王的府第今后将长满荆棘，希望大王赏我这把老骨头回归乡里吧，我希望自己能落一个病死，到地下去见我的先人。”萧宝寅一向敬重苏湛，而且知道苏湛最终不会为自己所用，于是就听任苏湛辞去了行台郎中的职务回到了自己的老家武功县。

十月二十五日甲寅，萧宝寅自称齐国皇帝，改年号为隆绪元年，在自己的辖区内实行大赦，设置文武百官。在萧宝寅属下担任都督长史的毛遐，是北地郡功曹毛鸿宾的哥哥，他与毛鸿宾一起率领着那些氐族人、羌族人在马祗栅起兵反抗萧宝寅，萧宝寅派遣属下担任大将军的卢祖迁率军攻打毛遐，卢祖迁被毛遐杀死。萧宝寅正在长安城的南郊举行祭天典礼，所进行的即位大典还没有结束，就听到了卢祖迁被杀的消息，吓得脸色都改变了，他来不及整理队伍，就狼狈地回到了长安城。萧宝寅任命姜俭为尚书左丞，把他作为自己的心腹大臣。文安县人周惠达作为萧宝寅的使者，当时还留在洛阳，朝廷的有关部门正准备去逮捕周惠达的时候，周惠达已经逃回了长安。萧宝寅任命周惠达为光禄勋。

丹杨王萧赞听到萧宝寅谋反的消息，因为惧怕牵连到自己而出逃，他向白马山方向逃跑，当跑到河桥的时候，被人捉住，魏孝明帝知道萧赞没有参与萧宝寅的阴谋，就释放了萧赞，还安慰了萧赞一番。在萧宝寅属下担任行台郎的封伟伯等与关中地区的那些豪杰密谋起兵诛讨萧宝寅，事情泄露被萧宝寅杀死。

魏国任命担任尚书仆射的长孙稚为行台率军前往讨伐萧宝寅。

魏国正平郡的百姓薛凤贤聚众造反，薛凤贤的族人薛脩义也在河东郡聚众造反，他们分兵占据了盐池，进而包围了蒲坂，东西连接以响应在长安自称齐帝的萧宝寅。魏孝明帝下诏令担任都督的宗正珍孙率军讨伐叛乱的薛凤贤、薛脩义等。

十一月初八日丁卯，梁武帝任命担任护军将军的萧渊藻为北讨都督，驻守涡阳。初九日戊辰，梁国以涡阳置西徐州。

自称为齐王的叛民首领葛荣出兵围攻魏国信都，从春天一直围攻到冬天也没有将信都攻克，魏国担任冀州刺史的元孚统领、鼓励着全城的将士，不分昼夜地抵抗着叛军的进攻，守卫着信都城，城内储存的粮食已经吃光了，城外又没有援军。十一月三十日己丑，信都城遂被葛荣的叛军攻陷，葛荣活捉了冀州刺史元孚，他将

什六七。孚兄祐为防城都督，荣大集将士，议其生死。孚兄弟各自引咎，争相为死，都督潘绍等数百人，皆叩头请就法以活使君[381]。荣曰："此皆魏之忠臣义士。"于是同禁者五百人皆得免。

魏以源子邕为冀州刺史，将兵讨荣。裴衍表请同行，诏许之。子邕上言："衍行，臣请留；臣行，请留衍。若逼使同行，败在旦夕。"不许。十二月戊申[382]，行至阳平[383]东北漳水曲，荣帅众十万击之，子邕、衍俱败死。相州吏民闻冀州已陷，子邕等败，人不自保。相州刺史恒农李神[384]志气[385]自若，抚勉将士，大小致力，葛荣尽锐攻之，卒不能克。

秦州民骆超杀杜粲[386]，请降于魏。

【段旨】

以上为第二段，写梁武帝大通元年（公元五二七年）一年间的大事。主要写了冀、定一带的变民头领葛荣围攻殷州，殷州刺史崔楷守城以死；魏安乐王元鉴以相州投降葛荣，被魏将源子邕等破杀之；葛荣攻陷冀州，魏使源子邕、裴衍进救冀州，二将战败，被葛荣所杀。写了秦州一带的变民头领莫折念生大破萧宝寅于泾州，东秦州刺史降莫折念生，岐州变民执其刺史魏兰根以降，豳州刺史战没；念生军又据北华州、占领潼关，关中大扰。写了莫折念生被秦州民杜粲所杀，杜粲自行州事；南秦州辛琛亦自行州事，以城降萧宝寅。写梁将夏侯夔攻取了魏之平静、穆陵、阴山三关，梁将夏侯夔、湛僧智又合作攻魏东豫州（今河南息县），魏东豫州刺史元庆和以城降梁；梁将又进据安阳、楚城等地，从而使义阳与魏国的联络中断，成为孤城。写了梁将陈庆之、曹仲宗、韦放等进围魏之涡阳，陈庆之等大破魏国援军元昭之众于涡阳城下，涡阳城主王纬降梁；梁将成景儁等攻得魏之临潼、竹邑、萧县诸城。写了魏之雍州刺史杨椿病退，萧宝寅接任关中大都督、雍州刺史，杨椿建议朝廷派心腹骨干为其僚属以防之，魏主不听。写了萧宝寅杀朝廷派往关中的大使郦道元，在长安自立为齐帝，僚属苏湛正言劝阻，萧宝寅不听；长史毛遐起兵马祇栅以拒之，而河东、正平二郡人起兵以应萧宝寅等。

信都城中的居民全部逐出信都城，失去了住所的居民被冻死了十分之六七。元孚的哥哥元祐担任防城都督，葛荣将所有的将士召集起来，商议决定元孚、元祐兄弟的生死。元孚兄弟都把据城坚守、不肯献城投降的责任归到自己身上，争着为对方去死，担任都督的潘绍等数百人，全都向葛荣磕头请求处死自己，以换取冀州刺史元孚的性命。葛荣说："这些人都是魏国的忠臣义士。"于是一同被关押的五百人全都幸免被杀。

魏国朝廷任命源子邕为冀州刺史，率军去讨伐葛荣。都督裴衍上表请求与源子邕一同去讨伐葛荣，孝明帝下诏批准了裴衍的请求。源子邕上书给孝明帝说："如果派裴衍去讨伐葛荣，我请求陛下把我留下；如果陛下派我去讨伐葛荣，请求陛下留下裴衍。如果非要逼迫我和裴衍一同前去，失败就在旦夕。"孝明帝没有批准源子邕的请求。十二月二十日戊申，源子邕、裴衍率军到达阳平郡东北的漳水边，葛荣率领十万大军向他们发动进攻，源子邕、裴衍全都战败身亡。相州的官吏和百姓听到冀州已经陷入葛荣之手，源子邕等人战败身亡的消息，人心惶惶，每个人都担心性命不保。担任相州刺史的恒农郡人李神神态自若，他安抚、勉励全城将士，大人小孩儿全都竭尽心力进行防守，葛荣出动所有精锐进行攻城，始终没能将相州城攻克。

秦州的百姓骆超杀死了杜粲，请求向魏军投降。

【注释】

⑰² 正月乙丑：正月初一。⑰³ 徐勉：梁国的有才干之臣。传见《梁书》卷二十五。⑰⁴ 为仆射：仆射是尚书令的副职，原为左右二人，今但云"仆射"，则是特指此时就此一个，不再分设左右二人。⑰⁵ 辛未：正月初七。⑰⁶ 甲戌：正月初十。⑰⁷ 殷州：州治广阿，在今河北隆尧东。其所属之四郡为赵郡、钜鹿、南钜鹿、广宗。⑰⁸ 崔楷：定州刺史崔辩之子，魏末名臣，曾任殷州刺史。传见《魏书》卷五十六。⑰⁹ 尺刃：一尺长的小武器。⑱⁰ 资：资助；供应。⑱¹ 付外量闻：让该部门的主管官员酌情提出一个数字，上报。外，与宫内的帝、后相对而言，即职能部门。量，提出一个应该拨发的数目。闻，奏明皇帝、太后。⑱² 留家：留下家眷，不要带着家眷到殷州上任。⑱³ 亏忠而全爱：对忠君之节有亏缺，对亲人的安危想得周全。⑱⁴ 守御：守城、抗敌。御，抵抗。⑱⁵ 百口：代指全家老小。⑱⁶ 辛未：是年正月乙丑朔，无辛未，《魏书·肃宗纪》作"辛巳"，当是。辛巳，正月十七。⑱⁷ 秦贼：指莫折念生的军队。⑱⁸ 泾州：魏州名，州治安定，在今甘肃泾川县的西北侧。⑱⁹ 东秦州：魏州名，胡三省曰，"秦州既为贼所据，魏置东秦州于陇东郡，治汧城"。⑲⁰ 汧城：东秦州的州治所在地，在今陕西陇县南侧。⑲¹ 岐州：魏州名，州治雍县，在今陕西宝鸡市凤翔区南侧。⑲² 魏兰根：魏末的有识之臣，曾任岐州刺史，甚得民心。传见《北齐书》卷二十三。⑲³ 豳州：

魏州名，州治定安，即今甘肃宁县。⑲④北华州：魏州名，即原来的东秦州，州治在今陕西宜君东北、黄陵南。⑲⑤大扰：大乱。⑲⑥杨椿：魏国的名将与有干才的地方官。传见《魏书》卷五十八。⑲⑦北地功曹：北地是郡名，郡治在今陕西铜州市耀州区东南。功曹是郡太守的僚属，在郡主管人事。⑲⑧宿勤乌过仁：人名，姓宿勤，名乌过仁。⑲⑨右民郎：尚书令的属官，略似后来的户部尚书。⑳⓪阳平路思令：阳平是郡名，郡治即今河北馆陶。路思令是路恃庆之子，曾任南冀州刺史。传见《魏书》卷七十二。⑳①六合：犹言天下。⑳②三河：指河东、河内、河南三郡，这里借指洛阳地区，京畿之内。⑳③比年：近年以来。⑳④衔杯跃马：饮酒后纵马驰骋，富贵得志的样子。⑳⑤志逸气浮：犹言心高气傲，不可一世的情态。⑳⑥轩眉攘腕：扬眉吐气，振臂高呼。攘腕，振臂。⑳⑦进止无节：以言其号令不明、纪律松散。⑳⑧当负险之众：向占据着险要地形的敌人发起进攻。当，对、向着。负险，恃险。⑳⑨敌数战之虏：去对付屡经战斗的敌人。㉑⓪迁延：徘徊不前的样子。㉑①官爵未满：加官晋爵还不够。㉑②屡加宠命：屡次提拔晋升不已。宠命，晋升职位的命令。㉑③帑藏：国库里的金银。㉑④殚尽：被搜刮净尽。㉑⑤生民凋弊：百姓们无法生活。㉑⑥凡以此也：就是这样造成的。以此，因此。㉑⑦劝：鼓励。㉑⑧黜陟幽明：撤掉昏庸、晋升英明。陟，提升。㉑⑨赏罚善恶：赏善罚恶。㉒⓪简练：选拔、操练。㉒①晓以祸福：给变民乱党指明前途。㉒②不悛：不思悔改。㉒③厉萧斧而伐朝菌：把磨好的大斧子向着一朵粪堆上的小蘑菇砍去，极言其不费力气就能把它砍个稀巴烂。厉，同“砺”，磨砺。萧斧，古代杀人用的大斧。朝菌，粪堆上长出的小蘑菇。语出《说苑·善说》：“夫以秦楚之强而报雠于弱薛，譬犹摩萧斧而伐朝菌也。”㉒④鼓洪炉而燎毛发：拉风箱把大炉子的火吹得旺旺地去烧毛发。㉒⑤戊子：正月二十四。㉒⑥己丑：正月二十五。㉒⑦谯州：州治新昌，即今安徽滁州。㉒⑧魏东豫州：州治即今河南息县，也是汝南郡的郡治所在地。㉒⑨琅邪：魏郡名，郡治在今山东临沂西侧。㉓⓪青、南青二州：魏国的青州州治在今山东青州东侧，魏国的南青州州治即今山东沂水县。㉓①司州：梁国的司州州治本来在义阳（今河南信阳），义阳被魏人占去后，改在今湖北孝昌。㉓②夏侯夔：梁朝名将夏侯亶之弟，此时任司州刺史。传见《梁书》卷二十八。㉓③裴之礼：梁朝名将裴邃之子，曾为北徐州刺史。传见《梁书》卷二十八。㉓④平静、穆陵、阴山三关：平静即平靖关（在今河南信阳的西南方，地处今河南与湖北的交界线），穆陵也写作木陵（在今河南新县南，也处于河南与湖北的交界线，在义阳的东南方），阴山也称阴山戍（在今湖北麻城东北，在穆陵关的东南方）。㉓⑤东清河郡：郡治绎幕，在今山东淄博西南。㉓⑥房景伯：魏国著名的地方官，曾为东清河太守。传见《魏书》卷四十三。㉓⑦穷捕：不惜一切地全力追捕。㉓⑧西曹掾：郡太守的僚属。㉓⑨贝丘：县名，即后来的淄川县，当时上属于东清河郡，现属于山东淄博市淄川区。㉔⓪列：状告。㉔①且置之：暂且放一放，犹言“再等一等”。㉔②法寿：房法寿，房景伯的同族。原为刘宋的将领，后与崔道固、刘休宾等一起降魏，甚受孝文帝敬重。传见《魏书》卷四十三。㉔③庚申：二月二十七。㉔④东郡：魏郡名，郡治在今河南滑县东南。㉔⑤与卿姻戚：崔孝芬之女为肃宗元诩之妃。㉔⑥内头元义车中：一头钻进元义的车中，犹今上了他的贼船。内，同“纳”，钻进。㉗称‘此老妪会须去之’：还怂恿他说“这个老娘们必须除掉”。会须，必须。㉘堰泗水：在泗水的下游筑坝以提高上游水位。又想再干前些年萧衍堰淮水以淹寿阳的把戏。㉙三月甲子：三月初一。㊿戊辰：三月初五。251信都：今河北衡水市冀州区，当时为魏国冀州的州治所在地。252源子邕：魏国的元勋老臣源加剧之孙，源怀之子，此前曾大破贼众于东西二夏州，此又北讨葛荣。传见《魏书》卷四十一。子邕，《魏书》作“子雍”。253反语相协：用反切的字音相对仗，平仄也相对。大，同泰反。同，大通反。所谓“反”，即取上一个字的声母，下一个字的韵母。254辛未：三月初八。255舍身：把自己的身子献给佛教，即出家当和尚。256甲戌：三月十一。257还宫：群臣用了大批钱财把他从寺庙里赎回。258改元：这年本来称普通八年，从这天开始改为大通元年。259齐州广川：齐州所属的广川郡，郡治在今山东淄博西北。260昌国城：昌国县的县城，即今山东临朐。昌国县当时属于青州，不属于齐州。261己酉：四月十七。262俟后敕：等待以后的命令。263求解：请求辞职回乡。264还乡里：返回他的故乡华阴县。胡三省曰：“杨椿世居华阴。”265上佐：高级僚属。266任其牒用：听任他自己下文书聘用。牒，任命官员的文件，即今之委任状。267不藉刺史为荣：他的职位本来比刺史高。268赏罚云为：如何奖赏、如何惩罚一类的事情。云为，犹言“云云”，即今所谓“等等”。269不依常宪：不按平常的惯例行事。常宪，常法。270启二圣：禀告给两位圣人，指胡太后与魏肃宗。271并白宰辅：同时也转告各位执政大臣。272长史、司马、防城都督：刺史属下的三位高级僚属。防城都督，主管防守城池诸事。273五月丙寅：五月初四。274临潼竹邑：魏之二郡名，临潼郡的郡治在今安徽泗县东南，竹邑城在今安徽宿州西北，当时为南济阴郡的郡治所在地。275萧城：萧县县城，在今安徽萧县的西北方，当时沛郡郡治所在地。276厥固：古邑名，在当时的萧县东南。277魏陈郡：魏国的陈郡郡治即今河南沈丘。278西华：县名，在今河南西华南，当时陈郡的西北方。279曹世表：魏国后期的文人，曾为尚书右丞，行豫州刺史。传见《魏书》卷七十二。280舆出：乘担架而出。舆，软轿，即今所谓滑竿。281统军：带兵者，犹言“典军”“军主”。282是云宝：人名，姓是云，名宝。283州民之望：受本州百姓所拥护、所仰戴的人。284向：刚才；刚刚。285安乐王鉴：元鉴，魏文成帝拓跋濬的曾孙，魏国宗室里的败类。传见《魏书》卷二十。286幸魏多故：喜欢魏国的乱子越多越好。幸，以……为幸事。287己丑：七月二十八日。288高道穆：洛阳令高崇之子，高谦之之弟，父兄皆直正的地方官。高道穆在朝为御史，纠奸恶不避权贵。传见《魏书》卷七十七。289李世哲：魏国的名臣李崇之子，奸佞小人李神轨之兄。传见《魏书》卷六十六。290诉良：控告其主子高谦之逼迫良民为其家当奴婢。诉，控告。胡三省曰：“谓本是良民，压为奴婢。”291朝士：朝廷群臣。292彭城王劭：元劭，彭城王元勰之子。传见《魏书》卷二十一。293邺：古城名。294汤阴：县名，即今河南汤阴。295丁未：八月十七日。296还其旧封：恢复其原有的一切官位爵土。胡三省曰：“宝寅自泾州之败，免为庶人。旧封者，宝寅自丹杨郡公徙封梁郡公。”297广陵：胡三省曰，“此广陵在新

息县界”。〖按〗所谓“广陵”“新息县”即今之河南息县，当时为魏国的东豫州州治所在地。㉘武阳：武阳关，义阳三关之一，在今河南信阳的正南方。㉙所将：所统领。㉚不可御以法：无法以军纪约束之。御，驾驭、管理。㉛建：立；插上。㉜积时攻战：长期攻战。〖按〗湛僧智自今年正月开始就攻围东豫州。㉝安阳：古县名，即在今河南正阳，在息县的西北方，义阳（即今信阳）的东北方。㉞屠楚城：杀光了楚城的人。楚城在今河南信阳北。㉟涡阳：魏国的涡阳即今安徽的蒙城，在今涡阳的东南方，魏国马头郡的郡治所在地。㊱韦放：梁朝名将韦叡的儿子，曾任襄阳太守、寻阳太守，有良政。传见《梁书》卷二十八。㊲奄至：突然而至。㊳据胡床处分：坐在小椅子上指挥军队。㊴驼涧：淮河上的河滩名，在今安徽寿县城西，在魏国涡阳的正南方。㊵逆战：迎头出击。㊶杖节军门：手秉旌节立于军门。杖，执持。㊷抄暴：抄掠百姓的财物。㊸置兵死地二句：《孙子兵法》，“置之死地而后生”。㊹大合：大量的军队聚合起来。㊺审欲班师：如果你们一定要撤退。审，确实、一定要。㊻密敕：密令。意即要制裁那些临阵脱逃者。㊼陈其俘馘：把俘虏的敌兵与所割被杀敌兵的耳朵都展览在两军阵前。㊽尸咽涡水：尸体堵塞涡水，使河水都流之不畅。咽，堵塞。㊾归罪洛阳：回洛阳向魏主请罪。㊿自念：自己寻思。(321)縻费不赀：所花费的钱财不可计算。(322)中尉郦道元：中尉指御史中尉，御史中丞的属官，掌弹劾犯罪。郦道元是当时著名的地理学家，著有《水经注》。传见《魏书》卷八十九。(323)司州牧：司州的行政长官，有如其他州的刺史。司州是国家首都所在的州，其长官称牧，其地位较其他刺史高得多，可参与朝政。魏国的司州州治即今洛阳。(324)汝南王悦嬖人丘念：汝南王元悦的男宠姓丘名念。元悦是孝文帝之子，前曾谄媚讨好乱臣元义，得势后又转而欺凌其他魏国宗室。传见《魏书》卷二十二。(325)弄权纵恣：意谓丘念依仗元悦的势力招权纳贿、肆意横行。(326)关右大使：巡察安抚关西地区的特派大臣。(327)谓为取己：以为是来袭捕自己的。谓，以为。(328)轻薄子弟：轻浮浅薄的贵族子弟。(329)齐明帝：萧鸾，杀死齐武帝萧赜的儿子萧昭业、萧昭文而篡得帝位，在位时间为公元四九四至四九八年。传见《南齐书》卷六。(330)天下所属：您的一举一动都为天下人所瞩目。属，同“瞩”，瞩目。(331)允人望：符合人们的愿望。允，符合、满足。(332)谣言：社会上流传的具有某种预言性质的歌谣，即所谓“谶语”，实为一些准备作乱的野心家所编造，或者是事情在发生之后，后人编造的一种假预言，用以表现某种事件的神秘性。(333)鸾生十子九子毈：以比喻萧鸾的许多儿子都已被人早早杀死。毈，将卵砸烂。(334)一子不毈关中乱：剩下一个不死的来削平关中地区的战乱。(335)乱者二句：乱，也就是治理的意思。当年周武王有所谓“吾有乱臣十人”，即所谓治理天下的良臣。(336)阴盘驿：阴盘县的驿站。当时的阴盘县在今西安临潼的东北方。胡三省引宋白曰：“京兆昭应县东十三里有故城，后汉灵帝末移安定郡阴盘县寄理于此，今亦谓之阴盘城。后魏太和九年自此复移阴盘城于今昭应县东三十一里零水西、戏水东，司马村故城是也。”(337)收殡：收其尸体装入棺材。(338)白贼：当时活动在关中地区的一股土匪。胡三省曰：“秦人谓鲜卑为白虏，自苻秦之乱鲜卑之种有因而留关中者，是时亦相挺为盗，因谓之白贼。

或曰：谓白地之寇也。”㊴ 自理：为自己申诉冤情。㊵ 所谮：所诬陷。谮，在权势者跟前有目的地说人的坏话。㊶ 从母弟：姨表兄弟。㊷ 开府属：萧宝寅的僚属。当时萧宝寅的加官有开府仪同三司，有专人充当此职的僚属。㊸ 元略受萧衍旨：元略由南朝返回魏国时接受了萧衍的秘密旨意。胡三省曰：“略自梁还魏，大见宠任，故宝寅托以为言。”㊹ 欲见剿除：准备消灭我们这些从南朝过来的人。剿除，消灭。㊺ 何得便尔：怎么突然就成了这个样子。㊻ 齐王：指萧宝寅，萧宝寅降魏后被魏主封为齐王。㊼ 穷鸟：走投无路的鸟。㊽ 假王羽翼：给您装配上了翅膀，以比喻给了他政权、兵权、名誉、地位。㊾ 属国步多虞：现在正当魏国多灾多难的时刻。属，正逢。虞，忧患。㊿ 乘人间隙：趁着人家有空子、有灾难。351 信惑：听信、被迷惑。352 行路无识之语：即前文所说的谣言。353 守关问鼎：胡三省曰，“守关，谓宝寅欲守潼关之险，割据关中。问鼎，谓欲窥天位。成王定鼎于郏鄏，三代之世宝也，楚庄问鼎之大小轻重，欲以兵威胁取之，故以谕窥天位者”。354 未洽于民：还没有做到让百姓都对您感恩戴德。洽，沾润。355 不能以百口为王族灭：不能让百口之家（全家人）因为您被灭族，意即我不能跟着您去冒这个险。356 不先相白：没有事先告诉你。357 沮吾计：劝解我的计划。沮，劝解、劝阻。358 长安博徒：即前文所说的“长安轻薄子弟”。博徒，赌徒。359 荆棘必生于斋阁：您的府第今后将长满荒草。此套用西汉伍被劝说淮南王不要造反的话。伍被当时先引伍子胥警告吴王夫差的话说“臣今见麋鹿游姑苏之台也”，并说“今臣亦见宫中生荆棘，露沾衣也”。见《史记·淮南衡山列传》。360 赐骸骨：请求辞职为民的客气说法。361 庶得病死：我希望落一个病死，而不希望因造反被人所杀。庶，希望。362 听还武功：听由他辞职回了老家武功县。武功是魏县名，县治在今陕西武功西南。363 甲寅：十月二十五。364 赦其所部：在他的管辖区内实行大赦。365 都督长史毛遐：萧宝寅的僚属。胡三省曰：“宝寅都督雍、泾等四州，又为西讨大都督，以遐为府长史。”366 马祗栅：具体方位不详。367 祀南郊：在其所在城的南郊举行祭天的典礼。祀南郊是皇帝最隆重的典礼之一，萧宝寅自己称帝，故而也祀南郊。368 文安：县名，县治在今河北文安东北。369 光禄勋：官名，为皇宫守卫门户，汉代称为郎中令。370 萧赞：萧综，萧衍第二子，降魏后被魏封为丹杨王，改名萧赞。传见《梁书》卷五十五。371 趣白马山：向白马山的方向逃跑。趣，同“趋”，向。白马山，旧称白马坂，在洛阳的东北方。372 河桥：黄河上的桥梁，在洛阳城的东北方，今河南孟州南。373 行台郎：萧宝寅的僚属，萧宝寅当时为魏国朝廷的行台，也就是朝廷的派出机构。374 正平：魏郡名，郡治即今山西新绛。375 河东：魏郡名，郡治蒲坂，在今山西永济西的黄河边。376 盐池：在今山西运城的城南，当时蒲坂的东北方。377 十一月丁卯：十一月初八。378 萧渊藻：萧衍兄萧懿的儿子，此时为护军将军。传见《梁书》卷二十三。379 戊辰：十一月初九。380 己丑：十一月三十。381 使君：对刺史的尊称，此指元孚。382 十二月戊申：十二月二十。383 阳平：魏郡名，郡治即今河北馆陶。384 李神：恒农郡（郡治在今河南灵宝北）人，魏国后期的名将。传见《魏书》卷七十。385 志气：意志、神气。386 秦州民骆超杀杜粲：胡三省曰，“杜粲杀莫折念生，骆超又杀杜粲，群盗互相屠灭以邀一时之利，不足怪也”。

【校记】

［4］魏：原无此字。据章钰校，甲十一行本、乙十一行本、孔天胤本皆有此字，张敦仁《通鉴刊本识误》同，今据补。［5］攘：原作“扼”。据章钰校，甲十一行本、乙十一行本、孔天胤本皆作“攘”，今据改。〖按〗《魏书·路恃庆传附弟思令传》作“轩眉攘腕”。［6］房项：据章钰校，甲十一行本、孔天胤本皆作“房顼”，乙十一行本作“房湏”。〖按〗《魏书·肃宗纪》《房法寿附崇吉从子士达传》《鹿悆传》皆作“房须”，未知孰是。［7］春：原作“夏”。据章钰校，甲十一行本、乙十一行本、孔天胤本皆作“春”，张敦仁《通鉴刊本识误》同，今据改。［8］军：原作“君”。胡三省注云：“‘君’或作‘军’。”据章钰校，甲十一行本、乙十一行本、孔天胤本皆作“军”，张敦仁《通鉴刊本识误》同，今据改。［9］魏：原无此字。据章钰校，甲十一行本、乙十一行本、孔天胤本皆有此字，张敦仁《通鉴刊本识误》、张瑛《通鉴校勘记》同，今据补。［10］赦：据章钰校，甲十一行本、乙十一行本、孔天胤本皆作“敕”，张敦仁《通鉴刊本识误》同。［11］乱者，治也：原无此四字。据章钰校，甲十一行本、乙十一行本、孔天胤本皆有此四字，张敦仁《通鉴刊本识误》、张瑛《通鉴校勘记》同，今据补。［12］白马山：据章钰校，甲十一行本、乙十一行本、孔天胤本皆作“白鹿山”。［13］置：原作“为”。据章钰校，甲十一行本、乙十一行本、孔天胤本皆作“置”，张敦仁《通鉴刊本识误》同，今据改。［14］魏：原无此字。据章钰校，甲十一行本、乙十一行本、孔天胤本皆有此字，张瑛《通鉴校勘记》同，今据补。

【研析】

本卷写了梁武帝萧衍普通七年（公元五二六年）、大通元年（公元五二七年）共两年间南梁与北魏两国的大事。其中最重要的有四点。

第一是写了在今之河北地区发动起义，以反抗魏王朝的杜洛周与葛荣的两支队伍。杜洛周原是魏国柔玄镇的一个平头百姓。柔玄镇在今河北张家口西北的尚义西。杜洛周因受压迫无以为生而在当时的上谷郡（今北京市延庆）率众造反。形势发展很快，后来成为名人的高欢、蔡儁、尉景、段荣等都投在杜洛周的部下。他们进攻魏国的郡县，许多军事据点的守将都纷纷投降。魏国朝廷派行台常景、都督元谭率兵往讨，被杜洛周大破于军都山。其后杜洛周南下围攻范阳郡（今河北涿州）时，幽州城（今北京市）之变民缚其刺史王延年与行台常景开城门以降杜洛周。这可是耸人听闻的重大胜利！胡三省注《通鉴》到这里深有感慨地说：“常景击杜洛周，数战数胜，而终于为虏者，民乐于从乱而疾视其上也。”常景是当时魏国的名将，居然也做了杜洛周的阶下囚。

葛荣原是鲜卑人，是流民领袖鲜于脩礼的部下。鲜于脩礼是当时五原郡（今内蒙古包头西）的降户，被魏国朝廷强制搬到了今河北定州一带的左人城。由于无法忍受魏国的压制与歧视，于公元五二六年在左人城发动了流民起义。他们进攻河北的军事重镇定州，魏朝廷派当时的名将长孙稚与河间王元琛往救定州，结果被鲜于脩礼邀击于五鹿，大破长孙稚军。不久，鲜于脩礼被其部将元洪业所杀，元洪业率部众请降于魏。这时葛荣挺身而出，他杀了叛将元洪业，自己率众称王，国号曰齐。他北返进攻瀛州（即今河北河间），在白牛逻（今河北蠡县境内）击杀了魏将章武王元融，接着又擒斩了骠骑大将军广阳王元渊。次年正月，葛荣攻陷殷州（今河北隆尧东），杀了刺史崔楷；十一月又攻陷冀州，俘获了刺史元孚。魏派当时的名将源子邕为冀州刺史，率兵进讨葛荣。十二月，葛荣率十万起义军在阳平郡（今山东莘县）东北的漳水边大破魏军，击杀了魏将源子邕、裴衍等人。源子邕是魏国元勋源贺之孙，传见《魏书》卷四十一；裴衍是南朝降魏的名将裴叔业之侄，传见《魏书》卷七十一。这使河北地区起义军的光辉事业渐渐趋向于巅峰，是让被压榨、被奴役的下层百姓，尤其是汉族百姓最开心、最扬眉吐气的时刻。

第二是写了当时的关陇，也就是今天的陕西与甘肃、宁夏一带农民起义的如火如荼。关陇地区的义军领袖首先是莫折大提。莫折大提是在北方六镇的变民领袖破六韩拔陵起义的影响下，于公元五二四年，与薛珍等攻入秦州（今甘肃天水市），擒杀了刺史李彦，而被众人推为秦王的。接着他们攻下了高平镇（今宁夏固原），杀了镇将赫连略、行台高元荣。不久，莫折大提去世，其子莫折念生自称为皇帝，改元天建。接着莫折念生的部将莫折天生进攻岐州，杀岐州刺史裴芬之；莫折念生的部将卜胡又破魏将薛峦于平凉（今甘肃平凉）城东。莫折念生又派兵攻凉州（今甘肃武威），当地的百姓拘捕其刺史以降莫折念生。至公元五二五年，莫折念生曾一度被萧宝寅、崔延伯打败于黑水（在今陕西宜川县北），退守于陇山以西。公元五二六年，莫折念生的部下有人反悔，一度处境狼狈，乞降于魏将萧宝寅，但很快又脱离萧宝寅，重整旗鼓。公元五二七年，莫折念生乘萧宝寅军队疲惫倦战，大破萧宝寅于泾州，于是“东秦州刺史潘义渊以汧城降贼。莫折念生进逼岐州，城人执刺史魏兰根应之。豳州刺史毕祖晖战没，行台辛深弃城走，北海王颢军亦败。贼帅胡引祖据北华州，叱干麒麟据豳州以应天生，关中大扰”。当时莫折念生的形势一片大好，莫折念生的大将莫折天生乘胜进攻雍州时，莫折天生不幸被萧宝寅的部将羊侃射死；接着莫折念生又突然被秦州城民杜粲袭杀得“阖门皆尽”，于是一场轰轰烈烈的关陇农民大起义就这样被扑灭了，说起来也真是偶然得很，令人难以置信。莫折大提、莫折念生、莫折天生的起义虽然失败了，但他们英勇善战的威名，他们破军杀将的功勋，他们给腐朽魏国政权的沉重打击，都给读者留下了深刻的印象。他们的精神是不死的！

第三是关于萧宝寅反复多变的一生经历。萧宝寅是齐明帝萧鸾之子，齐末帝萧宝卷之弟。梁武帝萧衍在雍州起兵，沿江东下，攻入建康，杀掉齐末帝萧宝卷后，自己做了皇帝，改国号曰“梁”。萧衍与刘裕、萧道成一样，在自己即位后，便大杀前朝皇帝的子孙，直到杀光才算完事。萧宝寅是在萧衍已经举起屠刀开始杀人时，才在部下、门人和一些有正义感的人士的帮助下逃出罗网，抵达魏人所占领的边防重镇寿阳的。在帮助萧宝寅逃出重围的过程中，的确有一些激动人心的见义勇为的故事，这倒不是因为萧鸾对社会、对臣民做过什么好事让人感激，而是由于萧衍的残酷滥杀令人憎恨、令人不满，才不由得做出了这些援助行动。萧宝寅到达魏国后，有些表现也比较得体，从而也引起了魏国统治者和一些魏国社会人士的好感，于是对萧宝寅封赏有加，封为齐王，招为驸马，任为征东将军、东扬州刺史，他作战勇敢，从此专门与梁朝为敌。他为魏国进攻南朝充当急先锋，几乎任何一次边境战争中都可以见到他的身影或是听到他的声音。即以这次莫折大提造反，镇压关陇的农民暴动而言，萧宝寅也是做出了重要贡献的，他曾经打得莫折念生走投无路而不得不向他投降。历史家对他的评论是“关中保全，宝寅之力”(《魏书·萧宝寅传》)。后来莫折念生又造反，且大破萧宝寅，致使萧宝寅被魏国免官。但之后莫折念生被部将杜粲所杀，杜粲重又投降萧宝寅，于是萧宝寅又成了魏国的英雄。经过几次反复，萧宝寅与魏国朝廷开始相互疑忌。朝廷派御史中尉郦道元到关中了解情况，萧宝寅以为是前来杀己，于是杀了郦道元公开造反。朝廷派大将长孙稚等讨伐萧宝寅，萧宝寅兵败潜逃，投到了农民起义军万俟丑奴的部下，给万俟丑奴当了太傅。后万俟丑奴被魏尔朱荣的侄子尔朱天光打败，与萧宝寅一起被尔朱天光所擒，送到洛阳，被魏国朝廷所杀。《魏书》作者对他的评论是：“背恩忘义，枭镜其心，此亦戎夷彯狡轻薄之常事也。天重其罪，鬼覆其门，至于母子兄弟还相歼灭，抑或是积恶之义云。”竟然连一句好话也没有，其实萧宝寅这一生也是很不易、很可怜的。

第四是本卷还写了魏国东清河郡太守房景伯的两个小故事，一个是写他如何平复群盗，一个写他如何改造刁民，两个故事都很感人。关于前者史文是这样说的：“魏东清河郡山贼群起，诏以齐州长史房景伯为东清河太守。郡民刘简虎尝无礼于景伯，举家亡去，景伯穷捕，禽之，署其子为西曹掾，令谕山贼。贼以景伯不念旧恶，皆相帅出降。”由感动一个到传出去使许多人都受感动，故事很朴实很可信。对于后者史文是这样说的：“景伯母崔氏，通经，有明识。贝丘妇人列其子不孝，景伯以白其母，母曰：‘吾闻闻名不如见面，山民未知礼义，何足深责！’乃召其母，与之对榻共食，使其子侍立堂下，观景伯供食。未旬日，悔过求还。崔氏曰：‘此虽面惭，其心未也，且置之。’凡二十余日，其子叩头流血，母涕泣乞还，然后听之，卒以孝闻。”宋代胡寅对此评论说：“民固多愚，然其心终不亡也。为人上者不知教化，何以善民？而专尚刑罚，见其不服也，则谓顽，愈益治之，民愈捍格，甚者视如寇仇焉。崔母一妇人，而知教化之原，不繁词令而在于躬率教化之效，不取革面而在于心改，旬月之间变顽悖为孝子，孰谓民果顽哉？为人上者观之，亦可省己而修德云。”胡氏

的说法有些“性善论”的影子，未必得当，但他讲到以身作则，令人看了受教育，这个原则是绝对正确的。明代袁俊德对此提出怀疑说:“教化之原固在躬行倡率，然一人不孝即命供食以愧之，且历二十余日之久，设州民复有相陈者一一以此为化导，将不胜其敝且劳矣。史家缘饰之笔，岂可尽信哉?”这话就说得有点迂了。首先，这是一个故事，要看它的道理好不好，不能过分纠缠细节；其次，思想教育也要抓典型，教育一个不是目的，通过一个带动一大片才是教育工作者的责任。袁俊德的评论太“胶柱鼓瑟”，太不懂“得鱼忘筌”的道理了。

卷第一百五十二　梁纪八

著雍涒滩（戊申，公元五二八年），一年。

【题解】

本卷写梁武帝大通二年（公元五二八年）一年间南梁与北魏两国的大事。主要写了魏胡太后多杀魏主元诩的亲信，母子关系日益紧张；元诩欲引尔朱荣入朝以除奸党，而胡太后则先发制人鸩杀了元诩，改立了三岁的元钊为帝。写了并州地区的军阀尔朱荣收罗党羽、势力强大，尔朱荣抗表声讨郑俨、徐纥的弑君之罪，带兵进入洛阳；尔朱荣沉胡太后与小傀儡元钊于河，集朝廷百官二千余人于河阴，全部屠灭之；尔朱荣原欲自己为帝，后来改变主意，又拥立了魏国元勋老臣元勰之子元子攸为帝，是为魏敬宗；随后尔朱荣又表请魏主下诏恤赠被杀的朝士，又令魏主大加封赏了一批在世的魏国名臣，从而使秩序略定、人心粗安。写了新魏主元子攸深恨尔朱荣之残暴凶狠，但又能不露形迹，他坦然接受了尔朱荣之女为皇后，从而博得了尔朱荣的欢心。写了魏国的定州刺史杨津坚守定州三年后被变民头领杜洛周攻克，瀛州刺史元宁又以瀛州城投降了杜洛周。写了起事于定

【原文】

高祖武皇帝八

大通二年（戊申，公元五二八年）

春，正月癸亥[①]，魏以北海王颢[②]为骠骑大将军、开府仪同三司、相州[③]刺史。

魏北道行台杨津[④]守定州城[⑤]，居鲜于脩礼、杜洛周[⑥]之间，迭来攻围[⑦]。津蓄薪粮，治器械，随机拒击，贼不能克。津潜使人以铁券[⑧]说贼党，贼党有应津者，遗津书曰："贼所以围城，正为取北人[⑨]耳。城中北人，宜尽杀之，不然，必为患。"津悉收北人内子城中[⑩]而不杀，众无不感其仁。

及葛荣代脩礼统众[⑪]，使人说津，许以为司徒。津斩其使，固守

州境内的变民头领鲜于脩礼被其部将所杀，葛荣继起统领了鲜于脩礼的部众，接着葛荣又击杀杜洛周，兼统起杜洛周之军，一时之间号令了幽、冀、瀛、定的广大地区。写了尔朱荣以精骑七千大破葛荣数十万众于邺城的精彩战役，以见尔朱荣的有勇有谋。写了魏北海王元颢投降梁朝，被萧衍封为魏王，在梁朝名将陈庆之的带兵护送下返回魏国地面，建立分裂政权，元颢首取铚城而据之。写了占据关中的萧宝寅被其叛将侯终德回师击败，逃出长安，投降于陕、甘地区的变民头领万俟丑奴。写魏将长孙稚用其僚属杨侃之谋平定了河东地区的叛乱，两个薛姓的变民头领向长孙稚请降。此外还写了魏国的某些将领，如崔元珍之守平阳、王罴之守荆州，皆极忠勇；以及魏之乱臣徐纥逃依泰山太守羊侃，并劝说羊侃起兵降梁等。

【语译】

高祖武皇帝八

大通二年（戊申，公元五二八年）

春季，正月初五日癸亥，魏国朝廷任命北海王元颢为骠骑大将军、开府仪同三司、相州刺史。

魏国担任北道行台的杨津驻守定州城，定州城夹在鲜于脩礼和杜洛周两股势力之间，他们轮番地前来进攻、围困定州城。杨津积极地储备柴草粮食，打造兵器器械，随时根据形势的变化机动灵活地抗击贼军的进攻，贼军无法攻克定州城。杨津暗中派人带着用铁页做成的免罪券到贼军中劝说贼军投降，贼党中果然有人响应杨津，他们送信给杨津说：“贼军所以要包围定州城，只是为了要捉拿从北方过来的鲜卑人。你应该把城中所有从北方过来的鲜卑人杀光，不然的话，必有后患。”杨津把城中所有从北方过来的鲜卑人集中起来保护在内城中而没有杀害他们，众人无不感谢杨津的仁德。

后来葛荣杀死了元洪业，收编了鲜于脩礼的部众，葛荣派人劝说杨津投降，许诺如果投降就让杨津担任司徒。杨津杀死了葛荣派来的使者，固守定州城达三年之

三年⑫。杜洛周围之，魏不能救。津遣其子遁突围出，诣柔然头兵可汗⑬求救。遁日夜泣请，头兵遣其从祖吐豆发⑭帅精骑一万南出。前锋至广昌⑮，贼塞隘口，柔然遂还。乙丑⑯，津长史⑰李裔引贼入，执津，欲烹之，既而舍之。瀛州⑱刺史元宁以城降洛周。

乙丑，魏潘嫔⑲生女，胡太后诈言皇子。丙寅⑳，大赦，改元武泰。

萧宝寅围冯翊㉑，未下。长孙稚㉒军至恒农㉓，行台左丞杨侃㉔谓稚曰："昔魏武㉕与韩遂、马超㉖据潼关相拒，遂、超之才，非魏武敌也，然而胜负久不决㉗者，扼其险要故也。今贼守御已固，虽魏武复生，无以施其智勇。不如北取蒲反㉘[1]，渡河而西，入其腹心，置兵死地㉙，则华州之围㉚不战自解，潼关之守㉛必内顾而走。支节㉜既解，长安可坐取也。若愚计可取，愿为明公前驱。"稚曰："子之计则善矣，然今薛脩义围河东㉝，薛凤贤据安邑㉞，宗正珍孙㉟守虞坂不得进㊱，如何可往？"侃曰："珍孙行陈一夫㊲，因缘为将㊳，可为人使，安能使人！河东治在蒲反，西逼河潸㊴，封疆多在郡东㊵。脩义驱帅士民西围郡城，其父母妻子皆留旧村，一旦闻官军来至，皆有内顾之心，必望风自溃矣。"稚乃使其子子彦与侃帅骑兵自恒农北渡㊶，据石锥壁㊷，侃声言："今且停此以待步兵，且观民情向背。命送降名者各自还村，俟台军举三烽，当亦举烽相应。其无应烽者，乃贼党也，当进击屠之，以所获赏军。"于是村民转相告语，虽实未降者亦诈举烽，一宿之间，火光遍数百里。贼围城者不测其故，各自散归。脩义亦逃还，与凤贤俱请降。

久。杜洛周率军包围了定州城，魏国已经派不出军队来救援定州。杨津就派自己的儿子杨遁突出包围，前往柔然敕连头兵豆伐可汗阿那瓌请求援救。杨遁到了柔然可汗那里，日夜哭泣哀求，敕连头兵豆伐可汗阿那瓌这才派遣自己的叔祖父吐豆发率领一万精骑兵向南进发来救援定州。吐豆发的前锋部队到达广昌的时候，贼军堵塞了隘口，柔然的军队无法通过，就又返回了柔然。正月初七日乙丑，在杨津属下担任长史的李裔领着贼军进入定州城，活捉了北道行台杨津，他们原本要把杨津烹死，后来又赦免了杨津。魏国担任瀛州刺史的元宁献出瀛洲城向杜洛周投降。

正月初七日乙丑，魏孝明帝元诩的宠妃潘氏生了一个女儿，胡太后对外谎称生了一位皇子。初八日丙寅，魏国实行大赦，改年号为武泰元年。

自称齐帝的萧宝寅出兵包围了冯翊郡城，却没有将其攻克。长孙稚率军到达恒农郡的时候，担任行台左丞的杨侃对长孙稚说："过去魏武帝曹操以汉献帝丞相的身份率军西讨韩遂、马超的西凉军，双方相遇于潼关，若论韩遂、马超的才能，远不是魏武帝的对手，魏武帝却长时间不能取胜，是韩遂、马超抢先扼守了险要的缘故。如今叛贼萧宝寅已经牢牢地守御着险要，即使是魏武帝再生，也无法施展他的才智和勇敢。我们不如向北去夺取蒲坂，渡过黄河向西进兵，进入萧宝寅的腹心地带，把我军置于孤立无援的危险境地，那么华州的包围不用战斗就会解除，萧宝寅据守潼关的军队一定会因为有内顾之忧而撤走，肢节被解除之后，作为主体的长安就可以毫不费力地攻取了。如果您认为我的计策可取，我愿意为您充当前锋。"长孙稚说："你的计策的确很好，然而现在薛脩义的军队正在围攻河东郡的蒲坂，薛凤贤的军队占据着安邑县，奉命讨伐薛凤贤、薛脩义的都督宗正珍孙还停留在虞坂不敢向前进军，我军如何能够渡过黄河向西进入萧宝寅的腹心之地呢？"杨侃说："宗正珍孙只不过是军中的普通一兵，靠着机会当上了将军，只可以受人驱使，怎能去驱使别人！河东郡的郡治在蒲坂，蒲坂西边紧靠着黄河边，河东郡管辖的地盘大多都在郡治蒲坂的东侧。薛脩义驱赶着士民向西围攻河东郡的郡城蒲坂，而他们的父母妻儿还都留在原来的村子里，他们一旦听到官军到来的消息，都会顾念留在家里的亲人，必定望风而逃。"长孙稚于是派遣自己的儿子长孙子彦与杨侃一同率领骑兵从恒农北渡黄河，占据了石锥山上的军事据点，杨侃扬言："如今我们的骑兵暂且停留在这里等待后面的步兵，而且我要观察一下民心的向背。令那些送交了投降名单的人各自回到自己的村子里，等看到官军点燃三堆烽火的时候，也要在村子里点燃烽火响应官军。那些没有点燃烽火响应官军的人将被看作贼军的同党，官军就要对其发动攻击，把他们杀光，用缴获来的物资犒赏军队。"于是村民们立即互相转告，即使那些实际上并没有向官军投降的人也装作投降了官军而点燃了烽火，一夜之间，火光遍及数百里。那些围攻蒲坂的贼军闹不清楚是怎么回事儿，立即各自逃散回家。叛民首领薛脩义也逃回自己的家中，薛脩义与薛凤贤都向官军请求投降。

丙子㊸，稚克潼关，遂入河东。

会有诏废盐池税，稚上表以为“盐池天产之货，密迩京畿㊹，唯应宝而守之，均赡以理㊺。今四方多虞㊻，府藏罄竭㊼，冀、定扰攘㊽，常调之绢㊾不复可收，唯仰府库，有出无入。略论㊿盐税，一年之中，准绢而言[51]，不下[2]三十万匹，乃是移冀、定二州置于畿甸[52]，今若废之，事同再失[53]。臣前仰违严旨[54]，不先讨关贼[55]，径解河东[56]者，非缓长安而急蒲反，一失盐池，三军乏食。天助大魏，兹计不爽[57]。昔高祖升平之年[58]，无所乏少，犹创置盐官而加典护[59]，非与物竞利[60]，恐由利而乱俗[61]也。况今国用不足，租征六年之粟[62]，调折来岁之资[63]，此皆夺人私财，事不获已[64]。臣辄符司[3]监将尉[65]，还帅所部，依常收税，更听后敕[66]。”

萧宝寅遣其将侯终德击毛遐。会郭子恢等屡为魏军所败，终德因其势挫，还军袭宝寅。至白门[67]，宝寅始觉，丁丑，与终德战，败，携其妻南阳公主及其少子帅麾下百余骑自后门出，奔万俟丑奴[68]，丑奴以宝寅为太傅。

二月，魏以长孙稚为车骑大将军、开府仪同三司、雍州刺史、尚书仆射、西道行台。

群盗李洪攻烧巩西阙口[69]以东，南结诸蛮，魏都督李神轨、武卫将军费穆讨之。穆败洪于阙口南，遂平之。

葛荣击杜洛周，杀之，并其众。

魏灵太后[70]再临朝以来，嬖幸[71]用事，政事纵弛，恩威不立，盗贼蜂起，封疆日蹙[72]。魏肃宗年浸长[73]，太后自以所为不谨[74]，恐左右闻之于帝，凡帝所爱信者，太后辄以事去之，务为壅蔽[75]，不使帝知外事。通直散骑常侍昌黎谷士恢[76]有宠于帝，使领左右。太后屡讽之[77]，

正月十八日丙子，行台长孙稚攻克了潼关，随后进入河东地区。

碰巧此时朝廷下诏废除盐池税，长孙稚上表给朝廷认为："盐池出产的盐，是天然的货物，盐池靠近京城洛阳，就应该把它当成宝物一样进行守卫，公平合理地管好它。如今国家多灾多难，府库空虚，冀州、定州兵荒马乱，按照正常的税收应该征收的绢帛已经征收不上来，只有仰仗国家的府库，而国家的府库有出无入。大致估算一下征收的盐税，一年当中，如果折合成绢帛计算，不下于三十万匹，相当于冀、定二州的赋税全靠京畿地区的盐池税给顶替了，现在如果废除了盐池税，就是第二次失计。我此前大胆地违背了皇帝的旨意，没有先去讨伐占据关中的贼人萧宝寅，而是直接先来解决河东地区的叛贼薛脩义对蒲坂的围困，并不是我不急于进攻长安的萧宝寅而急于解决围攻蒲坂的薛脩义，而是因为一旦失去盐池，三军就要缺乏粮食。上天帮助大魏，我这样做没有出什么差错。过去高祖在位时的太平年代，国家富裕，什么也不缺，朝廷尚且还要开创设置盐官以加强对盐池的管理，这样做并不是为了与百姓争这几个小钱，而是担心因百姓互相争夺盐池之利而朝廷缺乏管理会造成更为严重的秩序混乱。何况现在国家的费用严重不足，已经向百姓预征了今后六年的租粮，又向百姓预征了明年的绢帛，这些都是在剥夺人民的私有财产，是出于迫不得已。我已经以朝廷颁发给我的符节为凭证下令给管理盐池的将军与校尉，让他们依然率领他们的部队，依照以前的规定照常收取盐池税，以后是取消盐池税还是不取消盐池税，等待朝廷以后的命令。"

萧宝寅派遣他的部将侯终德率军袭击毛遐。碰巧郭子恢等人多次被魏国的官军打败，侯终德趁着萧宝寅的气势受挫，就回过头来攻打萧宝寅。侯终德到达长安城白门的时候，萧宝寅才察觉到情况的不妙，正月十九日丁丑，萧宝寅与侯终德作战失败，就带着自己的妻子南阳公主和自己的小儿子率领部下的一百多名骑兵从后门出逃，去投奔万俟丑奴，万俟丑奴任命萧宝寅为太傅。

二月，魏国朝廷任命长孙稚为车骑大将军、开府仪同三司、雍州刺史、尚书仆射、西道行台。

群盗首领李洪率众进攻巩西县，他们在伊阙山口以东烧杀抢掠，还派人向南去勾结那些被称为蛮人的少数民族，魏国担任都督的李神轨、担任武卫将军的费穆率军讨伐李洪。费穆在伊阙山口以南打败了李洪，平定了李洪的叛乱。

自称齐国天子的葛荣率众袭击杜洛周，把杜洛周杀死，兼并了杜洛周的部众。

魏国的胡太后再次临朝称制以来，她的男宠掌握大权，朝政废弛，胡太后在百姓当中既没有威望，也没有恩德，因此盗贼蜂拥而起，朝廷能管辖的地盘越来越小。魏肃宗年龄越来越大，胡太后因为自己所作所为不谨慎，唯恐身边的人告诉孝明帝，于是凡是孝明帝所宠信的人，胡太后就找碴将其除掉，极力地堵塞蒙蔽孝明帝，不让他知道外面的事情。担任通直散骑常侍的昌黎郡人谷士恢很受孝明帝的宠信，孝明帝让他统领身边的警卫。胡太后多次向谷士恢吹风示意，想派谷士恢出京去担任

欲用为州⑱。士恢怀宠⑲，不愿出外，太后乃诬以罪而杀之。有蜜多道人⑳，能胡语，帝常置左右，太后使人杀之于城南，而诈[4]悬赏购贼㉑。由是母子之间嫌隙㉒日深。

是时，车骑将军、仪同三司、并肆汾唐㉓[5]恒云六州讨虏大都督尔朱荣㉔兵势强盛，魏朝惮之。高欢㉕、段荣、尉景、蔡儁㉖先在杜洛周党中，欲图洛周不果，逃奔葛荣，又亡归尔朱荣。刘贵㉗先在尔朱荣所，屡荐欢于荣，荣见其憔悴，未之奇㉘也。欢从荣之马厩㉙，厩有悍马，荣命欢翦㉚之，欢不加羁绊㉛而翦之，竟不蹄啮㉜。起，谓荣曰："御恶人㉝亦犹是矣。"荣奇其言，坐欢于床下，屏左右，访以时事。欢曰："闻公有马十二谷，色别为群，畜此竟何用也？"荣曰："但言尔意！"欢曰："今天子暗弱，太后淫乱，嬖孽擅命㉞，朝政不行。以明公雄武，乘时奋发，讨郑俨、徐纥㉟之罪以清帝侧，霸业可举鞭而成，此贺六浑㊱之意也。"荣大悦。语自日中至夜半乃出，自是每参军谋。

并州刺史元天穆㊲，孤之五世孙也，与荣善，荣兄事之。荣常与天穆及帐下都督贺拔岳密谋，欲举兵入洛，内诛嬖幸，外清群盗，二人皆劝成之。

荣上书，以山东群盗方炽，冀、定覆没㊳，官军屡败，请遣㊴精骑三千东援相州。太后疑之，报以"念生枭戮，宝寅就擒，丑奴请降⑩，关、陇已定；费穆大破群蛮，绛蜀渐平⑩。又，北海王颢帅众二万出镇相州，不须出兵⑩。"荣复上书，以为"贼势虽衰，官军屡败，人情危怯，恐实难用。若不更思方略，无以万全。臣愚以为蠕蠕主阿那

州刺史。谷士恢贪恋于受孝明帝之宠，不愿意到地方去做官，胡太后就诬陷谷士恢有罪而把谷士恢杀死。有一个名叫蜜多的和尚，会讲匈奴话，孝明帝经常让他随侍左右，胡太后派人在城南把蜜多和尚杀死，又装模作样地悬赏捉拿刺客。由于发生了这些事情，胡太后与元诩母子之间的矛盾越来越深。

此时，车骑将军，开府仪同三司，并、肆、汾、唐、恒、云六州讨虏大都督尔朱荣的兵力十分强盛，魏朝很惧怕他。高欢、段荣、尉景、蔡儁这些人原先都是上谷郡叛民首领杜洛周的部下，他们想要除掉杜洛周却没有成功，就逃奔到自称齐国天子的葛荣，后来他们又逃归了尔朱荣。刘贵原本就在尔朱荣那里，他多次向尔朱荣举荐高欢，尔朱荣看见高欢面容憔悴，没觉得他有什么不同寻常的地方。高欢跟随尔朱荣来到马厩看马，马厩里有一匹悍马，尔朱荣让高欢给这匹悍马修剪马鬃，高欢不用绳索络住马头、绊住马腿就把悍马的马鬃修剪整齐了，悍马竟然对高欢服服帖帖、不踢也不咬。高欢站起身来对尔朱荣说："驾驭凶恶的人也应当是这个样子。"尔朱荣对高欢的话感到很奇怪，就让高欢坐在自己的座椅旁边，屏退左右之后，向高欢询问对时局的看法。高欢说："听说你的马匹布满了十二条山谷，按照不同的颜色划分成群，你养这么多马究竟想用它们做什么呢？"尔朱荣说："只管说你的想法！"高欢说："如今的天子昏庸懦弱，胡太后淫乱，受她宠幸的那些奸佞小人专擅朝政，朝廷政令不能推行。明公你凭借着自己的雄才伟略，抓住时机奋发图强，出兵讨伐郑俨、徐纥的罪恶，清除皇帝身边的佞臣，霸王之业可以举鞭而成，这就是我的真实想法。"尔朱荣听后非常高兴。高欢和尔朱荣从日中时分一直谈到半夜才出来，从此以后，高欢便经常参与尔朱荣有关军事方面的谋划。

魏国担任并州刺史的元天穆，是拓跋孤的第五代孙子，他与尔朱荣关系友善，尔朱荣把元天穆当作自己的哥哥一样对待。尔朱荣经常与元天穆和帐下担任都督的贺拔岳一起密谋，准备起兵攻入京师洛阳，在朝廷之内诛除那些受宠幸的奸佞小人，在朝廷以外削平各地的盗贼，元天穆、贺拔岳都劝说尔朱荣去成就这项事业。

尔朱荣上书给魏国的胡太后，认为山东地区盗贼的势力猖獗，冀州、定州相继落入杜洛周、葛荣之手，官军多次被叛贼打败，请求太后陛下允许他派遣三千精锐骑兵前往东部地区去援助相州。胡太后怀疑尔朱荣另有什么企图，于是回复说："莫折念生已经被杀，萧宝寅已经被擒获，万俟丑奴向朝廷请求投降，关中、陇山地区的盗贼已经被平定；武卫将军费穆打败了群蛮，平定了以李洪为首的叛乱，徙居于河东绛县的蜀地之民陈双炽的聚众造反也已逐渐被平息。再有，北海王元颢已经率领二万军队出京去镇守相州，所以就不用你再出兵援助相州了。"尔朱荣又上书给胡太后，认为："叛军的势力虽然逐渐衰落，而官军由于多次打败仗，人心忧惧不安，实际上恐怕很难再用。如果不另行考虑方略，就无法保证万无一失。我认为蠕蠕人

瓌荷国厚恩[103]，未应忘报，宜遣发兵[104]东趣下口[105]以蹑其背[106]，北海之军[107]严加警备以当其前。臣麾下虽少，辄尽力命。自井陉[108]以北，滏口[109]以西，分据险要，攻其肘腋。葛荣虽并洛周，威恩未著，人类差异[110]，形势可分[111]。”遂勒兵，召集义勇，北捍马邑[112]，东塞井陉。徐纥说太后以铁券间荣左右[113]，荣闻而恨之。

魏肃宗亦恶俨、纥等，逼于太后，不能去。密诏荣举兵内向，欲以胁太后。荣以高欢为前锋，行至上党[114]，帝复以私诏止之。俨、纥恐祸及己，阴与太后谋鸩帝。癸丑[115]，帝暴殂[116]。甲寅[117]，太后立皇女为帝，大赦。既而下诏称：“潘充华本实生女，故临洮王宝晖世子钊[118]，体自高祖[119]，宜膺大宝[120]。百官文武加二阶，宿卫加三阶。”乙卯[121]，钊即位。钊始生三岁，太后欲久专政，故贪其幼而立之。

尔朱荣闻之，大怒，谓元天穆曰：“主上晏驾[122]，春秋十九，海内犹谓之幼君；况今奉未言之儿以临天下，欲求治安，其可得乎！吾欲帅铁骑赴哀山陵[123]，翦除[6]奸佞，更立长君，何如？”天穆曰：“此伊、霍[124]复见于今矣！”乃抗表[125]称：“大行皇帝[126]背弃万方[127]，海内咸称鸩毒致祸[128]。岂有天子不豫[129]，初不召医[130]，贵戚大臣皆不侍侧，安得不使远近怪愕！又以皇女为储两[131]，虚行赦宥[132]，上欺天地，下惑朝野。已乃[133]选君于孩提[134]之中，实使奸竖[135]专朝，隳乱[136]纲纪，此何异掩目捕雀，塞耳盗钟！今群盗沸腾，邻敌窥窬[137]，而欲以未言之儿镇安天下，不亦难乎？愿听臣赴阙，参预大议，问侍臣帝崩之由，访禁[7]卫不知之状[138]，以徐、郑之徒付之司败[139]，雪同天[140]之耻，谢远近之怨，

的首领阿那瓌蒙受了国家的厚恩，不应该忘记报答，应该让他发兵东趋飞狐口，从葛荣军队的北侧向其发起进攻，据守相州的北海王元颢的军队严加戒备，挡在葛荣军队的前面。我部下的军队数量虽少，但会尽力拼死为国效命。我将率军从井陉道以北，滏口陉以西，分别占据险要地形，进攻葛荣的肘腋之地。葛荣虽然兼并了杜洛周的部众，但他在杜洛周的部众中威信还没有树立，杜洛周的部众还没有明显地得到葛荣的好处，杜洛周的部下和葛荣的部下背景不同、差异很大，我们可以化解他们目前的优势。”尔朱荣于是调动军队，召集义勇，向北抵抗来自马邑的进攻，向东堵塞了井陉口。徐纥劝说胡太后用免死铁券收买、分化尔朱荣的左右亲信，尔朱荣听后非常憎恨徐纥。

魏肃宗也非常厌恶胡太后的宠臣郑俨和徐纥等人，但迫于胡太后的权势，又不能把他们除去。肃宗于是秘密下诏，令尔朱荣率兵进京，准备胁迫胡太后。尔朱荣任命高欢为前锋，高欢到达上党郡的时候，肃宗皇帝又秘密下诏让尔朱荣停止前进。郑俨、徐纥惧怕灾祸降临到自己头上，便暗中与胡太后密谋毒死肃宗。二月二十五日癸丑，肃宗突然死去。二十六日甲寅，胡太后将潘氏所生的女儿冒充男孩立为帝，大赦天下。后来胡太后又下诏说：“潘充华所生的孩子原本是个女孩，已故临洮王元宝晖的世子元钊，是高祖元宏的曾孙，理应继承皇位。文武百官提升二级，宿卫提升三级。”二十七日乙卯，元钊即位做了魏国皇帝。当时元钊才三岁，胡太后想要长期把持魏国朝政，所以利用元钊年幼而立元钊为皇帝。

尔朱荣听到肃宗驾崩的消息之后，不禁怒火中烧，他对并州刺史元天穆说：“小皇帝死了，他虽然已经十九岁，全国的人还是称他为小皇帝；何况现在胡太后把一个还不能说话的孩子扶上皇帝宝座以君临天下，想求得国家的长治久安，怎么能做得到！我想要率领披着铁甲的骑兵奔赴洛阳去哀悼去世的皇帝，铲除奸佞，另立年长的君主，你认为如何？”元天穆说：“这是古代能行废立的伊尹、霍光两位名臣又出现在今天了！”尔朱荣于是给朝廷上了一道公开的表章说：“大行皇帝抛下了全国的臣民，全国的人都说皇帝是被毒药毒死的。难道会有天子感到不舒服，根本不传大夫诊治，贵戚大臣又都不在旁边侍候的道理，这怎能不令远近的人感到惊愕！又让皇帝的女儿冒充太子，让她即位称帝，发布大赦令，上欺天地，下惑朝臣百姓。然后又在孩童之中选中了只有三岁的元钊立为国君，实际上是为了让奸臣小人得以继续专擅朝政，毁坏、扰乱国家纲纪，这和捂着眼睛逮麻雀、塞着耳朵偷钟有什么区别！如今海内盗贼沸腾，邻国的敌人趁机进攻我国、侵占我国的领土，在这样的形势下却想让一个还不会说话的小儿来镇服安定天下，不是很困难吗？希望陛下允许我赶赴朝廷，参与决策国家大事，向侍奉皇帝的侍臣询问皇帝驾崩的原因，问问负责警卫的官员怎么会不了解皇帝驾崩的情况，把徐纥、郑俨之徒交由司法部门进行审判，昭雪普天之下人的耻辱，向远近满含怨恨的人们谢罪，然后从皇室宗亲当中另行选

然后更择宗亲以承宝祚。”荣从弟世隆⑭，时为直阁，太后遣诣晋阳慰谕荣。荣欲留之，世隆曰：“朝廷疑兄，故遣世隆来，今留世隆，使朝廷得预为之备，非计也。”乃遣之。

三月癸未⑭，葛荣陷魏沧州⑭，执刺史薛庆之，居民死者什八九。

乙酉⑭，魏葬孝明皇帝于定陵，庙号肃宗。

尔朱荣与元天穆议，以彭城武宣王⑭有忠勋，其子长乐王子攸⑭，素有令望⑭，欲立之。又遣从子天光⑭及亲信奚毅、仓头王相⑭入洛，与尔朱世隆密议。天光见子攸，具论荣心，子攸许之。天光等还晋阳，荣犹疑之⑮，乃以铜为显祖诸子[8]孙⑮各铸像⑮，唯长乐王像成。荣乃起兵发晋阳，世隆逃出，会荣于上党。灵太后闻之甚惧，悉召王公等入议，宗室大臣皆疾⑮太后所为，莫肯致言。徐纥独曰：“尔朱荣小胡，敢称兵向阙⑮，文武宿卫足以制之。但守险要以逸待劳，彼悬军千里⑮，士马疲弊，破之必矣。”太后以为然，以黄门侍郎李神轨为大都督，帅众拒之，别将郑季明、郑先护将兵守河桥⑮，武卫将军费穆屯小平津⑮。先护，俨之从祖兄弟也。

荣至河内⑮，复遣王相密至洛，迎长乐王子攸。夏，四月丙申⑮，子攸与兄彭城王劭、弟霸城公子正⑯潜自高渚渡河⑯，丁酉⑯，会荣于河阳⑯，将士咸称万岁。戊戌⑯，济河，子攸即帝位⑯，以劭为无上王⑯，子正为始平王⑯。以荣为侍中、都督中外诸军事、大将军、尚书令、领军将军、领左右⑯，封太原王⑯。

郑先护素与敬宗⑰善，闻帝即位，与郑季明开城⑰纳之。李神轨至河桥，闻北中⑰不守，即遁还，费穆弃众先降于荣。徐纥矫诏夜开

择继承皇位之人以延续国脉。”尔朱荣的堂弟尔朱世隆当时在皇宫中担任直阁将军，胡太后派遣尔朱世隆前往晋阳慰问劝说尔朱荣。尔朱荣想把尔朱世隆留下，尔朱世隆说：“朝廷因为怀疑哥哥，所以派我前来慰劳劝说，如果你留下我，就会使朝廷得以预先做好对付你的准备，这不是好办法。”尔朱荣这才让尔朱世隆返回洛阳向胡太后复命。

三月二十六日癸未，自称齐国天子的乱民首领葛荣率军攻陷了魏国的沧州，活捉了担任沧州刺史的薛庆之，沧州境内的居民在战乱中死去的有十之八九。

二十八日乙酉，魏国把孝明帝安葬在定陵，庙号肃宗。

尔朱荣与元天穆商议，认为彭城武宣王元勰对国家忠心耿耿，卓有功勋，他的儿子长乐王元子攸，一向享有崇高、美好的声望，于是想要立元子攸为皇帝。尔朱荣又派遣自己的侄子尔朱天光和亲信奚毅、保镖王相前往洛阳，与堂弟尔朱世隆秘密商议。尔朱天光见到了长乐王元子攸，他向元子攸详细述说了尔朱荣的想法，元子攸表示赞同。尔朱天光等人回到晋阳，尔朱荣对拥立长乐王元子攸为帝仍然心存疑虑，于是就用铜为魏显祖拓跋弘的几个儿孙各铸了一座铜像来占卜究竟选立哪个人为皇帝好，只有长乐王的铜像铸造成功。尔朱荣这才下定拥立长乐王为帝的决心，于是起兵从晋阳出发，堂弟尔朱世隆也逃出洛阳，到上党郡与尔朱荣会合。胡太后听到尔朱荣率军前来洛阳的消息之后非常恐惧，她把所有的王公大臣全都召集起来入宫商议对策，宗室大臣都痛恨胡太后的所作所为，没有人肯为她出主意。唯独中书舍人徐纥说：“尔朱荣只是一个小小的胡人，竟敢举兵杀向洛阳，朝廷的这些文臣武将、宫廷宿卫就完全可以制服他。只要我们守住险要，以逸待劳，他们远离自己的老巢孤军深入千里，士兵战马早已疲惫不堪，我们一定能将他们打败。”胡太后认为徐纥说得对，就任命担任黄门侍郎的李神轨为大都督，率领宫廷宿卫抗拒尔朱荣，派别将郑季明、郑先护率领自己的部下守住洛阳东北方的黄河大桥，令武卫将军费穆率军屯扎在小平津。郑先护，是郑俨的族兄弟。

尔朱荣率军到达魏国河内郡的时候，再次派保镖王相秘密地前往洛阳，迎接长乐王元子攸。夏季，四月初九日丙申，元子攸与自己的哥哥彭城王元劭、弟弟霸城公元子正兄弟三人偷偷地从高渚渡过黄河向北投奔尔朱荣，初十日丁酉，元子攸等人在河阳与尔朱荣会合，军中将士全都称呼万岁。十一日戊戌，渡过黄河之后，元子攸即皇帝位，他封自己的哥哥元劭为无上王，封自己的弟弟元子正为始平郡王。任命尔朱荣为侍中、都督中外诸军事、大将军、尚书令、领军将军，统领皇帝身边的侍从与警卫人员，封尔朱荣为太原王。

郑先护一向与敬宗皇帝元子攸关系友善，他听说元子攸做了皇帝，就与郑季明一起打开河桥城北端的城门迎接元子攸入城。大都督李神轨率军来到河桥，听说黄河北岸的河桥城已经失守，就立即逃回了洛阳城，费穆丢下自己的军队率先投降了

殿门，取骅骝厩[173]御马十匹，东奔兖州[174]，郑俨亦走还乡里[175]。太后尽召肃宗后宫，皆令出家，太后亦自落发。荣召百官迎车驾，己亥[176]，百官奉玺绶，备法驾[177]，迎敬宗于河桥。庚子[178]，荣遣骑执太后及幼主[179]，送至河阴[180]。太后对荣多所陈说，荣拂衣而起，沈太后及幼主于河。

费穆密说荣曰："公士马不出万人，今长驱向洛，前无横陈[181]，既无战胜之威，群情素不厌服[182]。以京师之众，百官之盛，知公虚实，有轻侮之心。若不大行诛罚，更树亲党，恐公还北之日，未渡太行[183]而内变[184]作矣。"荣心然之，谓所亲慕容绍宗曰："洛中人士繁盛，骄侈成俗，不加芟翦，终难制驭。吾欲因百官出迎，悉诛之，何如?"绍宗曰："太后荒淫失道，嬖幸弄权，淆乱四海，故明公兴义兵以清朝廷。今无故歼夷多士[185]，不分忠佞[186]，恐大失天下之望，非长策也。"荣不听，乃请帝[187]循河西至淘渚[188]，引百官于行宫[189]西北，云欲祭天。百官既集，列胡骑围之，责以天下丧乱，肃宗暴崩，皆由朝臣贪虐，不能匡弼。因纵兵杀之，自丞相高阳王雍、司空元钦、仪同三司义阳王略以下，死者二千余人。前黄门郎王遵业兄弟居父丧，其母，敬宗之从母[190]也，相帅出迎[191]，俱死。遵业，慧龙[192]之孙也，俊爽涉学，时人惜其才而讥其躁[193]。有朝士百余人后至，荣复以胡骑围之，令曰："有能为禅文[194]者免死。"侍御史赵元则出应募，遂使为之。荣又令其军士言："元氏既灭，尔朱氏兴。"皆称万岁。荣又遣数十人拔刀向行宫，帝与无上王劭、始平王子正俱出帐外。荣先遣并州人郭罗刹、西部高

尔朱荣。徐纥假传胡太后的诏命夜间打开殿门，从专门喂养良马的马棚里牵出十四御马，向东逃往兖州，郑俨也逃回了自己的故乡开封。胡太后把肃宗皇帝后宫的嫔妃侍女全部召集起来，令她们全部出家去当尼姑，胡太后自己也剪掉头发当了尼姑。尔朱荣召集文武百官前来迎接孝庄皇帝元子攸的车驾，四月十二日己亥，洛阳朝廷中的文武百官捧着皇帝玉玺，备齐皇帝法驾，来到河桥城迎接敬宗皇帝。十三日庚子，尔朱荣派遣骑兵抓捕了胡太后和三岁的小皇帝元钊，把他们送往河阴。胡太后对尔朱荣说了很多为自己辩解的话，尔朱荣听得不耐烦，便拂袖而起，他下令把胡太后和幼主元钊沉入黄河里淹死。

费穆秘密地对尔朱荣说："你手下的兵马不超过一万人，如今长驱进入洛阳，前进的路上并没有遇到有人阻挡，你既没有打胜仗的威风，众人一向又对你不满意、不心服。京师有众多的人口，众多的文武官员，他们都知道你的底细，对你都有轻视怠慢之心。你如果不诛杀、惩罚一大批人，另行树立自己的亲党，恐怕你返回北方晋阳的时候，还没等你度过太行山，朝廷内就会发生反对你的政变了。"尔朱荣心里很赞同费穆的看法，就对自己的亲信慕容绍宗说："洛阳城中人士繁盛，骄奢淫逸已经形成风俗，如果不对他们加以割除，最终将难以驾驭制服他们。我想趁着朝中的文武百官出来迎接的时候，把他们全部杀死，你觉得怎么样？"慕容绍宗说："胡太后荒淫无道，奸佞小人掌握权柄，致使四海之内盗贼蜂起、政局混乱，所以明公才举义兵清理朝廷。如今明公无缘无故地大规模杀戮官僚士大夫，不分忠奸，恐怕会使天下人感到非常失望，这可不是什么好办法。"尔朱荣没有听从慕容绍宗的劝告，他请孝庄皇帝沿着黄河向西前往淘渚，尔朱荣领着文武百官来到行宫的西北，说是准备在这里祭天。文武百官会集之后，尔朱荣令排成队列的胡人骑兵把百官团团围住，把国家国土丧失、战乱不断，肃宗皇帝突然驾崩的责任全部归罪于朝廷大臣，责备他们贪婪暴虐，不能挽救朝政之失、辅佐皇帝铲除奸佞。然后放纵士兵诛杀文武百官，从担任丞相的高阳王元雍、担任司空的元钦、开府仪同三司的义阳王元略及其以下，被杀死的有两千多人。曾经担任过黄门郎的王遵业兄弟当时正在家中为父亲守丧，他们的母亲，是敬宗皇帝的姨母，他们都是出来迎接过尔朱荣的人，也全都被尔朱荣杀死。王遵业，是王慧龙的孙子，才华出众、性格爽朗，具有各方面的才学，当时的人都很惋惜他的才华而指责他的追逐名利。有一百多名大小朝臣来晚了，尔朱荣又让胡人骑兵包围了他们，命令他们说："有谁能以皇帝的口气写出愿意将皇位让给他人的文告的就免谁一死。"担任侍御史的赵元则站出来应募，尔朱荣就让赵元则撰写禅让的文告。尔朱荣又令他的军队宣扬说："元氏已经灭亡，尔朱氏兴起。"士兵都高呼万岁。尔朱荣又派遣数十人手举钢刀逼向孝庄皇帝的行宫，孝庄皇帝与无上王元劭、始平郡王元子正全都走出帐外。尔朱荣先派并州人郭罗刹、西部地区的高车族人叱列杀鬼侍奉在孝庄皇帝的身边，

车叱列杀鬼[195]侍帝侧，诈言防卫，抱帝入帐，余人即杀劭及子正。又遣数十人迁帝于河桥，置之幕下[196]。

帝忧愤无计，使人谕旨于荣曰："帝王迭兴，盛衰无常。今四方瓦解，将军奋袂而起，所向无前，此乃天意，非人力也。我本相投，志在全生，岂敢妄希天位[197]？将军见逼，以至于此。若天命有归，将军宜时正尊号[198]；若推而不居，存魏社稷，亦当更择亲贤[199]而辅之。"时都督高欢劝荣称帝，左右多同之，荣疑未决。贺拔岳进曰："将军首举义兵，志除奸逆，大勋未立，遽有此谋，正可速祸[200]，未见其福。"荣乃自铸金为像，凡四铸，不成。功曹参军燕郡[201]刘灵助善卜筮，荣信之，灵助言天时人事未可。荣曰："若我不吉，当迎天穆立之。"灵助曰："天穆亦不吉，唯长乐王有天命耳。"荣亦精神恍惚，不自支持。久而方寤，深自[9]愧悔曰："过误[202]若是，唯当以死谢朝廷。"贺拔岳请杀高欢以谢天下，左右皆[10]曰："欢虽复愚疏，言不思难，今四方多事，须藉武将，请舍之，收其后效。"荣乃止。夜四更，复迎帝还营，荣望马首叩头请死。

荣所从胡骑杀朝士既多，不敢入洛城，即欲向北为迁都之计。荣狐疑甚久，武卫将军汎礼固谏。辛丑[203]，荣奉帝入城。帝御太极殿，下诏大赦，改元建义。从太原王将士[204]，普加五阶，在京文官二阶，武官三阶，百姓复租役[205]三年。时百官荡尽，存者皆窜匿不出，唯散骑常侍山伟[206]一人拜赦[207]于阙下。洛中士民草草[208]，人怀异虑，或云荣欲纵兵大掠，或云欲迁都晋阳。富者弃宅，贫者襁负[209]，率皆逃窜，什

谎称是为了保护皇帝，他们把孝庄皇帝强行拖入帐内，其他人立即上前杀死了元劭和元子正。尔朱荣又派遣数十人把孝庄皇帝迁到河桥城，安置在军队的大帐里，派人看管起来。

孝庄皇帝虽然忧愁愤怒却又无计可施，他派人向尔朱荣传达自己的谕旨说："帝王轮番兴起，盛衰变化不定。如今全国各地也分裂溃散，将军振袖起义，无人能敌，这乃是天意，不是靠人力所能左右的。我前来投奔你，本来是想保全自己的性命，怎敢妄想登基做皇帝？将军逼迫我，竟到了如此的地步。如果天命归属于将军，将军自己应该及时地早日称帝；如果将军非要推辞而不愿自己称帝，一心想要保存魏国的社稷，也应当另选一位既亲且贤的人来做这个皇帝，由你来辅佐他。"当时担任都督的高欢劝说尔朱荣称帝，尔朱荣身边的人大多数都赞同高欢的意见，尔朱荣却迟疑不决。贺拔岳进前对尔朱荣说："将军首先举义兵，立志为国家铲除奸邪叛逆，目前大功还没有建立，就突然有了自己称帝的想法，这只能让大祸加速地降临到自己的头上，我看不出这样做能带来什么福分。"尔朱荣就用黄金为自己铸造金像，以此来占卜吉凶，前后铸造了四次，都没有铸造成功。担任功曹参军的燕郡人刘灵助善于占卜，尔朱荣非常相信刘灵助，刘灵助说目前的天时、人事都不适合尔朱荣称帝。尔朱荣说："如果我当皇帝不吉利，就应当将元天穆迎来，拥戴他做皇帝。"刘灵助说："元天穆做皇帝也不吉利，只有长乐王有做皇帝的命。"尔朱荣当时也是精神恍惚，快要支持不住自己。过了很久才醒悟过来，内心感到非常的羞愧和悔恨，他说："我屠杀了大批的朝士和元子攸的家人，犯了这么大的过失，只有以死来向朝廷请罪。"贺拔岳请求尔朱荣杀死高欢以向天下人谢罪，尔朱荣身边的人都说："高欢虽然愚昧浅薄，说话不考虑困难，如今正是四方多事之秋，还需要借助武将的力量，请赦免高欢，看他以后的表现。"尔朱荣这才没有杀掉高欢。当天夜里四更时分，尔朱荣又派人把孝庄皇帝元子攸接回自己的军营，尔朱荣望着马头磕头，请求元子攸处死自己以谢天下。

尔朱荣所率领的胡人骑兵因为杀死了很多朝臣官僚士大夫，所以不敢进入洛阳城，他们向尔朱荣建议，想把都城迁往北方。尔朱荣犹豫不决了很久，担任武卫将军的汎礼极力劝阻。四月十四日辛丑，尔朱荣陪护着孝庄皇帝进入洛阳城。孝庄皇帝登上太极殿，下诏实行大赦，改年号为建义元年。凡是跟随太原王尔朱荣来到洛阳的将士，每人晋升五级，在京城洛阳的文官晋升二级，武官晋升三级，百姓免除三年的赋税徭役。当时洛阳朝廷中的文武百官几乎被杀光了，幸存下来的少数官员全都逃窜隐藏起来根本不敢出来，只有担任散骑常侍的山伟一个人到皇宫门口拜谢皇帝颁布的大赦令。洛阳城中的官僚百姓人心惶惶，人人心怀疑虑，有人说尔朱荣准备放纵他的士兵在洛阳城中进行大肆掠夺，有人说尔朱荣准备把都城迁往晋阳。富有的人家丢下自己的住宅，贫穷的人家背后背着孩子，大都逃离了洛阳城，洛阳

不存一二，直卫空虚，官守旷废。荣乃上书称："大兵交际㉑⓪，难可齐壹㉑①，诸王朝贵，横死者众，臣今粉躯不足塞咎㉑②，乞追赠亡者，微申私责㉑③。无上王请追尊为无上皇帝，自余死于河阴者[11]，王赠三司㉑④，三品赠令、仆㉑⑤，五品赠刺史，七品已下及[12]白民㉑⑥赠郡、镇㉑⑦。死者无后听继㉑⑧，即授封爵㉑⑨。又遣使者循城劳问。"诏从之。于是朝士稍出，人心粗安㉒⓪。封无上王之子韶㉒①为彭城王。

荣犹执迁都之议，帝亦不能违。都官尚书元谌㉒②争之，以为不可。荣怒曰："何关君事，而固执也？且河阴之事，君应知之㉒③。"谌曰："天下事当与天下论之，奈何以河阴之酷而恐元谌？谌，国之宗室，位居常伯㉒④，生既无益，死复何损？正使㉒⑤今日碎首流肠，亦无所惧！"荣大怒，欲抵谌罪㉒⑥，尔朱世隆㉒⑦固谏，乃止。见者莫不震悚，谌颜色自若。后数日，帝与荣登高，见宫阙壮丽，列树成行，乃叹曰："臣昨愚暗，有北迁之意，今见皇居之盛，熟思元尚书㉒⑧言，深不可夺㉒⑨。"由是罢迁都之议。谌，谧㉓⓪之兄也。

癸卯㉓①，以江阳王继为太师；北海王颢为太傅；光禄大夫李延寔㉓②为太保，赐爵濮阳王；并州刺史元天穆为太尉，赐爵上党王；前侍中杨椿为司徒；车骑大将军穆绍为司空，领尚书令，进爵顿丘王；雍州刺史长孙稚为骠骑大将军、开府仪同三司，赐爵冯翊王；殿中尚书元谌为尚书右仆射，赐爵魏郡王；金紫光禄大夫广陵王恭㉓③加仪同三司。其余起家暴贵㉓④者，不可胜数。延寔，冲㉓⑤之子也，以帝舅㉓⑥故，得超拜。

徐纥弟献伯为北海㉓⑦太守，季产为青州长史，纥使人告之，皆将家属逃去，与纥俱奔泰山㉓⑧。郑俨与从兄荥阳太守仲明谋据郡起兵，为部下所杀。

城中剩下的人口不到原来的十分之一二，宫廷内院连值班的人都找不到，官位空缺官府荒废。尔朱荣于是上书给孝庄皇帝说：“兵荒马乱之时，纪律难以整齐划一，诸多亲王和朝廷显贵，被害死的人很多，我即使粉身碎骨也不能补救我的过失，请求陛下追赠死亡的人，稍稍弥补一点儿我的愧疚。请追赠无上王元劭为无上皇帝，其余凡是在河阴被杀死的人，诸王全都追赠为司徒、司空、司马，三品的官员追赠为尚书令与尚书左右仆射，五品的官员追赠为刺史，七品以下以及没有官爵的平民百姓追赠为郡守或是镇将。死者如果没有后代，允许他们任选继承人，立即授予他们相应的官爵。再派遣使者在城内挨家挨户进行慰问。”孝庄皇帝下诏批准了尔朱荣的奏请。于是朝臣和士大夫才逐渐露面，人心大致安定下来。封无上王元劭的儿子元韶为彭城王。

尔朱荣仍然坚持要将都城从洛阳迁往晋阳，孝庄皇帝也不能违背。担任都官尚书的元谌与尔朱荣进行争论，认为不可以迁都。尔朱荣发怒说：“迁都不迁都和你有什么关系，你要坚决表示反对？况且我在河阴杀死两千多名朝臣的事情，你应该是知道的。”元谌说：“天下的事情就应当与天下人进行商量，为什么你要用在河阴的残酷杀戮来恐吓我元谌呢？元谌，是魏国的宗室，职位相当于古代的常伯，我活着既然无益于国家，死了对国家又有什么损害呢？即使今天令我头碎肠流，我也无所畏惧！”尔朱荣怒不可遏，就想判处元谌一个罪名，尔朱荣的堂弟尔朱世隆极力进行劝阻，尔朱荣这才罢休。看见他们争辩的人无不感到胆战心惊，而元谌神色镇定自若。过了几天之后，孝庄皇帝与尔朱荣登上高处远望，尔朱荣看到宫殿巍峨壮丽，树木成行，景象蔚为壮观，不禁叹息着说：“我昨天愚昧，竟然有向北迁都晋阳的想法，今天看见皇家居住的宫殿是如此的盛大美好，细想都官尚书元谌所说的话，实在是无可辩驳。”从这时起，尔朱荣才不再提起迁都的事情。元谌，是元谧的哥哥。

四月十六日癸卯，魏国朝廷任命江阳王元继为太师；任命北海王元颢为太傅；任命担任光禄大夫的李延寔为太保，赐封李延寔为濮阳王；任命担任并州刺史的元天穆为太尉，赐封元天穆为上党王；任命前任侍中杨椿为司徒；任命担任车骑大将军的穆绍为司空，兼任尚书令，赐封穆绍为顿丘王；任命担任雍州刺史的长孙稚为骠骑大将军、开府仪同三司，赐封长孙稚为冯翊王；任命担任殿中尚书的元谌为尚书右仆射，赐封为魏郡王；任命担任金紫光禄大夫的广陵王元恭加授开府仪同三司。其他那些从一个不起眼的家族一步登天成了大贵族的人，多得不可胜数。李延寔，是李冲的儿子，李延寔因为是孝庄皇帝的舅舅，所以得到越级提升。

徐纥的弟弟徐献伯当时还在担任北海郡太守，徐季产担任青州长史，徐纥派人将尔朱荣率军进入洛阳、害死了胡太后和三岁小皇帝元钊以及扶持元子攸登基做了皇帝等事情告诉了他们，徐献伯、徐季产全都携带着家属逃离了任所，与徐纥全都逃奔了泰山郡。郑俨与自己的堂兄担任荥阳郡太守的郑仲明谋划据守荥阳郡起兵造反，结果都被部下杀死。

丁未[239]，诏内外解严。

魏郢州[240]刺史元显达请降，诏郢州[241]刺史元树[242]迎之，夏侯夔亦自楚城[243]往会之，遂留镇[244]焉。改魏郢州为北司州，以夔为刺史，兼督司州[245]。夔进攻毛城[246]，逼新蔡；豫州刺史夏侯亶围南顿[247]，攻陈项[248]，魏行台源子恭[249]拒之。

庚戌[250]，魏赐尔朱荣子义罗爵梁郡王。

柔然头兵可汗数入贡于魏，魏诏头兵赞拜不名[251]，上书不称臣。

魏汝南王悦[252]及东道行台临淮王彧[253]闻河阴之乱，皆来奔。先是，魏人降者皆称魏官为伪，彧表启独称魏临淮王，上亦体其雅素[254]，不之责。魏北海王颢将之相州[255]，至汲郡[256]，闻葛荣南侵及尔朱荣纵暴，阴为自安之计，盘桓不进，以其舅殷州[257]刺史范遵行相州事，代前刺史李神守邺。行台甄密[258]知颢有异志，相帅[259]废遵，复推李神摄州事，遣兵迎颢，且察其变。颢闻之，帅左右来奔。密，琛[260]之从父弟也。北青州[261]刺史元世儁、南荆州[262]刺史李志皆举州来降。

【段旨】

以上为第一段，写梁武帝大通二年（公元五二八年）前四个月的大事。主要写了魏国的定州刺史杨津坚守定州三年后被变民头领杜洛周攻克，瀛州刺史元宁又以瀛州城投降了杜洛周。写了起事于定州境内的变民头领鲜于脩礼被其部将所杀，葛荣继起统领了鲜于脩礼的部众，接着葛荣又击杀杜洛周，兼统杜洛周之军，一时之间号令了幽、冀、瀛、定的广大地区。写了占据关中的萧宝寅被其叛将侯终德回师击败，逃出长安，投降于陕、甘地区的变民头领万俟丑奴。写了魏将长孙稚用其僚属杨侃之谋平定了河东地区的叛乱，两个薛姓的变民头领向长孙稚请降。写了胡太后多杀魏主元诩的亲信，母子关系日益紧张；元诩欲引尔朱荣入朝以除奸党，而胡太后则先发制人鸩杀了元诩，改立了三岁的元钊为帝。写了四月二十日丁未，孝庄皇帝下诏，朝廷内外解除军事状态。

魏国担任郢州刺史的元显达向梁国请求投降，梁武帝萧衍下诏令梁国担任郢州刺史的元树前往迎接元显达，夏侯夔也从楚城前往与他们会合，梁武帝遂将夏侯夔留在魏之郢州镇守。萧衍把魏国的郢州改为北司州，任命夏侯夔为北司州刺史，同时兼管司州。夏侯夔率军进攻魏国的毛城，逼近魏国的新蔡县；梁国担任豫州刺史的夏侯亶率军包围了魏国的南顿郡，出兵攻打魏国陈郡的郡治项县，魏国担任尚书行台的源子恭率军进行抵抗。

四月二十三日庚戌，魏国朝廷赐封尔朱荣的儿子尔朱义罗为梁郡王。

柔然敕连头兵豆伐可汗阿那瓌多次向魏国朝廷进贡，魏国孝庄皇帝下诏敕连头兵豆伐可汗阿那瓌在给魏国皇帝行叩拜礼的时候，赞礼官只唱他的官爵而不唱他的名字，以表示对他的格外敬重，阿那瓌上书给魏国皇帝的时候不称自己为臣。

魏国汝南王元悦和担任东道行台的临淮王元彧听到尔朱荣在河阴大肆杀戮朝臣的消息，都来投奔梁国。先前的时候，从魏国投降到梁国的人都称自己在魏国时的官职为伪，元彧在给梁武帝上奏章的时候则只称自己为魏临淮王，而没有称自己为伪临淮王，梁武帝也体察到元彧是一个心口如一，怎么想就怎么说的人，因此也不责怪他。魏国的北海王元颢准备前往自己相州刺史的任所，当他到达汲郡的时候，听到葛荣率军南侵和尔朱荣大肆杀戮朝臣的暴行，便暗自考虑如何保全自己的计策，他在汲郡徘徊不前，让自己的舅舅担任殷州刺史的范遵代替自己前往担任相州刺史职务，接替前任相州刺史李神驻守邺城。担任行台驻守邺城的甄密知道元颢有反叛朝廷的志向，就带领众人废掉了范遵的代理相州刺史职务，再次推举李神为代理相州刺史，并派兵前往汲郡迎接元颢，想要进一步观察元颢的动向。元颢听到这些消息，就率领着自己身边的亲信来投奔梁国。甄密，是甄琛的堂弟。魏国担任北青州刺史的元世儁、担任南荆州刺史的李志都带领全州来投降梁国。

并州地区的军阀尔朱荣收罗党羽、势力强大，尔朱荣抗表声讨郑俨、徐纥的弑君之罪，带兵进入洛阳。写了尔朱荣沉胡太后与小傀儡元钊于河，集朝廷百官二千余人于河阴，全部屠灭之；尔朱荣原欲自己为帝，后来改变主意，又拥立了魏国元勋老臣元勰之子元子攸为帝，是为魏敬宗；随后尔朱荣又表请魏主下诏恤赠被杀的朝士，又令魏主大加封赏了一批在世的魏国名臣，从而使秩序略定、人心粗安。此外还写了魏国在此剧烈动荡之际，魏国的许多宗室、许多地方官员纷纷投降梁朝等。

【注释】

①正月癸亥：正月初五。②北海王颢：元颢，元详之子，孝文帝之侄。传见《魏书》卷二十一上。③相州：魏州名，州治邺城，在今河北临漳西南。④杨津：魏国名将杨椿之弟，此时为定州刺史、北道行台。传见《魏书》卷五十八。⑤定州城：即今河北定州，当时为魏国定州的州治所在地。⑥鲜于脩礼、杜洛周：当时起兵反对魏国统治的两个变民头领，鲜于脩礼起事于定州境内，活动于当时的定州、冀州、相州三州地带（约今之河北南部）。杜洛周起兵于上谷郡，活动于当时的燕州、安州、幽州等一带地区（约今之河北北部与北京市一带）。⑦迭来攻围：轮番地前来攻击围困。迭，更替、交相。⑧铁券：铁页做成的券。赐给真心归降者，持此券可赦曾经从贼的罪过。⑨取北人：捉拿北方来的人，指没有汉化的北方民族。⑩内子城中：把这些北方人保护在内城中。内，同“纳”，收敛、掩蔽。子城，附于大城的小城、内城。⑪葛荣代脩礼统众：鲜于脩礼举兵后不久，被其部下元洪业所杀，元洪业请降于魏，又被葛荣所杀，葛荣自立为王。事见本书上卷普通七年。⑫固守三年：胡三省曰，“普通七年，津守定州，至是三年”。⑬头兵可汗：名阿那瓌。传见《魏书》卷一百三。⑭从祖吐豆发：阿那瓌的叔祖名叫吐豆发。⑮广昌：魏县名，县治在今河北涞源北。⑯乙丑：正月初七。⑰津长史：杨津的高级僚属。长史，官名，为诸史之长，在三公、诸王、都督、刺史属下均有此职。⑱瀛州：魏州名，州治即今河北河间。⑲潘嫔：魏主元诩的宠妃。⑳丙寅：正月初八。㉑冯翊：魏郡名，郡治高陆，即今陕西西安市高陵区，在今西安东北。㉒长孙稚：姓长孙，名稚，魏国的名臣长孙观之子。传见《魏书》卷二十五。此时以尚书仆射任行台，西讨萧宝寅。㉓恒农：也称“弘农”，魏郡名，郡治即今河南三门峡市的西南侧。㉔杨侃：魏国名将杨椿、杨津之侄，杨播之子。传见《魏书》卷五十八。此时为长孙稚的行台左丞。㉕魏武：指曹操。下文指他以汉献帝丞相的身份率军西讨马超、韩遂的西凉之军，双方相遇于潼关。㉖韩遂、马超：东汉末期割据于关中地区的西部军阀，曾与刘备等共同结盟以反曹操。㉗胜负久不决：此乃婉转语，其实曹操开始时曾被马超在渭水河边打得大败，险些被马超所捉。详情见本书前文卷六十六建安十六年，与《三国志》之《武帝纪》及《马超传》。㉘蒲反：即蒲坂，在山西永济西的黄河边，当时为魏国河东郡的郡治所在地。㉙置兵死地：置兵于孤立无援之地，此兵必死里求生，奋勇作战，即所谓“置之死地而后生”。㉚华州之围：据《魏书·萧宝寅传》，当时萧宝寅派部将张始荣围华州刺史崔袭于华州。当时的华州州治在今陕西蒲城东。㉛潼关之守：据《魏书·萧宝寅传》，当时萧宝寅曾派其部将郭子恢东攻潼关，但未言攻克。观此言“潼关之守”云云，乃谓萧宝寅之据守潼关之将，或即郭子恢也。㉜支节：同“肢节”，指一般城池，与其心腹之地长安相对而言。㉝薛脩义围河东：薛脩义是河东郡的变民头领，从上年开始组织部众占据盐池，进攻河东郡的郡治蒲坂，以响应关中的萧宝寅。蒲坂在今山西永济西的黄河

边上。㉞ 薛凤贤据安邑：薛凤贤是薛脩义的同族，于上年在正平郡内组织部众造反以响应薛宝寅。安邑，古县名，县治在今山西夏县西北，当时属于正平郡。正平郡的郡治即今山西新绛。㉟ 宗正珍孙：姓宗正，名珍孙，当时正受朝廷派遣率兵往讨薛凤贤、薛脩义。㊱ 守虞坂不得进：停留在虞坂不敢再向前进军。虞坂，也称颠陵坂，高原上的道路名，在今山西运城东，当时的安邑东南。㊲ 行陈一夫：军中的普通一兵。行陈，同“行阵”，行伍。㊳ 因缘为将：靠着机会当了将军。㊴ 西逼河漘：西靠黄河边。漘，水边。㊵ 封疆多在郡东：管辖的地盘大都在郡治的东侧。封疆，地界，这里指地盘。㊶ 自恒农北渡：自今河南三门峡一带北渡黄河，进入河东郡地面。㊷ 据石锥壁：占据了石锥山上的军事据点。石锥山在当时的安邑西南，今之夏县城西。㊸ 丙子：正月十八。㊹ 密迩京畿：靠近京城洛阳。密迩，靠近。京畿，京城与其郊区，这里即指京城。㊺ 均赡以理：公平合理地管好它。㊻ 多虞：多灾多难。㊼ 府藏罄竭：府库空虚。罄，尽、竭。㊽ 冀、定扰攘：冀、定二州兵荒马乱。当时冀、定二州被葛荣、杜洛周所辗转攻击。㊾ 常调之绢：正常的税收应收的绢帛。㊿ 略论：大致估算。51 准绢而言：折合成绢帛计算。52 移冀、定二州置于畿甸：冀、定二州的赋税全靠着盐池给顶替了。53 事同再失：就是第二次失计。胡三省曰：“前此宣武帝用甄琛之言废盐池税，已为失计；今又废之，是为再失。”54 仰违严旨：大胆地违背皇帝的旨意。55 关贼：关中之贼，指萧宝寅。56 径解河东：直接地先来解决河东二薛的问题。57 兹计不爽：这个做法没出差错。谦虚地说，如同押宝，让我押对了。58 高祖升平之年：孝文帝在位时的太平年代。高祖，孝文帝元宏的尊号，在位时间为公元四七一至四九九年。59 典护：管理。60 非与物竞利：不是想和百姓争这几个小钱。物，即指人。61 由利而乱俗：如果让百姓群争而无管理那就会造成更严重的秩序混乱。62 租征六年之粟：魏国政府已向百姓预征了此后六年的租粮。63 调折来岁之资：又向百姓预收明年的绢帛。政府向成年男子征收丝帛叫作调。64 事不获已：是没有办法，只好如此。65 符司监将尉：给管理盐池的将军与校尉下令。符，下令。司监将尉，管理盐池的部门统下的将、尉。66 更听后敕：胡三省曰，“谓合罢与否，更听后番敕下也”。67 白门：长安城西出的北数第三门。68 奔万俟丑奴：往降万俟丑奴。万俟丑奴原是变民头领胡琛的部将，胡琛被破六韩拔陵袭杀后，万俟丑奴代领胡琛之众。69 巩西阙口：巩县西南的伊阙口，即今之所谓龙门，在今河南洛阳的城南。当时的巩县县治在今之河南巩义的西南侧，今河南洛阳的正东偏北。70 灵太后：即胡太后，魏主元诩之生母。死后谥曰灵。《谥法解》：“好祭鬼怪曰灵；极知鬼神曰灵。”71 嬖幸：男宠。72 封疆日蹙：能管辖的地盘越来越小。蹙，萎缩。73 年浸长：年龄越来越大。74 所为不谨：指其养着许多男宠事。75 务为壅蔽：尽量让魏主什么事也不知道。76 昌黎谷士恢：昌黎郡人姓谷，名士恢。昌黎郡的郡治龙城，即今之辽宁朝阳，当时为营州的州治所在地。77 屡讽之：多次向他吹风示意。78 欲用为州：想派他出去任刺史。79 怀宠：贪恋于受魏主之宠。怀，恋。80 蜜多道人：一个名叫蜜多的和尚。81 诈悬赏购贼：假意悬赏募人捉拿刺客。⑫ 嫌隙：犹今所谓矛盾，彼此相互猜疑。⑬ 唐：魏州名，州治即今山西临汾。⑭ 尔朱荣：原是肆州秀容郡（今山西忻州西北）一带的土豪，后来发展成为地方军阀，又平定了周边的一些叛乱后，被授为平北将军，都督恒、朔讨虏军事，兵力强盛。传见《魏书》卷七十四。胡三省曰："尔朱荣时驻兵晋阳。"当时的晋阳即今山西太原。⑮ 高欢：即日后建立北齐政权的齐武帝。传见《北齐书》卷一。⑯ 段荣、尉景、蔡儁：都是日后高欢的开国元勋。段荣传见《北齐书》卷十六，尉景传见《北齐书》卷十五，蔡儁传见《北齐书》卷十九。⑰ 刘贵：日后高欢的开国元勋。传见《北齐书》卷十九。⑱ 未之奇：没觉得他有什么不平常。⑲ 之马厩：到马棚看马。之，往。⑳ 翦：剪马鬃。翦，同"剪"。胡三省曰："髦马而鬣落之为翦。"㉑ 羁绊：胡三省曰，"马络首曰羁，系足曰绊"。㉒ 竟不蹄啮：这匹悍马居然对高欢服服帖帖，不踢不咬。㉓ 御恶人：驾驭凶恶的人。㉔ 嬖孽擅命：犹言"小人当道"。嬖孽，男宠；受帝王宠幸的小人。㉕ 郑俨、徐纥：胡太后的两个男宠，此时正控制朝廷的一切大权。二人传皆见《魏书》卷九十三。㉖ 贺六浑：高欢字贺六浑。㉗ 元天穆：高凉王拓跋孤的五世孙，尔朱荣的亲信，此时任并州刺史，后被封为上党王。传见《魏书》卷十四。㉘ 冀、定覆没：指相继落入杜洛周、葛荣之手。㉙ 请遣：请求由他尔朱荣派遣。⑩⓪ 宝寅就擒二句：前文只言萧宝寅兵败，往投万俟丑奴，丑奴以其为太傅，无"宝寅就擒，丑奴请降"事，此处叙事榫卯不接。⑩① 绛蜀渐平：绛蜀指徙居于河东绛县的蜀地之民。上卷曾有绛蜀陈双炽聚众反，自号"始建王"，被魏将长孙稚、薛脩义招降；本卷前文有"群盗"攻烧阙口以东，被费穆讨平，但未说这里的群盗就是"绛蜀"，前后叙事皆榫卯不接。⑩② 不须出兵：指不用你尔朱荣劳心出兵。⑩③ 阿那瓌荷国厚恩：阿那瓌之所以能当稳柔然可汗，又能有现时之强盛，都靠魏国当年的保护与援助。详情见本书前文卷一百四十九。⑩④ 宜遣发兵：应该让他发兵。⑩⑤ 东趣下口：东趋飞狐口。趣，同"趋"。胡三省曰："下口盖即飞狐口。"飞狐口在今河北蔚县城东南，恰当太行山脉和燕山、恒山山脉的交接点。⑩⑥ 以蹑其背：也就是从葛荣军队的北侧对之进行攻击。当时葛荣正南攻相州的元颢。⑩⑦ 北海之军：据守相州（州治邺城）的北海王元颢的军队。⑩⑧ 井陉：井陉道，今山西与河北之间的翻越太行山的山路名，其西口即今所谓"娘子关"，在今山西阳泉市的东北方；其东口即所谓"土门关"，在今河北井陉的西北方。⑩⑨ 滏口：即滏口陉，也是太行山的山道名，在今河北武安南，磁县西北方。⑪⓪ 人类差异：指杜洛周的部下与葛荣的部下，彼此生活习性不同。⑪① 形势可分：其目前的优势可以分解、削弱。胡三省曰，"杜洛周，柔玄镇民；葛荣，鲜于脩礼之党，本非同类，吞并为一。及其新合，亟加征讨，则形势可分也"。⑪② 北捍马邑：向北抵抗来自马邑的进攻。马邑是古县名，即今山西朔州。⑪③ 间荣左右：意即收买、分化尔朱荣的左右亲信。⑪④ 上党：魏郡名，郡治在今山西长治北。⑪⑤ 癸丑：二月二十五。⑪⑥ 帝暴殂：魏主突然身死。胡三省曰，"年十九"。〖按〗魏主元诩七岁即位，在位共十三年（公元五一六至五二八年）。⑪⑦ 甲寅：二月二十六。⑪⑧ 宝晖世子钊：元宝晖的世子元钊。元宝晖是元愉之子，魏主元诩的堂兄弟，继其父位为临洮王。元钊是新死魏主元诩的堂侄。⑲体自高祖：元钊是高祖元宏的曾孙。高祖，指魏孝文帝。⑳宜膺大宝：理应继位做皇帝。膺，接受、承当。大宝，皇位。㉑乙卯：二月二十七。㉒晏驾：时间已到而帝王的车子未能出来，隐称帝王之死。晏，晚。㉓赴哀山陵：往洛阳痛哭去世的皇帝。山陵，喻称皇帝的陵墓。㉔伊、霍：伊尹、霍光，是古代能行废立的两位名臣，伊尹是商朝的大臣，其君太甲好酒没有君道，伊尹将他废掉，放之于桐宫；其后太甲悔过向善，伊尹又将其接回继续为帝。事见《史记·殷本纪》。霍光是西汉的名臣，其君刘贺荒唐无道，霍光将其废掉，改立了刘询，即历史上的汉宣帝。事见《汉书·霍光传》。㉕抗表：公开上表。犹如后代的"通电"，发表公开信。㉖大行皇帝：已死而尚未安葬的皇帝。㉗背弃万方：扔下全国的臣民百姓，喻指皇帝之死。㉘鸩毒致祸：是被毒药毒死的。鸩，毒鸟，这里即指毒药。㉙不豫：不舒服，隐称患病。豫，悦。㉚初不召医：根本不传医生诊治。初，根本、始终。㉛以皇女为储两：让皇帝的女儿冒充太子。储两，未来的君主，即太子。㉜虚行赦宥：让她即位称帝，发布大赦令。新皇帝上台通常都下大赦令，以安民心。㉝已乃：然后又……㉞孩提：小孩子。《孟子》赵岐注："二三岁之间，在襁褓知孩笑，可提抱者也。"孩笑，刚刚会咳、会笑。㉟奸竖：奸诈的竖子，指郑俨、徐纥等人。㊱隳乱：毁坏、搅乱。隳，意思同"毁"。㊲邻敌窥窬：让邻国的敌人趁机进攻我国。当时梁朝已趁机攻占魏国的许多城池。窥窬，窥测间隙、伺机而动。㊳访禁卫不知之状：问问负责警卫的官员你们怎么会不了解情况。㊴付之司败：交由司法部门进行审判。司败，古官名，犹如后代的廷尉、大理寺。㊵同天：犹言普天下。㊶世隆：尔朱世隆，尔朱荣的堂兄弟。传见《魏书》卷七十五。㊷三月癸未：三月二十六。㊸沧州：魏州名，州治饶安，在今河北盐山县西南。㊹乙酉：三月二十八。㊺彭城武宣王：元勰，被封为彭城王，谥曰武宣，孝文帝元宏之弟，孝文与宣武两代的有大功之臣。传见《魏书》卷二十一下。㊻长乐王子攸：元子攸，元勰的长子，被封为长乐郡王。传见《魏书》卷二十一下。长乐郡的郡治即今河北衡水市冀州区。㊼令望：崇高的声望。令，美好。㊽从子天光：尔朱荣的侄子尔朱天光。传见《魏书》卷七十五。㊾仓头王相：尔朱天光的保镖王相。仓头，也写作"苍头"，有"奴仆"之意，也有"武士"之意，故此注释作"保镖"，绝不是一般的仆人。一般的仆人不必出名姓。㊿荣犹疑之：担心不能成功。(151)显祖诸子孙：献文帝拓跋弘的几个儿子，也就是孝文帝的几个亲兄弟与他们的儿子。(152)各铸像：用金、铜给备选的几个人铸像，用以占卜选择哪个人好，像成为吉，不成为凶。魏人在立太子、立皇后有犹豫时常用此法以为最后的决断。(153)疾：痛恨。(154)称兵向阙：举兵杀向朝廷。称，举、举起。(155)悬军千里：越过遥远的敌占区域，即远离根据地的孤军深入。(156)河桥：洛阳东北方的黄河大桥，在今河南偃师城北，孟州城南。(157)小平津：古代黄河的重要渡口名，在今河南孟津东北，当时洛阳城的正北方。(158)河内：魏郡名，郡治野王，即今河南沁阳，地处黄河以北，在当时洛阳城的东北方，南离河桥不远。⑮⑨四月丙申：四月初九。⑯⓪霸城公子正：元子正，元勰的第三子，被封为霸城县公。⑯①自高渚渡河：渡黄河北投尔朱荣军。高渚，当时洛阳城北的黄河中的小岛名。⑯②丁酉：四月初十。⑯③河阳：黄河北岸的城镇名，在当时洛阳城的正北方，孟州的西方。⑯④戊戌：四月十一。⑯⑤子攸即帝位：即魏孝庄帝。传见《魏书》卷十。子攸是元勰的第三子，尔朱荣特别选中他，是因为子攸平常就与尔朱荣的关系好。⑯⑥以劭为无上王：元劭是元子攸之兄，又是元勰的嫡子，元勰家族的继承者。元子攸平地被尔朱荣拔出为帝，自己的底气不足，故封其兄为“无上王”以安慰之。⑯⑦始平王：始平郡王。⑯⑧领左右：统领皇帝身边的侍从与警卫人员。⑯⑨太原王：太原郡王。太原郡其周围是尔朱荣的根据地，故以此地封之。⑰⓪敬宗：新即位为帝的元子攸的庙号，即孝庄帝。⑰①开城：打开河桥城北端的城门。⑰②北中：黄河北岸的河桥城。胡三省曰：“晋杜预建河桥于富平津。河北侧岸有二城相对，魏高祖置北中郎府，徙诸从隶府户并羽林虎贲领队防之。北中不守，可以平行到洛阳矣。”〖按〗宋白有所谓“北中城，即今河阳城”，此语可疑，当时的“北中”与当时的“河阳”不是一地，河阳城在北中城的西方。⑰③骅骝厩：专门喂养良马的马棚。胡三省曰：“骅骝，骏马也，故魏以名御马厩。”⑰④兖州：魏州名，州治瑕丘，在今山东兖州的西北侧。⑰⑤乡里：指郑俨的故乡开封，郑俨是荥阳郡开封人。⑰⑥己亥：四月十二。⑰⑦法驾：皇帝车驾中的一种。《史记索隐》在《孝文本纪》引《汉官仪》云：“天子卤簿有大驾、法驾。大驾，公卿奉引，大将军参乘，属车八十一乘；法驾，公卿不在卤簿中，唯京兆尹、执金吾、长安令奉引，侍中参乘，属车三十六乘。”⑰⑧庚子：四月十三。⑰⑨幼主：胡太后新立的小皇帝，元宝晖的儿子元钊，时年三岁。⑱⓪河阴：也称平阴，古邑名，在今河南洛阳市孟津区的东北侧，当时洛阳城的正北偏西，地处黄河南岸，也是重要的渡口，名叫平阴津。⑱①前无横陈：前面无人阻挡。陈，同“阵”。横陈，横在前面的军阵。⑱②不厌服：不满意、不心服。厌，通“餍”，满足。⑱③未渡太行：不等您度过太行山。洛阳在太行、王屋之南，尔朱荣的根据地在太行、王屋之北。⑱④内变：朝内掀起的反对尔朱荣的政变。⑱⑤歼夷多士：大规模地杀戮官僚士大夫。歼夷，杀光、尽灭。《诗经·文王》有所谓“济济多士，文王以宁”，故通常以“多士”泛称士大夫。⑱⑥忠佞：忠奸。佞，善说，通常指用花言巧语搬弄是非，乱政害人。孔子又有“巧言令色鲜矣仁”之语。⑱⑦帝：此指尔朱荣所立之皇帝元子攸。⑱⑧淘渚：地名，在河阴城的西北三里。⑱⑨行宫：此所谓“行宫”即元子攸临时的歇息之处。⑲⓪其母二句：王遵业的生母，是新帝元子攸的姨母。⑲①相帅出迎：都是出来迎接尔朱荣的。⑲②慧龙：王慧龙，原为东晋人，其父王愉曾对刘裕无礼，后来刘裕在东晋掌权，官报私仇，将王愉杀害，王慧龙含愤奔魏，一直与南朝作对。事见《晋书》卷七十五。⑲③躁：浮躁；躁进。好追逐名利。⑲④禅文：自己宣布愿将皇位让给他人的文告。⑲⑤西部高车叱列杀鬼：西部地区的高车族人，姓叱列，名杀鬼。高车，即敕勒，魏国边境以北的少数民族名。⑲⑥置之幕下：放在军队的大帐里，派人看管。⑲⑦妄希天位：

梦想登基做皇帝。⑲⑧ 宜时正尊号：请您及早称帝。⑲⑨ 更择亲贤：更选一位既亲且贤的人来充当这个角色。⑳⓪ 速祸：让大祸加速地降临自己头上。⑳① 燕郡：魏郡名，郡治即今北京城的西南部。⑳② 过误：过失，指大批屠杀朝士，特别是杀害元子攸的家人。⑳③ 辛丑：四月十四。⑳④ 从太原王将士：凡是跟从尔朱荣来到洛阳的人。⑳⑤ 复租役：免除赋税徭役。⑳⑥ 山伟：先以谄附元义为谏议大夫，尔朱荣掌权，山伟为秘书监、著作郎。传见《魏书》卷八十一。⑳⑦ 拜赦：拜谢皇帝的颁布大赦。⑳⑧ 士民草草：犹言人心惶惶。草草，担心遭祸的样子。⑳⑨ 襁负：背后背着孩子。襁，背小孩用的布带。㉑⓪ 大兵交际：兵荒马乱之时。交，交锋、交战。㉑① 难可齐壹：纪律难以严格掌握。齐壹，整齐划一。㉑② 粉躯不足塞咎：碎尸万段也不能补救过失。㉑③ 微申私责：稍稍弥补一点心亏。㉑④ 赠三司：追赠为司徒、司马、司空。㉑⑤ 令、仆：尚书令与尚书左右仆射。㉑⑥ 七品已下及白民：白民，犹言“白丁”，没有官爵的平头百姓。㉑⑦ 赠郡、镇：赠予郡守或镇将之职。㉑⑧ 听继：允许任选继承人。㉑⑨ 即授封爵：立刻就授予他相应的职位。㉒⓪ 粗安：大致安定下来。粗，略、大致。㉒① 韶：元韶，元劭之子。传见《北史》卷十九。㉒② 都官尚书元谌：都官尚书是尚书省的官员，佐督军事。元谌是赵郡王元干之子。传见《魏书》卷二十一上。㉒③ 君应知之：恫吓语，言外之意是你应该知道我的厉害。㉒④ 位居常伯：都官尚书相当于古代的常伯。常伯，相当于州牧，亦即州刺史一级。也有说常伯侍应在皇帝周围，有如侍中、散骑常侍等。㉒⑤ 正使：即使。㉒⑥ 欲抵谌罪：想治他一个罪名。抵，当、判处。㉒⑦ 尔朱世隆：尔朱荣的堂兄弟。传见《魏书》卷七十五。㉒⑧ 元尚书：以称元谌。㉒⑨ 深不可夺：实在是不可辩驳、不可动摇。㉓⓪ 谧：元谧，一个残暴不仁的恶劣贵族，曾任州刺史，因与胡太后是亲戚，故不受惩处。传见《魏书》卷二十一上。㉓① 癸卯：四月十六。㉓② 李延寔：李冲之子，魏主元子攸的皇后之兄。传见《魏书》卷八十三下。㉓③ 广陵王恭：元恭，广陵王元羽之子，即后来的前废帝。传见《魏书》卷十一。㉓④ 起家暴贵：从一个不起眼的家庭一步登天地成了大贵族。㉓⑤ 冲：李冲，孝文帝、宣武帝时代的名臣，有道德、有功业，史称之为“固一时之秀”。传见《魏书》卷五十三。㉓⑥ 帝舅：皇帝元子攸的舅舅。㉓⑦ 北海：魏郡名，郡治在今山东潍坊西南。㉓⑧ 泰山：魏郡名，郡治在今山东泰安东南。㉓⑨ 丁未：四月二十。㉔⓪ 魏郢州：魏国郢州的州治义阳，即今河南信阳。㉔① 郢州：梁国的郢州州治江夏，即今湖北武汉的汉阳区。㉔② 元树：魏献文帝拓跋弘之孙，咸阳王元禧之子，因元禧在魏叛乱被杀，元树逃往梁国，在梁任郢州刺史。传见《魏书》卷二十一上、《梁书》卷三十九。㉔③ 楚城：在今河南信阳北，原为魏地，上年被梁将夏侯夔所攻得。㉔④ 留镇：留镇魏之郢州，即今河南信阳。㉔⑤ 司州：梁国的司州州治本来在义阳（今河南信阳），义阳被魏人占去后，改在今湖北安陆。㉔⑥ 毛城：魏城名，在今河南正阳西北。㉔⑦ 南顿：魏郡名，郡治在今河南项城西。㉔⑧ 陈项：陈郡的郡治项县，即今河南沈丘。㉔⑨ 源子恭：魏国元勋老臣源贺之孙，曾任平南将军、豫州刺史，此时任尚书行台。传见《魏书》卷四十一。㉕⓪ 庚戌：四月二十三。㉕① 赞拜不名：在给皇帝行叩拜礼的时候，司仪的官员只唱叩拜人的官爵，不唱他的名字，以表示对他的格外敬重。㉜汝南王悦：元悦，孝文帝元宏之子。传见《魏书》卷二十二。㉝临淮王彧：元彧，太武帝拓跋焘的玄孙。传见《魏书》卷十八。㉞雅素：这里的意思是心口如一，怎么想就怎么说。㉟将之相州：元颢当时任相州刺史，准备前往州治邺城上任。㊱汲郡：魏郡名，郡治即今河南卫辉，在当时邺城的南方，相距不远。㊲殷州：治所在今河北隆尧东侧。㊳甄密：魏国幸臣甄琛的堂兄弟，肃宗末以行台守邺。传见《魏书》卷六十八。㊴相帅：带领众人。㊵琛：甄琛，孝文、宣武、肃宗三朝的幸臣，曾谄事高肇，又谄事崔光。传见《魏书》卷六十八。㊶北青州：魏州名，州治在今山东青州。但此地距梁国较远，在今江苏连云港市北，梁国曾设有南、北二青州，有人以为此地或被魏所占，今元世儁举之来归。㊷南荆州：魏州名，州治在今湖北枣阳。

【校记】

［1］蒲反：据章钰校，乙十一行本作“蒲坂”，张瑛《通鉴校勘记》同。［2］下：据章钰校，甲十一行本、乙十一行本、孔天胤本皆作“减”。［3］司：原作“同”。严衍《通鉴补》改作“司”，当是，今从改。〖按〗《魏书·长孙道生传附观子稚传》亦

【原文】

五月丁巳朔[263]，魏加尔朱荣北道大行台。以尚书右仆射元罗[264]为东道大使，光禄勋元欣[265]副之，巡方黜陟[266]，先行后闻[267]。欣，羽之子也。

尔朱荣入见魏主于明光殿，重谢[268]河桥之事，誓言无复贰心[269]。帝自起止之，因复为荣誓[270]，言无疑心。荣喜，因求酒饮之，熟醉，帝欲诛之，左右苦谏，乃止，即以床轝[271]向中常侍省[272]。荣夜半方寤，遂达旦不眠，自此不复禁中宿矣。

荣女先为肃宗嫔[273]，荣欲敬宗立以为后，帝疑未决，给事[13]黄门侍郎祖莹[274]曰：“昔文公在秦[275]，怀嬴入侍[276]。事有反经合义[277]，陛下独何疑焉！”帝遂从之，荣意甚悦。

作“司”。《魏书·食货志》云:“延兴末,复立监司,量其贵贱,节其赋入,于是公私兼利。”[4]诈:原无此字。据章钰校,甲十一行本、乙十一行本、孔天胤本皆有此字,张敦仁《通鉴刊本识误》、张瑛《通鉴校勘记》同,今据补。[5]唐:原作“广”。胡三省注云:“‘广’当作‘唐’。魏收《志》:‘孝昌中置唐州,高薇建义改唐州曰晋州’。”今据改。〖按〗《魏书·地理志》:“广州,永安中置,治鲁阳。”则此时广州尚未置也。[6]除:据章钰校,甲十一行本、乙十一行本、孔天胤本皆作“诛”。[7]禁:原作“侍”。据章钰校,甲十一行本、乙十一行本、孔天胤本皆作“禁”,张敦仁《通鉴刊本识误》同,今据改。[8]子:原无此字。据章钰校,甲十一行本、乙十一行本、孔天胤本皆有此字,张敦仁《通鉴刊本识误》、张瑛《通鉴校勘记》同,今据补。[9]自:原作“思”。据章钰校,甲十一行本、乙十一行本、孔天胤本皆作“自”,张敦仁《通鉴刊本识误》同,今据改。[10]皆:原无此字。据章钰校,甲十一行本、乙十一行本、孔天胤本皆有此字,今据补。[11]者:据章钰校,甲十一行本“者”下有“请”字;乙十一行本“者”下有“诸”字,张敦仁《通鉴刊本识误》同。[12]及:原无此字。据章钰校,甲十一行本、乙十一行本、孔天胤本皆有此字,今据补。

【语译】

五月初一日丁巳,魏国朝廷加授尔朱荣为北道大行台。任命担任尚书右仆射的元罗为东道大使,任命担任光禄勋的元欣为东道副大使,到全国各地巡行视察,对地方官员可以直接进行提升或降免,有权先执行后奏报。元欣,是元羽的儿子。

尔朱荣进入明光殿朝见魏孝庄皇帝元子攸,就河桥城监禁孝庄帝之事再一次向元子攸道歉、请罪,发誓说再也不会对孝庄帝怀有二心。孝庄皇帝亲自起来阻止尔朱荣向自己道歉,并借机向尔朱荣发誓,说自己对尔朱荣从来没有疑心。尔朱荣非常高兴,于是向孝庄皇帝要来美酒喝,喝得酩酊大醉,孝庄皇帝想要趁机杀死尔朱荣,左右侍从苦苦劝阻,才没有动手,随后让人用软轿把尔朱荣抬到侍中、常侍等官员集会办公的门下省。尔朱荣半夜时分才醒过来,于是一直坐到天亮都没有再敢入睡,从此以后尔朱荣便不再在宫中住宿了。

尔朱荣的女儿原本是魏肃宗的嫔妃,尔朱荣想让敬宗把他的女儿立为皇后,敬宗元子攸犹豫不决,担任给事黄门侍郎的祖莹说:“过去晋文公重耳流亡到秦国的时候,接受了秦穆公把已经嫁给自己侄子晋怀公的女儿怀嬴又嫁给自己为妻。事情虽然违反常理,却是办大事所必需的,陛下还独自怀疑什么呢!”孝庄帝于是听从了尔朱荣的意见,立尔朱荣的女儿为皇后,尔朱荣非常高兴。

荣举止轻脱[278]，喜驰射，每入朝见，更无所为，唯戏上下马[279]；于西林园宴射[280]，恒请皇后[281]出观，并召王公、妃主共在一堂。每见天子射中，辄自起舞叫，将相卿士悉皆盘旋[282]，乃至妃主亦不免随之举袂。及酒酣耳热，必自匡坐[283]唱虏歌。日暮罢归，与左右连手蹋地唱《回波乐》[284]而出。性甚严暴，喜愠无常，刀槊弓矢，不离于手，每有瞋嫌[285]，辄[14]行击射，左右恒有死忧。尝见沙弥[286]重骑一马[287]，荣即令相触[288]，力穷不能复[15]动，遂使傍人以头相击，死而后已。

辛酉[289]，荣还晋阳，帝饯之于邙阴[290]。荣令元天穆入洛阳，加天穆侍中、录尚书事、京畿大都督，兼领军将军；以行台郎中桑乾朱瑞[291]为黄门侍郎兼中书舍人，朝廷要官，悉用其腹心为之。

丙寅[292]，魏主诏："孝昌[293]以来，凡有冤抑无诉[294]者，悉集华林东门[295]，当亲理[296]之。"时承丧乱之后，仓廪虚竭，始诏"入粟八千石者赐爵散侯[297]，白民输五百石者赐出身[298]，沙门授本州统[299]及郡县维那[300]"。

尔朱荣之趣洛也，遣其都督樊子鹄取唐州，唐州刺史崔元珍[301]、行台郦恽拒守不从。乙亥[302]，子鹄拔平阳[303]，斩元珍及恽。元珍，挺[304]之从父弟也。

将军曹义宗[305]围魏荆州[306]，堰水灌城，不没者数板[307]。时魏方多难，不能救，城中粮尽，刺史王罴煮粥与将士均分食之。每出战，不擐甲胄[308]，仰天大呼曰："荆州城，孝文皇帝所置，天若不祐国家，令箭中

尔朱荣行动比较随便，不注意自己的身份以及贴身防卫等，又喜欢骑马驰骋射箭，每次入朝觐见孝庄皇帝，更没有别的事情要做，只是表演上马下马的动作以为笑乐；尔朱荣在西林园设宴，宴会上比赛射箭，尔朱荣经常请皇后出来观看，并召请那些王公、嫔妃、公主共聚一堂。每当看见孝庄帝射箭射中的时候，尔朱荣就会情不自禁地站起来一边跳舞一边喊叫，将相卿士全都旋转起舞，以至于嫔妃、公主也不免随着他们的节拍举起衣袖翩翩起舞。等到喝得酒酣耳热的时候，尔朱荣自己一定要正襟危坐歌唱胡人的歌曲。傍晚时分酒宴结束各自返回的时候，尔朱荣就与自己身边的侍从手拉着手双脚轮番踏着地嘴里唱着《回波乐》走出西林园。尔朱荣的性情非常严酷暴躁，喜怒无常，刀、槊、弓箭等从不离手，每当生气或是怀恨某人的时候，立即就会用手中的刀、槊将其击杀，或用手中的弓箭将其射杀，他身边的侍从经常担忧不知道什么时候就会死在尔朱荣的手里。尔朱荣曾经看见两个和尚共同骑在一匹马上，立刻就让他们两人互相碰撞，两个和尚已经累得筋疲力尽，再也不能动弹的时候，尔朱荣就让旁边的人抓住他们两人的头互相撞击，一直撞到死才住手。

五月初五日辛酉，尔朱荣返回自己的根据地晋阳，孝庄帝在邙山之北为尔朱荣设宴饯行。尔朱荣命令担任太尉的上党王元天穆进入洛阳，加授元天穆为侍中、录尚书事、京畿大都督，兼领军将军；任命担任行台郎中的桑乾郡人朱瑞为黄门侍郎兼中书舍人，朝廷中的主要官员，尔朱荣全部任用他的心腹。

五月初十日丙寅，魏孝庄帝下诏说："肃宗孝昌年间以来，凡是有冤屈而没有得到申诉的，全都到华林东门集合，我要亲自为他们审理冤情。"当时国家正处在肃宗皇帝刚刚去世、全国各地战乱不断之后，国家仓库的钱粮储备已经空虚枯竭，孝庄帝开始下诏"凡是有官职在身的只要向朝廷缴纳八千石粮食就赐封为散侯，平民百姓向朝廷缴纳五百石粮食就改变其平民百姓的身份，享受最基本的士大夫待遇，如果是和尚向朝廷缴纳五百石粮食就令其做该州所有僧众的头领或是管理本郡、本县僧众的头领。"

尔朱荣在率军南下前往洛阳的时候，派遣自己属下担任都督的樊子鹄去夺取唐州，魏国担任唐州刺史的崔元珍、担任行台的郦恽率军坚守唐州州城平阳，不向樊子鹄屈服。五月十九日乙亥，樊子鹄攻克了平阳城，杀死了崔元珍和郦恽。崔元珍，是崔挺的堂弟。

梁国的将军曹义宗率军包围了魏国的荆州城，他们在长江下游筑堰提高长江水位淹灌荆州城，荆州城城墙只差几板高就要被水淹没。当时魏国正遭遇多种灾难，没有能力出兵救援荆州，荆州城中的粮食已经吃光了，担任荆州刺史的王罴就煮粥与将士们平均分食。每次出城与梁军作战，王罴都不穿铠甲，他仰天大叫说："荆州城，是孝文皇帝设置的，上天如果不再保佑魏国，就让箭射中我王罴的前额；不然

王罴额；不尔，王罴必当破贼！”弥历三年，前后搏战甚众，亦不被伤。癸未[309]，魏以中军将军费穆都督南征诸军事，将兵救之。

魏临淮王彧闻魏主定位，乃以母老求还，辞情恳至。上惜其才而不能违，六月丁亥[310]，遣彧还。魏以彧为侍中、骠骑大将军，加仪同三司。

魏员外散骑常侍高乾，祐[311]之从子也，与弟敖曹、季式皆喜轻侠[312]，与魏主有旧。尔朱荣之向洛也，逃奔齐州[313]，闻河阴之乱，遂集流民起兵于河、济之间[314]，受葛荣官爵，频破州军。魏主使元欣谕旨，乾等乃降。以乾为给事黄门侍郎兼武卫将军，敖曹为通直散骑侍郎。荣以乾兄弟前为叛乱，不应复居近要，魏主乃听解官归乡里。敖曹复行抄掠，荣诱执之，与薛脩义同拘于晋阳[315]。敖曹名昂，以字行[316]。

葛荣军乏食，遣其仆射任褒将兵南掠至沁水[317]。魏以元天穆为大都督、东北道诸军事，帅宗正珍孙等讨之。前幽州平北府主簿[318]河间[319]邢杲帅河北流民十万余户反于青州之北海[320]，自称汉王，改元天统。戊申[321]，魏以征东将军李叔仁为车骑大将军、仪同三司，帅众讨之。

辛亥[322]，魏主诏曰：“朕当亲御六戎[323]，扫静燕、代[324]。”以大将军尔朱荣为左军，上党王天穆为前军，司徒杨椿为右军，司空穆绍为后军。葛荣退屯相州之北。

秋，七月乙丑[325]，魏加尔朱荣柱国大将军、录尚书事。

壬子[326]，魏光州[327]民刘举聚众反于濮阳[328]，自称皇武大将军。

是月，万俟丑奴自称天子，置百官。会波斯国[329]献师子[330]于魏，丑奴留之，改元神兽。

魏泰山太守羊侃[331]，以其祖规[332]尝为宋高祖[333]祭酒从事[334]，常有

的话，我王罴一定能打败入侵的贼军！”就这样历经三年，王罴与梁军前后进行了无数次的战斗，从来没有被梁军所伤。五月二十七日癸未，魏国朝廷派遣担任中军将军的费穆为都督南征诸军事，率军救援荆州。

魏国临淮王元彧听说魏国的皇位已经由元子攸继承，于是就以自己的母亲已经年老为由向梁武帝萧衍请求允许自己返回魏国，言辞恳切、情真意切。梁武帝爱惜他是个人才而不愿意违背他的心愿，六月初一日丁亥，梁武帝遣送临淮王元彧返回魏国。魏国朝廷任命临淮王元彧为侍中、骠骑大将军，加授开府仪同三司。

魏国担任员外散骑常侍的高乾，是高祐的侄子，他与自己的弟弟高敖曹、高季式都喜欢行侠仗义，他们兄弟三人都与魏孝庄皇帝是老朋友。尔朱荣率军向洛阳进兵的时候，高氏兄弟逃往魏国的齐州，后来听到尔朱荣在河阴大肆杀戮朝廷文武百官的时候，就召集流民在黄河与济水流域起兵反抗尔朱荣，他们接受了葛荣所封的官爵，率军多次打败州府的官军。魏孝庄帝派元欣前往传达皇帝的旨意，高乾等才向朝廷投降。孝庄帝任命高乾为给事黄门侍郎兼武卫将军，任命高敖曹为通直散骑侍郎。尔朱荣认为高乾兄弟此前参加过葛荣的叛军反抗朝廷，不应该再在皇帝身边担任重要官职，魏孝庄帝只得听任尔朱荣解除了他们的官职令他们返回自己的故乡。高敖曹回到故乡之后再次干起行侠仗义、杀富济贫的事情，尔朱荣诱捕了高敖曹，把他与在河东郡聚众造反的薛脩义一同关押在晋阳。高敖曹名叫高昂，敖曹是他的字，说起“高昂”无人知晓，说起“高敖曹”则无人不知。

叛民首领葛荣的军中缺乏粮食，葛荣派遣属下担任尚书仆射的任褒率军向南抢掠一直到达沁水县境内。魏国朝廷任命元天穆为大都督、东北道诸军事，率领大都督宗正珍孙等人前往沁水县讨伐任褒。魏国曾经担任过幽州平北府主簿的河间郡人邢杲率领河北的十多万户流民在青州属下的北海郡造反，邢杲自称汉王，改年号为天统元年。六月二十二日戊申，魏国朝廷任命征东将军李叔仁为车骑大将军、开府仪同三司，率众前往北海郡讨伐聚众造反的邢杲。

六月二十五日辛亥，魏孝庄皇帝下诏说：“我要亲自统领全国的军队，扫清燕、代二州境内的叛乱。”孝庄帝任命担任大将军的尔朱荣为左军统帅，任命上党王元天穆担任前锋，任命担任司徒的杨椿为右军统帅，任命担任司空的穆绍为后军统帅。葛荣听到这个消息之后就率军撤退到相州以北屯扎。

秋季，七月初十日乙丑，魏国朝廷加授尔朱荣为柱国大将军、录尚书事。

壬子日，魏国光州境内的百姓刘举在濮阳聚众造反，刘举自称皇武大将军。

本月，万俟丑奴自称天子，并设置了文武百官。碰巧赶上波斯国向魏国进贡了一头狮子，万俟丑奴扣留了这头狮子，改年号为神兽元年。

魏国担任泰山太守的羊侃，因为自己的祖父羊规曾经在宋高祖刘裕属下担任祭酒从事，所以经常有返回南朝的想法。胡太后的宠臣徐纥在尔朱荣即将进入洛阳之

南归之志㉟。徐纥往依之，因劝侃起兵，侃从之。兖州刺史羊敦，侃之从兄也，密知之，据州拒侃。八月，侃引兵袭敦，弗克，筑十余城守㊱之，且遣使来降。诏广晋县侯泰山羊鸦仁㊲等将兵应接。魏以侃为骠骑大将军、泰山公、兖州刺史，侃斩其使者不受。

将军王弁侵魏徐州，蕃郡㊳[16]民续灵珍拥众万人攻蕃郡以应梁。魏徐州刺史杨昱击灵珍，斩之，弁引还。

甲辰㊴，魏大都督宗正珍孙击刘举于濮阳，灭之。

葛荣引兵围邺，众号百万，游兵已过汲郡，所至残掠，尔朱荣启求讨之。九月，尔朱荣召从子肆州㊵刺史天光留镇晋阳，曰："我身不得至处，非汝无以称我心。"自帅精骑七千，马皆有副，倍道兼行。东出滏口㊶，以侯景㊷为前驱。葛荣为盗日久，横行河北，尔朱荣众寡非敌，议者谓无取胜之理。葛荣闻之，喜见于色，令其众曰："此易与㊸耳，诸人俱办㊹长绳，至则缚取。"自邺以北，列陈数十里，箕张而进㊺。尔朱荣潜军山谷，为奇兵，分督将㊻已上三人为一处，处有数百骑，令所在扬尘鼓噪，使贼不测多少。又以人马逼战㊼，刀不如棒，勒军士赍袖棒㊽一枚，置于马侧，至战时虑废腾逐㊾，不听斩级㊿，以棒棒之而已(351)。分命壮勇所向冲突(352)，号令严明，战士同奋。尔朱荣身自陷陈，出于贼后，表里合击，大破之。于陈擒葛荣，余众悉降。以贼徒既众，若即分割，恐其疑惧，或更结聚，乃下令各从所乐，亲属相随，任所居止。于是群情大喜，登即四散，数十万众一朝散尽。

前便逃离洛阳投奔了羊侃，徐纥趁机劝说羊侃起兵，羊侃听从了徐纥的劝说，于是起兵造反。担任兖州刺史的羊敦，是羊侃的堂兄，羊敦秘密地知道了羊侃叛变的消息，就据守兖州抗拒羊侃。八月，羊侃率领泰山郡兵袭击羊敦，没能取胜，于是就修筑起十多座城垒围困羊敦，并派遣使者到梁国请求投降。梁武帝下诏令广晋县侯泰山郡人羊鸦仁等率军前往接应羊侃。魏国朝廷也派使者来到泰山郡任命羊侃为骠骑大将军、泰山郡公、兖州刺史，羊侃杀死了魏国朝廷的使者，没有接受魏国朝廷的任命。

梁国的将军王弁率军入侵魏国的徐州，魏国蕃郡的百姓续灵珍率领一万人进攻蕃郡以响应梁国的将军王弁。魏国担任徐州刺史的杨昱率军袭击续灵珍，把续灵珍杀死，王弁率军撤回梁国境内。

八月十九日甲辰，魏国大都督宗正珍孙在濮阳进攻聚众造反自称皇武大将军的刘举，把刘举消灭。

叛民首领葛荣率军包围了邺城，号称自己的部众有一百万，前方负责侦查的士兵已经经过汲郡，所到之处全都遭到他们的残酷抢掠，尔朱荣奏请出兵讨伐葛荣。九月，尔朱荣将自己的侄子担任肆州刺史的尔朱天光招来，令其留镇晋阳，尔朱荣对尔朱天光说："我到不了的地方，除非你去，其他人都不能令我放心。"尔朱荣亲自率领七千精锐骑兵，每名骑兵都配备一匹备用的战马，他们不分日夜加倍速度前进。穿过滏口陉越过太行山东出到达河北，尔朱荣任命侯景为前锋。葛荣起兵做强盗时日已久，他的势力遍布河北，尔朱荣所率领的骑兵与葛荣的兵力相比寡众悬殊，属下将士都认为尔朱荣没有取胜的可能。葛荣听到这些议论以后，不禁喜形于色，他命令自己的部众说："尔朱荣很容易对付，你们只需多预备一些长绳子，尔朱荣来到之后你们就用绳子把他捆起来。"葛荣在邺城以北，列阵数十里，像畚箕一样张着大口向尔朱荣推压过来。尔朱荣把军队隐蔽在山谷里，部署军队准备出其不意对葛荣发起攻击，他把督将以上的军官三人分为一组，每组率领数百名骑兵，令他们在所在的地方扬尘呐喊，使葛荣的军队搞不清尔朱荣究竟来了多少人马。尔朱荣又认为自己的骑兵与葛荣的步兵近距离作战，用刀不如用棒，于是令手下的骑兵每人携带一根可以收在袖子里的短棒，放在战马的侧面，等到与敌军作战时怕耽误追击敌人，尔朱荣于是下令不要再斩下敌人的人头，只要用短棒将敌人打死就行了。分别命令壮勇之士按照指定的方向奋勇冲杀，尔朱荣号令严明，战士同心同德奋勇杀敌。尔朱荣亲自冲锋陷阵，他突然出现在贼军背后，对葛荣军进行前后夹击，立即把葛荣军打得大败。在战场上活捉了叛民首领葛荣，其余的贼军全部投降。尔朱荣因为贼徒众多，如果立即把他们分隔开，恐怕他们会心生疑惧，导致他们再次聚集造反，于是就下令让他们根据自己的心愿，与亲属在一起，愿意在哪里居住就在哪里居住，葛荣的部众都非常高兴，立即四散而去，数十万人一个上午就散完了。

待出百里之外，乃始分道押领，随便安置㉝，咸得其宜。擢其渠帅㉞，量才授任，新附者咸安，时人服其处分机速㉟。以槛车送葛荣赴洛，冀、定、沧、瀛、殷五州皆平。时上党王天穆军于朝歌㊱之南，穆绍、杨椿犹未发，而葛荣已灭，乃皆罢兵。

初，宇文肱从鲜于脩礼攻定州，战死于唐河㊲。其子泰在脩礼军中，脩礼死，从葛荣；葛荣败，尔朱荣爱泰之才，以为统军。

乙亥㊳，魏大赦，改元永安。

辛巳㊴，以尔朱荣为大丞相、都督河北畿外㊵诸军事，荣子平昌公文殊、昌乐公文畅并进爵为王，以杨椿为太保，城阳王徽㊶为司徒。

冬，十月丁亥㊷，葛荣至洛，魏主御阊阖门㊸引见㊹，斩于都市㊺。

帝以魏北海王颢为魏王㊻，遣东宫直阁将军陈庆之㊼将兵送之还北㊽。丙申㊾，魏以太原王世子尔朱菩提为骠骑大将军、开府仪同三司。丁酉㊿，以长乐[371]等七郡各万户，通前十万户，为太原王荣国[372]。戊戌[373]，又加荣太师，皆赏擒葛荣之功也。

壬子[374]，魏江阳武烈王继[375]卒。

魏使征虏将军韩子熙招谕邢杲，杲诈降而复反。李叔仁击杲于潍水[376][17]，失利而还。

魏费穆奄至荆州，曹义宗军败，为魏所擒，荆州之围始解[377]。

元颢袭[18]魏铚城[378]而据之。

魏行台尚书左仆射于晖[379]等兵数十万，击羊侃于瑕丘[380]，徐纥恐事不济，说侃请乞师于梁，侃信之，纥遂来奔。晖等围侃十余重，栅中[381]矢尽，南军不进。十一月癸亥[382]夜，侃溃围出，且战且行，一日一夜乃出魏境，至渣口[383]，众尚万余人，马二千匹。士卒皆竟夜悲歌，侃乃谢曰："卿等怀土，理不能相随[384]，幸适去留[385]，于此为别。"各拜

等他们走出一百里开外，尔朱荣就开始派人分道押送、引领着他们，根据现有条件进行安置，使他们人人都觉得安置得很合适。尔朱荣还提拔了他们当中的那些头领，根据他们的才能授予他们相应的官职，新归附的这些人全都安下心来，当时的人看到尔朱荣在这个问题上处理得如此得当、如此迅速，都非常佩服他。尔朱荣用囚车把葛荣押送洛阳，冀州、定州、沧州、瀛州、殷州五州境内的叛乱于是全部平定。当时上党王元天穆的军队驻扎在朝歌以南，穆绍、杨椿还没有率军出发，而葛荣已经被尔朱荣消灭，于是诸将全都罢兵。

当初，宇文肱跟随鲜于脩礼进攻定州，战死在唐河。宇文肱的儿子宇文泰在鲜于脩礼的军中，鲜于脩礼被杀死之后，宇文泰就归顺了葛荣；如今葛荣又失败被擒，尔朱荣爱惜宇文泰的才能，就任命宇文泰为统军。

九月二十一日乙亥，魏国实行大赦，改年号为永安元年。

二十七日辛巳，魏国朝廷任命尔朱荣为大丞相、都督河北畿外诸军事，尔朱荣的儿子平昌公尔朱文殊、昌乐公尔朱文畅全都晋爵为王，任命杨椿为太保，城阳王元徽为司徒。

冬季，十月初三日丁亥，葛荣被押送到洛阳，魏孝庄帝驾临阊阖门，葛荣被人押送到阊阖门前让孝庄帝观看，然后，将葛荣押往人烟凑集的大集市斩首示众。

梁武帝任命前来投降的北海王元颢为魏王，派遣担任东宫直阁将军的陈庆之率军护送魏王元颢回到北方。十月十二日丙申，魏国朝廷任命太原王尔朱荣的世子尔朱菩提为骠骑大将军、开府仪同三司。十三日丁酉，把长乐等七个郡每郡各一万户，连同太原王尔朱荣以前的十万户，作为太原王尔朱荣的封地。十四日戊戌，又加授尔朱荣为太师，这些都是赏赐尔朱荣擒获葛荣之功的。

十月二十八日壬子，魏国江阳武烈王元继去世。

魏国派遣担任征虏将军的韩子熙为使者去招抚、劝说邢杲投降朝廷，邢杲假装投降之后再次造反。李叔仁率军在潍水一带进攻邢杲，失败后撤回。

魏国奉命救援荆州的费穆率领魏军突然到达荆州，梁国将军曹义宗在迎战费穆的战斗中失败，被魏军俘虏，荆州之围才得以解除。

元颢袭击魏国的铚城，将铚城占领。

魏国担任行台尚书左仆射的于晖等率领数十万大军，在瑕丘进攻羊侃，徐纥担心羊侃举事不能成功，就劝说羊侃派自己前往梁国请求出兵相救，羊侃相信了徐纥，徐纥于是向南投奔了梁国。于晖等人把羊侃军里里外外包围了十多重，羊侃城中的箭矢已经用光了，梁国的援军却不见到来。十一月初十日癸亥的夜间，羊侃突围而出，一边作战一边行进，经过一日一夜才逃出魏国的国境，到达渣口的时候，他的手下还有一万多人，二千匹战马。士卒整夜都在悲凉地唱歌，羊侃于是向他们道歉说："你们怀恋故土，确实不能让你们再跟着我走了，请你们各随己意，愿意跟随我的就继续跟随我，愿意留下来的就留下来，我们就在此告别吧。"跟随羊侃的那些军

辞而去。魏复取泰山。晖，劲之子也。

戊寅[386]，魏以上党王天穆为大将军、开府仪同三司，世袭并州刺史。

十二月庚子[387]，魏诏于晖还师讨邢杲。

葛荣余党韩楼复据幽州反，北边被其患。尔朱荣以抚军将军贺拔胜为大都督，镇中山[388]，楼畏胜威名，不敢南出。

【段旨】

以上为第二段，写梁武帝大通二年（公元五二八年）五月至十二月共八个月间的大事。主要写了魏主元子攸深恨尔朱荣之残暴凶狠，但又能不露形迹，他坦然接受了尔朱荣之女为皇后，博得了尔朱荣的欢心。写了河北地区的变民头领葛荣向南抢掠进入河内郡，魏出大兵进讨，葛荣退屯相州北。写了尔朱荣以精骑七千大破葛荣数十万众于邺城的精彩战役，以见尔朱荣的有勇有谋，结果葛荣被擒杀，葛荣的余部韩楼复据幽州坚持反魏，北边受其患。写了魏臣高乾发动流民政变，屡破政府军，后被朝廷招服。写了光州民刘举聚众造反于濮阳，魏将宗正珍孙讨灭之，均可见魏国的政治问题之广泛与严重。写了魏北海王元颢投降梁朝，被萧衍封为魏王，在梁朝名将陈庆之的带兵护送下返回魏国地面，建立分裂政权，元颢首取铚城而据之。此外也写了魏国的某些将领，如崔元珍之守平阳、王罴之守荆州，皆极忠勇；以及魏之乱臣徐纥逃依泰山太守羊侃，说羊侃起兵降梁，并攻兖州刺史羊敦，徐纥与羊侃先后出瑕丘南逃降梁；梁将曹义宗攻魏荆州兵败，被魏人所擒等。

【注释】

㉖③五月丁巳朔：五月初一是丁巳日。㉖④元罗：元继之子，元义之弟。传见《魏书》卷十六。㉖⑤元欣：元羽之子，献文帝拓跋弘之孙。传见《魏书》卷二十一上。㉖⑥巡方黜陟：巡行视察全国各地，对地方官可进行提升或降免。㉖⑦先行后闻：先进行赏罚，而后再向朝廷报告。闻，奏明、报告。㉖⑧重谢：再次道歉、请罪。㉖⑨无复贰心：再也不会三心二意了。㉗⓪为荣誓：向着尔朱荣发誓。㉗①舉：软轿；滑竿。这里用如动词，即抬。㉗②中常侍省：门下省，侍中、常侍等亲信官员集会办公之地。㉗③肃宗嫔：肃宗元诩的嫔妃。㉗④给事黄门侍郎祖莹：魏国的文学博雅之臣。传见《魏书》卷八十二。㉗⑤文公在秦：晋文公重耳周游到秦国的时候。重耳是晋献公之子，晋献公听骊姬谗言，杀太子申生，

士于是各自告别而去。魏军重又夺取了泰山郡。于晖，是于劲的儿子。

二十五日戊寅，魏国朝廷任命上党王元天穆为大将军、开府仪同三司，世袭并州刺史。

十二月庚子日，魏孝庄帝下诏令行台尚书左仆射于晖从泰山郡撤军前往北海郡讨伐聚众造反的邢杲。

葛荣的余党韩楼又占据幽州造反，魏国北部地区深受其害。尔朱荣任命担任抚军将军的贺拔胜为大都督，镇守中山郡，韩楼畏惧贺拔胜的威名，不敢向南进兵。

又欲杀群公子，于是重耳、夷吾等纷纷逃向国外。后来夷吾回国为君，是为惠公。惠公死后，怀公继位。这时重耳周游到秦国，想寻求秦国的帮助以打回晋国。㉗⑥怀嬴入侍：怀嬴是秦穆公之女，晋惠公所以能回晋国为君本来也是秦穆公帮的忙。他为了取得秦穆公的信任，故派其子怀公入秦为人质。秦穆公为了收买为质的怀公，故将自己之女嫁之为妻。惠公死后，怀公偷偷逃回晋国。秦穆公痛恨晋惠公父子的一系列反秦、叛秦举动，故而热心对待重耳，于是把本已嫁给怀公为妻的女儿又嫁给了重耳。按辈分，重耳是怀公之叔，他开始不愿接受这个女子，后来想明白这是一种政治需要，才接受了。㉗⑦反经合义：虽然违反常规，却是办大事所必需的。经，常规、常理。义，宜也，眼下必须做的。㉗⑧轻脱：行动比较随便，不注意自己的身份以及贴身防卫等。㉗⑨戏上下马：表演上马下马的动作以为笑乐。㉘⓪宴射：在宴会上比赛射箭。㉘①皇后：即尔朱荣的女儿，前为肃宗嫔妃。㉘②盘旋：一种北方民族的舞姿，唐代安禄山善胡旋舞，今新疆维吾尔族舞蹈亦有旋转极快的动作。㉘③匡坐：正坐。㉘④《回波乐》：北方民族的乐曲名。㉘⑤瞋嫌：生气；怀恨。㉘⑥沙弥：小和尚；刚出家的和尚。㉘⑦重骑一马：两人共骑一马。㉘⑧相触：相撞；相扑。㉘⑨辛酉：五月初五。㉙⓪邙阴：邙山之北侧。㉙①桑乾朱瑞：桑乾是魏郡名，郡治在今山西应县西南，山阴东。朱瑞，尔朱荣的亲信，但为人正直，遂也成为魏主的忠臣。传见《魏书》卷八十。㉙②丙寅：五月初十。㉙③孝昌：魏肃宗的第四个年号（公元五二五至五二七年）。㉙④有冤抑无诉：有冤屈而未得申诉。㉙⑤华林东门：华林园的东门。华林园是洛阳城内的皇家园林。㉙⑥亲理：皇帝亲自为其审理。㉙⑦入粟八千石者赐爵散侯：胡三省曰，“此有官入粟者之赐也。魏制，散侯降开国侯一品”。疑与汉代之关内侯相似，有爵位而无封地。㉙⑧赐出身：改变其平头百姓的身份，享受最基本的士大夫待遇。㉙⑨本州统：该州所有僧众的头领。㉚⓪郡县维那：管理本郡或本县僧众的头领。㉚①崔元珍：崔挺的堂兄弟，先任平阳太守，后平阳改唐州，元珍又任唐州刺史。传见《魏书》卷五十七。㉚②乙亥：五月十九。㉚③平阳：魏郡名，郡治即今山西临汾。后来又改为唐州的州治所在地。㉚④挺：崔挺，魏孝文、宣武时代的名臣，曾任中书侍郎、光州刺史。传

见《魏书》卷五十七。㉟曹义宗：梁朝的名将，梁朝的元勋曹景宗之弟，曹义宗于普通六年率军北上，攻取了魏国的顺阳郡。传见《南史》卷五十五。㊱魏荆州：州治即今河南鲁山县。㊲板：筑墙用的夹板，其宽二尺。古时尺小，一尺约当二十三点一厘米。㊳不擐甲胄：不穿铠甲、不戴头盔。擐，穿、套。㊴癸未：五月二十七。㊵六月丁亥：六月初一。㊶祐：高祐，魏国文学之臣。传见《魏书》卷五十七。㊷喜轻侠：喜欢行侠仗义。轻，喜欢出手。㊸齐州：魏州名，州治历城，即今山东济南。㊹河、济之间：黄河与济水流域，即今之河南北部与山东西北部一带地区。㊺与薛脩义同拘于晋阳：胡三省曰，"薛脩义为龙门镇将，附萧宝寅，既降而反侧，故亦被拘"。㊻以字行：说"高昂"不为人知，说"高敖曹"无人不晓。㊼沁水：魏县名，县治在今河南济源东北。㊽幽州平北府主簿：幽州刺史、平北将军府的主簿。㊾河间：魏郡名，郡治即今河北河间。㊿北海：魏郡名，郡治在今山东潍坊西南。(321)戊申：六月二十二。(322)辛亥：六月二十五。(323)六戎：六军，统称全国军队，春秋时只有周天子才有六军，其他诸侯国只能有一军、二军，最多不能超过三军。(324)燕、代：指今北京市与河北、山西两省的北部地区，指葛荣所率部活动的地区。(325)七月乙丑：七月初十。(326)壬子：此处疑有误，本年七月无壬子日。(327)光州：魏州名，州治即今山东莱州。(328)濮阳：魏郡名，郡治在今山东鄄城东北，与今河南濮阳相隔较远。(329)波斯国：即今伊朗。(330)师子：今写作"狮子"。(331)羊侃：原为魏将，曾破杀变民头领莫折天生，后率众降梁。传见《梁书》卷三十九。(332)其祖规：其祖父羊规。(333)宋高祖：宋武帝刘裕，公元四二〇至四二二年在位。传见《宋书》卷一。(334)祭酒从事：从事，也称从事史，州刺史的高级僚属，祭酒为群吏之首。刘裕早年为徐州刺史时，羊规曾为之当祭酒从事。(335)南归之志：返回南朝的思想。羊规原在徐州为官，宋明帝刘彧在位初期，政策失误，造成了徐州及北方前线的许多军镇叛离刘宋，投降魏国，其将领有薛安都、毕众敬等，致使南北双方的国境线大幅度南移，羊规也就是这个时候被裹挟陷入了北方。(336)守：围困。(337)羊鸦仁：魏国的泰山郡人，在郡为主簿，梁武帝普通年间（公元五二〇至五二七年）率家属投降梁朝，被封为广晋县侯。传见《梁书》卷三十九。(338)蕃郡：郡治即今山东滕州。(339)甲辰：八月十九。(340)肆州：魏州名，州治在今山西忻州西北。此州原有魏国朝廷任命的刺史，因对尔朱荣不顺从，尔朱荣即攻取之，令其侄尔朱天光为刺史，魏朝廷不敢不依。(341)东出滏口：经滏口陉越太行山东出到河北。(342)侯景：尔朱荣的亲信，后反复叛降于南北朝之间，给社会造成重大战乱。传见《梁书》卷五十六。(343)易与：容易对付。(344)办：准备、预备。(345)箕张而进：像畚箕一样张着大口推压过来。(346)督将：基层军官，相当于现在的连长。(347)逼战：近战；肉搏战。(348)赍袖棒：携带短棒。袖棒，可置于衣袖，以言其短。(349)虑废腾逐：怕耽误追击敌人。废，耽搁。(350)不听斩级：不要再斩削敌人的人头。(351)以棒棒之而已：用袖棒将其打死就行了。(352)所向冲突：朝着指定的方向勇猛冲击。(353)随便安置：根据现有条件进行安置。(354)渠帅：头领。(355)处分机速：处理问题、解决问题的速度之快。(356)朝歌：当初殷纣王时代的京城，即今河南淇县。㉟⑦唐河：河水名，流经今河北定州唐县西北。㉟⑧乙亥：九月二十一。㉟⑨辛巳：九月二十七。㊱⓪河北畿外：今河北地区与洛阳京畿以外的河南地区。㊱①城阳王徽：元徽，景穆帝拓跋晃的曾孙。传见《魏书》卷十九下。㊱②十月丁亥：十月初三。㊱③御阊阖门：驾临阊阖门。阊阖门是洛阳宫城之门。㊱④引见：牵来使魏主见。㊱⑤都市：大集市；人烟凑集的地方。㊱⑥魏王：魏国的领土之王，与封萧宝寅为齐王、刘昶为宋王相同。㊱⑦陈庆之：梁朝的名将，上年大破魏军于涡阳。传见《梁书》卷三十二。㊱⑧将兵送之还北：以武力送其回魏以收拾魏国的残破局面。㊱⑨丙申：十月十二。㊲⓪丁酉：十月十三。㊲①长乐：魏郡名，郡治即今河北衡水市冀州区，也是当时冀州的州治所在地。㊲②为太原王荣国：为……国，作为……的封地。国，封国的领地。㊲③戊戌：十月十四。㊲④壬子：十月二十八。㊲⑤江阳武烈王继：元继，魏国的乱臣元义之父，被封为江阳王，武烈是其谥。传见《魏书》卷十六。㊲⑥潍水：河水名，自东泰山流来，经今安丘、昌邑，北流入渤海。㊲⑦荆州之围始解：胡三省曰，"荆州受围三年始解"。㊲⑧铚城：魏县名，县治在今安徽宿州西南。㊲⑨于晖：魏国的元勋于栗磾的后代，孝文帝时的名臣于劲之子，尔朱荣的亲戚。传见《魏书》卷八十三下。㊳⓪瑕丘：古城名，在今山东兖州西侧。㊳①栅中：犹言城中。栅，以竹木增修的防御工事。㊳②十一月癸亥：十一月初十。㊳③渣口：柤水与沭水的汇口，在今江苏沭阳西南。㊳④理不能相随：的确是不能再跟着我走了。㊳⑤幸适去留：请你们各随己意，愿去则去，愿留则留。㊳⑥戊寅：十一月二十五。㊳⑦庚子：此处疑有误，本年的十二月无庚子日。㊳⑧中山：魏郡名，郡治即今河北定州。

【校记】

［13］给事：原无此二字。据章钰校，甲十一行本、乙十一行本、孔天胤本皆有此二字，张敦仁《通鉴刊本识误》同，今据补。〖按〗《魏书·祖莹传》载："累迁国子祭酒，领给事黄门侍郎。"［14］辄：据章钰校，甲十一行本、乙十一行本、孔天胤本皆作"即"。［15］能复：据章钰校，甲十一行本、乙十一行本、孔天胤本二字皆互乙。［16］蕃郡：据章钰校，甲十一行本、乙十一行本、孔天胤本皆作"番郡"，下同。［17］潍水：原作"惟水"。胡三省注云："'惟水'当作'潍水'。"据章钰校，乙十一行本作"潍水"，张瑛《通鉴校勘记》同，今据改。〖按〗《魏书·孝庄帝纪》亦作"潍水"。［18］袭：据章钰校，甲十一行本、乙十一行本、孔天胤本皆作"取"。

【研析】

公元五二八年四月发生的"河阴之变"，洛阳朝廷公卿二千多人被尔朱荣率领的契胡武士集体诛杀，是本卷记录的重点，也是北魏末一系列矛盾冲突的最高潮，成为北魏历史的转折点。对此，有两个问题需要探讨。

第一，“河阴之变”的深层原因是什么？

中国古代政权灭亡因素是多种多样的。统治者行暴政，滥用民力，不恤百姓，激起民变，是其中的一种形式，如秦、隋；政权长期受到外敌的骚扰，国弱民穷，统治者不思改弦更张，或更张无力，最终陷于无序状态或被外族政权取而代之，是另一种形式，如唐的衰亡、北宋的崩溃；政权的统治基础限于局部地区或某一特定的社会阶层，以制度阻止其他地区或社会阶层进入统治上层的可能性，使政权的根基不牢，号召力不足，难以应对大规模的动荡，如西晋的灭亡。

北魏的衰亡与西晋有类似之处。作为少数民族建立的政权，北魏前期以鲜卑族人即所谓“国人”为统治基础，以武力威慑作为统治的方式，虽定都平城，华夏化日深，但皇帝直接统率军队作战、劫掠人口与财富以赏赐随从军人和官员，成为一种常态，武人待遇优厚，而留守京城的中高级汉人文官甚至吃饭都成问题。

孝文帝五岁时成为皇帝，其祖母冯太后掌权二十余年，她通过宫廷运作，利用宦官与宠幸控制政权，并大量引进汉族文人，实施三长制、均田制，强化对黄河流域的基层管理，并颁行俸禄制度、仿汉魏衣冠制定官员服饰，北魏政权迅速向中原传统政权体制转化。在她去世时，孝文帝已被培养成为一个酷爱汉族文化，鄙夷本族旧俗的青年皇帝。他尊谥冯太后为“文明”，决心继承汉魏传统，并于公元四九四年迁都洛阳，强力推行汉化：以洛阳话为“正音”，严令禁止包括鲜卑语在内的北方各族语言在朝廷中继续使用，严禁使用本民族服饰，将各族部落名号改成汉族似的单姓。在政治体制上，推行以“文治”为核心的官制改革，承认汉族大姓汉魏以来逐渐取得的社会地位，并分出各种门第层次，鼓励鲜卑贵族按等级与之通婚，官员主要从这些家族的成员中选任。而且规定文化人做的官为“清官”，待遇好，升迁快；而武人做的官为“浊官”，待遇低，升迁难。一些在新政策下得势的汉族文官，还常常利用手中的权势，千方百计“排抑武人”。孝文帝死后，文武之间的纠纷甚至冲突便时有发生。

孝文帝无疑是中国历史上一个了不起的皇帝，但他推动的北魏政权政治体制的突然转型，确实也造成了巨大的矛盾。北方草原上嚣张的柔然人仍须防范，沿北边设置的九个军镇，曾是北魏前期统治的核心地区，迁都洛阳后，皇帝再也不会亲自前来嘘寒问暖，皇帝派来的特使也难得一见。洛阳朝廷文官们对北镇武人的合理要求推诿拖延，甚至想方设法从中榨取利益，使得北镇武人的失落感越来越强烈。北镇的武人们说着各自不同的民族语言，汉语也稍稍能懂，但鲜卑语最为流行，《敕勒歌》更能激起他们的共同感受。到北魏末，谈起洛阳那些高高在上、说着洛阳话、热衷于尔虞我诈、追逐于声色犬马的文官大人，他们无不切齿痛恨。北镇已与洛阳形成一种对立的局面，这既是上下层的对立，也是文武的对立，同时也带有一种文化对立的色彩。

公元五二三年爆发的北镇起义，起因只不过是北镇之一的沃野镇镇将“御下失和”，但暴动迅速席卷其中六个镇，洛阳朝廷不得不借兵于北镇原本防范的柔然人，才将其镇压下去。六镇人被迁到河北安置，但处置不得力，他们又开始在河北各地暴动，最后统归于葛荣，号称百万。他们将对朝廷政策的怨气发泄到河北汉族居民身上，“屠村掠野”，迫使河北汉族十余万户抛弃家园，集体性向今山东地区流亡，又在山东地区引发强烈的冲突。就在六镇余众在河北起事时，关陇秦州、岐州等州以氐、羌人为主的地方部队，也发动暴动。针对这些暴动，北魏政权派出的“平叛”军队，损兵折将，局部战斗的胜利，并不能掩盖洛阳朝廷对全局失控的事实。

正是在这种背景下，尔朱荣走向了政治前台，发动了“河阴之变”。

第二，尔朱荣代表了什么样的政治势力？

北魏前期，在六镇防护的漠南草原及今山西中北部地区，还有许多族属不同、在相对固定的区域内维持着畜牧射猎生活的游牧部族，其首领世袭统有部众，被授予“领民酋长”的名号，也按其功勋授予爵位与官职，他们也是北魏前期统治黄河流域所依赖的重要政治、军事力量。他们游离于北魏百年历史发展进程之外，更多地保持了自己传统的生活方式与文化特性。

孝文帝迁都洛阳、实行汉化改革之后，汉族世家大族取代这些北方酋帅，成为北魏政权所依靠的基本政治力量。迁都与改革，对他们在本部族游牧区的统治及其生活方式，并没有构成多大的威胁，一时间倒也相安无事，但他们在心理上与朝廷越来越疏远。不过，他们与朝廷的疏离，已并不具有民族冲突的意义，主要缘于生活方式与文化的差异。

尔朱荣及其部族，当时人称之为“胡”，在北魏正史中也称之为“契胡”，而当时“胡”已转化为对非蒙古人种的称谓，这一部族很有可能与十六国时期的羯人或羯胡有着千丝万缕的联系。而具有“高鼻深目多须”面部特征的羯人，学术界一般认为源于中亚民族，也有学者甚至认为他们在汉代远自欧洲流徙而来。

《魏书》卷七十四《尔朱荣传》称其祖先居于尔朱川，“常领部落，世为酋帅”。北魏初创，尔朱羽健曾“率契胡武士千七百人从驾平晋阳”，拓跋珪“以居秀容川，诏割方三百里封之，长为世业”。赖其地水草丰美，尔朱部落“牛羊驼马，色别为群，谷量而已”，山谷中牲畜成群，无法计数。畜牧之余，射猎活动必不可少，尔朱荣更是乐此不疲，“好射猎，每设围誓众，便为军陈之法，号令严肃，众莫敢犯”。这种生活方式，使契胡武士人虽不多，却具有极强的战斗力。北魏后期，洛阳公卿即使是出自鲜卑族人，已沉醉于舒适的生活，迷恋于夸侈斗富，有甚于西晋王公，并开始以诗文写作水平作为个人能力的标志。兵源多是自带衣粮而服兵役的平民，军队缺乏训练，中央禁军虽多是以前的鲜卑人，但在新政策下地位已然低下的禁军军官，对于朝廷官员也是恨在心头，从欺压、盘剥下层兵士中寻求心理平衡。这样的朝廷，这样的军队，自然难以应对北镇戍兵与关陇地方武装的连续暴动。掌握政权的灵太后胡氏，在风雨飘摇中，仍致力于与已经成年、试图重振朝纲的皇帝元诩争夺权力，甚至加以杀害。灵太后的胡作非为，加速了北魏的灭亡，即使没有灵太后引起的朝政混乱，存在重重危机的北魏政权究竟能坚持多久，也很难说。

利用有利的地理环境与善战的部族武装，尔朱荣在北魏末年动乱中，趁机扩大了政治影响力，今山西中北部均在掌握之中。朝廷已经惧怕这一股新兴的势力，力图阻止其染指朝廷政局。但皇帝被杀，举国震骇，给尔朱荣举兵进入洛阳提供了口实，已没有任何力量可以阻止尔朱荣的政治野心，“河阴之变”因而发生。

尔朱荣毕竟只是一个小部落的首领，趁乱走向了政治前台，但当他试图取北魏政权而代之时，不免内心恐惧，举动失措，“精神恍惚，不自支持”，不得不拥立北魏宗室元子攸为皇帝。随后，尔朱荣亲率数千名契胡武士，一举剿灭已自立为帝的葛荣，北魏朝廷似乎转危为安，但这又促使尔朱荣的政治野心再一次膨胀；“河阴之变”中二千多名朝廷公卿死难，又造成更严重的政治分裂，因拥立新皇帝暂时取得号召力的尔朱荣，完全失去了可以依托的政治基础。北魏的内乱可以说方兴未艾。

卷第一百五十三　梁纪九

屠维作噩（己酉，公元五二九年），一年。

【题解】

本卷写梁武帝中大通元年（公元五二九年）一年间南梁与北魏两国的大事。主要写了魏主元子攸尊其父元勰为皇帝，并将其灵牌供入太庙，所行荒悖。写了魏将元天穆、尔朱兆率兵东讨齐地之叛者邢杲，破杀邢杲于济南。写了梁将陈庆之以兵送元颢返回魏国境内建立分裂政权，元颢攻克睢阳后，即皇帝位；陈庆之接着攻克考城，获魏将元晖业；克荥阳，获魏将杨昱；又进克虎牢，获魏将辛纂。写了魏之临淮王元彧、安丰王元延明，率百僚，备法驾迎元颢入洛阳，而魏主元子攸单身渡河逃到了河内郡。写了梁将陈庆之又率部下七千人回击被魏将夺回之大梁、睢阳，皆克之，凡取三十二城、四十七战，所向皆克。写了元颢入洛后的种种腐败自私，相反逃往河内之魏主身边部众渐渐聚集，尔朱荣到达河内，为收复洛阳做好准备。写了元颢自以为翅膀已硬，欲脱离梁国自立，与陈庆之互

【原文】

高祖武皇帝九

中大通元年[①]**（己酉，公元五二九年）**

春，正月甲寅[②]，魏于晖[③]所部都督彭乐帅二千余骑叛奔韩楼[④]，晖引还[⑤]。

辛酉[⑥]，上祀南郊，大赦。

甲子[⑦]，魏汝南王悦求还国[⑧]，许之。

辛巳[⑨]，上祀明堂。

二月甲午[⑩]，魏主尊彭城武宣王[⑪]为文穆皇帝，庙号肃祖；母李妃为文穆皇后。将迁神主于太庙，以高祖为伯考[⑫]，大司马兼录尚书临淮王彧[⑬]表谏，以为“汉高祖立太上皇庙于香街[⑭]，光武祀南顿君于舂陵[⑮]。元帝之于光武[⑯]，已疏绝服[⑰]，犹身奉子道[⑱]，入继大宗[⑲]。

斗心眼；陈庆之的僚属马佛念劝陈庆之杀元颢以据洛阳，陈庆之不纳。写了尔朱荣与元颢、陈庆之相持于河上，尔朱荣动摇欲退，魏将杨侃、高道穆等坚主进兵克敌，结果尔朱兆、贺拔胜在一些义民的帮助下强渡硖石，擒获南岸的守将元颢之子，元颢闻讯南逃，部下离散，元颢被杀；陈庆之的军队遇洪水溃散于嵩山，陈庆之单身逃回建康，所得魏地皆失。写了魏将杨津洒扫宫廷迎魏主返回洛阳，魏主大赏了尔朱荣与渡河击破元颢的尔朱兆。此外还写了魏梁州刺史傅竖眼之子傅敬绍多行不法，又见魏廷混乱，欲据南郑自立，事泄被州人所杀，傅竖眼愧恚而死；以及梁武帝萧衍迷恋佛教，常到同泰寺游赏，宣讲佛经，甚至舍身给寺院，群臣无奈，只得花巨资将其赎回；等等。

【语译】

高祖武皇帝九

中大通元年（己酉，公元五二九年）

春季，正月初二日甲寅，魏国在行台、尚书左仆射于晖部下担任都督的彭乐率领二千多名骑兵背叛朝廷投奔了韩楼，于晖只得率军返回。

初九日辛酉，梁武帝萧衍到建康南郊举行祭天典礼，实行大赦。

十二日甲子，投降了梁国的魏汝南王元悦向梁武帝请求返回魏国，梁武帝批准了他的请求。

二十九日辛巳，梁武帝在明堂祭祀自己的祖先。

二月十二日甲午，魏孝庄皇帝元子攸尊奉自己的生父彭城武宣王元勰为文穆皇帝，庙号肃祖；尊奉自己的生母李妃为文穆皇后。魏孝庄皇帝准备把文穆皇帝的牌位迁入太庙，与高祖元宏的灵牌并列，孝庄皇帝应该称高祖元宏为伯父，担任大司马兼录尚书事的临淮王元彧上表劝谏，元彧认为：“汉高祖刘邦是在香街为自己的父亲太上皇建立祭庙，汉光武帝刘秀是在舂陵为自己的父亲南顿君建立祭庙。西汉元帝刘奭与东汉光武帝刘秀之间的血缘关系已经疏远得出了五服，不应该再为之穿孝了，而东汉光武帝刘秀还是心甘情愿地去给汉元帝刘奭当儿子，以求能在汉家太庙

高祖德洽寰中⑳，道超无外㉑；肃祖虽勋格宇宙㉒，犹北面为臣㉓。又，二后皆将配飨㉔[1]，乃是君臣并筵㉕，嫂叔同室㉖，窃谓不可。”吏部尚书李神儁㉗亦谏，不听。或又请去“帝”著“皇”㉘，亦不听。

诏更定二百四十号将军㉙为四十四班㉚。

壬寅㉛，魏诏济阴王晖业㉜兼行台尚书，都督丘大千等镇梁国㉝。晖业，小新成之曾孙也。

三月壬戌㉞，魏诏上党王天穆讨邢杲，以费穆为前锋大都督。

夏，四月癸未㉟，魏迁肃祖及文穆皇后神主于太庙，又追尊彭城王劭㊱为孝宣皇帝。临淮王彧谏曰：“兹事古所未有㊲，陛下作而不法㊳，后世何观㊴？”弗听。

魏元天穆将击邢杲，以北海王颢方入寇，集文武议之，众皆曰：“杲众强盛，宜以为先。”行台尚书薛琡曰：“邢杲兵众虽多，鼠窃狗偷，非有远志。颢帝室近亲㊵，来称义举㊶，其势难测，宜先去之。”天穆以诸将多欲击杲，又魏朝亦以颢为孤弱不足虑，命天穆等先定齐地，还师击颢，遂引兵东出。

颢与陈庆之乘虚自铚城进拔荥城㊷，遂至梁国。魏丘大千有众七万，分筑九城以拒之。庆之攻之，自旦至申㊸，拔其三垒，大千请降。颢登坛燔燎㊹，即帝位于睢阳城南，改元孝基。济阴王晖业帅羽林兵二万军考城㊺，庆之攻拔其城，擒晖业。

辛丑㊻，魏上党王天穆及尔朱兆㊼破邢杲于济南㊽，杲降，送洛阳，斩之。兆，荣之从子也。

五月丁巳㊾，魏以东南道大都督杨昱㊿镇荥阳51，尚书仆射尔朱世

里排在汉高祖刘邦父子相传的世袭宗派里。高祖元宏的威望被全国上下所承认、所悦服，道德远播世界的一切角落；肃祖元勰虽然功勋充满宇宙，但他生前毕竟始终是北面称臣的一位臣子。再有，如果让高祖和肃祖两人的灵牌同时都在太庙里享受祭祀，就使做皇帝的高祖元宏与做臣子的彭城王元勰同时共席，使做嫂子的高祖皇后与做小叔的彭城王元勰住在了同一间屋子里，我私下里认为不可以这样做。”担任吏部尚书的李神儁也进行劝阻，孝庄皇帝谁的劝告也不听。元彧又请求从文穆皇帝的尊号中去掉“帝”字只保留“皇”字，孝庄皇帝也不听。

梁武帝下诏，将总计二百四十个各种将军名号分成四十四个等级。

二月二十日壬寅，魏孝庄皇帝下诏任命济阴王元晖业兼任行台尚书，统领丘大千等人驻军梁国。元晖业，是拓跋小新成的曾孙。

三月十一日壬戌，魏孝庄皇帝下诏令上党王元天穆率军前往北海郡讨伐率众造反、自称汉王的邢杲，任命费穆为前锋大都督。

夏季，四月初二日癸未，魏孝庄皇帝把肃祖元勰和文穆皇后的牌位迁入太庙，又追尊自己的哥哥彭城王元劭为孝宣皇帝。临淮王元彧劝阻说：“自古以来没有皇帝追尊自己的哥哥为皇帝的事情，陛下独出心裁地做出此事而不合法度，让后代人如何看待陛下呢?”魏孝庄皇帝还是不听劝告。

魏国的上党王元天穆正要率军前往北海郡攻击叛民首领邢杲，而此时投降梁国的北海王元颢已经进入魏国境内，元天穆赶紧召集属下的文武官员商议该怎么办，众人都说：“邢杲的部众势力强盛，应当首先灭掉邢杲再去对付元颢。”担任行台尚书的薛琡说：“邢杲的部众虽然人数众多，但都是些鼠窃狗盗之徒，没有远大志向。而元颢是当今皇帝的堂兄弟，是打着正义的旗号来的，其发展趋势很难预测，应该先除掉元颢。”元天穆因为诸将多数要求去攻打邢杲，再加上魏国朝廷也认为元颢势孤力弱不足为虑，命令元天穆等先去平定齐地邢杲的叛乱，等从齐地回师的时候再去消灭元颢，元天穆于是率军向东部的齐地进发去消灭邢杲。

元颢与东宫直阁将军陈庆之乘虚从铚城进军，攻占了魏国的荥城，很快就到达了梁国。魏国丘大千的属下有七万人，分别驻守在新修筑起来的九座城垒中抵抗元颢的进攻。陈庆之率军进攻丘大千的这九座城垒，从清晨一直攻到下午的四点钟左右，终于攻克了其中的三座城垒，丘大千于是向陈庆之请求投降。元颢在梁国的都城睢阳城南登上高坛，按照古代帝王的祭天仪式点燃柴草祭天，同时即位称帝，改年号为孝基元年。济阴王元晖业率领二万羽林军驻扎在考城县，陈庆之率军进攻元晖业，夺取了考城县城，活捉了济阴王元晖业。

四月二十日辛丑，魏国的上党王元天穆和尔朱兆在济南郡打败了邢杲，邢杲失败后向朝廷军投降，被押送到洛阳斩首。尔朱兆，是尔朱荣的侄子。

五月初六日丁巳，魏国任用担任东南道大都督的杨昱率军驻守荥阳，令担任尚

隆[52]镇虎牢[53]，侍中尔朱世承[54]镇崿岅[55]。乙丑[56]，内外戒严。

戊辰[57]，北海王颢克梁国。颢以陈庆之为卫将军、徐州刺史，引兵而西[58]。杨昱拥众七万，据荥阳，庆之攻之，未拔。颢遣人说昱使降，昱不从。元天穆[2]与骠骑将军尔朱吐没兒将大军前后继至，梁士卒皆恐。庆之解鞍秣马[59]，谕将士曰："吾至此以来，屠城略地，实为不少，君等杀人父兄、掠人子女，亦无算[60]矣。天穆之众，皆是仇雠[61]。我辈众才七千，虏众三十余万，今日之事，唯有必死乃可得生耳。虏骑多，不可与之野战，当及其未尽至，急攻取其城而据之。诸君勿或狐疑，自取屠脍[62]。"乃鼓之，使登城，将士即相帅蚁附[63]而入，癸酉[64]，拔荥阳，执杨昱[65]。诸将三百余人伏颢帐前请曰："陛下渡江三千里，无遗镞之费[66]，昨荥阳城下一朝杀伤[67]五百余人，愿乞杨昱以快众意！"颢曰："我在江东闻梁主言，初举兵下都[68]，袁昂为吴郡不降[69]，每称其忠节。杨昱忠臣，奈何杀之？此外唯卿等所取。"于是斩昱所部统帅三十七人，皆刳其心而食之。俄而天穆等引兵围城，庆之帅骑三千背城力战，大破之，天穆、吐没兒皆走。庆之进击虎牢，尔朱世隆弃城走，获魏东中郎将辛纂[70]。

魏主将出避颢，未知所之，或劝之长安，中书舍人高道穆曰："关中荒残，何可复往！颢士众不多，乘虚深入，由将帅不得其人，故能至此。陛下若[3]亲帅宿卫，高募[71]重赏，背城一战，臣等竭其死力，破颢孤军必矣。或[72]恐胜负难期[73]，则车驾不若渡河[74]，征大将军天穆、大丞相荣各使引兵来会，犄角[75]进讨，旬月之间，必见成功，此万全

书仆射的尔朱世隆率军驻守虎牢关，令担任侍中的尔朱世承率军驻守崿岅。十四日乙丑，魏国京城内外进入紧急军事状态。

五月十七日戊辰，北海王元颢全部占领了梁国。元颢任命梁朝的东宫直阁将军陈庆之为卫将军、徐州刺史，率军西进去攻取魏国的都城洛阳。杨昱率领七万人马，据守荥阳，陈庆之率军向荥阳发起攻击，没有能将荥阳城攻克。元颢派人到荥阳劝说杨昱投降，杨昱坚决不向元颢投降。元天穆与担任骠骑将军的尔朱吐没兒率领大军前后相继到达荥阳，梁国的士卒都很恐惧。陈庆之解下马鞍给马添上饲料，向属下的将士们解释说："我们自从来到这里，所屠灭的城邑、攻占的地盘确实已经不少，你们杀死了人家多少父兄、掠夺了人家多少子女，也已经多得无法计数。元天穆的部众，都是我们的冤家对头。我们的部众只有七千人，而敌人有三十多万人，我们面对今天的局面，只有拼死杀敌才有生还的可能。敌人的骑兵多，我们不能和他们在野外作战，应当趁着他们还没有全部到达这里，加紧进攻夺取他们的城池，然后据城坚守。诸位不要再心存疑虑，自取被屠杀、被宰割之祸。"于是擂鼓进军，令全军将士立即向荥阳城发起猛攻，将士们你跟着我、我挨着你，像蚂蚁一样密集地攀着城墙向上攻入城内，二十二日癸酉，陈庆之率领梁军攻下了荥阳城，逮捕了杨昱。有三百多名将士匍匐在元颢的帐前请求说："陛下自从渡过长江以来已经攻取三千里，没有耗费一支箭，而昨天在荥阳城下我们一战就损失了五百多人，希望陛下将杨昱斩首示众，以解全军将士心头之恨！"元颢说："我在江东的时候听梁国的皇帝说，他当初从雍州起兵，沿江东下攻克建康的时候，在齐国担任吴郡太守的袁昂坚守吴郡不肯投降，梁国皇帝经常称赞袁昂为人忠诚、有节操。杨昱也是魏国的忠臣，为什么要杀死他呢？除去杨昱以外，你们怎么做都可以。"于是诸将士斩杀了杨昱部下担任统帅的三十七个人，把他们的心脏全部挖出来吃掉了。不久元天穆等人率军包围了荥阳城，陈庆之率领三千骑兵背城死战，把元天穆所率领的魏军打得大败，元天穆、尔朱吐没兒全都逃走。陈庆之乘胜率军进攻虎牢关，驻守虎牢关的魏国尚书仆射尔朱世隆弃城逃走，陈庆之军俘虏了魏国担任东中郎将的辛纂。

魏孝庄皇帝想要离开洛阳以躲避元颢的进攻，却又不知道应该到哪里去躲避，有人劝他到长安去，担任中书舍人的高道穆说："位于关中地区的长安城早已经荒废残破，怎么可以再到那里去呢！元颢属下的将士并不多，他们是趁我国内部兵力空虚才得以深入我国境内，也是由于朝廷选择抵抗梁军的将帅不合适，所以事态发展到如此的地步。陛下如果能够亲自率领现有的禁卫军，再用高赏格招募一批勇士，背城与梁军决一胜负，我等竭尽死力，一定能够打败孤军深入的元颢。如果还是担心胜负难以预料，那么皇帝的车驾不如向北渡过黄河，然后征调大将军元天穆和大丞相尔朱荣，让他们各自率军前来会合，使两军相互策应，进军讨伐元颢，只需十天半个月，就一定能看到成功，这是万无一失的计策。"魏孝庄皇帝听从了高道穆

之策也。”魏主从之。甲戌[76]，魏主北行，夜，至河内郡北[77]，命高道穆于烛下作诏书数十纸，布告远近，于是四方始知魏主所在。乙亥[78]，魏主入河内。

临淮王彧，安丰王延明，帅百僚，封府库，备法驾[79]迎颢。丙子[80]，颢入洛阳宫，改元建武，大赦。以陈庆之为侍中、车骑大将军，增邑万户。杨椿在洛阳，椿弟顺为冀州刺史，兄子侃为北中郎将，从魏主在河北。颢意忌椿，而以其家世显重[81]，恐失人望，未敢诛也。或劝椿出亡，椿曰："吾内外百口，何所逃匿？正当坐待天命耳。"

颢后军都督侯暄守睢阳为后援，魏行台崔孝芬[82]、大都督刁宣驰往围暄，昼夜急攻，戊寅[83]，暄突走，擒斩之。

上党王天穆等帅众四万攻拔大梁[84]，分遣费穆将兵二万攻虎牢，颢使陈庆之击之。天穆畏颢，将北渡河，谓行台郎中济阴温子昇[85]曰："卿欲向洛，为随我北渡[86]？"子昇曰："主上以虎牢失守，致此狼狈。元颢新入，人情未安，今往击之，无不克者。大王平定京邑[87]，奉迎大驾[88]，此桓、文之举[89]也。舍此北渡，窃为大王惜之。"天穆善之而不能用，遂引兵渡河。费穆攻虎牢，将拔，闻天穆北渡，自以无后继，遂降于庆之。庆之进击大梁、梁国，皆下之。庆之以数千之众，自发铚县至洛阳，凡取三十二城、四十七战，所向皆克。

颢使黄门郎祖莹作书遗魏主曰："朕泣请梁朝，誓在复耻[90]，正欲问罪于尔朱，出卿于桎梏[91]。卿托命豺狼[92]，委身虎口，假获民地[93]，本是荣物，固非卿有。今国家隆替[94]，在卿与我。若天道助顺[95]，则皇魏

的建议。五月二十三日甲戌，魏孝庄皇帝离开洛阳向北行进，夜间到达河内郡城北，令高道穆在烛光之下撰写了数十张诏书，向远近的郡县通告，于是各地官吏、百姓才知道魏国皇帝现在在什么地方。二十四日乙亥，魏孝庄皇帝进入河内郡城。

魏国的临淮王元彧、安丰王元延明，率领百官，封闭了府库，备齐皇帝的法驾前往迎接北海王元颢。五月二十五日丙子，元颢进入魏国都城洛阳的皇宫，改年号为建武，实行大赦。元颢任命陈庆之为侍中、车骑大将军，为陈庆之增加封邑一万户。担任太保的杨椿还在洛阳，而杨椿的弟弟担任冀州刺史的杨顺、担任北中郎将的侄子杨侃，现在都跟随魏孝庄皇帝在黄河以北。元颢心里虽然非常忌恨杨椿，但因为杨椿一门累朝地位尊贵权势显要，元颢担心自己失去民心，所以没敢杀死杨椿。有人劝说杨椿逃离洛阳，杨椿说："我一门里里外外有一百多口人，能逃到哪里躲藏呢？我只能坐在这里等待上天来安排我的命运了。"

元颢的后军都督侯暄率军守卫睢阳作为元颢的后援，魏国担任行台的崔孝芬、担任大都督的刁宣率军飞速赶往睢阳，将侯暄包围在睢阳城中，并不分昼夜地猛攻睢阳城，五月二十七日戊寅，侯暄突围逃走，被魏军擒获杀死。

魏国担任大将军的上党王元天穆等率领四万人马进攻被元颢军所占领的大梁，将大梁城攻克，然后派遣费穆率领二万人进攻被元颢军所占领的虎牢城，元颢让陈庆之率军攻打元天穆。元天穆畏惧元颢，于是就想向北渡过黄河避开元颢，他对担任行台郎中的济阴郡人温子昇说："你是准备前往洛阳投奔元颢，还是跟着我北渡黄河去追随皇帝元子攸呢？"温子昇说："主上因为虎牢城被元颢军攻占，所以才如此狼狈。元颢刚刚进入洛阳城，人心还没有安定下来，如果此时我们率军去进击元颢，没有不获胜的道理。大王您重新收复洛阳城，迎接皇帝的车驾返回洛阳朝廷，这是古代齐桓公、晋文公所曾经采取过的光辉行动。您舍弃此等大功不立却想要渡河北去，我私下里真为大王感到惋惜。"元天穆虽然认为温子昇的意见很有道理却没有采纳，就率军向北渡过黄河。前锋大都督费穆率军进攻虎牢城，就在即将攻克虎牢的时候，听到了元天穆已经率军向北渡过黄河的消息，认为自己没有了后续部队的支援，于是就投降了陈庆之。陈庆之再次率军进攻大梁城、梁国，将大梁、梁国全部攻克。陈庆之率领着几千人，从铚县出发一直到进入洛阳，一路之上总计夺取了魏国的三十二座城、历经四十七次战斗，军队所向，全部获得了胜利。

元颢让担任黄门郎的祖莹写信给魏孝庄皇帝说："我是流着眼泪向梁朝的皇帝请求出兵，帮助我返回魏国洗雪国家社稷被尔朱荣所灭之耻，我正要向尔朱荣问罪，把你从枷锁中解救出来。你却把自己的性命交付给豺狼一般的尔朱荣，听任他的摆布，为他做傀儡，把自己的身体投入虎口之中，即使你现在好像也有一些百姓、有一些地盘，但那些都是掌握在尔朱荣的手里，根本就不属于你所有。如今国家的兴盛与衰微，完全取决于你和我。如果上天要帮助属于正义一方的我们，那么大魏国

再兴；脱或不然[96]，在荣为福，于卿为祸。卿宜三复[97]，富贵可保。”

颢既入洛，自河以南州郡多附之。齐州[98]刺史沛郡王欣集文武议所从[99]，曰：“北海、长乐，俱帝室近亲[100]，今宗祏不移[101]，我欲受赦[102]，诸君意何如？”在坐莫不失色。军司崔光韶[103]独抗言[104]曰：“元颢受制于梁，引寇仇之兵以覆宗国[105]，此魏之乱臣贼子也。岂唯大王家事所宜切齿，下官等皆受[4]朝眷[106]，未敢仰从[107]！”长史崔景茂等皆曰：“军司议是。”欣乃斩颢使。光韶，亮之从父弟也。于是襄州[108]刺史贾思同[109]、广州刺史郑先护、南兖州[110]刺史元暹亦不受颢命。思同，思伯之弟也。颢以冀州刺史元孚为东道行台、彭城郡王，孚封送其书于魏主。平阳王敬先起兵于河桥[111]以讨颢，不克而死。

魏以侍中、车骑将军、尚书右仆射尔朱世隆为使持节、行台仆射、大将军、相州刺史，镇邺城。

魏主之出也，单骑而去，侍卫后宫皆按堵如故[112]。颢一旦得之，号令已出[113]，四方人情想其风政[114]。而颢自谓天授，遽有骄怠之志，宿昔[115]宾客近习[116]，咸见宠待[117]，干扰政事，日夜纵酒，不恤[118]军国，所从南兵[119]，陵暴市里，朝野失望。高道穆兄子子儒[120][5]自洛阳出从魏主，魏主问洛中事，子儒曰：“颢败在旦夕，不足忧也。”

尔朱荣闻魏主北出，即时驰传[121]见魏主于长子[122]，行，且部分[123]。魏主即日南还，荣为前驱。旬日之间，兵众大集，资粮器仗，相继而至。

六月壬午[124]，魏大赦。

荣既南下，并、肆[125]不安，乃以尔朱天光[126]为并、肆等九州行

就会再次兴盛；如果不是这样，对尔朱荣来说就是福，而对你来说就是祸。你要好好思考一下我所说的这些话，你的荣华富贵就可以长期保有。”

元颢进入洛阳之后，魏国黄河以南的各州各郡大多数都归顺了北海王元颢。魏国担任齐州刺史的沛郡王元欣召集属下的文臣武将商议应该投靠谁，元欣说：“现在占据洛阳的北海王元颢和跑到河内郡的长乐王元子攸，都是魏国皇室的近亲，如今宗庙里供奉的先祖牌位不发生变化，我准备接受北海王元颢的大赦令，你们心里是怎么想的？”在座的人听了元欣的这番话无不大惊失色。只有担任军司的崔光韶大声地反对说：“元颢受梁国朝廷的控制，率领着敌国的军队来颠覆自己的祖国，他就是魏国的乱臣贼子。这不仅是大王的家族丑事令人切齿痛恨，我们这些人都是受魏国朝廷的厚恩，所以不敢听从大王去投靠元颢！”担任长史的崔景茂等人都说：“军司崔光韶的看法是对的。”元欣这才杀了元颢派来的使者。崔光韶，是崔亮的堂弟。担任襄州刺史的贾思同、担任广州刺史的郑先护、担任南兖州刺史的元暹也不接受元颢的命令。贾思同，是贾思伯的弟弟。元颢任命担任冀州刺史的元孚为东道行台、彭城郡王，元孚把元颢送给他的任命书封起来送给了魏孝庄皇帝。平阳王元敬先在河桥城起兵讨伐元颢，失败而死。

魏国朝廷任命担任侍中、车骑将军、尚书右仆射的尔朱世隆为使持节、行台仆射、大将军、相州刺史，率军驻守邺城。

魏孝庄皇帝离开洛阳的时候，只有他自己一个人骑着马而去，他的侍卫和后宫嫔妃还都像平常一样按部就班地在各自的岗位上。元颢一朝得志进入了皇宫，一切号令都由他自己发出，于是四方的人都在想望他有好的为人风度与施政方针。而元颢认为自己所以能有今天，完全是上天授予的，于是马上就产生了骄傲怠惰的心思，平素的那些宾客、身边那些受宠的小人，全都受到元颢的特别宠爱与优待，这些人干扰了元颢的政务，元颢在皇宫之中不分昼夜地纵情饮酒作乐，不再关心军国大事，跟着元颢从南边过来的那些梁朝士兵，在洛阳城中横行不法，欺压百姓，朝野之人因此对元颢大为失望。中书舍人高道穆的侄子高子儒从洛阳逃出来投奔了河内郡的魏孝庄皇帝，孝庄皇帝向高子儒询问洛阳城中的情况，高子儒回答说：“元颢的失败就在旦夕之间，不值得陛下忧虑。”

尔朱荣听到魏孝庄皇帝离开洛阳向北逃往河内郡的消息，立即乘坐着驿站的马车飞速赶往长子县拜见孝庄帝，他一边赶路一边部署各项工作。尔朱荣见到魏孝庄皇帝的当天，孝庄皇帝就踏上了返回洛阳之路，尔朱荣在前边为他开路。只十来天的时间，官军就大量地集结起来，各种军用物资、粮食、兵器、器械，全都相继到达。

六月初二日壬午，魏国实行大赦。

尔朱荣南下之后，并、肆二州人心不安，尔朱荣于是任命尔朱天光为并州、肆台[127]，仍行并州事[128]。天光至晋阳，部分约勒[129]，所部皆安。

己丑[130]，费穆至洛阳，颢引入，责以河阴之事[131]而杀之。颢使都督宗正珍孙与河内太守元袭据河内，尔朱荣攻之，上党王天穆引兵会之，壬寅[132]，拔其城[133]，斩珍孙及袭。

辛亥[134]，魏淮阴[135]太守晋鸿以湖阳[136]来降。

【段旨】

以上为第一段，写梁武帝中大通元年（公元五二九年）前五个月的大事。主要写了魏主元子攸尊其父元勰为皇帝，并将其灵牌供入太庙，又尊其兄为皇帝，所行荒悖。写了魏将元天穆、尔朱兆率兵东讨齐地之叛者邢杲，破杀邢杲于济南。写了梁将陈庆之以兵送元颢返回魏国境内，元颢攻克睢阳后，即皇帝位；陈庆之克考城，获魏将元晖业；克荥阳，获魏将杨昱；又大破救荥阳之魏将元天穆、尔朱兆；又进克虎牢，获魏将辛纂。写了魏之临淮王元彧、安丰王元延明，率百僚，备法驾迎元颢入洛阳，魏主元子攸单身渡河逃到了河内郡。写了梁将陈庆之率部下七千人回击被魏将夺回之大梁、睢阳，皆克之，凡取三十二城、四十七战，所向皆克。写了魏臣温子昇劝元天穆顺众心以取洛阳，元天穆不敢，乃北渡以就尔朱荣。写了元颢入洛后的种种腐败自私，而逃往河内的魏主元子攸部众渐渐聚集，尔朱荣亦到河内，为收复洛阳做好了准备。

【注释】

①中大通元年：本年的前十个月在当时仍称大通三年，至本年十月始改称中大通元年。②正月甲寅：正月初二。③于晖：魏国的元勋于栗磾的后代，孝文帝时的名臣于劲之子，尔朱荣的亲戚。传见《魏书》卷八十三下。此时于晖正率兵围攻羊侃所据之兖州，羊侃突围而出南逃降梁，于晖为魏收复兖州。④韩楼：葛荣的部将，葛荣在上年被魏将尔朱荣打败擒杀于邺城后，大势已去，但韩楼仍据幽州以反魏。事见本书上卷。⑤晖引还：于晖收复兖州后，魏朝廷曾令于晖进军青州以讨据青州反魏的邢杲，时邢杲刚破魏之李叔仁军于潍水。但因于晖部下有人叛投韩楼，而且梁朝又派兵送元颢入魏北据铚城，故而于晖只好返回兖州。胡三省曰："不敢复进军讨邢杲。"⑥辛酉：正月初九。⑦甲子：正月十二。⑧汝南王悦求还国：汝南王元悦是孝文帝之子，被封为汝南王。传见《魏书》

州等九州行台，并代理并州刺史的职务。尔朱天光来到晋阳之后，立即进行安排、部署，整顿纪律，订立章程，所管辖的区域全部安定下来。

六月初九日己丑，费穆到达洛阳，元颢将费穆召进皇宫，追究他在河阴怂恿尔朱荣屠杀魏国王公大臣二千多人的罪责而把费穆杀死。元颢让担任都督的宗正珍孙和担任河内太守的元袭攻占了河内郡，尔朱荣率军进攻河内郡，魏国的上党王元天穆率军来和尔朱荣会合，二十二日壬寅，尔朱荣等人攻下了被梁军占领的河内郡的郡治野王，斩杀了宗正珍孙和元袭。

辛亥日，魏国担任淮阴郡太守的晋鸿献出湖阳县向梁国投降。

卷二十二。元悦见尔朱荣专魏政，又于河阴大肆屠戮魏之宗室朝士，故于上年逃降于梁朝，见本书上卷。近来见魏国的秩序略定，人心粗安，故请求返回魏国。⑨辛巳：正月二十九。⑩二月甲午：二月十二。⑪彭城武宣王：即魏主元子攸的生父元勰，孝文帝元宏之弟，生前被封为彭城王，死后谥曰武宣。元勰曾有大功于孝文、宣武两朝，最后被权戚高肇所杀。传见《魏书》卷二十一下。⑫以高祖为伯考：将元勰的灵牌与孝文帝元宏的灵牌并列，称孝文帝为伯父。⑬临淮王彧：元彧，太武帝拓跋焘的玄孙。传见《魏书》卷十八。⑭汉高祖立太上皇庙于香街：当年刘邦称帝后，并没有把他父亲的灵牌摆入太庙，而是在香街给他父亲单独立的庙。胡三省曰："香街在汉长安城内，左冯翊府东北。"太上皇，指汉高祖刘邦之父。⑮光武祀南顿君于舂陵：汉光武刘秀称帝后，也没有把父亲的灵牌供入太庙，而是在舂陵县给他父亲重新立的庙。南顿君，指东汉光武帝刘秀的父亲刘钦，曾任南顿县（今河南项城西）令，故人们敬称之曰"南顿君"。舂陵，古县名，县治在今湖北枣阳南，当年光武帝刘秀的故乡。⑯元帝之于光武：汉光武与汉元帝的血缘关系。汉元帝刘奭，是汉宣帝之子，公元前四八至前三三年在位。⑰已疏绝服：已经疏远得出了五服，不再为之穿孝衣了。汉光武打天下一直标榜自己是西汉皇帝的血统，汉光武刘秀自称是景帝刘启的后代，用他自己支派的祖先比对，他的父亲刘钦相当于汉元帝一辈。于是汉光武就说他是继承汉元帝的世系，实际他与汉元帝的血亲已经出了五服，但他在排列太庙里的历代皇帝的顺序时，还是把自己排在汉元帝之后，而把他的亲生父亲刘钦等人都阻挡在了太庙之外。⑱犹身奉子道：还是心甘情愿地去给汉元帝当儿子。⑲入继大宗：以求得在太庙里排在汉高祖刘邦的父子相传的一套规范里。大宗，嫡长子相传的世袭宗派。⑳德洽寰中：威望被全国上下所承认、所悦服。洽，周遍。寰中，寰宇之中；天地之间。㉑道超无外：道德远播世界的一切角落。㉒勋格宇宙：即功勋充满宇宙。格，至、达到。㉓犹北面为臣：但他毕竟始终是一位臣子。㉔二后皆将配飨：指孝文帝与彭城王兄弟两人的灵牌同时在太庙享受祭祀。配飨，陪上帝一道受祭祀，

这里即指受祭祀。㉕君臣并筵：做皇帝的孝文帝与做臣子的彭城王同时共席。㉖嫂叔同室：做嫂子的孝文皇后与做小叔的彭城王元勰住在了同一间屋子里。古代视叔嫂同室为失礼。㉗李神儁：原西凉王李宝之孙，李佐之子，魏国的才学之臣。传见《魏书》卷三十九。㉘去帝著皇：去掉“帝”字，只保留“皇”字。即追称彭城王曰“文穆皇”。胡三省曰：“请去‘帝’著‘皇’，亦引汉悼皇、共皇为据。”〖按〗汉悼皇即宣帝之生父，故太子刘据之子。㉙二百四十号将军：各种将军的名号共二百四十个。具体名目见《通鉴》卷一百五十三胡三省注引，语繁不录。㉚为四十四班：分成四十四个等级。㉛壬寅：二月二十。㉜济阴王晖业：元晖业，景穆帝拓跋晃的后代，拓跋小新成的曾孙。传见《魏书》卷十九上。㉝镇梁国：驻兵在梁国。梁国的都城睢阳，即今河南商丘市睢阳区。㉞三月壬戌：三月十一。㉟四月癸未：四月初二。㊱彭城王劭：即元劭，元勰的嫡长子，元子攸的长兄。㊲古所未有：胡三省曰，“言自古未有以皇帝追尊其兄者。今按自唐高宗以后，率多追谥其子弟为皇帝，作俑者魏敬宗也”。㊳作而不法：独出心裁而不合法度。作，独出心裁的创作。㊴后世何观：让后代子孙如何看待。㊵帝室近亲：是魏主元子攸的堂兄弟。㊶来称义举：是打着正义的旗号前来的。㊷荥城：魏县名，县治在今河南商丘东南。㊸自旦至申：从清晨到下午的四点前后。申指下午的三点至五点。㊹燔燎：古代帝王祭天的一种仪式。㊺考城：魏县名，县治在今河南商丘西北。㊻辛丑：四月二十。㊼尔朱兆：尔朱荣之侄。此时任车骑将军、左光禄大夫。传见《魏书》卷七十五。㊽济南：魏郡名，郡治即今济南。㊾五月丁巳：五月初六。㊿杨昱：魏国名将杨椿之子，此时为东南道大都督。传见《魏书》卷五十八。(51)荥阳：魏郡名，郡治今河南荥阳东北之古荥镇，古代为兵家必争之地。(52)尔朱世隆：尔朱荣的堂兄弟，此时任尚书仆射、前军都督。传见《魏书》卷七十五。(53)虎牢：关塞名，旧址在今河南荥阳西北之汜水镇。(54)尔朱世承：尔朱世隆之弟，尔朱荣的堂兄弟，此时任侍中、御史中尉。传见《魏书》卷七十五。(55)崿岅：古地名，在今河南登封西北。(56)乙丑：五月十四。(57)戊辰：五月十七。(58)引兵而西：意即直指洛阳。(59)秣马：给马喂饲料。(60)无算：无法计算。(61)仇雠：冤家对头。雠，对。(62)屠脍：被屠杀；被宰割。脍，切肉成丝。(63)蚁附：像蚂蚁一样密集地向上爬。(64)癸酉：五月二十二。(65)拔荥阳二句：胡三省曰，“杨昱轻庆之兵少，不料其肉薄急攻，故城陷。《传》曰：‘敌无小，不可轻也。’又曰：‘不备不虞，不可以师’”。(66)无遗镞之费：不费一箭，极言其付出的代价之少。镞，箭头。(67)杀伤：犹言损失、牺牲。(68)举兵下都：指萧衍从雍州起兵，沿江东下攻克建康城。(69)袁昂为吴郡不降：袁昂为齐坚守吴郡，不向萧衍军投降。事见本书前文卷一百四十四中兴元年。袁昂是宋臣袁𫖮之子，在齐为吴郡太守。传见《南史》卷二十六。(70)辛纂：魏将辛雄的堂兄。传见《魏书》卷七十七。(71)高募：悬高赏格以募勇士。(72)或：如果还。(73)难期：难以预料。(74)渡河：到黄河以北。(75)犄角：两军相互策应。(76)甲戌：五月二十三。(77)至河内郡北：胡三省曰，“河内郡治野王，魏主自洛北如河内，当夜至郡城南，不应至郡城北，恐误”。野王，古城名，即今河南沁阳，在今洛阳东北方。⑱乙亥：五月二十四。⑲法驾：天子车驾中比较简易的一种。《史记·孝文本纪》之《索隐》引《汉官仪》云：“天子卤簿有大驾、法驾。大驾，公卿奉引，大将军参乘，属车八十一乘；法驾，公卿不在卤簿中，唯京兆尹、执金吾、长安令奉引，侍中参乘，属车三十六乘。”⑳丙子：五月二十五。㉑家世显重：胡三省曰，“杨播、杨椿兄弟仕魏，一门贵盛，子侄通显，累朝荣赫”。㉒崔孝芬：魏国名臣崔挺之子，此时任镇东将军、东道行台。传见《魏书》卷五十七。㉓戊寅：五月二十七。㉔大梁：古城名，即今河南开封，地处于睢阳与洛阳之间，当时被元颢的军队所占领。㉕济阴温子昇：济阴是魏郡名，郡治在今山东菏泽市定陶区西。温子昇是当时魏国的著名文学家。传见《魏书》卷八十五。此时为元天穆的僚属。㉖卿欲向洛二句：您是准备到洛阳去投降元颢呢？还是想随我渡河去河内找元子攸？㉗平定京邑：意即收复洛阳京城。㉘奉迎大驾：迎接魏主的车驾返回朝廷。㉙此桓、文之举：这是当年齐桓公、晋文公所曾采取过的光辉行动。齐桓公、晋文公都是春秋时期有名的霸主，其最主要的功勋就是讨平乱贼，稳定周天子的统治秩序。事迹详见《左传》与《史记》中的《齐太公世家》《晋世家》。㉚复耻：复仇雪耻，雪国家社稷被尔朱荣所灭之耻。㉛出卿于桎梏：把你从枷锁中解救出来。桎梏，木制刑具，系于手者曰桎，系于足者曰梏。㉜托命豺狼：把自己的性命交付于豺狼摆布，指为尔朱荣做傀儡。㉝假获民地：即使你眼下也像是有些百姓、有些地盘。㉞国家隆替：国家的兴盛与衰微。隆，兴盛。替，衰微、灭亡。㉟天道助顺：如果老天爷帮助我们，指梁国的傀儡元颢获得胜利。㊱脱或不然：如果不是那样。㊲卿宜三复：你要好好思考我的这些话。三复，反复地思考。㊳齐州：魏州名，州治历城，即今山东济南。㊴议所从：讨论应该投向谁。㊵北海、长乐二句：洛阳的北海王元颢，与河内的魏主元子攸，都是魏国皇室的近亲。二人都是孝文帝的侄子、宣武帝的堂兄弟，亲缘关系都是一样的远近。㊶宗祏不移：宗庙里供奉的祖先牌位不发生变化，没有落入其他的族姓。宗祏，盛放祖先牌位的石匣。㊷受赦：接受元颢的大赦令，向元颢投降。㊸军司崔光韶：军司，意同军师。军中的参谋人员。崔光韶，尚书右仆射崔亮的堂兄弟，官至廷尉卿。传见《魏书》卷六十六。㊹抗言：大声地反对。㊺覆宗国：颠覆自己的祖国。㊻朝眷：朝廷的恩宠。㊼仰从：听从、顺从。用“仰”字表示客气。㊽襄州：魏州名，州治即今河南襄城。㊾贾思同：太常卿贾思伯之弟，东魏时官至兼七兵尚书。传见《魏书》卷七十二。㊿南兖州：魏国的南兖州州治涡阳，即今安徽蒙城。(111)河桥：黄河上的桥名，也是古城名，在当时洛阳城的东北方，今河南孟州南。(112)按堵如故：都还像往常一样按部就班地在各自的岗位上。(113)号令己出：一切号令由自己发出。(114)想其风政：想望他有好的为人风度与政策方针。(115)宿昔：平素；向来。(116)近习：身边一些受宠的小人。(117)咸见宠待：都受到了宠爱优待。(118)不恤：不忧虑；不关心。(119)所从南兵：跟着元颢来的那些梁朝士兵。(120)高道穆兄子子儒：高子儒，高道穆之侄，高谦之之子。传见《魏书》卷七十七。(121)驰传：乘坐着飞快的驿车。传，驿车。⑫长子：魏县名，县治在今山西长子西南侧。⑫³行二句：一边赶路，一边安排各项工作。部分，安排、部署。⑫⁴六月壬午：六月初二。⑫⁵并、肆：魏之二州名，并州的州治即今山西太原，肆州的州治在今山西忻州西北。⑫⁶尔朱天光：尔朱荣之侄，亦为尔朱荣部下的骁勇之将。传见《魏书》卷七十五。⑫⁷九州行台：管理并、肆等九州事务的中央特派员。此九州指并、肆、恒、朔、云、蔚、显、汾、晋。⑫⁸仍行并州事：并代理并州刺史的职务。仍，此处意思同"乃"。⑫⁹部分约勒：安排、部署，提出要求，订好章程。⑬⁰己丑：六月初九。⑬¹责以河阴之事：追究其怂恿尔朱荣诛杀王公大臣两千人于河阴的责任。费穆怂恿尔朱荣杀魏朝士见本书上卷。⑬²壬寅：六月二十二。⑬³拔其城：拔河内郡的郡治野王，即今河南沁阳。⑬⁴辛亥：应为闰六月之辛亥日，即闰六月初一。⑬⁵淮阴：魏郡名。〖按〗胡三省注："《五代志》春陵郡湖阳县，后魏置西淮安郡及南襄州。'淮阴'当作'淮安'。"⑬⁶湖阳：魏县名，县治在今河南唐河县西南。湖阳县属西淮安郡。

【原文】

闰月己未[137]，南康简王绩[138]卒。

魏北海王颢既得志，密与临淮王彧、安丰王延明谋叛梁，以事难未平，藉陈庆之兵力，故外同内异，言多猜忌。庆之亦密为之备，说颢曰："今远来至此，未服者尚多，彼若知吾虚实，连兵四合[139]，将何以御之？宜启天子[140]，更请精兵，并敕诸州[141]，有南人没此者[142]悉须部送[143]。"颢欲从之，延明曰："庆之兵不出数千，已自难制，今更增其众，宁肯复为人用乎[144]？大权一去，动息由人[145]，魏之宗庙[146]，于斯坠矣。"颢乃不用庆之言。又虑[147]庆之密启[148]，乃表于上曰："今河北、河南一时克定[149]，唯尔朱荣尚敢跋扈，臣与庆之自能擒讨。州郡新服，正须绥抚[150]，不宜更复加兵，摇动百姓。"上乃诏诸军继进者皆停于境上[151]。

【校记】

［1］飨：据章钰校，甲十一行本、乙十一行本、孔天胤本皆作“享”。［2］元天穆：原无“元”字。据章钰校，甲十一行本、乙十一行本、孔天胤本皆有“元”字，张敦仁《通鉴刊本识误》同，今据补。［3］若：原无此字。据章钰校，甲十一行本、乙十一行本、孔天胤本皆有此字，张敦仁《通鉴刊本识误》同，今据补。［4］受：据章钰校，甲十一行本、乙十一行本、孔天胤本皆作“荷”。［5］子子儒：原作“子儒”。据《魏书·高崇传》，高子儒为高道穆兄高谦之之子，当为道穆兄子，“子儒”上脱一“子”字，今据补。

【语译】

闰六月初九日己未，梁国的南康简王萧绩去世。

魏国的北海王元颢进入洛阳做了皇帝之后，就秘密地与临淮王元彧、安丰王元延明谋划背叛梁国，只是因为魏国境内反抗自己的势力还没有解除，还需要借助梁将陈庆之的兵力，所以表面上他与陈庆之还能保持一致，而内心已经另有打算，言语之间对陈庆之流露出很多的猜忌。陈庆之也秘密地对元颢做了戒备，陈庆之对元颢说：“现在我们从遥远的梁国来到洛阳，这里不肯服从我们的人还很多，他们如果掌握了我们的虚实，各路军队联合起来从四面包围我们，我们将用什么办法来抵御他们呢？应该把这里的情况奏明我们梁国的皇帝，请求再派精兵前来增援我们，陛下应该向我们所占领的各州各郡下达命令，凡是有陷没在各州各郡的南朝人，都要把他们护送到洛阳来。”元颢正准备听从陈庆之的建议，元延明说：“陈庆之的军队不过只有几千人，就已经难以控制，如果再让梁朝给他增加军队，难道他还肯再听我们使唤吗？大权一旦失去，一举一动都得听别人的，我们这个刚刚建立起来的魏国小朝廷，从此就完蛋了。”元颢于是拒绝采纳陈庆之的意见。元颢又担心陈庆之秘密向梁武帝萧衍打报告，于是就亲自给梁武帝上表说：“如今河北、河南地区很快就会被我们平定，只有尔朱荣还在飞扬跋扈，我和陈庆之依靠自己现有的兵力就能够讨平尔朱荣，将尔朱荣擒获。各州郡刚刚归顺，还需要对他们进行一些安抚工作，不适合再增派援军，以免引起民心动摇。”梁武帝于是下诏，命令正在继续前进的各军全部停驻在边境之上。

洛中南兵不满一万，而羌、胡之众十倍，军副⑫马佛念谓[6]庆之曰：“将军威行河、洛，声震中原，功高势重，为魏所疑⑬，一旦变生不测，可无虑乎？不若乘其无备，杀颢据洛，此千载一时⑭也。”庆之不从⑮。颢先以庆之为徐州刺史，因固求之镇⑯，颢心惮之，不遣，曰：“主上⑰以洛阳之地全相任委⑱，忽闻舍此朝寄⑲，欲往彭城，谓君遽取富贵⑳，不为国计㉑，非徒有损于君，恐仆并受其责㉒。”庆之不敢复言。

尔朱荣与颢相持于河上⑬。庆之守北中城⑭，颢自据南岸。庆之三日十一战，杀伤甚众⑮。有夏州义士⑯为颢守河中渚⑰，阴与荣通谋，求破桥⑱立效，荣引兵赴之。及桥破，荣应接不逮⑲，颢悉屠之，荣怅然失望。又以安丰王延明缘河固守，而北军无船可渡，议欲还北，更图后举。黄门郎杨侃⑳曰：“大王发并州之日，已知夏州义士之谋指㉑来应之㉒乎？为欲广施经略㉓匡复帝室乎？夫用兵者，何尝㉔不散而更合㉕，疮愈更战㉖！况今未有所损，岂可以一事不谐㉗而众谋顿废㉘乎！今四方颙颙㉙，视公此举。若未有所成，遽复引归，民情失望，各怀去就，胜负所在，未可知也。不若征发民材，多为桴筏⑱，间以舟楫⑱，缘河布列，数百里中，皆为渡势，首尾既远，使颢不知所防，一旦得渡，必立大功。”高道穆曰：“今乘舆飘荡⑱，主忧臣辱⑱。大王拥百万之众，辅天子而令诸侯，若分兵造筏，所在散渡，指掌可克⑱。奈何舍之北归，使颢复得完聚⑱，征兵天下！此所谓养虺成蛇⑱，

在洛阳城中的梁朝军队还不满一万人，而羌族人、胡人的人数是梁朝人的十倍，在陈庆之手下担任军中副统帅的马佛念对陈庆之说："将军的威名传遍了河、洛之间，声威震动了整个中原地区，目前将军功高权重，已经遭到北海王元颢集团的怀疑，随时都可能发生不可预测的变故，难道你就不感到忧虑吗？倒不如趁着他们还没有防备，我们杀死元颢，占据洛阳，这可是千载难逢的大好时机呀。"陈庆之没有听从马佛念的建议。元颢此前曾任命陈庆之为徐州刺史，因此陈庆之坚持要求到徐州上任，元颢心里忌惮陈庆之，所以坚决不派遣陈庆之前往徐州赴任，他对陈庆之说："梁朝皇帝把洛阳这个地方全部委托给了你我，忽然听说你要舍弃魏国朝廷的全部信托，想要到彭城去，大家会说你急于谋求自己的功名富贵，不为梁国的利益做考虑，这样一来不但有损于你的声望，恐怕让我也得跟着你担责任。"陈庆之于是不敢再说什么。

尔朱荣与元颢在洛阳城北的黄河一带展开对峙。陈庆之率军守卫着黄河北岸的北中城，元颢自己率军据守在黄河南岸。陈庆之在三天的时间里经过了十一场战斗，自己的部下伤亡惨重。有一群夏州籍的兵勇正在为元颢守卫着黄河中的一个小岛，暗地里却与魏国的尔朱荣互相串通一气，他们请求拆断河桥城下的黄河浮桥为尔朱荣立功效力，请尔朱荣率军前往接应。等到他们将河桥城下的黄河浮桥破坏掉之后，尔朱荣却没有及时赶到接应，元颢把这些兵勇全部杀死，尔朱荣因此心情沮丧，对前景感到很失望。元颢又任用安丰王元延明率军坚守黄河南岸，而尔朱荣所率领的北方军因为没有船只可以渡过黄河，就商议准备返回北方的并州，以后再想办法对付元颢。担任黄门郎的杨侃对尔朱荣说："大王从并州发兵的时候，难道就已经知道夏州籍兵勇的阴谋计划而来响应他们吗？还是想要大展宏图以匡扶皇帝复兴魏国呢？用兵打仗，哪一回不是被打散了再集合起来，受了伤包扎一下伤口就接着再战呢！况且现在我军并没有遭受什么损失，岂能因为一次里应外合的事情未能成功就将许多重大的规划、谋略登时抛弃不干了呢！如今四方之人都在举首仰望着大王，看看大王的此次行动能否获得成功。如果大王此次毫无成功，就突然又率军北返，人们对大王一旦感到失望，就会人人想要离开大王而另谋高就，最后究竟谁胜谁负，就不好预测了。不如征用百姓的竹木，多多地编造一些竹筏、木筏，中间也夹带着大大小小的船桨，沿着黄河北岸全面摆开，在几百里的范围内，做出一种处处都在准备渡河的架势，从首到尾战线既然拉得很长，元颢就不知道到底应该在哪里设防才好，一旦我军渡河成功，一定会建立大功。"中书舍人高道穆对尔朱荣说："如今皇帝还漂泊在外，行止无定所，皇帝陷于忧患，群臣应该为此而感到耻辱。大王您统领着百万之众，辅佐天子而号令诸侯，如果将兵力分散开来让他们各自去编造桴筏，令他们就在自己所在的地方分别渡河，获取成功就像指画自己的手掌一样轻而易举。为什么要舍弃这样大好的建功立业机会而返回北方，使元颢获得重新修缮城郭、聚积粮草、向天下征兵的喘息之机呢！这就是人们所说的把小蛇养成了大蛇，

悔无及矣。”荣曰：“杨黄门已陈此策，当相与议之。”刘灵助⑱⑦言于荣曰：“不出十日，河南必平。”伏波将军正平杨檦⑱⑧与其族居马渚⑱⑨，自言有小船数艘，求为乡导。戊辰⑲⓪，荣命车骑将军尔朱兆与大都督贺拔胜⑲①缚材为筏，自马渚西硖石⑲②夜渡，袭击颢子领军将军冠受⑲③，擒之。安丰王延明之众闻之，大溃。颢失据⑲④，帅麾下数百骑南走，庆之[7]收步骑数千，结陈东还，颢所得诸城，一时复降于魏。尔朱荣自追陈庆之，会嵩高⑲⑤水涨，庆之军士死散略尽，乃削须发为沙门⑲⑥，间行出汝阴⑲⑦，还建康，犹以功除右卫将军，封永兴县⑲⑧侯。

中军大都督兼领军大将军杨津⑲⑨入宿殿中，扫洒宫庭，封闭府库，出迎魏主于北邙⑳⓪，流涕谢罪，帝慰劳之。庚午⑳①，帝入居华林园⑳②，大赦。以尔朱兆为车骑大将军、仪同三司，北来军士⑳③及随驾文武诸立义⑳④者加五级，河北执[8]事之官⑳⑤及河南立义者⑳⑥加二级。壬申⑳⑦，加大丞相荣天柱大将军⑳⑧，增封通前二十万户⑳⑨。

北海王颢自轘辕㉑⓪南出至临颍㉑①，从骑分散，临颍县卒江丰斩之。癸酉㉑②，传首洛阳。临淮王彧复自归于魏主，安丰王延明携妻子来奔㉑③。

陈庆之之入洛也，萧赞㉑④送启求还㉑⑤。时吴淑媛㉑⑥尚在，上使以赞幼时衣寄之，信未达而庆之败。庆之自魏还，特重北人，朱异怪而问之，庆之曰：“吾始以为大江以北皆戎狄之乡，比至洛阳，乃知衣冠人物㉑⑦尽在中原，非江东所及㉑⑧也，奈何轻之？”

甲戌㉑⑨，魏以上党王天穆为太宰，城阳王徽为大司马兼太尉。乙亥㉒⓪，魏主宴劳尔朱荣、上党王天穆及北来督将㉒①于都亭㉒②，出宫

到那时恐怕后悔都来不及了。”尔朱荣说：“黄门郎杨侃已经向我陈述过这样的计策，应当再与他商议商议。”尔朱荣的谋臣刘灵助对尔朱荣说：“十天之内，黄河南岸一定能被大王平定。”担任伏波将军的正平郡人杨檦和他的族人居住在马渚，他说自己有几艘小船，请求为尔朱荣充当向导。闰六月十八日戊辰，尔朱荣命令担任车骑将军的尔朱兆与担任大都督的贺拔胜把竹木绑成筏子，从马渚西面硖石山处利用黑夜作掩护向南渡过黄河，袭击元颢的儿子担任领军将军的元冠受，活捉了元冠受。安丰王元延明的部下听到消息以后，立即崩溃。元颢失去了依靠，就率领着部下的几百名骑兵向南逃走，陈庆之收集了数千名步兵和骑兵，结成队列向东撤回，元颢所夺取的各城，一时之间又都投降了元子攸的魏国。尔朱荣亲自率军追击陈庆之，正遇上从嵩山上下来的水势暴涨，陈庆之部下的军士连死带失散差不多已经光了，陈庆之于是剃去胡须、头发，装扮成和尚模样，抄小路经由汝阴郡，逃回梁国的京师建康，梁武帝还是根据功劳授予陈庆之右卫将军，封为永兴县侯。

魏国担任中军大都督兼领军大将军的杨津入宫宿卫，他率人洒扫宫廷，封闭了府库，然后到洛阳城北面的邙山迎接魏孝庄皇帝元子攸，杨津痛哭流涕地向孝庄皇帝谢罪，魏孝庄皇帝慰劳了杨津一番。闰六月二十日庚午，魏孝庄皇帝入居洛阳城内的华林园，实行大赦。任命尔朱兆为车骑大将军、开府仪同三司，凡是跟随尔朱荣从北方并州一带南来的勤王之军和一直跟随在皇帝身边的文武大臣以及抵御过北海王元颢叛逆集团的人士一律加升五级，凡是河北地区在任的各类执行官员，以及在河南地区消灭了叛逆之军的义勇之士一律加升二级。二十二日壬申，魏孝庄皇帝加授大丞相尔朱荣为天柱大将军，为尔朱荣增加封邑，连同以前的封邑共计为二十万户。

北海王元颢经由轘辕关向南到达临颍县，跟随他的骑兵此时已经分头逃散，临颍县的士兵江丰把元颢杀死。闰六月二十三日癸酉，元颢的首级被传送到洛阳。临淮王元彧又主动归顺了魏孝庄皇帝，安丰王元延明则携带着妻儿来投奔了梁国。

陈庆之在率军进入洛阳的时候，萧赞给陈庆之写信请求返回梁国。当时萧赞的生母吴淑媛还活着，梁武帝让吴淑媛把萧赞小时候所穿过的衣服寄给萧赞，东西还没有寄到洛阳，陈庆之已经兵败而返。陈庆之从魏国返回梁国以后，特别重视北方人，朱异感到很奇怪，就问陈庆之为什么会如此，陈庆之回答说：“我开始的时候认为长江以北地区全都是戎狄居住的地方，等我到了洛阳之后，才知道有才德、有名望的士大夫全都在中原地区，在这方面我们江东根本无法和中原相比，我凭什么要轻视北方人呢?”

闰六月二十四日甲戌，魏国朝廷任命上党王元天穆为太宰，任命城阳王元徽为大司马兼太尉。二十五日乙亥，魏孝庄皇帝在都亭设宴慰劳大丞相、太原王尔朱荣、上党王元天穆以及跟随尔朱荣从并州一带南来勤王的督将，孝庄帝从皇宫中放出

人[223]三百，缯锦杂彩[224]数万匹，班赐有差，凡受元颢爵赏阶复[225]者，悉追夺[226]之。

秋，七月辛巳[227]，魏主始入宫[228]。

以高道穆为御史中尉[229]。帝姊寿阳公主行犯清路[230]，赤棒卒[231]呵之不止[232]，道穆令卒击破其车。公主泣诉于帝，帝曰："高中尉清直之士，彼所行者公事，岂可以私责之也！"道穆见帝，帝曰："家姊行路相犯，极以为愧。"道穆免冠谢，帝曰："朕以愧卿，卿何谢也？"

于是[233]魏多细钱[234]，米斗几[235]直一千，高道穆上表，以为"在市铜价，八十一钱得铜一斤；私造薄钱，斤赢二百[236]。既示之以深利[237]，又随之以重刑，抵罪虽多，奸铸[238]弥众。今钱徒有五铢之名而无二铢之实，置之水上，殆欲不沈[239]。此乃因循有渐[240]，科防不切[241]，朝廷失之，彼复何罪？宜改铸大钱，文载年号[242]，以记其始，则一斤所成止七十钱，计私铸所费不能自润[243]，直置无利[244]，自应息心，况复[245]严刑广设也！"金紫光禄大夫杨侃亦奏乞听民与官并铸五铢钱，使民乐为而弊自改。魏主从之，始铸永安五铢钱。

辛卯[246]，魏以车骑将军杨津为司空。

初，魏以梁、益二州[247]境土荒远，更立巴州[248]以统诸獠，凡二十余万户，以巴酋[249]严始欣为刺史。又立隆城镇[250]，以始欣族子恺为镇将。始欣贪暴，孝昌[251]初，诸獠反，围州城，行台魏子建[252]抚谕之，乃散。始欣恐获罪，阴来请降，帝遣使以诏书、铁券、衣冠等赐之，为恺所获，以送子建。子建奏以隆城镇为南梁州，用恺为刺史，囚始欣于南郑。

三百名宫女，拿出数万匹各类丝织品，按照不同等级分别赏赐给他们，凡是接受元颢的赏赐而提高了爵位级别与享受免除劳役、赋税等优待的人，都一律撤销。

秋季，七月初二日辛巳，魏孝庄皇帝才进入洛阳的皇宫。

魏国朝廷任命中书舍人高道穆为御史中尉。魏孝庄皇帝的姐姐寿阳公主出行的时候违犯了皇帝出行的清道戒严令，手执赤棒负责开道的士卒喝令寿阳公主停步，寿阳公主照样前行，担任御史中尉的高道穆命令士卒砸碎了寿阳公主所乘坐的车子。寿阳公主在孝庄皇帝面前流着眼泪控告高道穆欺辱了自己，孝庄皇帝说："御史中尉高道穆是一位清廉正直之人，他所执行的是公务，我怎么可以因为你是我的姐姐这层私人关系而去责备他呢！"高道穆拜见孝庄皇帝，孝庄皇帝说："我姐姐出行的时候冒犯了你，我感到非常惭愧。"高道穆摘下自己的帽子向孝庄皇帝谢罪，孝庄皇帝说："是我有愧于你，你为什么反倒向我请罪呢？"

此时的魏国有很多不合规制的小铜钱，一斗米的价钱将近一千个铜钱，御史中尉高道穆于是上表给孝庄皇帝，高道穆认为："按照市场上的铜价，八十一个铜钱就可以购买一斤铜；民间私自铸造的薄铜钱，一斤铜可以铸造二百多个薄钱。国家既让他们看到铸造铜钱可以获得的丰厚利润，随后又用重刑惩治那些私铸薄钱的人，遭受惩罚的人虽然很多，而违法乱铸薄铜钱的人反而越来越多。如今的五铢钱已经是徒有其名，其实连二铢的重量也没有，把那些薄铜钱放在水里，轻得几乎可以漂在水面上。这是互相因循，逐渐发展才变成现在这个样子的，条令管得不严，是朝廷的失误，他们又有什么罪呢？现在应该改铸大铜钱，铜钱上铸明是哪一年铸造的，以记载开始铸造的年代，铸造大钱，规定一斤铜只能铸造七十枚铜钱，这样一来，估计私自铸造铜钱的人根本收不回成本，得不到利润，白干半天却无利可图，他们就会自动打消铸钱的念头，何况国家还要对其进行严厉的惩罚呢！"担任金紫光禄大夫的杨侃也上书奏请允许百姓与官府一同铸造五铢钱，让百姓乐意铸造五铢钱而铸钱的弊端自然就会改变。魏孝庄皇帝批准了他们的意见，于是开始铸造永安五铢钱。

七月十二日辛卯，魏国朝廷任命担任车骑将军的杨津为司空。

当初，魏国因为梁州、益州地处荒僻遥远，就又设立了巴州以便统治、管理那里被称为獠人的少数民族，总计有二十多万户，朝廷任命巴族人的酋长严始欣为巴州刺史。又设立隆城镇，任命严始欣的族侄严恺为隆城镇将。严始欣为人贪婪残暴，魏肃宗孝昌初年，被称为獠人的少数民族各部落就开始造反，他们围困了巴州城，魏国担任行台的魏子建对造反的那些少数民族进行安抚、劝谕，造反的人才逐渐散去。严始欣惧怕魏国朝廷会治他的罪，便暗中派人到梁国请求投降，梁武帝派使者把皇帝接受其投降的诏书、免除其死罪的铁券、梁朝的衣服帽子等物品赏赐给严始欣，不料这些物品全部被隆城镇将严恺所截获，严恺将其送给了魏子建。魏子建上书给朝廷，请求把隆城镇改为南梁州，任用严恺为南梁州刺史，把严始欣囚禁在南郑。

魏以唐永为东益州刺史代子建，以梁州刺史傅竖眼㉝为行台。子建去东益㉞而氐、蜀寻反㉟，唐永弃城走，东益州遂没。

傅竖眼之初至梁州也，州人相贺㊱，既而久病，不能亲政事。其子敬绍，奢淫贪暴，州人患之。严始欣重赂敬绍，得还巴州，遂举兵击严恺，灭之，以巴州来降，帝遣将军萧玩等将兵[9]援之。傅敬绍见魏室方乱，阴有保据南郑㊲之志，使其妻兄唐昆仑于外扇诱山民，相聚[10]围城，欲为内应。围合而谋泄，城中将士共执敬绍，以白竖眼而杀之，竖眼耻恚㊳而卒。

八月己未㊴，魏以太傅李延寔为司徒。甲戌㊵，侍中、太保杨椿致仕㊶。

九月癸巳㊷，上幸同泰寺㊸，设四部无遮大会㊹。上释御服㊺，持法衣㊻，行清净大舍㊼，以便省为房㊽，素床瓦器㊾，乘小车，私人执役㊿。甲子[271]，升讲堂法座，为四部大众[272]开《涅槃经》题[273]。癸卯[274]，群臣以钱一亿万祈白三宝[275]，奉赎[276]皇帝菩萨[277]，僧众默许。乙巳[278]，百辟[279]诣寺东门，奉表请还临宸极[280]，三请，乃许。上三答书，前后并称“顿首”[281]。

魏尔朱荣使大都督尖山侯渊[282]讨韩楼[283]于蓟，配卒甚少，骑止七百，或以为言，荣曰：“侯渊临机设变，是其所长，若总大众，未必能用。今以此众击此贼，必能取之。”渊遂广张军声，多设供具[284]，亲帅数百骑深入楼境。去蓟百余里，值[285]贼帅陈周马步万余，渊潜伏以乘其背[286]，大破之，虏其卒五千余人。寻还其马仗[287]，纵令入城[288]。

魏国朝廷任命唐永为东益州刺史以取代魏子建，任命担任梁州刺史的傅竖眼为行台。魏子建离开东益州之后，那里的氐族人、蜀人很快就造反了，刚刚担任东益州刺史的唐永弃城逃走，魏国遂丧失了对东益州的管辖。

傅竖眼在初到梁州担任刺史的时候，梁州的人们互相庆贺，后来傅竖眼却长期卧病，不能亲自处理州中的政务。傅竖眼的儿子傅敬绍，生活奢侈荒淫、性情贪婪残暴，成了梁州百姓的一大祸患。严始欣用重金贿赂了傅敬绍，才得以回到巴州，严始欣回到巴州以后就起兵进攻南梁州刺史严恺，把严恺消灭，献出巴州投降了梁国，梁武帝派遣将军萧玩等率军前往巴州援助严始欣。傅敬绍看到魏国局势混乱，暗中就有以南郑为根据地而自立称王的志向，他让自己的妻兄唐昆仑在外边煽动、引诱那些山里人，于是那些山里人带领并包围了南郑城，傅敬绍准备为他们做内应以夺取南郑。城外刚刚形成对南郑的包围而傅敬绍的阴谋就泄露了，城中的将士一同捉住了傅敬绍，并把此事禀报了行台、梁州刺史傅竖眼而把傅敬绍杀死，傅竖眼既羞耻又愤怒，竟因此而死。

八月初十日己未，魏国朝廷任命担任太傅的濮阳王李延寔为司徒。二十五日甲戌，担任侍中、太保的杨椿辞去官职回家养老。

九月十五日癸巳，梁武帝驾临同泰寺，在寺内举办僧、尼、善男、善女都可以参加的佛教大法会。梁武帝脱去皇帝的服装，身穿和尚的僧衣僧帽，举行舍身寺庙的出家仪式，他把同泰寺里自己曾经方便休息的屋子当成了修行的住所，里面放置的是光板床，用的是粗瓷碗罐，乘坐的是一辆小车，身边只有几个奴仆帮着干些粗活。甲子日，梁武帝亲自坐上讲经堂的法座，为那些和尚、尼姑、善男、信女开讲《涅槃经》的中心意旨。二十五日癸卯，群臣用一亿万钱向寺庙的住持提出请求，奉请赎回成了菩萨的皇帝，得到了众僧人的默许。二十七日乙巳，满朝的文武百官来到同泰寺的东门，捧着表章请求梁武帝还是回朝当皇帝，群臣反复请求了三次，梁武帝才答应了群臣的请求。梁武帝在给群臣的三次复信中，都一律使用了平辈之间写信常用的客气话“顿首”，表明他已经不再把自己当成是君临天下的皇帝。

魏国的尔朱荣让担任大都督的尖山人侯渊率军前往蓟城讨伐叛民首领葛荣的余党韩楼，尔朱荣拨给侯渊的士兵很少，骑兵只有七百名，有人为此提出意见，尔朱荣说:“临机应变，是侯渊的长处，如果让侯渊统领大部队，倒未必能够成功。如今就让侯渊率领这些人去进攻韩楼，侯渊一定能取胜。”侯渊于是大张旗鼓地虚张自己的声势，还为军队准备了很多吃的、用的，又亲自率领着几百名骑兵深入韩楼的占领区内。侯渊在距离蓟县县城一百多里的地方，正好碰上了贼军统帅陈周所率领的一万多名骑兵、步兵，侯渊率领自己的部众潜伏下来，等到陈周的大部队过去之后，便从背后向陈周发起攻击，把陈周军打得大败，俘虏了陈周的五千多名士卒。不久侯渊又将俘获的马匹、兵器还给了那些被俘的士卒，放他们进入蓟县县城。

左右谏曰："既获贼众，何为复资遣之[289]？"渊曰："我兵既少，不可力战，须为奇计以离间之，乃可克也。"渊度其已至[290]，遂帅骑夜进，昧旦[291]，叩其城门。韩楼果疑降卒为渊内应，遂走，追擒之，幽州平。以渊为平州[292]刺史镇范阳[293]。

先是，魏使征东将军刘灵助兼尚书左仆射，慰劳幽州流民于濮阳、顿丘[294]，因帅流民北还，与侯渊共灭韩楼，仍[295]以灵助行幽州事，加车骑将军，又为幽、平、营、安[296]四州行台。

万俟丑奴[297]攻魏东秦州[298]，拔之，杀刺史高子朗。

冬，十月己酉[299]，上又设四部无遮大会，道、俗[300]五万余人。会毕，上御金辂[301]还宫，御太极殿，大赦，改元[302]。

魏以前司空萧赞为司徒。

十一月己卯[303]，就德兴[304]请降于魏，营州平。

丙午[305]，魏以城阳王徽为太保，丹杨王萧赞为太尉，雍州刺史长孙稚[306]为司徒。

十二月辛亥[307]，兖州刺史张景邕[308]、荆州刺史李灵起[309]、雄信将军萧进明[310]叛，降魏。

以陈庆之为北兖州[311]刺史。有妖贼僧强[312]，自称天子，土豪蔡伯龙起兵应之，众至三万，攻陷北徐州[313]，庆之讨斩之。

魏以岐州[314]刺史王罴行南秦州[315]事，罴诱捕州境群盗，悉诛之。

侯渊身边的人都劝阻说:“既然俘虏了众多的贼军，为什么又发还给他们兵器、马匹让他们回去呢?”侯渊回答他们说:“我们的兵力既然很少，就不能和他们拼实力作战，而需要使用奇计来离间他们，我们才可以取胜。”侯渊估计被放回的那些士卒已经回到了他们的大本营，于是就率领着手下的几百名骑兵连夜向蓟县县城进发，天刚蒙蒙亮的时候，侯渊的骑兵就开始向蓟县县城的城门发起进攻了。韩楼果然怀疑那些投降返回的士卒在为侯渊做内应，于是立即逃走，侯渊的骑兵追上前去俘虏了韩楼，幽州的叛乱遂宣告平定。魏国朝廷任命侯渊为平州刺史，驻军于范阳郡。

先前，魏国朝廷让担任征东将军的刘灵助兼任尚书左仆射，前往濮阳、顿丘慰劳那些幽州的流民，趁机率领幽州流民北返，与大都督侯渊共同消灭了韩楼，朝廷因而任用刘灵助为幽州刺史，并加授刘灵助为车骑将军，又任用刘灵助为幽州、平州、营州、安州四州行台。

万俟丑奴率领部众进攻魏国的东秦州，攻克了东秦州，杀死了担任东秦州刺史的高子朗。

冬季，十月初一日己酉，梁武帝又在同泰寺举办僧、尼、善男、善女都可以参加的佛教大法会，有五万多名和尚与普通的平民百姓参加。法会结束之后，梁武帝乘坐着用黄金做装饰的车驾回到皇宫，登上太极殿，实行大赦，改年号为中大通元年。

魏国朝廷任命曾经担任过司空的丹杨王萧赞为司徒。

十一月初二日己卯，就德兴向魏国朝廷请求投降，营州的叛乱宣告平定。

二十九日丙午，魏国朝廷任命城阳王元徽为太保，任命丹杨王萧赞为太尉，任命雍州刺史长孙稚为司徒。

十二月初四日辛亥，梁国担任兖州刺史的张景邕、担任荆州刺史的李灵起、担任雄信将军的萧进明背叛了梁国，投降了魏国。

梁武帝任命陈庆之为北兖州刺史。有一个名叫强的妖僧，自称天子，地方豪强蔡伯龙起兵响应僧强，他们的部众已经达到了三万人，攻陷了北徐州，陈庆之率军讨伐，把僧强、蔡伯龙杀死。

魏国朝廷任命担任岐州刺史的王罴兼任南秦州刺史职务，王罴诱捕州境之内的盗贼，全部把他们诛灭。

【段旨】

以上为第二段，写梁武帝中大通元年（公元五二九年）后七个月的大事。主要写了分裂分子元颢自感翅膀已硬，欲脱离梁国自立，与陈庆之互斗心眼。写了陈庆之的僚属马佛念劝陈庆之杀元颢以据洛阳，陈庆之不纳。写了尔朱荣与元颢、陈庆之相持于河上，尔朱荣动摇欲退，杨侃、高道穆坚主进兵克敌，结果尔朱兆、贺拔胜在一些义民的帮助下强渡硖石，擒获南岸的守将元颢之子，元颢闻讯南逃，部下离散，元颢被临颍县卒所杀；陈庆之的军队遇洪水溃散于嵩山，陈庆之单身逃回建康，所得魏地皆失。写了魏之中军大都督杨津洒扫宫廷迎魏主元子攸返回洛阳，魏主大赏尔朱荣与渡河击破元颢的尔朱兆。写了魏梁州刺史傅竖眼之子傅敬绍多行不法，州民恨之，傅敬绍见魏廷混乱，欲据南郑自立，事泄被州人所杀，傅竖眼愧恚而死；魏子建离东益州而当地迅即叛乱，东益州遂没入梁。写了尔朱荣遣其部将侯渊破杀葛荣的部将韩楼于幽州，幽州平定。写了梁武帝萧衍迷恋佛教，常到寺庙游赏，宣讲佛经，甚至还把自己舍身给寺院，群臣无奈，只得花巨资将其赎回等。

【注释】

⑬⑦ 闰月己未：闰六月初九。⑬⑧ 南康简王绩：萧绩，梁武帝萧衍的第四子，被封为南康王，谥曰简。传见《梁书》卷二十九。⑬⑨ 连兵四合：联合起来四面包围我们。⑭⓪ 宜启天子：应当向梁朝皇帝报告。⑭① 并敕诸州：给我们占领下的各州郡下命令。敕，命令、通告。⑭② 南人没此者：有陷没在各州郡的南朝人。⑭③ 悉须部送：全部遣送到洛阳来。⑭④ 宁肯复为人用乎：还能再听别人使唤吗。人，别人、他人。⑭⑤ 动息由人：一举一动都得听别人的。动息，何时该动，何时该停。⑭⑥ 魏之宗庙：实指我们这个在人控制下的小朝廷。⑭⑦ 虑：担心。⑭⑧ 密启：秘密向梁武帝报告。⑭⑨ 一时克定：很快地都让我们所平定。⑮⓪ 正须绥抚：还要做一定的安抚工作。正须，仍须。绥抚，安抚。⑮① 上乃诏诸军句：胡三省曰，“陈庆之非尔朱荣敌也，是时梁之诸将又皆出庆之下，使相与继进至洛，与元颢互相猜阻，亦必同归于陷没。梁兵之不进，梁之幸也。武帝不务自治而务远略，所以有侯景之祸”。⑮② 军副：军中的副统帅，陈庆之的副职。⑮③ 为魏所疑：此“魏”字指元颢集团。⑮④ 千载一时：千载难逢的时机。⑮⑤ 庆之不从：胡三省曰，“马佛念有战国策士之气。然必有非常之才，然后可以行非常之事，陈庆之乌足以办此”？⑮⑥ 固求之镇：（陈庆之）坚持要求去徐州上任。⑮⑦ 主上：指梁武帝。⑮⑧ 全相任委：全部委托给了我们俩。⑮⑨ 舍此朝寄：丢下魏国朝廷的全部信托。⑯⓪ 遽取富贵：只顾自己的功名富贵。遽，急。⑯① 不为国计：不为梁国的利益做考虑。因为梁国的本意是让陈庆之来支持、护卫元颢这个听命于梁国的分裂政权。⑯② 恐仆并受其责：恐怕让我也得跟着你担责任。责，责

备、责任。⑯河上：洛阳城北的黄河一带。⑯北中城：即黄河北岸的河桥城。胡三省曰，“晋杜预建河桥于富平津，河北侧岸有二城相对。”⑯杀伤甚众：指自己的部下伤亡很多。杀，犹今所谓“牺牲”。⑯夏州义士：夏州籍的一群兵勇。因其支持魏国的朝廷一方，故写史者称其为“义士”。夏州的州治统万，在今陕西榆林市横山区正西偏北。⑯河中渚：胡三省引《水经注》曰，“河中渚上有河平侯祠，河之南岸有一碑，题曰‘洛阳北界’。意此中渚即唐时河阳之中潬城也”。⑯破桥：拆断河桥城下的黄河浮桥。⑯不逮：来不及，没有及时赶到接应。⑰杨侃：魏国的名将杨椿、杨津之侄，杨播之子。传见《魏书》卷五十八。此时为度支尚书、黄门侍郎，陪同在魏主元子攸身边。⑰谋指：阴谋计划。⑰来应之：来与之里应外合。⑰广施经略：犹言“大展奇才”“大展宏图”。⑰何尝：哪一回不是。⑰散而更合：被打散了再集合起来。⑰疮愈更战：包扎一下伤口接着再战。愈，伤好，这里即包扎一下伤口。⑰一事不谐：一次里应外合的事情未能成功。⑰众谋顿废：许多重大的规划、谋略都抛弃不干了。顿，登时、即刻。⑰颙颙：举首仰望的样子。⑱桴筏：泛指各种船只。胡三省曰：“编竹木以渡水，大者曰桴，小者曰筏。”⑱间以舟楫：中间也夹带着大大小小的船桨。楫，划船用的桨。⑱乘舆飘荡：意即皇帝漂泊在外，行止无定所。乘舆，皇帝的车驾，这里指魏主元子攸。⑱主忧臣辱：皇帝陷于忧患，群臣应为此感到耻辱。主忧臣辱是自古以来的成语，《史记·越王勾践世家》有“主忧臣劳，主辱臣死”；《史记·范雎蔡泽列传》有“主忧臣辱，主辱臣死”；《史记·韩长孺列传》有“主辱臣死”，意思相同。⑱指掌可克：犹言指掌可胜。指掌，指画自己的手掌，以喻办事之轻而易举。⑱复得完聚：重新修缮城郭，聚积粮草。⑱养虺成蛇：把小蛇养成大蛇。虺，这里即指小蛇。胡三省曰：“逸书云：‘为虺不摧，为蛇奈何？’以文义观之，盖以虺为小蛇。”⑱刘灵助：尔朱荣的谋士，一个精通术数，具有神秘色彩的人物。⑱正平杨檦：正平郡人杨檦。正平郡的郡治即今山西新绛。杨檦在魏庄宗时以侠闻，后为宇文泰部下的名将。传见《周书》卷三十四。⑱马渚：黄河中的小洲名，在今河南三门峡市东。⑲戊辰：闰六月十八。⑲贺拔胜：尔朱荣部下的心腹将领，贺拔岳之兄。传见《魏书》卷八十。⑲硖石：山名，也是村镇名，在今河南三门峡市东南，地处黄河边上。⑲冠受：元冠受，元颢之子，时为元颢政权的领军将军。⑲失据：失去依靠；没了主心骨。⑲嵩高：即今河南嵩山，也称太室山，在登封北，洛阳城的东南方。胡三省曰：“颍水出少室山（即今嵩山之西峰），五渡水出太室山（即今嵩山之东峰），入于颍水。嵩高水涨，指此水也。”⑲沙门：和尚。⑲出汝阴：经由汝阴郡，梁国的汝阴郡治即今合肥。胡三省曰：“庆之所以得免者，亦由嵩高水涨，追兵不急，于军士死散之时得以挺身逸去，否则必为尔朱荣所擒矣。”⑲永兴县：当时的永兴县在今浙江绍兴附近。⑲杨津：魏国名将杨椿之弟，此时为魏主元子攸的中军大都督。传见《魏书》卷五十八。⑳北邙：北邙山，在洛阳城北，黄河的南岸。⑳庚午：闰六月二十。⑳华林园：此指洛阳城内的皇家园林，与当时的皇宫相连接，是曹魏时代的统治者所建造，其后屡有增修。㉛北来军士：指随尔朱荣由并州（今山西）一带南来的勤王之军。㉜立义：指勤王护驾以及抵御过元颢叛逆集团的人。㉝河北执事之官：黄河中下游以北的各类在任官员。因河北官员多不从元颢，且有迎驾之功，故封赏之。㉞河南立义者：指崔孝芬、刁宣等义勇之士，他们率军消灭了为元颢守睢阳的后军都督侯暄及其所领的叛逆之军。㉟壬申：闰六月二十二。㊱天柱大将军：胡三省曰，"天柱，原无此号，魏主以尔朱荣功高，特置以宠之"。㊲增封通前二十万户：胡三省曰，"荣先以平葛荣之功增封至十万户，今又增为二十万户以赏之"。通前，连以前的加起来。㊳轘辕：轘辕关，洛阳东南方的关塞名，在今河南登封西北。㊴临颍：魏县名，县治在今河南临颍西北，许昌东南方。㊵癸酉：闰六月二十三。㊶来奔：奔来投靠梁朝。㊷萧赞：即萧综，梁武帝萧衍之子，于普通六年（公元五二五年）于徐州往投魏国。传见《梁书》卷五十五、《魏书》卷五十九。㊸送启求还：给陈庆之写信请求返回梁国，请陈庆之报告梁武帝。启，文体名，写给名公巨卿的短信。㊹吴淑媛：萧赞的生母，原是南齐末代皇帝萧宝卷的嫔妃，萧宝卷死后又成了深受萧衍宠幸的嫔妃。淑媛是嫔妃的称号之一，不是人名。㊺衣冠人物：有才德、有名望的士大夫。㊻非江东所及：胡三省曰，"陈庆之特有见于洛阳华靡之俗而为是言耳"。㊼甲戌：闰六月二十四。㊽乙亥：闰六月二十五。㊾督将：大将；独当一方的将领。㊿都亭：犹如今之宾馆。招待外国来宾、各地官员进京的食宿之地。(223)宫人：在宫廷从事各种服务工作的女子。(224)缯锦杂彩：各类丝织品。缯，丝织品。(225)阶复：提高了级别爵位与享受了免除劳役、赋税等优待的人。阶，等级。复，免除赋税徭役。(226)追夺：撤销；收回。(227)七月辛巳：七月初二。(228)魏主始入宫：此前一直住在华林园。(229)御史中尉：也称御史中丞，主管监察、弹劾的官员。(230)行犯清路：冲撞、冒犯了皇帝出行的清道戒严。(231)赤棒卒：执赤棒开道的士卒。(232)呵之不止：喝令她停步，她还照样前行。(233)于是：当此时。(234)细钱：小钱；不合制度的铜钱。(235)几：几乎；将近。(236)斤赢二百：一斤铜可造薄钱二百多个。赢，超过。(237)深利：丰厚的利润。(238)奸铸：违法乱铸。(239)殆欲不沈：几乎可以漂在水面上。殆，几乎。(240)因循有渐：逐渐发展，变成了这种样子。(241)科防不切：条令管得不严。切，严厉。(242)文载年号：钱上铸明是哪一年铸的。(243)不能自润：收不回成本，得不到利润。(244)直置无利：白干半天得不到好处。置，使处于某种境地。(245)复：还有。(246)辛卯：七月十二。(247)梁、益二州：此时魏国的梁州州治南郑，即今陕西汉中，魏国的益州州治晋寿，在今四川剑阁东北。(248)巴州：魏国的巴州州治在今四川巴中东。(249)巴酋：巴族人的头领。(250)隆城镇：军镇名，在今四川阆中。(251)孝昌：魏肃宗元诩的第四个年号（公元五二五至五二七年）。(252)魏子建：当时魏国的著名将领与地方官，对经营梁、益一带地区有很大贡献。此时任行台、征西都督、东益州刺史。行台，是尚书省设在地方的派出机构，其长官也被称为"行台"，犹如今所谓特派员。(253)傅竖眼：魏国后期的名将，此时任梁州刺史，驻兵于今之汉中。(254)去东益：离开东益州，即今之陕西略阳。(255)寻反：很快地就造反了。(256)州人相贺：当时梁州的“民、獠闻竖眼至，皆喜，迎拜于路者相继”，又称“竖眼入州，白水以东民皆安业”。事见本书前文卷一百四十八天监十五年。㉗保据南郑：以南郑为根据地而自立称王。㉘耻恚：既羞耻又恼怒。㉙八月己未：八月初十。㉚甲戌：八月二十五。㉛致仕：退休。㉜九月癸巳：九月十五。㉝同泰寺：梁武帝于其大通元年（公元五二七年）紧挨皇宫建造的一座寺庙，取名同泰寺。寺庙建成后，梁武帝又在皇宫的围墙上凿了一个门，取名大通门，与同泰寺的庙门相对。如今，同泰寺早已片瓦无存，今南京市内的鸡鸣寺，就是在当年同泰寺的遗址上建成。㉞设四部无遮大会：佛教的活动之一，以讲演佛经，为百姓求福为宗旨，任何人都能来参加的大法会。设，举办。四部，指僧、尼、善男、善女，实即包括了人世间的一切人。㉟释御服：脱去皇帝所穿的衣服。㊱持法衣：身穿和尚的服装。持，保持，这里即指身穿。㊲行清净大舍：把自己的身子全部舍给了寺庙。㊳以便省为房：把同泰寺里梁武帝曾经方便休息的屋子当成他修行的住所。胡三省曰：“便省，在同泰寺，上临幸时居之，故曰便省。”㊴素床瓦器：睡的是光板床，用的是粗瓷碗罐。瓦器，不上釉子的陶器，这里即指粗瓷。㊵私人执役：只几个奴仆帮着干些粗活。㊶甲子：此语疑有误，本年的九月无“甲子”日。㊷四部大众：即上文所说的“四部”。㊸开《涅槃经》题：讲解《涅槃经》的中心意旨。开……题，讲解某文章的中心意旨。《涅槃经》，佛教的经典，是阐释妙有思想最具代表性的一部。㊹癸卯：九月二十五。㊺祈白三宝：向寺庙的住持提出请求。佛教称“佛”“法”“僧”为“三宝”，这里即指主事的和尚。㊻奉赎：奉上以赎，用“奉”表示虔敬。㊼皇帝菩萨：敬指梁武帝萧衍。这时的萧衍既是尘世的皇帝，又是佛教的圣僧。菩萨，仅次于佛的圣僧。胡三省曰：“菩，普也；萨，济也。菩萨，言能普济众生。”㊽乙巳：九月二十七。㊾百辟：朝廷百官；满朝文武。㊿请还临宸极：请求萧衍还是回朝廷当皇帝。宸极，北极星。古代以北极星为最尊，故以北辰喻帝位。胡三省引《唐韵》曰：“宸，屋宇也，天子所居。”㉘①前后并称“顿首”：“顿首”是平辈之间写信常用的客气话，现在萧衍给群臣回信也一律用“顿首”，表明他已经不再把自己当成君临天下的皇帝。㉘②尖山侯渊：尖山人侯渊。尖山，魏县名，据胡三省注引《五代志》，当在今山西东北部的桑干河流域，上属于神武郡。侯渊，原是变民头领杜洛周的部下，后投靠尔朱荣。传见《魏书》卷八十。㉘③韩楼：原是变民头领葛荣的部下，葛荣被尔朱荣打败杀害后，河北地区的变民活动转入低潮，只有韩楼还在幽州的州治蓟县一带坚持反魏。事见本书上卷大通二年。㉘④多设供具：多为军队准备吃的用的，盖虚张声势也。供具，主要指粮草、酒食一类。㉘⑤值：正好碰上。㉘⑥乘其背：从其背后发起攻击。乘，趁势而攻。㉘⑦马仗：马匹与武器。㉘⑧纵令入城：准许他们进蓟城看视。㉘⑨资遣之：给他们一些钱让他们回去。㉙⓪已至：回到了他们的大营。㉙①昧旦：天蒙蒙亮。㉙②平州：魏州名，州治肥如，在今河北迁安东北。㉙③镇范阳：驻军于范阳郡。范阳郡的郡治即今河北涿州。㉙④濮阳、顿丘：魏之二郡名，濮阳郡的郡治在今河南濮阳西南，顿丘郡的郡治在今濮阳东北。㉙⑤仍：同“乃”，于是。㉙⑥幽平、营、安：魏之四州名，幽州的州治即今北京市，平州的州治肥如（在今河北迁安东北），营州的州治龙城（即今辽宁朝阳），安州的州治燕乐（即今河北隆化）。㉙⑦万俟丑奴：原是陇西变民头领莫折念生的部下，后来莫折念生被部下所杀，又几经变乱后，万俟丑奴成了陇西一带变民的头领。㉙⑧东秦州：魏州名，州治中部，在今陕西宜君东北。㉙⑨十月己酉：十月初一。㉚⓪道、俗：犹言“僧、俗”，和尚与平民百姓。㉚①御金辂：乘坐着金饰的车驾。辂，帝王的车驾。㉚②改元：改元为中大通，称今年为中大通元年。㉚③十一月己卯：十一月初二。㉚④就德兴：营州的变民头领，于梁武帝普通五年（公元五二四年），与同伴刘安定执营州刺史据城反，后刘安定被城民所杀，就德兴东逃自称燕王。事见本书卷一百五十。㉚⑤丙午：十一月二十九。㉚⑥长孙稚：姓长孙，名稚，魏国元勋长孙道生之孙，长孙观之子，为魏国名将，此时任雍州刺史。传见《魏书》卷二十五。㉚⑦十二月辛亥：十二月初四。㉚⑧兖州刺史张景邕：张景邕乃梁、魏交界线的边民，因有功被梁朝赐以“兖州刺史”之称。真正的兖州在魏国境内，梁国此时有“南兖州”“北兖州”，与此无关。㉚⑨荆州刺史李灵起：李灵起也是梁、魏交界线的边民，因有功被梁朝赐以“荆州刺史”之称，与实际荆州无关。㉛⓪雄信将军萧进明：萧进明也是梁、魏交界线的边民，因有功被梁朝赐以“雄信将军”之称。胡三省曰：“三人者皆梁魏境上民豪，以刺史、将军宠授之耳。”㉛①北兖州：梁国的北兖州州治在淮阴，今江苏淮安市淮阴区。㉛②僧强：僧人名强。㉛③北徐州：梁国的北徐州州治钟离，在今安徽凤阳东北侧。㉛④岐州：魏州名，州治雍县，即今陕西宝鸡市凤翔区。㉛⑤南秦州：魏州名，州治仇池，在今甘肃西和东南，武都东北。

【校记】

［6］谓：原作“为”。胡三省注云：“蜀本‘为’作‘谓’。”据章钰校，甲十一行本作“谓”，张敦仁《通鉴刊本识误》同，今据改。［7］庆之：据章钰校，甲十一行本、乙十一行本、孔天胤本“庆”上皆有“陈”字。［8］执：原作“报”。据章钰校，孔天胤本作“执”，张敦仁《通鉴刊本识误》同，今据改。〖按〗《魏书·孝庄帝纪》亦作“执”。［9］将兵：原无此二字。据章钰校，甲十一行本、乙十一行本、孔天胤本皆有此二字，张敦仁《通鉴刊本识误》同，今据补。［10］聚：原作“与”。据章钰校，甲十一行本、乙十一行本、孔天胤本皆作“聚”，张瑛《通鉴校勘记》同，今据改。

【研析】

本卷写梁武帝中大通元年（公元五二九年）一年间南梁与北魏两国的大事。其中最主要的是写梁朝以魏国来降的北海王元颢为魏王，建立分裂魏国的政权，派当时梁朝的名将陈庆之率兵七千人，趁魏国中央政权四分五裂，变化莫测，各州郡又民变群起的机会，以武力将分裂政权的元颢送回了魏国。陈庆之英勇善战，很快攻下睢阳，元颢称帝改元；接着又一场恶战，攻下荥阳，进据虎牢，离洛阳不到二百里，于是尔朱荣建立在洛阳的小朝廷遂处于风雨飘摇之中。傀儡皇帝元子攸逃往河内郡，朝内的领班大臣遂“帅百僚，封府库，备法驾”地将元颢迎进洛阳，成为整个魏国的皇帝。

元颢为什么能如此轻而易举实现了他的皇帝梦呢？其一是当时整个魏国的朝野上下都在忙于内乱，没有人防备梁朝用武力送分裂主义头子回国这一手；其二是元颢的身份特殊，他与现任的魏主元子攸是堂兄弟，都是孝文帝的亲侄子，半斤八两，谁做皇帝都可以，都有资格，于是魏国人大多采取观望的态度，谁得胜就归谁。只有崔光韶大义凛然地指出了二者的区别。史文写此说：“颢既入洛，自河以南州郡多附之。齐州刺史沛郡王欣集文武议所从，曰：‘北海、长乐，俱帝室近亲，今宗祏不移，我欲受赦，诸君意何如?’在坐莫不失色。军司崔光韶独抗言曰：‘元颢受制于梁，引寇仇之兵以覆宗国，此魏之乱臣贼子也。岂唯大王家事所宜切齿，下官等皆受朝眷，未敢仰从!’长史崔景茂等皆曰：‘军司议是。’”这段文字很尖锐，崔光韶提出了一个国家利益、民族大义的问题，这在当时的确是应该辨清的。其三是陈庆之确实威武善战，让当时正处于彷徨动摇中的魏人难以抵挡。

当元颢自以为坐稳了魏国皇位的时候，新想法又来了，史文说：“魏北海王颢既得志，密与临淮王彧、安丰王延明谋叛梁，以事难未平，藉陈庆之兵力，故外同内异，言多猜忌。”陈庆之不是傻子，自然明白元颢的心思，于是他提出两项措施，一条是请求梁国继续派后续大军到洛阳，以加强防御；另一条是请元颢调集散落在魏国各地的南朝人，利用他们希望返回南朝的心思，以组成一支新的可用的力量。元颢当然不会同意陈庆之这样做，他自己出面给梁武帝上书说，他自己有力量稳定他的分裂政权，梁朝不必再派兵继续跟进。梁武帝本来就没有更多的政治打算，多一事不如少一事，于是就同意了元颢维持现状的请求。这一来，陈庆之的处境就危险了：“洛中南兵不满一万，而羌、胡之众十倍，军副马佛念谓庆之曰：‘将军威行河、洛，声震中原，功高势重，为魏所疑，一旦变生不测，可无虑乎？不若乘其无备，杀颢据洛，此千载一时也。’庆之不从。”胡三省注《通鉴》至此说：“马佛念有战国策士之气。然必有非常之才，然后可以行非常之事，陈庆之乌足以办此?”要想让陈庆之做此事，其前提是梁武帝必须有收复洛阳，与魏国大战一场的决心，但当时的梁朝统治集团并没有为此而动员全国军民的准备，陈庆之受命送元颢回魏时，也根本没有接受可以见机行事的密旨，因此马佛念的提议尽管很好，但陈庆之是没法完成的。也正因此，当尔朱荣进兵讨伐元颢，攻克洛阳，元颢在出逃中被杀，陈庆之被尔朱荣追杀得“军士死散略尽，乃削须发为沙门，间行出汝阴”，只落得孤身一人逃回建康的狼狈相，梁武帝竟也没有任何脾气，因为这都不是陈庆之的责任，是梁武帝对此根本没有成算！

本卷还写了温子昇劝导元天穆、杨侃劝导尔朱荣进讨元颢的两段言论，都可谓

义正词严，雷霆万钧。关于前者，史文称："上党王天穆等帅众四万攻拔大梁，分遣费穆将兵二万攻虎牢，颢使陈庆之击之。天穆畏颢，将北渡河，谓行台郎中济阴温子昇曰：'卿欲向洛，为随我北渡？'子昇曰：'主上以虎牢失守，致此狼狈。元颢新入，人情未安，今往击之，无不克者。大王平定京邑，奉迎大驾，此桓、文之举也。舍此北渡，窃为大王惜之。'天穆善之而不能用，遂引兵渡河。费穆攻虎牢，将拔，闻天穆北渡，自以无后继，遂降于庆之。"元天穆以既灭邢杲、又破大梁的连胜之兵，以攻匆匆侥幸入洛的元颢，胜算多多；既胜元颢，便可克陈庆之于虎牢，多么光辉的一场桓、文之举，可惜让元天穆失掉了。关于后者，史文称："尔朱荣与颢相持于河上。庆之守北中城，颢自据南岸。庆之三日十一战，杀伤甚众。……荣怅然失望。又以安丰王延明缘河固守，而北军无船可渡，议欲还北，更图后举。黄门郎杨侃曰：'……夫用兵者，何尝不散而更合，疮愈更战！况今未有所损，岂可以一事不谐而众谋顿废乎！今四方颙颙，视公此举。若未有所成，遽复引归，民情失望，各怀去就，胜负所在，未可知也。不若征发民材，多为桴筏，间以舟楫，缘河布列，数百里中，皆为渡势，首尾既远，使颢不知所防，一旦得渡，必立大功。'"接着又有高道穆、刘灵助等相继进言，尔朱荣的主意由此遂定，于是才有了上述的尔朱荣大破元颢与陈庆之的洛阳之胜。这不就是通常所说的一言兴邦吗？

最后，话又说回来，陈庆之尽管没听马佛念的话，没能杀掉元颢为梁朝取得洛阳，甚至最后丧师辱国，落得只轮匹马无归，但平心而论，陈庆之仍不失为世间罕有的虎将。他只带着七千人，凭着这七千人就能"自铚城进拔荥城，遂至梁国。魏丘大千有众七万，分筑九城以拒之。庆之攻之，自旦至申，拔其三垒，大千请降。……济阴王晖业帅羽林兵二万军考城，庆之攻拔其城，擒晖业"。特别是荥阳一战，陈庆之以七千破元天穆等的三十余万，简直比项羽的巨鹿之战还要卓绝。史文称："杨昱拥众七万，据荥阳，庆之攻之，未拔。颢遣人说昱使降，昱不从。元天穆与骠骑将军尔朱吐没儿将大军前后继至，梁士卒皆恐。庆之解鞍秣马，谕将士曰：'吾至此以来，屠城略地，实为不少，君等杀人父兄、掠人子女，亦无算矣。天穆之众，皆是仇雠。我辈众才七千，虏众三十余万，今日之事，唯有必死乃可得生耳。虏骑多，不可与之野战，当及其未尽至，急攻取其城而据之。诸君勿或狐疑，自取屠脍。'乃鼓之，使登城，将士即相帅蚁附而入，癸酉，拔荥阳，执杨昱。……俄而天穆等引兵围城，庆之帅骑三千背城力战，大破之，天穆、吐没儿皆走。庆之进击虎牢，尔朱世隆弃城走，获魏东中郎将辛纂。"魏晋南北朝那样的年代，晋、宋、齐、梁那样的国家，居然还能有如此敬业、如此艰苦卓绝的英雄，俗话说："人不可貌相，海水不可斗量！"看一个人如此，看一个时期、一个国度也是如此。清代赵翼《论诗绝句》说得好："江山代有才人出，各领风骚数百年。"

本卷还写了梁武帝萧衍的迷信佛教，到同泰寺讲经，以及把自己舍身给寺院的荒唐闹剧。梁武帝极力把自己打扮得很慈悲，他不仅自己吃素，而且把祭祀太庙的供品也一律改为素食。但读者只要一回想他前几年是如何在淮河中筑坝，以提高淮河上游的水位，以求扒堤放水，以淹被魏人占去的寿州古城的情景，就可以看清萧衍是多么虚伪与残暴不仁！宋代胡寅对此说："梁武三筑淮堰，至是十年，死者数十万人，然后能取寿阳，才得七万五千口，是十年劳费，以三四人而易一人矣。其愚拙不亦甚哉……若夫贪愤之兵，得已不已，而视人如草芥者虽得之，必失之，故国君唯好仁，则天下无敌，梁主欲以此道而规河南，不亦左乎?"明代尹起莘说："梁主崇尚浮屠，好生恶杀，然以寿阳城而筑淮堰，士卒死者不可胜数，今又漂没十余万口，孟子所谓争城以战，杀人盈城，罪不容于死，况无故糜烂其民者哉?"说到"舍身佛寺"的闹剧，胡寅说："佛行有五要，舍其一也。梁武为帝王，享天位，内蓄姬妾，外列官师，富贵之崇，子孙之众，宫室城池守卫之密，犹以未足，又命将出师，争夺于外，唯恐失之，安在其能舍乎？不唯君子非之，为佛之道如达磨者亦不取也。"方学儒探测萧衍如此荒唐的心理说："帝以诈力攘人之国，而弑其君、灭其子姓，其用兵略地，攻战捍御，无辜而死者以千万计，春秋既高，静思而熟稔之，孰非可悔者乎？悔甚而疑，疑而思释之之道，观佛氏之说而有触于心，以为唯此可以赎吾之罪，凡佛氏所禁者皆不敢为，佛氏所云利益于身者皆不可吝而为之，卒至舍其身而不顾，而不知其终无补于危亡也。佛之大旨归于荒诞，武帝之务又佛氏之所贱弃者，岂恒理也哉?"尹起莘揭露这种表演的荒谬说："甚哉，梁武之愚也。人生天地间，有此生即有此身，生不可灭则身不可舍，抑不知梁武之所谓'舍'者以何为舍耳。若以屏富贵、弃妻子为舍耶？则是为舍物，而非曰舍身也。若以委其身于佛氏为舍耶？则为佛者当取其身而用之可也。今既曰舍，而其身犹在，则是初未尝舍也。身未尝舍而强曰舍，则固已昧其心于不诚矣。他时诸臣又以金而赎其身，不知当其舍之之时孰从而受之？而赎之之时又孰从而归之也。梁主身非卖僮，而可舍可赎，此不唯愚诳其民、愚诳其身，抑且愚诳其所谓佛者。末年'荷荷'之时，又复恋恋而不能舍，何哉?"但就是这种佞佛、舍身的闹剧，萧衍竟一而再，再而三地表演个不停；而他的那些大臣也居然不厌其烦地陪着萧衍一直演练个没完，一直到叛乱分子侯景把他锁在屋子里活活饿死，真是活该！

卷第一百五十四　梁纪十

上章阉茂（庚戌，公元五三〇年），一年。

【题解】

本卷写梁武帝萧衍中大通二年（公元五三〇年）一年间南梁与北魏两国的大事。主要写了变民头领万俟丑奴侵扰关中，尔朱荣命尔朱天光与贺拔岳进讨之，尔朱天光与贺拔岳破万俟丑奴于高平，擒万俟丑奴，并获叛将萧宝寅，送朝廷杀之；接着尔朱天光又攻克水洛城，消灭了在水洛城称帝的略阳变民王庆云与万俟丑奴的余部万俟道洛，于是三秦、河、渭、瓜、凉、鄯州皆降，关陇地区全部平定。写了尔朱荣之部下与尔朱荣之女为魏主之皇后者皆专横跋扈，但魏主凛然不屈，对尔朱荣的颐指气使，断然不从。写了魏主与群臣谋划袭杀尔朱荣，尔朱荣依仗自己势大，不加防范，结果魏主在城阳王元徽、中书舍人温子昇的协助下杀了尔朱荣与元天穆；身在京城的尔朱世隆遂聚集势力攻据北中城，派兵到洛阳城下问罪；魏主募敢死之士讨之，皆为尔朱世隆所败；有义勇之臣李苗欲率众断其河桥，惜朝廷之援兵不至，致李苗战死，事虽未成，但使尔朱世隆的势力一度北撤。写了魏主元子攸令城阳王元徽总统内外，元徽妒忌而吝啬，不得人心；元子

【原文】

高祖武皇帝十

中大通二年（庚戌，公元五三〇年）

春，正月己丑①，魏益州②刺史长孙寿、梁州③刺史元儁等遣将击严始欣④，斩之，萧玩⑤等亦败死，失亡⑥万余人。

辛亥⑦，魏东徐州⑧城民吕文欣等杀刺史元大宾，据城反，魏遣都官尚书平城樊子鹄等[1]讨之。二月甲寅⑨，斩文欣。

万俟丑奴⑩侵扰关中，魏尔朱荣遣武卫将军贺拔岳⑪讨之。岳私谓其兄胜曰："丑奴，勍敌⑫也，今攻之不胜，固有罪；胜之，谗

攸起用一些名臣如长孙稚、源子恭、杨津、杨昱等率兵讨伐尔朱氏，但纷纷失败；尔朱兆率领晋阳之兵进了洛阳城，元子攸的朝廷溃散，元子攸被尔朱兆所获；尔朱兆、尔朱世隆等改立其所亲信的长广王元晔为皇帝，元晔任尔朱兆为大将军、尔朱世隆为尚书令、尔朱度律为太尉等，分据朝廷要位；尔朱兆带着元子攸返回晋阳，杀之于三级佛寺。写了曾受元子攸招引的河西少数民族纥豆陵步蕃率军南下，大破尔朱兆于晋阳，尔朱兆求救于晋州刺史高欢，高欢助尔朱兆破杀了纥豆陵步蕃；高欢因得尔朱兆的感恩、信任而接管了葛荣的余部；高欢又借口并州霜旱民贫，降户居此添乱，假说带他们去山东就食，途中又夺得尔朱荣妻的一些马匹，从而势力大增，又摆脱了尔朱兆的控制。此外还写了梁将陈庆之攻魏之悬瓠，破魏兵于溱水；梁朝见魏国境内混战，边境的形势转缓，于是罢义阳镇兵，停水旱漕运，使其境内休息云云。

【语译】

高祖武皇帝十

中大通二年（庚戌，公元五三〇年）

春季，正月十三日己丑，魏国担任益州刺史的长孙寿、担任梁州刺史的元儁等派将率军进攻严始欣，把严始欣杀死，萧玩等也在作战中失败而死，梁国的军队损失了一万多人。

辛亥日，魏国东徐州城内的百姓吕文欣等人杀死了东徐州刺史元大宾，占据东徐州城造反，魏国朝廷派遣担任都官尚书的平城人樊子鹄等人率军前往东徐州讨伐吕文欣。二月初八日甲寅，樊子鹄斩杀了吕文欣。

陇西一带的乱民首领万俟丑奴率领部众侵扰关中地区，魏国尔朱荣派遣担任武卫将军的贺拔岳前往讨伐万俟丑奴。贺拔岳私下对自己的哥哥贺拔胜说："万俟丑奴，是一个强大对手，如果我们不能打败万俟丑奴，一定会获罪；如果我们战胜了万俟丑奴，那些对我们心怀嫉妒的人就要开始进谗言诋毁我们。"贺拔胜说："那我们应该

嫉⑬将生。”胜曰:“然则奈何?”岳曰:“愿得尔朱氏一人为帅而佐之⑭。”胜为之言于荣，荣悦，以尔朱天光⑮为使持节、都督二雍二岐⑯诸军事、骠骑大将军、雍州⑰刺史，以岳为左大都督，又以征西将军代郡侯莫陈悦⑱为右大都督，并为天光之副以讨之。

天光初行，唯配军士千人，发⑲洛阳以西路次民马⑳以给之。时赤水蜀贼㉑断路，诏侍中杨侃先行慰谕㉒，并税其马㉓，贼[2]持疑不下。军至潼关㉔，天光不敢进，岳曰:“蜀贼鼠窃，公尚迟疑，若遇大敌，将何以战!”天光曰:“今日之事，一以相委㉕。”岳遂进击蜀㉖于渭北，破之，获马二千匹，简其壮健以充军士，又税民马㉗合万余匹。以军士尚少，淹留㉘未进。荣怒，遣骑兵参军刘贵乘驿至军中责天光，杖之一百，以军士二千人益之。

三月，丑奴自将其众围岐州㉙，遣其大行台尉迟菩萨、仆射万俟仵自武功㉚南渡渭，攻围趣栅㉛。天光使贺拔岳将千骑救之，菩萨等已拔栅而还。岳故杀掠其吏民以挑㉜之，菩萨率步骑二万至渭北。岳以轻骑数十自渭南与菩萨隔水而语，称扬国威，菩萨令省事㉝传语，岳怒曰:“我与菩萨语，卿何人也!”射杀之。明日，复引百余骑隔水与贼语，稍引而东，至水浅可涉之处，岳即驰马东出㉞。贼以为走㉟，乃弃步兵轻骑南渡渭追岳，岳依横冈㊱设伏兵以待之，贼半度冈东，岳还兵击之，贼兵败走。岳下令，贼下马者勿杀，贼悉投马㊲，俄获三千人，马亦无遗，遂擒菩萨。仍度渭北，降步卒万余，并收其辎重。

怎么办呢?”贺拔岳说:“希望有一位尔朱氏的人出来担任将帅而我们辅佐他。”贺拔胜就替贺拔岳向尔朱荣提出了这一请求，尔朱荣非常高兴，于是任命尔朱天光为使持节、都督二雍二岐诸军事、骠骑大将军、雍州刺史，任命担任武卫将军的贺拔岳为左大都督，又任命担任征西将军的代郡人侯莫陈悦为右大都督，他们都作为尔朱天光的副将一同前去讨伐万俟丑奴。

尔朱天光刚出发的时候，尔朱荣只给尔朱天光配备了一千名正规军，尔朱荣从洛阳城往西一直到陕西境内，向沿路两侧的所有百姓征调马匹供给尔朱天光。当时活动于赤水一带的来自蜀地的乱民切断了道路，魏孝庄皇帝元子攸下诏令担任侍中的杨侃先行去抚慰劝说，并征收他们的马匹以充赋税，蜀地的乱民犹疑不定，不同意让路。尔朱天光率军到达潼关，便不敢继续前进，左大都督贺拔岳说:“前面的蜀地乱民不过是像一群善于偷窃的老鼠，对他们尚且犹豫不前，如果遇到强大的敌人，还怎么打仗呢!”尔朱天光说:“今天的事情，一概委托给你处理，我全都听你的。”贺拔岳于是率军在渭水以北进攻来自蜀地的那些乱民，将其打败，缴获了二千匹战马，又从蜀地乱民中选拔那些体格健壮的人编入自己的军队，又在当地租赁了百姓总计有一万多匹马。尔朱天光以自己的军队人数尚且不多为由，逗留不前。尔朱荣非常恼怒，就派遣担任骑兵参军的刘贵乘坐驿站的马车来到军中责备尔朱天光，责打了尔朱天光一百军棍，同时给尔朱天光增派了二千名士兵。

三月，万俟丑奴亲自率领自己的部众包围岐州，他派遣属下担任大行台的尉迟菩萨、担任尚书仆射的万俟仵从武功郡向南渡过渭河，进攻岐州军设在城外的前沿防御工事。尔朱天光派贺拔岳率领着一千名骑兵赶往岐州救援，当贺拔岳赶到岐州城下的时候，尉迟菩萨等已经攻破了魏军设在岐州城外的营寨撤走了。贺拔岳故意杀掠万俟丑奴占领区的官吏和百姓以挑战尉迟菩萨，尉迟菩萨率领二万名步兵、骑兵来到渭河北岸。贺拔岳带领数十名轻骑兵在渭河南岸与尉迟菩萨隔着渭河喊话，贺拔岳向尉迟菩萨宣扬魏国朝廷的威严，尉迟菩萨令负责在两军阵前往来传达言语的人传话给贺拔岳，贺拔岳大怒说:“我是在跟尉迟菩萨说话，你算什么东西!”说完立即拉弓射箭把传话的人射死了。第二天，贺拔岳又率领着一百多名轻骑兵隔着渭水向贼军喊话，并率军逐渐地向东移动，当来到渭河水浅可以涉水过河的地方，贺拔岳立即催马向东方驰去。贼军认为贺拔岳是逃跑了，于是就抛下步兵，只有轻骑兵向南渡过渭河来追击贺拔岳，贺拔岳已经在前面的丘陵处埋伏下军队专等贼军到来，当贼军的骑兵已经有一半越过丘陵以东的时候，贺拔岳调转马头与埋伏的军队一同夹击贼军，贼军失败后逃跑。贺拔岳下令给士兵，凡是贼军下马投降的一律不杀，于是贼军全都下马投降，一会儿的工夫就俘虏了三千人，贼军所有的马匹全部被缴获，随后又活捉了贼军大行台尉迟菩萨。贺拔岳随即率军向北渡过渭河，招降的贼军步兵有一万多人，并缴获了贼军所有的军用物资。万俟丑奴听到尉迟菩萨兵

丑奴闻之，弃岐州，北走安定[38]，置栅于平亭[39]。天光方自雍至岐[40]，与岳合。

夏，四月，天光至汧、渭之间[41]，停军牧马，宣言[42]“天时将热，未可行师，俟秋凉更图进止[43]。”获丑奴觇候者[44]，纵遣之[45]。丑奴信之，散众耕于细川[46]，使其太尉侯伏侯元进[47]将兵五千，据险立栅，其余千人以下为栅者甚众。天光知其势分[48]，晡时[49]，密严诸军[50]，相继俱发，黎明，围元进大栅，拔之，所得俘囚，一皆纵遣，诸栅闻之皆降。天光昼夜径进[51]，抵安定城下，贼泾州刺史侯几长贵[52]以城降。丑奴弃平亭走，欲趣高平[53]，天光遣贺拔岳轻骑追之，丁卯[54]，及于平凉[55]。贼未成列，直阁[56]代郡侯莫陈崇[57]单骑入贼中，于马上生擒丑奴，因大呼，众皆披靡，无敢当者，后骑益集，贼众崩溃，遂大破之。天光进逼高平，城中执送萧宝寅[58]以降。

壬申[59]，以吐谷浑王佛辅[60]为西秦、河二州刺史。

甲戌[61]，魏以关中平，大赦。万俟丑奴、萧宝寅至洛阳，置阊阖门外都街[62]之中，士女聚观凡三日。丹杨王萧赞[63]表请宝寅之命[64]，吏部尚书李神儁[65]、黄门侍郎高道穆素与宝寅善，欲左右[66]之，言于魏主曰：“宝寅叛逆，事在前朝[67]。”会应诏[68]王道习自外至，帝问道习：“在外何所闻？”对曰：“惟闻李尚书、高黄门与萧宝寅周款[69]，并居得言[70]之地，必能全之[71]。且二人谓宝寅叛逆在前朝，宝寅为丑奴太傅，岂非陛下时邪？贼臣不翦，法欲安施！”帝乃赐宝寅死于驼牛署[72]，斩丑奴于都市[73]。

六月丁巳[74]，帝复以魏汝南王悦为魏王[75]。

败被擒的消息之后，立即放弃了岐州，向北逃往安定郡，他在平亭安下营寨。尔朱天光这才从雍州来到岐州，与贺拔岳会合。

夏季，四月，尔朱天光率军来到汧水和渭水的夹角地区，他令军队停止前进，让骑兵就地放牧战马，并放出话来说："天气逐渐炎热起来，不适合行军打仗，等到秋季天气凉爽以后再考虑下一步的进退去留。"有部下擒获了万俟丑奴派来的侦察兵，尔朱天光故意将他们放走。万俟丑奴相信了侦察兵带回来的消息，于是将部众解散，令他们到细川去耕种田地，让属下担任太尉的侯伏侯元进率领五千名士兵，占据险要地形设立营寨，其他由一千人以下所设立的营寨还有很多。尔朱天光了解到贼军的兵力已经分散，便在下午三四点钟的时候，秘密地集合起所有军队，相继出发，第二天黎明，尔朱天光的军队便包围了侯伏侯元进的大营，将其摧毁，并把所得的俘虏囚犯，全部释放遣送回家，各营寨的贼军听到这个消息全都出来投降了尔朱天光。尔朱天光率军昼夜兼程径直向万俟丑奴所在的安定郡挺进，当他抵达安定城下时，贼军当中担任泾州刺史的侯几长贵便献出泾州郡城投降了。万俟丑奴放弃了平亭逃走，他想逃往高平镇，尔朱天光派遣贺拔岳率领轻骑兵追赶万俟丑奴，二十二日丁卯，贺拔岳在平凉追上了万俟丑奴。万俟丑奴的军队还没有来得及列成队列，魏国担任直阁将军的代郡人侯莫陈崇单枪匹马冲入贼军阵中，在马上活捉了万俟丑奴，并趁势大声呼喊，贼众全都被他吓得向后倒退，没有人敢上前阻挡，贺拔岳所率领的骑兵也都随后赶到，贼众立即崩溃，于是把贼军打得大败。尔朱天光率军逼近高平郡，高平郡城内的人把萧宝寅逮捕，押送给尔朱天光，全都向尔朱天光投降。

四月二十七日壬申，梁国朝廷任命吐谷浑王慕容佛辅为西秦、河二州刺史。

二十九日甲戌，魏国朝廷因为关中的叛乱全部被平定，遂实行大赦。万俟丑奴、萧宝寅被押送到洛阳之后，被囚系在阊阖门外的大街上示众，男女百姓聚集围观了三天。丹杨王萧赞上表给魏国朝廷请求饶恕萧宝寅的性命，担任吏部尚书的李神儁、担任黄门侍郎的高道穆一向与萧宝寅关系亲密友好，就想帮助萧赞替萧宝寅求情，他们对魏孝庄皇帝说："萧宝寅叛变之事，是发生在前一任皇帝执政的时候。"碰巧赶上应诏而来的王道习从外地来到洛阳面见孝庄皇帝，孝庄皇帝便问王道习说："你在外边都听到了些什么？"王道习回答说："我只听说吏部尚书李神儁、黄门侍郎高道穆与萧宝寅关系亲密友好，凭他们两人的身份地位都能为萧宝寅说得上话，一定能保全萧宝寅的性命。而且他们二人都认为萧宝寅叛逆的事情发生在前一任皇帝当政时期，萧宝寅为万俟丑奴担任太傅，难道不是发生在陛下当政时期吗？这样的贼臣如果不灭除，将置国法于何地呢！"魏孝庄皇帝遂令萧宝寅在驼牛署自杀，把万俟丑奴拉到闹市斩首示众。

六月十三日丁巳，梁武帝萧衍又任命投降过来的魏国汝南王元悦为魏王。

戊寅[76]，魏诏胡氏[77]亲属受爵于朝者皆黜为民。

庚申[78]，以魏降将范遵为安北将军、司州[79]牧，从魏王悦北还[80]。

万俟丑奴既败，自泾、豳[81]以西至灵州[82]，贼党皆降于魏，唯所署行台万俟道洛帅众六千逃入山中，不降。时高平大旱，尔朱天光以马乏草，退屯城东五十里，遣都督长孙邪利[83]帅二百人行原州事[84]以镇之。道洛潜与城民通谋，掩袭邪利，并其所部皆杀之。天光帅诸军赴之，道洛出战而败，帅其众西入牵屯山[85]，据险自守。尔朱荣以天光失邪利，不获道洛[86]，复遣使杖之一百，以诏书[87]黜天光为抚军将军[88]、雍州刺史，降爵为侯。天光追击道洛于牵屯，道洛败走，入陇[89]，归[90]略阳贼帅[91]王庆云。道洛骁果绝伦[92]，庆云得之，甚喜，谓大事可济，遂称帝于水洛城[93]，置百官，以道洛为大将军[94]。

秋，七月，天光帅诸军入陇，至水洛城，庆云、道洛出战，天光射道洛中臂，失弓还走，拔其东城。贼并兵趣西城，城中无水，众渴乏，有降者言庆云、道洛欲突走。天光恐失之，乃遣人招谕庆云使早降，曰："若未能自决，当听诸人，今夜共议，明晨早报[95]。"庆云等冀得少缓，因待夜突出，乃报曰："请俟明日。"天光因使谓曰："知须水，今相为小退[96]，任取涧水饮之。"贼众悦，无复走心。天光密使军士多作木枪[97]，各长七尺，昏后，绕城布列，要路加厚，又伏人枪中，备其冲突，兼令密缚长梯于城北。其夜，庆云、道洛果驰马突出，遇枪，

戊寅日，魏孝庄皇帝下诏，胡太后的亲属中凡是接受过朝廷封爵的全都贬为平民。

十六日庚申，梁武帝任命魏国降将范遵为安北将军、司州牧，武装护送魏王元悦向北返回魏国另立朝廷。

万俟丑奴失败被杀之后，从泾州、豳州往西一直到灵州境内，所有的贼党全都向魏国朝廷投降，只剩下被万俟丑奴任命为行台的万俟道洛率领六千名部众逃入山中，不肯向朝廷投降。当时高平郡遭遇大旱，尔朱天光因为战马缺乏草料，于是撤退到高平郡城以东五十里的地方屯扎，尔朱天光任命担任都督的长孙邪利为代理原州刺史，率领二百人驻守原州。万俟道洛暗中与原州城内的百姓串通合谋，突然向长孙邪利发起袭击，将长孙邪利和他所率领的二百人全部杀死。尔朱天光率领各军赶赴原州，万俟道洛率领部众出城迎战，被官军打败后，就率领他的部众向西逃入牵屯山，占据险要地形进行坚守。尔朱荣因为尔朱天光损失了都督长孙邪利，又没有捉住万俟道洛，就又派使者来到军中责打了尔朱天光一百军棍，以孝庄皇帝的名义下诏免去了尔朱天光骠骑大将军职务，将尔朱天光降为抚军将军、雍州刺史，爵位也由王爵降为侯爵。尔朱天光率军前往牵屯山追击万俟道洛，万俟道洛战败逃走，进入陇山，归顺了略阳地区的叛民首领王庆云。万俟道洛骁勇果敢，无与伦比，王庆云得到万俟道洛非常高兴，认为自己的建国大业可以成功，于是就在水洛城登基称帝，设置文武百官，任命万俟道洛为大将军。

秋季，七月，尔朱天光率领各军进入陇山，到达王庆云的老巢水洛城，王庆云、万俟道洛率军出城迎战，尔朱天光用箭射中了万俟道洛的手臂，万俟道洛丢下弓箭向水洛城逃走，尔朱天光于是攻占了水洛城的东城。贼军全都集中逃往水洛城的西城，水洛城的西城没有水源，众贼军又渴又乏，于是就有人向尔朱天光投降，这些投降过来的人说王庆云、万俟道洛想要突围逃走。尔朱天光唯恐他们跑掉，于是就派人到水洛城西城招抚、劝说王庆云，让王庆云早日向朝廷军投降，使者对王庆云说："如果你自己不能作出投降官军的决定，就应该听听众人的意见，今天夜里你们一同商议决定，明天早晨早点儿给我们答复。"王庆云等人希望尔朱天光推迟对西城的进攻，等到夜间好趁机突围逃走，于是就派使者答复说："请等到明天再答复你们。"尔朱天光趁机令其使者给他们带信说："我们知道你们需要出城取水，现在我们稍微后退一下，任凭你们从山涧中取水饮用。"贼众非常高兴，便不想再逃走了。尔朱天光秘密地让属下的军士多多地制造木枪，每条木枪长七尺，黄昏以后，便围着水洛城用木枪布阵立营，在要害的路段加大木枪的用量，又派军士埋伏在木枪设立的营寨中，防御贼军前来冲阵，同时命令军士在水洛西城北面秘密地绑缚登城所用的长梯。当天夜里，王庆云、万俟道洛果然骑着马飞快地从水洛西城冲出来准备逃走，遇到尔朱天光用木枪布下的防御工事，他们的战马全部受伤跌倒，埋伏在木

马各伤倒，伏兵起，实时擒之。军士缘梯入城，余众皆出城南，遇枪而止，穷窘[98]乞降。丙子[99]，天光悉收其仗[100]而坑之，死者万七千人，分其家口。于是三秦[101]、河、渭、瓜、凉、鄯州[102]皆降。

天光顿军略阳。诏复天光官爵，寻加侍中、仪同三司。以贺拔岳为泾州刺史，侯莫陈悦为渭州刺史。秦州城民谋杀刺史骆超，南秦州城民谋杀刺史辛显，超、显皆觉之，走归天光，天光遣兵讨平之。

步兵校尉宇文泰[103]从贺拔岳入关，以功迁征西将军，行原州事。时关、陇凋弊[104]，泰抚以恩信，民皆感悦，曰："早遇宇文使君[105]，吾辈岂从乱乎！"

八月庚戌[106]，上饯魏王悦于德阳堂，遣兵送至境上。

魏尔朱荣虽居外藩[107]，遥制朝政，树置亲党，布列魏主左右，伺察动静，大小必知。魏主虽受制于荣，然性勤政事，朝夕不倦，数亲览辞讼，理冤狱，荣闻之，不悦。帝又与吏部尚书李神儁议清治选部[108]，荣尝关补曲阳县令[109]，神儁以阶悬[110]，不奏，别更拟人[111]。荣大怒，即遣所补者[112]往夺其任。神儁惧而辞位，荣使尚书左仆射尔朱世隆摄选[113]。荣启北人[114]为河南诸州[115]，帝未之许；太宰天穆入见面论，帝犹不许。天穆曰："天柱[116]既有大功，为国宰相，若请普代天下官[117]，恐陛下亦不得违之，如何启数人为州，遽不用[118]也？"帝正色曰："天柱若不为人臣，朕亦须代[119]。

枪中的官军一跃而起，立即把王庆云、万俟道洛活捉了。官军沿着长长的木梯从城北登上城墙进入水洛城，其余的贼众全都从水洛城南城冲出，遇到木枪防御工事便停住了逃跑的脚步，在走投无路的情况下不得不向官军请求投降。初三日丙子，尔朱天光把贼军的兵器全部收缴之后就把他们全部活埋了，被活埋而死的贼军有一万七千人，然后把他们的家属拆散后分配给将士做妻妾、奴婢。于是秦州、南秦州、东秦州、河州、渭州、瓜州、凉州、鄯州的叛民全部向官军投降。

尔朱天光把军队驻扎在略阳。魏孝庄皇帝下诏恢复尔朱天光骠骑大将军的职务和原来的爵位，不久又加授尔朱天光为侍中、开府仪同三司。任命贺拔岳为泾州刺史，任命侯莫陈悦为渭州刺史。秦州城内的百姓阴谋刺杀担任秦州刺史的骆超，南秦州城内的百姓阴谋刺杀担任南秦州刺史的辛显，骆超、辛显及时发觉了他们的阴谋，于是全都逃出城来投奔了尔朱天光，尔朱天光派军队讨平了秦州和南秦州城内阴谋刺杀刺史的乱民。

魏国担任步兵校尉的宇文泰跟随贺拔岳进入关中平定叛乱，因为军功被提升为征西将军，代理原州刺史职务。当时关中与陇西一带地区残破衰败，宇文泰用恩惠、诚信安抚那里的民众，百姓都很感激他、乐于接受他的管理，他们说："如果早一点儿遇到宇文泰来做刺史，我们这些人怎么会跟随万俟丑奴作乱呢！"

八月初七日庚戌，梁武帝在德阳堂为魏王元悦设宴饯行，并派兵把魏王元悦护送到魏国的边境上。

魏国尔朱荣虽然驻军于晋阳，却遥控着朝政，在朝廷培植、安置自己的亲信党羽，围绕在魏孝庄皇帝的身边，随时伺察着朝廷的动静，朝廷的事情无论大小都必须报告给尔朱荣知道。魏孝庄皇帝虽然受制于尔朱荣，却生性勤于政务，每天从早忙到晚也不知道疲倦，他曾经多次亲自阅览词讼、审理昭雪冤狱，尔朱荣听到这些消息以后，心里就很不高兴。魏孝庄皇帝又与担任吏部尚书的李神儁一道商议如何整顿吏治之事，尔朱荣曾经告诉吏部他想任命某某人为曲阳县令，李神儁因为尔朱荣推荐的某某人级别差得太远，就没有把这件事情奏报给孝庄皇帝，而是另外选派了别人担任曲阳县令。尔朱荣因此大怒，立即派遣他想委任的那个人前往曲阳县夺取县令之位。李神儁惧怕尔朱荣的权势，就辞去了吏部尚书之职，尔朱荣让担任尚书左仆射的尔朱世隆兼任吏部尚书的职务。尔朱荣向朝廷推荐在北方州镇任职的人去担任黄河以南诸州的刺史，孝庄皇帝没有批准；担任太宰的上党王元天穆入宫朝见孝庄皇帝，他为此事当面与孝庄皇帝进行争论，孝庄皇帝还是不批准。元天穆说："天柱大将军尔朱荣既然有大功，又担任着国家的宰相，如果他请求把整个国家的官员都换一遍，恐怕陛下也不得违背他，为什么他请求任用几个人到河南地区担任州刺史，陛下就如此断然拒绝呢？"孝庄皇帝态度严肃地说："天柱大将军如果不想做人臣，那么我这个皇帝也应该被取代。如果他还存在着做臣子的品节，就没有把整个

如其犹存臣节，无代天下百官之理。”荣闻之，大恚恨，曰：“天子由谁得立？今乃不用我语[120]！”

尔朱皇后性妒忌，屡致忿恚[121]。帝遣尔朱世隆[122]语以大理，后曰：“天子由我家置立，今便如此[123]。我父本即自作，今亦复决[124]。”世隆曰：“正[3]自不为[125]，若本自为之，臣今亦封王矣。”

帝既外逼于荣，内迫[4]皇后[126]，恒怏怏不以万乘为乐，唯幸寇盗未息，欲使与荣相持[127]。及关、陇既定，告捷之日，乃不甚喜，谓尚书令临淮王彧[128]曰：“即今天下便是无贼[129]。”彧见帝色不悦，曰：“臣恐贼平之后，方劳圣虑[130]。”帝畏余人怪之，还以他语乱之曰：“然。抚宁荒余[131]，弥成不易[132]。”荣见四方无事，奏称“参军许周劝臣取九锡[133]，臣恶其言，已斥遣令去[134]。”荣时望得殊礼[135]，故以意讽朝廷，帝实不欲与之，因称叹其忠[136]。

荣好猎，不舍寒暑[137]，列围[138]而进，令士卒必齐壹[139]，虽遇险阻，不得违避，一鹿逸出[140]，必数人坐死[141]。有一卒见虎而走，荣谓曰：“汝畏死邪？”即斩之。自是每猎，士卒如登战场。尝见虎在穷谷[142]中，荣令十余人空手搏之，毋得损伤，死者数人，卒擒得之，以此为乐，其下甚苦之。太宰天穆从容谓荣曰：“大王勋业已盛，四方无事，唯宜修政养民，顺时搜狩[143]，何必盛夏驱[5]逐，感伤和气[144]？”荣攘袂[145]曰：“灵后[146]女主，不能自正[147]，推奉天子[148]，乃人臣常节。葛荣之徒，本皆奴才，乘时作乱，譬如奴走[149]，擒获即已[150]。顷来[151]受国大恩，未能混壹海内[152]，何得遽言勋业[153]？如闻[154]朝士犹自宽纵[155]，今秋欲与兄

国家的官员都换一遍的道理。”尔朱荣听到孝庄皇帝说出这样的话以后，心里非常气恼怨恨，说：“你这个皇帝是靠了谁的拥戴才当上的？现在竟然不听我的话！”

孝庄皇帝的皇后尔朱氏性情嫉妒，多次因为吃醋而发脾气。孝庄皇帝就派尔朱世隆去给尔朱皇后讲明大道理，尔朱皇后说：“他这个天子之位本来是由我家拥立的，才使他有今天的这番高论。我父亲本来应该自己做皇帝，现在也可以做出种种规定。”尔朱世隆说：“正是因为你父亲没有自己做皇帝，如果你父亲自己做了皇帝，我现在也被封为王爵了。”

魏孝庄皇帝在外面受尔朱荣的逼迫，在皇宫之内受尔朱皇后的欺压，因此经常怏怏不乐，他不把当上万乘之尊的皇帝看作是一件快乐的事情，唯一的希望就是各地的贼寇不被消灭，让这些反对派的势力长期牵制住尔朱荣。等到关中、陇西一带地区的叛乱被平定之后，向朝廷告捷的那一天，孝庄皇帝竟然显得不那么高兴，他对担任尚书令的临淮王元彧说：“从今天开始，天下就没有盗贼了。”元彧看到孝庄皇帝的脸色有些不高兴，就说：“我担心各地的叛贼被彻底平定之后，让陛下操心的事才更多呢。”孝庄皇帝担心其他人会对元彧所说的话感到奇怪，就故意用别的话岔开说：“确实是这样。解决战乱后百姓生活的艰难、医治战争造成的创伤，就更加不容易了。”尔朱荣看到国家四方已经平安无事，就上奏给孝庄皇帝说“担任参军的许周劝我向陛下索要九锡的待遇，我讨厌他所说的话，已经斥责了他一顿把他赶走了。”当时尔朱荣希望能得到九锡的特殊待遇，所以故意把自己的心思暗示给朝廷知道，孝庄皇帝心里确实不愿意给尔朱荣九锡的待遇，就顺着尔朱荣的话把尔朱荣的忠诚极力地夸奖了一番。

尔朱荣喜欢打猎，不论寒暑，一天不误，他要求参加打猎的士兵张开包围圈向前推进，他命令士卒行动必须整齐划一，即使遇到险阻，也不得违背躲避，如果有一只鹿跑掉，一定会牵连好几个人被处死。有一个士兵看见老虎就想逃走，尔朱荣对他说：“你怕死吗？”说完就立即把他杀死了。从此以后每次打猎，士卒如同上战场一样。曾经看见一只老虎在没有出路的山谷里，尔朱荣命令十几个人赤手空拳去和老虎搏斗，还不许伤了老虎，为此死了好几个人，才终于把这只老虎完好无损地捉住了，尔朱荣以此取乐，他的部下却认为跟随尔朱荣打猎是一件非常痛苦的事情。担任太宰的元天穆曾经装作很随意似的对尔朱荣说：“大王的功勋、事业已经很盛大，如今天下太平无事，就应该完善政府职能，让百姓得到休养生息，按照季节时令举行打猎活动，何必在盛夏时节令人去驱逐禽兽，既伤了人，又违背自然之气呢？”尔朱荣捋起袖子说：“胡太后是一个女主人，她不能自己管理好朝廷的政事，因此我才拥立了当今的天子，这是人臣的一般品节。葛荣之辈，本来都是一些奴才，他们趁机作乱，就像奴才和走狗，我把他们捉来就算完事了。近来我蒙受国家大恩，还未能统一天下，怎么能说我已经建立了丰功伟业呢？我仿佛听说朝中的群臣仍旧懒散

戒勒士马，校猎嵩高[156]，令贪污朝贵[157]，入围搏虎。仍出鲁阳[158]，历三荆[159]，悉拥生蛮[160]，北填六镇[161]，回军之际，扫平汾胡[162]。明年，简练精骑，分出江、淮，萧衍若降，乞万户侯[163]；如其不降，以数千骑径度缚取[164]。然后与兄[165]奉天子，巡四方，乃可称勋耳。今不频猎[166]，兵士懈怠，安可复用也!”

城阳王徽[167]之妃，帝之舅女；侍中李彧，延寔之子，帝之姊婿[168]也。徽、彧欲得权宠，恶荣为己害，日毁荣[169]于帝，劝帝除之。帝惩河阴之难[170]，恐荣终难保[171]，由是密有图荣之意，侍中杨侃、尚书右仆射元罗[172]亦预其谋。

会荣请入朝，欲视皇后娩乳[173]，徽等劝帝因其入，刺杀之。唯胶东侯李侃晞、济阴王晖业[174]言:“荣若来，必当有备，恐不可图。”又欲杀其党与，发兵拒之。帝疑未定，而洛阳人怀忧惧[175]，中书侍郎邢子才[176]之徒已避之东出。荣乃遍与朝士书，相任去留[177]。中书舍人温子昇以书呈帝，帝恒望其不来，及见书，以荣必来，色甚不悦。子才名劭，以字行[178]，峦[179]之族弟也。时人多以字行者，旧史皆因之。

武卫将军奚毅，建义[180]初往来通命[181]，帝每期之甚重[182]，然犹以荣所亲信，不敢与之言情[183]。毅曰:“若必有变，臣宁死陛下[184]，不能事契胡[185]。”帝曰:“朕保天柱无异心，亦不忘卿忠款[186]。”

尔朱世隆疑帝欲为变，乃为匿名书自榜其门[187]云:“天子与杨侃、高道穆等为计，欲杀天柱。”取以呈荣。荣自恃其强，不以为意，手毁

放纵，今年秋天我想与你一起组织动员人马，到离洛阳不远处的嵩山去大猎一回，令朝中那些贪婪而肮脏的显贵们进入包围圈去和老虎搏斗。然后我就向南通过鲁阳关，历经北荆州、东荆州与荆州，把那些尚未归附的所有蛮族人全部俘获，再向北去抚慰北部边境上的怀朔镇、武川镇、抚冥镇、柔玄镇、怀荒镇、御夷镇六镇中饱受灾难的民众，回军的时候，顺便扫平居住在汾州一带的匈奴人。明年，选拔训练精锐的骑兵，分别出兵长江、淮河流域，梁武帝萧衍如果投降，我可以请求皇帝封他一个万户侯；如果他不投降，我就率领数千名骑兵径直渡过长江、淮河把他捉住捆绑起来。然后和你一道奉陪着天子，巡守四方，到那时才可以称得上建立了功勋。现在如果不频繁地出去打猎，士兵就会懈怠，还怎么用他们去行军打仗呢!”

魏国城阳王元徽的王妃，是魏孝庄皇帝舅舅的女儿；担任侍中的李彧，是担任司徒的濮阳王李延寔的儿子，孝庄皇帝的姐夫。元徽、李彧想得到权力，受到宠信，憎恶尔朱荣妨碍了自己欲望的实现，于是就整天在孝庄皇帝面前说尔朱荣的坏话，劝说孝庄皇帝除掉尔朱荣。孝庄皇帝汲取了河阴之难的教训，担心尔朱荣终究难以依靠，因此心中也暗暗地有了除掉尔朱荣的想法，担任侍中的杨侃、担任尚书右仆射的元罗也参与他们的密谋。

正巧遇到尔朱荣请求入朝，想要探望自己的女儿尔朱皇后分娩，元徽等人遂劝说孝庄皇帝趁着尔朱荣入宫之机，刺杀尔朱荣。只有胶东侯李侃晞、济阴王元晖业说:“尔朱荣如果来京，一定会有所准备，恐怕不能除掉他。”元徽等人还想杀掉尔朱荣朝中的党羽，然后发兵抵御尔朱荣。孝庄皇帝对此犹豫不决，而洛阳城中的每个人都提心吊胆，中书侍郎邢子才这一类人已经跑到洛阳城东部去躲避这场灾难。尔朱荣给朝廷的每一位官员都送去一封书信，听任他们愿去则去、愿留则留，绝不勉强。担任中书舍人的温子昇把尔朱荣送给自己的书信呈交给孝庄皇帝，孝庄皇帝一直希望尔朱荣不要入朝，等到看见尔朱荣的书信，认为尔朱荣一定要来入朝，因而脸色显得很不高兴。邢子才，名劭，字子才，当时社会上都称呼他的字而不称他的名，邢子才是邢峦的同族兄弟。因为当时社会上很多人都称其字而不称其名，所以旧的史书便这样沿用下来。

魏国担任武卫将军的奚毅，于孝庄皇帝建义初年负责在尔朱荣与孝庄皇帝之间往来传达消息，孝庄皇帝往往对奚毅抱有很大的期望，然而仍旧因为奚毅是尔朱荣所亲信的人，而不敢与奚毅说心里话。奚毅对孝庄皇帝说:“如果一定有政变，我宁愿为陛下而死，也不愿意侍奉一个匈奴人。”孝庄皇帝说:“朕保证天柱大将军尔朱荣对我没有二心，我也不会忘记你对我的忠心。”

尔朱世隆怀疑孝庄皇帝想要有所行动，于是就写了一封匿名书信偷偷地贴在自家的门上，匿名信上说:“当今皇帝与侍中杨侃、黄门侍郎高道穆等人设下计策，想要杀害天柱大将军尔朱荣。”尔朱世隆把匿名信揭下来呈交给尔朱荣。尔朱荣仗恃自己势力强大，并没有把这封匿名信当回事，他亲手撕毁了那封匿名信，同时往地上

其书，唾地曰："世隆无胆，谁敢生心！"荣妻北乡长公主⑱亦劝荣不行，荣不从。

是月，荣将四五千骑发并州⑲，时人皆言"荣反"，又云"天子必当图荣"。九月，荣至洛阳，帝即欲杀之，以太宰天穆在并州，恐为后患，故忍未发，并召天穆。有人告荣云："帝欲图之。"荣即具奏⑲，帝曰："外人亦言王欲害我，岂可信之？"于是荣不自疑，每入谒帝，从人不过数十，又皆挺身⑲不持兵仗。帝欲止，城阳王徽曰："纵不反，亦何可耐⑲？况不可保邪！"

先是，长星出中台⑲，扫大角⑲。恒州⑲人高荣祖颇知天文，荣问之，对曰："除旧布新之象也。"荣甚悦。荣至洛阳，行台郎中李显和⑲曰："天柱至，那无九锡⑲？安须王自索⑲也？亦是天子不见机⑲。"都督郭罗刹⑳[6]曰："今年真可作禅文⑳，何但九锡！"参军褚光⑳曰："人言并州城上有紫气⑳，何虑天柱不应之？"荣下人皆陵侮帝左右，无所忌惮，故其事皆上闻⑳。

奚毅又见帝，求间⑳，帝即下明光殿与语，知其至诚，乃召城阳王徽及杨侃、李彧告以毅语。荣小女适帝兄子陈留王宽⑳，荣尝指之曰："我终[7]得此婿力。"徽以白帝，曰："荣虑陛下终为己患，脱有东宫⑳，必贪立孩幼⑳；若皇后不生太子，则立陈留⑳耳。"帝梦手持刀自割落十指，恶之，告徽及杨侃，徽曰："蝮蛇螫手⑳，壮士解腕⑳，割指亦是其类，乃吉祥也。"

戊子⑳，天穆至洛阳，帝出迎之。荣与天穆并从入西林园⑳宴射，

吐了一口唾沫说:“尔朱世隆没有胆量,谁敢生心害我!”尔朱荣的妻子北乡长公主也劝阻尔朱荣不要进京,尔朱荣不听。

本月,尔朱荣率领着四五千名骑兵从并州出发前往洛阳,当时的人都说“尔朱荣谋反了”,又有人说“天子一定会设法除掉尔朱荣”。九月,尔朱荣到达洛阳的时候,孝庄皇帝立即就想杀死尔朱荣,因为担任太宰的元天穆还在并州主持州务,恐为后患,便忍了下来暂时没有动手,而是召元天穆进京。有人告诉尔朱荣说:“皇帝想要除掉你。”尔朱荣把别人对自己说的话一一向孝庄皇帝禀明,表示自己不相信会有这样的事情,孝庄皇帝说:“外面的人也说大王想要害死我,这样的话岂能相信呢?”于是尔朱荣便不再怀疑,每次进宫谒见孝庄皇帝,所带的从人不过几十个,又都是空着手不带兵器。孝庄皇帝见此情景就不想再除掉尔朱荣了,城阳王元徽坚持说:“即使尔朱荣不谋反,他的嚣张气焰又怎么能令人忍受?何况谁能保证他永远不谋反呢!”

先前,彗星出现在中台星的位置,后又扫上了大角星。魏国的恒州郡人高荣祖精通天文,尔朱荣就去询问高荣祖,高荣祖回答说:“这象征着要清除旧的开展新的。”尔朱荣听了非常高兴。尔朱荣到达洛阳之后,担任并、肆九州行台郎中的李显和说:“天柱大将军尔朱荣已经到达洛阳,朝廷怎么可以不授予他九锡的待遇呢?难道还要太原王尔朱荣亲自向皇帝索要吗?也是天子辨不清形势。”在尔朱荣帐下担任都督的郭罗刹说:“今年简直可以替皇帝写一篇禅让的文告令他把皇位让给太原王,何止是加授九锡!”在尔朱荣部下担任参军的褚光说:“人们都说并州城上有紫色云气出现,何必担忧天柱大将军做不成皇帝?”尔朱荣的手下人都对孝庄皇帝身边的侍臣横加凌辱,毫无顾忌,所以这些话都传到了孝庄皇帝的耳朵里。

武卫将军奚毅又拜见孝庄皇帝,并请求屏退左右,单独与皇帝讲话,孝庄皇帝立即走下明光殿与奚毅说话,他知道奚毅诚心诚意,于是就招来城阳王元徽和侍中杨侃、侍中李彧,把奚毅跟自己说的话告诉了他们。尔朱荣的小女儿嫁给了孝庄皇帝的侄子陈留王元宽,尔朱荣曾经指点着陈留王元宽说:“我最终一定会得到这个女婿的帮助。”元徽把尔朱荣的这番话告诉了孝庄皇帝,元徽说:“尔朱荣担忧陛下最终会成为他的祸患,如果陛下一旦有了皇太子,尔朱荣一定会杀掉陛下改立年幼的皇太子,好由他来控制朝政;如果尔朱皇后不生太子,那他就一定要立陈留王元宽为皇帝。”孝庄皇帝梦见自己手持钢刀割掉了自己的十个手指头,醒来之后心里很厌恶,就把自己做的梦告诉了元徽和杨侃,元徽说:“人一旦被毒蛇咬了手的时候,如果是条好汉,他就会毅然割断自己的手腕来保住自己的性命,割掉自己的手指也预示着遇到这类情况所应采取的措施,这是吉兆。”

九月十五日戊子,担任太宰的上党王元天穆来到洛阳,孝庄皇帝亲自出来迎接元天穆。尔朱荣与元天穆一同跟着孝庄皇帝进入西林园宴饮、比赛射箭,尔朱荣向

荣奏曰:“近来侍官[214]皆不习武,陛下宜将五百骑出猎[215],因省辞讼[216]。”先是[217],奚毅言荣欲因猎挟天子移都,由是帝益疑之。

辛卯[218],帝召中书舍人温子昇,告以杀荣状,并问以杀董卓[219]事,子昇具道本末。帝曰:“王允[220]若即赦凉州人[221],必不应至此[222]。”良久,语子昇曰:“朕之情理[223],卿所具知。死犹须为,况不必死,吾宁为高贵乡公[224]死,不为常道乡公[225]生!”帝谓杀荣、天穆,即赦其党,皆应不动。应诏王道习曰:“尔朱世隆、司马子如、朱元龙[226]特为荣所委任,具知天下虚实,谓[8]不宜留。”徽及杨侃皆曰:“若世隆不全[227],仲远、天光岂有来理[228]?”帝亦以为然。徽曰:“荣腰间常有刀,或能狠[9]戾[229]伤人,临事愿陛下起避之。”乃伏侃等十余人于明光殿东。其日,荣与天穆并入,坐食未讫,起出,侃等从东阶上殿,见荣、天穆已至中庭,事不果。

壬辰[230],帝忌日[231]。癸巳[232],荣忌日[233]。甲午[234],荣暂入[235],即诣陈留王家饮酒,极醉,遂言病动[236],频日不入[237]。帝谋颇泄,世隆又以告荣,且劝其速发[238]。荣轻帝,以为无能为,曰:“何匆匆!”

预帝谋者皆惧,帝患之。城阳王徽曰:“以生太子为辞,荣必入朝,因此毙之。”帝曰:“后怀孕始九月,可乎?”徽曰:“妇人不及期而产者多矣,彼必不疑。”帝从之。戊戌[239],帝伏兵于明光殿东序[240],声言皇子生,遣徽驰骑至荣第告之。荣方与上党王天穆博,徽脱荣帽,欢舞盘旋[241],兼[242]殿内文武传声趣之,荣遂信之,与天穆俱入朝。帝闻荣来,

孝庄皇帝奏请说："近来皇帝身边的这些侍奉官员都不练习武艺，陛下应该亲自率领五百名骑兵出去打猎，借机察看一下下面上报的诉讼材料。"在此以前，奚毅曾经说过尔朱荣想要趁着打猎的机会挟持天子迁都，因此孝庄皇帝对尔朱荣更加怀疑。

九月十八日辛卯，孝庄皇帝召见中书舍人温子昇，告诉温子昇自己准备杀掉尔朱荣的事情，并向温子昇询问东汉末年王允、吕布是如何除掉董卓的事情，温子昇便从头到尾详细地为孝庄皇帝讲述了一番。孝庄皇帝对温子昇说："王允当时如果在杀掉董卓之后能立即赦免董卓部下的那些凉州人，一定不会遭到被杀的下场。"孝庄皇帝沉思了好长时间，这才对温子昇说："我的内心在想什么，你全都知道。即使我会死我还是要去做，况且我也不一定会死，我宁可像曹魏时期的高贵乡公曹髦那样去死，也不愿意像常道乡公曹奂那样活着！"孝庄皇帝认为在杀掉尔朱荣、元天穆之后，立即赦免他们的同党，他们的同党应该不会再轻举妄动。应诏而来的王道习说："尔朱世隆、金紫光禄大夫司马子如、朱元龙等人特别受到尔朱荣的委托与信任，他们都知道天下的真实情况，所以不应该把他们留下。"元徽与杨侃都说："如果尔朱世隆不能得到赦免保住性命，那么尔朱仲远、尔朱天光还会前来归顺朝廷吗？"孝庄皇帝也认为他们二人说得有道理。元徽说："尔朱荣腰间经常带着刀，他在发狠的时候或许会用佩刀伤人，临近事情发生的时候希望陛下能起身躲开他。"于是让杨侃等十几个人埋伏在明光殿东侧。那一天，尔朱荣与元天穆一同入宫，坐下来进食还没等结束，就起身告辞而出，杨侃等人从东边台阶走上殿来，看见尔朱荣、元天穆已经走到了庭院当中，所以刺杀尔朱荣之事没有成功。

九月十九日壬辰，是孝庄皇帝父母的忌日。二十日癸巳，是尔朱荣父母的忌日。二十一日甲午，尔朱荣突然进入皇宫，待了没有多久，就起身前往陈留王元宽的家里饮酒，他喝得酩酊大醉，于是说自己疾病发作，因而一连几天都没有入宫。孝庄皇帝的阴谋逐渐泄露出去，尔朱世隆又把皇帝准备谋杀他的事情告诉了尔朱荣，并且劝说尔朱荣赶紧动手采取行动。尔朱荣一向轻视孝庄皇帝，认为他不会有什么作为，于是说："何必这么着急！"

参与了孝庄皇帝密谋除掉尔朱荣的人心里都很恐惧，孝庄皇帝对此感到很担忧。城阳王元徽说："以尔朱皇后生下皇太子为借口召请尔朱荣入宫，尔朱荣一定会入宫看望，趁此机会杀死他。"孝庄皇帝说："尔朱皇后怀孕才九个月，可以吗？"元徽说："妇女怀孕不足十个月就生孩子的多了，尔朱荣一定不会怀疑。"孝庄皇帝听从了元徽的建议。九月二十五日戊戌，孝庄皇帝预先在明光殿东厢房埋伏下勇士，对外声称皇子已经降生，然后派元徽骑着马飞快地来到尔朱荣的府邸把尔朱皇后已经生下皇太子的消息告诉给尔朱荣。当时尔朱荣正与上党王元天穆进行赌博游戏，元徽摘下尔朱荣的帽子，欢舞盘旋，表示祝贺，更有殿内文武官员前来传话催促，尔朱荣于是相信尔朱皇后果真生了皇太子，就与元天穆一同入宫祝贺。孝庄皇帝听到尔朱

不觉失色，中书舍人温子昇曰："陛下色变。"帝连索酒饮之。帝令子昇作赦文，即成，执以出，遇荣自外入，问："是何文书？"子昇颜色不变，曰"敕"，荣不取视而入。帝在东序下西向坐，荣、天穆在御榻西北南向坐。徽入，始一拜，荣见光禄少卿鲁安、典御李侃晞等抽刀从东户入，即起趋御座，帝先横刀膝下，遂手刃之，安等乱斫，荣与天穆同时俱死。荣子菩提及车骑将军尔朱阳睹等三十人从荣入宫，亦为伏兵所杀。帝得荣手版[243]，上有数牒启[244]，皆左右去留人名，非其腹心者悉在出[245]限，帝曰："竖子若过今日，遂不可制。"于是内外喜噪，声满洛阳城。百僚入贺，帝登阊阖门，下诏大赦，遣武卫将军奚毅、前燕州刺史崔渊将兵镇北中[246]。是夜，尔朱世隆奉[10]北乡长公主帅荣部曲，焚西阳门[247]，出屯河阴[248]。

卫将军贺拔胜与荣党田怡等闻荣死，奔赴荣第。时宫殿门犹未加严防，怡等议即攻门，胜止之曰："天子既行大事，必当有备，吾辈[11]众少，何可轻尔！但得出城，更为他计。"怡乃止。及世隆等[12]走，胜遂不从，帝甚嘉之。朱瑞[249]虽为荣所委，而善处朝廷之间，帝亦善遇之，故瑞从世隆走而中道逃还。

荣素厚金紫光禄大夫司马子如[250]，荣死，子如自宫中突出，至荣第，弃家，随荣妻子走出城。世隆即欲还北，子如曰："兵不厌诈，今天下恟恟[251]，唯强是视[252]，当此之际，不可以弱示人，若亟北走[253]，恐变生肘腋[254]。不如分兵守河桥，还军向京师，出其不意，或可成功。假使不得所欲，亦足示有余力，使天下畏我之强，不敢叛散。"世隆从之。己亥[255]，攻河桥，擒奚毅等，杀之，据北中城。魏朝大惧，遣前华

荣已经来了的消息，不禁有些惊慌失色，中书舍人温子昇说："陛下的脸色变了。"孝庄皇帝连忙要酒来喝。孝庄皇帝令温子昇起草实行大赦的文告，温子昇写好之后，就拿着文告准备出宫，碰巧遇到尔朱荣从外边入宫，尔朱荣向温子昇询问说："你拿的是什么文书?"温子昇面不改色，镇定地说"是皇帝的敕令"，尔朱荣并没有从温子昇手中要过文告来看就进宫了。孝庄皇帝在明光殿东厢房廊下面向西而坐，尔朱荣和元天穆在御座西北方向面向南而坐。元徽入宫，刚一叩拜，尔朱荣就看见担任光禄少卿的鲁安、担任典御的李侃晞等人拔出刀从东门进来，尔朱荣立即起身奔向孝庄皇帝，孝庄皇帝早已把刀横在膝下，他立即挥刀砍向尔朱荣，鲁安等人也上来挥刀乱砍，尔朱荣与元天穆当时就全被杀死。尔朱荣的儿子尔朱菩提和担任车骑将军的尔朱阳睹等三十人跟着尔朱荣入宫，也全被埋伏的士兵杀死。孝庄皇帝得到了尔朱荣上朝奏事用的手板，上面写着好几条准备向皇帝奏报的事情，都是孝庄皇帝身边侍臣或去或留的名单，如果不是尔朱荣的心腹，都在被驱逐之列，孝庄皇帝说："如果让这小子活过今天，就无法控制他了。"于是皇宫内外充满了欢声笑语，声音传遍了整个洛阳城。文武百官全都入朝祝贺，孝庄皇帝亲自登上阊阖门，下诏宣布大赦天下，同时派遣担任武卫将军的奚毅、曾经担任过燕州刺史的崔渊率军据守黄河北岸的河桥城。当天夜里，尔朱世隆保护着尔朱荣的妻子北乡长公主率领尔朱荣的部下，焚烧了洛阳城的西阳门，离开洛阳城在黄河南岸的河阴驻扎下来。

在尔朱荣属下担任卫将军的贺拔胜和尔朱荣的党羽田怡等听说尔朱荣被杀死的消息，全都跑到了尔朱荣的府邸。当时皇宫殿门还没有来得及严加防守，田怡等人商议立即攻打宫门，贺拔胜制止他们说："皇帝既然要对太原王下手，就一定会有准备，我们这里人数很少，怎么可以轻举妄动！只要我们能够逃出洛阳城，再另做打算也不晚。"田怡这才放弃攻打宫门。等到尔朱世隆等人逃走之后，贺拔胜没有跟他们一起逃走，孝庄皇帝对贺拔胜的表现非常称赞。朱瑞虽然一向深受尔朱荣的委任，却和朝廷相处得很好，孝庄皇帝一向也很善待朱瑞，所以朱瑞在跟随尔朱世隆逃走的途中又逃了回来。

尔朱荣一向厚待金紫光禄大夫司马子如，尔朱荣被杀死之后，司马子如从宫中突围而出，跑到尔朱荣的府邸，他抛弃了自己的家眷，跟随着尔朱荣的妻子北乡长公主逃出洛阳城。尔朱世隆当时就想回到北方的并州一带，司马子如说："兵不厌诈，如今天下人都在惊恐不安，谁的势力强大就拥护谁，在这个关键时刻，不可以向人示弱，如果急于向北逃命，恐怕在自己的身边就会有人发动叛变。不如分出一部分兵力守住河桥城，其余的军队则杀向洛阳，出其不意，或许有可能成功。即使此举不能成功，也足以表示我们还有余力，让天下人惧怕我们的强大，而不敢背叛我们、逃离我们。"尔朱世隆听从了司马子如的意见。九月二十六日己亥，尔朱世隆率领部下进攻河桥城，活捉了守卫河桥城的武卫将军奚毅等，把他们全部杀死，遂占据了

阳[256]太守段育慰谕之，世隆斩首以徇。

魏以雍州刺史尔朱天光为侍中、仪同三司。以司空杨津为都督并肆等九州诸军事、骠骑大将军、并州刺史，兼尚书令、北道大[13]行台，经略河、汾[257]。

荣之入洛也，以高敖曹自随[258]，禁于驼牛署。荣死，帝引见，劳勉之。兄乾[259]自东冀州[260]驰赴洛阳，帝以乾为河北大使，敖曹为直阁将军，使归，招集乡曲为表里形援[261]。帝亲送之于河桥[262]，举酒指水曰："卿兄弟冀部[263]豪杰，能令士卒致死[264]，京城傥有变，可为朕河上一扬尘[265]。"乾垂涕受诏，敖曹援剑起舞，誓以必死。

【段旨】

以上为第一段，写梁武帝萧衍中大通二年（公元五三〇年）前九个月的大事。主要写了变民头领万俟丑奴侵扰关中，尔朱荣命尔朱天光与贺拔岳进讨之，贺拔岳破擒丑奴将尉迟菩萨；接着尔朱天光与贺拔岳又破万俟丑奴于高平，擒万俟丑奴，并获叛将萧宝寅，送朝廷杀之。写了万俟丑奴的部将万俟道洛逃入山中，伺机而出，曾袭杀尔朱天光的部将长孙邪利，尔朱天光率大军进讨，万俟道洛逃入陇山，投归略阳贼王庆云，王庆云遂以道洛为大将军，自己称帝于水洛城。写了尔朱天光有智有勇地攻克水洛城，尽收其众而坑之，于是三秦、河、渭、瓜、凉、鄯州皆降，关陇地区全部平定。写了魏主元子攸与权臣尔朱荣的关系开始紧张，尔朱荣之部下与尔朱荣之女为魏主之皇后者皆专横跋扈，但魏主凛然不屈，对尔朱荣的颐指气使，断然不从。写了魏主与群臣谋划袭杀尔朱荣，尔朱荣依仗自己势大，不加防范，魏主的决心也不很坚定，结果第一次的袭杀行动未能成功；接着又在城阳王元徽、中书舍人温子昇的协助下杀了尔朱荣与元天穆，尔朱荣的部下分裂，贺拔胜、朱瑞归顺朝廷；司马子如为尔朱世隆献计，要组织力量进击，不可示弱北逃，于是尔朱世隆攻据北中城，朝廷大惧。此外还写了梁武帝又立元悦为第二个分裂政权头目，使魏国降将范遵从之进入魏境等。

河桥城。魏国朝廷非常恐惧，就派遣曾经担任过华阳太守的段育前往河桥城安抚劝说尔朱世隆归顺朝廷，尔朱世隆把段育斩首示众。

魏孝庄皇帝任命担任雍州刺史的尔朱天光为侍中、开府仪同三司。任命担任司空的杨津为都督并、肆等九州诸军事，骠骑大将军，并州刺史，兼任尚书令、北道大行台，经营治理尔朱荣在黄河、汾河流域的老巢地区。

尔朱荣在进入洛阳城的时候，把高敖曹带在身边，囚禁在驼牛署。尔朱荣死后，孝庄皇帝召见高敖曹，慰劳勉励了高敖曹一番。高敖曹的哥哥高乾从东冀州骑马赶赴洛阳，孝庄皇帝任命高乾为河北大使，任命高敖曹为直阁将军，让他们返回自己的故乡，招集乡勇，与朝廷形成一种相互呼应的态势。孝庄皇帝亲自把他们送到河桥城，举起酒杯指着下面的黄河水说："你们兄弟都是冀州一带的豪杰，能让自己的士卒效死疆场，京城洛阳如果有风吹草动，希望你们能为我从冀州起兵，到黄河上一显神威。"高乾流着眼泪接受了皇帝的诏命，高敖曹则拔剑起舞，发誓要以死效忠皇帝。

【注释】

① 正月己丑：正月十三。② 魏益州：魏国益州的州治晋寿，在今四川剑阁东北。③ 梁州：魏国此时的梁州州治南郑，即今陕西汉中。④ 严始欣：魏国巴州地区的少数民族头领，被魏国任为巴州刺史，魏国的巴州州治在今四川巴中东。严始欣为官贪暴，又投降梁朝，故其他魏将攻之。事见本书上卷。⑤ 萧玩：梁将名，于上年受命梁朝，往巴州接应叛投梁朝的刺史严始欣。⑥ 失亡：散失。〖按〗指被魏军俘获。⑦ 辛亥：是年正月丁丑朔，无辛亥，据《魏书·孝庄纪》当作"辛丑"，正月辛丑日为正月二十五日。⑧ 东徐州：魏州名，州治下邳，在今江苏邳州西南之古邳镇。⑨ 二月甲寅：二月初八。⑩ 万俟丑奴：陇西地区的变民头领，莫折念生死后，丑奴继之为首。上年曾攻魏之东秦州（州治在今陕西黄陵南），杀其刺史高子明。⑪ 贺拔岳：与其兄贺拔胜都是尔朱荣的心腹将领。传见《魏书》卷八十。⑫ 勍敌：劲敌；强敌。勍，强、有力的样子。⑬ 谗嫉：因受妒忌而遭攻击。⑭ 愿得尔朱氏一人为帅而佐之：请一个姓尔朱的来做统帅而我们辅佐他。⑮ 尔朱天光：尔朱荣的远房堂兄弟。传见《魏书》卷七十五。⑯ 二雍二岐：魏之四州名，指雍州、东雍州、岐州、南岐州。⑰ 雍州：州治长安，即今陕西西安西北部。⑱ 代郡侯莫陈悦：代郡人姓侯莫陈，名悦，尔朱荣的心腹部下。传见《魏书》卷八十。⑲ 发：征调。⑳ 洛阳以西路次民马：从洛阳城往西直至陕西境内，沿途两侧的所有百姓家的马匹。路次，道路两侧。㉑ 赤水蜀贼：活动在赤水流域的来自蜀地的乱民。赤水，也称灌水，流经当时的郑县（今陕西渭南市华州区）城北。胡三省曰："赤水在郑县北，即《山

海经》之灌水也，北注于渭。”又曰：“蜀贼，本蜀人之迁关中者，乘乱相聚为贼。”㉒诏侍中杨侃先行慰谕：胡三省曰，“华阴诸杨仕魏，奕世贵显，关西所归重，故使之先行慰谕也”。杨侃，魏国的名将杨椿、杨津之侄，杨播之子。传见《魏书》卷五十八。此时为黄门侍郎。慰谕，劝说、说服。㉓税其马：征收他们的马匹以充赋税。㉔潼关：河南与陕西之间的关塞名，在今陕西潼关县境内，地处陕西、河南、山西三省的交界处。㉕一以相委：一概都委托给你了；我一概都听你的。㉖击蜀：进击蜀贼。㉗税民马：其实就是不由分说地抢夺。美其名曰以充赋税。㉘淹留：逗留；迟迟不前。㉙岐州：州治雍县，即今陕西宝鸡市凤翔区。㉚武功：魏郡名，郡治在今陕西扶风东南。㉛攻围趣栅：攻击围打岐州城外的前沿防御工事。趣栅，扑向那些竹木建成的防御工事。趣，意思同“趋”。㉜挑：挑动；引诱。㉝省事：胡三省曰，“盖犹今之通事，两敌相向，使之往来传达言语”。㉞东出：向东方驰去。㉟以为走：以为贺拔岳是逃跑了。㊱横冈：横挡在前面的丘陵。㊲投马：下马。投，舍、离开。㊳安定：魏郡名，郡治在今甘肃泾川县北。㊴置栅于平亭：置栅，建立工事，意即扎营。平亭，地名，在当时的安定城北。㊵自雍至岐：由当时的雍州（长安）向西前进到了岐州（今凤翔）。㊶汧渭之间：汧水与渭水的夹角地区。渭水从甘肃的渭源流来，东经天水、宝鸡、咸阳，东流入黄河；汧水原出于陇山，东南流经汧城（今陇县）、千阳，至宝鸡东入渭水。㊷宣言：扬言；放出话来。㊸更图进止：再考虑下一步的进退去留。㊹觇候者：侦察兵。㊺纵遣之：故意地将他们放走。㊻细川：地区名，在当时的岐州以北，安定以南。胡三省曰：“细川在岐州北，泾州灵台县有百里镇，盖即细川之地。细川、平亭当亦相近。”㊼侯伏侯元进：姓侯伏侯，名元进。㊽势分：兵力已经分散。㊾晡时：申时，吃下午饭的时候，即下午的三点到五点时分。㊿密严诸军：秘密地集合起所有军队。严，集合。(51)径进：一直前进。(52)侯几长贵：姓侯几，名长贵。(53)高平：魏国的军镇名，也是古城名，即今宁夏固原。(54)丁卯：四月二十二。(55)及于平凉：追赶到平凉时追上了。平凉是魏郡名，郡治在今甘肃平凉西南，华亭西。(56)直阁：在皇帝住宿与办公的殿阁周围值勤的武官名。(57)侯莫陈崇：姓侯莫陈，名崇，尔朱荣部下的名将。(58)萧宝寅：南齐的末代皇帝萧宝卷之弟，萧宝卷被萧衍篡杀后，萧宝寅逃到魏国。开始很受魏国皇帝的亲幸，后来据关中自立为帝，兵败后投归了变民头领万俟丑奴，被丑奴任为太傅。传见《魏书》卷五十九。(59)壬申：四月二十七。(60)吐谷浑王佛辅：吐谷浑是今青海境内的古国名，其祖先是辽东地区的鲜卑人，都城即都兰县。吐谷浑长期依违于南朝与北朝之间，有时接受两方的封赠。传见《魏书》卷一百一。佛辅是老吐谷浑王伏连筹之孙，呵罗真之子。(61)甲戌：四月二十九。(62)阊阖门外都街：当时洛阳城阊阖门外的大街。阊阖门，魏国宫城的正南门。都街，大街。(63)丹杨王萧赞：即梁武帝萧衍的儿子萧综，因自认是萧宝卷的遗腹子而于徐州刺史任上叛投于魏国。魏人封之为丹杨王，为其改名萧赞。传见《梁书》卷五十五、《魏书》卷五十九。(64)表请宝寅之命：上书乞求饶恕萧宝寅的性命。胡三省曰：“赞以宝寅为叔父，故请其命。”盖以兔死狐悲，同病相怜也。⑥⑤ 李神儁：原西凉王李宝之孙，李佐之子，魏国的才学之臣。传见《魏书》卷三十九。⑥⑥ 左右：同“佐佑”，帮助、袒护。⑥⑦ 事在前朝：是上一任皇帝时期的事。时胡太后专政横行，诸事多不如法。⑥⑧ 应诏：也称“待诏”，已经来到皇帝身边，但尚未正式任命官职的人。⑥⑨ 周款：关系亲密友爱，一切言行皆合。⑦⓪ 得言：说得上话；说话管用。⑦① 必能全之：一定能保住萧宝寅的性命。⑦② 驼牛署：主管饲养驼牛驴骡等牲畜的官府。胡三省曰：“太仆寺之属有驼牛署，掌饲驼骡驴牛，有令丞。”又曰：“署，其寺舍也。”⑦③ 都市：大市场。⑦④ 六月丁巳：六月十三。⑦⑤ 复以魏汝南王悦为魏王：又立了第二个魏国宗室为分裂政权的头子。汝南王悦，元悦，孝文帝元宏之子，宣武帝元恪之弟，被封为汝南王，在尔朱荣大杀魏国宗室时逃降于梁。传见《魏书》卷二十二。⑦⑥ 戊寅：是年六月乙巳朔，无戊寅。据《魏书·孝庄帝纪》当为“戊午”。戊午，六月十四。⑦⑦ 胡氏：指胡太后，宣武帝元恪的皇后，魏肃宗元诩生母。传见《魏书》卷十三。⑦⑧ 庚申：六月十六。⑦⑨ 司州：梁国的司州州治义阳，即今河南信阳。⑧⓪ 从魏王悦北还：像上次的陈庆之一样，为这个魏国的分裂政权傀儡保驾护航。⑧① 泾豳：魏之二州名，泾州的州治安定，即今甘肃泾川县西北部，豳州的州治定安，即今甘肃宁县。⑧② 灵州：即原来的薄骨律镇，后来改称灵州，州治在今宁夏灵武西南部，地处黄河东岸。胡三省曰：“薄骨律镇在河渚之中，随水上下，未尝陷没，故号灵州也。”⑧③ 长孙邪利：姓长孙，名邪利。⑧④ 行原州事：代理原州刺史。原州即高平镇，正光中改称原州，即今宁夏固原。⑧⑤ 牵屯山：山名，在今宁夏泾源北。⑧⑥ 不获道洛：没有俘获万俟道洛。⑧⑦ 以诏书：用魏主的名义。⑧⑧ 黜天光为抚军将军：尔朱天光原为骠骑大将军，地位仅次于大将军，居一品。抚军将军为从一品。⑧⑨ 入陇：逃进了陇山。陇山在今陕西陇县以西，是陕西与甘肃的分界线。⑨⓪ 归：归降；投靠。⑨① 略阳贼帅：略阳地区的变民头领。略阳是魏郡名，郡治陇城，在今甘肃秦安东北。⑨② 骁果绝伦：骁勇果敢，无与伦比。⑨③ 水洛城：在当时的略阳郡东北，即今之甘肃庄浪。⑨④ 大将军：地位在丞相之上，满朝无出其右者。⑨⑤ 明晨早报：明天一早给我答复。⑨⑥ 相为小退：我为你向后稍稍退回一步。⑨⑦ 木枪：又称“拒马枪”，防御战具。用以布阵立营，使敌之骑兵不能奔突。胡三省引杜佑曰：“拒马枪，以木径二尺，长短随事，十字凿孔，纵横安检，长丈，锐其端以塞要路。”⑨⑧ 穷窘：走投无路。⑨⑨ 丙子：七月初三。⑩⓪ 收其仗：收缴了他们的兵器。⑩① 三秦：指魏国的秦州、南秦州、东秦州。秦州的州治上封，即今甘肃天水市，南秦州的州治南郑，即今陕西汉中，东秦州的州治中部，在今陕西黄陵西南。⑩② 河渭瓜凉鄯州：魏之五州名，河州的州治枹罕，在今甘肃临夏回族自治州东北，渭州的州治即今甘肃陇西县，瓜州的州治即今甘肃敦煌，凉州的州治即今甘肃武威，鄯州的州治都善，即今青海乐都。⑩③ 宇文泰：后来西周的开国皇帝，此时为尔朱荣的部将。⑩④ 关陇凋弊：关中与陇西一带残破、衰败。关、陇，大范围指今陕西、甘肃；小范围指今渭水流域的陕西与靠近陇山的甘肃东部地区。⑩⑤ 使君：当时对刺史、太守两级官员的敬称。⑩⑥ 八月庚戌：八月初七。⑩居外藩：在地方上任方面大员。当时尔朱荣为使持节、柱国大将军、大丞相、太原王。驻兵于当时的晋阳，即今山西太原。⑱清治选部：整顿人事部门。清治，清理、整顿。选部，即吏部，主管选任官员的部门。⑲关补曲阳县令：告诉吏部他想任命为曲阳县令的人选。关，通知、告诉。补，充任。曲阳，县名，在今河北定州西北，当时属于中山郡。⑩阶悬：级别差得太远。⑪别更拟人：又选择了别的对象。拟，选择。⑫所补者：已通知吏部他所选定的那个人。⑬摄选：兼任选部的事务，即兼任吏部尚书。⑭启北人：向朝廷推荐北方人，实即尔朱荣的部下、亲党，在北方州镇任职的人。⑮为河南诸州：充任黄河以南诸州的刺史。⑯天柱：指尔朱荣，尔朱荣被封为天柱大将军。⑰普代天下官：把整个国家的官员都更换一遍。⑱遽不用：就如此断然地拒绝。遽，就，立即做出反应。⑲朕亦须代：我也应该被改换。⑳不用我语：不听我的话。㉑屡致忿恚：屡屡因为吃醋发脾气。忿恚，愤怒。㉒尔朱世隆：尔朱荣之侄，尔朱皇后的堂兄弟。㉓今便如此：才让他今天有此高论。㉔今亦复决：现在也可以做出种种规定。㉕正自不为：正因为他没有自己做皇帝。㉖内迫皇后：在宫内受尔朱皇后的欺压。㉗使与荣相持：让这些反对派的势力与尔朱荣相对抗。㉘临淮王彧：元彧，太武帝拓跋焘的玄孙，一个反复无常的魏国宗室。传见《魏书》卷十八。㉙即今天下便是无贼：从今天开始，全国就没有盗贼了。即今，从当今、从此。㉚方劳圣虑：那时让您操心的事才多呢。即尔朱荣的问题会更难办。㉛抚宁荒余：解决战后的人生艰难，医治战争造成的创伤。荒余，战乱之后。㉜弥成不易：更加不容易。弥，更。㉝取九锡：向朝廷讨要九锡的待遇。九锡是皇帝赐予有特大功勋之臣的九种待遇，包括车马、衣服、虎贲、乐器、纳陛、朱户、弓矢、铁钺等。享受了这些待遇的人离着弑君篡位也就不远了。㉞已斥遣令去：我已经把他赶走了。尔朱荣在这里玩"此地无银三百两"的把戏。㉟望得殊礼：希望得到九锡。㊱因称叹其忠：魏主元子攸于是顺水推舟地把尔朱荣夸奖了一番。称叹，称赞。㊲不舍寒暑：不分冷热，一天不误。㊳列围：站成包围圈。㊴齐壹：整齐、一致。㊵逸出：逃脱。㊶坐死：因犯罪而被处死。坐，因。㊷穷谷：没有出路的山坳。㊸顺时搜狩：按照季节时令举行狩猎，以不妨碍动物的繁殖。搜，春天的打猎。狩，冬天的打猎。㊹感伤和气：夏天酷热，人应休息乘凉，尔朱荣驱人打猎，既伤人，又违自然之气。㊺攘袂：捋起袖子，是一种表决心、发誓愿的情态。㊻灵后：胡太后，谥曰灵。㊼不能自正：不能管好朝廷的政事。㊽推奉天子：因此我才拥立了当今的皇帝。㊾奴走：奴才、走狗。㊿擒获即已：我把他捉了来也就没事了。(151)顷来：最近以来。(152)未能混壹海内：我还未能统一天下。(153)何得遽言勋业：怎么能就说我已经建立了功业呢。(154)如闻：我仿佛听说。(155)宽纵：懒散、放纵。(156)校猎嵩高：到离洛阳不远的嵩山去大猎一回。校猎，通过打猎以检阅军队。校，检阅。(157)贪污朝贵：贪婪而肮脏的朝廷显贵们。(158)仍出鲁阳：而后我要向南经过鲁阳关。仍，意思同"乃"。鲁阳关在今河南鲁山县西南。(159)三荆：魏国的三个州名，即荆州（州治即今鲁山县）、南荆州（州治在今湖北枣阳南）、东荆州（州治即今河南泌阳）。⑯悉拥生蛮：全部俘获那些未归附的蛮族人。⑯北填六镇：向北安抚六镇的疮痍与灾难。填，意思同“镇”，这里指抚慰。六镇，指魏国北部边地的怀朔镇、武川镇、抚冥镇、柔玄镇、怀荒镇、御夷镇。⑯汾胡：当时居住在汾州一带的匈奴部落。当时汾州的州治即今山西隰县。⑯乞万户侯：可以请皇帝封他为万户侯。⑯径度缚取：渡过长江去把他捉来。⑯与兄：和你一道。兄，敬称说话的对方，即元天穆。⑯频猎：频繁地出猎。⑯城阳王徽：元徽，景穆帝拓跋晃的曾孙。传见《魏书》卷十九下。⑯姊婿：姐夫。⑯毁荣：说尔朱荣的坏话。⑰惩河阴之难：吸取河阴之难的教训。惩，接受……教训。河阴之难，指前年尔朱荣入洛后杀魏国朝臣两千人于河阴事。见本书卷一百五十二。⑰难保：难以依靠。保，依赖。⑰元罗：元义之弟。⑰娩乳：分娩；产子。⑰济阴王晖业：元晖业，太祖拓跋焘的五世孙。传见《魏书》卷十九上。⑰人怀忧惧：每个人都提心吊胆。⑰邢子才：邢劭，字子才，邢峦的族人，魏国著名的文学家。⑰相任去留：听任他们愿去则去、愿留则留。⑰以字行：在社会上大家都称其字。〖按〗孝庄帝兄名劭，所以邢劭在社会上称字不称名。⑰峦：邢峦，魏国的名臣，也是魏国的名将，与梁国作战有大功。传见《魏书》卷六十五。⑱建义：孝庄帝初即位时的年号，为公元五二八年的四月至八月。⑱往来通命：在尔朱荣与孝庄帝之间往来传达消息。⑱期之甚重：对之抱有很大的期望。⑱言情：说心里话。情，真心、实话。⑱死陛下：为陛下而死。⑱契胡：前代匈奴族的一支。指尔朱荣，尔朱荣是胡人。⑱忠款：忠心；诚挚的心。⑱自榜其门：偷偷贴在自家的门上。榜，张贴。⑱北乡长公主：尔朱荣妻不是魏国宗室女，乃因尔朱荣功大而加封。胡三省曰：“荣妻非元氏也，以荣功封北乡长公主。”又曰：“上党郡乡县，石勒置为武乡郡，后魏去‘武’字为乡郡，证以魏收《志》无‘北乡郡’，则从乡郡为是。”⑱发并州：从并州（州治即今太原）出发向洛阳。⑲具奏：把别人对自己讲的话一一向孝庄帝禀明，表示自己不相信、不在意。⑲挺身：空身；不带武器。挺，直立的样子。⑲亦何可耐：又怎么能忍受他的气焰。耐，忍受。⑲长星出中台：彗星出现在中台星的位置。中台星象征诸侯三公，古人以为这种星变对大臣不利。⑲扫大角：彗星在流行中，又扫上了大角星。大角星即所谓天王星座。⑲恒州：魏州名，州治平城，即今山西大同。⑲李显和：尔朱荣的僚属。胡三省曰：“李显和盖为并、肆九州行台郎中，时从荣至洛阳。”⑲那无九锡：怎么可以没有九锡的封赠。那，同“哪”。⑲安须王自索：哪里用得着大王亲自来讨要。⑲不见机：不能辨清形势。⑳都督郭罗刹：郭罗刹是尔朱荣帐下的都督。⑳真可作禅文：简直可以替魏主写一篇禅让的文告。魏主应该把皇位让给尔朱荣。胡三省曰：“河阴之难，荣已募朝士作禅文，故罗察云然。”⑳参军褚光：尔朱荣部下的参军褚光。⑳紫气：皇帝出现征兆。⑳皆上闻：都传到了魏主元子攸的耳朵里。⑳求间：请求摒除左右，单独讲话。⑳适帝兄子陈留王宽：嫁与魏主的侄子陈留王元宽为妻。适，嫁。⑳脱有东宫：您一旦有了儿子。东宫，指皇太子。⑳贪立孩幼：意即杀了您，改立您的儿子为皇帝，由他们控制政权。⑳则立陈留：

那他们一定要立陈留王元宽。意即您是非被他们所杀不可。⑳ 蝮蛇螫手：一个人被毒蛇咬了手的时候。㉑ 壮士解腕：如果是好汉，他就会毅然将手腕割断。因为只有如此才能保住性命。㉒ 戊子：九月十五。㉓ 西林园：华林园的西部。㉔ 近来侍官：近来皇帝身边的这些侍从官员。㉕ 宜将五百骑出猎：意思是应该都让他们受些训练。㉖ 因省辞讼：趁机会可以接触一些下面上报的诉讼材料。省，看。辞讼，申诉冤屈的文书。㉗ 先是：在此以前。史书在倒叙往事时，常用"先是"二字领起。㉘ 辛卯：九月十八。㉙ 杀董卓：董卓是东汉末年的军阀，曾杀死少帝，改立献帝，挟天子以令诸侯，后被王允、吕布所杀。传见《后汉书》卷一百二、《三国志》卷六。㉚ 王允：当时在朝为司徒，他用反间计分裂了董卓与其部将吕布的关系，安排吕布杀了董卓。传见《后汉书》卷九十六。㉛ 即赦凉州人：在杀了首恶的董卓后，对董卓的那些部下通通大赦，以争取他们的理解与感谢。董卓的部将郭汜、李傕都是凉州人。㉜ 不应至此：不会像王允、吕布那样遭到失败。王允、吕布杀了董卓后，董卓的部将郭汜、李傕等人乞求王允赦免，王允不答应，于是众人听从贾诩之谋，率军攻入长安，杀了王允，赶走了吕布，郭汜、李傕等人一时掌管了朝政。㉝ 朕之情理：我的内心所想。㉞ 高贵乡公：曹髦，魏文帝曹丕之孙，明帝曹叡之子，公元二五四至二五八年在位。时司马昭掌控魏国朝权，曹髦因不能忍受司马昭的奴役操纵，率兵讨伐司马昭，被司马昭所杀。传见《三国志》卷四。曹髦被杀后，司马昭将其贬为高贵乡公。㉟ 常道乡公：曹奂，曹魏政权的末代皇帝，先是给司马氏当了几年的傀儡后，最后把政权禅让给了司马炎。传见《三国志》卷四。曹奂让位后，被司马炎封为常道乡公。㊱ 朱元龙：即朱瑞，字符龙。㊲ 不全：不能赦免。㊳ 岂有来理：还能前来归顺朝廷么。胡三省曰："尔朱仲远时镇徐州，天光时镇关、陇。"㊴ 狠戾：暴戾；凶狠。㊵ 壬辰：九月十九。㊶ 帝忌日：魏主之父母死的日子。胡三省曰："亲丧之日为忌日，《礼》曰：'忌日不乐。'"㊷ 癸巳：九月二十。㊸ 荣忌日：尔朱荣之父母死的日子。㊹ 甲午：九月二十一。㊺ 暂入：突然进得宫来。暂，突然。㊻ 病动：疾病发作。㊼ 频日不入：一连好几天没有进宫。㊽ 速发：迅速下手。㊾ 戊戌：九月二十五。㊿ 东序：东侧屋。(241) 脱荣帽二句：当时少数民族的一种礼节，表示庆祝、祝贺。(242) 兼：更有。(243) 手版：即所谓笏，大臣上朝时手中所持，将所要启奏的事情扼要地写在上面。(244) 数牒启：几条想对皇帝禀告的事情。(245) 出：逐出；赶走。(246) 北中：军事要塞名，即黄河北岸的河桥城，在今洛阳东北方，孟州城南侧。胡三省曰："晋杜预建河桥于富平津，河北侧岸有二城相对，魏高祖置北中郎府，徙诸从隶府户并羽林虎贲领队防之。"(247) 西阳门：即洛阳城的西明门，是洛阳城西面最南头的城门。(248) 河阴：在今洛阳城的西北方，地处黄河南岸。(249) 朱瑞：胡三省曰，"本荣之行台郎中，荣定魏主于洛阳，以瑞为黄门侍郎兼中书舍人”。传见《魏书》卷八十。㉕司马子如：尔朱荣的部下，此时在朝为金紫光禄大夫，后为高欢的亲信。传见《北史》卷五十四。㉛恟恟：惶恐不安的样子。㉜唯强是视：谁的势力大就拥护谁。㉝亟北走：只是急于向北逃命。㉞变生肘腋：指身边有人发动叛乱。肘腋，极言其贴近自己。㉟己亥：九月二十六。㊱华阳：魏郡名，胡三省曰，“魏分汉中之沔阳、西县置华阳郡，以其地在华山之南也”。㊲经略河汾：经营治理尔朱荣的老巢地区。㊳以高敖曹自随：将反对派高敖曹带在身边。高敖曹即高昂，字敖曹，魏国名臣高祐之侄，闻河阴之乱，起兵于河、济之间以讨尔朱荣，兵败被尔朱荣所俘，囚于晋阳，现又被带到洛阳。㊴兄干：高昂之兄高乾，此前曾与高昂一同起兵反尔朱荣。㊵东冀州：魏州名，即当时的河、济之间，约当今之山东西北部。胡三省曰：“盖因刘宋先置冀州于河、济之间，而称东冀州以别河北之冀州也。”㊶为表里形援：形成一种朝廷与地方相互呼应的局面。㊷帝亲送之于河桥：胡三省曰，“敖曹兄弟归乡里，路当东出，河桥在洛阳北，帝不应送之于此，‘河桥’二字，意必有误”。㊸冀部：冀州刺史的管辖区。㊹致死：献出生命。㊺河上一扬尘：从冀州起兵，到黄河上一显神威。扬尘，指起兵。

【校记】

［1］等：原无此字。据章钰校，甲十一行本、乙十一行本、孔天胤本皆有此字，张敦仁《通鉴刊本识误》同，今据补。［2］贼：据章钰校，甲十一行本、乙十一行本“贼”上有“蜀”字。［3］正：原作“止”。胡三省注云：“‘止’当作‘正’。”严衍《通鉴补》作“正”，其义长，今据改。［4］迫：原作“逼”。据章钰校，甲十一行本、乙十一行本皆作“迫”，张敦仁《通鉴刊本识误》同，今据改。［5］驱：据章钰校，甲十一行本、乙十一行本、孔天胤本皆作“驰”。［6］郭罗刹：原作“郭罗察”。胡三省注云：“郭罗察即郭罗刹。”张瑛《通鉴校勘记》亦作“郭罗刹”，今据改。［7］终：据章钰校，甲十一行本、乙十一行本、孔天胤本此下皆有“当”字。［8］谓：张敦仁《通鉴刊本识误》作“亦”。［9］狠：原作“狼”。胡三省注云：“‘狼’当作‘狠’。”据章钰校，孔天胤本作“狠”，今据改。〖按〗《北史·尔朱荣传》作“狠”。［10］尔朱世隆奉：原无此五字。据章钰校，甲十一行本、乙十一行本、孔天胤本皆有此五字，张敦仁《通鉴刊本识误》、张瑛《通鉴校勘记》同，今据补。［11］辈：据章钰校，甲十一行本、乙十一行本、孔天胤本皆作“等”。［12］等：据章钰校，甲十一行本、乙十一行本、孔天胤本皆无此字。［13］大：原无此字。据章钰校，甲十一行本、乙十一行本、孔天胤本皆有此字，今据补。〖按〗《魏书·孝庄帝纪》、《杨播传附椿弟津传》皆作“北道大行台”。

【原文】

冬，十月癸卯朔[266]，世隆遣尔朱拂律归[267]将胡骑一千，皆白服，来至郭下[268]，索太原王[269]尸。帝升大夏门[270]望之，遣主书[271]牛法尚谓之曰："太原王立功不终[272]，阴图衅逆[273]，王法无亲[274]，已正刑书[275]。罪止荣身[276]，余皆不问。卿等若降，官爵如故。"拂律归曰："臣等随[14]太原王入朝，忽致冤酷[277]。今不忍空归，愿得太原王尸，生死无恨[278]。"因涕泣，哀不自胜，群胡皆恸哭，声振城邑[279]。帝亦为之怆然[280]，遣侍中朱瑞赍铁券[281]赐世隆。世隆谓瑞曰："太原王功格天地[282]，赤心奉国，长乐[283]不顾信誓，枉加屠害，今日两行铁字，何足可信？吾为太原王报仇，终无降理！"瑞还，白帝，帝即出库物置城西门外，募敢死之士以讨世隆，一日即得万人，与拂律归等战于郭外。拂律归等生长戎旅[284]，洛阳之人不习战斗，屡战不克。甲辰[285]，以前车骑大将军李叔仁为大都督，帅众讨世隆。

戊申[286]，皇子生，大赦。以中书令魏兰根[287]兼尚书左仆射，为河北行台，定、相、殷[288]三州皆禀兰根节度。

尔朱氏兵犹在城下，帝集朝[15]臣博议，皆恇惧[289]不知所出。通直散骑常侍李苗[290]奋衣[291]起曰："今小贼唐突[292]如此，朝廷有不测之危[16]，正是忠臣烈士效节[293]之日。臣虽不武[294]，请以一旅[295]之众为陛下径断河桥[296]。"城阳王徽、高道穆皆以为善，帝许之。乙卯[297]，苗募人从马渚[298]上流乘船夜下，去桥数里，纵火船焚河桥，倏忽[299]而至。尔朱氏兵在南岸者，望之，争桥北渡，俄而桥绝，溺死者甚众。苗将

【语译】

冬季，十月初一日癸卯，尔朱世隆派遣尔朱拂律归率领一千名匈奴骑兵，全都身穿白色衣服，来到洛阳城的外城之下，向孝庄皇帝索要太原王尔朱荣的尸首。孝庄皇帝元子攸登上洛阳城北面的大夏门向下俯瞰，他派遣担任主书的牛法尚对尔朱拂律归说："太原王尔朱荣曾经为国家立过大功，但没有坚持将好事做到底，他暗中谋划造反，王法不能偏袒亲近的人，我已经按照法律对其进行了惩处。该惩处的只有尔朱荣一个人，其余的人一概不再追究。你们这些人如果投降，继续让你们担任原来的官爵。"尔朱拂律归说："我们这些人跟随太原王入朝，太原王忽然蒙此奇冤、受此惨刑。我们如今不忍心空着手回去，希望得到太原王的尸首，只要得到太原王的尸体，即使是死也不感到遗憾。"一边说着一边痛哭流涕，悲伤的情绪无法控制，所有的胡人都大声痛哭起来，声音震动了京城。孝庄皇帝也感到很悲伤，于是派遣担任侍中的朱瑞携带着用金属制作的可以享受某种特权的证明文书赐给尔朱世隆。尔朱世隆对朱瑞说："太原王的功满天地，他赤心报国，长乐王元子攸不顾自己的信义与发过的誓言，对太原王枉加罪名、残酷杀害，今天他这两行刻在金属上的字，哪里值得让人相信？我一定要为太原王报仇雪恨，绝对没有投降的道理！"朱瑞回来之后，向孝庄皇帝做了汇报，孝庄皇帝令人把府库里的财物拿出来放置在洛阳城西门之外，用以招募敢死之士去讨伐尔朱世隆，只一天的工夫就招募到了一万人，令这些人在洛阳城的外城迎战尔朱拂律归等。尔朱拂律归等都是生长在军旅之中的人，而洛阳人根本就不习惯行军打仗之事，所以多次交战都不能取胜。初二日甲辰，孝庄皇帝任命曾经担任过车骑大将军的李叔仁为大都督，率军讨伐尔朱世隆。

十月初六日戊申，尔朱皇后生下了皇子，为此实行大赦。孝庄皇帝任命担任中书令的魏兰根兼任尚书左仆射，为河北行台，定州、相州、殷州三州的军队都归魏兰根调度指挥。

尔朱氏的军队还在洛阳城下，孝庄皇帝召集朝中的文武大臣广泛地开展议论，大家都恐慌不安，不知道该怎么办才好。担任通直散骑常侍的李苗振衣而起，他说："今天一个小小的贼军竟敢如此张狂，朝廷面临着不可预测的危难，正是忠臣烈士为国尽忠、为国献身的时候。我虽然没有什么威名，请让我率领一支小部队为陛下斩断河桥。"城阳王元徽、黄门侍郎高道穆都认为这是一个好办法，孝庄皇帝遂批准了李苗的请求。十月十三日乙卯，李苗招募人从马渚上游乘船，利用黑夜做掩护顺流而下，在距离河桥几里远的地方将点燃了的船只放出去焚烧河桥，火船瞬间就到达了河桥。尔朱氏在黄河南岸的士兵望见朝廷军火烧河桥，全都争先恐后地奔向河桥想要向北渡过黄河逃走，一会儿的工夫河桥就被烧断了，奔上河桥的尔朱氏的士兵落入黄河被淹死了很多。李苗率领着一百来人停泊在黄河当中的一个小洲之上等

百许人泊于小渚以待南援，官军[300]不至，尔朱氏就击之，左右皆尽，苗赴水死。帝伤惜之，赠车骑大将军、仪同三司，封河阳侯[301]，谥曰忠烈。世隆亦收兵北遁。丙辰[302]，诏行台源子恭[303]将步骑一万出西道，杨昱将募士[304]八千出东道以讨之。子恭仍镇太行丹谷[305]，筑垒以防之[306]。世隆至建州[307]，刺史陆希质闭城拒守，世隆攻拔之，杀城中人无遗类，以肆其忿[308]，唯希质走免。

诏以前东荆州刺史元显恭为晋州[309]刺史，兼尚书左仆射、西道行台。

魏东徐州刺史广牧斛斯椿[310]素依附尔朱荣，荣死，椿惧，闻汝南王悦在境上，乃帅部众弃州归悦[311]。悦授椿侍中、大将军、司空，封灵丘郡公[312]，又为大行台前驱都督。

汾州刺史尔朱兆[313]闻荣死，自汾州帅骑据晋阳[314]。世隆至长子[315]，兆来会之。壬申[316]，共推太原太守、行并州事长广王晔[317]即皇帝位，大赦，改元建明。晔，英[318]之弟子也。以兆为大将军，进爵为王；世隆为尚书令，赐爵乐平王，加太傅、司州牧；又以荣从弟度律为太尉，赐爵常山王；世隆兄天柱长史彦伯[319]为侍中；徐州刺史仲远[320]为车骑大将军，兼尚书左仆射、三徐州[321]大行台。仲远亦起兵向洛阳。

尔朱天光之克平凉[322]也，宿勤明达[323]请降，既而复叛，北走，天光遣贺拔岳讨之，明达奔东夏[324]。岳闻尔朱荣死，不复穷追，还泾州以待天光。天光与侯莫陈悦亦下陇[325]，与岳谋引兵向洛。魏敬宗[326]使朱瑞慰谕天光，天光与岳谋，欲令帝外奔而更立宗室，乃频启云："臣实无异心，唯欲仰奉天颜[327]，以申宗门之罪[328]。"又使其下僚属启云："天光密有异图，愿思胜算[329]以防之。"

待着南面朝廷派军队来增援，而朝廷竟然没有派军队前来，尔朱氏的军队登上小洲攻击他们，李苗身边的人全部战死，李苗跳入黄河而死。孝庄皇帝对李苗之死感到非常悲伤、非常惋惜，遂追赠李苗为车骑大将军、开府仪同三司，封李苗为河阳侯，谥号忠烈。尔朱世隆也收兵向北逃走。十四日丙辰，孝庄皇帝下诏令担任行台的源子恭率领一万步兵、骑兵从西道出发，令杨昱率领着新招募来的八千名忠义之士从东道出发去讨伐尔朱世隆。源子恭仍然驻兵于太行山的丹谷地区，修筑城垒防备尔朱氏的军队从晋阳经此南攻洛阳。尔朱世隆到达建州，担任建州刺史的陆希质关闭城门进行坚守，抵御尔朱世隆的进攻，尔朱世隆攻陷了建州城，把建州城内的人全部杀光，以此来发泄他的愤怒之情，只有建州刺史陆希质逃走，幸免被杀。

孝庄皇帝下诏任命曾经担任过东荆州刺史的元显恭为晋州刺史，兼任尚书左仆射、西道行台。

魏国担任东徐州刺史的广牧郡人斛斯椿一向依附于尔朱荣，尔朱荣被杀死以后，斛斯椿心里很恐惧，他听说汝南王元悦已经从梁国率军驻扎在魏国的边境之上，就率领着自己的部众扔掉自己东徐州刺史的职务归顺了汝南王元悦。汝南王元悦授予斛斯椿侍中、大将军、司空，封为灵丘郡公，又任命他为大行台前锋都督。

魏国担任汾州刺史的尔朱兆听到尔朱荣被杀死的消息，立即从汾州率领骑兵占据了晋阳。尔朱世隆率军到达长子县的时候，尔朱兆从晋阳赶来和尔朱世隆相会。十月三十日壬申，尔朱世隆、尔朱兆共同推举担任太原太守、代理并州刺史职务的长广王元晔即皇帝位，在自己的辖区内实行大赦，改年号为建明元年。长广王元晔，是元英的侄子。长广王元晔任命尔朱兆为大将军，晋封尔朱兆为王；任命尔朱世隆为尚书令，赐封为乐平王，加授太傅、司州牧；又任命尔朱荣的堂弟尔朱度律为太尉，赐爵常山王；任命尔朱世隆的哥哥担任天柱长史的尔朱彦伯为侍中；任命担任徐州刺史的尔朱仲远为车骑大将军，兼任尚书左仆射、三徐州大行台。尔朱仲远也从徐州起兵进攻洛阳。

尔朱天光在攻克平凉、擒获万俟丑奴的时候，宿勤明达投降了尔朱天光，后来又再次叛乱，向北方逃走，尔朱天光派遣担任泾州刺史的贺拔岳率军前往讨伐宿勤明达，宿勤明达逃往东夏州。贺拔岳听到太原王尔朱荣被害的消息后，就放弃追击宿勤明达，返回泾州等待尔朱天光。尔朱天光与担任渭州刺史的侯莫陈悦也由陇山下到平原地区，与贺拔岳会合后谋划率军攻打洛阳。魏敬宗元子攸派遣侍中朱瑞前往安抚劝说尔朱天光归顺朝廷，尔朱天光与贺拔岳商议，想逼迫孝庄皇帝逃离洛阳而另立一名皇室成员为皇帝，于是就频繁地上书给孝庄皇帝说："我等实际上与陛下并没有二心，只想与陛下见见面，申诉我们尔朱氏家族所蒙受的冤屈。"尔朱天光又让自己的僚属上书给孝庄皇帝说："尔朱天光正在暗中谋划叛变，希望陛下想出足以制胜的办法来对付尔朱天光。"

范阳[330]太守卢文伟诱平州刺史侯渊[331]出猎，闭门拒之[332]。渊屯于郡南，为荣举哀，勒兵南向。进至中山[333]，行台仆射魏兰根邀击[334]之，为渊所败。

敬宗以城阳王徽兼大司马、录尚书事，总统内外。徽意谓荣既死，枝叶自应散落，及尔朱世隆等兵四起，党众日盛，徽忧怖，不知所出。性多嫉忌，不欲人居己前[335]，每独与帝谋议，群臣有献策者，徽辄劝帝不纳，且曰："小贼何虑不平！"又靳惜[336]财货，赏赐率[337]皆薄少，或多而中减[338]，或与而复追[339]，故徒有糜费而恩不感物[340]。

十一月癸酉朔[341]，敬宗以车骑将军郑先护为大都督，与行台杨昱共讨尔朱仲远[342]。

乙亥[343]，以司徒长孙稚[344]为太尉，临淮王彧为司徒。

丙子[345]，进雍州刺史广宗公尔朱天光爵为王[346]。长广王亦以天光为陇西王[347]。

尔朱仲远攻西兖州[348]，丁丑[349]，拔之，擒刺史王衍[350]。衍，肃[351]之兄子也。癸未[352]，敬宗以右卫将军贺拔胜为东征都督。壬辰[353]，又以郑先护兼尚书左仆射，为行台，与胜共讨仲远。戊戌[354]，诏罢魏兰根行台，以定州刺史薛昙尚兼尚书，为北道行台。郑先护疑贺拔胜[355]，置之营外。庚子[356]，胜与仲远战于滑台东，兵败，降于仲远。

初，尔朱荣尝从容问左右曰："一日无我，谁可主军？"皆称尔朱兆。荣曰："兆虽勇于战斗，然所将不过三千骑，多则乱矣。堪代我者，唯贺六浑[357]耳。"因戒兆曰："尔非其匹[358]，终当为其穿鼻[359]。"乃以高欢为晋州[360]刺史。及兆引兵向洛，遣使召欢，欢遣长史孙腾诣兆，辞以"山蜀[361]未平，今方攻讨，不可委去[362]，致有后忧。定蜀之日[363]，

魏国担任范阳太守的卢文伟引诱担任平州刺史的侯渊出城打猎，然后关闭城门不许侯渊回城。侯渊率领部众驻扎在郡城之南，为太原王尔朱荣举行哀悼，然后率军向南。当他行进到中山郡的时候，担任中书令兼任尚书左仆射、河北行台的魏兰根率军截击侯渊，被侯渊打败。

魏敬宗任命城阳王元徽兼任大司马、录尚书事，总揽全局、统领朝廷内外文武百官。元徽心想尔朱荣既然已经死了，他的党羽自然就会自行解散消失，等到尔朱世隆等在四面起兵进攻洛阳，党众日益强盛的时候，元徽才感到忧愁和恐怖，不知道应该怎样来应付眼前的这种局面。元徽又生性妒忌，不想让别人的官位在自己之上，所以他经常与魏敬宗单独谋划商议，群臣当中如果有人向皇帝献计献策，元徽就劝阻魏敬宗不采纳其意见，而且说："对付这么一些小毛贼，何必担忧不能将其消灭呢！"元徽又很吝惜钱财，所颁发的赏赐一般都很轻很少，或者开始答应的很多，而真正到了赏赐的时候就变少了，甚至有时候已经把东西赏赐下去却又要了回来，所以白白浪费了奖赏而不能以恩惠感动众人。

十一月初一日癸酉，魏敬宗任命担任车骑将军的郑先护为大都督，与担任行台的杨昱共同前往徐州讨伐担任徐州刺史的尔朱仲远。

初三日乙亥，魏敬宗任命担任司徒的长孙稚为太尉，任命临淮王元彧为司徒。

初四日丙子，魏敬宗晋升担任雍州刺史的广宗公尔朱天光为广宗王。长广王元晔也晋封尔朱天光为陇西王。

尔朱仲远率军进攻朝廷军所占据的西兖州，十一月初五日丁丑，攻克了西兖州，擒获了担任西兖州刺史的王衍。王衍，是王肃的侄子。十一日癸未，魏敬宗任命担任右卫将军的贺拔胜为东征都督。二十日壬辰，魏敬宗又任命郑先护兼任尚书左仆射，为行台，与贺拔胜一同前往西兖州讨伐尔朱仲远。二十六日戊戌，魏敬宗下诏罢免了魏兰根的行台职务，任命担任定州刺史的薛昙尚兼任尚书，为北道行台。郑先护怀疑贺拔胜是尔朱氏的人，就把贺拔胜安置在营外。二十八日庚子，贺拔胜率军与尔朱仲远在滑台以东作战失败，便投降了尔朱仲远。

当初，尔朱荣曾经很随意似的向身边的人询问说："一旦没有了我，谁可以接替我统领这些军队？"身边的人都说尔朱兆可以。尔朱荣说："尔朱兆虽然作战英勇顽强，然而他的才能只能指挥不超过三千人的一支骑兵队伍，如果指挥的军队多了他就手忙脚乱了。有资格代替我领军的人，只有贺六浑。"于是他趁机告诫尔朱兆说："你不是高欢的对手，最终你会被他牵着鼻子走的。"于是任命高欢为晋州刺史。等到尔朱兆率军进攻洛阳的时候，尔朱兆派使者召请高欢出兵，高欢派遣属下担任长史的孙腾前来回复尔朱兆，推辞说"在晋州山区居住的那些蜀人叛乱还没有被平定，现在正在出兵讨伐他们，我不能扔下晋州的事情不管，而为今后留下祸患。等我平定了山中蜀人的叛乱之后，那时你在黄河以南，我在黄河以北，形成一种相互合作、

当隔河为掎角之势[364]。”兆不悦，曰：“还白高晋州，吾得吉梦，梦与吾先人登高丘，丘旁之地，耕之已熟[365]，独余马蔺[366]，先人命吾拔之，随手而尽。以此观之，往无不克[367]。”腾还报，欢曰：“兆狂愚如是，而敢为悖逆[368]！吾势不得久事尔朱[369]矣。”

十二月壬寅朔[370]，尔朱兆攻丹谷，都督崔伯凤战死，都督史仵龙开壁请降，源子恭退走。兆轻兵倍道兼行，从河桥西涉渡。先是，敬宗以大河[371]深广，谓兆未能猝济，是日，水不没马腹。甲辰[372]，暴风，黄尘涨天，兆骑叩宫门[373]，宿卫乃觉，弯弓欲射，矢不得发[374]，一时[375]散走。华山王鸷[376]，斤[377]之玄孙也，素附尔朱氏。帝始闻兆南下，欲自帅诸军讨之，鸷说帝曰：“黄河万仞[378]，兆安得渡？”帝遂自安。及兆入宫，鸷复约止[379]卫兵不使斗。帝步出云龙门外，遇城阳王徽乘马走，帝屡呼之，不顾而去[380]。兆骑执帝，锁于永宁寺楼上，帝寒甚，就兆求头巾[381]，不与。兆营于尚书省，用天子金鼓，设刻漏于庭，扑杀皇子[382]，污辱嫔御妃主[383]，纵兵大掠，杀司空临淮王彧、尚书左仆射范阳王诲、青州刺史李延寔等。

城阳王徽走至山南[384]，抵前洛阳令寇祖仁家。祖仁一门三刺史，皆徽所引拔[385]，以有旧恩，故投之。徽赍金百斤，马五十匹，祖仁利其财，外虽容纳，而私谓子弟曰：“如闻尔朱兆购募[386]城阳王，得之者封千户侯，今日[387]富贵至矣！”乃怖[388]徽云官捕将至，令其逃于他所，使人于路邀杀之，送首于兆；兆亦不加勋赏。兆梦徽谓己曰：“我有金二百斤、马百匹在祖仁家，卿可取之。”兆既觉[389]，意[390]所梦为实，即掩捕祖仁，征[391]其金、马。祖仁谓人密告[392]，望风款服[393]，

相互支援的态势。”尔朱兆很不高兴，他对孙腾说：“你回去告诉晋州刺史高欢，就说我做了一个吉祥的梦，梦见我和我的先人登上一个高丘，高丘旁边的土地，已经是久经耕种的良田，只剩下一些马蔺草，我的先人令我拔掉那些马蔺草，我随手就把马蔺草拔得一干二净。由此看来，我要率军进攻谁，一定会无往而不胜。”孙腾回到晋州向晋州刺史高欢做了汇报，高欢说：“尔朱兆如此狂妄愚蠢，竟敢做悖逆之事！看来我侍候尔朱氏家族的日子不会太长了。”

十二月初一日壬寅，尔朱兆率军进攻丹谷，担任都督的崔伯凤战死，都督史仵龙打开营门向尔朱兆请求投降，驻兵于丹谷地区的行台源子恭率军退出丹谷。尔朱兆率领轻骑兵日夜以加倍速度前进，他们从河桥城西面涉水渡过了黄河。此前，魏敬宗因为黄河河水又深河面又宽，认为尔朱兆不可能很快渡过黄河，而在尔朱兆渡河的那一天，黄河水浅得淹不过马肚子。初三日甲辰，突然刮起了沙尘暴，黄尘遮天蔽日，尔朱兆率领的骑兵一直来到宫城门下的时候，才被守城的将士发觉，他们拉弓准备射箭，由于风力太大箭射不出去，于是守卫宫城的士兵立刻全部溃散逃走。华山王元鸷，是拓跋斤的玄孙，一向依附于尔朱氏。魏敬宗开始听到尔朱兆率军南下攻打洛阳的时候，就想要亲自率军去讨伐尔朱兆，元鸷劝阻魏敬宗说：“黄河水深万仞，尔朱兆如何能渡过黄河？”魏敬宗听信了元鸷的话便安下心来。等到尔朱兆冲入皇宫的时候，元鸷又约束、制止卫兵，不许他们进行抵抗。魏敬宗徒步逃出云龙门外，遇到城阳王元徽正骑着马逃走，魏敬宗多次大声呼喊元徽，元徽竟然头也不回地径直逃走了。尔朱兆的骑兵捉住了魏敬宗，把他关押在永宁寺的楼上，魏敬宗感到非常寒冷，就向尔朱兆讨要一顶帽子，尔朱兆不给。尔朱兆把尚书省当作军营，使用天子才能使用的金鼓，在庭院中设置报时的刻漏，他杀死了尔朱皇后所生的皇子，奸污后宫的宫女、嫔妃、公主，放纵士兵大肆抢掠，他们杀死了担任司空的临淮王元彧、担任尚书左仆射的范阳王元诲、担任青州刺史的李延寔等人。

城阳王元徽逃到伊阙山以南，投奔曾经担任过洛阳县令的寇祖仁。寇祖仁一家有三个人担任过州刺史，都是元徽举荐提拔的，元徽认为自己过去对寇祖仁一家有恩，所以才前来投奔寇祖仁。元徽携带着一百斤金子，五十匹马，寇祖仁贪图元徽的财物，所以表面上虽然接纳了元徽，私下里却对自己的子弟们说：“听说尔朱兆正在悬赏购买城阳王元徽的人头，谁能得到元徽的人头谁就能被封为千户侯，今天富贵从天而降了！”于是寇祖仁就去恫吓元徽说尔朱氏已经得到消息就要前来捉拿，要他赶快逃往别的地方去，却派人在元徽出逃的路上进行截击，把元徽杀死，把他的人头送给了尔朱兆；尔朱兆也没有给寇祖仁任何赏赐。尔朱兆梦见元徽对自己说：“我有二百斤黄金、一百匹马都留在寇祖仁的家里，你可以到寇祖仁家里把这些财物全部取走。”尔朱兆梦醒之后，就把所梦当成了真的，立即下令去搜捕寇祖仁，令其交出元徽留在他家里的二百斤黄金、一百匹马。寇祖仁认为是有人告了密，立即顺从地说了实话，

云“实得金百斤、马五十匹。”兆疑其隐匿，依梦征之，祖仁家旧有金三十斤、马三十匹，尽以输兆。兆犹不信，发怒，执祖仁，悬首高树[394]，大石坠足，捶之至死[395]。

尔朱世隆至洛阳，兆自以为己功，责世隆曰：“叔父[396]在朝日久[397]，耳目应广，如何令天柱受祸?”按剑瞋目，声色甚厉。世隆逊辞拜谢[398]，然后得已，由是深恨之。尔朱仲远亦自滑台至洛。

戊申[399]，魏长广王大赦。

尔朱荣之死也，敬宗诏河西贼帅[400]纥豆陵步蕃[401]使袭秀容[402]。及兆入洛，步蕃南下，兵势甚盛，故兆不暇久留，亟还晋阳以御之，使尔朱世隆、度律、彦伯等留镇洛阳。甲寅[403]，兆迁敬宗于晋阳，兆自于河梁[404]监阅财资[405]。高欢闻敬宗向晋阳，帅骑东巡，欲邀之[406]，不及。因与兆书，为陈祸福，不宜害天子，受恶名。兆怒，不纳。尔朱天光轻骑入洛，见世隆等，即还雍州[407]。

初，敬宗恐北军[408]不利，欲为南走之计，托云征蛮，以高道穆为南道大行台，未及发而兆入洛。道穆托疾去，世隆杀之。主者请追[409]李苗封赠，世隆曰：“当时众议，更一二日[410]即欲纵兵大掠，焚烧郭邑，赖苗之故，京师获全。天下之善一也[411]，不宜复追。”

尔朱荣之死也，世隆等征兵于大宁[412]太守代人房谟，谟不应[413]，前后斩其三使，遣弟毓诣洛阳。及兆得志，其党建州刺史是兰安定[414]执谟系州狱，郡中蜀人闻之，皆叛。安定给谟弱马，令军前慰劳，

说“其实我只得到元徽的一百斤黄金、五十匹马”。尔朱兆怀疑寇祖仁将黄金、马匹隐藏起来，就依照梦中元徽所说的数量进行索要，寇祖仁家里原来还有三十斤金子、三十匹马，全部拿出来交给了尔朱兆。尔朱兆还是不相信，他对寇祖仁不肯将黄金、马匹全数交出感到非常愤怒，就把寇祖仁抓起来，把他吊在大树上，还在脚上绑上大石头，又用棍子打他，一直到把寇祖仁打死才住手。

尔朱世隆率军到达洛阳，尔朱兆自认为是自己的功劳，他责备尔朱世隆说：“叔父在朝廷任职已经很长时间了，耳目应当很多，怎么会让天柱大将军被人杀死呢？”尔朱兆在说此话的时候，手按着剑柄，双目圆睁，声色俱厉。尔朱世隆低声下气地向尔朱兆表示歉意，尔朱兆这才不再说什么，因为这件事，尔朱世隆深深地恨上了尔朱兆。尔朱仲远也率军从滑台到达洛阳。

十二月初七日戊申，魏国长广王元晔在自己的辖区内实行大赦。

尔朱荣被杀死的时候，魏敬宗下诏安抚了河西地区的少数民族变民首领纥豆陵步蕃，令纥豆陵步蕃率领自己的部众去偷袭尔朱氏的根据地秀容郡。等到尔朱兆率军进入洛阳的时候，纥豆陵步蕃率部南下攻取秀容，兵势非常强盛，所以尔朱兆没有工夫在洛阳久留，立即率军返回晋阳以抵抗纥豆陵步蕃的进攻，他让尔朱世隆、尔朱度律、尔朱彦伯等留下镇守洛阳。十二月十三日甲寅，尔朱兆把魏敬宗迁往晋阳，尔朱兆亲自在河桥上监督清点从洛阳城中所缴获的财物。高欢听说魏敬宗被迁往晋阳，就率领骑兵东行，想要在半路上把魏敬宗抢走留在自己身边，结果没有赶上。高欢于是写信给尔朱兆，为尔朱兆分析利害祸福，认为不应该杀害天子，以免遭受弑君的恶名。尔朱兆看过高欢的书信后非常愤怒，他没有听取高欢的意见。尔朱天光率领轻骑兵进入洛阳，他会见了尔朱世隆等人之后，就立即返回雍州去了。

当初，魏敬宗担心北部驻守丹谷的源子恭抵挡不住尔朱氏的进攻，就做好了向南逃走的计划，假托南下去征服那些蛮族人，他任命高道穆为南道大行台，还没有来得及出发尔朱兆就率军进入了洛阳。高道穆推说自己有病想要离去，尔朱世隆就杀死了高道穆。朝廷中有关部门的官员请求废掉魏敬宗追赠给李苗的车骑大将军、开府仪同三司、河阳侯等官职和爵位，尔朱世隆说：“当时众人的意见，再过一两天就要放纵士兵大肆抢掠，焚烧洛阳城郭，多亏了李苗，京师才得以获得保全。凡是对天下有益的事情，都应是好事，不应该追夺对李苗的封赠。”

尔朱荣被杀死之后，尔朱世隆等人向担任大宁郡太守的代郡人房谟征兵，房谟不答应派兵，他先后杀死了尔朱世隆所派的三名使者，并派遣自己的弟弟房毓前往洛阳。等到尔朱兆率军进入洛阳擒获了魏敬宗之后，尔朱兆的党羽担任建州刺史的是兰安定逮捕了房谟，把房谟关押在建州的监狱中，大宁郡中的蜀人听到消息以后都起兵造反。是兰安定给房谟准备了一匹瘦弱的马，让房谟到军前去安抚慰问那些

诸贼见谟，莫不遥拜。谟先所乘马，安定别给将士，战败，蜀人得之，谓谟遇害，莫不悲泣，善养其马，不听人乘之[415]，儿童妇女竞投草粟，皆言“此房公马也”。尔朱世隆闻之，舍其罪，以为其府长史。

北道大行台杨津以众少，留邺召募，欲自滏口[416]入并州，会尔朱兆入洛，津乃散众，轻骑还朝。

尔朱世隆与兄弟密谋，虑长广王母卫氏[417]干预朝政，伺其出行，遣数十骑如劫盗者于京巷[418]杀之，寻悬榜[419]以千万钱募贼。

甲子[420]，尔朱兆缢敬宗于晋阳三级佛寺[421]，并杀陈留王宽[422]。

是月，纥豆陵步蕃大破尔朱兆于秀容，南逼晋阳。兆惧，使人召高欢并力。僚属皆劝欢勿应召，欢曰：“兆方急，保无他虑。”遂行。欢所亲贺拔焉过兒[423]请缓行以弊之[424]，欢往往[425]逗留，辞以河无桥[426]，不得渡。步蕃兵日盛，兆屡败，告急于欢，欢乃往从之。兆时避步蕃南出，步蕃至乐平郡[427][17]，欢与[18]兆进兵合击，大破之，斩步蕃于石鼓山[428]，其众退走。兆德欢[429]，相与誓为兄弟，将数十骑诣欢，通夜宴饮。

初，葛荣部众流入并、肆者二十余万，为契胡[430]凌暴，皆不聊生[431]，大小二十六反，诛夷者半，犹谋乱不止。兆患之，问计于欢，欢曰：“六镇反残[432]，不可尽杀，宜选王腹心使统之，有犯者罪其帅，则所罪者寡矣。”兆曰：“善！谁可使者？”贺拔允[433]时在坐，请使欢领之。欢拳殴其口，折一齿，曰：“平生天柱时[434]，奴辈伏处分[435]如鹰犬。

造反的蜀人，那些造反的蜀人看见房谟，无不远远地向房谟叩拜。房谟原先所骑乘的那匹马，被是兰安定送给了别的将士，是兰安定的军队被造反的蜀人打败之后，蜀人从败军中得到了房谟原先所骑乘的那匹马，便误认为房谟已经遇害而死，无不悲痛哭泣，他们把房谟的那匹马好好地喂养起来，不许别人再骑这匹马，儿童、妇女竞相给这匹马投放草料，都说“这是房公的马”。尔朱世隆听说以后，就赦免了房谟，任命房谟做自己府中的长史。

北道大行台杨津因为自己部下的军队很少，就驻留在邺城招募士兵，准备从滏口陉进入并州，正赶上尔朱兆率军进入洛阳，杨津就解散了自己的部众，轻骑回到洛阳。

尔朱世隆与自己的兄弟秘密商议，担心长广王元晔的母亲卫氏会干预朝政，于是等探听到卫氏出行的时候，就派遣数十名骑兵扮作强盗模样在洛阳的曲巷里把卫氏杀死，然后又到处张贴告示，悬赏千万钱捉拿杀人的强盗。

十二月二十三日甲子，尔朱兆把魏敬宗勒死在晋阳的一座名为三级寺的佛寺中，一同被杀死的还有陈留王元宽。

本月，纥豆陵步蕃率领自己的部众在秀容郡把尔朱兆打得大败，并向南逼近尔朱氏的老巢晋阳。尔朱兆非常恐惧，赶紧派人召请晋州刺史高欢与自己合力抵抗纥豆陵步蕃。高欢的僚属都劝阻高欢不要答应尔朱兆的召请，高欢说：“尔朱兆正在窘迫的时候，保管不会出现其他令人担忧的变故。”于是高欢就率军前往秀容与尔朱兆会合。高欢的亲信贺拔焉过兒请求高欢缓慢行军以消耗尔朱兆的力量，高欢于是在路上常常逗留不前，借口汾河没有桥，军队没法过河。纥豆陵步蕃的军事力量一天比一天强盛，尔朱兆屡次被纥豆陵步蕃打败，于是向高欢告急求救，高欢这才率军前往与尔朱兆会合。当时尔朱兆为了躲避纥豆陵步蕃的进攻已经在向南撤退，纥豆陵步蕃率领部众到达乐平郡，高欢与尔朱兆联合进兵攻打纥豆陵步蕃，把纥豆陵步蕃打得大败，在石鼓山把纥豆陵步蕃斩首，纥豆陵步蕃的部众撤退逃走。尔朱兆非常感激高欢，遂与高欢发誓结为异姓兄弟，又率领几十名骑兵到高欢的营中，与高欢彻夜宴饮。

当初，葛荣的部众流入并州、肆州的有二十多万人，受到尔朱荣所属的契胡人的欺凌虐待，生活全都没有着落，他们先后大大小小起来造反二十六次，被杀死了将近一半，仍然造反不止。尔朱兆对此感到很担忧，就向高欢征求对付他们的办法，高欢说：“这些六镇造反者的残余势力，不可能全部把他们杀光，应该选派大王的心腹去统治他们，有犯罪的就惩罚他们的首领，那么犯罪的就一定会减少了。”尔朱兆说：“这个办法倒是很好！可是派谁去好呢？”高欢的心腹贺拔允当时在座，就请求派高欢去统领他们。高欢挥起拳头就向贺拔允的嘴巴打去，当时就打掉了贺拔允的一颗门牙，高欢说：“平素天柱大将军尔朱荣活着的时候，你们这些奴才服从他的部署、

今日天下事取舍在王[436]，而阿鞠泥[437]敢僭易妄言[438]，请杀之！”兆以欢为诚，遂以其众[439]委焉。欢以兆醉，恐醒而悔之，遂出[440]，宣言[441]：“受委统州镇兵[442]，可集汾东[443]受号令。”乃建牙阳曲川[444]，陈部分[445]。军士素恶兆而乐属欢，莫不皆至。

居无何[446]，又使刘贵请兆[447]，以“并、肆频岁霜旱，降户[448]掘田鼠而食之，面无谷色[449]，徒污人境内[450]，请令就食山东[451]，待温饱更受处分[452]。”兆从其议。长史慕容绍宗谏曰：“不可。方今四方纷扰，人怀异望，高公雄才盖世，复使握大兵于外，譬如借蛟龙以云雨[453]，将不可制矣。”兆曰：“有香火重誓[454]，何虑邪！”绍宗曰：“亲兄弟尚不可信，何论香火！”时兆左右已受欢金，因称绍宗与欢有旧隙，兆怒，囚绍宗，趣欢发[455]。欢自晋阳出滏口[456]，道逢北乡长公主[457]自洛阳来，有马三百匹，尽夺而易之[458]。兆闻之，乃释绍宗而问之，绍宗曰：“此[459]犹是掌握中物[460]也。”兆乃自追欢，至襄垣[461]，会漳水[462]暴涨，桥坏，欢隔水拜曰：“所以借公主马，非有他故，备山东盗耳。王信公主之谗，自来赐追[463]，今不辞渡水而死[464]，恐此众便叛[465]。”兆自陈无此意，因轻马[466]渡水，与欢坐幕下，陈谢[467][19]，授欢刀，引颈使欢斫之。欢大哭曰：“自天柱之薨，贺六浑更何所仰[468]？但愿大家[469]千万岁，以申力用[470]耳。今为旁人所构间[471]，大家何忍复出此言？”兆投刀于地，复斩白马[472]与欢为誓，因留宿夜饮。尉景[473]伏壮士欲执兆，欢啮臂[474]止之，曰：“今杀之，其党必奔归聚结，兵饥马瘦，不可与敌，若英雄[475]乘

安排就像鹰犬一样。如今天下什么事情该干什么事情不该干完全取决于大王，而你竟敢超越本分随便胡言乱语，请大王把他杀了！”尔朱兆认为高欢是出于诚心，于是就把流入并州、肆州的葛荣的部众交给了高欢统领。高欢因为尔朱兆是喝醉了酒才作出这样的决定，恐怕尔朱兆酒醒之后会反悔，于是就走出帐外，下令说：“我接受尔朱兆大王的委托统领那些原属于葛荣的部众，你们这些原属于葛荣的部众可以到汾水以东集合队伍接受我的号令。”于是就在汾水东边的阳曲县竖起大旗，列队进行部署。那些军士一向憎恶尔朱兆而愿意接受高欢的统领，因此没有一个不到汾水以东集合待命的。

没过多久，高欢又派刘贵去请示尔朱兆，高欢认为：“并州、肆州连年遭受霜冻、旱灾，这些投降了的民户饿得去挖田鼠吃，满脸都是菜色，白白让这些人污染了大王管辖区内的美好环境，请大王下令让他们到太行山以东地区去找饭吃，等到他们得到温饱以后再对他们作安排。”尔朱兆听从了高欢的建议。在尔朱兆属下担任长史的慕容绍宗劝阻尔朱兆说：“不可以这样做。如今天下大乱，人人都怀有非分之想，晋州刺史高欢雄才盖世，如果再让他在外掌握大军，就如同给蛟龙提供了云雨，将不可控制。”尔朱兆说：“我已经和他在神鬼面前焚香盟誓结为兄弟，还担心什么呢！”慕容绍宗说：“亲兄弟尚且不可以完全相信，何况是焚香结盟的异姓兄弟呢！”当时尔朱兆身边的那些人已经接受了高欢的贿赂，于是就说慕容绍宗过去与高欢有过矛盾，所以才说出这样的话，尔朱兆因此大怒，囚禁了慕容绍宗，催促高欢赶紧带着这些人前往太行山以东去找饭吃。高欢带着葛荣的这些旧部从晋阳出发经过滏口陉，路上遇到了尔朱荣的妻子北乡长公主从洛阳来，身边带着三百匹马，高欢硬逼着北乡长公主用自己的三百匹好马交换高欢的三百匹劣马。尔朱兆听到这个消息之后，才释放了慕容绍宗，并向慕容绍宗询问如何对付高欢，慕容绍宗说：“高欢目前还是我们的掌中之物，消灭他并不难。”尔朱兆于是亲自率军追赶高欢，一直追到襄垣郡，遇到漳河水位暴涨，桥梁被毁坏，高欢隔着漳河向尔朱兆叩拜说：“我所以借用北乡长公主的马匹，并不是去做别的，而是为了防备山东的盗贼。大王听信了北乡长公主的谗言，亲自前来追杀我，如果我现在渡过河到您的跟前请罪，让您把我杀死，恐怕我带领的这些人就要造反了。”尔朱兆表白说自己没有这个意思，并不加任何防范地骑着马渡过漳河，与高欢一同坐在大帐之下，向高欢表示歉意，还把自己的佩刀递给高欢，然后伸着脖子让高欢砍自己的头。高欢大声哭起来说：“自从天柱大将军死后，我贺六浑除了大王您以外还能倚靠什么人呢？但愿大王您长命千万岁，好让我好好地为您效力。如今我们遭到别人的离间，大王怎么忍心再说出这样的话呢？”尔朱兆把佩刀扔在地上，又杀了一匹白马再次与高欢歃血盟誓，并留宿下来与高欢夜饮。高欢的心腹将领尉景埋伏下壮士准备捉拿尔朱兆，高欢咬破自己的手臂制止尉景，他对尉景说：“如果我们现在杀了尔朱兆，他所带来的党羽一定会逃回去聚集起来进攻我们，我们现在士兵饥饿，马匹瘦弱，抵挡不住他们的进攻，

之而起，则为害滋甚，不如且置之[476]。兆虽骁勇，凶悍无谋，不足图[477]也。”旦日，兆归营，复召欢[478]，欢将上马诣之，孙腾[479]牵欢衣，欢乃止。兆隔水肆骂[480]，驰还晋阳。兆腹心念贤[481]领降户家属别为营，欢伪与之善，观其佩刀，因取杀其从者[20]。士众感悦，益愿附从。

齐州[482]城民赵洛周闻尔朱兆入洛，逐刺史丹杨王萧赞，以城归兆。赞变形为沙门，逃入长白山[483]，流转[484]，卒于阳平[485]。梁人或盗其柩以归，上犹以子礼葬于陵次[486]。

魏荆州[487]刺史李琰之[488]，韶[489]之族弟也。南阳太守赵修延，以琰之敬宗外族[490]，诬琰之欲奔梁，发兵袭州城，执琰之，自行州事。

魏王悦改元更兴，闻尔朱兆已入洛，自知不及事[491]，遂南还。斛斯椿复弃悦奔魏[492]。

是岁，诏以陈庆之为都督南北司等四州[493]诸军事、南北司二州刺史。庆之引兵围魏悬瓠[494]，破魏颍州刺史娄起等于溱水[495]，又破行台孙腾等于楚城[496]。罢义阳镇兵[497]，停水陆漕运[498]，江、湖[21]诸州[499]并得休息；开田六千顷，二年之后，仓廪充实。

如果此时天下的英雄趁势而起，对我们造成的危害将会更大，不如暂且留着尔朱兆这种没有才略的人。尔朱兆虽然骁勇善战，却只有凶悍没有谋略，灭掉这样的人用不着花费很大的力气。”第二天，尔朱兆回到漳河对面自己的大营，又召请高欢过河，高欢正准备上马过河，高欢的心腹将领孙腾拉住高欢的衣服示意高欢不要过河，高欢这才没有过河。尔朱兆看此情景就隔着漳水破口大骂了一通，然后策马返回晋阳。尔朱兆的心腹念贤带领着降户的家属另设营寨，高欢装作与念贤很友好的样子，借口说要看看念贤身上的佩刀，趁机夺过佩刀杀死了念贤的随从。那些降户都很感激高欢，看见高欢杀死了念贤的随从非常高兴，认为是高欢解救了自己的家属，更加愿意归附高欢。

魏国齐州城中的百姓赵洛周听到尔朱兆进入洛阳的消息，就驱逐了担任齐州刺史的丹杨王萧赞，带领全城的百姓归顺了尔朱兆。萧赞改变形貌装扮成和尚模样逃入长白山，辗转流亡，最后死在阳平县。梁国有人盗走了萧赞的灵柩，把他送回梁国，梁武帝萧衍还是把萧赞当作自己的儿子安葬在自己陵墓的旁边。

魏国担任荆州刺史的李琰之，是李韶的族弟。担任南阳太守的赵修延，因为李琰之是魏敬宗母亲方面的亲戚，遂诬陷李琰之想要背叛魏国逃奔梁国，因而发兵攻打荆州城，活捉了荆州刺史李琰之，自己担任了荆州刺史。

被梁武帝封为魏王的汝南王元悦逗留在魏国的边境之上，改年号为更兴元年，当他听到尔朱兆已经进入洛阳的消息，知道自己想趁魏国内乱进入洛阳夺取政权是毫无希望了，于是又向南返回梁国。斛斯椿又抛弃了汝南王元悦投奔了魏国。

这一年，梁武帝下诏任命陈庆之为都督南、北司等四州诸军事，南、北司二州刺史。陈庆之率军包围了魏国的悬瓠城，在溱水流域打败了魏国担任颍州刺史的娄起，又在楚城打败了魏国担任行台的孙腾等。梁国朝廷看到魏国内乱不止，已经不会给北部边境地区造成威胁，便撤回了在义阳一带集结的重兵，停止了水路、陆路向前线运送粮草，沿长江以及洞庭湖、彭蠡湖一带的各州都得到了休养生息；开垦出良田六千顷，二年之后，国家府库充实。

【段旨】

以上为第二段，写梁武帝萧衍中大通二年（公元五三〇年）后三个月的大事。主要写了尔朱荣被杀后，身在京城的尔朱世隆在谋士司马子如的建议下集合力量占据了北中城，派兵到洛阳城下问罪，讨要尔朱荣的尸体，魏主令朱瑞持铁券招之，尔朱世隆不受；魏主募敢死之士讨之，皆为尔朱世隆所败；有义勇之臣李苗欲率众断其河桥，惜朝廷之援兵不至，致李苗战死，事虽未成，但威慑了尔朱世隆的势力，令其一度北撤。写了魏主元子攸令城阳王元徽总统内外，元徽妒忌而吝啬，不得人心；元子攸起用一些名臣如长孙稚、源子恭、杨津、杨昱等率兵讨伐尔朱氏，但纷纷失败，尔朱兆率领晋阳之兵渡河进入洛阳城，元子攸的朝廷溃散，元子攸被尔朱兆所获；元徽在逃难中对元子攸视而不救，往投其素所亲者寇祖仁，结果被寇祖仁出卖并杀害。写了尔朱兆、尔朱世隆立其亲信的宗室长广王元晔为皇帝，尔朱兆为大将军、尔朱世隆为尚书令、尔朱度律为太尉、尔朱仲远为左仆射等等，分据朝廷要位；尔朱兆因自以为功多，狂妄自大，与尔朱世隆等人发生矛盾；尔朱兆带着元子攸返回晋阳，杀之于三级佛寺。写曾受元子攸招引的河西少数民族纥豆陵步蕃率军南下，兵势甚盛，大破尔朱兆于晋阳，尔朱兆求救于晋州刺史高欢，高欢助尔朱兆破杀了纥豆陵步蕃，因得尔朱兆的感恩、信任而接管了葛荣的余部；高欢又借口并州霜旱民贫，降户居此添乱，假说带他们去山东就食，途中夺得尔朱荣妻的一些马匹，从而势力大增，摆脱了尔朱兆的控制。此外还写了梁朝二次组建的分裂集团元悦趁势到达魏国边境，因见尔朱氏势力尚大，未入境而撤回；以及梁将陈庆之攻魏之悬瓠，破魏兵于溱水；梁朝见魏国境内混战，边境的形势转缓，于是罢义阳镇兵，停水旱漕运，使其境内得以休息云云。

【注释】

㉖⑹十月癸卯朔：十月初一是癸卯日。㉖⑺尔朱拂律归：胡三省引《通鉴考异》曰，"《魏书》无拂律归名，《伽蓝记》有之。〖按〗尔朱度律时在世隆所，或者'拂律归'即'度律'也"。尔朱度律是尔朱荣的堂弟。传见《魏书》卷七十五。㉖⑻郭下：洛阳城的外城之下。㉖⑼太原王：即尔朱荣，尔朱荣生前被封为太原王。㉗⑽大夏门：洛阳城的北门。胡三省曰："洛阳城北有大夏、广莫二门。"㉗⑴主书：官名，帝王的侍从官员，上属中书省。犹今之书记官。㉗⑵立功不终：曾经立过大功，但没有坚持做好事到底。㉗⑶阴图衅逆：暗中谋划造反。衅逆，乘隙为乱。衅，缝隙。㉗⑷无亲：不能偏袒亲近的人。㉗⑸已正刑书：已按法典进行了惩处。正，依法而行。㉗⑹罪止荣身：该受惩处的只有尔朱荣一个人。㉗⑺忽致冤酷：忽然间就蒙此奇冤、受此酷刑。㉗⑻生死无恨：个人都死而无憾。生死，偏义复词，这里即指死。无恨，无憾、无遗憾。㉗⑼声振城邑：振，通"震"。城邑，这里即指城，城墙。㉘⑽怆然：哀伤的样子。㉘⑴铁券：金属制作的一种证明文书，皇帝赐予有功之臣，可使其家族此后享受某种特别权力。㉘⑵功格天地：功满天地；顶天立地。格，至。㉘⑶长乐：指孝庄帝元子攸。元子攸在被拥立为魏主之前被封为长乐王。㉘⑷生长戎旅：生在军中、长在军中，也就是自小在军队、在战斗中长大。㉘⑸甲辰：十月初二。㉘⑹戊申：十月初六。㉘⑺魏兰根：魏国的名臣与著名地方官。传见《北史》卷五十六。㉘⑻定相殷：魏之三州名，定州的州治中山（即今河北定州），相州的州治邺城（在今河北临漳

西南），殷州的州治在今河北隆尧东侧。㉘⑨恇惧：恐慌不安。㉙⓪李苗：魏国的有才干之臣，惜未得其用。传见《北史》卷七十一。㉙①奋衣：振衣，古人激动时所做的姿态。㉙②唐突：此处犹言“猖獗”“张狂”。㉙③效节：尽忠；献身。㉙④不武：没有什么威名。武，威严、震慑力。㉙⑤一旅：一支小部队。旅，军队的编制单位，一旅五百人。㉙⑥径断河桥：将河桥斩断，将桥南桥北的敌兵分成两块。㉙⑦乙卯：十月十三。㉙⑧马渚：黄河中的小洲名，应在洛阳城的西北方，当时北中城的黄河上游。㉙⑨倏忽：突然；很快地。㉚⓪官军：朝廷军。㉚①河阳侯：河阳县侯。河阳县是封地名，就在当时北中城的西方，地处黄河北岸。㉚②丙辰：十月十四。㉚③源子恭：魏国元勋老臣源贺之孙，曾任平南将军、豫州刺史，此时任尚书行台。传见《魏书》卷四十一。㉚④将募士：统领着新招募来的忠义之士。㉚⑤仍镇太行丹谷：驻兵在太行山的丹谷地区。仍，同“乃”。太行丹谷，在今山西晋城东南，丹水的流域，其西侧有天井关。㉚⑥筑垒以防之：防止尔朱氏的军队由晋阳经此南攻洛阳。㉚⑦建州：魏州名，州治高都，在今山西晋城东北。㉚⑧以肆其忿：以发泄他的愤怒之情。肆，尽情发泄。㉚⑨晋州：魏州名，州治即今山西临汾。㉛⓪广牧斛斯椿：广牧郡人姓斛斯，名椿。广牧郡在今山西北部，离今朔州不远。斛斯椿是尔朱荣的部下。传见《魏书》卷八十。㉛①弃州归悦：扔掉了自己的东徐州刺史职务而投靠了分裂政权的元悦。当时元悦、范遵驻兵于梁国与魏国的交界地，而斛斯椿的东徐州也是临时所设，相距不远。㉛②灵丘郡公：封地灵丘郡，郡治即今灵丘。在山西的东北部，挨近河北。当然这不过是空名而已。㉛③尔朱兆：尔朱荣之侄，此时为骠骑大将军、汾州刺史。传见《魏书》卷七十五。㉛④晋阳：当时并州的州治所在地，即今山西太原。㉛⑤长子：古县名，在今山西长子东，长治的正南。㉛⑥壬申：十月三十。㉛⑦长广王晔：元晔，景穆帝拓跋晃的曾孙，元怡之子。元怡是尔朱荣的妻兄，元晔是尔朱荣的内侄，被封为长广王。传见《魏书》卷十九下。元晔此时任太原太守，代理并州刺史。㉛⑧英：元英，魏国的名将，因攻得梁国的义阳郡，被封为中山王。传见《魏书》卷十九下。㉛⑨天柱长史彦伯：尔朱彦伯，尔朱荣之堂弟，尔朱荣天柱将军府的长史。传见《魏书》卷七十五。长史是将军的高级僚属，为诸史之长。㉜⓪仲远：尔朱仲远，尔朱彦伯之弟，尔朱荣之堂弟，此时任徐州刺史。传见《魏书》卷七十五。㉜①三徐州：魏国的三个州名，徐州的州治彭城，即今江苏徐州，北徐州的州治琅邪，在今山东临沂西侧，东徐州的州治下邳，在今江苏邳州西南。㉜②克平凉：指尔朱天光、贺拔岳攻克平凉，擒获万俟丑奴事，见本卷前文。㉜③宿勤明达：原是变民头领胡琛的部将，胡琛被杀后，宿勤明达率部自立。尔朱天光克平凉后，一度投降尔朱天光。㉜④东夏：魏州名，州治即今陕西延安东北部。㉜⑤下陇：由陇山下到平原，即泾州一带。在此之前贺拔岳等获萧宝寅于高平，击万俟道洛、王庆云于水洛城，皆在陇坂之上。㉜⑥魏敬宗：即孝庄帝元子攸，庙号曰敬宗。㉜⑦仰奉天颜：要与皇帝亲自见面的谦称。㉜⑧申宗门之罪：要申诉我们尔朱氏家族所蒙受的冤屈。申，申理、请求昭雪。㉜⑨胜算：好的办法；足以制胜的计谋。〖按〗尔朱天光既向魏主提出严厉的要求，又让人上书向魏主告密。胡三省曰："天光设两端以疑魏朝。"㉚范阳：魏郡名，郡治即今河北涿州。㉛平州刺史侯渊：侯渊是尔朱荣的亲信部将，此时任平州刺史。传见《魏书》卷八十。当时平州的州治肥如，在今河北迁安东北。㉜闭门拒之：关闭涿州城门不让侯渊再回城。胡三省曰："渊本领平州，镇范阳。"侯渊当时是尔朱氏任命的代理平州刺史，暂时驻兵于范阳。因非朝廷正式任命，故不得去平州上任。㉝中山：魏郡名，郡治即今河北定州。㉞邀击：袭击；拦击。㉟居己前：官居自己之上。㊱靳惜：吝啬。靳、惜，都是"吝啬"的意思。㊲率：一般；大致。㊳多而中减：开始答应得多，到真正赏赐的时候就变少了。㊴与而复追：都已经给人发出去的东西又要回来。㊵恩不感物：不能以恩惠感动众人。㊶十一月癸酉朔：十一月初一是癸酉日。㊷尔朱仲远：尔朱荣的堂兄弟，此时北逃到山西的太原，与尔朱度律共同拥立了长广王元晔为皇帝，以与洛阳的魏主相对抗。㊸乙亥：十一月初三。㊹长孙稚：姓长孙，名稚，魏国元勋长孙道生之孙，长孙观之子，为魏国名将。传见《魏书》卷二十五。㊺丙子：十一月初四。㊻进雍州刺史广宗公尔朱天光爵为王：尔朱天光原为广宗公，如今升为广宗王。此句的主语是魏敬宗，目的是以此缓解他的反抗情绪。㊼陇西王：陇西郡王，当时陇西郡的郡治即今甘肃陇西县。㊽西兖州：魏州名，孝文帝太和年间的州治在滑台，今河南滑县东；肃宗孝昌年间改在定陶，今山东菏泽市定陶区西北。这里仍指滑台。当时尔朱仲远任徐州刺史、都督三徐州军事，由徐州进逼洛阳，一定要经过滑台，故攻之。㊾丁丑：十一月初五。㊿王衍：魏国的权臣王肃之侄，先曾任度支尚书、七兵尚书，此时任西兖州刺史。传见《魏书》卷六十三。51肃：王肃，其父王奂原是南齐的雍州刺史，因事被齐武帝所杀，因此王肃逃到魏国，深受孝文帝宠信，地位崇重。传见《魏书》卷六十三。52癸未：十一月十一。53壬辰：十一月二十。54戊戌：十一月二十六。55疑贺拔胜：因为贺拔胜原是尔朱荣的部将。56庚子：十一月二十八。57贺六浑：后来的北齐奠基人高欢的别名。高欢原曾在尔朱荣部下为将，故尔朱荣了解之。传见《北齐书》与《北史》。58非其匹：不是他的对手；和他不是同一个等级。59为其穿鼻：受他的制约；听他的使唤。盖以驯牛为喻也。60晋州：魏州名，州治即今山西临汾。61山蜀：在晋州山地居住的蜀人，当时这些人正聚众反对魏政权，时人称之"山蜀"或"绛蜀"。有关山蜀大规模作乱的事情见前文卷一百五十二大通二年。62委去：扔下不管而离开。委，放下。63定蜀之日：等我平定山蜀之后。64隔河为掎角之势：那时你在河南岸、我在河北岸，可以成为一种相互合作、相互支援的态势。65耕之已熟：已是久经耕种的良田。66马蔺：也称"马连""马兰"，一种野草名。叶子像兰而硬，牛马都不吃。此用以比喻高欢等一小撮人。67往无不克：意思是到时候我去消灭你，轻而易举。68敢为悖逆：还敢对我发动叛乱。69不得久事尔朱：侍候尔朱家的日子不可能太长了。70壬寅朔：十二月初一。71大河：即黄河。72甲辰：十二月初三。73叩宫门：直至宫城门下。74矢不得发：《魏书·尔朱兆传》作"袍拨弦矢，不得发"。意思是风太大，战袍拨动弦箭，射不出去。75一时：登时；立刻。376 华山王鸷：元鸷，元瓌之子，高凉王拓跋孤的后代。尔朱荣的亲密朋友。传见《魏书》卷十四。377 斤：拓跋斤，高凉王拓跋孤之子，元鸷的高祖，以参与宫廷政变被处死。传见《魏书》卷十四。378 万仞：这里极言黄河之深。仞是长度单位，以七尺或八尺为一仞。元鸷为尔朱氏做内奸，故意说一些麻痹魏主元子攸的话。379 约止：约束、制止。380 不顾而去：连头也不回地径直跑走。胡三省曰："徽预国大谋，败不即死，去将安之？" 381 求头巾：讨要一顶帽子。头巾，裹头保暖的布帽。382 皇子：尔朱后所生的儿子。383 嫔御妃主：嫔御，指在宫廷服务的女子。妃主，嫔妃与公主。384 山南：伊阙山之南，即今之龙门石窟以南。385 引拔：推荐、提拔。386 购募：悬赏格以求举报。387 今日：那一天。388 怖：恫吓；吓唬。389 既觉：睡醒之后。390 意：猜想；估计。391 征：令其交出。392 谓人密告：以为是有人告密。393 望风款服：立即顺从地说了实话。394 悬首高树：勒着脖子把他吊在树上。395 捶之至死：又拿棍子打他，一直到死。胡三省曰："徽背敬宗，而祖仁亦背徽，恶殃之报何速哉？苍苍之不可欺也如此！" 胡氏说过迂，应该说这里充分表现了写史者的一种愤世之情。396 叔父：指尔朱世隆。尔朱世隆是尔朱荣的堂弟，尔朱兆是尔朱荣侄子，所以称世隆为叔父。397 在朝日久：尔朱世隆早在胡太后掌权时就在朝任直斋、直阁、加前将军，在庄宗时任车骑将军、尚书右仆射，又任骠骑大将军、尚书左仆射等。398 逊辞拜谢：低声下语地表示歉意。399 戊申：十二月初七。400 河西贼帅：河西地区的变民头领。此"河西"指今内蒙古磴口、乌海一带的黄河以西。胡三省曰："步蕃居北河之西。" 401 纥豆陵步蕃：姓纥豆陵，名步蕃。402 使袭秀容：招安之，使之偷袭尔朱荣的老根据地秀容郡。当时的秀容郡在今山西忻州西北，原平西南。403 甲寅：十二月十三。404 自于河梁：亲自在黄河的桥上。405 监阅财资：监督清点从洛阳所获得的钱财。406 欲邀之：想把魏敬宗抢去，留在自己身边。挟天子以令诸侯，此奇货可居也。407 即还雍州：此时尔朱天光任雍州刺史。雍州的州治长安，即今陕西西安。408 北军：驻守太行丹谷（今山西晋城东南）的源子恭的军队。409 追：追回；撤销。410 更一二日：再过一两天。411 天下之善一也：凡是对天下有益的事，谁都应该承认是好事。412 大宁：即泰宁。魏郡名，郡治即今山西沁水县。上属于建州。413 不应：不答应；不派兵。414 是兰安定：姓是兰，名安定。415 不听人乘之：不让任何人骑。416 滏口：即滏口陉，太行山的山道名，在今河北武安南，磁县的西北方。417 长广王母卫氏：长广王元晔的生母，姓卫，元怡之妻。418 京巷：洛阳的曲巷。胡三省曰："直曰街，曲曰巷。" 419 悬榜：很快地就贴出告示，告示、布告。420 甲子：十二月二十三。421 缢敬宗于晋阳三级佛寺：缢，勒死。三级佛寺，坐落于晋阳的一座佛教寺院。422 陈留王宽：元宽，魏敬宗之侄，尔朱荣小女儿的丈夫。423 贺拔焉过兒：姓贺拔，名焉过兒。424 弊之：困顿；衰败。这里是使动用法，使尔朱兆饱经消耗。乃一石击二鸟之计。425 往往：犹言处处。426 辞以河无桥：推说渡汾河没有桥梁。河，此指汾河。当时高欢为晋州刺史，晋州的州治即今山西临汾，北救并州，基本上是沿汾河北行，但河道弯曲，为直线进军须经常渡河。427 乐平郡：郡治在今山西昔阳西南。428 石鼓山：

胡三省以为在当时的秀容县境内，即今山西原平西南。㊾德欢：感激高欢。㊿契胡：尔朱荣所属的少数民族种姓。431不聊生：无以为生；生活无着落。432六镇反残：六镇造反者的残余。433贺拔允：贺拔胜与贺拔岳之长兄，先为尔朱荣将，后成为高欢的心腹。传见《北史》卷四十九。434平生天柱时：旧日尔朱天柱在世的时候。平生，平时，这里指"当初""昔日"。435伏处分：服从尔朱荣的安排、部署。436取舍在王：干什么与不干什么都听大王的。大王指尔朱兆，元晔封之为王。437阿鞠泥：贺拔允的字。438僭易妄言：超越本分地随便说话。439其众：指流入并、肆二州的葛荣部众。440遂出：于是走出帐外。441宣言：宣称，这里即下令。442受委统州镇兵：受尔朱兆的委托，统领这些原属葛荣的部众。胡三省曰："魏改六镇为州，葛荣部众皆六镇人，故曰州镇兵。"443集汾东：在汾水以东集合队伍。444乃建牙阳曲川：于是在汾水旁边竖起大旗。建牙，竖起牙旗。阳曲川，即指汾水。阳曲县在汾水东。445陈部分：列队而部署之。陈，列队。446居无何：没过多久。447使刘贵请兆：刘贵原是尔朱荣的心腹，此时已成为高欢的部下。传见《北齐书》卷十九。请兆，向尔朱兆请示。448降户：即这批原属葛荣，后来投降了尔朱氏的部众。这些人都是兵民一体，拉家带户，故称"降户"。449面无谷色：没有一点吃谷物的脸色，形容难民的饥饿之状。古语说孔子"菜色陈蔡"，可为一比。450污人境内：污染你们管辖区的美好环境。451请令就食山东：请您下令让他们到太行山以东去找饭吃。452更受处分：再做别的安排。453借蛟龙以云雨：给蛟龙提供云雨，以比喻为之提供一切方便条件。454香火重誓：在神鬼之前焚香盟下的誓愿，指结为兄弟等。455趣欢发：催促高欢赶紧带着这些人走。趣，通"促"，催促。456出滏口：出今之山西，进入今河北之地面。滏口在今河北武安南。457北乡长公主：尔朱荣之妻。458夺而易之：硬逼着用自己的坏马换走了尔朱荣妻所带的好马。易，交换。459此：这时的高欢。460掌握中物：高欢现时的势力还不大，消灭他还不难。461襄垣：魏郡名，郡治即今山西襄垣，当时属上党郡。离高欢夺马的滏口不甚远。462漳水：发源于当时的并州境内，东流出太行山，经滏口之南、邺城之南，东北流入清水。463自来赐追：亲自前来追杀我。用"赐"字加以调侃。464今不辞渡水而死：如果我要是过水来向您请罪，让您把我杀死。465恐此众便叛：我估计这些降户就要造反了。466轻马：指不加任何防范、不做任何警戒。467陈谢：表示歉意。468更何所仰：除了您，我还倚靠谁。469大家：以称皇帝，犹言"陛下您"。470以申力用：让我好好地为您效力。申，效、贡献。胡三省曰："欢之此言，亦谬为恭敬耳。"471构间：离间。472斩白马：古人在盟誓时常杀鸡或杀狗、杀马，取其血洒在酒中或涂于口上。473尉景：原是尔朱荣的部下，此时已成为高欢的心腹。传见《北齐书》卷十五。474啮臂：古人发誓时所做的一种姿态。475英雄：真正有才干、有目标、有方略的人。476且置之：暂且留着尔朱兆这种没有才略的人。477不足图：灭掉这样的人用不着花力气。478召欢：叫高欢过河去饮酒。479孙腾：原是尔朱荣的部将，后成为高欢的心腹。传见《北齐书》卷十八。480兆隔水肆骂：胡三省曰，"当是时，尔朱兆已知高欢之不可制，而无如之何"。481念贤：人名，姓念，名贤。482齐州：魏州名，州治即今山东济南。⑱ 长白山：山名，在今山东邹平南，章丘与淄博之间。⑭ 流转：接着又辗转流亡。⑱ 阳平：魏县名，郡治即今河北馆陶。⑱ 葬于陵次：葬在了梁武帝陵墓的旁边。次，旁边。胡三省曰："豫章王综奔魏，改名赞，事见一百五十卷普通六年。赞不以帝为父，而帝犹以赞为子，可谓爱其所不当爱矣。"⑱ 魏荆州：魏国的荆州州治在今河南鲁山县。⑱ 李琰之：魏国司空李韶的族弟，朝廷的文学之臣，曾任著作郎，中书侍郎等职。传见《魏书》卷八十二。⑱ 韶：李韶，故西凉王李宝之孙，魏国的文学之臣，很受孝文帝的赏识。传见《魏书》卷三十九。⑲ 敬宗外族：是魏敬宗母亲方面的亲戚。敬宗的生母，彭城王勰妃是魏国名臣李冲之女。李韶是李冲的侄子。⑲ 不及事：来不及办；来不及乘乱入洛夺取政权。⑲ 弃悦奔魏：斛斯椿一向依附尔朱荣，尔朱荣被魏主所杀后，斛斯椿畏惧朝廷，时汝南王元悦来在境上，斛斯椿遂率部弃州归悦，悦授椿侍中、大将军、司空。今元悦回南，尔朱氏势力又大，故斛斯椿回魏。⑲ 南北司等四州：梁之南司州的州治即今湖北安陆，北司州的州治义阳，即今河南信阳，梁之豫州的州治寿春，即今安徽寿县，梁之西豫州的州治即今河南息县。⑲ 悬瓠：古城名，即今河南汝南县，当时为魏国的豫州州治所在地。⑲ 溱水：汝水的支流，在今河南汝南县南入汝水。⑲ 楚城：在今河南信阳北，当时属魏。胡三省以为"孙腾此时犹从高欢在并、冀、殷、相之间，庆之破腾必非此年事，史究言之耳"。⑲ 罢义阳镇兵：撤退在义阳（即今河南信阳）一带集结的重兵。⑲ 停水陆漕运：停止水旱两路向前线运送粮草。⑲ 江湖诸州：沿长江及洞庭、彭蠡湖一带的各州。

【校记】

［14］随：据章钰校，甲十一行本、乙十一行本、孔天胤本皆作"从"。［15］朝：据章钰校，甲十一行本、乙十一行本、孔天胤本皆作"群"。［16］危：原作"忧"。据章钰校，甲十一行本、乙十一行本、孔天胤本皆作"危"，熊罗宿《胡刻资治通鉴校字记》同，今据改。〖按〗《魏书·李苗传》亦作"危"。［17］乐平郡：原作"平乐郡"。胡三省注云："'平乐郡'，据《尔朱兆传》当作'乐平郡'。"严衍《通鉴补》改作"乐平郡"，今据以校正。［18］与：原作"梁"。今据严衍《通鉴补》改作"与"。〖按〗《魏书·尔朱兆传》《北齐书·神武纪上》皆作"与"。［19］陈谢：原无此二字。据章钰校，甲十一行本、乙十一行本、孔天胤本皆有此二字，张敦仁《通鉴刊本识误》、张瑛《通鉴校勘记》同，今据增。［20］其从者：原作"之"。胡三省注云："按《通鉴》，念贤后仕于西魏贵显。此岂有一念贤邪？又按李百药《北齐书》，欢取贤佩刀以杀其从者，从者尽散。则谓所杀者贤之从者，非杀贤也。"严衍《通鉴补》改作"其从者"，今据以校正。［21］湖：严衍《通鉴补》改作"湘"。

【研析】

本卷集中叙述的是尔朱氏与其所拥立的皇帝元子攸之间矛盾的冲突，揭示了尔朱氏暴兴速败的缘由。

尔朱荣率领部落武士进入洛阳，诛除朝廷公卿，剿灭葛荣，成功地击败了魏宗室元颢在南方梁朝支持下对洛阳的争夺，而就在此年初，尔朱天光奉命率一千人的小部队向关陇进发，竟然在数月之间，平息了关陇地方武装已经持续了五六年的暴动。仅从功绩来说，确实是罕有匹敌。同时代的史学家魏收评价说："夫擒葛荣，诛元颢，戮邢杲，翦韩娄，丑奴、宝寅咸枭马市。此诸魁者，或据象魏，或僭号令，人谓秉皇符，身各谋帝业，非徒鼠窃狗盗，一城一聚而已。苟非荣之致力，克夷大难，则不知几人称帝，几人称王也。"(《魏书·尔朱荣传》) 这并非虚论。胜利来得似乎是太容易了，使得他太相信武力可以解决一切问题，宣称将"出鲁阳，历三荆，悉拥生蛮，北填六镇，回军之际，扫平汾胡。明年，简练精骑，分出江、淮，萧衍若降，乞万户侯；如其不降，以数千骑径度缚取"。这席话，使他表现得完全像个狂夫。马上定天下，并不能马上治天下，勇而无谋，使其上述战绩，不过为新的政治势力的崛起扫清了道路。

尔朱氏的速败，首先因为尔朱荣被其拥立的孝庄帝元子攸刺杀，而究其根本，还是因为尔朱荣不过一介武夫，自恃勇武，缺乏基本的政治素养。

尔朱荣起兵之初，拥立元子攸，并非出于拥戴北魏朝廷的诚意，只是为进军洛阳寻找正当的理由。"河阴事变"发生时，尔朱荣当时即试图称帝，宣称"元氏既灭，尔朱氏兴"。"遣数十人拔刀向行宫"，杀死孝庄帝之兄元劭、弟元子正。随后，尔朱荣将女儿嫁给元子攸，试图笼络并加以控制，但显然业已结下的仇恨不会因一名女子而化解。尔朱荣在战场上的一次次胜利，在元子攸看来，均是自己走向死亡的催命符，"怏怏不以万乘为乐，唯幸寇盗未息，欲使与荣相持"。公开的暴动基本上平息后，尔朱荣便开始夺取帝位的行动，而元子攸也不得不拼死一搏。

中国古代的王朝更替，有"革命"，有"禅让"。所谓"革命"，即在前一政权业已腐朽，天怒人怨的情况下，某种政治势力以"吊民伐罪"、解生民于倒悬为号召，通过暴力推翻其统治。所谓"禅让"，即前一政权已无力控制乱局，政权内部某一人物，德行高尚，武功卓绝，定乱安邦，救政权于将亡，天、人归心，旧政权的统治者不得不诏告天下，让出宝座。尔朱祖先长期扈从于北魏政权，尔朱荣举兵也是在"建义"的旗号下进行的，他要夺取帝位，显然选择后一种模式更为方便。但"河阴之变"中的杀戮使尔朱荣失去了洛阳政权内部政治力量的支持；一心希望北魏重新恢复孝文帝政治轨辙的汉族世家大族，更不可能加以拥戴；受尔朱氏控制、率先引发动乱下的北镇武人，本来可以作为尔朱氏足以依靠的基本力量，但二十余万北镇余众，"为契胡陵暴，皆不聊生，大小二十六反，诛夷者半，犹谋乱不止"。尔朱荣将赴洛阳行禅代之事前，对洛阳朝廷现任官员甚至连虚伪的安抚姿态都没有，竟然"遍与朝士书，相任去留"。可以说，尔朱荣虽有平定动乱之功，却毫无"禅让"称帝的政治基础。更可悲的是，他只相信武力，意识不到建立尔朱氏的政权，必须有深厚的政治根基与强大的舆论支持。在这种情况下，他即使称帝成功，也难以实现长期的政治稳定。

在尔朱荣看来，血腥只见于武士厮杀的战场，朝廷文人无足轻重。当元子攸密谋杀他的消息已不胫而走时，他“自恃其强，不以为意”。后率四五千名兵士到达洛阳，竟将政治中枢所在的皇宫当成是自己的后花园。在没有严密的保卫下，“挺身”往来。在皇宫中碰到温子昇手持杀他后将要下达的大赦诏书，竟也只简单一问“是何文书”，不了解公文正是国家政治运作的利器，威力远胜于一支所向披靡的军队。无知如此，其被诛杀于宫中，也就不奇怪了。

尔朱氏的速败，还在于后继者乏人。尔朱荣虽是河阴之变的罪魁祸首，但毕竟于魏立有大功，篡位并没有成为事实，孝庄帝加以诱杀，虽情有可原，理尚不足，且尔朱氏的军队并没有损失，尔朱天光又掌控着关陇。如若尔朱有人物广为宣传，指责孝庄帝背信弃义，杀害功臣，以此收聚人心，逐步调整与北镇武人及汉族世家大族的关系，反而为其夺取政权找到更充分的理由。

尔朱荣死后，尔朱氏主要人物有其侄子尔朱兆，其堂弟尔朱彦伯、尔朱仲远、尔朱世隆三兄弟，以及血缘关系比较疏远的堂兄尔朱天光，与尔朱荣血缘最近的尔朱兆实际上取得了尔朱部族军队的指挥权。《魏书》卷七十五《尔朱兆传》称他“少骁猛，善骑射，手格猛兽，蹻捷过人”。不过，在尔朱荣看来，尔朱兆也不过是一个头脑简单干不了大事的武夫：“兆虽勇于战斗，然所将不过三千骑，多则乱矣。”尔朱荣死后，他率众反攻洛阳，“扑杀皇子，污辱嫔御妃主，纵兵大掠”，将孝庄帝迁至晋阳并加以杀害，进一步使尔朱氏失去了人心。又轻信高欢，将六镇余众交给高欢指挥，后又允许其率部前往山东。当慕容绍宗指出高欢不可信任时，他竟称高欢是自己的拜把子兄弟，用不着怀疑，甚至听信属下的谗言，将谏阻的慕容绍宗关押起来，主动催高欢进发。由于高欢急于充实军队，情急之下，劫取从洛阳扈从尔朱荣之妻而来的三百匹马队。被激怒的尔朱兆率兵追击，又听信高欢一番申辩，“轻马度水，与欢坐幕下，陈谢，授欢刀，引颈使欢斫之”，又在高欢军营中“留宿夜饮”。只因高欢为人狡诈而持重，否则他早已成为高欢刀下之鬼，无待后来率军与高欢决战时被杀。显然，尔朱兆难当大任。

尔朱氏的兴衰，是北魏时代北方酋帅势力兴衰的一个缩影。他们在北魏长达一个多世纪的统治中，维持着局部地区的控制，拥有世袭性权力。但也正是这种半封闭的状态，使他们维持尚武风气，未能完全融入十六国以来北方各部族汉化的时代潮流。北魏末年席卷北方的六镇暴动，打破了他们原有的生活节奏，促使他们以各自不同的方式卷入复杂的政治、军事斗争，虽然一时间他们还适应不了从部族武装到政权建设者的转变，但既然走出了狭窄的地理空间，改变便不可避免。尔朱氏的失败，为后来者如高欢辈，提供了有益的政治经验。

当公元五三〇年结束时，北魏政权的皇帝被杀戮、被废立，中兴已然无望，尔朱氏兵威仍盛，但已经失去了对局势的有效控制。黄河流域新的政治秩序在阵痛中开始酝酿。

卷第一百五十五　梁纪十一

起重光大渊献（辛亥，公元五三一年），尽玄黓困敦（壬子，公元五三二年），凡二年。

【题解】

本卷写梁武帝萧衍中大通三年（公元五三一年）、四年共两年间南梁与北魏两国的大事。主要写了尔朱世隆废掉长广王元晔，另立广陵王元恭为皇帝，而元恭则是自即位始就不屈从于尔朱氏。写了尔朱氏诸人之专权与贪婪横暴，遭人生恨，而尔朱世隆因行废立不与尔朱兆打招呼，从而使尔朱氏两派间的矛盾进一步尖锐。写了魏之幽州刺史刘灵助自称燕王，以为敬宗复仇为口号，河北地区纷纷从之。写了刘灵助在进攻定州时，被尔朱氏的党羽侯渊等所灭，雍州刺史尔朱天光又破杀关陇地区变民头领宿勤明达于东夏州，尔朱氏的势力还很强大。写了新军阀高欢挑拨、煽动六镇军民反对尔朱氏，巧妙地将六镇之人组成了自己的强大武装。写了高欢由壶关进入河北，冀州、殷州的封隆之、高乾、李元忠等皆与高欢相联合，高乾协助李元忠袭杀了殷州刺史尔朱羽生，殷、冀二州势合，高欢正式造反，抗表声讨尔朱氏的罪恶。写了魏国杨氏名臣杨播、杨椿、杨津等整个家族被尔朱氏所灭，仅杨津之子杨愔获存，往投高欢，欢甚重之。写了尔朱兆、尔朱仲远、尔朱度律等起兵讨高欢，高欢又进一步挑拨尔朱兆与尔朱世隆的矛盾，段荣之子段韶为高欢进谋，佐高欢大破尔朱兆于广阿。写了高欢另拥立新皇帝安定王元朗，接着高欢军攻下邺城，移新皇帝元朗都于邺城。写了尔朱世隆主动向尔朱兆求好，尔朱氏两派恢复合作，四路联合出兵共同讨伐邺城，高欢在

【原文】

高祖武皇帝十一

中大通三年（辛亥，公元五三一年）

春，正月辛巳[①]，上祀南郊，大赦。

魏尚书右仆射郑先护[②]闻洛阳不守[③]，士众逃散，遂来奔[④]。丙申[⑤]，以先护为征北大将军。

二月辛丑[⑥]，上祀明堂。

高岳、高敖曹、斛律敦等人的勇敢战斗下以少抗众，反败为胜，大破尔朱氏诸军于韩陵，尔朱氏各路回归各自的州郡。写了斛斯椿与贾显度、贾显智等潜回洛阳发动政变，据河桥，尽诛在朝的尔朱氏之党，袭捕了尔朱世隆、尔朱彦伯，路过洛阳的尔朱天光、尔朱度律被人所擒；尔朱荣的部将侯景往投高欢，尔朱仲远南投梁朝，青州刺史尔朱弼被其部下所杀。写了关中守将贺拔岳、宇文泰等袭杀尔朱显寿，贺拔岳遂据有关中，不听高欢调遣；宇文泰初露头角，逐渐掌控关中大权。写了高欢弑北魏节闵帝元恭，谥之曰庄宗；又嫌安定王元朗疏远，乃令元朗退位，而迎立元怀之子元脩为皇帝。写了高欢杀掉退位之二帝元晔、元朗，又杀属近位尊之汝南王元悦。写了高欢入并州讨伐尔朱兆，尔朱兆兵败，逃向秀容，并州平定，高欢建大丞相府而居之；高欢召司马子如为大行台尚书，朝夕左右，参知军国。写了高欢的亲信李元忠为魏主娶皇后向高欢之女下定礼，而见面则劝高欢尽早自己称帝，二人嘻笑尽情。此外还写了梁太子萧统听道士言搞巫术，萧衍因信巫信谗而怀疑萧统图谋不轨，致使萧统终身不能鸣冤，抑郁而死。写了萧衍立萧纲为皇太子，人多以为不顺；又有萧衍之侄萧正德与朝廷权臣朱异勾结为逆；萧衍之子萧纶逞凶于建康，少府丞何智通言之朝廷，萧纶竟刺杀何智通于市头，而萧衍犹一味姑息养奸等。

【语译】

高祖武皇帝十一

中大通三年（辛亥，公元五三一年）

春季，正月初十日辛巳，梁武帝萧衍到建康南郊举行祭天典礼，实行大赦。

魏国担任尚书右仆射的郑先护听到魏国的都城洛阳已经落入尔朱氏之手的消息后，属下的将士们便全都逃散了，郑先护遂向南逃亡投降了梁国。二十五日丙申，梁武帝任命郑先护为征北大将军。

二月初一日辛丑，梁武帝在明堂祭祀自己的祖先。

魏自敬宗被囚⑦，宫室空近百日。尔朱世隆镇洛阳，商旅流通，盗贼不作。世隆兄弟密议，以长广王疏远⑧，又无人望，欲更立近亲⑨。仪同三司广陵王恭⑩，羽之子也，好学有志度⑪，正光中⑫领给事黄门侍郎，以元义擅权⑬，托喑病⑭居龙华佛寺，无所交通⑮。永安⑯末，有白敬宗言王阳喑⑰，将有异志。恭惧，逃于上洛山⑱，洛州⑲刺史执送之，系治⑳久之，以无状㉑获免。关西大行台郎中薛孝通㉒说尔朱天光曰："广陵王，高祖犹子㉓，夙有令望㉔，沈晦㉕不言，多历年所㉖，若奉以为主，必天人允叶㉗。"天光与世隆等谋之，疑其实喑㉘，使尔朱彦伯㉙潜往敦谕㉚，且胁之，恭乃曰："天何言哉㉛？"世隆等大喜。孝通，聪㉜之子也。

己巳㉝，长广王至邙山㉞南，世隆等为之作禅文㉟，使泰山太守辽西窦瑗执鞭独入，启长广王曰："天人之望，皆在广陵，愿行尧、舜之事㊱。"遂署禅文㊲。广陵王奉表三让㊳，然后即位，大赦，改元普泰。黄门侍郎邢子才㊴为赦文㊵，叙敬宗枉杀㊶太原王荣之状，节闵帝㊷曰："永安手翦强臣㊸，非为失德㊹，直以天未厌乱㊺，故逢成济之祸㊻耳。"因顾左右取笔，自作赦文，直言㊼："门下㊽：朕以寡德㊾，运属乐推㊿，思与亿兆51，同兹大庆52，肆眚之科53，一依常式54。"帝闭口八年，致[1]是乃言55，中外欣然以为明主，望至太平56。

庚午57，诏以"三皇称'皇'58，五帝称'帝'59，三代称'王'60，

魏国自从敬宗皇帝元子攸被尔朱兆囚禁起来之后，宫室中皇帝的位子已经空置了将近一百天的时间。尔朱世隆率军驻守洛阳，商旅来往不断，就连盗贼也不再出来作案。尔朱世隆与自己的哥哥担任侍中的尔朱彦伯秘密商议，认为长广王元晔的血缘关系已经很远，在人们的心目中又没有威望，就准备另外立一个血缘关系较为亲近的人为皇帝。开府仪同三司广陵王元恭，是魏孝文帝元宏的弟弟元羽的儿子，他爱学习、有志气、有度量，在孝明帝元诩正光年间曾经兼任过事黄门侍郎，因为元义专擅朝权，便假托得了失语症，居住在龙华佛寺，与任何人都没有联系。魏敬宗永安末年，有人曾经向敬宗皇帝报告说广陵王的失语病是装出来的，恐怕将有图谋篡位的野心。广陵王元恭听到有人在皇帝面前揭发了自己装病的消息之后非常恐惧，就逃到了上洛山，又被洛州刺史捉住送回洛阳，朝廷把元恭关在监狱审查了很久，因为始终找不到谋反的证据而将其释放。担任关西大行台郎中的薛孝通对尔朱天光说："广陵王元恭是高祖元宏的侄子，一向有很好的名声，过着隐居的生活不与任何人联系，已经有很多年了，如果拥戴他为魏国的皇帝，一定是上合天意，下顺民心。"尔朱天光与尔朱世隆等人商议之后，担心元恭是不是真的得了失语病，于是就派担任侍中的尔朱彦伯悄悄地前往广陵王府督促、劝说元恭出来做皇帝，并胁迫他一定要这样做，元恭答复说："老天爷他说话吗?"尔朱世隆等得知元恭已经答应下来非常高兴。薛孝通，是薛聪的儿子。

二月二十九日己巳，被尔朱兆拥立为皇帝的长广王到达邙山以南，尔朱世隆等人为长广王元晔准备好了让位给元恭的文告，让担任泰山太守的辽西郡人窦瑗手持马鞭独自进入长广王元晔的住处，向长广王元晔启奏说："天意民心，都在广陵王身上，希望您能像尧把帝位让给舜一样地把帝位让给广陵王。"说完就递上了早已为长广王准备好的禅让文告，长广王很顺从地在禅让的文告上签上了自己的名字。广陵王元恭在接到长广王元晔的禅位文告之后三次上表辞让，然后才即位做了皇帝，实行大赦，改年号为普泰元年。担任黄门侍郎的邢子才为节闵帝元恭起草了大赦文告，叙述了魏敬宗元子攸屈杀太原王尔朱荣的经过，节闵帝说："敬宗皇帝亲手杀死了骄悍之臣尔朱荣，不算失德，只是因为老天爷还不想出现太平局面，遂使敬宗皇帝也像曹魏末年魏国皇帝曹髦被成济所杀那样被强悍之臣的下属尔朱兆杀害了。"于是环顾左右索取笔墨，亲自撰写大赦文告，他在文告中直接写道："敕门下省：凭我这样一个寡德之人，正好赶上机会被你们大家拥立为皇帝，我想和全国臣民一道，共同享受这齐天洪福，有关赦免罪犯的问题，一概按照通常的规矩办。"节闵帝闭口八年没有说过话，到现在才重新开口说话，朝廷内外都非常高兴地认为元恭一定是一位英明的皇帝，都盼着从此能过上太平的日子。

二月三十日庚午，魏节闵帝元恭下诏认为："三皇时代的帝王称之为'皇'，五帝时代的帝王称之为'帝'，夏、商、周三朝的帝王称之为'王'，朝代越往后越谦

盖递为冲挹[61]。自秦以来，竞称‘皇帝’[62]，予今但称‘帝’，亦已褒矣[63]。”加尔朱世隆仪同三司，赠尔朱荣相国、晋王，加九锡。世隆使百官议荣配飨[64]，司直[65]刘季明曰：“若配世宗[66]，于时无功；若配孝明[67]，亲害其母[68]；若配庄帝，为臣不终[69]。以此论之，无所可配。”世隆怒曰：“汝应死！”季明曰：“下官既为议首[70]，依礼而言，不合圣心，翦戮唯命[71]！”世隆亦不之罪。以荣配高祖庙廷[72]。又为荣立庙于首阳山[73]，因周公[74]旧庙而为之，以为荣功可比周公。庙成，寻[75]为火所焚。

尔朱兆以不预[76]废立之谋，大怒，欲攻世隆，世隆使尔朱彦伯往谕之，乃止。

初，敬宗使安东将军史仵龙、平北将军阳文义各领兵三千守太行岭，侍中源子恭镇河内。及尔朱兆南向，仵龙、文义帅众先降，由是子恭之军望风亦溃，兆遂乘胜直入洛阳。至是，尔朱世隆论仵龙、文义之功，各封千户侯，魏主曰：“仵龙、文义，于王有功，于国无勋。”竟不许。尔朱仲远[77]镇滑台[78]，表用其下都督为西兖州[79]刺史，先用后表[80]，诏答曰：“已能近补，何劳远闻！”尔朱天光之灭万俟丑奴也，始获波斯所献师子，送洛阳，及节闵帝即位，诏曰：“禽兽囚之则违其性。”命送归本国。使者以波斯道远不可达，于路杀之而返。有司劾违旨，帝曰：“岂可以兽而罪人[81]！”遂赦之。

魏镇远将军清河崔祖螭等聚青州七郡[82]之众围东阳[83]，旬日之间，

虚自抑。从秦始皇开始，竟然狂妄地连‘皇’带‘帝’合起来并称之为‘皇帝’，我今天只称‘帝’，都已经感到有点过分啦。”节闵帝加授尔朱世隆为开府仪同三司，追赠尔朱荣为相国、晋王，加九锡。尔朱世隆让文武百官商议应该把尔朱荣的灵位摆放在哪一位皇帝的旁边陪同享受祭祀，担任司直的刘季明说：“如果把尔朱荣的灵位摆放在世宗皇帝灵位的旁边一同享受祭祀，但世宗皇帝执政时期尔朱荣还没有建立什么功劳；如果把尔朱荣的灵位摆放在肃宗皇帝的灵位旁边一同享受祭祀，而肃宗的母亲胡太后又是被尔朱荣沉入黄河淹死的；如果把尔朱荣的灵位摆放在敬宗皇帝的灵位旁边一同享受祭祀，而尔朱荣虽然拥立了敬宗皇帝，但作为人臣却没有善始善终。由此看来，并没有合适的位置可以安放尔朱荣的灵位使其陪同皇帝享受祭祀。”尔朱世隆听了不禁大怒说：“你就应该被处死！”刘季明说：“我既然是议事之官的领头人，又是按照礼节的规定而言，如果我的意见不合乎皇帝的心意，那么该杀该免，请随皇帝的心思办！”尔朱世隆最后也没有判处刘季明有罪。最后把尔朱荣的灵位放置在魏高祖的祭庙里陪同享受祭祀。又在首阳山为尔朱荣修建了祭庙，是在周公姬旦旧庙的基础上修建的，因为尔朱氏认为尔朱荣的功劳可以和周公相比。祭庙竣工之后，不久就被大火烧毁了。

担任并州刺史的尔朱兆因为尔朱世隆没有让自己参与废掉长广王元晔改立广陵王元恭为皇帝这样的大事，心里非常愤怒，就要出兵攻打尔朱世隆，尔朱世隆让尔朱彦伯前去向尔朱兆进行解释，尔朱兆才没有对尔朱世隆采取行动。

当初，魏敬宗元子攸让担任安东将军的史仵龙、担任平北将军的阳文义分别率领三千士兵守卫太行岭，令担任侍中的源子恭镇守河内郡。等到尔朱兆南下洛阳的时候，史仵龙、阳文义率领自己的部下率先投降了尔朱兆，所以侍中源子恭所率领的军队也就望风溃逃，使得尔朱兆丝毫没有遭遇抵抗就径直进入了洛阳城。到此时，尔朱世隆认为安东将军史仵龙、平北将军阳文义立有功劳，两人全都被封为千户侯，魏节闵帝说：“史仵龙、阳文义，对大王你有功劳，但对于国家不能算有功劳。”终究没有答应。尔朱仲远率军驻守滑台，上表请求朝廷任用他手下的一个都督为西兖州刺史，其实此时尔朱仲远已经任用其人做了西兖州刺史而后才上表请求任用，节闵帝下诏答复说：“既然你已经就近任命其人做了西兖州刺史，何必劳烦你还大老远地来请示朝廷呢！”尔朱天光在消灭万俟丑奴的时候，才获得被万俟丑奴截留的波斯国贡献给魏国朝廷的狮子，他把狮子送到了洛阳。等到节闵帝即位当了皇帝，节闵帝下诏说：“把禽兽关在笼子里豢养违背了禽兽的天性。”命令把狮子送还给波斯国。奉命前往波斯国的使者因为路途遥远无法将狮子送达，就在路上把狮子杀死而后返回洛阳。有关部门的官员弹劾使者违背了皇帝的旨意，节闵帝说：“怎么能因为禽兽而处罚人呢！”遂赦免了那个使者。

魏国担任镇远将军的清河郡人崔祖螭等人聚集了青州辖区之内的齐郡、北海、乐安、勃海、高阳、河间、乐陵这七个郡的民众包围了青州城东阳，只十来天的时

众十余万。刺史东莱王贵平[84]帅城民固守，使太傅谘议参军[85]崔光伯出城慰劳[86]，其兄光韶曰："城民陵纵[87]日久，众怒甚盛，非慰谕所能解，家弟往，必不全。"贵平强之，既出，外人射杀之。

幽、安、营、并[88]四州行台刘灵助[89]，自谓方术[90]可以动人[91]，又推算知尔朱氏将衰，乃起兵自称燕王、开府仪同三司、大行台，声言为敬宗复仇，且妄述图谶[92]，云"刘氏当王"。由是幽、瀛、沧、冀[93]之民多从之，从之者夜举火为号，不举火者诸村共屠之。引兵南至博陵之安国城[94]。

尔朱兆遣监军孙白鹞至冀州，托言[95]调发民马，欲俟高乾兄弟[96]送马而收之。乾等知之，与前河内太守封隆之等合谋，潜部勒[97]壮士，袭据信都，杀白鹞，执刺史元嶷[98]。乾等欲推其父翼行州事，翼曰："和集[99]乡里，我不如封皮[100]。"乃奉隆之行州事[101]，为敬宗举哀，将士皆缟素，升坛誓众，移檄州郡[102]，共讨尔朱氏，仍受刘灵助节度。隆之，磨奴[103]之族孙也。

殷州刺史尔朱羽生[104]将五千人袭信都，高敖曹[105]不暇擐甲[106]，将十余骑驰击之，乾在城中绳下[107]五百人，追救未及，敖曹已交兵，羽生败走。敖曹马矟[108]绝世，左右无不一当百，时人比之项籍[109]。

高欢屯壶关大王山[110]，六旬，乃引兵东出，声言讨信都。信都人皆惧，高乾曰："吾闻高晋州[111]雄略盖世，其志不居人下。且尔朱无道，弑君虐民，正是英雄立功之会[112]，今日之来，必有深谋，吾当轻马迎之，密参意旨[113]，诸君勿惧也。"乃将十余骑与封隆之子子绘潜谒欢于滏口[114]，说欢曰："尔朱酷逆，痛结人神[115]，凡曰有知，孰不思奋[116]！

间，就聚集了十多万人。担任青州刺史的东莱王元贵平率领东阳城内的百姓坚持防守，同时派遣担任太傅谘议参军的崔光伯出城慰劳崔祖螭的部众，崔光伯的哥哥崔光韶对元贵平说："东阳城里的人倚仗自己占有州治所在地的优势肆意欺压属郡的人已经很久了，城外的那些人怒不可遏，不是靠慰劳、劝说就能使他们离开的，我弟弟如果前去解释劝说，一定会丢了性命。"元贵平还是强迫崔光伯前去，崔光伯刚一出城，就被城外的人用箭射死了。

魏国担任幽州、安州、营州、并州四州行台的刘灵助，认为可以靠自己所掌握的有关天文、气象、占卜等各方面的学问来蛊惑人、煽动人起来造反，又通过推算得知尔朱氏将要衰败，于是起兵自称燕王、开府仪同三司、大行台，声称要为敬宗皇帝报仇，而且胡乱地编造了一些预言，说"刘姓的人应当称王"。于是幽州、瀛州、沧州、冀州境内的百姓有很多人都跟着刘灵助造反了，凡是跟随刘灵助造反的人都在夜间举火作为信号，对于不举火、不跟随其造反的百姓，各村造反的人就一起行动把他们全都杀光了。刘灵助率领自己的部众向南到达博陵郡的安国县城。

并州刺史尔朱兆派遣担任监军的孙白鹞前往冀州，假托前来征调百姓的马匹，准备在高乾兄弟送马的时候将高乾和他的弟弟高慎、高昂逮捕起来。高乾等人知道以后，就与曾经担任河内太守的封隆之等人一同谋划，暗中做好部署，令壮士前往偷袭信都，杀死了尔朱兆派来的使者孙白鹞，逮捕了担任冀州刺史的元嶷。高乾兄弟想要推举自己的父亲高翼临时担任冀州刺史的职务，高翼说："在团聚、安抚乡里方面，我不如封隆之。"于是高乾兄弟便推举封隆之临时代理冀州刺史职务，为魏敬宗皇帝举行哀悼，所有将士全部穿上白色孝服，封隆之等人登上高坛向众人发表宣言，同时向周围的州郡散发讨伐尔朱氏的文告，号召起来共同讨伐尔朱氏，仍旧接受刘灵助的调度指挥。封隆之，是封磨奴的族孙。

担任殷州刺史的尔朱羽生率领五千人马袭击信都，高敖曹来不及穿好铠甲，就率领着十几名骑兵冲出城去迎击尔朱羽生，城中的高乾用绳子从城墙上送下五百人，去追赶救援高敖曹，还没有追赶上，高敖曹就已经和尔朱羽生的军队战在了一起，尔朱羽生被高敖曹打败逃走。高敖曹在马上使用长矛的功夫当世无人能比，跟随在他身边的那些人又都无不一人可以敌对百人，当时的人都把高敖曹比作楚霸王项籍。

担任晋州刺史的高欢把军队屯驻在壶关城北面的大王山，六十天之后，才率军向东进发，扬言要去讨伐信都的叛军。信都的人都感到很恐惧，高乾说："我听说晋州刺史高欢的雄才大略在当今之世堪数第一，他的志向肯定不会久居人下。而且尔朱氏不行德政，杀死国君，虐待百姓，眼下正是英雄建立功勋的大好时机，高晋州今日来此，一定有高深的谋略，我应当轻装骑马前去迎接他，暗中探测清楚他的真正意图，请各位不要惧怕。"于是高乾就带领着十几名骑兵和封隆之的儿子封子绘悄悄地来到滏口陉拜见高欢，对高欢说："尔朱氏为政酷虐，竟然做出了弑杀皇帝的悖逆之事，已经招致人神共愤，凡是有良知的人们，哪个人不想起来讨伐他！

明公威德素著，天下倾心，若兵以义立[117]，则屈强[118]之徒不足为明公敌矣。鄗州虽小，户口不下十万，谷秸之税[119]，足济军资，愿公熟思其计[120]。”乾辞气慷慨，欢大悦，与之同帐寝。

初，河南太守赵郡[121]李显甫，喜豪侠，集诸李数千家于殷州西山[122]方五六十里居之。显甫卒，子元忠[123]继之。家素富，多出贷[124]求利，元忠悉焚契[2]免责[125]，乡人甚敬之。时盗贼蜂起，清河[126]有五百人西戍[127]，还，经赵郡，以路梗[128]，共投元忠。元忠遣奴为导，曰："若逢贼，但道李元忠遣。"如言[129]，贼皆舍避[130]。及葛荣起[131]，元忠帅宗党作垒以自保，坐大槲树[132]下，前后斩违命者凡三百人，贼至，元忠辄[133]击却之。葛荣曰："我自中山[134]至此，连为赵李[135]所破，何以能成大事！"乃悉众攻围，执元忠以随军。贼平[136]，就拜南赵郡太守[137]，好酒无政绩。

及尔朱兆弑敬宗[138]，元忠弃官归，谋举兵讨之。会高欢东出，元忠乘露车[139]，载素筝、浊酒[140]以奉迎。欢闻其酒客，未即见之。元忠下车独坐，酌酒擘脯[141]食之，谓门者曰："本言[142]公招延[143]俊杰，今闻国士[144]到门，不吐哺辍洗[145]，其人可知，还吾刺[146]，勿通也！"门者以告，欢遽见之，引入，觞再行[147]，元忠车上取筝鼓之，长歌慷慨，歌阕[148]，谓欢曰："天下形势可见，明公犹事尔朱邪？"欢曰："富贵皆因彼所致[149]，安敢不尽节[150]！"元忠曰："非英雄也！高乾邕[151]兄弟来未？"时乾已见欢，欢绐[152]之曰："从叔辈[153]粗，何肯来！"元忠曰："虽粗，并解事[154]。"

明公的声威与高尚的品德一向被世人所熟知，天下人全都倾心拥戴你，如果你是为了正义而出兵，尔朱荣属下那些骄横、蛮横之徒肯定不是明公的对手。我们冀州虽小，但户口不下于十万户，能够征收起来的粮草，完全可以解决军队的供应，希望明公认真思考为天下立功的方略。”高乾在向高欢说这番话的时候慷慨激昂，高欢非常高兴，就让高乾睡在自己的营帐里。

当初，担任河南太守的赵郡人李显甫，喜欢结交豪杰侠义之人，他聚集了数千家姓李的人在殷州西部的太行山占据了方圆五六十里的地方居住下来。李显甫去世之后，他的儿子李元忠继承了他的家业。李显甫家一向很富有，曾经大量放债以谋求厚利，等到李元忠接管了家业之后，便焚毁了所有的借据，免除了借债人的债务，乡里的人因此非常敬重李元忠。当时魏国境内盗贼蜂拥而起，清河郡有五百人到西部的某处驻防，返回的时候经过魏国的赵郡，因为道路被盗贼截断不能通行，就一同来投奔李元忠。李元忠派遣家中的奴仆为他们做向导，李元忠对他们说：“如果遇到盗贼，就说是李元忠派遣的人就行了。”一路之上，凡是遇到盗贼，只要他们按着李元忠所教的一说，贼寇果然都让出路来令他们通过。等到变民首领葛荣聚众起兵反抗魏国朝廷的时候，李元忠就率领同族的乡亲们修筑起壁垒保卫自己的家乡，他坐在大槲树下进行指挥，前后共斩杀了三百名违抗他命令的人，只要葛荣的叛军一来，李元忠就率众将其击退。葛荣说：“我率军从中山来到这里，接连被赵郡的李氏家族所打败，我还怎么能成就大事！”于是就调集了所有的军队向李元忠所建筑的壁垒发起进攻，捉住了李元忠，把李元忠带在自己的队伍中。尔朱荣平定了葛荣的叛乱之后，就到李元忠家任命李元忠为南赵郡太守，李元忠好喝酒，在担任南赵郡太守的时候没有什么政绩。

等到尔朱兆杀害了魏敬宗之后，李元忠弃官回到自己的家乡，谋划起兵讨伐尔朱兆。遇到高欢向东进兵，李元忠便乘坐着一辆无棚的车子，车上载着一把没有任何装饰的筝、浑浊的家乡酒前往迎接高欢。高欢听说李元忠是一位喜欢饮酒人，所以就没有马上召见他。李元忠下了车独自坐在一旁，一边饮着酒一边用手撕着干肉吃，他对守门的人说：“我原本听说晋州刺史高欢在招纳、延聘俊杰之士，如今知道一国之中的杰出人士已经登门求见，竟然不能像周公那样一饭三吐哺、一沐三握发地赶紧出来接待来访之士，其人可想而知，请把我的名片还给我，不用再进去通报了！”守门人把李元忠的这番话报告了高欢，高欢赶紧召见李元忠，李元忠被人领进去之后，又饮完第二遍酒，李元忠从自己的车上取下素筝开始弹奏起来，一边弹一边放声歌唱，歌声慷慨激昂，歌曲唱罢之后，李元忠对高欢说：“目前天下的形势已经显而易见，明公还在侍奉尔朱氏吗？”高欢说：“我的地位和财富都是靠了尔朱氏才有的，我怎敢不对他们尽做臣仆的良心与责任！”李元忠说：“你不是英雄！高乾邕兄弟来了没有？”当时高乾已经见过了高欢，高欢却欺骗李元忠说：“我的那些堂叔都是粗人，怎么肯来我这里呢！”李元忠说：“他们虽然是粗人，但都很明白国家大事。”

欢曰:“赵郡醉矣[155]。”使人扶出，元忠不肯起。孙腾进曰:“此君天遣来，不可违也。”欢乃复留与语，元忠慷慨流涕，欢亦悲不自胜。元忠因进策曰:“殷州小，无粮仗，不足以济大事。若向冀州，高乾邕兄弟必为明公主人[156]，殷州便以赐委[157]。冀、殷既合，沧、瀛、幽、定自然弭服[158]，唯刘诞[159]黠胡或当乖拒[160]，然非明公之敌。”欢急握元忠手而谢焉。

欢至山东[161]，约勒士卒，丝毫之物不听[162]侵犯，每过麦地，欢辄步牵马，远近闻之，皆称高仪同[163]将兵整肃，益归心焉[164]。

欢求粮于相州刺史刘诞，诞不与。有车营租米[165]，欢掠取之。进至信都，封隆之、高乾等开门纳之。高敖曹时在外略地[166]，闻之，以乾为妇人，遗以布裙[167]。欢使世子澄[168]以子孙礼见之[169]，敖曹乃与俱来[170]。

癸酉[171]，魏封长广王晔为东海王[172]，以青州刺史鲁郡王肃[173]为太师，淮阳王欣[174]为太傅，尔朱世隆为太保，长孙稚为太尉，赵郡王谌[175]为司空，徐州刺史尔朱仲远、雍州刺史尔朱天光并为大将军，并州刺史尔朱兆为天柱大将军，赐高欢爵勃海王，征使入朝[176]。长孙稚固辞太尉，乃以为骠骑大将军、开府仪同三司。尔朱兆辞天柱，曰:“此叔父所终之官，我何敢受!”固辞，不拜，寻加都督十州诸军事，世袭并州刺史。高欢辞不就征[177]。尔朱仲远徙镇大梁[178]，复加兖州刺史[179]。

尔朱世隆之初为仆射也，畏尔朱荣之威严，深自刻厉[180]，留心几案[181]，应接[182]宾客，有开敏[183]之名。及荣死，无所顾惮[184]，为尚书令，家居视事[185]，坐符台省[186]，事无大小，不先白世隆，有司不敢行。

高欢说："李郡守喝醉了。"说完便让人把李元忠搀扶出去，李元忠不肯起来。高欢的部属孙腾走进来说："这位先生是上天派来的，他的想法是不可以违背的。"高欢这才又留下李元忠，继续与李元忠谈话，李元忠慷慨陈词，激动得痛哭流涕，高欢也悲伤得不能控制自己。李元忠趁机向高欢进献良策说："殷州辖区面积很小，没有足够的粮食、兵器，在此成就不了什么大事。如果你率军前往冀州，高乾邕兄弟一定会好好地接待你这位贵客，以尽其地主之谊。至于殷州，你就把它交给我管理好了。一旦冀州、殷州联合起来，那么沧州、瀛州、幽州、定州自然就会顺服于你，只有担任相州刺史的刘诞这个狡猾的胡人有可能违抗你，然而他不是你的对手。"高欢急忙握住李元忠的手，向李元忠表示感谢。

高欢自从率军到达太行山以东之后，就严格约束士卒，不许他们侵占百姓的一丝一毫，每当行军路过麦田的时候，为了避免马匹践踏农民的庄稼，高欢就牵着马步行，远近的人听到这样的消息以后，都称赞高欢所统领的军队纪律整肃严明，因此越发地拥护高欢。

高欢请求担任相州刺史的刘诞为自己的军队提供粮食，刘诞不给。正好有一个运送税粮的车队从此处经过，高欢就把这批粮食抢走了。高欢率军到达信都的时候，封隆之和高乾等人打开信都城门将高欢接入城中。当时高敖曹正率军在外面开拓地盘，他听说自己的哥哥高乾等人已经把高欢接入信都城中，便认为高乾像一个懦弱的女人，于是就派人给高乾送来一套女人穿的布裙子。高欢让自己的嫡长子高澄前去以晚辈子孙的礼节拜见高敖曹，高敖曹这才与高澄一同回到信都。

三月初三日癸酉，魏节闵帝封长广王元晔为东海王，任命担任青州刺史的鲁郡王元肃为太师，任命淮阳王元欣为太傅，任命担任尚书仆射的尔朱世隆为太保，长孙稚为太尉，赵郡王元谌为司空，任命担任徐州刺史的尔朱仲远、担任雍州刺史的尔朱天光为大将军，任命担任并州刺史的尔朱兆为天柱大将军，赐封担任晋州刺史的高欢为勃海王，征召高欢到洛阳朝廷来。长孙稚坚决推辞太尉的职务，于是任命长孙稚为骠骑大将军、开府仪同三司。尔朱兆辞让天柱大将军的职务，他说："这是我叔父尔朱荣临终之前所担任的官职，我怎么敢接受！"坚决推辞，没有接受任命，不久节闵帝又加授尔朱兆都督十州诸军事，世袭并州刺史。高欢推辞朝廷给自己勃海王的升赏，没有到洛阳朝廷去。尔朱仲远将其徐州都督的军府迁到了大梁，朝廷又加授尔朱仲远为兖州刺史。

当初尔朱世隆刚被尔朱荣任命为尚书仆射的时候，因为畏惧尔朱荣的威严，所以能够严格地要求自己，注意做好本官职以内的工作，认真地接待宾客，因此博得了思想开明、办事敏捷的好名声。等到尔朱荣死了之后，尔朱世隆便无所忌惮，担任尚书令的时候，他就坐在自己的家里处理公务，坐在家中给朝廷的各部门发号施令，事情无论大小，不先报告给尔朱世隆，有关部门的官员便不敢有所作为。

使尚书郎宋游道、邢昕在其听事[187]东西别坐[188]，受纳辞讼[189]，称命施行[190]。公为贪淫，生杀自恣；又欲收军士之意[191]，泛加阶级[192]，皆为将军，无复员限[193]，自是勋赏之官大致猥滥[194]，人不复贵[195]。是时，天光专制关右[196]，兆奄有并、汾[197]，仲远擅命[198]徐、兖，世隆居中用事[199]，竞为贪暴[200]。而仲远尤甚，所部富室大族，多诬以谋反，籍没[201]其妇女财物入私家[202]，投其男子于河，如是者不可胜数。自荥阳已东，租税悉入其军，不送洛阳[203]。东南州郡自牧守以下至士民，畏仲远如豺狼。由是四方之人皆恶尔朱氏，而惮其强，莫敢违也。

己丑[204]，魏以泾州刺史贺拔岳为岐州刺史，渭州刺史侯莫陈悦为秦州刺史，并加仪同三司。

魏使大都督侯渊、骠骑大将军代人叱列延庆[205]讨刘灵助，至固城[206]，渊畏其众，欲引兵西入[207]，据关拒险以待其变，延庆曰："灵助庸人，假妖术以惑众，大兵一临，彼皆恃其符厌[208]，岂肯戮力致死[209]，与吾兵[3]争胜负哉！不如出营城外[210]，诈言西归，灵助闻之必自宽纵，然后潜军击之，往则成擒[211]矣。"渊从之。出顿城西，声云欲还。丙申[212]，简精骑一千夜发，直抵灵助垒[213]。灵助战败，斩之，传首洛阳。初，灵助起兵，自占胜负，曰："三月之末，我必入定州，尔朱氏不久当灭。"及灵助首函入定州，果以是月之末[214]。

夏，四月乙巳[215]，昭明太子统[216]卒。太子自加元服[217]，上即使省录[218]朝政，百司进事[219]，填委[220]于前，太子辩析诈谬[221]，秋毫必睹，但[222]令改正，不加按劾[223]。平断法狱[224]，多所全宥[225]，宽和容众，喜愠不形于色。好读书

尔朱世隆让担任尚书郎的宋游道、邢昕坐在他办公、理事的正厅的东西两边，专门负责接收各方面的请示报告，接受尔朱世隆的命令，然后以尔朱世隆的意思决断实行。尔朱世隆公开贪赃枉法，放纵淫乱，生杀予夺，随心所欲；又想收买军心，于是就普遍地提高军官的级别，所有军官都成了将军，根本就没有名额的限制，从此以后，根据功勋而授予相应官职的制度一下子变得混乱不堪，所以没有人再看重它。当时，尔朱天光独揽函谷关以西的一切军政大权，尔朱兆全部占有并、汾二州，尔朱仲远在徐州、兖州完全是他一个人说了算，尔朱世隆在朝廷控制政权，他们一个比一个贪婪横暴。而尔朱仲远尤其严重，凡是在他管辖区域内的富有人家、名门大族，很多都被他安上一个谋反的罪名，然后查抄没收他们所有的妇女和财物，这些被查抄、没收的妇女和财富全部归尔朱仲远私家所有，尔朱仲远还把被抄没之家的男子全部扔到河里淹死，像这样的事情多得简直数不清。从荥阳以东，所有租税全部送交尔朱仲远的军队，不向朝廷上交任何东西。魏国东南部各州郡从州刺史、郡太守以下一直到普通老百姓，畏惧尔朱仲远就像畏惧豺狼一样。四面八方的人全都憎恨尔朱氏，却因为惧怕他们势力的强大而没有人敢违抗他们。

三月十九日己丑，魏国朝廷任命担任泾州刺史的贺拔岳为岐州刺史，任命担任渭州刺史的侯莫陈悦为秦州刺史，二人全都加授开府仪同三司。

魏国朝廷派遣担任大都督的侯渊、担任骠骑大将军的代郡人叱列延庆率军前往讨伐刘灵助，讨伐大军到达固城，大都督侯渊惧怕刘灵助人多势大，就想率军西进入山，占据关隘、险要地形等待局势发生变化，叱列延庆说："刘灵助是一个平庸的人，全仗着妖术来迷惑大众，只要讨伐的大军一到，他们全都指望着刘灵助的符咒能够保命胜敌，谁还肯努力杀敌，不怕牺牲，与我军争胜呢！倒不如在固城的城外扎营，谎称准备向西进入山区，刘灵助听到这个消息之后一定会放松警惕，然后我们再偷偷地出兵去袭击他们，只要大军一去就能毫不费力地把刘灵助捉来。"侯渊同意了叱列延庆的意见。于是把军队屯扎在固城城西，扬言准备撤军。三月二十六日丙申，侯渊、叱列延庆从所率军中挑选出一千名精锐骑兵连夜出发，径直前往进攻刘灵助的大营。刘灵助仓促迎战失败，被官军斩首，他的首级被传送到洛阳示众。当初刘灵助起兵的时候，自己占卜胜负，说："三月之末我一定能够进入定州，尔朱氏不久就应当被消灭。"等到盛放刘灵助首级的匣子被送到定州的时候，果然是在三月之末。

夏季，四月初六日乙巳，梁国的昭明太子萧统去世。昭明太子自从行加冠礼进入成年以来，梁武帝萧衍就让他观察、总领朝政，百官禀告与请求批示的奏章全都堆放在昭明太子面前，太子认真分辨群臣上报材料中弄虚作假的东西和错误的地方，每一份奏章都亲自过目，丝毫不遗漏，凡是有虚假错误的地方只要求改正，而不追究、追查他们的责任。甄别、平反刑事案件能够做到公平、合理，有很多人因此被赦免，保全了性命，昭明太子待人宽厚、包容，喜怒不形于色。喜好读书写文章，

属文[226]，引接[227]才俊，赏爱无倦，出宫[228]二十余年，不畜声乐[229]。每霖雨[230]积雪，遣左右周行[231]闾巷，视贫者赈之。天性孝谨，在东宫，虽燕居[232]，坐起恒西向[233]，或宿被召当入[234]，危坐达旦[235]。及寝疾[236]，恐贻帝忧[237]，敕参问[238]，辄自力手书[239]。及卒，朝野惋愕[240]，建康男女，奔走宫门，号泣道[4]路。

癸丑[241]，魏以高欢为大都督、东道大行台、冀州刺史；又以安定王尔朱智虎为肆州[242]刺史。

魏尔朱天光出夏州[243]，遣将讨宿勤明达[244]，癸亥[245]，擒明达[246]，送洛阳，斩之。

丙寅[247]，魏以侍中、骠骑大将军尔朱彦伯为司徒。

魏诏有司不得复称伪梁[248]。

五月丙子[249]，魏荆州城民斩赵修延[250]，复推李琰之行州事。

魏尔朱仲远使都督魏僧勖等讨崔祖螭于东阳，斩之。

初，昭明太子葬其母丁贵嫔，遣人求墓地之吉者[251]。或[252]赂宦者俞三副[253]求卖地，云若得钱三百万，以百万与之。三副密启上[254]，言"太子所得地[255]不如今地[256]于上为吉[257]。"上年老多忌，即命市之[258]。葬毕[259]，有道士云："此地不利长子[260]，若厌之[261]，或可申延[262]。"乃为蜡鹅及诸物[263]埋于墓侧长子位[264]。宫监[265]鲍邈之、魏雅初皆有宠于太子，邈之晚见疏于雅[266]，乃密启上云："雅为太子厌祷[267]。"上遣检掘[268]，果得鹅物，大惊，将穷其事[269]，徐勉固谏而止[270]，但诛道士。由是太子终身惭愤，不能自明。及卒，上征其长子南徐州刺史华容公欢[271]至建康，

延揽、接待才能出众的人，对这些人的欣赏、爱惜从来不感到疲倦，他自从离开父母居住的宫廷搬到东宫独立居住的二十多年时间里，从来不养歌儿舞女。每当遇到久雨、积雪的时候，他就派自己身边的人到建康城的里巷中进行巡查，看到贫苦的人就给予救济。昭明太子天生孝顺恭谨，居住在东宫的时候，即使平常安闲无事的时候，也总是面朝西而坐，面对父母所在的皇宫，有时头天晚上得到通知，让第二天一早进宫见皇帝，他就早早地起床穿好衣服，正襟端坐静等天亮。等到太子卧病在床的时候，为了怕引起父亲为自己健康的担心忧虑，当皇帝派人传话询问病情的时候，太子总是勉强支撑着病体亲自写回信报告病情，做出一副不很严重的样子。等到太子去世的消息一传出，朝野都感到非常惋惜和惊讶，建康城里的男男女女全都跑到宫门口吊唁，他们一边走一边失声痛哭。

四月十四日癸丑，魏国朝廷任命高欢为大都督、东道大行台、冀州刺史；又任命安定王尔朱智虎为肆州刺史。

魏国大将军、雍州刺史尔朱天光从夏州出发，他派遣属下的将领去讨伐胡琛的部将宿勤明达，二十四日癸亥，擒获了宿勤明达，把宿勤明达押赴洛阳，斩首示众。

二十七日丙寅，魏节闵帝任命担任侍中、骠骑大将军的尔朱彦伯为司徒。

魏节闵帝下诏给有关部门的官员，以后不许再把梁国称为伪梁。

五月初七日丙子，魏国荆州城内的百姓杀死了发兵夺取荆州刺史职务的赵修延，再次推举李琰之为荆州刺史。

魏国尔朱仲远派遣自己属下担任都督的魏僧勖等人前往东阳讨伐崔祖螭，把崔祖螭杀死。

当初，梁国的昭明太子萧统在安葬他的母亲丁贵嫔的时候，曾经派人去找到一块风水好的墓地。有人就贿赂昭明太子身边的宦官俞三副，请求把自己的一块地卖给太子做丁贵嫔的墓地，那个人向俞三副许诺说，如果自己那块地能卖三百万钱，就拿出一百万送给俞三副。俞三副为此便偷偷地向梁武帝报告，说:“太子为丁贵嫔选中的那块墓地不如现在我看中的这块地对皇帝您更有利。”梁武帝此时已经年老，因此就有很多忌讳，他听了俞三副的报告之后就立即下令将这块地买下来给丁贵嫔做墓地。等安葬完丁贵嫔之后，有一个道士说:“这块墓地对长子不利，如果能用法术将不利因素加以控制，说不定可以使灾祸推迟发生。”昭明太子于是把蜡做的鹅和一些其他东西埋在丁贵嫔坟墓旁边将来为其长子做墓的地方。在东宫担任宫监的鲍邈之、魏雅当初都受到昭明太子的宠信，鲍邈之后来被魏雅所疏远，于是鲍邈之就秘密地向梁武帝报告说:“魏雅为太子进行巫术活动。”梁武帝立即派人根据鲍邈之所提供的情况进行搜查发掘，果然找到了埋在丁贵嫔墓侧的蜡鹅等物品，梁武帝不禁大吃一惊，就要将此事追查到底，担任尚书仆射的徐勉坚决进行劝阻，梁武帝才没有那样做，只是杀死了那个道士。因为这件事使昭明太子萧统终生感到惭愧、气愤，

欲立以为嗣，衔其前事[272]，犹豫久之，卒不立，庚寅[273]，遣还镇[274]。

臣光曰："君子之于正道，不可少顷离[275]也，不可跬步失[276]也。以昭明太子之仁孝，武帝之慈爱，一染嫌疑之迹[277]，身以忧死，罪及后昆[278]，求吉得凶，不可湔涤[279]，可不戒哉？是以诡诞之士[280]，奇邪之术[281]，君子远之。"

丙申[282]，立太子母弟[283]晋安王纲[284]为皇太子。朝野多以为不顺[285]，司议侍郎周弘正[286]，尝为晋安王主簿[287]，乃奏记[288]曰："谦让道废[289]，多历年所[290]。伏惟[291]明大王殿下[292]，天挺将圣[293]，四海归仁[294]，是以皇上发德音，以大王为储副[295]。意者[296]愿闻殿下[297]抗目夷上仁之义[298]，执子臧大贤之节[299]，逃王舆[5]而弗乘[300]，弃万乘如脱屣[301]，庶改浇竞之俗[302]，以大吴国之风[303]。古有其人，今闻其语，能行之者，非殿下而谁！使无为之化[304]复生于遂[6]古[305]，让王之道不坠于来叶[306]，岂不盛[307]欤！"王不能从。弘正，舍之兄子[308]也。

太子以侍读东海徐摛[309]为家令[310]，兼管记[311]，寻带领直[312]。摛文体轻丽，春坊[313]尽学之，时人谓之"宫体[314]"。上闻之，怒，召摛，欲加诮责[315]。及见，应对明敏，辞义可观，意更释然[316]。因问经史及释教[317]，摛商较从横[318]，应对如响[319]，上甚加叹异，宠遇日隆。领军朱异[320]不悦，

却又没有办法替自己洗清冤屈。等到昭明太子去世以后，梁武帝把昭明太子的长子担任南徐州刺史的华容公萧欢召回京师建康，想要立萧欢为皇位继承人，又因为对萧统厌祷的事情依然耿耿于怀，犹豫了很久，最终还是没有立萧欢为继承人，五月二十一日庚寅，梁武帝将萧欢打发回南徐州刺史的任所。

司马光说:“君子对于正道，片刻也不能离开，半步也不能走错。就凭昭明太子萧统的仁厚孝谨，梁武帝萧衍的慈爱，一旦遇上让人生疑而自己又无法说明的事，不仅自身因此而忧虑致死，还要牵连着后代都跟着倒霉，昭明太子本来是为了寻求吉祥，得到的反而是凶险，而且还没有为自己洗刷清白的机会，人们能不引以为戒吗？所以对搞邪门歪道的人，对于不合正道的法术，君子应该远远地离开它。”

五月二十七日丙申，梁武帝立昭明太子萧统的同母弟弟晋安王萧纲为皇太子。朝野之人大多数都认为梁武帝这样做不合顺序，担任司议侍郎的周弘正，曾经在晋安王属下担任过掌管文书簿籍的主簿，他给晋安王萧纲上书说:“为人谦让的美德早已被人们抛在脑后，已经多年没有人讲究谦让了。依我的想法，英明的大王殿下，您是上天派下来的大圣人，天下的人都称道您是仁者，所以皇上才发布福音，让大王您做皇位继承人。我琢磨着天下人很希望听到您表现出像目夷那样高级仁者的行为，坚持伟大贤者子臧那样的节操，逃避王者的车子而不乘坐，抛弃万乘之尊就像脱掉一双破鞋子，大王如果这样做，或许能使长期以来形成的这种浮薄躁进之风有所改变，使当年吴太伯让国那样的风气继续得到发扬光大。古代有让国之人，现在还能听到谦让的话，而能够躬行谦让的人，除了殿下还能有谁呢！使古代不争不抢的谦让之风在现在又出现了第二个，使后代还有人像古人让王那样继续躬行谦让之道，难道不是一件盛大、美好的事情吗!”晋安王没有听从周弘正的意见。周弘正，是周舍的侄子。

梁国皇太子萧纲任命担任侍读的东海郡人徐摛为管理太子府家事的太子家令，兼任管记，不久又让徐摛监统东宫的警卫军队。徐摛的文章风格内容轻佻、辞藻华丽，东宫的人全都学习他的诗文风格，当时的人把这种风格的诗称之为“宫体诗”。梁武帝听说了这种情况之后，非常恼怒，他召见徐摛，准备对其严加训斥、责备。等到见到徐摛的时候，徐摛应对明白、思维敏捷，其文辞从内容到形式确有可观之处，梁武帝心中的怒气一下子就消除了。梁武帝于是趁机向徐摛询问起有关儒家经典、历史典籍和佛教教义等问题，徐摛便侃侃而谈，说得头头是道，回答问题全都是随口而出，如同响之应声，不带迟疑、不加思忖，梁武帝对其大加赞赏惊叹，对徐摛的恩宠和礼遇一天比一天提高。担任领军将军的朱异对此感到很不高兴，

谓所亲曰:"徐叟出入两宫[321],渐来见逼[322],我须早为之所[323]。"遂乘间白上曰:"摛年老,又爱泉石[324],意在一郡自养[325]。"上谓[326]摛真欲之,乃召摛,谓曰:"新安[327]大好山水。"遂出为新安太守。

【段旨】

以上为第一段,写梁武帝萧衍中大通三年(公元五三一年)前五个月的大事。主要写了尔朱世隆废掉长广王元晔,另立广陵王元恭为帝,元恭自即位始就不屈从于尔朱氏,尔朱世隆请任其部下为官,元恭不允;尔朱仲远先任后表,元恭怒之不理;朝臣司直刘季明亦不畏尔朱氏,反对以尔朱荣配飨宗庙之议。写了尔朱氏诸人之专权与贪婪横暴,遭人生恨;尔朱世隆因行废立不与尔朱兆不打招呼,尔朱氏两派间的矛盾进一步发展。写了魏之幽州刺史刘灵助自称燕王,以为敬宗复仇为口号,河北地区纷纷从之,封隆之、高乾等据冀州以讨尔朱氏,受刘灵助节度。写了刘灵助在进攻定州时,被尔朱氏的党羽侯渊等所灭,雍州刺史尔朱天光又破杀关陇地区变民头领宿勤明达于东夏州,尔朱氏的势力还很强大。写新军阀高欢由壶关进入河北,冀州、殷州的封隆之、高乾、李元忠等皆与高欢相联合,高欢顺利掌控了冀州、殷州的武装势力。写了梁太子萧统听道士言搞巫术,萧衍因信巫信谗而怀疑萧统图谋不轨,徐勉为维持大局劝萧衍不深究,但使萧统终身不能鸣冤,抑郁而死。写了萧衍立萧纲为皇太子,人多以为不顺,周弘正劝萧纲效法吴太伯,萧纲贪皇位而不从。此外还写了徐摛先任萧纲侍读,又为管记,文风华丽,形成宫体,风靡一时,当徐摛受两宫宠遇日隆之际,权臣朱异使计将其排斥出朝廷等。

【注释】

①正月辛巳:正月初十。②郑先护:魏敬宗在位时的将领,曾统兵伐尔朱氏,并怀疑已经归顺了魏敬宗的贺拔胜,使其又投归了尔朱氏。事见本书上卷。③洛阳不守:指尔朱兆率晋阳兵进入洛阳。④遂来奔:遂南逃来归梁朝。⑤丙申:正月二十五。⑥二月辛丑:二月初一。⑦魏自敬宗被囚:尔朱兆进入洛阳后,魏敬宗的王朝四散,魏敬宗被尔朱兆所俘,先囚在洛阳,后被尔朱兆带至晋阳,杀于三级佛寺。事见本书上卷。⑧长广王疏远:长广王元晔是尔朱兆等扶持的取代魏敬宗的傀儡皇帝。元晔是景穆帝子南安王拓跋桢的后代,和孝文帝、宣武帝、孝明帝的血缘关系已经很远了。⑨更立近亲:更立一个与孝文帝、宣武帝、孝明帝的血缘关系亲近的人为傀儡皇帝。⑩广陵王恭:元恭,

他对自己的亲信说："徐老头受到皇帝与皇太子两方面的宠信，渐渐地威胁到了我的头上，我必须尽快地给他另找个工作岗位。"于是找个机会向梁武帝报告说："徐摛已经老了，又喜欢山水，喜欢过隐居生活，他想要当个太守去颐养天年。"梁武帝遂认为徐摛真的想这样，于是就召见徐摛，对徐摛说："新安郡有大好的山水。"然后打发徐摛离开朝廷去担任新安太守。

字修业，广陵王元羽之子，孝文帝元宏之侄。传见《魏书》卷十一。元恭原来被封为广陵郡王，与魏宣武帝元恪、魏敬宗元子攸都是堂兄弟，血缘关系很近。⑪有志度：有志气、有度量。⑫正光中：正光年间。正光是孝明帝元诩的第三个年号（公元五二〇至五二四年）。⑬元义擅权：事在孝明帝在位的中期，当时胡太后执掌朝政，宠信其妹夫元义，导致元义软禁胡太后，自己控制一切大权。元义是拓跋珪之子拓跋黎的后代。传见《魏书》卷十六。⑭托喑病：假说得病，变成了哑巴。喑，哑、失语症。⑮无所交通：跟谁都不联系。⑯永安：魏敬宗元子攸的年号（公元五二八至五三〇年）。⑰言王阳喑：说广陵王恭这个哑巴是假装的。阳，通"佯"，假装。⑱上洛山：山名，在今陕西商洛市商州区境内。⑲洛州：魏州名，州治上洛，即今陕西商洛。⑳系治：关在监狱里审察。㉑无状：无迹象；无证据。㉒薛孝通：尔朱天光的僚属，时尔朱天光任关西大行台，薛孝通为其任郎中，主管行台事务的一个方面。传见《北史》卷三十六。㉓高祖犹子：孝文帝的侄子。犹子，义同"从子"。兄弟之子，即侄。㉔夙有令望：一向有很好的名声。㉕沈晦：沉沦、韬晦，泯灭行迹，指隐居。㉖多历年所：就这样地过了好多年。年所，年头、年月。㉗天人允叶：犹言应天顺人，既合天意，又顺人心。允叶，妥帖。叶，意思通"协"。㉘疑其实喑：担心他真是个哑巴。㉙尔朱彦伯：尔朱世隆的长兄，此时在朝为侍中。传见《魏书》卷七十五。㉚敦谕：敦促，劝他出山。㉛天何言哉：老天爷他说话吗。此句本孔子语，见《论语·阳货》："子曰'天何言哉？四时行焉，百物生焉，天何言哉？'"四个字，足见元恭的气度，一句顶一万句。㉜聪：薛聪，孝文帝时代的名臣，孝文帝"外以德器遇之，内以心膂为寄"。传见《北史》卷三十六。㉝己巳：二月二十九。㉞邙山：位于洛阳城北，黄河南岸的矮山。㉟为之作禅文：为长广王元晔准备好了让位给广陵王元恭的文告。㊱愿行尧舜之事：希望您能像尧把帝位让给舜一样地把帝位让给广陵王。㊲遂署禅文：长广王很顺从地就在禅让文告上签了名字。署，签名。㊳奉表三让：历代这种禅让的把戏都是要让者连让三次，受者也推辞三次而后接受。从汉献帝让位给曹丕、曹奂让位给司马炎、晋恭帝让位给刘裕，以及其后萧道成的上台、萧衍的上台，无不如此。㊴邢子才：即邢邵，字子才，当时著名的文学家。传见《北齐书》卷三十六。㊵为赦文：替广陵王准备好了大赦尔朱氏的赦令。㊶枉杀：屈杀；不当

杀而杀。㊷节闵帝：即新即位的皇帝元恭。日后死了谥曰节闵。㊸永安手翦强臣：敬宗亲手杀了骄悍之臣尔朱荣。〖按〗永安是敬宗在位时的年号，今以年号称之，表示尊敬。㊹非为失德：不能说是干了错事。㊺天未厌乱：老天爷还不想出现太平局面。㊻故逢成济之祸：于是敬宗皇帝遂被强悍之臣的下属杀害了。〖按〗曹魏末年，皇帝曹髦亲自率兵讨伐司马昭，司马昭的亲信贾充指挥其部下成济当场将皇帝曹髦杀害。事见本书卷七十七。这里将尔朱兆杀害魏敬宗比作当年贾充、成济的杀害魏帝曹髦，足见元恭之胆气不凡。㊼直言：径直写道。㊽门下：胡三省曰，“魏晋以来，出命皆由门下省，故其发端必曰‘敕门下’”。㊾朕以寡德：古代帝王所下诏书中的自谦语，意同“凭着这渺渺之身”。㊿运属乐推：正好赶上机会被你们大家拥立为皇帝。属，正当、正逢。乐推，乐于推贤。(51)思与亿兆：想和全国臣民一道。亿兆，指全国百姓。(52)同兹大庆：共同享受这齐天洪福。(53)肆眚之科：有关赦免罪犯的问题。肆眚，宽赦罪过。眚，过错。(54)一依常式：一概按照通常的规矩办。〖按〗以上数句是皇帝对门下省所做的批示，不是直接面向全国臣民公告。他是命令门下省的官员本着这个批示的精神给全国下一道赦令，像通常的赦令一样，而不是谴责上一任的皇帝，承认杀尔朱荣是一种错误。(55)致是乃言：到现在又重新开口说话。古语有所谓“不鸣则已，一鸣惊人”，此之谓也。(56)望至太平：都盼着从此过上太平的日子。(57)庚午：二月三十。(58)三皇称“皇”：三皇时代的帝王称之曰“皇”。如燧人氏、伏羲氏、神农氏，被称为“天皇”“地皇”“人皇”等。(59)五帝称“帝”：五帝时代的帝王称之曰“帝”。如黄帝、帝尧、帝舜等。(60)三代称“王”：三代时期的帝王称之曰“王”。如殷纣王、周文王、周武王等。三代指夏、商、周三朝。(61)递为冲挹：越往后越谦虚自抑。冲，弱小。挹，压缩、贬损。(62)竞称“皇帝”：竞相狂妄地连“皇”带“帝”合并而称之。此制从秦始皇开始。(63)亦已褒矣：这都已经感到有点过分啦。(64)配飨:〖按〗古代在祭祀某个皇帝的时候，有时也把某个大臣的灵牌摆在旁边陪同这位皇帝享受祭祀。这是古代对某些有特殊功勋大臣的一种特别尊宠。(65)司直：丞相的僚属，主管监察弹劾。魏国的廷尉属下也有司直一职。(66)配世宗：配飨于宣武帝元恪。(67)配孝明：配飨于肃宗元诩。(68)亲害其母：肃宗的生母胡太后是被尔朱荣投入黄河淹死的。(69)为臣不终：敬宗元子攸本来是尔朱荣等拥立起来的，但后来对其无礼，没能善始善终。(70)议首:议事之官的领头人。(71)翦戮唯命:该杀该免，随皇帝的心思办。(72)配高祖庙廷：配飨在孝文帝的庙里。(73)首阳山：相传为商末周初伯夷、叔齐饿死的地方。地址说法不一，有说在今甘肃渭源，也有说在今山西永济，其他尚多。(74)周公：姬旦，文王之子，武王之弟，成王之叔，是古代名臣的代表，被儒家称为圣人。(75)寻：不久；很快地。(76)不预：没能参加。(77)尔朱仲远：尔朱彦伯之弟，尔朱仲隆之二哥。传见《魏书》卷七十五。(78)镇滑台：驻守滑台。滑台是当时的重要军镇名，也称白马，在今之河南滑县东南，当时的黄河在今滑县与当时的滑台中间向东流过。此时尔朱仲远任徐州刺史、东道大行台。(79)西兖州：魏国的西兖州州治济阴，在今山东菏泽市定陶区西。(80)先用后表：先使其就任，而后再向朝廷奏明。㉛ 岂可以兽而罪人：胡三省曰，“史言节闵帝贤明而不终者，制于强臣也”。㉜ 青州七郡：青州是魏州名，其所辖之七郡胡三省以为是齐郡、北安、乐安、勃海、高阳、河间、乐陵。㉝ 东阳：古城名，当时青州的州治所在地，即今山东青州。㉞ 东莱王贵平：元贵平，景穆帝拓跋晃之孙，被封为东莱王。传见《魏书》卷十九下。㉟ 太傅谘议参军：元贵平的部下僚属。时元贵平被加授太傅官。㊱ 慰劳：实指安抚、劝解。㊲ 城民陵纵：陵纵，指肆意纵暴、欺压。〖按〗此言东阳城里的百姓依仗自己占有州治所在地的优势，肆意欺压属郡的人。口里说是“城民”，实际是指以元贵平为首的地方权贵集团。㊳ 幽安营并：魏之四州名，幽州的州治即今之北京市，安州的州治燕乐，即今河北隆化，营州的州治龙城，即今辽宁朝阳，并州的州治晋阳，即今太原。〖按〗并州与幽、安、营三州相隔较远，似不应如此封任。《魏书·术艺传》作“幽、平、营、安”，比较合理。㊴ 刘灵助：以占卜之术先受宠于尔朱荣，后来随讨葛荣、邢杲、元颢有功，被任为幽、平、营、安四州行台。传见《魏书》卷九十一。㊵ 方术：古代指天文、气象、医药、占卜等各方面的学问，其中有自然科学，同时也杂有许多荒唐迷信的东西。㊶ 可以动人：可以蛊惑人、煽动人起来造反。㊷ 图谶：古代的骗子、野心家为达到某种目的所编造的一些预言，或事后牵强附会地曲解古书，以达到神化某人、打倒某人的政治目的。这种手段也常为某些政治人物所乐用。㊸ 瀛沧冀：魏之三州名，都在今之河北境内。瀛州的州治即今河间，沧州的州治饶安，在今沧州东南方，冀州的州治信都，即今冀州。㊹ 博陵之安国城：博陵郡的安国县城。博陵是魏郡名，郡治即今河北安平。当时的安国城在今河北安国东南。㊺ 托言：假称。㊻ 高乾兄弟：高乾与其弟高慎、高昂。高乾原与魏敬宗元子攸相知，元子攸被尔朱兆杀害后，高乾佐封隆之起兵于冀州讨伐尔朱氏，后成为高欢的亲信。传见《北齐书》卷二十一。㊼ 潜部勒：暗中组织。㊽ 元嶷：魏昭成帝拓跋什翼犍的儿子拓跋遵后代，曾任兖州刺史。传见《魏书》卷十五。㊾ 和集：同“和辑”，团聚、安抚。㊿ 封皮：即封隆之，小字皮。其父封回是魏司空，被尔朱荣杀害。封隆之在东魏时官至尚书右仆射。传见《北齐书》卷二十一。(101) 行州事：临时出任冀州刺史。行，代理。(102) 移檄州郡：向各州各郡发出文告。移、檄，都是文体名，是一种公开的文告，以表达某种思想观点，号召人们响应，共同采取行动。“移”在这里也可以视为动词，即发给、传布到。(103) 磨奴：封隆之同族的祖辈，本书卷一百十九永初元年曾记有封磨奴的一些事迹。(104) 尔朱羽生：尔朱荣的同族，时为殷州刺史。殷州的州治即今之河北隆尧。(105) 高敖曹：即高昂，字敖曹，当时的名将。传见《北齐书》卷二十一。(106) 擐甲：披挂铠甲。擐，穿、披。(107) 绳下：用绳子送下。(108) 马矟：在马上使用的长矛。(109) 项籍：即楚霸王项羽，“籍”是名，“羽”是字。事迹见《史记·项羽本纪》。(110) 壶关大王山：壶关是古关塞名，也是古城名，在今山西长治城北，当时为上党郡的郡治所在地。与今山西壶关县相距略远，与古代的壶关县相距更远。大王山，也称凤凰山，当时在屯留县境内，在今长治西北方，离长治不远。(111) 高晋州：敬指高欢，时高欢任晋州刺史。⑫ 立功之会：建立功勋的时机。会，时机。⑬ 密参意旨：暗中弄清楚他的真正意图。参，参详、探测。⑭ 滏口：即滏口陉，太行山的山道名，在今河北武安南，磁县西北方。⑮ 痛结人神：人神共恨。结，共、相互。⑯ 孰不思奋：哪个不想起而讨之。奋，奋起。⑰ 兵以义立：军队之所以无敌，是因为它符合正义。⑱ 屈强：通“倔强”，横行、蛮干。⑲ 谷秸之税：能征收起来的粮草。秸，禾秆，可以当饲料。⑳ 熟思其计：认真思考为天下立功的方略。㉑ 赵郡：魏郡名，郡治平棘，即今河北赵县，在石家庄的东南方。㉒ 殷州西山：殷州州治在今河北隆尧以西的太行山区。㉓ 元忠：李元忠，李显甫之子，因精通医术，深为百姓所归心，后为高欢的开国功臣。传见《北齐书》卷二十二。㉔ 出贷：放债。㉕ 焚契免责：焚毁借据，免除债务。契，契约、借据。责，通“债”。㉖ 清河：魏郡名，郡治在今河北清河县东南。㉗ 西戍：到西部的某地驻防。㉘ 路梗：被盗贼拦阻，道路不通。㉙ 如言：于是他们就按照李元忠所说。如，按照。㉚ 舍避：让开道路，让他们通过。舍，放行。〖按〗此前后所叙，皆数年以前事。㉛ 葛荣起：变民将领葛荣获鲜于脩礼之众，成为领袖在梁武帝普通七年（公元五二六年）；葛荣攻下冀州在大通元年（公元五二八年）；葛荣击杀杜洛周，并杜洛周之众在大通二年（公元五二八年）；同年，葛荣统兵百万攻邺城，被尔朱荣所败，葛荣被擒杀。㉜ 槲树：也称柞栎、橡树。㉝ 辄：总是；随即。㉞ 中山：古封国名，也是郡名，郡治即今河北定州。㉟ 赵李：赵郡的李氏家族。㊱ 贼平：指尔朱荣破杀葛荣，河北地区长达数年的变民风潮被平定。㊲ 就拜南赵郡太守：到李元忠家任命李元忠为南赵郡太守。南赵郡的郡治在今河北隆尧，亦即当时的殷州。㊳ 尔朱兆弑敬宗：事在上年之十二月，见本书上卷。㊴ 露车：没有帷盖的车，平常用以载物。㊵ 素筝浊酒：以言其真诚朴实，不讲任何虚套。素筝，未加装饰的筝。㊶ 擘脯：手撕干肉而食。㊷ 本言：原以为。㊸ 招延：招引；招纳。延，引、吸纳。㊹ 国士：一国之中的杰出之士。㊺ 不吐哺辍洗：不赶紧像周公、像刘邦那样出来迎接。相传周公曾一沐三握发、一饭三吐哺地接待来访之士。吐哺，吐出正咀嚼的食物。又，刘邦在打天下时，狂士郦食其前去见刘邦，当时刘邦正在洗脚，很不礼貌。郦食其说了他几句后，刘邦醒悟，迅速向郦食其道歉，延入上座。事见《史记》的《鲁周公世家》《郦生陆贾列传》。㊻ 刺：犹今之名片，请人通报时，起自我介绍之用。㊼ 觞再行：饮过第二遍酒。觞，进酒、劝饮。行，义同“巡”，斟酒一周为一巡。㊽ 歌阕：歌曲唱罢之后。㊾ 富贵皆因彼所致：高欢最初曾投在尔朱荣门下，高欢的晋州刺史是尔朱氏所任命。㊿ 尽节：尽做臣仆的良心与责任。(151) 高乾邕：即高乾，字乾邕。(152) 绐：骗；假说。(153) 从叔辈：我的那些叔叔们，指高乾兄弟。高欢与高乾兄弟同是渤海人，高乾等比高欢大一辈，故高欢称之为从叔。(154) 并解事：都很明白国家大事。(155) 赵郡醉矣：此高欢故意打岔，以掩盖其反尔朱氏之形迹。赵郡，以官衔敬称李元忠。(156) 必为明公主人：一定会好好地接待你这位贵客，以尽其地主之谊。会带着冀州归附于你。(157) 殷州便以赐委：至于殷州，你就交给我就行了。(158) 弭服：顺服。弭，低、顺。(159) 刘诞：此时的相州刺史，胡人。相州的州治邺城，在今河北临漳西南。⑯⓪或当乖拒：有可能对你违抗。⑯①欢至山东：高欢自到这太行山以东之后。此处的“山东”实即河北。⑯②不听：不准；不允许。⑯③高仪同：敬称高欢，高欢当时的荣誉职衔是开府仪同三司。⑯④益归心焉：越发地拥护高欢。胡三省曰：“史言高欢能收众心，以倾尔朱。”⑯⑤有车营租米：正好有一个运送税粮的车队。营，经营、运送。租米，向百姓征来的粮食。〖按〗此句生涩不顺，《北齐书·神武帝纪》作“军营租米”，亦莫知所云。⑯⑥略地：开拓地盘。略，开拓，与“攻”“取”的含义不同。《史记》之《陈涉世家》特别爱用此字。⑯⑦遗以布裙：嫌其兄懦弱，不赞成如此轻而易举地让高欢得势。⑯⑧世子澄：高欢的嫡长子高澄，日后的文襄皇帝，庙号世宗。传见《北齐书》卷三。⑯⑨以子孙礼见之：以晚辈子孙的礼节拜见高敖曹。⑰⓪乃与俱来：一起到冀州来会见高欢。⑰①癸酉：三月初三。⑰②东海王：东海郡王。东海郡的郡治在今江苏邳州东南。⑰③鲁郡王肃：元肃，被封为鲁郡王。⑰④淮阳王欣：元欣，被封为淮阳王。⑰⑤赵郡王谌：元谌，被封为赵郡王。⑰⑥征使入朝：只以勃海王的爵位，而没有任何具体职务地召高欢进京，以见魏主元恭与尔朱氏诸人都对高欢不信任。⑰⑦辞不就征：推辞升赏，不到朝廷来。⑰⑧徙镇大梁：将其徐州都督的军府迁到大梁，即今河南开封。⑰⑨复加兖州刺史：胡三省曰，“大梁，兖州统内，故加兖州”。⑱⓪深自刻厉：严格地要求自己。⑱①留心几案：很注意做好本官职内的工作。几案，放文书的小桌，这里指尚书省的各种文书案卷。⑱②应接：接待。⑱③开敏：思想开明、办事敏捷。⑱④顾惮：顾忌。⑱⑤家居视事：坐在家里处理公务。视事，处理公务。⑱⑥坐符台省：坐在家中给朝廷的各部门发号施令。台省，泛指朝廷的各部门。⑱⑦听事：厅堂，长官办公、理事的正厅。⑱⑧东西别坐：在东西两头一头坐着一个。⑱⑨受纳辞讼：接受各方面的请示报告。⑲⓪称命施行：这两个人听过之后就以尔朱世隆的意思决断实行。⑲①收军士之意：按照下层士官的意愿。⑲②泛加阶级：普遍地提高级别。⑲③员限：名额限制。⑲④大致猥滥：一下子变得杂乱不堪。致，使、造成。⑲⑤人不复贵：没有人再看重它们。⑲⑥专制关右：独揽关西的一切军政大权。关右，关西、函谷关以西。⑲⑦奄有并汾：广泛地占有并、汾二州。奄，覆盖、占有。⑲⑧擅命：独断；一个人说了算。⑲⑨居中用事：在朝廷控制政权。⑳⓪竞为贪暴：一个比一个地贪婪横暴。⑳①籍没：全部没收。⑳②入私家：归尔朱仲远一人之家。⑳③不送洛阳：不向朝廷上交任何东西。⑳④己丑：三月十九。⑳⑤叱列延庆：姓叱列，名延庆，尔朱荣旧部。传见《魏书》卷八十。⑳⑥固城：胡三省曰：“当在中山城东北，安国城西南。”〖按〗当时刘灵助占据安国城，在今河北安国西南侧。⑳⑦西入：西进入山。⑳⑧恃其符厌：靠着符咒以保命胜敌。厌，意思同“压”，靠鬼神的作用压倒邪魔。⑳⑨勠力致死：努力杀敌，不怕牺牲。㉑⓪出营城外：扎营在安国城的城外。㉑①往则成擒：去了就能不费劲地把他捉来。成擒，现成的俘虏。㉑②丙申：三月二十六。㉑③灵助垒：刘灵助的大营。㉑④果以是月之末：刘灵助原说尔朱氏三月当灭，结果是他自己被尔朱氏灭了，只是人头进了定州，这是一个极大的嘲笑。㉑⑤四月乙巳：四月初六。㉑⑥昭明太子统：萧统，梁武帝萧衍的太子，未即位而死，生前爱好文学，编有《昭明文选》，是流传在世的最早的古代诗文选集。萧统事迹见《梁书》卷八。㉑⑦自加元服：自从行加冠礼，进入成年以来。元服，即帽子。元，头。萧统加元服在梁武帝天监十四年（公元五一五年）。㉑⑧省录：观察、总领。㉑⑨进事：禀告与请求批示。㉒⓪填委：堆积。委，聚积。㉒①辩析诈谬：分辨群臣上报材料中弄虚作假的东西。辩，通“辨”，区分。㉒②但：只；只是要求。㉒③不加按劾：不追究、追查他们的责任。按劾，追查、弹劾。㉒④平断法狱：甄别、平反刑事案件。㉒⑤全宥：保全、赦免。㉒⑥属文：写文章。属，连、连缀。㉒⑦引接：迎接；接待。㉒⑧出宫：指离开父母居住的宫廷，独立地到东宫（太子宫）居住。㉒⑨不畜声乐：不养歌儿舞女。声乐，美声美色之人与歌舞乐队。㉓⓪霖雨：连雨；久雨。㉓①周行：周回地巡行。㉓②燕居：平常安闲无事的时候。燕，同“晏”，安闲。㉓③西向：面朝西而坐，面对父母所在的皇宫。以见其对父母的依恋、思念之情。㉓④宿被召当入：头天晚上得通知，让第二天一早进宫见皇帝。宿，头天晚上。胡三省曰：“隔夜为宿。”㉓⑤危坐达旦：早早地起床穿好衣服，正襟端坐地静等天亮。危坐，长跪，这里指端坐。㉓⑥寝疾：卧病在床。㉓⑦恐贻帝忧：怕引起父亲为自己健康的担心忧虑。贻，带来、造成。㉓⑧敕参问：当皇帝有话询问病情的时候。敕，皇帝的传话、命令。㉓⑨自力手书：强打精神，自己亲笔写信报告病情，以做出一副不甚严重的样子。㉔⓪惋愕：惋惜、惊讶。㉔①癸丑：四月十四。㉔②肆州：魏州名，州治在今山西忻州西北，原平南。㉔③夏州：州治统万，在今陕西榆林市横山区西。㉔④宿勤明达：原是变民头领胡琛的部将，胡琛被杀后，宿勤明达率部自立。尔朱天光克平凉后，一度投降尔朱天光，后又叛变自立，此时在东夏州（州治在今陕西延安东北）一带。㉔⑤癸亥：四月二十四。㉔⑥擒明达：胡三省曰，“尔朱天光既擒万俟丑奴，又擒宿勤明达，河、陇平矣，不知乃为宇文泰之资也”。㉔⑦丙寅：四月二十七。㉔⑧不得复称伪梁：不要再称梁朝曰“伪梁”。胡三省曰：“魏不竞于梁故也。”㉔⑨五月丙子：五月初七。㉕⓪赵修延：原是魏国的南阳太守，魏敬宗被杀后，赵修延诬蔑其荆州刺史李琰之意图谋反，而发兵袭州城，执琰之，自行州事。事见本书上卷。㉕①求墓地之吉者：给其母找了一块风水好的墓地，进行了安葬。此梁武帝普通七年事也。㉕②或：后来有人。㉕③宦者俞三副：昭明太子身边的宦者姓俞，名三副。㉕④密启上：偷偷地向梁武帝报告说。㉕⑤太子所得地：指昭明太子为葬其母所找好之地。㉕⑥今地：行贿者所求卖之地。㉕⑦于上为吉：对于皇帝您更有利。㉕⑧市之：把这个地块买了下来。㉕⑨葬毕：将太子母安葬之后。㉖⓪不利长子：不利于昭明太子的长子。㉖①厌之：用骗子们所讲的办法将不利因素加以控制。㉖②申延：让该产生的灾祸向后延展。申，延、移后。㉖③蜡鹅及诸物：此即骗子们所讲的可用以控制灾祸、使其延后的手段。㉖④长子位：日后为其长子做墓的地方。㉖⑤宫监：太子属下官名。胡三省曰：“东宫有外监殿局、内监殿局。宫监者，即唐内直局之职也。”㉖⑥见疏于雅：被魏雅所疏远。㉖⑦厌祷：为某种目的进行巫术活动。㉖⑧检掘：搜查、挖掘。㉖⑨穷其事：将其事追查到底。㉗⓪徐勉固谏而止：此谏表面看是为了维护太子萧统，实际上并没有给太子洗白冤屈，遂致太子终身不能自明，以忧死；太子的长子也因此不受信任。徐勉的作用固如何哉？㉗①华容公欢：萧欢，萧统之子，被封华容县公。传见《南史》卷五十三。㉗②衔其前事：由于还忘不了其父厌祷的问题而生恨。衔，记恨、由于忘不了某事而怀恨。㉗③庚寅：五月二十一。㉗④遣还镇：打发萧欢回了徐州刺史的任所。也就是说因为萧衍记恨萧统的厌祷，遂把一桩差点立萧欢为未来皇帝的美事搞砸了。㉗⑤不可少顷离：片刻不能离。㉗⑥不可跬步失：半步不能错。㉗⑦一染嫌疑之迹：一旦遭遇让人生疑，而自己又无法说明的事。㉗⑧罪及后昆：牵连着后代都跟着倒霉。㉗⑨不可湔涤：没法洗刷。㉘⓪诡诞之士：搞邪门歪道的人。㉘①奇邪之术：不合正道的法术。㉘②丙申：五月二十七。㉘③母弟：即胞弟，一母所生的弟弟，以区别其他同父异母的兄弟而言。㉘④晋安王纲：晋安郡王萧纲，萧衍的第三子，即日后梁朝的简文帝。传见《梁书》卷四。萧纲与萧统都是丁贵嫔所生。晋安郡的郡治即今福州。㉘⑤以为不顺：不合顺序，按顺序应立萧统之嫡子萧欢，也就是皇太孙为接班人。㉘⑥司议侍郎周弘正：周弘正是当时的著名学者周颙之侄，既是著名的学者，又为人正直，曾任国子博士。传见《南史》卷三十四。胡三省认为，此时周弘正乃任司文义郎，是一个研究学问的官，不是朝堂上的言官，因此“司议侍郎”应作“司义侍郎”。录以备考。㉘⑦晋安王主簿：晋安王萧纲的僚属。主簿是掌管文书簿籍的官员。㉘⑧奏记：给晋安王萧纲上书。奏，进献。记，文体名，一种论述事物的书信。㉘⑨谦让道废：为人谦让的美德已经被人们抛在脑后。㉙⓪多历年所：已经多年没有人讲究了。㉙①伏惟：在我看来；依我的想法。伏，谦辞。㉙②明大王殿下：英明的大王殿下您。敬指萧纲。㉙③天挺将圣：您是上天派下来的大圣人。挺，生、派下。将圣，大圣。《论语》称孔子是“天纵之将圣”。朱熹注：将，殆也。谦若不敢知之辞。或曰：将，大也。㉙④四海归仁：天下都称道您是仁者。㉙⑤储副：皇太子；帝位的继承人。㉙⑥意者：我心想；我琢磨。㉙⑦愿闻殿下：很希望听到您……。㉙⑧抗目夷上仁之义：表现出像目夷那样高级仁者的行为。抗，突出地表现。目夷，春秋时宋桓公的长子，完全有资格继其父当宋国的国君，但他觉得自己不是正夫人所生，于礼欠妥，于是断然地让给了嫡子兹父，即历史上的宋襄公。事见《左传》僖公八年与《史记·宋世家》。㉙⑨执子臧大贤之节：坚持伟大贤者子臧那样的气节。执，坚持。子臧，曹宣公的公子，曹宣公死后，公子负刍以不正当手段夺得了君位，国人反对负刍，拥立子臧，子臧不愿跟着搅浑水，坚决退避不出。事见《左传》成公十三年。历史上把目夷与子臧都称作坚持道义、不贪权位的人。㉚⓪逃王舆而弗乘：逃避王者的车子而不乘坐，不愿居帝王之位。相传越国人为争夺王位已经多次相互仇杀，当国人强迫越王的儿子子搜登上国王的车子时，子搜仰天而呼说：“你们难道就不能饶了我吗?”事见《庄子·让王》。王舆，王者所乘的车驾。㉚①弃万乘如脱屣：语出《孟子·尽心上》：“舜视弃天下，犹弃敝屣也。”敝屣，破鞋子。㉚②庶改浇竞之俗：或者也许能通过您的行动使长期以来形成的这种浮薄躁进之风有所改变。浇，浇薄、浅薄。竞，奔逐、不顾一切地向上爬。㉚③大吴国之风：发扬、光大当年吴太伯让国那样的风气。相传周太王看中了其孙子姬昌的德能，打算把周国的政权传给他。但姬昌的父亲在太王的儿子中排行第三，一时轮不到他。这时太王的大儿子太伯为成全父亲的意志，就拉着其二弟一齐逃到了吴国，另立门户地创业称王，而把周太王的继承权留给了姬昌的父亲，这样就使姬昌的父亲先继位为王，而后就顺利地传给了周文王。于是周太伯作为一个让国者的形象，受到了后世的崇敬。事见《史记·吴太伯世家》。㉞ 无为之化：指不争不抢的谦让之风影响整个社会的古代传说。㉟ 复生于遂古：在古代传说的唯一之后又出现了第二个。遂古，往古。㊱ 不坠于来叶：后代还有人像古人那样继续行谦让之道。㊲ 盛：盛大；宏伟。㊳ 舍之兄子：据《南史·周朗传》，此处似应作"舍之弟子"。也就是说周弘正是周舍之侄。周舍在梁朝初期曾任尚书吏部郎，又与徐勉共参朝政。事见《南史》卷三十四。㊴ 东海徐摛：东海是魏郡名，郡治即今江苏涟水县。徐摛是著名文学家徐陵之父，宫体诗的开创者，在萧纲为太子前，徐摛即为萧纲的僚属，萧纲为太子后，徐摛任太子家令。传见《梁书》卷三十。㊵ 家令：即太子家令，为太子府管理家事的官员。㊶ 管记：职同记室，太子的书记官，主管起草文件。㊷ 带领直：兼统东宫的警卫军队。带，兼管。领直，统领值勤的侍卫人员。㊸ 春坊：即太子宫。古代以"东"配春，故称太子宫曰"春坊"。㊹ 宫体：即文学史上所说的"宫体诗"，讲究辞藻美丽、声韵和谐，对偶用典，以描写贵族生活为事。㊺ 诮责：训斥、责备。㊻ 释然：消除了怒气、疑虑的样子。㊼ 释教：佛教。㊽ 商较从横：侃侃说来，头头是道。商较，商量考校，以言其涉及方面之广，所表现的见解之深。从横，同"纵横"，无所不知、

【原文】

六月癸丑㉘，立华容公欢为豫章王㉙，其弟枝江公誉㉚为河东王㉛，曲阿公詧㉜为岳阳王㉝。上以人言不息，故封欢兄弟以大郡，用慰其心。久之，鲍邈之坐诱掠[7]人，罪不至死，太子纲追思昭明之冤，挥泪诛之。

魏高欢将起兵讨尔朱氏，镇南大将军斛律金㉞、军主善无库狄干㉟与欢妻弟娄昭㊱、妻之姊夫段荣㊲皆劝成之。欢乃诈为书，称尔朱兆将以六镇人㊳配契胡为部曲㊴，众皆忧惧。又为并州符㊵，征兵讨步

头头是道的样子。⑲ 应对如响：回答问题，皆顺口而出，如同响之应声，不带迟疑、不须思忖。⑳ 领军朱异：领军是领军将军的简称，领军将军统领京城的一切驻军，位在所有将军之上。朱异是梁朝的才学之臣，曾任太学博士，后任散骑常侍，周舍死后，代掌机谋，览事下议，不暂停笔，顷刻便了。传见《梁书》卷三十八。㉑ 出入两宫：受到皇帝与皇太子两方面的宠信。㉒ 渐来见逼：渐渐地威胁到了我的头上。意思是权宠就要被他夺去。㉓ 早为之所：尽快地给他另找个工作岗位。㉔ 泉石：指山水，闲散生活，隐士生活。㉕ 意在一郡自养：想要当个太守去颐养天年。㉖ 谓：以为。㉗ 新安：梁郡名，郡治在今浙江淳安西，即有名的富春江流域。

【校记】

［1］致：原作"至"。胡三省注云："'至'当作'致'。"据章钰校，孔天胤本作"致"，张敦仁《通鉴刊本识误》同，今据改。［2］契：原作"券"。据章钰校，甲十一行本、乙十一行本、孔天胤本皆作"契"，今据校正。［3］兵：据章钰校，甲十一行本、乙十一行本、孔天胤本皆无此字。［4］道：据章钰校，甲十一行本、乙十一行本、孔天胤本皆作"满"。［5］王舆：原作"玉舆"。胡三省注引《庄子·让王》以为"玉舆"当作"王舆"，张敦仁《通鉴刊本识误》同，今据改。［6］遂：据章钰校，孔天胤本作"邃"，张敦仁《通鉴刊本识误》同。

【语译】

六月十五日癸丑，梁武帝萧衍封华容公萧欢为豫章王，封萧欢的弟弟枝江公萧誉为河东王，封曲阿公萧詧为岳阳王。梁武帝因为人们还在为立萧纲为太子的事议论纷纷，所以就把大郡分封给萧欢兄弟，以安抚他们。过了很久之后，宫监鲍邈之因为引诱、掠夺而犯法，按照法律虽然不至于被判处死刑，但皇太子萧纲追念自己的哥哥昭明太子所受的冤屈都是因为鲍邈之向皇帝打小报告造成的，于是就抹着眼泪把鲍邈之杀死了。

魏国高欢准备起兵讨伐尔朱氏，担任镇南大将军的斛律金、高欢的妹夫担任一支军队头领的善无县人库狄干与高欢的小舅子娄昭、妻子的姐夫段荣都鼓励高欢去完成这件大事。高欢于是伪造了一封书信，说尔朱兆将要把魏国北部边境地区的怀朔镇、武川镇、抚冥镇、柔玄镇、怀荒镇、沃野镇六个军镇的百姓分配到尔朱氏所属的契胡人属下去做奴隶，北方六镇的人都很忧愁恐惧。高欢又假称奉了并州刺史尔朱兆的命令，从北方六镇征兵去讨伐与尔朱氏作对的步落稽人，他征集到了一万

落稽[341]，发万人，将遣之。孙腾与都督尉景为请留五日，如此者再[342]，欢亲送之郊，雪涕执别[343]，众皆号恸，声震原[8]野。欢乃谕之[344]曰："与尔俱为失乡客[345]，义同一家，不意在上[346]征发乃尔[347]！今直西向[348]，已当死[349]；后军期[350]，又当死；配国人[351]，又当死[352]，奈何[353]？"众曰："唯有反耳!"欢曰："反乃急计，然当推一人为主，谁可者?"众共推欢，欢曰："尔乡里难制[354]，不见葛荣乎[355]？虽有百万之众，曾无法度，终自败灭。今以吾为主，当与前异，毋得陵汉人[356]，犯军令，生死任吾则可；不然，不能为天下笑[357]。"众皆顿颡[358]曰："死生唯命[359]！"欢乃椎牛[360]飨士，庚申[361]，起兵于信都，亦未敢显言[362]叛尔朱氏也。

会李元忠举兵逼殷州，欢令高乾帅众救之[363]。乾轻骑入见刺史[9]尔朱羽生，与指画[364]军计，羽生与乾俱出[365]，因擒斩之，持羽生首谒欢。欢抚膺[366]曰："今日反决矣[367]！"乃以元忠为殷州刺史，镇广阿[368]。欢于是抗表[369]罪状尔朱氏[370]，尔朱世隆匿之不通[371]。

魏杨播及弟椿、津[372]皆有名德。播刚毅，椿、津谦恭，家世孝友，缌服同爨[373]，男女百口，人无间言[374]。椿、津皆至三公[375]，一门七郡太守，三十二州刺史。敬宗之诛尔朱荣[376]也，播子侃[377]预其谋；城阳王徽[378]、李彧[379]，皆其姻戚也。尔朱兆入洛，侃逃归华阴[380]，尔朱天光使侃妇父韦义远招之，与盟，许贳其罪[381]。侃曰："彼虽食言，死者不过一人，犹冀全百口。"乃出应之，天光杀之。时椿致仕[382]，与其子

人，即将派他们出发。孙腾与担任都督的尉景为这些准备出征的人向高欢请求多留五天，如此一连请留了好几回，出发的时候高欢亲自把这些人送到郊外，这才擦去眼泪，与他们握手告别，出征的众人全都号啕痛哭，哭声震动了原野。高欢趁机又劝慰他们说："我和你们都是背井离乡的漂泊之人，在这个意义上说我们都是一家人，没想到在上位的人征调百姓当兵竟然到了如此的程度！如果我们按照上头的命令到西边去与步落稽人作战，将死于战场；路上迟到，没按规定时间到达，又会被处死；即使能够顺利到达那里，把你们编入契胡人的名下，受契胡人的欺压虐待，还是免不了一死，我们应该怎么办？"众人异口同声地说："只有造反了！"高欢说："造反是应急的对策，然而应当推举出一个人来充当首领，谁可以担当此任呢？"众人共同推举高欢，高欢说："你们这些老乡们很难管理，你们没看见葛荣是怎么失败而死的吗？葛荣虽然拥有百万之众，竟然没有法律进行约束，终于自行败亡了。现在推举我为首领，就应该与以前不同，今后不许你们欺凌汉族人，如果有人违犯军令，生死任凭我处置才行；否则的话，组织军队，没有章法而招致失败，令我遭到天下人的耻笑，这种事我是不干的。"大家全都磕头触地说："是死是活，我们都听你的！"高欢于是宰牛犒赏将士，六月二十二日庚申，高欢在信都起兵，也没敢公开宣布背叛尔朱氏。

正遇到曾经担任南赵郡太守的李元忠起兵逼近殷州，高欢遂令高乾以救援的名义率军赶往殷州。高乾轻骑进入殷州城会见殷州刺史尔朱羽生，与尔朱羽生一同商议、谋划军事行动计划，而后将尔朱羽生骗出殷州城外，趁机将尔朱羽生擒获、斩首，高乾带着尔朱羽生的人头来见高欢。高欢用手拍着自己的胸脯说："今天我算是下定决心要造反啦！"于是任命李元忠为殷州刺史，率军驻守广阿。高欢随后公开上表列数尔朱氏的罪状，在朝中担任尚书令的尔朱世隆封锁了这一消息，没有向节闵帝元恭奏报此事。

魏国的杨播和他的弟弟杨椿、杨津兄弟三人都很有名望，都是德高望重之人。杨播意志坚强，杨椿、杨津谦虚恭谨，家中历代都孝敬父母、友爱兄弟，五服以内的家人都在一个锅里吃饭，一家男男女女有一百口人，没有人能说他们家族关系的坏话。杨椿、杨津全都位至三公，一门之内曾经出了七位郡太守，三十二位州刺史。在魏敬宗元子攸诛杀尔朱荣的时候，杨播的儿子杨侃参与了敬宗皇帝的密谋；城阳王元徽、魏敬宗的姐夫李彧，都和杨播是儿女亲家。在尔朱兆率军进入洛阳的时候，杨侃逃回了华阴县，大将军、雍州刺史尔朱天光让杨侃的岳父韦义远将杨侃招来，尔朱天光与韦义远盟誓，许诺一定会宽恕杨侃参与杀害尔朱荣的罪过。杨侃对自己的家人说："即使他违背誓言将我杀死，死的不过是我一个人，还是希望能因此而保全我们一家这一百口人的性命。"于是杨侃出来应招，尔朱天光果然违背诺言杀死了杨侃。当时杨椿已经辞官回家养老，与自己的儿子杨昱住在华阴县，

昱[383]在华阴，椿弟冀州刺史顺、司空津、顺子东雍州刺史辨、正平太守仲宣皆在洛。秋，七月，尔朱世隆诬奏杨氏谋反，请收治之，魏主不许。世隆苦请，帝不得已，命有司检按以闻[384]。壬申[385]夜，世隆遣兵围津第，天光亦遣兵掩[386]椿家于华阴，东西之族无少长皆杀之[387]，籍没其家[388]。世隆奏云："杨氏实反，与收兵[389]相拒，已皆格杀[390]。"帝惋怅久之，不言而已，朝野闻之，无不痛愤。津子逸为光州刺史，尔朱仲远遣使就杀之。唯津子愔[391]于被收时适出在外，逃匿获免，往见高欢于信都，泣诉家祸，因为言讨尔朱氏之策，欢甚重之，即署行台郎中。

乙亥[392]，上临轩策拜太子，大赦。

丙戌[393]，魏司徒尔朱彦伯以旱逊位。戊子[394]，以彦伯为侍中、开府仪同三司。彦伯于兄弟中差无过恶[395]。尔朱世隆固让太保，魏主特置仪同三师[10]之官[396]，位次上公之下[397]。庚寅[398]，以世隆为之。斛斯椿谮朱瑞于世隆[399]，世隆杀之。

庚寅[400]，诏："凡宗戚有服属[401]者，并可赐汤沐[402]，食乡亭侯[403]，随远近为差。"

壬辰[404]，以吏部尚书何敬容[405]为尚书右仆射。敬容，昌寓[406]之子也。

魏尔朱仲远、度律[407]等闻高欢起兵，恃其强，不以为虑，独尔朱世隆忧之。尔朱兆将步骑二万出井陉[408]，趣殷州，李元忠弃城奔信都。八月丙午[409]，尔朱仲远、度律将兵讨高欢。九月己卯[410]，魏以仲远为太宰。庚辰[411]，以尔朱天光为大司马。

癸巳[412]，魏主追尊父广陵惠王[413]为先帝，母王氏为先太妃，封弟永业为高密王，子恕[414]为勃海王。

杨椿的弟弟担任冀州刺史的杨顺、担任司空的杨津、杨顺的儿子担任东雍州刺史的杨辨、担任正平太守的杨仲宣都在洛阳。秋季，七月，尔朱世隆上书给节闵帝，诬陷杨氏谋反，请求逮捕杨氏审问治罪，魏节闵帝没有批准。尔朱世隆苦苦请求，节闵帝元恭迫不得已，只好命令有关部门的官员先进行审查，而后向朝廷报告。初四日壬申的夜里，尔朱世隆派军队包围了司空杨津的府第，尔朱天光也派军队突然包围了杨椿在华阴县的老家，居住在西部华阴与居住在东部洛阳的杨氏家族不论男女老幼全部被屠杀了，其家产全部被登记没收充公。尔朱世隆上书给节闵帝说："杨氏确实谋反，他们与前往执行逮捕命令的士兵相对抗，已经全部被格杀。"节闵帝为杨氏一门的被杀惋惜、惆怅了很久，只是没有说出来而已，不论是在朝的文武官员还是民间的普通百姓听到杨氏家族被尔朱氏屠灭的消息，无不为杨氏家族感到愤愤不平而痛恨尔朱氏的残暴。杨津的儿子杨逸担任光州刺史，尔朱仲远派使者前往光州杀死了杨逸。只有杨津的儿子杨愔在杨家遭到逮捕的时候恰好外出，他趁机逃跑藏匿起来才幸免被尔朱氏杀死，他前往信都拜见高欢，向高欢哭诉自己家族遭受的灭门之祸，趁机向高欢献上讨伐尔朱氏的计策，高欢非常器重杨愔，立即任命杨愔为行台郎中。

七月初七日乙亥，梁武帝来到殿堂前的平台上册封萧纲为皇太子，宣布大赦令。

十八日丙戌，魏国担任司徒的尔朱彦伯因为天下大旱而辞去司徒的职务。二十日戊子，节闵帝任命尔朱彦伯为侍中、开府仪同三司。尔朱彦伯和他的兄弟们比起来基本上没有什么大的过错。尔朱世隆坚持辞让太保一职，节闵帝特地设置了仪同三师之职，地位仅在太尉、司徒、司空三公以下。二十二日庚寅，节闵帝任命尔朱世隆为仪同三师。斛斯椿在尔朱世隆面前说担任侍中的朱瑞的坏话，尔朱世隆遂杀死了朱瑞。

七月二十二日庚寅，梁武帝下诏说："凡是血缘关系在五服之内的同族人，妇女赐汤沐邑，男子食乡亭侯，按照血缘关系的远近区别对待。"

二十四日壬辰，梁武帝任命担任吏部尚书的何敬容为尚书右仆射。何敬容，是何昌寓的儿子。

魏国的尔朱仲远、尔朱度律等人听到高欢起兵造反的消息，依仗自己的势力强大，并没有把这件事放在心上，只有尔朱世隆对此事感到很忧虑。尔朱兆率领二万步兵、骑兵从井陉出发，赶往殷州，李元忠放弃殷州城逃往信都。八月初九日丙午，尔朱仲远、尔朱度律率军前往信都讨伐高欢。九月十二日己卯，魏节闵帝任命尔朱仲远为太宰。十三日庚辰，任命尔朱天光为大司马。

九月二十六日癸巳，魏节闵帝追尊自己的生父广陵惠王元羽为先帝，追尊自己的生母王氏为先太妃，封自己的弟弟元永业为高密王，封自己的儿子元恕为勃海王。

冬，十月己酉[415]，上幸同泰寺[416]，升法坐[417]，讲《涅槃经》[418]，七日而罢。

乐山侯正则[419]，先有罪徙郁林[420]，招诱亡命，欲攻番禺[421]，广州刺史元仲景[422]讨斩之。正则，正德之弟也。

孙腾说高欢曰："今朝廷隔绝，号令无所禀[423]，不权有所立[424]，则众将沮散[425]。"欢疑之，腾再三固请，乃立勃海太守元朗[426]为帝。朗，融之子也。壬寅[427]，朗即位于信都城西，改元中兴。以欢为侍中、丞相、都督中外诸军事、大将军、录尚书事、大行台；高乾为侍中、司空；高敖曹为骠骑大将军、仪同三司、冀州刺史；孙腾为尚书左仆射、河北行台；魏兰根为右仆射。

己酉[428]，尔朱仲远、度律与骠骑大将军斛斯椿、车骑大将军·仪同三司贺拔胜、车骑大将军贾显智[429]军于阳平[430]。显智名智，以字行，显度之弟也。尔朱兆出井陉，军于广阿，众号十万。高欢纵反间，云"世隆兄弟谋杀兆"，复云"兆与欢同谋杀仲远等"，由是迭相猜贰[431]，徘徊不进。仲远等屡使斛斯椿、贺拔胜往谕兆，兆帅轻骑三百来就仲远，同坐幕下，意色不平[432]，手舞马鞭，长啸[433]凝望[434]，疑仲远等有变，遂趋出[435]，驰还。仲远遣椿、胜等追，晓说之，兆执椿、胜还营，仲远、度律大惧，引兵南遁。兆数胜罪，将斩之，曰："尔杀卫可孤[436]，罪一也。天柱薨，尔不与世隆等俱来[437]，而东征仲远，罪二也。我欲杀尔久矣，今复何言？"胜曰："可孤为国巨患，胜父子诛之，其功不小，反以为罪乎？天柱被戮，以君诛臣，胜宁负王，不负朝廷。今日之事，生死在王。但寇贼密迩[438]，骨肉构隙[439]，自古及今，未有如是而不亡者。胜不惮死，恐王失策。"兆乃舍之。

冬季，十月十三日己酉，梁武帝前往同泰寺，登上和尚讲经的讲坛，为广大僧众讲解《涅槃经》，一连讲了七天才结束。

梁朝的乐山县侯萧正则，先前因为奴役百姓、私铸钱币、窝藏匪盗等罪被流放到郁林郡，他在郁林郡招集、引诱那些亡命之徒，准备进攻番禺，担任广州刺史的元仲景率军前往郁林进行讨伐，杀死了萧正则。萧正则，是萧正德的弟弟。

行台孙腾对高欢说："如今我们已经与朝廷隔绝，目前没有一个能让我们信赖、能向之请示的人，如果我们不临时拥立一个有号召力的人出来，众人都将瓦解四散。"高欢对孙腾的说法有些怀疑，孙腾却一而再再而三地坚持请求，高欢遂拥立担任勃海太守的元朗为皇帝。元朗，是元融的儿子。十月初六日壬寅，元朗在信都城西即皇帝位，改年号为中兴元年。元朗任命高欢为侍中、丞相、都督中外诸军事、大将军、录尚书事、大行台；任命高乾为侍中、司空；任命高敖曹为骠骑大将军、开府仪同三司、冀州刺史；任命孙腾为尚书左仆射、河北行台；任命魏兰根为尚书右仆射。

十月十三日己酉，尔朱仲远，尔朱度律，担任骠骑大将军的斛斯椿，担任车骑大将军、仪同三司的贺拔胜，担任车骑大将军的贾显智驻军于阳平县。贾显智名叫贾智，字显智，人们都习惯称呼他的字，是贾显度的弟弟。尔朱兆从井陉出发，率军驻扎在广阿，号称十万大军。高欢运用反间计，四处散布说"尔朱世隆与他的哥哥尔朱彦伯、尔朱仲远兄弟三人准备谋杀尔朱兆"，又说"尔朱兆与高欢共同谋划杀害尔朱仲远等"，因此尔朱氏诸人之间互相猜忌、各怀二心，在驻扎地徘徊不前。尔朱仲远等人多次派遣斛斯椿、贺拔胜前去向尔朱兆进行解释、劝说，尔朱兆于是率领着三百名轻骑兵来到尔朱仲远的大营，与尔朱仲远一同坐在大帐中，尔朱兆对尔朱仲远满脸的不信任，他手里不停地舞动着马鞭，嘴里打着口哨，眼睛凝视着远方，他怀疑尔朱仲远等会对自己发动袭击，因此就快步走出尔朱仲远的大帐，策马跑回自己的驻地。尔朱仲远派斛斯椿、贺拔胜等人追赶尔朱兆，准备向他说明情况，尔朱兆借机捉住了斛斯椿、贺拔胜，把他们带回自己的营帐，尔朱仲远、尔朱度律大为恐惧，立即率领自己的部下向南逃走。尔朱兆一条一条地列数贺拔胜的罪过，准备杀死贺拔胜，他对贺拔胜说："你杀死卫可孤，这是你的第一条罪状。天柱大将军被元子攸杀死后，你不与尔朱世隆等人一同北撤，却归顺了元子攸的朝廷一方，随朝廷军东讨尔朱仲远，这是你的第二条罪状。我早就想把你杀掉，你现在还有什么话可说？"贺拔胜说："卫可孤是国家的心腹大患，我父子将他杀死，功劳不小，你反倒把它当成了我们的罪过吗？天柱大将军被杀，是国君诛杀臣子，我宁可辜负太原王尔朱荣，也不能辜负朝廷。今天的事情，是生是死都取决于大王你。但是寇贼就在身边，你们兄弟、叔侄骨肉之间互相猜疑内斗，从古到今，出现这种情况没有不灭亡的。我贺拔胜并不怕死，所怕的是大王打错了主意。"尔朱兆遂放了他。

高欢将与兆战，而畏其众强，以问亲信都督[440]段韶[441]，韶曰："所谓众者，得众人之死；所谓强者，得天下之心。尔朱氏上弑天子，中屠公卿，下暴百姓，王以顺讨逆，如汤沃雪[442]，何众强之有！"欢曰："虽然，吾以小敌大，恐无天命不能济也。"韶曰："韶闻'小能敌大，小道大淫[443]。''皇天无亲，惟德是辅[444]。'尔朱氏外乱天下，内失英雄心，智者不为谋，勇者不为斗，人心已去，天意安有不从者哉！"韶，荣之子也。辛亥[445]，欢大破兆于广阿，俘其甲卒五千余人。

十一月乙未[446]，上幸同泰寺，讲《般若经》[447]，七日而罢。

庚辰[448]，魏高欢引兵攻邺，相州刺史刘诞婴城固守。

是岁，魏南兖州[449]城民王乞得劫刺史刘世明，举州来降[450]。世明，芳[451]之族子也。上[452]以侍中元树[453]为镇北将军、都督北讨诸军事，镇谯城[454]。以世明为征西大将军、郢州刺史，加仪同三司。世明不受，固请北归，上许之。世明至洛阳，奉送所持节[455]，归乡里，不仕而卒[456]。

【段旨】

以上为第二段，写梁武帝萧衍中大通三年（公元五三一年）后七个月的大事。主要写了新军阀高欢挑拨、煽动六镇军民反对尔朱氏，巧妙地将六镇之人变成了自己的强大武装。写了高欢的亲信高乾助李元忠袭杀殷州刺史尔朱羽生，殷、冀二州势合，高欢正式造反，抗表声讨尔朱氏罪恶。写了魏国杨氏名臣杨播、杨椿、杨津等整个家族被尔朱氏所灭，仅杨津之子杨愔获存，往投高欢，欢甚重之。写了尔朱兆、尔朱仲远、尔朱度律等起兵讨高欢，高欢又进一步挑拨尔朱兆与尔朱世隆的矛盾，两派遂成水火。写了高欢亲信段荣之子段韶为高欢分析形势，佐高欢大破尔朱兆于广阿。此外还写了萧衍为平复众人的不满情绪而封萧欢兄弟为王等。

高欢准备与尔朱兆交战，却又畏惧尔朱兆兵多势强，就去征询担任亲信都督的段韶，段韶说："所说的众多，指的是能够得到众人的拼死效力；所说的势强，是指得到天下人的衷心拥护。尔朱氏对上弑杀了天子，当中屠杀了满朝的公卿大臣，对下虐待百姓，大王是以顺讨逆，消灭他们就像用开水浇灌积雪一样容易，尔朱氏有什么众多势强可言呢！"高欢说："虽然如此，我是以弱小对抗强大，恐怕没有上天的保佑是不能获得成功的。"段韶说："我听说古人说过'小国之所以能够抵抗大国，是因为小国有道，大国邪恶。''皇天不偏向谁，只帮助有德之人。'尔朱氏对外扰乱天下，对内失掉了英雄人物的拥护，有智慧的人不为他们出谋划策，勇敢的人不为他们奋力冲杀，他们已经失去了民心，天意岂有不顺从民心的道理呢！"段韶，是段荣的儿子。十月十五日辛亥，高欢在广阿把尔朱兆打得大败，俘虏了尔朱兆五千多名披甲执械的士兵。

十一月二十九日乙未，梁武帝前往同泰寺，为僧众讲解《般若经》，一连讲了七天才结束。

十四日庚辰，魏国的高欢率军攻打邺城，担任相州刺史的刘诞在邺城四周布防坚守。

这一年，魏国南兖州城内的百姓王乞得劫持了刺史刘世明，献出南兖州向梁国投降。刘世明，是刘芳的族侄。梁武帝任命担任侍中的元树为镇北将军、都督北讨诸军事，驻守谯城。任命刘世明为征西大将军、郢州刺史，加授开府仪同三司。刘世明没有接受梁武帝的这一任命，坚决要求返回魏国，梁武帝同意了他的请求。刘世明返回洛阳之后，就将自己任南兖州刺史时魏国朝廷所赐的旌节归还给朝廷，然后回到自己的家乡，再也没有出来做官，最后在家中去世。

【注释】

㉘ 六月癸丑：六月十五。㉙ 豫章王：豫章郡王，豫章郡的郡治即今江西南昌。㉚ 枝江公誉：萧誉，太子萧统之次子，被封为枝江县公。传见《梁书》卷五十五。㉛ 河东王：河东郡王。梁国的河东郡郡治不详。㉜ 曲阿公詧：萧詧，太子萧统之第三子，被封为曲阿县公。后一度自称后梁皇帝。传见《北史》卷九十三。㉝ 岳阳王：岳阳郡王。岳阳郡郡治即今湖南岳阳。㉞ 斛律金：高车（也称敕勒）人，最初为破六韩拔陵部下，后改投尔朱荣，破葛荣、元颢皆有功；尔朱氏灭，又投归高欢，成为北齐政权的功臣。传见《北齐书》卷十七。㉟ 善无库狄干：善无，魏郡名，郡治在今山西左云西。库狄干，高欢的妹夫，被封为章武郡王。传见《北齐书》卷十五。㊱ 娄昭：平城人，高欢的妻弟，以平尔朱氏之功封濮阳郡公；高欢称帝后，封之为太原王。传见《北齐书》卷十五。㊲ 段荣：

高欢的姐夫，也是高欢的开国元勋，有勇有谋。传见《北齐书》卷十六。㉝⑧六镇人：魏国北部边境地区的六个军镇所属的百姓。镇是军政合一的机构，由镇将任其首领。此六镇是怀朔镇、武川镇、抚冥镇、柔玄镇、怀荒镇、沃野镇。㉝⑨配契胡为部曲：分配到每个契胡的部下做奴隶。契胡，尔朱氏所属的少数民族，这里即指尔朱氏一群。部曲，部下的士兵与农户，都有人格依附，类似奴隶的性质。㉞⓪为并州符：假称是并州发出的命令。尔朱兆当时任并州刺史，此即挑动并州百姓痛恨尔朱氏。㉞①步落稽：也称稽胡，当时与尔朱氏作对的一个少数民族名。㉞②如此者再：一连请留了好几回。胡三省曰："孙腾、尉景既为镇人请留，必又因其愿留之情扇动之于下，此当以意会也。"㉞③雪涕执别：拭泪，握手送别。㉞④欢乃谕之：高欢这才给他们讲道理。胡三省曰："先感动其心，而后谕之。"㉞⑤失乡客：背井离乡的漂泊之人。〖按〗高欢是怀朔镇人，所以这样说。㉞⑥在上：当权者，指尔朱氏。㉞⑦征发乃尔：征调百姓当兵竟到如此程度。㉞⑧今直西向：按照上头的命令到西边作战。㉞⑨当死：指将死于战场。㉟⓪后军期：路上迟到，没按规定时间到达。㉟①配国人：把你们编入他们那些人的名下。国人，在魏国地位较高的人，本来泛指低级贵族，这里即指契胡，尔朱氏家族所属的部落。㉟②又当死：指受他们的欺压虐待。㉟③奈何：我们应当怎么办。㉟④尔乡里难制：你们的这些老乡们难以管理。㉟⑤不见葛荣乎：没见葛荣是怎么失败而死呢。㉟⑥陵汉人：欺侮汉族人。㉟⑦不能为天下笑：意即组织军队，没有章法，招致失败，遭人耻笑，这种事我是不干的。胡三省曰："高欢先立法制以齐其众，故能成大事，史言盗亦有道。"〖按〗高欢组织起义，手法比陈胜更细，且不假妖祥。㉟⑧顿颡：磕头触地。颡，额头。㉟⑨唯命：一切都听您的。㊱⓪椎牛：击杀牛。椎，同"槌"，击杀。古人杀牛多用此法。㊱①庚申：六月二十二。㊱②显言：明说。㊱③令高乾帅众救之：表面仍是救殷州，以助尔朱氏。胡三省曰："高乾预欢密谋，而使之救殷州，此不过使之诱擒尔朱羽生耳。"㊱④指画：商议、谋划。㊱⑤羽生与乾俱出：尔朱羽生被高乾骗出殷州城外。㊱⑥抚膺：手拍胸膛。㊱⑦今日反决矣：今天算是决心造反啦。胡三省曰："高欢反谋非一日矣，及尔朱羽生授首，方言反决，盖其初犹有疑李元忠、高乾邕之心。元忠既举兵逼殷州，乾邕又斩羽生，欢于是深悉二人之心，而冀、殷之势已合，于是决反。"㊱⑧广阿：古县名，县治在今河北隆尧东，即当时殷州的州治所在地。㊱⑨抗表：公开上表。㊲⓪罪状尔朱氏：罗列尔朱氏的罪状。㊲①匿之不通：封锁消息，不向魏主元恭报告此事。㊲②杨播及弟椿津：杨播、杨椿、杨津，都是魏国的名臣名将。传见《魏书》卷五十八。㊲③缌服同爨：五服以内的家人都在一个锅里吃饭。缌服，丧服名，五服中最轻的一种，这里指凡五服之内的亲属。同爨，不另起火做饭，不分居。㊲④人无间言：没有人能说他们家族关系的坏话。间言，找碴子、挑毛病。㊲⑤椿、津皆至三公：杨椿曾为仪同三司；杨津曾为司空。㊲⑥敬宗之诛尔朱荣：事在上年八月，见本书上卷。㊲⑦侃：杨播之子，为名将长孙稚之僚属，佐之多有克获之功。传见《魏书》卷五十八。㊲⑧城阳王徽：元徽，敬宗元子攸所倚仗的大臣，在杀尔朱荣的事情上作用甚大。尔朱兆入洛阳，元徽在逃难中被杀。379 李彧：李延寔之子，魏敬宗的姐夫，在敬宗时期掌权，佐敬宗与尔朱荣相斗。380 华阴：县名，在华山之北，今陕西华阴东侧。杨椿家族世居于华阴。381 贳其罪：宽饶他参与杀害尔朱荣的罪过。贳，贷、饶过。382 致仕：退休在家。383 其子昱：杨昱，魏国的正直忠良之臣。传见《魏书》卷五十八。384 检按以闻：先进行审查，而后向朝廷报告。385 壬申：七月初四。386 掩：突然拘捕。387 无少长皆杀之：胡三省曰，"世隆、天光先已约同夷杨氏，故东西一同俱发。居华阴者为西族，居洛者为东族"。388 籍没其家：将其家产全部登记没收充公。389 收兵：前往执行逮捕命令的政府之兵。390 格杀：击杀。391 津子愔：杨愔，前期好谦退，遭家难后，乃投归高欢门下，后曾为吏部尚书。传见《北史》卷四十一。392 乙亥：七月初七。393 丙戌：七月十八。394 戊子：七月二十。395 差无过恶：基本上没有什么大的过错。差无，几乎没有。396 仪同三师之官：胡三省曰，"太师、太傅、太保为三师"。享用三师的仪仗与排场，但没有实权。仪，仪容、仪仗。397 位次上公之下：地位在三公以下。三公，指太尉、司徒、司空。这时的三公只是加官，享有荣誉，但没有实权。398 庚寅：七月二十二。399 谮朱瑞于世隆：胡三省曰，"以朱瑞为敬宗所亲遇也"。400 庚寅：也是在七月二十二。401 有服属：血缘关系在五服之内的同族人。402 赐汤沐：赐给汤沐邑。汤沐邑，也称采邑、领地，该地面上的收入供受封者个人之生活所需。403 食乡亭侯：胡三省曰，"妇人赐汤沐邑，男子食乡亭侯也"。404 壬辰：七月二十四。405 何敬容：在南齐尚公主，为驸马都尉；入梁后，曾为吏部尚书、尚书右仆射。传见《梁书》卷三十七。406 昌寓：何昌寓，在齐为吏部尚书。407 度律：尔朱度律，尔朱荣之堂弟。此时在朝任太尉公、尚书令。传见《魏书》卷七十五。408 井陉：翻越太行山的山道名，其西口即娘子关，其东口称井陉口，也称土门关，在今河北井陉西。是河北中部与山西之间的重要通道。409 八月丙午：八月初九。410 九月己卯：九月十二。411 庚辰：九月十三。412 癸巳：九月二十六。413 广陵惠王：元羽，献文帝拓跋弘之子，孝文帝元宏之弟。被封为广陵王，谥曰惠。传见《魏书》卷二十一上。414 子恕：皇帝元恭之子元恕。415 十月己酉：十月十三。416 同泰寺：建康城里离皇宫最近的庙宇，紧靠宫墙，庙门与皇宫的大通门相对。417 升法坐：萧衍登上和尚讲经的讲坛。法坐，同"法座"。418《涅槃经》：佛教的重要经典之一，佛陀临入涅槃所讲，是阐释妙有思想最具代表性的一部经典。419 乐山侯正则：萧正则，临川王萧宏之子，梁武帝萧衍之侄，曾被封为乐山县侯。传见《梁书》卷五十五。420 有罪徙郁林：萧正则因奴役百姓、私铸钱币、窝藏匪盗等罪被流放到郁林郡，郡治即今广西桂平。421 番禺：古城名，即今广州，当时为广州的州治所在地。422 元仲景：《梁书》作元景仲。原是魏国的宗室，其父元法僧为徐州刺史，见魏国政治动荡，心欲自立，魏军进讨，元法僧遂率部以城降梁。传见《梁书》传三十九。元仲景随父降梁后，被封为枝江县公，又被任为广州刺史。423 号令无所禀：没有一个能让我们信赖、能向之请示的部门。禀，受命。424 权有所立：临时拥立一个有号召力的领导者。权，临时制宜。425 沮散：瓦解四散。426 元朗：魏景穆帝拓跋晃的曾孙章武王元融的第三子，史称后废帝，在位两年。传见《魏书》卷十一。㉗壬寅：十月初六。㉘己酉：也是在十月十三。㉙贾显智：与兄显度最初都是尔朱荣的部下，尔朱荣被杀后，反复动摇在各派势力之间，最后投归于高欢的部下，帮助高欢灭掉了尔朱氏。传见《魏书》卷八十。㉚阳平：县名，也是郡名，即今河北馆陶。㉛迭相猜贰：相互疑忌，彼此三心二意。㉜意色不平：彼此互不服气、互不信任的样子。㉝长啸：打口哨，一种旁若无人的样子。㉞凝望：另有所思的样子。㉟趋出：原指小步疾行，是一种表示恭敬的姿态，这里即指疾行而出。㊱杀卫可孤：卫可孤是破六韩拔陵的部将，率领反魏的军队围攻魏国的军镇，声势甚猛，后来卫可孤被贺拔胜等人袭击杀死。事见本书卷一百五十普通五年。㊲不与世隆等俱来：尔朱荣被魏主元子攸杀害后，贺拔胜先与尔朱世隆一道向朝廷问罪，后来尔朱世隆率军北撤时，贺拔胜脱离尔朱氏归顺了元子攸的朝廷一方，且随朝廷军东讨尔朱仲远。事见本书上卷。㊳密迩：近在身边。㊴骨肉构隙：亲近的兄弟、叔侄之间彼此猜疑内斗。构隙，成了冤家对头。㊵亲信都督：官名，犹如今之卫士长，掌管卫队。胡三省曰："魏末诸将擅兵，始置是官，以领亲兵。"㊶段韶：高欢的亲信段荣之子，入齐后被封乐陵郡公。传见《北齐书》卷十六。㊷如汤沃雪：极言其易被所灭。沃，浇灌。㊸小能敌大二句：乃春秋时随大夫季梁语，见《左传》桓公六年。意思说小国能抵抗大国，是因为小国有道，大国邪恶。㊹皇天无亲二句：出于《尚书·周书·蔡仲之命》。意为皇天不偏向谁，只帮着有德的人。㊺辛亥：十

【原文】

四年（壬子，公元五三二年）

春，正月丙寅[457]，以南平王伟[458]为大司马，元法僧[459]为太尉，袁昂[460]为司空。

立西丰侯正德[461]为临贺王。正德自结于朱异，上既封昭明诸子，异言正德失职[462]，故王之[463]。

以太子右卫率薛法护为司州牧[464]，卫送魏王悦入洛[465]。

庚午[466]，立太子纲之长子大器为宣城王。

魏高欢攻邺，为地道，施柱而焚之[467]，城陷入地。壬午[468]，拔邺，擒刘诞，以杨愔为行台右丞。时军国多事，文檄教令[469]，皆出于愔及开

月十五。㊻十一月乙未：十一月二十九。㊼般若经：佛教的重要经典之一，全称《大般若波罗蜜多经》，简称《般若经》。为宣说诸法皆空之义的大乘般若类经典的汇编。㊽庚辰：十一月十四。〖按〗此句“庚辰，魏高欢引兵攻邺”云云，按时间顺序应在上句“乙未，上幸同泰寺”云云之前。㊾魏南兖州：州治即今安徽亳州。㊿来降：来归降于梁朝。(451)芳：刘芳，魏国的儒学之臣，深受孝文帝之尊信，曾任中书令。传见《魏书》卷五十五。(452)上：指梁武帝萧衍。(453)元树：魏献文帝拓跋弘之孙，咸阳王元禧之子，尔朱荣操控魏政时，元树投降梁国。传见《梁书》卷三十九。(454)谯城：谯县县城，即今安徽亳州。(455)奉送所持节：将任南兖州刺史时魏国所赐的旌节，归还给朝廷。(456)不仕而卒：胡三省曰，“‘陈力就列，不能者止’，刘世明有焉。刘氏世居彭城”。

【校记】

［7］掠：据章钰校，甲十一行本、乙十一行本、孔天胤本皆作“略”。［8］原：据章钰校，甲十一行本、乙十一行本、孔天胤本皆作“郯”。［9］刺史：原无此二字。据章钰校，甲十一行本、乙十一行本、孔天胤本皆有此二字，张敦仁《通鉴刊本识误》、张瑛《通鉴校勘记》同，今据增。［10］三师：原误作“三司”，据章钰校，甲十一行本、乙十一行本皆作“三师”，今据校正。

【语译】

四年（壬子，公元五三二年）

春季，正月初一日丙寅，梁武帝萧衍任命南平王萧伟为大司马，任命元法僧为太尉，任命袁昂为司空。

梁武帝封西丰侯萧正德为临贺王。西丰侯萧正德主动结交担任领军将军的朱异，梁武帝封完昭明太子的几个儿子为王以后，朱异说西丰王萧正德没有得到自己应得的爵位，所以梁武帝才封萧正德为临贺王。

梁武帝任命担任太子右卫率的薛法护为司州牧，护送魏王元悦返回洛阳另立朝廷以分裂魏国。

初五日庚午，梁武帝封皇太子萧纲的长子萧大器为宣城王。

魏国的高欢率军进攻邺城，他指挥军队在邺城城墙下面挖掘地道，一边挖掘一边用木柱进行支撑，地道挖成之后就放火焚烧木柱，导致城墙坍塌，陷入地中。正月十七日壬午，高欢攻克了邺城，活捉了担任相州刺史的刘诞，高欢任命担任行台郎中的杨愔为行台右丞。当时军队和国家正处于多事之秋，文告教令，全都出自杨

府谘议参军崔悛[470]。悛，逞[471]之五世孙也。

二月，以太尉元法僧为东魏王[472]，欲遣还北，兖州刺史羊侃[473]为军司马，与法僧偕行[474]。

扬州刺史邵陵王纶[475]遣人就市赊买[476]锦彩丝布数百匹，市人皆闭邸店[477]不出，少府丞[478]何智通依事启闻[479]。纶被责还弟[480]，乃遣防阁[481]戴子高等以槊刺智通于都巷，刃出于背。智通识子高，取其血以指画车壁为"邵陵"字，乃绝，由是事觉。庚戌[482]，纶坐免为庶人，锁之于弟，经三[11]旬，乃脱锁，顷之复封爵。

辛亥[483]，魏安定王[484]追谥敬宗曰武怀皇帝。甲子[485]，以高欢为丞相、柱国大将军、太师。三月丙寅[486]，以高澄[487]为骠骑大将军。丁丑[488]，安定王帅百官入居于邺[489]。

尔朱兆与尔朱世隆等互相猜阻，世隆卑辞厚礼谕兆，欲使之赴洛，唯其所欲。又请节闵帝纳兆女为后，兆乃悦，并与天光、度律更立誓约，复相亲睦。

斛斯椿阴谓贺拔胜曰："天下皆怨毒[490]尔朱，而吾等为之用，亡无日矣，不如图之。"胜曰："天光与兆各据一方，欲尽去之甚难，去之不尽，必为后患，奈何？"椿曰："此易致耳。"乃说世隆追天光等赴洛，共讨高欢。世隆屡征天光，天光不至，使椿自往邀之，曰："高欢作乱，非王不能定，岂可坐视宗族夷灭邪！"天光不得已，将东出，问策于雍州刺史贺拔岳，岳曰："王家[491]跨据三方[492]，士马殷盛，高欢乌合之众，岂能为敌！但能同心戮力，往无不捷。若骨肉相疑，则图存之不暇，安能制人！如下官所见，莫若且镇关中以固根本，分遣锐师与众军合势，进可以克敌，退可以自全。"天光不从。闰月壬寅[493]，天光自长安，

悟和担任开府谘议参军的崔㥄之手。崔㥄，是崔逞的第五世孙。

二月，梁武帝封担任太尉的元法僧为东魏王，准备把他送回北方另立朝廷，任命担任兖州刺史的羊侃为军司马，与元法僧一同行动。

梁国担任扬州刺史的邵陵王萧纶派人到街市上向商家强买数百匹的锦、彩、丝、布却不付钱，街市上的商人因此都关闭了店门不出来做生意，担任少府丞的何智通依照事实报告了梁武帝。邵陵王萧纶受了梁武帝的一番责备回到自己的府邸之后，就派遣担任防阁的戴子高等人在都城建康的街巷里用槊刺杀少府丞何智通，槊刃从何智通的前胸刺入，从背部穿出。何智通认识戴子高，就用手指蘸着自己的鲜血在所乘坐的车壁上画上"邵陵"二字，然后气绝身亡，因此事情的真相很快被查出。二月十五日庚戌，邵陵王萧纶因此事被判有罪而被贬为平民，关押在他自己的家中，过了三十天，梁武帝就解除了对萧纶的关押，不久又恢复了萧纶的封爵。

二月十六日辛亥，魏国安定王元朗追谥魏敬宗皇帝元子攸为武怀皇帝。二十九日甲子，安定王任命高欢为丞相、柱国大将军、太师。三月初二日丙寅，安定王任命高欢的长子高澄为骠骑大将军。十三日丁丑，安定王率领属下的文武百官从信都迁入邺城。

尔朱兆与尔朱世隆等人互相猜疑、阻断消息，尔朱世隆派人带着厚重的礼物言辞谦恭地劝说尔朱兆，想让尔朱兆前往洛阳，许诺他到洛阳之后想怎样就可以怎样。又请求节闵帝元恭接纳尔朱兆的女儿为皇后，尔朱兆这才高兴起来，并且与尔朱天光、尔朱度律重新订立盟约，相互之间又重新和睦亲密起来。

骠骑大将军斛斯椿私下秘密对贺拔胜说："天下人全都怨恨尔朱氏，而我等却在为他们效力，尔朱氏的灭亡没有几天了，倒不如由我们来把他们除掉。"贺拔胜说："尔朱天光与尔朱兆各自占据一方，想把他们全部除掉很困难，如果不能把他们彻底除掉，一定会成为后患，该怎么办？"斛斯椿说："要把他们彻底除掉也很容易办到。"于是斛斯椿就劝说尔朱世隆将尔朱天光等人召回洛阳，共同商量讨伐高欢的事情。尔朱世隆多次征召尔朱天光回洛阳，而尔朱天光不来，尔朱世隆就派斛斯椿亲自去邀请尔朱天光，斛斯椿对尔朱天光说："高欢作乱，除去大王谁也不能把他平定，大王难道能够坐视尔朱氏家族被他消灭而无动于衷吗！"尔朱天光不得已，就准备东进返回洛阳，他问计于担任雍州刺史的贺拔岳，贺拔岳说："大王的家族中有尔朱兆占据着并州、汾州，大王您占据着关、陇地区，尔朱仲远占据着徐州、兖州，兵马众多，高欢的部众乃是一群乌合之众，岂能是大王家族的对手！只要你们尔朱氏家族能够同心协力，就会无往而不胜。如果大王家族骨肉之间互相猜忌，那么想要生存下来恐怕都来不及，又怎么能控制别人！按照我的意见，大王不如暂且驻守关中，加固自己的根本，派遣一部分精锐部队与其他部队会合在一起，前进可以克敌制胜，后退可以自我保全。"尔朱天光没有听取贺拔岳的意见。闰三月初八日壬寅，尔朱天光从长安出发，

兆自晋阳，度律自洛阳，仲远自东郡，皆会于邺，众号二十万，夹洹水[494]而军，节闵帝以长孙稚为大行台，总督之。

高欢令吏部尚书封隆之守邺，癸丑[495]，出顿紫陌[496]，大都督高敖曹将乡里部曲王桃汤等三千人以从。欢曰："高都督所将皆汉兵，恐不足集事[497]，欲割鲜卑兵千余人相杂用之，何如?"敖曹曰："敖曹所将，练习已久，前后格斗，不减鲜卑[498]。今若杂之，情不相洽，胜则争功，退则推罪，不烦更配[499]也。"

庚申[500]，尔朱兆帅轻骑三千夜袭邺城，叩西门[501]，不克而退。壬戌[502]，欢将战，马不满二千，步兵不满三万，众寡不敌，乃于韩陵[503]为圆陈，连系[504]牛驴以塞归道，于是将士皆有死志[505]。兆望见欢，遥责欢以叛己，欢曰："本所以勠力[506]者，共辅帝室。今天子何在[507]？"兆曰："永安[508]枉害天柱[509]，我报仇耳。"欢曰："我昔[12]闻天柱计[510]，汝在户前立，岂得言不反邪！且以君杀臣，何报之有[511]！今日义绝矣。"遂战。欢将中军，高敖曹将左军，欢从父弟岳[512]将右军。欢战不利，兆等乘之，岳以五百骑冲其前，别将斛律敦收散卒蹑其后，敖曹以千骑自栗园出横击之，兆等大败，贺拔胜与徐州刺史杜德于陈降欢。兆对慕容绍宗抚膺曰："不用公言[513]，以至于此！"欲轻骑西走[514]，绍宗反旗鸣角[515]，收散卒成军而去。兆还晋阳，仲远奔东郡。尔朱彦伯闻度律等败，欲自将兵守河桥，世隆不从。

度律、天光将之洛阳，大都督斛斯椿谓都督贾显度、贾显智曰："今不先执尔朱氏，吾属死无类[516]矣。"乃夜于桑下盟，约倍道先还[517]。世隆使其外兵参军阳叔渊单骑[13]驰赴北中[518]，简阅败卒，以次内之[519]。椿至，不得入城，乃诡说[520]叔渊曰："天光部下皆是西人，闻欲大掠洛

尔朱兆从晋阳出发，尔朱度律从洛阳出发，尔朱仲远从东郡出发，全都来到邺城之下会合，部众号称有二十万，他们在洹水两岸扎下营寨，节闵帝元恭任命长孙稚为大行台，总管监督所有军队。

高欢命令担任吏部尚书的封隆之率军守卫邺城，闰三月十九日癸丑，高欢率军出城，屯扎在紫陌，担任大都督的高敖曹率领着家乡的私人武装王桃汤等三千人跟随着高欢驻扎在紫陌。高欢说："高都督所率领的都是汉族人，恐怕靠他们难以取得胜利，我想从鲜卑人的队伍中分出一千多人掺入汉人队伍中一起使用，你认为怎么样？"高敖曹说："我所率领的这些汉族士兵，已经经过长期训练，前后格斗，并不比鲜卑族士兵差。现在如果把鲜卑人掺杂在汉族人中间，双方的感情不融洽，打了胜仗则相互争抢功劳，败退的时候则相互推卸罪责，所以用不着再往里头搭配了。"

闰三月二十六日庚申，尔朱兆率领三千轻骑兵在夜间袭击邺城，攻打邺城的西门，没有攻克而退走。二十八日壬戌，高欢准备出战，其部队只有不满二千的骑兵，不足三万的步兵，在众寡不敌的情况下，在韩陵布置成圆形军阵，把牛驴拴在一起用来堵住自己后退的道路，于是将士们全都怀有拼着一死的决心。尔朱兆望见高欢，就远远地责备高欢背叛了自己，高欢说："当初和你并肩合作，为的是共同辅佐朝廷。如今魏国的天子在哪里？"尔朱兆说："永安帝元子攸平白无故地害死了天柱大将军，我是在为天柱大将军报仇。"高欢说："过去我听到天柱大将军尔朱荣阴谋杀害皇帝的话时，你就在门口站着，怎能说天柱大将军不造反呢！再说皇帝杀死臣属，有什么仇可报！今天我与你们尔朱氏已经恩断义绝。"说完双方的军队就战在了一起。高欢率领中军，高敖曹率领左军，高欢的堂弟高岳率领右军。高欢作战不利，尔朱兆等乘胜进击，高岳率领着五百名骑兵冲击尔朱兆的前锋，另一支独立部队的头领斛律敦收集起溃散的士兵在尔朱兆的背后向其发起进攻，高敖曹则率领着一千名汉族骑兵从栗园冲出来拦腰截击尔朱兆的军队，尔朱兆等立即被打得大败，车骑大将军贺拔胜与徐州刺史杜德在两军阵前投降了高欢。尔朱兆抚摸着自己的胸口对慕容绍宗说："我当初没有听从你的劝阻而把六镇之兵交给高欢统辖，所以才导致了今天的失败！"尔朱兆想要抛弃大军，率领轻骑兵向西返回晋阳，慕容绍宗调转旌旗方向，吹起号角，收集起逃散的士兵，集结成队列之后从容地向西而去。尔朱兆逃回晋阳，尔朱仲远逃往东郡。尔朱彦伯听到尔朱度律等人失败的消息，就想亲自率军守卫河桥城，尔朱世隆没有同意。

尔朱度律、尔朱天光即将前往洛阳，担任大都督的斛斯椿对担任都督的贾显度、贾显智兄弟二人说："如果我们不先将尔朱氏抓起来，我们这些人就要被他们灭族了。"于是利用夜间几个人在桑树下秘密盟誓，约定路上加快行程抢先一步回到洛阳。尔朱世隆派他属下担任外兵参军的阳叔渊独自飞马赶往河桥北岸的北中郎府城，检查失败而回的士卒，令他们有秩序地进入洛阳城。斛斯椿率先到达，却不让进城，斛斯椿就编了一套假话欺骗阳叔渊说："尔朱天光的部下都是西部关、陇地区的人，

邑，迁都长安，宜先内我以为之备。”叔渊信之。夏，四月甲子朔[521]，椿等入据河桥，尽杀尔朱氏之党。度律、天光欲攻之，会大雨昼夜不止，士马疲顿，弓矢不可施，遂西走，至灅波津[522][14]，为人所擒，送于椿所。椿使行台长孙稚诣洛阳奏状，别遣贾显智、张欢帅骑掩袭世隆，执之。彦伯时在禁直，长孙稚于神虎门启陈：“高欢义功既振[523]，请诛尔朱氏。”节闵帝使舍人郭崇报彦伯，彦伯狼狈走出，为人所执，与世隆俱斩于阊阖门[524]外，送其首并度律、天光于高欢。

节闵帝使中书舍人卢辩[525]劳欢于邺，欢使之见安定王，辩抗辞[526]不从，欢不能夺，乃舍之。辩，同之兄子也。

辛未[527]，骠骑大将军、行济州事侯景[528]降于安定王，以景为尚书仆射、南道大行台、济州刺史。

尔朱仲远来奔[529]。仲远帐下都督乔宁、张子期自滑台[530]诣欢降[531]。欢责之曰：“汝事仲远，擅其荣利[532]，盟契百重[533]，许同生死。前仲远自徐州为逆[534]，汝为戎首[535]；今仲远南走，汝复叛之。事天子则不忠，事仲远则无信，犬马尚识饲之者[536]，汝曾[537]犬马之不如！”遂斩之。

尔朱天光之东下[538]也，留其弟显寿镇长安，召秦州刺史侯莫陈悦[539]欲与之俱东。贺拔岳知天光必败，欲留悦共图显寿以应高欢，计未有所出。宇文泰谓岳曰：“今天光尚近，悦未必有贰心，若以此告之，恐其惊惧。然悦虽为主将，不能制物[540]，若先说其众，必人有留心[541]，悦进失尔朱之期[542]，退恐人情变动，乘此说悦，事无不遂。”岳大喜，即令泰入悦军说之，悦遂与岳俱[15]袭长安。泰帅轻骑为前驱，

听说他们要到洛阳大肆掠夺，然后迁都长安，你应该先让我进城做好防备。”阳叔渊相信了斛斯椿所说的话。夏季，四月初一日甲子，斛斯椿等人进入并控制了河桥城，把尔朱氏的党羽全部杀死。尔朱度律、尔朱天光正要进攻斛斯椿等，却遇到天降大雨，昼夜不停，属下的兵马疲惫困顿，弓箭也拉不开，遂向西退走，走到灅波津的时候，尔朱度律、尔朱天光被人捉住，送到了斛斯椿的住地。斛斯椿让担任行台的长孙稚前往洛阳向朝廷奏报尔朱氏的罪状，另派贾显智、张欢率领一支骑兵队伍前往偷袭尔朱世隆，把尔朱世隆擒获。当时尔朱世隆的大哥尔朱彦伯正在宫中值班，长孙稚在神虎门启奏说："高欢伸张正义的大功已经告成，请求皇帝陛下诛杀尔朱氏。”节闵帝元恭派担任舍人的郭崇将这一消息告诉了尔朱彦伯，尔朱彦伯狼狈出宫逃走，路上被人擒获，遂与尔朱世隆一同被杀死在阊阖门外，他们的首级连同尔朱度津、尔朱天光一并被送与高欢。

魏节闵帝派遣担任中书舍人的卢辩前往邺城慰劳高欢，高欢让卢辩拜见安定王元朗，卢辩义正词严，就是不服从，高欢不能使卢辩屈服，就把卢辩放走了。卢辩，是卢同的侄子。

四月初八日辛未，魏国担任骠骑大将军、代理济州刺史职务的侯景投降了安定王，安定王任命侯景为尚书仆射、南道大行台、济州刺史。

魏国的尔朱仲远前来投降梁国。在尔朱仲远帐下担任都督的乔宁、张子期从滑台前往邺城投降高欢。高欢责备他们说："你们在尔朱仲远手下任职，享受着他给予你们的一切荣华富贵，你们曾经多次和尔朱氏宣誓结盟，许诺要与尔朱氏同生共死。以前尔朱仲远在徐州举兵指向洛阳的时候，你们为他充当先锋；如今尔朱仲远向南逃走，你们就又背叛了尔朱仲远。你们的所作所为，对天子则是不忠，对尔朱仲远则是无信，就连犬马尚且认识喂养它的主人，你们竟然连犬马都不如！”于是杀死了乔宁、张子期。

尔朱天光从长安率军东下洛阳的时候，留下自己的弟弟尔朱显寿镇守长安，尔朱天光招呼担任秦州刺史的侯莫陈悦，想让他与自己一同东进。担任雍州刺史的贺拔岳知道尔朱天光此次出兵一定会失败，就想留住侯莫陈悦共同除掉尔朱显寿以响应高欢，却没有想出留住侯莫陈悦的好办法。宇文泰对贺拔岳说："如今尔朱天光还没有走出多远，侯莫陈悦未必对尔朱天光怀有二心，如果现在我们把自己的想法告诉他，恐怕他没有心理准备会惊惶恐惧。然而侯莫陈悦虽然身为主将，在他的部众面前却没有威信，因而统领不了他的部众，如果首先劝说他的那些部众，他的部众一定会人人都愿意留在长安，不愿随之东讨，这样一来，侯莫陈悦如果想要跟随尔朱天光向洛阳进兵，一定会因为众人都想留在长安而不能按尔朱天光规定的日期到达，后退又担忧人心思变，到那时再趁机劝说侯莫陈悦，事情没有不成功的道理。”贺拔岳听了非常高兴，立即让宇文泰到侯莫陈悦的军中去做说服工作，侯莫陈悦遂

显寿弃城走，追至华阴[543]，擒之。欢以岳为关西大行台，岳以泰为行台左丞，领府司马[544]，事无巨细皆委之[545]。

尔朱世隆之拒高欢[546]也，使齐州行台尚书房谟[547]募兵趣四渎[548]；又使其弟青州刺史弼趣乱城[549]，扬声北渡[550]，为掎角之势[551]。及韩陵既败，弼还东阳[552]，闻世隆等死，欲来奔，数与左右割臂为盟。帐下都督冯绍隆，素为弼所信待[553]，说弼曰：“今方同契阔[554]，宜更割心前之血以盟众。”弼从之，大集部下，披胸[555]令绍隆割之，绍隆因推刃杀之，传首洛阳[556]。

丙子[557]，安东将军辛永以建州[558]降于安定王。

辛巳[559]，安定王至邙山[560]。高欢以安定王疏远[561]，使仆射魏兰根[562]慰谕洛邑，且观节闵帝之为人，欲复奉之[563]。兰根以帝神采高明，恐于后难制，与高乾兄弟及黄门侍郎崔㥄共[16]劝欢废之。欢集百官问所宜立，莫有应者。太仆代人綦毋儁盛称节闵帝贤明，宜主社稷，欢欣然是之。㥄作色曰：“若言贤明，自可待我高王[564]，徐登大位。广陵[565]既为逆胡所立[566]，何得犹为天子！若从儁言，王师何名义举？”欢遂幽节闵帝于崇训佛寺[567]。

欢入洛阳，斛斯椿谓贺拔胜曰：“今天下事，在吾与君耳，若不先制人，将为人所制。高欢初至，图之不难。”胜曰：“彼有功于时，害之不祥。比数夜[568]与欢同宿，具[17]序往昔之怀[569]，兼荷兄恩意甚多[570]，何苦惮之[571]！”椿乃止[572]。

欢以汝南王悦[573]，高祖之子，召欲立之，闻其狂暴无常，乃止。

时诸王多逃匿，尚书左仆射平阳王脩[574]，怀之子也，匿于田舍。欢

与贺拔岳同时率军袭击长安。宇文泰率领轻骑兵担任前锋，尔朱显寿放弃长安城逃走，贺拔岳等人追到华阴县，活捉了尔朱显寿。高欢任命贺拔岳为关西大行台，贺拔岳任命宇文泰为行台左丞，兼任贺拔岳雍州刺史府的司马，事情无论大小，贺拔岳全都托付给宇文泰去办理。

尔朱世隆出兵讨伐高欢的时候，令担任齐州行台尚书的房谟招募军队赶往四渎津；又令自己的弟弟担任青州刺史的尔朱弼率军赶往乱城，扬言要北渡黄河进攻高欢的根据地，造成相互策应、相互支援的一种态势。等到韩陵失败之后，尔朱弼回到东阳，听到了尔朱世隆等人已死的消息，就想向南投奔梁国，他多次以割臂出血的方式与自己身边的亲信宣誓结盟。在他的帐下担任都督的冯绍隆，一向受到尔朱弼的信赖，冯绍隆向尔朱弼建议说："目前正是需要大家同生死、共患难的时候，你应该改成割取胸前之血的方式与大家盟誓。"尔朱弼采纳了冯绍隆的建议，他把自己的部下全部召集起来，然后露出胸膛让冯绍隆割取自己的胸前之血，冯绍隆趁势用力把刀子推进尔朱弼的胸膛，杀死了尔朱弼，然后把尔朱弼的人头送往洛阳。

四月十三日丙子，魏国担任安东将军的辛永献出建州向安定王元朗投降。

十八日辛巳，魏国的安定王从邺城前往洛阳，抵达邙山。高欢因为安定王与孝明帝元诩的血缘关系疏远，便让担任尚书仆射的魏兰根前往洛阳去抚慰劝说朝中的大臣，同时观察一下节闵帝元恭的为人处世，想要继续拥戴元恭为皇帝。魏兰根因为节闵帝元恭神采飞扬，处事高明，恐怕以后难以控制，于是就与高乾兄弟和担任黄门侍郎的崔㥄共同劝说高欢废掉节闵帝。高欢召集文武百官，向他们询问应该立谁为皇帝好，在座的群臣没有人出来说话。担任太仆的代郡人綦毋儁极力称赞节闵帝贤能英明，应该由他来主宰国家社稷，高欢欣然表示赞同。崔㥄马上变了脸色，他说："如果广陵王元恭确实贤能英明，自然应该等到我们高王前来以后，再慢慢地登上皇帝的宝座。广陵王的这个皇帝既然是叛逆的契胡人尔朱氏所选定的，怎么还能让他继续做皇帝呢！如果听从了綦毋儁的意见，我们起兵讨伐叛逆又怎么能称得上是正义之举?"高欢遂把节闵帝囚禁在崇训佛寺。

高欢进入洛阳，担任大都督的斛斯椿对车骑大将军贺拔胜说："如今的天下大事，完全取决于我与你，如果我们不先发制人，就将被人所制。高欢刚到洛阳，除掉他并不难。"贺拔胜说："他有功于当代，害死他不吉祥。近来我一连几天与高欢住在一起，一道诉说旧日的情怀，其中他说了很多对你感恩的话，你何必怕他呢!"斛斯椿这才打消了杀害高欢的念头。

高欢因为汝南王元悦是魏高祖元宏的儿子，就把汝南王召到洛阳想拥立他为皇帝，后来听说汝南王狂妄暴躁，喜怒无常，就改变了立汝南王为皇帝的想法。

当时魏国许多诸侯王都逃亡藏匿起来，担任尚书左仆射的平阳王元脩，是广平

欲立之，使斛斯椿求[575]之。椿见脩所亲员外散骑侍郎太原王思政[576]，问王所在，思政曰："须知问意。"椿曰："欲立为天子。"思政乃言之。椿从思政见脩，脩色变，谓思政曰："得无卖我邪[577]？"曰："不也。"曰："敢保之乎[578]？"曰："变态百端，何可保也？"椿驰报欢。欢遣四百骑迎脩入毡帐[579]，陈诚[580]，泣下沾襟，脩让以寡德，欢再拜，脩亦拜。欢出备服御[581]，进汤沐，达夜严警。昧爽[582]，文武执鞭以朝[583]，使斛斯椿奉劝进表[584]。椿入帷门[585]，磬[18]折延首[586]而不敢前，脩令思政取表视之，曰："便不得不称朕矣[587]。"乃为安定王作诏策而禅位焉。

戊子[588]，孝武帝[589]即位于东郭[590]之外，用代都旧制，以黑毡蒙七人，欢居其一，帝于毡上西向拜天毕，入御太极殿，群臣朝贺，升阊阖门大赦，改元太昌。以高欢为大丞相、天柱大将军、太师，世袭定州刺史。庚寅[591]，加高澄[592]侍中、开府仪同三司。

初，欢起兵信都，尔朱世隆知司马子如与欢有旧，自侍中、骠骑大将军出为南岐州[593]刺史。欢入洛，召子如为大行台尚书，朝夕左右，参知军国。广州刺史广宁韩贤[594]，素为欢所善，欢入洛，凡尔朱氏所除官爵例皆削夺，唯贤如故。

以前御史中尉樊子鹄[595]兼尚书左仆射，为东南道大行台，与徐州刺史杜德追尔朱仲远。仲远已出境，遂攻元树于谯[596]。

丞相欢征贺拔岳为冀州刺史，岳畏欢，欲单马入朝。行台右丞薛孝通说岳曰："高王以数千鲜卑破尔朱百万之众，诚亦难敌。然诸将或素居其上，或与之等夷[597]，虽[19]屈首从之，势非获已[598]。今或在京师，或据州镇，高王除之则失人望[599]，留之则为腹心之疾。且吐万人[600]虽复

王元怀的儿子，隐藏在农村。高欢想立平阳王为皇帝，于是派斛斯椿去寻找他。斛斯椿看见了元脩的亲信担任员外散骑侍郎的太原人王思政，就向王思政打听平阳王在什么地方，王思政说："我需要知道你寻找他的目的是什么。"斛斯椿说："想立他为魏国的皇帝。"王思政这才告诉斛斯椿平阳王躲藏在什么地方。斛斯椿跟随着王思政来见平阳王，平阳王知道了斛斯椿他们的来意之后立即脸色大变，他对王思政说："你是不是在骗我?"王思政回答说："不是。"平阳王说："你能担保我不会有危险吗?"王思政说："时局变化无常，谁能担保得了?"斛斯椿立即飞马报告了高欢。高欢派遣四百名骑兵把平阳王迎入自己的大帐篷，高欢向平阳王表达自己的诚意时，泪流满面，衣襟都被泪水沾湿了，平阳王以自己对人民缺少恩德为由进行推辞，高欢先后两次向平阳王叩拜，元脩也向高欢答拜。高欢取出为平阳王准备的称帝用的衣服与车马，送进热水供平阳王洗浴，整夜都严加警戒。第二天天蒙蒙亮的时候，文武大臣因为来不及准备朝服，为了表示恭敬，就都手持马鞭朝见平阳王，高欢让斛斯椿向平阳王呈上劝其进位称帝的表章。斛斯椿走到毡帐的门口，便像磬一样弯着腰伸着脖子而不敢向前，平阳王令担任员外散骑侍郎的王思政接过表章，平阳王看过表章之后说："看来我不得不称朕了。"于是高欢让人为安定王元朗起草了一份将皇位让给平阳王的诏书，安定王遂将皇位禅让给了平阳王。

四月二十五日戊子，魏孝武帝元脩在洛阳东郭之外即皇帝位，沿用建都平城时皇帝登基的旧制度，用黑色的毡子蒙住七个人，高欢是其中之一，新皇帝元脩在黑毡子上面向西方祭天结束之后，进入洛阳城内的太极殿，接受群臣的朝拜祝贺，然后登上阊阖门宣布大赦，改年号为太昌元年。任命高欢为大丞相、天柱大将军、太师，世袭定州刺史。二十七日庚寅，加授高澄为侍中、开府仪同三司。

当初，高欢在信都起兵的时候，尔朱世隆知道司马子如与高欢过去有交情，就把司马子如从侍中、骠骑大将军的位子上拿下来，令其离开朝廷去担任南岐州刺史。高欢进入洛阳之后，立即把司马子如召回洛阳担任大行台尚书，令其从早到晚跟随在自己身边，参与决策军国大事。担任广州刺史的广宁人韩贤，一向与高欢关系友善，高欢进入洛阳之后，凡是尔朱氏所授予的官职爵位一律被削夺，只有韩贤是个例外，仍然担任广州刺史。

任命前任御史中尉樊子鹄兼任尚书左仆射，为东南道大行台，与担任徐州刺史的杜德一同率军追击尔朱仲远。尔朱仲远此时已经逃离魏国，樊子鹄等人遂进攻梁国驻守谯城的元树。

魏国丞相高欢征调贺拔岳为冀州刺史，贺拔岳惧怕高欢，就想接受高欢的调遣，单人独骑入朝。在贺拔岳属下担任行台右丞的薛孝通劝阻贺拔岳说："高欢用数千名鲜卑人打败了尔朱氏的百万之众，确实难以与他为敌。然而诸将领有的一向位居高欢之上，有的与高欢地位相当，虽然现在全都低头顺从于他，实在是出于迫不得已。如今这些人有的在京城为官，有的占据着州镇，高欢如果除掉他们就会令众人因失望而离心，留下他们就有可能成为心腹大患。而且尔朱兆虽然失败逃走，仍然占据

败走，犹在并州，高王方内抚群雄，外抗勍敌[601]，安能去其巢穴[602]，与公争关中之地乎！今关中豪俊皆属心于公[603]，愿效其智力。公以华山为城，黄河为堑[604]，进可以兼山东[605]，退可以封函谷[606]，奈何欲束手受制于人乎！”言未卒，岳执孝通手曰：“君言是也。”乃逊辞为启[607]而不就征[608]。

壬辰[609]，丞相欢还邺，送尔朱度律、天光于洛阳，斩之。

五月丙申[610]，魏主鸩节闵帝于门下外省[611]，诏百司[612]会丧，葬用殊礼[613]。以沛郡王欣[614]为太师，赵郡王谌[615]为太保，南阳王宝炬[616]为太尉，长孙稚为太傅。宝炬，愉之子也。丞相欢固辞天柱大将军，戊戌[617]，许之。己酉[618]，清河王亶[619]为司徒。

侍中河南高隆之[620]，本徐氏养子，丞相欢命以为弟[621]，恃欢势骄狎[20]公卿，南阳王宝炬殴之，曰：“镇兵何敢尔[622]！”魏主以欢故，六月丁卯[623]，黜宝炬为骠骑大将军，归第[624]。

魏主避广平武穆王[625]之讳，改谥武怀皇帝曰孝庄皇帝[626]，庙号敬宗。

秋，七月庚子[627]，魏复以南阳王宝炬为太尉。

壬寅[628]，魏丞相欢引兵入滏口，大都督库狄干入井陉，击尔朱兆。庚戌[629]，魏主使骠骑大将军、仪同三司高隆之帅步骑十万会丞相欢于太原，因以隆之为丞相军司[630]。欢军于武乡[631]，尔朱兆大掠晋阳，北走秀容[632]，并州平。欢以晋阳四塞[633]，乃建大丞相府而居之。

魏夏州迁民[634]郭迁据青州反，刺史元嶷[635]弃城走，诏行台侯景等讨之，拔其城。迁来奔[636]。

魏东南道大行台樊子鹄围元树于谯城[637]，分兵攻取蒙县[638]等五城，以绝援兵之路。树请帅众南归，以地还魏，子鹄等许之，与之誓约。树众半出，子鹄击之，擒树及谯州刺史朱文开以归。羊侃行至官竹[639]，

着并州，高欢正需要对内安抚各路英雄，对外抗击势力强大的敌人，怎能离开他自己的巢穴，去与你争夺关中之地呢！如今关中地区的豪强俊杰全都归心于你，愿意为你奉献他们的智慧和力量。你就应该把华山作为城池，把黄河当作护城河，前进则可以吞并华山以东的广大地区，后退则可以守住函谷关，在关中地区割据称王，为什么却要捆住自己的手脚受制于人呢！”薛孝通的话还没有说完，贺拔岳就拉住薛孝通的手说：“你说得很对。”于是上书给高欢，说了些谦逊的客气话而没有到洛阳去。

四月二十九日壬辰，丞相高欢回到邺城，他把尔朱度律、尔朱天光押送到洛阳，斩首示众。

五月初三日丙申，魏国孝武帝元脩在门下省正门以外的屋舍里用毒酒毒死了节闵帝元恭，然后下诏令文武百官都来吊丧，又用特殊优厚的礼容安葬了节闵帝。魏国朝廷任命沛郡王元欣为太师，任命赵郡王元谌为太保，任命南阳王元宝炬为太尉，任命长孙稚为太傅。元宝炬，是元愉的儿子。丞相高欢坚决推辞天柱大将军的职位，初五日戊戌，孝武帝批准了高欢的请求。十六日己酉，任命清河王元亶为司徒。

魏国担任侍中的河南人高隆之，原本是徐家的养子，丞相高欢称呼高隆之为弟，高隆之依仗着高欢的势力傲视戏弄公卿大臣，南阳王元宝炬殴打了高隆之，对高隆之说：“你一个镇兵安敢如此嚣张！”魏孝武帝因为高欢的缘故，六月初五日丁卯，免除了南阳王元宝炬的现有职务，只以骠骑大将军的身份回家赋闲。

魏孝武帝为了避开自己的父亲广平武穆王元怀的名讳，遂把元子攸的武怀皇帝之谥改为孝庄皇帝，庙号敬宗。

秋季，七月初八日庚子，魏国朝廷又任命南阳王元宝炬为太尉。

初十日壬寅，魏国丞相高欢率军进入滏口，大都督库狄干率军进入井陉，进攻占据并州的尔朱兆。十八日庚戌，魏孝武帝令担任骠骑大将军、开府仪同三司的高隆之率领十万步兵、骑兵前往太原与丞相高欢会合，高欢趁机任命高隆之为丞相军司。高欢将军队驻扎在武乡县，尔朱兆放纵士兵在晋阳大肆抢掠之后，就向北逃往秀容郡，并州遂宣告平定。高欢因为晋阳四面环山有险可守，于是就在晋阳建造大丞相府居住下来。

魏国被强迫从夏州迁到青州居住的郭迁占据青州城造反，担任青州刺史的元嶷弃城逃走，孝武帝下诏令担任行台的侯景等人讨伐郭迁，侯景率军攻克了青州城。郭迁逃往梁国。

魏国担任东南道大行台的樊子鹄率军把元树围困于谯城，然后派军队分别攻取了被梁军占领的蒙县等五城，断绝了梁国援军的道路。元树请求率领部众向南撤回到梁国境内，把侵占的魏国土地归还给魏国，樊子鹄等同意了元树的请求，并与元树盟誓立约。元树的部众刚有一半人离开谯城的时候，樊子鹄突然向其发起进攻，他们活捉了元树和担任谯州刺史的朱文开，胜利回师。羊侃走到官竹的时候，

闻树败而还。九月，树至洛阳；久之，复欲南奔，魏人杀之。

乙巳[640]，以司空袁昂领尚书令。

冬，十一月丁酉[641]，日南至[642]，魏主祀圜丘[643]。

甲辰[644]，魏杀安定王朗、东海王晔[645]。

己酉[646]，以汝南王悦为侍中、大司马。

魏葬灵太后胡氏[647]。

上闻魏室已定，十二月庚辰[648]，复以太尉元法僧为郢州刺史[649]。

魏主以汝南王悦属近地尊[650]，丁亥[651]，杀之。

魏大赦，改元永兴，以与太宗同号[652]，复改永熙。

魏主纳丞相欢女为后，命太常卿李元忠纳币[653]于晋阳。欢与之宴，论及旧事，元忠曰："昔日建义[654]，轰轰大乐[655]，比来寂寥[21]无人问[656]。"欢抚掌笑曰："此人逼我起兵[657]。"元忠戏曰："若不与侍中[658]，当更求建义处[659]。"欢曰："建义不虑无[660]，止畏如此老翁不可遇[661]耳。"元忠曰："止为此翁难遇，所以不去。"因捋欢须大笑[662]。欢悉其雅意[663]，深重之。

尔朱兆既至秀容，分守险隘，出入寇抄。魏丞相欢扬声讨之，师出复止者数四[664]，兆意怠。欢揣[665]其岁首当宴会，遣都督窦泰[666]以精骑驰之，一日一夜行三百里，欢以大军继之。

听到了元树兵败被擒的消息，遂率军而回。九月，元树到达洛阳；很久以后，元树又想向南逃奔梁国，魏国人遂杀死了元树。

十四日乙巳，梁武帝萧衍任命担任司空的袁昂兼任尚书令。

冬季，十一月初七日丁酉，太阳到了南回归线，是冬至日，魏国皇帝在圜丘举行祀天典礼。

十四日甲辰，魏国人杀死了安定王元朗、东海王元晔。

十九日己酉，魏国朝廷任命汝南王元悦为侍中、大司马。

魏国安葬了灵太后胡氏。

梁武帝萧衍听说魏国政局已经稳定，十二月二十一日庚辰，又任用担任太尉的元法僧为郢州刺史。

魏国皇帝因为汝南王元悦与自己的血缘关系亲近，地位尊贵，二十八日丁亥，杀死了汝南王。

魏国实行大赦，改年号为永兴元年，因为永兴与魏太宗拓跋嗣即位后的第一个年号相同，所以又改为永熙元年。

魏国孝武帝想要纳丞相高欢的女儿为皇后，遂令担任太常卿的李元忠前往晋阳给丞相高欢去送聘礼。高欢设宴招待李元忠，宴会上谈论起以往的事情，李元忠说："我们过去举兵反对尔朱荣的时候，热热闹闹地大干了一场，近来人们都寂寞空虚地不再说什么，似乎已经忘记我们当初的宗旨是什么了。"高欢拍着手掌大笑着说："这个人在逼我起兵夺取皇帝之位。"李元忠也开玩笑似的说："如果你不答应我的请求、不接受我的建议，我一定会去找另一个人来夺取皇帝之位。"高欢说："想干这件事的人不愁没有，只怕像我这样的老头儿不好找。"李元忠说："只因为像你这样的老头儿难以遇到，所以我才不离开你。"李元忠于是捋着高欢的胡子大笑起来。高欢完全理解李元忠的一番好意，所以非常敬重李元忠。

尔朱兆逃到秀容郡之后，便派兵分别把守各处的险要关隘，并派人离开秀容南来抢劫抄掠。魏国丞相高欢扬言要出兵讨伐尔朱兆，军队一连几次出动之后又取消行动，尔朱兆于是逐渐放松了戒备。高欢估计岁首的时候尔朱兆一定会设宴庆贺，于是就派遣担任都督的窦泰率领着一支精锐骑兵飞速前往秀容攻打尔朱兆，一天一夜奔驰三百里，高欢率领大军随后进发。

【段旨】

以上为第三段，写梁武帝萧衍中大通四年（公元五三二年）一年间的大事。主要写了高欢另拥立新皇帝安定王元朗于信都，接着高欢军攻下邺城，擒相州刺史刘诞，移新皇帝元朗都于邺城。写了尔朱世隆主动向尔朱兆求好，尔朱氏两派恢复合作，四路联合出兵共同讨伐邺城，高欢在高岳、高敖曹、斛律敦等人的勇敢战斗下以少抗众，反败为胜，大破尔朱氏诸军于韩陵，尔朱氏各路回归各自的州郡。写了斛斯椿与贾显度、贾显智等潜回洛阳发动政变，据河桥，尽诛在朝的尔朱氏之党，袭捕了尔朱世隆、尔朱彦伯，路过洛阳的尔朱天光、尔朱度律被人所擒，俱送交高欢处；尔朱荣的部将侯景往投高欢，尔朱仲远南投梁朝，青州刺史尔朱弼被其部下所杀；关中守将贺拔岳、宇文泰等袭杀尔朱显寿，贺拔岳遂据有关中，不听高欢调遣；宇文泰初露头角，逐渐掌控关中大权。写了高欢弑节闵帝元恭，谥之曰庄宗；又嫌安定王元朗疏远，乃令元朗退位，而迎立元怀之子元脩为皇帝。写了高欢杀退位之二帝元晔、元朗，又杀属近位尊之汝南王元悦。写了高欢入并州讨伐尔朱兆，尔朱兆兵败，逃向秀容，并州平定，高欢建大丞相府而居之；高欢召司马子如为大行台尚书，朝夕左右，参知军国。写了高欢的亲信李元忠为魏主娶皇后向高欢之女下定礼，而见面则劝高欢尽早自己称帝，二人嘻笑尽情。此外还写了萧衍之侄萧正德与朝廷权臣朱异勾结为逆；萧衍之子萧纶逞凶于建康，少府丞何智通言之朝廷，萧纶竟刺杀何智通于市头，而萧衍犹一味姑息养奸；等等。

【注释】

㊼正月丙寅：正月初一。㊽南平王伟：萧伟，萧衍之弟，被封为南平郡王。传见《梁书》卷二十二。㊾元法僧：原为魏国宗室，任徐州刺史，元义乱国时曾自称为帝，后魏朝廷渐定，因畏讨而降梁。传见《梁书》卷三十九。㊿袁昂：宋臣袁颉之子，在齐为御史中丞，入梁后曾为尚书令。传见《梁书》卷三十一。(461)正德：萧正德，萧宏之子，梁武帝萧衍之侄。曾因不得为太子逃奔魏国，后又返回，未被惩处，后又封为临贺王。传见《梁书》卷五十五。(462)失职：丢了应有的职位。梁武帝萧衍在未得太子萧统前，曾过继其侄萧正德。后来自己生了儿子，便将萧正德又退回其生父萧宏的家里。因为萧正德本想当太子，而没能当成，故曰“失职”。(463)故王之：因其本有当太子的可能，故加照顾封临贺王，否则郡王的儿子照例只能封侯。(464)司州牧：梁国的司州州治义阳，即今河南信阳。(465)卫送魏王悦入洛：再送这第二个分裂政权的头子回国搞分裂活动。魏王悦，元悦，孝文帝之子，在位被封为汝南王。传见《魏书》卷二十二。元悦在尔朱荣大杀魏国宗室时逃到梁国，被梁国封为魏王。此前曾到两国边境伺机进入，未能成功，又退了回来。(466)庚午：正月初五。(467)施柱而焚之：胡三省曰，“穴城下为地道未成，恐其颓落而不得究功，故施柱；地道既成，乃焚其柱，故城陷入地”。(468)壬午：正月十七日。(469)文檄、教令：皆文体名。文檄，即通告一类的文字，也称檄移，可用于声讨、警告、劝谕、说明、昭示等。教令，是军政方面大员通知、劝谕部下僚属、军民的书信一类的文字。(470)崔㥄：崔逞之五世孙，先为太学博士，后投归高欢部下，成为高欢的开国功臣。

传见《北齐书》卷二十三。㊽㉑逞：崔逞，先后在慕容暐、苻坚、慕容垂等部下任职，后投归拓跋焘，任御史中丞，因说话讽刺，被拓跋焘所杀。传见《魏书》卷三十二。㊼㉒为东魏王：又树立第三个分裂政权的头目。胡三省曰："上既以元悦为魏王，使自西道入；又使元法僧从东道入，故谓之东魏王。"㊼㉓羊侃：原在魏国萧宝寅部下为将，曾射死关陇地区变民将领莫折天生，后归降梁朝。传见《魏书》卷三十九。㊼㉔偕行：同行。㊼㉕邵陵王纶：萧纶，梁武帝萧衍之子，被封为邵陵郡王。传见《梁书》卷二十九。㊼㉖赊买：强买东西而不付钱。㊼㉗闭邸店：紧闭店门。邸店，这里即指店铺。㊼㉘少府丞：官名，主管为宫廷采购日常生活需要的东西。㊼㉙依事启闻：按照事实报告了梁武帝。㊽⓪被责还弟：被谴责解职回家。弟，通"第"，府第。㊽①防阁：王、公贵族的卫士。皇帝身边有直阁，与之同类。㊽②庚戌：二月十五。㊽③辛亥：二月十六。㊽④安定王：被高欢所立的魏国皇帝元朗。元朗退位后，被降为安定王，此提前用以称之。㊽⑤甲子：二月二十九。㊽⑥三月丙寅：三月初二。㊽⑦高澄：高欢之子，即日后的文襄帝。传见《北齐书》卷三。㊽⑧丁丑：三月十三。㊽⑨入居于邺：由信都迁居于邺，亦即以邺城为都城。邺城在今河北临漳西南。㊾⓪怨毒：怨恨。㊾①王家：大王你们家族。㊾②跨据三方：尔朱兆据并、汾；尔朱天光据关、陇；尔朱仲远据徐、兖。㊾③闰月壬寅：闰三月初八。㊾④洹水：即今之安阳河，流经邺城之南。㊾⑤癸丑：闰三月十九。㊾⑥紫陌：又称祭陌，地名，在今河北临漳境内。㊾⑦集事：成事；取得胜利。㊾⑧不减鲜卑：不比鲜卑人差。㊾⑨不烦更配：用不着再往里头搭配。㊿⓪庚申：闰三月二十六。㊿①叩西门：攻击邺城的西门。〖按〗用"叩"字显得生动活泼。㊿②壬戌：闰三月二十八。㊿③韩陵：地名，在今河南安阳东北。㊿④连系：拴在一起，以起阻挡之用。㊿⑤死志：拼出一死的决心。㊿⑥本所以勠力：当初所以和你并肩合作。勠力，合力。㊿⑦今天子何在：此天子指魏敬宗元子攸，已被尔朱兆杀之于晋阳。㊿⑧永安：魏敬宗的第二个年号（公元五二八至五二九年），尔朱兆用以比较客气地称呼魏敬宗。㊿⑨枉害天柱：没有道理地杀了天柱将军尔朱荣。枉，无理、不正直。㊿⑩昔闻天柱计：我听到尔朱荣阴谋杀害皇帝的话时。〖按〗这是高欢当面撒谎，无事实也。㊿⑪以君杀臣二句：《左传》昭公十四年有所谓"君讨臣，谁敢仇之?"即平常所说的"君叫臣死，臣不敢不死"。㊿⑫从父弟岳：高岳，高欢部下的名将之一。传见《北齐书》卷十三。㊿⑬不用公言：指慕容绍宗劝阻尔朱兆把六镇之兵交给高欢统辖。㊿⑭西走：西返晋阳。㊿⑮反旗鸣角：调转旌旗，吹起号角，以集合自己的军队。㊿⑯死无类：死无遗类，整个家族被杀得一干二净。㊿⑰倍道先还：加快行程返回洛阳。㊿⑱北中：古城名，原是北中郎将的府城，在河桥北岸，是洛阳城北面的重要门户。㊿⑲以次内之：不让他们一哄而进洛阳，盖防止生乱也。内，通"纳"。㊿⑳诡说：骗说。㊿㉑四月甲子朔：四月初一是甲子日。㊿㉒瀍波津：渡口名，在河桥的西方。胡三省曰，"亦曰雷波，即尔朱兆犯洛帅骑踏浅涉渡之处"。㊿㉓义功既振：伸张正义的大功已经获胜。㊿㉔阊阖门：洛阳皇宫的正南门。㊿㉕卢辩：卢同之侄，卢同传见《魏书》卷七十六。㊿㉖抗辞：义正词严地说话。抗，高、不屈。㊿㉗辛未：四月初八。㉘行济州事侯景：代理济州刺史的侯景。侯景原来也在尔朱荣门下，此时已投靠高欢。传见《梁书》卷五十六。济州的州治卢县，在今山东东阿西北，聊城东南。㉙来奔：前来投降梁王朝。㉚滑台：魏国东郡的郡治所在地，在今河南滑县西南。㉛诣欢降：前去投降高欢。㉜擅其荣利：享有他给你的一切富贵尊荣。擅，专有。㉝盟契百重：与尔朱氏多次地宣誓结盟。契，结约。百重，极言其次数之多。㉞为逆：指中大通二年（公元五三〇年）尔朱仲远进兵洛阳事。㉟戎首：先驱；开路先锋。㊱饲之者：喂养它的人。㊲曾：竟然；连个。㊳尔朱天光之东下：〖按〗此追叙以前事。㊴侯莫陈悦：尔朱荣的旧部，姓侯莫陈，名悦。传见《魏书》卷八十。㊵不能制物：在其部众面前没有威信，不能统领其众。物，即指人，人心。㊶人有留心：全都愿意留在长安，不愿随之东讨。人，人人，指侯莫陈悦的部下。㊷失尔朱之期：不能按尔朱氏规定的日期到达。㊸华阴：魏县名，即今陕西华阴，因在华山之北而得名，在当时的长安之东二百多里。㊹领府司马：兼任贺拔岳雍州刺史府的司马。领，兼任。㊺事无巨细皆委之：〖按〗宇文泰的势力从此而起。㊻尔朱世隆之拒高欢：〖按〗亦追叙以前事。㊼房谟：当时受人拥护的地方官，为尔朱世隆所信任，任以为齐州行台。传见《北史》卷五十五。齐州的州治历城，即今山东济南。㊽四渎：四渎津，渡口名，在今山东长清西南。所谓"四渎"，指此水可通四渎而言。胡三省引《水经注》曰："以其自河入济，自泗入淮，自淮达江，水径周流，故有四渎之名。"㊾乱城：古城名，在今山东滨州市滨城区南。㊿扬声北渡：扬言渡黄河而北，以取高欢的根据地。(551)犄角之势：军事用语，以喻两支部队相互策应、相互支援，共同对付一支敌兵的态势。(552)东阳：古城名，即今山东青州，当时为魏国的青州州治所在地。(553)信待：犹言信赖，信任、依靠。(554)同契阔：犹言"同生死、共患难"。《诗经·邶风·击鼓》有所谓"死生契阔"，毛苌注："契阔，勤苦也。"(555)披胸：露出胸膛。披，披开、敞露。(556)传首洛阳：用传车将尔朱弼的首级送到洛阳。(557)丙子：四月十三。(558)建州：魏州名，在今山西晋城西北，高平东南。(559)辛巳：四月十八。(560)至邙山：由邺城入洛阳，先经洛阳城北的邙山。(561)安定王疏远：安定王元朗与魏国皇帝的血缘关系疏远，立之为帝，号召力不强。〖按〗元朗是献文帝元弘的侄孙，与魏明帝元诩已是缌麻之亲。(562)魏兰根：当时有才干的地方官，后来成为高欢的亲信。传见《北齐书》卷二十三。(563)欲复奉之：想继续拥戴元恭为帝。(564)高王：指高欢。(565)广陵：指节闵帝元恭，因其在被拥立为帝前继其父为广陵王。(566)为逆胡所立：元恭是被尔朱世隆拥立为帝。(567)崇训佛寺：崇训寺，洛阳城内的佛寺名。(568)比数夜：近日来的一连几个晚上。比，近、一连。(569)具序往昔之怀：一道诉说旧日的情怀。序，意思同"叙"，诉说。(570)兼荷兄恩意甚多：其中说了许多对你感恩的话。荷，负戴、感恩。(571)何苦惮之：你何必怕他呢。(572)椿乃止：胡三省曰，"史言贺拔胜有才武而无远识，高欢能以奸诈玩弄时辈而悦其心；斛斯椿者小有才，反覆人也，其图欢之志固在孝武帝未立之前矣"。(573)汝南王悦：元悦，孝文帝元宏之子，宣武帝元恪之弟。传见《魏书》卷二十二。(574)平阳王脩：元脩，孝文帝之孙，广平王元怀之子，即历史上所说的魏出帝。传见《魏书》卷十一。⑤⑦⑤求：寻找。⑤⑦⑥太原王思政：太原是魏郡名，郡治晋阳，即今山西太原。王思政是平阳王元脩的亲信。⑤⑦⑦得无卖我邪：莫非是骗我吗。得无，难道、莫非。卖，哄骗。⑤⑦⑧敢保之乎：你能担保我不会有危险吗。⑤⑦⑨毡帐：高欢所居住与办公的大帐篷，亦即“穹庐”“蒙古包”。⑤⑧⑩陈诚：表达诚意。⑤⑧①备服御：准备称帝用的衣服与车马。⑤⑧②昧爽：天蒙蒙亮。⑤⑧③执鞭以朝：胡三省曰，“军中不能备朝服，故执鞭以为敬”。⑤⑧④奉劝进表：向元脩呈上劝其进位称帝的表章。⑤⑧⑤帷门：毡帐的门口。⑤⑧⑥磬折延首：弯着腰，伸着脖子。磬，古代的石制乐器，形如曲尺，故用以形容人的弯腰。⑤⑧⑦便不得不称朕矣：胡三省曰，“平阳王视劝进表而发此言，骄满之气溢于肝膈之上，君子以是知其不能终”。⑤⑧⑧戊子：四月二十五。⑤⑧⑨孝武帝：即元脩，死后谥曰孝武。⑤⑨⑩东郭：洛阳外城的东门外。⑤⑨①庚寅：四月二十七。⑤⑨②高澄：高欢的长子。传见《北齐书》卷三。⑤⑨③南岐州：魏州名，州治在今甘肃徽县东北。⑤⑨④广宁韩贤：广宁是魏郡名，郡治在今山西朔州东南。韩贤原是变民头领葛荣的部将，葛荣败后投归尔朱氏，尔朱荣被杀后又投归高欢。传见《北齐书》卷十九。⑤⑨⑤御史中尉樊子鹄：御史中尉是主管监察、弹劾的官员。樊子鹄原是尔朱荣的部将，尔朱荣被杀后，继续在几个傀儡皇帝手下服务，曾打败降梁的魏将元树，收回一些魏国的失地。传见《魏书》卷八十。⑤⑨⑥攻元树于谯：元树叛魏降梁后，曾被任为郢州刺史，又被派率军北伐魏，攻得谯郡，并驻兵守之。谯是魏郡名，郡治即今安徽亳州。⑤⑨⑦等夷：平等；地位相当。⑤⑨⑧势非获已：实在是出于不得已。⑤⑨⑨失人望：令众人因失望而离心。⑥⓪⓪吐万人：即尔朱兆，字吐万人。⑥⓪①勍敌：势力强大的敌人。⑥⓪②去其巢穴：离开他的巢穴，这里即指都城洛阳。⑥⓪③属心于公：心向着您。属心，归心。⑥⓪④堑：壕沟；护城河。⑥⓪⑤兼山东：吞并华山以东，指今之河南、山西、河北、山东、安徽等广大地区。山东，华山以东，也可以说崤山之东。崤山在今河南灵宝东南，都是指关中以外的东方广大地区。⑥⓪⑥封函谷：守住函谷关，在关中地区割据称王。封，堵塞、挡住。东汉初期关中地区的割据势力隗嚣的部将王元曾对隗嚣说：“元请以一丸泥为大王东封函谷关。”薛孝通即借用其语。⑥⓪⑦逊辞为启：上书说客气话，找理由推托。⑥⓪⑧不就征：不听招呼，不到洛阳去。⑥⓪⑨壬辰：四月二十九。⑥①⓪五月丙申：五月初三。⑥①①门下外省：门下省正门以外的屋舍。门下省即侍中与诸侍郎办公、议事之地。⑥①②百司：意同“百官”。⑥①③葬用殊礼：用特殊优厚的礼容予以安葬。胡三省曰：“加九旒、銮辂、黄屋、左纛、班剑百二十人，盖其礼特异于诸王之丧耳。”〖按〗元恭被高欢所杀时，年三十五岁，谥曰武怀。⑥①④沛郡王欣：元欣，献文帝元弘之孙，广陵王元羽之子，节闵帝元恭之兄。传见《魏书》卷二十一。⑥①⑤赵郡王谌：元谌，献文帝拓跋弘之孙，赵郡王元干之子，被魏庄帝封为赵郡王。传见《北史》卷十九。⑥①⑥南阳王宝炬：元宝炬，孝文帝之孙，京兆王元愉之子。传见《魏书》卷二十二。即西魏文帝，宇文泰所立。公元五三五至五五一年在位。⑥①⑦戊戌：五月初五。⑥①⑧己酉：五月十六。⑥①⑨清河王亶：元亶，孝文帝之孙，清河王元怿之子，继其父位为清河郡王。传见《魏书》卷二十二。⑳高隆之：高欢的亲党，无血缘关系，只偶然同姓而已。传见《北齐书》卷十八。㉑命以为弟：呼之为弟。命，名也。㉒镇兵何敢尔：一个镇兵安敢如此嚣张。镇兵，当时洛阳一带的士大夫对北方边境军官的蔑称。胡三省曰："魏迁洛阳，北人留居北镇者率隶尺籍，故詈之曰'镇兵'。"㉓六月丁卯：六月初五。㉔归第：免除其现有职务，只以骠骑大将军的身份回家赋闲。㉕广平武穆王：元怀，孝文帝之子，是高欢新立的现时魏主元脩之父，武穆是其死后的谥。㉖改谥武怀皇帝曰孝庄皇帝：《谥法解》，"武而不遂曰庄，死于原野曰庄，兵甲不亟作曰庄"。㉗七月庚子：七月初八。㉘壬寅：七月初十。㉙庚戌：七月十八。㉚军司：意同"军师"，参谋总长。㉛武乡：魏县名，在今山西武乡东北。㉜秀容：魏郡名，郡治在今山西忻州西北，当时上属于肆州。㉝四塞：四面皆有险可守。㉞夏州迁民：被强迫从夏州迁居到青州的百姓。青州的州治即今山东青州，当时称作东阳。㉟元嶷：魏昭成帝拓跋什翼犍之子。传见《魏书》卷十五。㊱迁来奔：郭迁逃来归顺梁朝。㊲围元树于谯城：去年，梁派元树镇谯城，今年四月魏御史中尉樊子鹄率军攻之。㊳蒙县：魏县名，县治在今河南商丘东北。㊴羊侃行至官竹：羊侃原是魏国名将，魏朝廷内乱时投归梁朝，此时是受梁朝之命往救谯城之守将元树。官竹是魏邑名，在商丘东南。胡三省引《水经注》曰："睢水自睢阳东南流，历竹圃，水次绿竹荫渚，菁菁弥望，世人谓之梁王竹园。官收其竹，因曰官竹。"㊵乙巳：九月十四。㊶十一月丁酉：十一月初七。㊷日南至：太阳到了南回归线，也就是到了冬至节。㊸祀圜丘：到天坛祭天。圜丘，皇帝祭天的圆台，即后代所说的"天坛"。㊹甲辰：十一月十四。㊺魏杀安定王朗东海王晔：胡三省曰，"二王皆尝拥立，虽已废退，居嫌疑之地，故见杀"。㊻己酉：十一月十九。㊼灵太后胡氏：宣武帝元恪的皇后，明帝元诩的生母，被尔朱荣投于河而死。传见《魏书》卷十三。㊽庚辰：十二月二十一。㊾复以太尉元法僧为郢州刺史：今春魏国形势混乱时，梁国曾任元法僧为东魏王，以分裂魏国，近来魏国形势稳定，故停止分裂之举，改任元法僧为郢州刺史。㊿属近地尊：血缘亲近，职位尊贵。〖按〗元悦是现任魏主元脩的亲叔父，官居大司马之职。(651)丁亥：十二月二十八。(652)与太宗同号：与明元帝拓跋嗣的年号相同。明元帝拓跋嗣是道武帝拓跋珪之子，太武帝拓跋焘之父，庙号太宗，公元四〇九至四二三年在位，其第一个年号称"永兴"（公元四〇九至四一三年）。传见《魏书》卷三。〖按〗此事甚奇，"永兴"是魏国百年前用过的年号，难道魏国朝廷竟无人记得？为何又让元脩使用之？(653)纳币：送聘礼，俗称"过定"。婚前男方给女子送聘礼，女家受礼后回报男方，表示两人的婚姻已定。(654)建义：举行反尔朱荣的起义。(655)轰轰大乐：热热闹闹地大干了一场。乐，欢乐、热闹。(656)比来寂寥无人问：近来人们都寂寞空虚地不再说什么，言外之意是"忘记我们当初的宗旨是什么了"。(657)逼我起兵：逼着我起来夺取皇帝之位。(658)不与侍中：不答应我的请求；不接受我的建议。与，赞成、接受。侍中，李元忠自指。(659)当更求建义处：我会去找另一个人起来夺取皇帝位。(660)建义不虑无：想干这件事的人不愁没有。661 如此老翁不可遇：能像我这么合适的老头儿不好找。662 因捋欢须大笑：〖按〗帝王之家的婚姻完全是一种政治需要、政治手段，根本不把当事人的感情视有分毫，此处表现得淋漓尽致。663 悉其雅意：明白他一贯的思想。悉，明白、了解。雅意，解释为“素意”固可，解释为“好意”也未为不可。664 数四：多次。665 揣：揣测；估计。666 窦泰：高欢的亲信部将。传见《北齐书》卷十五。

【校记】

［11］三：原作“二”。据章钰校，甲十一行本、乙十一行本、孔天胤本皆作“三”，今据改。［12］昔：据章钰校，甲十一行本、乙十一行本、孔天胤本“昔”下皆有“亲”字。［13］单骑：原无此二字。据章钰校，甲十一行本、乙十一行本、孔天胤本皆有此二字，今据增。〖按〗《魏书·尔朱世隆传》亦有此二字。［14］灅波津：原作“灅陂津”。据章钰校，甲十一行本、乙十一行本皆作“灅波津”，张瑛《通鉴校勘记》同，今据改。〖按〗《魏书·尔朱度律传》亦作“灅波津”。［15］俱：据章钰校，甲十一行本、乙十一行本、孔天胤本皆作“共”。［16］共：张敦仁《通鉴刊本识误》以为“共”作“力”。［17］具：原作“且”。据章钰校，甲十一行本、乙十一行本、孔天胤本皆作“具”，今据改。〖按〗《北史·斛斯椿传》作“具”。［18］磬：据章钰校，甲十一行本、乙十一行本、孔天胤本皆作“罄”。［19］虽：原无此字。据章钰校，甲十一行本、乙十一行本、孔天胤本皆有此字，今据增。［20］狎：原无此字。据章钰校，甲十一行本、乙十一行本、孔天胤本皆有此字，张敦仁《通鉴刊本识误》同，今据补。［21］寂寥：原作“寂寂”。据章钰校，甲十一行本、乙十一行本、孔天胤本皆作“寂寥”，今据改。〖按〗《北史·李灵传附曾孙元忠传》作“寂寥”。

【研析】

本卷写梁武帝萧衍中大通三年（公元五三一年）、四年共两年间南梁与北魏两国的大事。其中最重要的是尔朱荣被杀后，尔朱荣的兄弟子侄分别控制着朝廷与地方上的军政大权，他们各自结党营私，贪赃枉法，强加罪名地杀害了世代忠良的杨播、杨椿一门，招得人人自危、人人愤怒；而在他们的兄弟子侄之间又互不相容，彼此对立。控制朝廷的尔朱世隆废掉了他与尔朱兆原来所立的傀儡皇帝元晔，而自作主张地改立新傀儡元恭，这使控制并州、肆州一带地区的尔朱兆更加不满；高欢原是尔朱荣部下的野心家，尔朱荣死后，他眼见尔朱氏的大势已去，但他假意趋从尔朱兆，骗得原先归附于尔朱荣的二十万葛荣旧部的指挥权。随后他移兵河北，继续挑拨北方六镇与尔朱氏的矛盾，最后终于在亲信李元忠、封隆之、高乾邕等人的辅佐下，发布檄文，声讨尔朱氏家族的种种罪恶，并举起了讨伐尔朱氏的大旗。

高欢与尔朱氏的战斗，第一场是先破尔朱兆的并州大军于广阿（今河北隆尧东），

史文对此叙述说："尔朱兆出井陉，军于广阿，众号十万。高欢纵反间，云'世隆兄弟谋杀兆'，复云'兆与欢同谋杀仲远等'，由是迭相猜贰，徘徊不进。"又说："高欢将与兆战，而畏其众强，以问亲信都督段韶，韶曰：'所谓众者，得众人之死；所谓强者，得天下之心。尔朱氏上弑天子，中屠公卿，下暴百姓，王以顺讨逆，如汤沃雪，何众强之有！'欢曰：'虽然，吾以小敌大，恐无天命不能济也。'韶曰：'韶闻"小能敌大，小道大淫。""皇天无亲，惟德是辅。"尔朱氏外乱天下，内失英雄心，智者不为谋，勇者不为斗，人心已去，天意安有不从者哉！'……辛亥，欢大破兆于广阿，俘其甲卒五千余人。"明代袁俊德评论段韶的这段话说："'得众人之死''得天下之心'，段韶二语可谓达于事理。高欢唯以军实论强弱，不复知顺逆大经者，由其素志颇与尔朱相似，故自生犹豫耳。"这段话分析双方实力的对比，与分析高欢的思想都很深刻。

尔朱氏总结第一次失败的教训，尔朱世隆与尔朱兆都对彼此的关系做了若干修补，彼此"更立誓约，复相亲睦"。于是尔朱氏各路协同二次出兵，共同围攻高欢于邺城附近的韩陵。史文对此描写说："欢将战，马不满二千，步兵不满三万，众寡不敌，乃于韩陵为圆陈，连系牛驴以塞归道，于是将士皆有死志。兆望见欢，遥责欢以叛己，欢曰：'本所以勠力者，共辅帝室。今天子何在？'兆曰：'永安枉害天柱，我报仇耳。'欢曰：'我昔闻天柱计，汝在户前立，岂得言不反邪！且以君杀臣，何报之有！今日义绝矣。'遂战。欢将中军，高敖曹将左军，欢从父弟岳将右军。欢战不利，兆等乘之，岳以五百骑冲其前，别将斛律敦收散卒蹑其后，敖曹以千骑自栗园出横击之，兆等大败。"此战的整个过程与叙事方法都与《史记》写韩信大破项羽于垓下的方法相同。此战之后，尔朱氏诸人返回到各自的军镇，洛阳发生兵变，斛斯椿、贾显度等袭杀了尔朱世隆、尔朱彦伯；尔朱天光、尔朱度律在返回关中路经洛阳的时候被斛斯椿的部下所俘；尔朱仲远的部下叛降高欢，尔朱仲远逃到了梁朝。接着高欢进军并州，尔朱兆北逃秀容；高欢又追到秀容，下一卷叙述到尔朱兆逃进深山，自缢而死。到此，尔朱氏的势力被彻底肃清，魏国的一切权力都转到了高欢手中。于是高欢在并州建立起大丞相府，对魏国朝廷实行遥控，与当年尔朱荣的样子完全相同。在这期间，洛阳朝廷的傀儡皇帝则是已经由元恭换成了元朗，又由元朗换成了元脩。

在上一卷里，我们看到元子攸的刚强不屈，继他之后的几个傀儡皇帝中还有元恭其人。元恭是广陵王元羽之子，孝文帝的亲侄子，元子攸的堂兄弟。早在胡太后的妹夫元义篡政掌权的时候，大肆迫害宗室，于是元恭遂假装因病变成了哑巴。此后变乱频仍，风波不定，元恭这个哑巴遂一直装了八年，始终没有说过话。等到元子攸杀了尔朱荣，尔朱兆报仇杀了元子攸之后，尔朱世隆与尔朱兆先是立了元恰之子元晔为皇帝。后来尔朱世隆嫌元晔与孝文帝、宣武帝的血缘太远，故而又派人到上洛山来找孝文帝的侄子哑巴元恭。史文对此写得很生动："关西大行台郎中薛孝通说尔朱天光曰：'广陵王，高祖犹子，夙有令望，沈晦不言，多历年所，若奉以为主，必天人允叶。'天光与世隆等谋之，疑其实喑，使尔朱彦伯潜往敦谕，且胁之，恭乃曰：'天何言哉？'世隆等大喜。"于是他们胁迫元晔立即退位，并亲笔写了将皇帝位让给元恭的文告。不想元恭一上台立即表现出了与尔朱氏的不合作：当时的黄门侍郎邢子才替新上任的皇帝起草了一篇大赦文，其中说到了元子攸屈杀了尔朱荣的问题。元恭马上表态说："永安手翦强臣，非为失德，直以天未厌乱，故逢成济之祸耳。"说罢，"因顾左右取笔，自作赦文，直言：'门下：朕以寡德，运属乐推，思与亿兆，同兹大庆，肆眚之科，一依常式。'帝闭口八年，致是乃言，中外欣然以为明主，望至太平"。元子攸刚因触犯尔朱氏而被杀，现在元恭一上台立刻就又跟着来，他把元子攸比作曹髦，把尔朱兆比作弑君犯上的贾充、成济，其气魄、胆量真可以称得上是惊天地、泣鬼神了。后来尔朱世隆提出让尔朱荣配享魏国的皇帝，以示荣宠。这时位居司直的刘季明反对说："若配世宗，于时无功；若配孝明，亲害其母；若配庄帝，为臣不终。以此论之，无所可配。"世隆怒曰："汝应死！"季明曰："下官既为议首，依礼而言，不合圣心，翦戮唯命！"大义凛然，丝毫不含糊，真可谓是"有其君，必有其臣"了。后来尔朱氏被灭，高欢掌权，高欢又先后立了元朗、元脩为傀儡。当高欢向他的亲信们谈起元恭的为人时，有人提出"神采高明，恐于后难制"。于是元恭遂被高欢杀害了。元恭之死，虽死犹生！

本卷还写了梁武帝萧衍的太子萧统的死。历史家对萧统的为人极其称道，说："太子自加元服，上即使省录朝政，百司进事，填委于前，太子辩析诈谬，秋毫必睹。"又说他"好读书属文，引接才俊，赏爱无倦，……每霖雨积雪，遣左右周行闾巷，视贫者赈之。天性孝谨，在东宫，虽燕居，坐起恒西向，或宿被召当入，危坐达旦。……及卒，朝野惋愕，建康男女，奔走宫门，号泣道路。"这萧统究竟是怎么死的呢？原来是出于为其生母丁妃寻找墓地，风水好的墓地找到了，但被贪贿的宦官怂恿梁武帝换了另一块地葬了丁妃。有人又说此地对其长子不利，为了弥补这种不利，需要按着方士们的说法搞一些厌祷之物。结果被诬告到梁武帝那里，罪名是用心叵测。梁武帝要彻底查办，丞相徐勉拦着不让查，说是要为太子保全体面，结果遂使梁武帝一辈子有所怀疑，让太子的冤屈至死没有洗白的机会。你说这徐勉到底是什么东西！司马光对此评论说："君子之于正道，不可少顷离也，不可跬步失也。以昭明太子之仁孝，武帝之慈爱，一染嫌疑之迹，身以忧死，罪及后昆，求吉得凶，不可湔涤，可不戒哉？是以诡诞之士，奇邪之术，君子远之。"批评萧统相信那些邪门歪道的玩意自然是对的，汉武帝的太子刘据没有搞这种玩意，不是别人也能给他扣到头上去吗？关键还是得皇帝别相信这种邪门歪道的玩意，别接近这种邪门歪道的人；以及当丞相的要心术端正，遇事要秉公查清，别让坏人钻空子诬陷好人。胡三省对此感慨地说:“呜呼,帝于豫章王综、临贺王正德,虽犯逆迹,犹容忍之;至于昭明被谗,则终身衔其事,盖天夺其魄也。”梁武帝的弟兄与子侄中有不少很坏的人,甚至阴谋作乱、叛国投敌,他都能容忍,舍不得用国法、家法给予惩办,偏偏对萧统这点莫须有的事情竟一辈子不依不饶,的确也真让人难以理解。